1 MONTH OF
FREE
READING

at

www.ForgottenBooks.com

By purchasing this book you are eligible for one month membership to ForgottenBooks.com, giving you unlimited access to our entire collection of over 700,000 titles via our web site and mobile apps.

To claim your free month visit:

www.forgottenbooks.com/free473734

ISBN 978-0-331-21539-7
PIBN 10473734

Forgotten Books is a registered trademark of FB &c Ltd.
Copyright © 2017 FB &c Ltd.
FB &c Ltd, Dalton House, 60 Windsor Avenue, London, SW19 2RR.
Company number 08720141. Registered in England and Wales.

For support please visit www.forgottenbooks.com

Abhandlungen

herausgegeben

vom

Naturwissenschaftlichen Verein

zu

BREMEN.

XIII. Band

mit 5 Tafeln und 4 Abbildungen im Texte.

BREMEN.
C. Ed. Müller's Verlagsbuchhandlung.
1896.

Inhalt.

Drittes Heft. Ausgegeben im März 1896.

Das Wasser im Flutgebiete der Weser.

Eine chemisch-geologische Untersuchung.

Mit den Hilfsmitteln der Moor-Versuchsstation. in Bremen

ausgeführt von

Friedrich Seyfert.

1. Das Material.

Als der Staat Bremen im Frühjahr 1887 mit dem Unternehmen der Korrektion der Unterweser, d. h. Herstellung einer tieferen Fahrrinne von See nach dem Freihafen in Bremen, begann, wurde es notwendig, das Weserwasser an mehreren Punkten regelmässig auf seinen Salzgehalt zu untersuchen, und zwar aus folgendem Grunde:

In den an die Unterweser grenzenden Marschgegenden fürchtete man, dass künftig die von See kommende Flutwelle, die, wie berechnet war, mit verstärkter Kraft in dem Strombette aufwärts dringen sollte, auch das Salzwasser höher hinauf drängen würde. Danach sollte es nur noch unter Nachteil oder Gefahr für den Viehstand möglich sein, wie seither in trockener Jahreszeit Weserwasser in die Gräben der Marsch einzulassen, um das Vieh zu tränken. Das Grundwasser der vom Fluss bespülten Ländereien würde sich dann gleichfalls allmählig verschlechtert haben und wäre salzreicher geworden. Schliesslich würde eine nachteilige Wirkung auf den Pflanzenwuchs nicht ausgeblieben sein.

Diesen Befürchtungen stand zwar das Ergebnis der hydrotechnischen Berechnung über die künftige Verschiebung des Salzgehaltes in der Unterweser durch die Flut entgegen, doch konnte nicht erwartet werden, dass die beteiligten Kreise bei dem Ergebnis der für Laien nicht verständlichen Vorausberechnung Beruhigung fassten, sondern es musste danach getrachtet werden, die Spur des Seewassers in der Unterweser unmittelbar nachzuweisen. Die Uferstaaten kamen bei ihren Verhandlungen daher überein, dass längere Zeit hindurch das Wasser der Unterweser an mehreren Stellen regelmässig auf seinen Salzgehalt geprüft werden sollte.

Infolgedessen wurden seit Juni 1887 an sieben Punkten in der Unterweser jeden Sonnabend bei Hochwasser mit gleichartigen, flaschenförmigen und erst unter Wasser zu öffnenden Gefässen in 1½ m Tiefe unter der Oberfläche Wasserproben geschöpft und dann der Moor-Versuchsstation in Bremen übergeben, damit der Gehalt an Chlor bestimmt würde.

Ein Ort der Unterweser hat dann Hochwasser, wann die aus dem Meere kommende Flutwelle mit ihrem Scheitel angelangt ist.

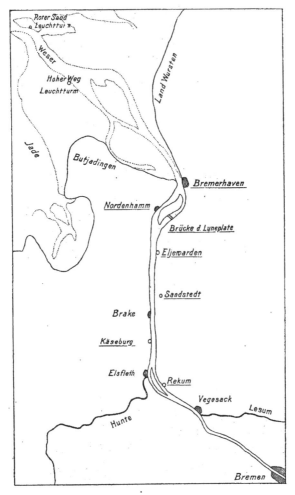

In dem Flussgebiete, wo noch Ebbe und Flut des Meeres bemerkt wird, bezeichnet demnach Hochwasser den nach jeder Ebbe mit der Flut sich einstellenden, höchsten Wasserstand, bezeichnet also den Gipfel der immer wiederkehrenden, periodischen Hebung des Wasserspiegels. Im Oberlaufe eines Flusses dagegen bedeutet Hochwasser etwas anderes und zwar eine aussergewöhnliche Überfüllung seines Bettes mit Wasser infolge reichlicher Niederschläge aus der Atmosphäre.

Die Flutwelle schreitet von der Wesermündung aufwärts fort, das Hochwasser kann also an Punkten, die an der Unterweser entlang verteilt sind, nicht gleichzeitig eintreten, doch kann der Eintritt des Hochwassers für jeden Ort vorausberechnet werden. Daher sind die Wasserproben an den sieben Punkten der Unterweser in aufeinanderfolgenden Zeiten geschöpft worden, und zwar eine jede um so eher, je näher die Schöpfstelle der Mündung liegt. Der Zeitpunkt, zu dem an der obersten Schöpfstelle geschöpft wurde, fiel, wenn der Unterschied gross wurde, 2 Stunden und 40 bis 50 Minuten später als der Zeitpunkt, wann bei Bremerhaven der Mündung zunächst geschöpft worden war.

Die sieben Schöpfstellen, deren Lage die beigegebene Kartenskizze andeutet, waren die folgenden:

I. bei Bremerhaven;
II. bei Nordenhamm, von I. etwa 9 km entfernt;
IIa. zwischen der Luneplate und dem Festlande vor dem Üterlander Siel (Brücke nach der Luneplate), von I. etwa 7 km entfernt, Nordenhamm schräg gegenüber im rechten Arme der Weser gelegen, die hier durch eine Insel, die Luneplate, gespalten wird;
III. bei Eljewarden, vor dem Neuenlander Siel, von I. etwa 17 km entfernt;
IV. bei Sandstedt, von I. etwa 24 km stromaufwärts gelegen;
V. bei Käseburg, von I. etwa 32 km stromaufwärts gelegen;
VI. bei Rekum, von I. etwa 41 km stromaufwärts entfernt.

Die Moorversuchsstation gelangte in den Besitz von Wasserproben aus der Unterweser, die so zuverlässig und regelmässig entnommen worden waren, wie es wohl nur sehr selten vorkommt. Auf Veranlassung des damaligen Leiters der Versuchsstation, des Herrn Professor Dr. Fleischer, wurde das wertvolle Material näher untersucht. Die Ergebnisse habe ich in der vorliegenden Abhandlung niedergelegt. Vornehmlich wollte ich feststellen,

welche Bestandteile oder Verbindungen der Fluss dem Meere unter verschiedenen Verhältnissen, sowohl in gelöster, als in suspendierter Form, zuführt, und in welchen Mengen, ferner:

welche Veränderungen das Flusswasser unterm Einflusse des Meerwassers erleidet und

ob die in dem Wasser gelösten und die darin suspendierten oder daraus sich absetzenden Stoffe auf einander einwirken, um dadurch die Entstehung des Seeschlicks näher erklären zu können.

Die zu Gebote stehenden hydrotechnischen Ermittelungen über die bewegten Wassermengen ermöglichten es, die Verhältnisse auch quantitativ näher zu betrachten.

Zu dem Zwecke wurde das an den einzelnen Stellen geschöpfte Wasser in sieben Glasballons, die bis 30 l und mehr fassten, aufgesammelt. Wenn die Wasserproben eingeliefert worden waren, wurden die mit Korbgeflecht umschlossenen Gefässe vor ihrer Entleerung gut durchgeschüttelt, und aus jedem wurde 1 l abgemessen, dann in den mit dem Orte der Probeentnahme bezeichneten Glasballon gegossen.

Von jeder der sieben Schöpfstellen in der Unterweser sammelten sich in dieser Weise Wassermischungen an, die von den dort abgesandten Proben je 1 l Wasser samt suspendierten Stoffen enthielten. Ausgeschieden wurden aus dieser Sammlung alle bei Niedrigwasser (Ebbe), sowie die nicht im Strome, sondern hinter den Deichen oder überhaupt ausnahmsweise, nicht am Sonnabend geschöpften Proben. Sie waren gegenüber den regelmässig geschöpften Proben an Zahl gering.

Das für die vorliegende Untersuchung gesammelte Wasser stellte in seiner Zusammensetzung lediglich das Wasser dar, das sich zur Zeit des Hochwassers in dem Flussbette bewegte. Das Sammeln des Wassers zerfiel während des Jahres in zwei Abschnitte, wovon der eine mit der kälteren Jahreszeit, in der die Weser viel Wasser führte, der andere mit der wärmeren Jahreszeit, wo der Wasserstand im oberen Laufe des Flusses durchschnittlich niedriger blieb, zusammenfallen sollte.

Nachstehend ist angegeben, welche Wassermengen im ganzen und während welcher Zeiträume sie von den einzelnen Schöpfstellen gesammelt worden sind.

	4. Juni 1887 bis 1. Oktober 1887.	25. Februar 1888 bis 15. Sept. 1888.	15. Sept. 1888 bis 25. Mai 1889.	1. Juni 1889 bis 12. Okt. 1889.	19. Okt. 1889 bis 15. März 1890.	22. März 1890 bis 4. Okt. 1890.	11. Okt. 1890 bis 4. April 1891.	11. April 1891 bis 6. Juni 1891.
I. Bremerhaven . . 1	18	27	39	19	22	26	24	9
II. Nordenhamm . . „	17	29	35	19	22	29	24	9
IIa. Brücke nach der Luneplate . . „	17	27	36	17	22	24	18	8
III. Eljewarden. . . „	19	27	34	18	21	27	20	9
IV. Sandstedt . . . „	19	25	35	20	21	28	25	8
V. Käseburg . . . „	19	25	30	18	17	34	15	9
VI. Rekum . . . . „	19	27	34	20	21	29	23	9

2. Die Untersuchung.

In den Glasballons vollzog sich vollständig die Scheidung der suspendierten Teilchen von dem Wasser, indem sie sich allmählich auf dem Boden ablagerten, während das darüber stehende Wasser spiegelklar wurde, und, soweit es von den oberen Schöpfstellen herrührte, nur einen schwach gelblichen Farbenton zeigte, der auf gelöste, organische Substanz zurückzuführen war.

Das klare Wasser wurde mit einem Heber abgezogen. Je nach dem Gehalte an gelösten Salzen wurden grössere oder geringere Mengen in Platinschalen, und zwar auf dem Wasserbade, unter Vermeidung von Verunreinigung durch Verbrennungsprodukte von Leuchtgas oder dergleichen, eingedampft, so von den Schöpfstellen VI, V und IV acht, sechs, mindestens aber vier Liter, von den Stellen III und IIa höchstens fünf und mindestens drei Liter, von dem Wasser der Schöpfstelle II meist nur zwei Liter, von I ein, höchstens zwei Liter. Der Bodensatz der Ballons wurde quantitativ in ein grosses Glasgefäss gespült, in diesem belassen, bis er sich nochmals vollständig abgesetzt hatte, dann auf ein gewogenes Filter gespült, wo mit möglichst wenig destilliertem Wasser nachgewaschen wurde, und schliesslich getrocknet, damit die Trockensubstanz der suspendierten Stoffe ermittelt werden konnte.

Gegen die Behandlung der suspendierten Stoffe mit destilliertem Wasser könnte vielleicht der Einwand erhoben werden, dass manche Bestandteile, die sich in dem mit Kochsalz und Magnesiasalzen angereicherten Weserwasser unlöslich abgeschieden hatten, aufgelöst worden seien. Die Filter, die den Schlamm von den drei obersten Schöpfstellen enthielten, brauchten indessen nur mit wenig destilliertem Wasser begossen zu werden, und die Unlöslichkeit dieser suspendierten Stoffe dürfte in dem unvermischten Weserwasser wohl nicht viel grösser als in destilliertem Wasser gewesen sein. Andererseits musste das Papier der Filter, die den Schlick von den unteren Schöpfstellen fassten, ausgewaschen werden, um die erheblichen Salzmengen daraus zu entfernen. Ein Aufrühren des Filterinhaltes wurde thunlichst vermieden.

Von dem klaren Wasser war von vornherein anzunehmen, dass es eine Mischung von Seewasser mit Flusswasser sei, dass also da, wo viel Seewasser zugegen, an den unteren Schöpfstellen, das Wasser einen hohen Gehalt an Bestandteilen, die für Seewasser charakteristisch sind — vornehmlich Chlor, Magnesia, Schwefelsäure —, zeigen würde. Die Bestandteile, die ermittelt wurden, und die Art und Weise ihrer Bestimmung werden nachstehend besprochen.

Die Genauigkeit, mit der der Trockenrückstand und der Glührückstand bestimmt werden konnten, hing ganz von der Menge der Chloride und besonders der Magnesiaverbindungen ab. Während der Rückstand des Wassers von den Schöpfstellen VI und V, weniger rasch der von IV stammende, beim Trocknen in einem Luftbade sehr bald sein konstantes Gewicht erreichte, wobei es geringen Unterschied machte, ob bei 110^0 C., 115^0, 120^0 oder auch bei 130^0 C. getrocknet wurde, war es nicht möglich, für das salzreichere Wasser, das von Eljewarden bis Bremerhaven entnommen war, einen Rückstand zu ermitteln, der ein konstantes Trockengewicht gezeigt hätte. Einerseits gaben namentlich die hygroskopischen Chloride und Sulfate des Magnesiums und Calciums das Wasser nur unvollständig ab, andererseits aber, wenn höhere Temperaturen, so z. B. bis 170^0 C., angewendet wurden, zersetzte sich der Rückstand, es begann Salzsäure, und wenn der Inhalt der Platinschalen, besonders der von Bremerhaven und von Nordenhamm stammende, schwach geglüht wurde, auch Chlor zu entweichen. Bekanntlich ist Chlormagnesium für sich und in Berührung mit anderen Salzen in hoher Temperatur sehr leicht zersetzbar.

Kohlensäure wurde in dem Trockenrückstande in bekannter Weise bestimmt, indem das Gas mit verdünnter Salzsäure freigemacht und nachdem es getrocknet war, in Kalilauge aufgefangen und unmittelbar gewogen wurde.

Die so ermittelte Kohlensäure würde als „gebundene", wie die gebräuchliche Bezeichnung lautet, zu betrachten sein. Nun ist bekannt[*], dass in Meerwasser die Menge der gebundenen Kohlensäure nicht ermittelt werden kann, indem man abdampft und in dem Rückstande die Kohlensäure bestimmt. Denn die neutralen Karbonate werden von den gelösten Magnesiumsalzen zersetzt, indem Kohlensäure entweicht. Der gleiche Vorgang wird statthaben, wenn stark mit Seewasser vermischtes Flusswasser eingedampft wird. Man kann aber bei vorsichtigem Verdampfen von Meerwasserproben unter möglichst gleichen Bedingungen Rückstände mit annähernd gleichen Mengen gebundener Kohlensäure erhalten. Daher werden sich in dem Rückstande von Flusswasser, das mit Seewasser gemischt war und auf dem Wasserbade eingedampft wurde, Kohlensäuremengen befinden, die um so geringer ausfallen, je mehr Seewasser und somit Magnesiumsalz vorhanden gewesen ist. Nebenbei bemerkt, das traf zu, indem die Rückstände des Wassers der untersten Schöpfstellen Kohlensäuremengen enthielten, nach welchen dieses Wasser ärmer an gebundener Kohlensäure gewesen wäre als das Wasser der oberen Schöpfstellen. Dagegen wird man mit einiger Sicherheit die Kohlensäure in dem Rückstande von Flusswasser, das so wenig Magnesiumsalze enthält, wie das bei Rekum, Käseburg und Sandstedt geschöpfte Weserwasser, als denjenigen Betrag Kohlensäure betrachten können, der dem Gehalte des Wassers an „gebundener" Kohlensäure nahekommt. Wenn daher weiter unten in der Tabelle für die Schöpfstellen VI, V und IV Ziffern als die im Wasser vorhanden gewesenen Mengen gebundener Kohlensäure angeführt werden, so geschieht das nur des Vergleichs wegen zwischen dem Wasser der warmen und demjenigen der kalten Jahreszeit.

Eine Bestimmung der halbgebundenen und der gebundenen Kohlensäure nach einer der bekannten Methoden in dem Sammelwasser auszuführen, fehlte es ganz an Zeit. Die Bestimmung der halbgebundenen Kohlensäure nach einer in dem bekannten Werke von Kubel-Tiemann angegebenen Methode wurde zwar an zwei Reihen Sammelwasser versucht, wobei die Bestimmungen doppelt ausgeführt wurden, es stellte sich aber heraus, dass für Seewasser, auch wenn es verdünnt ist, die übliche Bestimmung der halbgebundenen Kohlensäure nicht ohne weiteres brauchbar ist. Davon, die im Wasser vorhandene, freie Kohlensäure zu bestimmen, war nach Art der Probenahme und wegen des Umschüttelns der Einzelproben auf dem Transport und im Laboratorium, sowie wegen der langen Aufbewahrung vor der Untersuchung von vornherein abzusehen.

*) Die Ergebnisse der Untersuchungsfahrten S. M. Knbt. „Drachë" in der Nordsee in dem Sommer 1881, 1882, 1884. Veröffentlicht vom hydrographischen Amt der Admiralität. Berlin 1886. Kapitel IV: Chemische Untersuchungen, bearbeitet von Prof. Dr. Jacobsen.

Ohne Interesse wäre es jedenfalls nicht gewesen, wenn der Gehalt des Flusswassers an Kohlensäure oder auch nur an Karbonaten, wenn es sich am stärksten mit Seewasser vermischt hat, an den verschiedenen Schöpfstellen hätte verfolgt werden können. Nach dem, was über die Zusammensetzung ozeanischen Wassers bisher ermittelt worden ist, ist der Gehalt der Wasseroberfläche an neutral gebundener Kohlensäure ein sehr gleichmässiger, und als der gewöhnlichere Fall wird es betrachtet, dass das Süsswasser, wenigstens in den grösseren Strömen, weniger neutral gebundene Kohlensäure enthält als das Meerwasser. Denn in Meerwasser, das durch Süsswasser verdünnt war, ist absolut weniger Kohlensäure gefunden worden als im unverdünnten. Hiernach hätte ich voraussetzen und mittels geeigneten Untersuchungsverfahrens finden müssen, dass die Unterweser, nachdem das Seewasser in den Fluss eingedrungen ist, zur Hochwasserzeit, einen von oberhalb nach unterhalb zunehmenden Gehalt an kohlensauren Salzen besitzt.

Das vollkommen klare Sammelwasser enthielt organische Substanz in Lösung, die, wenn sie nur nach dem geringen Unterschied in der Färbung des Wassers abgeschätzt wurde, in dem oberhalb geschöpften Wasser als reichlicher vorhanden anzunehmen war, als in dem von Bremerhaven und Nordenhamm.

Auf die Bestimmung dieser organischen Substanz darf, da sie grossen Aufwand an Zeit und Mühe verursachte, näher eingegangen werden.

Allgemein pflegt man in Wasser die organische Substanz zu bestimmen, indem man sie mittels Kaliumpermanganat oxydiert und ihre Menge nach dem Verbrauch an genanntem Salze bemisst. Man kommt hierbei, weil die Oxydation in stark schwefelsaurer Lösung zu Ende geführt wird, zu erheblichen Irrtümern, sobald dem Wasser Chloride beigemischt sind. Denn es wird Salzsäure in Freiheit gesetzt, die durch Kaliumpermanganat ebenfalls oxydiert und zerlegt wird.

Hätte ich in dieser Weise das an den sieben Schöpfstellen der Unterweser gesammelte Wasser untersucht, so hätte sich von Rekum bis Bremerhaven fälschlich eine fortwährende Zunahme der gelösten, organischen Substanz ergeben. Es war aber anzunehmen, dass das Gegenteil richtig sei. Denn wo sich in der Litteratur Angaben über die Zusammensetzung von Meerwasser an verschiedenen Punkten der Erde finden, ist die gelöste, organische Substanz, falls sie überhaupt bestimmt wurde, immer nur als in Spuren vorhanden angegeben. Mischt sich also, wie in der Wesermündung, Flusswasser mit Seewasser, so kann eine Zunahme der organischen, gelösten Stoffe im Vergleich mit der im Oberlaufe des Flusses durchschnittlich vorhandenen Menge nicht vorausgesetzt werden.

Es wurde an einer grösseren Anzahl der Trockenrückstände des Sammelwassers versucht, die organische Substanz vergleichsweise zu bestimmen, indem jene schwach geglüht wurden, wobei die organische Substanz verkohlt zurückblieb. Diese Menge Kohlenstoff liess sich dann, wie es bei Bestimmungen von Reinasche geschieht, ermitteln. Die Ergebnisse waren aber bei den oft kaum wägbaren Mengen Kohlenstoff, die beim Glühen blieben, sehr unsicher und die daraus zu ziehenden Schlüsse ohne Wert.

So galt es, ein Verfahren ausfindig zu machen, das trotz der grossen Mengen Chlor, die in dem Wasser an den unteren Schöpfstellen vorkamen, anwendbar sei. Es lag nahe, um ein expedites Verfahren zu gewinnen, das zur Bestimmung der organischen oder Humusstoffe in Bodenproben gebräuchliche dem vorliegenden Zwecke anzupassen. Daher wurden die Wasserproben zunächst in grossen Porzellanschalen über freier Flamme, weiter auf dem Wasserbade und endlich in einem sogenannten Erlenmeyer'schen Kölbchen eingedampft. Wenn nun die organische Substanz des Rückstandes mittels Chromsäure völlig oxydiert wurde, gab die entstandene Kohlensäure einen Massstab für die Menge der vorhandenen organischen Substanz ab.

Es wird zwar eingewendet werden, dass die völlige Oxydation von Kohlenstoff durch Chromsäure zu Kohlensäure nicht ganz sicher sei, doch ist in neuerer Zeit die oxydierende Kraft der Chromsäure genügend befunden worden, um sie zur Ermittelung der elementaren Zusammensetzung von Kohlenstoffverbindungen*) zu verwenden. Im vorliegenden Falle handelte es sich zudem um die Bestimmung organischer Substanz, die in Wasser völlig gelöst gewesen ist und in fein verteiltem Zustande von der Chromsäure angegriffen werden konnte, die, stets in grossem Überschusse zugegen gewesen ist. Die Oxydation konnte beim Erwärmen schwerlich unvollkommen bleiben. Schliesslich kann auf eine Zusammenstellung weiter unten verwiesen werden, aus der hervorgeht, dass die Oxydation der organischen Substanz in gleich grossen Mengen desselben Wassers genügend übereinstimmende Mengen Kohlensäure zu liefern vermochte. Vor allem ist zu berücksichtigen, dass nach dem üblichen Kaliumpermanganatverfahren nur 100 cc Wasser untersucht werden können, und dass das Ergebnis von der Menge des einwirkenden Permanganats beeinflusst wird, während die nach Oxydation mit Chromsäure erhaltenen Werte auf Wassermengen, die sich nach Litern bemessen, bezogen werden können.

Jeder Wasserrückstand war in einem Erlenmeyer'schen Kölbchen auf etwa 20 cc eingeengt worden, auch die salzreichen Rückstände soweit, dass ausser dem sich abscheidenden Krystallbrei noch etwa 20 cc Flüssigkeit vorhanden waren. Dann wurden wenigstens 30 cc konzentrierte Schwefelsäure zugesetzt und durch die Flüssigkeit $1/2$ bis $3/4$ Stunde lang ein rascher Luftstrom gesogen, um alle Kohlensäure auszutreiben. Durch die Schwefelsäure wurde auch Salzsäure in Freiheit gesetzt. Bei den Wasserproben der untersten Schöpfstellen (das Sammelwasser I enthielt mindestens 2,6 g Cl in 1 l) waren daher schon auf dem Wasserbade zum Schluss kleine Mengen starker Schwefelsäure zugefügt worden, um alle Chloride in Sulfate zu verwandeln und, soweit möglich, die Salzsäure auszutreiben. Ein Rest Salzsäure blieb immer darin, da die Flüssigkeit nicht zur

---

*) Berichte der deutschen chem. Gesellschaft. 1888. XXI. S. 2910—2919.

Trockne gebracht und nicht gekocht werden durfte, um Zersetzung und Verlust an organischer Substanz zu vermeiden.

Das erwähnte Erlenmeyer'sche Kölbchen wurde mit einem doppelt durchbohrten Stopfen verschlossen, worin sich ein Glasrohr befand, durch das, wenn eine Kautschukverbindung geöffnet war, sich von Kohlensäure befreite Luft einsaugen liess, während ein zweites Rohr mit einer kleinen Kugel nach einem Peligot-Rohre führte, das 25 bis 35 cc einer 50prozentigen Kalilauge fasste, die frei von Schwefelsäure war und möglichst wenig Kohlensäure enthielt. In das Kölbchen wurde in Mengen von 10 bis 15 g gepulvertes Kaliumbichromat geschüttet, dann ward es rasch geschlossen, und während das Luft zulassende Rohr mit einem Quetschhahn verschlossen blieb, wurde ganz allmählich unter Umschwenken, so dass die sich ausscheidende Chromsäure sich möglichst gleichmässig verteilte und löste, bis zum beginnenden Sieden erhitzt. Aus der beigegebenen Zeichnung wird die Zusammenstellung des Apparates deutlich.

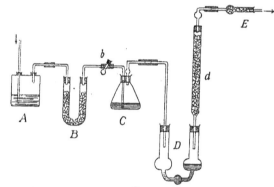

A ist ein Glasgefäss mit zwei Öffnungen zum Eintritt und Austritt der Luft, die in A durch konzentrierte Schwefelsäure getrocknet und in B, mittels Kalihydrat in Stückchen, von Kohlensäure befreit worden ist. — b ist ein durch Quetschhahn zu bewirkender Verschluss, der ein Zurücksteigen der Flüssigkeit von C nach B verhindert. — C ist ein Erlenmeyer'sches Kölbchen, worin die Oxydation vor sich geht. — D ist das Kalilauge enthaltende Peligot-Rohr mit einem Aufsatz d, der Glasperlen enthält. D wird mit Kalilauge beschickt, indem man diese aus einer Pipette an dem oberen Ende von d einfliessen lässt. — E ist ein Röhrchen, das Kalihydrat in Stückchen enthält und beim Zurücksteigen der Flüssigkeit, in D nach C hin, das Nachdringen von Kohlensäure aus der Luft zu hindern hat.

Nach der Oxydation, wenn das Kölbchen sich etwas abgekühlt hatte, wobei überschüssige Chromsäure auszukrystallisieren begann, wurde alsbald ein langsamer, kohlensäurefreier Luftstrom $^3/_4$ Stunde lang durch den Apparat gesogen. Die aus der organischen Substanz des Wasserrückstandes gebildete Kohlensäure blieb hierbei in der Kalilauge des Peligot-Rohres zurück. Endlich wurde diese Kalilauge, deren ursprünglicher Gehalt an Kohlensäure bestimmt worden sein muss, aus dem Peligot-Rohre mit Hilfe ausgekochten Wassers in ein Messkölbchen (250 cc) gespült, hier mit 50 cc durchaus reiner Barytlauge von bekanntem Gehalte versetzt, zur Marke aufgefüllt und umgeschüttelt. Nach längerem Stehen des Kölbchens, wenn der Niederschlag von kohlensaurem Baryt sich abgesetzt hatte, wurde der in Lösung verbliebene Baryt bestimmt. Unter Berücksichtigung der von Anfang an in der Kalilauge vorhandenen Kohlensäure ergiebt die Differenz zwischen dem in dem Messkölbchen noch gelöst vorhandenen und dem ausgefällten Baryt diejenige Menge Kohlensäure, die dem Gehalte der untersuchten Wassermenge an organischer Substanz entspricht.

Um das die Kohlensäure begleitende, durch Oxydation von Salzsäure entstandene Chlor unschädlich zu machen, war vielerlei versucht worden. Für einige Zeit brauchbar hatte sich eine Waschflüssigkeit erwiesen, die hergestellt war, indem eine starke Lösung von Kaliumbichromat mit einer gesättigten Lösung schwefelsauren Silbers versetzt wurde, so dass chromsaures Silber ausfiel und zugleich die Flüssigkeit von nicht flüchtiger Säure genügend sauer gehalten wurde, wobei sie Kohlensäure nicht zurückhalten konnte. Das durchstreichende Chlor griff das frisch ausgefällte Silberchromat, das amorph und flockig erschien, sofort an und wurde als Chlorsilber vollständig zurückgehalten. Allmählich gingen aber die Flocken des chromsauren Silbers in einen krystallinischen Zustand über und widerstanden dem Chlor. Aus demselben Grunde zeigte auch ein Rohr, das feuchtes Silberchromat fein verteilt enthielt, wenig Absorptionskraft für Chlor. Nur wenn geringe Mengen Chlor unschädlich zu machen waren, wie sie z. B. in den Rückständen des Wassers der obersten Schöpfstellen vorkamen, bewährte sich chromsaures Silber. Die Kohlensäure liess sich hierbei unmittelbar in einem Mohr'schen Absorptionsapparat auffangen und wägen.

Um die Brauchbarkeit des Verfahrens beurteilen zu können, wurden von einer Reihe Sammelwasser zweimal gleiche Volumina eingedampft, und in den Rückständen die organische Substanz mit Chromsäure oxydiert. Aus der folgenden Zusammenstellung wird ersichtlich, wie nahe die erhaltenen Zahlen übereinstimmten.

Berechnung der Mengen Kohlensäure, die durch Oxydation der in Wasser gelösten organischen Substanz und mittels Barytlauge bestimmt worden sind.

Wasser vom 19. Oktober 1889 bis 15. März 1890.

In der Kalilauge bereits enthaltene Kohlensäure: 50 cc Kalilauge + 50 cc Barytlauge auf 200 cc gefüllt. Nach völliger Klärung mit der Pipette aus dem Messkolben 50 cc gehoben. Darin das gelöst gebliebene Baryumoxyd bestimmt. Gefunden:

0.0715 g $BaSO_4$ und 0.0710 g $BaSO_4$
= 0.04690 BaO   „ 0.046576 BaO.   J. M. 0.04674 g BaO.

Hiernach fällen
10 cc Kalilauge 0.14504 g BaO als $BaCO_3$. Kalilauge I.
In derselben Weise wurde bestimmt, dass von einer anderen Kalilauge
10 cc Kalilauge 0.1155028 g BaO als $BaCO_3$ fällen. Kalilauge II.

Die verwendete Barytlauge enthielt nach doppelten Bestimmungen:

in 50 cc: 0.9144 g BaO — Barytlauge I.

in 50 cc: 1.06709 g BaO — Barytlauge II.

I. 2 l Wasser eingedampft.

25 cc Kalilauge I + 50 cc Barytlauge I
auf 250 cc gefüllt;
in 50 cc gefunden: 0.1451 g $BaSO_4$
0.1461 „
J. M. 0.1456 g $BaSO_4$ = 0.095514 g BaO
50 cc Barytl. I = 0.9144 g BaO
25 „ Kalil. I = 0.3626

0 5518

0.095514 × 5 = 0.4776

0.0742 g BaO *)
= 0.0213 g CO_2 aus 2 l.

*) durch die aus organischer Substanz entwickelte CO_2 gefällt.

II. 2 l Wasser eingedampft.

35 cc Kalilauge I + 50 cc Barytlauge II
auf 250 cc gefüllt;
in 50 cc gefunden: 0.1181 g $BaSO_4$
0.1161 „ „
J. M. 0.1171 g $BaSO_4$ = 0.076818 g BaO
50 cc Barytl. II = 1.06709 g BaO
35 „ Kalil. I = 0.50764

0.55945

0.076818 × 5 = 0.38409

0.17536 g BaO
= 0.0504 g CO_2 aus 2 l.

IIa. 2 l Wasser eingedampft.

20 cc Kalilauge I + 50 cc Barytlauge I
auf 250 cc gefüllt;
in 50 cc gefunden: 0.1331 g $BaSO_4$
0.1336 „ „
J. M. 0.087478 g BaO
50 cc Barytl. I = 0.9144 g BaO
20 „ Kalil. I = 0.2901

0.6243

0.087478 × 5 = 0.4374

0.1869 g BaO
= 0.0539 g CO_2 aus 2 l.

2 l Wasser eingedampft.

35 cc Kalilauge I + 50 cc Barytlauge II
auf 250 cc gefüllt;
in 50 cc gefunden: 0.1380 g $BaSO_4$
0.1360 „
J. M. 0.1370 g $BaSO_4$ = 0.089872 g BaO
50 cc Barytl. II = 1.06709 g BaO
35 „ Kalil. I = 0.50764

0.55945

0.089872 × 5 = 0.44935

0.11010 g BaO
= 0.0317 g CO_2 aus 2 l.

1 l Wasser eingedampft.

25 cc Kalilauge II + 50 cc Barytlauge II
auf 250 cc gefüllt;
in 50 cc gefunden: 0.2116 g $BaSO_4$
= 0.1388096 g BaO
50 cc Barytl. II = 1.0671 g BaO
25 „ Kalil. II = 0.2888

0.7783

0.1388096 × 5 = 0.6940

0.0843 g BaO
= 0.0242 g CO_2 aus 1 l
= 0.0484 g „ „ 2 l.

2 l Wasser eingedampft.

35 cc Kalilauge I + 50 cc Barytlauge I
auf 250 cc gefüllt;
in 50 cc gefunden: 0.1221 g $BaSO_4$
0.1221 „ „
= 0.07964 g BaO
50 cc Barytl. II = 1.06709 g BaO
35 „ Kalil. I = 0.50764

0.55945

0.07964 × 5 = 0.39820

0.16125 g BaO
= 0.0464 g CO_2 aus 2 l.

2 l Wasser eingedampft.

35 cc Kalilauge 1 + 50 cc Barytlauge I
auf 250 cc gefüllt:
in 50 cc gefunden: 0.1166 g $BaSO_4$
= 0.07649 g BaO
50 cc Barytl. II = 1.06709 g BaO
35 „ Kalil. I = 0.50764

0.55945

0.07649 × 5 = 0.38245

0.17700 g BaO
= 0.0509 g CO_2 aus 2 l.
J. M. 0.0487 g CO_2 aus 2 l.

III. 2 l Wasser eingedampft.
30 cc Kalilauge I + 50 cc Barytlauge I
auf 250 cc gefüllt;
in 50 cc gefunden: 0.1020 g BaSO₄
            0.1010 „   „
J. M. 0.1015 g BaSO₄ = 0.06658 g BaO
50 cc Barytl. I = 0.9144 g BaO
30 „ Kalil. I = 0.4351
            ―――――
            0.4793
0.06658 × 5 = 0.3329
            ―――――
            0.1464 g BaO
          = 0.0421 g CO₂ aus 2 l.

2 l Wasser eingedampft.
30 cc Kalilauge I + 50 cc Barytlauge I
auf 250 cc gefüllt;
in 50 cc gefunden: 0.1020 g BaSO₄
            0.1045 „   „
J. M. 0.1033 g BaSO₄ = 0.067765 g BaO
50 cc Barytl. I = 0.9144 g BaO
30 „ Kalil. I = 0.4351
            ―――――
            0.4793
0.067765 × 5 = 0.3388
            ―――――
            0.1405 g BaO
          = 0.0404 g CO₂ aus 2 l.

IV. 2 l Wasser eingedampft.
30 cc Kalilauge I + 50 cc Barytlauge I
auf 250 cc gefüllt;
in 50 cc gefunden: 0.0895 g BaSO₄
            0.0905 „   „
J. M. 0.0900 g BaSO₄ = 0.05904 g BaO
50 cc Barytl. I = 0.9144 g BaO
30 „ Kalil. I = 0.4351
            ―――――
            0.4793
0.05904 × 5 = 0.2952
            ―――――
            0.1841 g BaO
          = 0.0529 g CO₂ aus 2 l.

2 l Wasser eingedampft.
Die Kohlensäure direkt aufgefangen und
gewogen im Absorptionsapparat.
            58.1180   26.2895
            58.0680   26.2835
            ―――――   ―――――
            0.0500   0.0060
            0.0560 g CO₂

            0.0560 g CO₂ aus 2 l.

Wasser vom 22. März 1890. bis 4. Oktober 1890.
Die Barytlauge enthielt in 50 cc 1.323283 g BaO. CO₂ in der Kalilauge:
30 cc Kalilauge + 50 cc Barytlauge auf 200 cc gefüllt; aus 50 cc erhalten:
0.4036 g BaSO₄ und 0.4056 g BaSO₄
= 0.26476 g BaO „ 0.266074 g BaO. J. M. 0.265417 g BaO.
30 cc Kalilauge fällen daher aus 50 cc Barytlauge: 0.261613 g BaO als BaCO₃ aus.

V. 2 l Wasser eingedampft.
25 cc Kalilauge + 50 cc Barytlauge
auf 250 cc gefüllt;
in 50 cc gefunden: 0.2821 g BaSO₄
            0.2806 „   „
J. M. 0.184566 g BaO
50 cc Barytl. = 1.323283 g BaO
25 „ Kalil. = 0.218010
            ―――――
            1.105273
0.184566 × 5 = 0.922800
            ―――――
            0.182473 g BaO *)
          = 0 0525 g CO₂ aus 2 l.
*) durch CO₂, die aus organ. Subst. stammte, gefällt.

2 l Wasser eingedampft.
25 cc Kalilauge + 50 cc Barytlauge
auf 250 cc gefüllt;
in 50 cc gefunden: 0.2876 g BaSO₄
            0.2876 „   „
J. M. 0.1886656 g BaO
50 cc Barytl. = 1.323283 g BaO
25 „ Kalil. = 0.218010
            ―――――
            1.105273
0.1886656 × 5 = 0.943328
            ―――――
            0.161945 g BaO
          = 0.0465 g CO₂ aus 2 l.

VI. 2 l Wasser eingedampft.
25 cc Kalilauge + 50 cc Barytlauge
auf 250 cc gefüllt:
in 50 cc gefunden: {0.2896 g BaSO₄
                   {0.2871 „   „
          = {0.1899776 g BaO
            {0.1883376 „   „
J. M. 0.1891576 g BaO
50 cc Barytl. = 1.32328 g BaO
25 „ Kalil. = 0.21801
            ―――――
            1.10527
0.189157 × 5 = 0.94578
            ―――――
            0.15949 g BaO
          = 0.04582 g CO₂ aus 2 l.

2 l Wasser eingedampft.
25 cc Kalilauge + 50 cc Barytlauge
auf 250 cc gefüllt:
in 50 cc gefunden: 0.2976 g BaSO₄
            0.2976 „   „
          = 0.195226 g BaO

50 cc Barytl. = 1.32328 g BaO
25 „ Kalil. = 0.21801
            ―――――
            1.10527
0.195226 × 5 = 0.97613
            ―――――
            0.12914 g BaO
          = 0.0371 g CO₂ aus 2 l.

Wasser vom 19. Oktober 1889 bis 15. März 1890.

Schöpfstelle	I.	II	IIa	III	IV	V	VI
CO_2, gr, aus der organischen Substanz von 2 l Wasser	0.0213	0.0504	0.0539	0.0421	*0.0560	*0.0710	*0.0685
	0.0317	0.0484	0.0487	0.0404	0.0529	*0.0665	*0.0695
als organischer Kohlenstoff berechnet, C, in 1 cbm gr:	2.91	6.88	7.36	5.75	*7.64	*9.69	*9.35
	4.32	6.61	6.65	5.51	7.22	*9.08	*9.48

Wasser vom 22. März 1890 bis 4. Oktober 1890.

	Schöpfstelle V	VI
CO_2, gr, von 2 l Wasser	0.0465	0.0371
	0.0525	0.0458
Organischer Kohlenstoff, C, in 1 cbm g:	6.34	5.06
	7.17	5.36

Die mit * bezeichneten Zahlen waren unmittelbar, mittels Kali-Absorptionsapparat, unter Vorlegen chromsauren Silbers, wie oben angegeben, gefunden worden, die übrigen unter Anwendung von Barytlauge.

Der benutzte Apparat ist in seiner Form zwar etwas primitiv, jedoch, wie obige Zahlen zeigen, bei geschickter Handhabung recht brauchbar. Er kann Verbesserungen erhalten, die wesentlich das Arbeiten erleichtern und grösste Genauigkeit sichern würden, zum Beispiel, wenn mittels eines geeigneteren Glasgefässes, das an Stelle des Peligot-Rohres treten müsste, das Umfüllen der Kalilauge in ein Messgefäss überflüssig gemacht und auch beim Zufügen der Barytlauge der Zutritt der kohlensäurehaltigen Luft ganz unmöglich wäre. Auch in weniger geübten Händen würde dann das oben beschriebene Verfahren zur Bestimmung der organischen Substanz in Wasser mittels Chromsäure ein zuverlässigerer und ein normaler Masstab sein, der sich auf grosse Volumina anwenden liesse und jedenfalls der bisher üblichen Bestimmung der organischen Substanz mittels Kaliumpermanganat vorzuziehen wäre.

Das Chlor in den Wasserproben wurde nach der bekannten Methode durch Titrieren mit Zehntel-Normal-Silbernitratlösung, unter Anwendung von neutralem Kaliumchromat als Indikator, bestimmt. Phosphorsäure fand sich nur in Spuren.

Auf Stickstoffverbindungen wurde nicht Rücksicht genommen, da sie sich gewöhnlich in Weserwasser nicht in Mengen vorfinden, die sich mit den üblichen Mitteln bestimmen lassen. Die Untersuchung war dadurch wesentlich vereinfacht.

Kieselsäure, die im Wasser gelöst war, ist, nach dem Aufschliessen der geglühten Wasserrückstände mittels Königswasser und nach Wiedereindampfen der Lösung und Trocknen des Rückstandes, nach dem üblichen Verfahren abgeschieden worden.

In bekannter Weise wurden auch Eisen, Kalk, Magnesia, die Alkalien (als Chloride) und Kali (mittels Platinchlorid) bestimmt. Ob das Eisen als Oxydul oder Oxyd (humussaure Verbindung) gelöst sei, ist deutlich nicht zu bestimmen gewesen. In den Tabellen weiter unten ist es, wie bei Analysen von Flusswasser üblich, als Oxyd angeführt worden.

Die Trockensubstanz der suspendierten Stoffe, d. h. der bei 110° bis 120° C. getrocknete, ausgewaschene Schlamm stellte eine graue, steinharte Masse dar, die gepulvert und mit wenig Wasser verrieben wieder einen äusserst zähen Schlick bildete und nach dem Glühen eine rötliche Farbe zeigte. Im grossen und ganzen stellte dieser Glührückstand einen eisenhaltigen Thon dar.

In kleinen Mengen der Trockensubstanz wurde in derselben Weise, wie es im Rückstande des Wassers geschehen, Kohlensäure bestimmt, ferner nach der Methode von Kjeldahl der Stickstoffgehalt. Wenn die zur Verfügung stehende Menge suspendierter Stoffe sehr gering war, wie in dem Sammelwasser von den obersten Schöpf-stellen, so wurde der Stickstoff auch in der zur Kohlensäure-Bestimmung benutzten Substanz, die nur mit sehr verdünnter Salzsäure erhitzt worden war, nach Verdampfen dieser letzteren ermittelt. Das Ergebnis fiel hierdurch nicht niedriger aus. Salpetersäurestickstoff war in dem Schlick nicht in Mengen vorhanden, die noch bestimmt werden konnten.

Wurde die Trockensubstanz in Platinschalen geglüht, so ergab sich die Menge der mineralischen Bestandteile.

Der Glührückstand wurde mit Königswasser aufgeschlossen. Hierbei blieben Sand, Kieselsäure und der grösste Teil des Thons als unlösliche Bestandteile zurück.

In der Lösung wurden nach üblichem Verfahren Eisen, Kalk (in diesen übergehende, verschwindende Mengen Mangan wurden nicht besonders bestimmt), Magnesia, Kali, Schwefelsäure, Phosphorsäure bestimmt.

Namentlich der Schlick der untersten Schöpfstellen hielt jeden-falls von den im Seewasser vorkommenden Salzen geringe Mengen zurück. Diese Beimengungen waren jedoch so gering, dass sie die Ziffern, die sich für die prozentische Zusammensetzung der suspen-dierten Stoffe ergaben, nicht derart beeinflussten, dass die Regel-mässigkeit der Zusammensetzung zu verkennen gewesen wäre.

---

3. Die Ergebnisse. — Beziehungen zwischen Weserwasser und Seewasser.

A. Die gelösten Stoffe.

Es würde ermüdend sein, das grosse Zahlenmaterial hier voll-ständig wieder zu geben, das über den Gehalt des gesammelten Wassers und der suspendierten Stoffe an den ermittelten Bestand-teilen aufgestellt worden ist. Für die einzelnen Schöpfstellen ist der Gehalt des Sammelwassers an den verschiedenen Stoffen auf 1 cbm berechnet worden, da in der Technik die Wassermassen, die sich im Strombette bewegen, nach Kubikmetern berechnet werden.

Die Zahlen wurden unter jeder Schöpfstelle, nach den einzelnen Zeitabschnitten geordnet, zusammengestellt, aus dieser Zusammenstellung sind zwei neue Tabellen (siehe Tabelle 1) abgeleitet worden. Sie sind gleichfalls nach den Schöpfstellen eingeteilt. Die eine Tabelle vereinigt diejenigen Zeiträume, welche die wärmere Jahreszeit bedeuten, die andere Tabelle bezieht sich auf die kältere Jahreszeit, in der durchschnittlich mehr Wasser aus dem oberen Laufe der Weser dem Flutgebiete dieses Flusses züfliesst.

Beide Tabellen geben an, welche Mengen der einzelnen Bestandteile im Durchschnitt während der wärmeren und während der kälteren Jahreszeit in 1 cbm Wasser an jeder Schöpfstelle vorhanden gewesen sind. Ferner ist für jeden Bestandteil der Höchstbetrag und der Mindestbetrag angegeben, den er während eines der zusammengefassten Zeitabschnitte erreicht hat. Diese Maxima und Minima sind begreiflicherweise nicht absolute, denn sie sind in Sammelwasser ermittelt, also wieder durchschnittliche Höchst- und Mindestbeträge, die sich auf eine Periode beziehen.

Als eine Periode für sich musste die Sommerzeit von Anfang Juni bis 1. Oktober 1887 betrachtet werden, da diese Zeit*) noch den Zustand vor der Korrektion der Unterweser darstellt, die eben begonnen und die Stromverhältnisse wenig verändert hatte. Für die Ausnahmestellung des erwähnten Zeitabschnittes lieferte die Zusammensetzung des Wassers, insbesondere der Chlorgehalt genügenden Grund. Das Sammelwasser von der untersten Schöpfstelle, Bremerhaven, und von der zweitobersten Schöpfstelle, Käseburg, enthielt in 1 cbm folgende Mengen Chlor, in g ausgedrückt,

während Juni bis Oktober 1887	während der späteren Zeit durchschnittlich (Februar 1888 bis Juni 1891)
Bremerhaven . 8790	3968
Käseburg . . 141	49

Die Vermischung von Salzwasser mit Flusswasser hat nach 1887 andere Verhältnisse gezeigt, die von Februar 1888 bis ans Ende der Beobachtungszeit ziemlich stetig geblieben sind, wie die verhältnismässig geringen Schwankungen des Chlorgehaltes bei Käseburg (Maximum: 66 g in 1 cbm, Minimum: 40 g in 1 cbm) zeigten.

Einen anderen Grund, die Sommerzeit 1887 nicht der Berechnung von Durchschnittswerten mit zu Grunde zu legen, lieferte der Gehalt des Sammelwassers während dieser Zeit an suspendierten Stoffen**). Wie weiter unten aus einer Zusammenstellung zu erkennen ist, zeigte sich während aller übrigen Zeitabschnitte eine regelmässige Zunahme der suspendierten Stoffe im Wasser von den oberen nach den unteren Schöpfstellen hin, nur vom 4. Juni bis 1. Oktober 1887 fanden sich die Sinkstoffe sehr unregelmässig verteilt. Ihre Menge

---

*) Vergl. die Festgabe, den Teilnehmern an der 63. Versammlung der Gesellschaft deutscher Naturforscher und Ärzte gewidmet vom ärztlichen Vereine, naturwissenschaftlichen Vereine und der geographischen Gesellschaft zu Bremen. Bremen 1890. Seite 161.

**) Diese hatte bestimmt und diejenigen von den Schöpfstellen I, III, IV, VI analysiert Dr. ph. A. Hecht, weiland Assistent der Moor-Versuchsstation.

betrug an den zwei obersten Schöpfstellen ebensoviel wie an der untersten. Solche Verhältnisse waren einesteils auf die Verwilderung im Flussbett zurückzuführen, das noch keinen regelmässig gestalteten Stromschlauch darstellte, sondern von Bremerhaven an bis über die letzte Schöpfstelle hinauf durch Inseln oder bei Niedrigwasser trocken laufende Bänke vollstäudig gespalten war. Die Flut drang in diesen Spaltungen mit verschiedener Geschwindigkeit aufwärts, in dem einen Arme schneller als in dem Nebenarme; die Folge davon waren Strömungen, die eine Anhäufung von Sinkstoffen in einzelnen Teilen des Flusses beförderten, abgelagerte Sinkstoffe wieder in Bewegung setzten. Anderuteils liess sich die unregelmässige Verteilung der Sinkstoffe auf die im Strome begonnenen Baggerungen, Dammbauten und Durchschläge, besonders im oberen Teile der Unterweser zurück-führen. Diese Arbeiten im Strome bewirkten binnen der ersten zwei Jahre eine Vertiefung der Fahrrinne von $2^3/_4$ m auf 4 m. Die Baggerungen lösten aus der Sohle des Flusses 4 640 000 cbm Erde, während der Strom selbst 6 040 000 cbm abwärts schwemmte, an Leitdämmen wurden 18.7 km erbaut. Es ist daher sehr wohl möglich, dass im Anfange der Strombauten das Wasser oft an den oberen Schöpfstellen trüber war als an den unteren, wo das Flussbett um ein Vielfaches sich verbreitert.

In den Tabellen, welche die Bestandteile von 1 cbm Wasser an-geben, umfasst die wärmere Jahreszeit die Abschnitte: 25. Febr. 1888 bis 15. Sept. 1888, 1. Juni 1889 bis 12. Okt. 1889, 22. März 1890 bis 4. Okt. 1890 und 11. April 1891 bis 6. Juni 1891. Die kältere Jahreszeit bezieht sich auf die Zeitabschnitte: 15. Sept. 1888 bis 25. Mai 1889, 19. Okt. 1889 bis 15. März 1890, 11. Okt. 1890 bis 4. April 1891.

Um leichter überblicken zu können, was die Durchschnitts-ziffern der Tabelle besagen, sind sie graphisch dargestellt worden, wie die beigegebene Tafel (siehe Tafel I) zeigt. Jedem der links am Rande der Tafel bezeichneten Bestandteile entspricht ein Streifen, der im Verhältnis so lang ist, als die Durchschnittsziffer in der Tabelle I Zehner enthält, oder, was dasselbe ist: die Länge der Streifen, vom linken Rande der Tafel an gemessen, stellt dar, wieviel g von den entsprechenden Bestandteilen in 0.1 cbm oder in 100 l Wasser an einer Schöpfstelle vorkamen. Die Streifen, die einem Bestandteil entsprechen, sind über einander aufgetragen, die jeder einzelnen Schöpfstelle zukommende Länge wird durch eine Querlinie abgegrenzt. Für die obersten Schöpfstellen decken sie sich mitunter.

Die Streifen, die auf die Schöpfstellen VI, V und IV zu be-ziehen sind, sind dunkel ausgefüllt worden. So lässt sich auf den ersten Blick sehen, dass für alle Bestandteile (nur Eisenoxyd, Kiesel-säure und organisch gebundener Kohlenstoff machen verschwindende Ausnahmen) die Streifen um so länger werden, je näher die Schöpf-stelle des Wassers der Wesermündung liegt, dass die Unterschiede in der Streifenlänge für die untersten Schöpfstellen am grössten ausfallen, dagegen an den obersten Schöpfstellen sehr gering sind, so dass für die Schöpfstellen VI, V und IV die Enden der Streifen, welche die Gehaltsziffern bezeichnen, sehr nahe beisammen liegen.

Mit anderen Worten besagt das, dass der Gehalt des Wassers an gelösten Stoffen während der Beobachtungszeit bei Rekum, Käseburg und Sandstedt innerhalb enger Grenzen schwankte und ziemlich derselbe blieb, dass von Sandstedt abwärts die gelösten Stoffe ungeheuer ı asch zunahmen.

Diese Zunahme betrifft vor Allem das Chlor, die Alkalien, Magnesia und Schwefelsäure, nicht so sehr den Kalkgehalt, und es ist kein Zweifel, dass diese Zunahme durch das Seewasser verursacht ist, da für dieses ein hoher Gehalt an den genannten Bestandteilen charakteristisch ist. Nach den Durchschnittszahlen der Tabelle I erhob sich von Rekum bis Bremerhaven

während der wärmeren Jahreszeit:

der Gehalt in 1 cbm Wasser an:

Kalk . . . von 76.33 g auf 175.95 g oder auf mehr als das Doppelte
Magnesia . . „ 15.41 „ „ 413.08 „ „ „ „ „ „ 27 fache
Schwefelsäure „ 57.02 „ „ 454.49 „ „ „ „ „ „ 80 „
Chlor . . . . „ 49.66 „ „ 4342.50 „ „ „ „ „ „ 88 „
Kali . . . . „ 6.48 „ „ 143.55 „ „ „ „ „ „ 22 „

während der kälteren Jahreszeit:

der Gehalt in 1 cbm Wasser an:

Kalk . . . von 67.53 g auf 180.60 g oder auf mehr als das Doppelte
Magnesia . . „ 13.32 „ „ 408.20 „ „ „ „ „ „ 30 fache
Schwefelsäure „ 53.42 „ „ 389.20 „ „ „ „ „ „ 61 „
Chlor . . . . „ 45.78 „ „ 3469.00 „ „ „ „ „ „ 80 „
Kali . . . . „ 6.95 „ „ 173.90 „ „ „ „ „ „ 25 „

Die charakteristischen Bestandteile des Seewassers kommen auch in dem Flusswasser vor, halten sich hierin aber in sehr engen Grenzen. Da nun für die drei obersten Schöpfstellen die Grenzen der auf den Gehalt an Chlor, Alkalien, Magnesia und Schwefelsäure zu beziehenden Streifen fast zusammenfallen, so ist Grund dazu vorhanden, das Wasser der Schöpfstellen VI, V als unvermischtes Flusswasser, oder wie das der Schöpfstelle IV als unerheblich vermischtes Flusswasser zu betrachten.

Denn es beträgt der mittlere Gehalt eines Kubikmeters Wasser in der wärmeren Jahreszeit

		bei Rekum	Käseburg	Sandstedt	Eljewarden
an gelösten Stoffen (Trockenrückstand) . . .	g	291.00	283.60	297.22	492.05
„ Chlor	„	49.66	50.00	63.24	154.42
„ Magnesiumoxyd . . .	„	15.41	15.99	16.51	29.01
„ Schwefelsäure . . .	„	57.02	51.18	50.29	68.04

in der kälteren Jahreszeit bei Rekum Käseburg Sandstedt Eljewarden
an gelösten Stoffen (Trocken-

		Rekum	Käseburg	Sandstedt	Eljewarden
rückstand	g	271.30	241.49	265.26	389.98
„ Chlor	„	45.78	48.11	52.77	103.84
„ Magnesiumoxyd. . .	„	13.32	13.51	15.24	22.58
„ Schwefelsäure . . .	„	53.42	46.59	53.18	61.08

Ein erheblicher Einfluss des Seewassers macht sich demnach
erst bei Eljewarden geltend.

Was die Zusammensetzung unvermischten Weserwassers betrifft,
so liegen darüber zahlreiche Analysen vor, die an dem chemischen
Staatslaboratorium der Stadt Bremen in planmässiger Reihenfolge
ausgeführt worden sind. Sie beziehen sich auf die Zeit vor der
Korrektion des Flusses und auf Wasser, das oberhalb der Stadt
Bremen entnommen worden ist. Aus den Analysen*) berechnet sich,
dass 1 cbm Weserwasser durchschnittlich enthält:

	während der warmen Jahreszeit	während der kalten Jahreszeit
	g	g
Gelöste Stoffe (Trockenrückstand)	350	260
Chlor	52	31
Magnesia	19	15
Schwefelsäure	62	50

Ferner ist von J. Weineck**) das Weserwasser unterhalb Nienburg untersucht worden. Danach lässt sich berechnen, dass 1 cbm
Wasser enthielt:

	2. Juli 1888	9. Aug. 1888	1. Sept. 1888	27. Dez. 1888	13. Febr. 1890
Chlor . . . g	53	32	53	37	31
Schwefelsäure . „	69	45	81	58	42
Magnesiumoxyd „	11	7	9	9	5

In dreizehn anderen Proben schwankte der Chlorgehalt zwischen
21 und 84 g.

Man hat demnach in 1 cbm Weserwasser gefunden

	im Sommer			im Winter		
	Chlor	Schwefel-säure	Magnesia	Chlor	Schwefel-säure	Magnesia
	g	g	g	g	g	g
unterhalb Nienburg höchstens .	84	81	11	37	58	9
oberhalb Bremen durchschnittlich	52	62	19	31	50	15
zur Hochwasserzeit						
bei Käseburg	50	51	16	48	47	14
„ Sandstedt „	63	50	17	53	53	15

*) Festgabe, den Teilnehmern an der 63. Versammlung der Gesellschaft
deutscher Naturforscher und Ärzte gewidmet u. s. w. Bremen 1890. Seite 2.
**) Zeitschrift für angewandte Chemie. 1892. S. 50.

Ausserdem betrug der Trockenrückstand von 1 cbm· Wasser durchschnittlich

	im Sommer	im Winter
	g	g
oberhalb. Bremen . . .	350	260
bei Sandstedt (zur Hochwaserzeit) · .	297	265

Aus den zusammengestellten Angaben lässt sich schliessen, dass auch zur Zeit der Flut, bei ordinärem Hochwasser, die Weser bei Rekum und Käseburg in der Regel unvermischtes Flusswasser enthält, und dass bei Sandstedt im Gehalte des Wassers an gelösten Stoffen, besonders an Chlor, Schwefelsäure und Magnesia, die Spur des Seewassers eben erkennbar wird. Auch aus ·den fortgesetzten Beobachtungen des Chlorgehaltes in·der Unterweser geht das deutlich hervor. Zur Flutzeit hat 1 cbm Weserwasser durchschnittlich enthalten

	13. Juni bis 3. Okt. 1891	10. Okt. 1891 bis 26. März 1892
bei Rekum .	51.0 g Chlor	54.1 g Chlor
„ Käseburg	47.8 „ „	53.3 „ „
„ Sandstedt	49.6 „ „	62.2 „ „

Wäre Salzwasser in dem Weserwasser schon bei Käseburg zugegen, so könnte hier der durchschnittliche Gehalt an Chlor nicht geringer sein, als an der oberhalb gelegenen Schöpfstelle Rekum. Eine Spur des Seewassers war erst bei Sandstedt festzustellen.

Zufolge der Tabelle über die Zusammensetzung des Wassers in der Unterweser enthielt 1 cbm Wasser

an Trockenrückstand	bei Rekum	Käseburg	Sandstedt·
	g	g	g
in der wärmeren Jahreszeit	291	284	297
„ „ kälteren „	.271	241	265

Die Zahlen entsprechen der Beobachtung, die. an anderen, fliessenden Gewässern regelmässig gemacht worden ist, dass nämlich in der wärmeren Jahreszeit wegen der gesteigerten Verdunstung das Flusswasser mehr Stoffe gelöst enthält und härter ist, als in der kälteren Jahreszeit, wo es an gelösten Bestandteilen ärmer und deshalb weicher ist. Wenn die Zahlen die Unterschiede, die durch die Jahreszeit bedingt werden, nicht so auffallend zum Ausdruck bringen, als sie in den vorher angeführten Gehaltsziffern für Weserwasser, das oberhalb Bremen geschöpft war, sich ausprägen, so ist zu bedenken, dass die für Unterweserwasser gemachte Aufstellung einen vollkommenen Durchschnitt darstellt und· sich nicht nur auf Ermittelungen bezieht, die, wie oberhalb Bremen, bei auffallend hohen und auffallend niedrigen Wasserständen vorgenommen worden sind.

Bei Rekum enthält das Weserwasser zeitweise mehr gelöste Stoffe als bei Käseburg. In der oben gegebenen Tabelle I tritt das weniger hervor, als während der nachstehend angeführten, einzelnen Zeitabschnitte.

1 cbm Wasser enthielt (in g):			Okt. 1889 bis März 1890	März 1890 bis Okt. 1890	Okt. 1890 bis April 1891	April 1891 bis Juni 1891	Juni 1891 bis Okt. 1891	Okt. 1891 bis März 1892
Trockenrückstand	{	bei Rekum	258.25	299.66	290.66	258.00	—	—
	{	„ Käseburg	205.88	280.50	244.00	251.20	—	—
Chlor	{	„ Rekum	44.86	54.28	50.78	40.08	51.00	54.10
	{	„ Käseburg	43.14	52.53	52.53	39.73	47.85	53.30
verbrennliche, in Glüh-hitze flüchtige Stoffe (organische Substanz)	{	„ Rekum	26.67	31.60	23.86	27.50	—	—
	{	„ Käseburg	34.94	33.40	28.20	31.38	—	—
Kohlenstoff, C, in organischer Verbindung	{	„ Rekum	9.419	5.214	nicht	6.114	—	—
	{	„ Käseburg	9.348	6.755	bestimmt	8.114	—	—

Während der angeführten Zeiträume befanden sich also in dem Weserwasser bei Rekum durchschnittlich mehr Stoffe gelöst, als bei dem unterhalb Rekum gelegenen Orte Käseburg, der Chlorgehalt allein lässt diesen Schluss zu. Ein Blick auf die Karte zeigt, dass zwischen Rekum und Käseburg, ziemlich in der Mitte, die Hunte in die Weser mündet. Der Zufluss liefert nicht unbedeutende Wassermengen, denn die Hunte hat einen langen Lauf, ist von Oldenburg an schiffbar, und die Fluthöhe in ihrem untersten Laufe ist gross. Das Wasser der Hunte stammt nachweislich grossenteils aus Moorgebieten, sie erhält aus diesen einen an Mineralstoffen höchst armen Zufluss, sie kann auch kein an Chlor so reiches Wasser liefern, als es die Weser von ihrem Quellgebiete her bekanntlich mit sich führt. Wie aus obiger Zusammenstellung ersichtlich ist, zeigt sich das Weserwasser nach Eintritt der Hunte an organischen Substanzen reicher, wie denn auch die unmittelbare Bestimmung des Kohlenstoffs in organischer Verbindung in der Mehrzahl der Fälle in dem Wasser von Käseburg einen höheren Betrag ergeben hat, als in dem Wasser, das oberhalb der Huntemündung geschöpft war. Gerade dieser Reichtum an organischer Substanz lässt sicher auf eine Vermischung des Weserwassers mit Moorwasser schliessen. Durch den Zufluss aus der Hunte ist somit die bei Käseburg auffallende Verdünnung des Weserwassers hinreichend erklärt. Man wird anzunehmen haben, dass das Huntewasser eine weite Strecke neben dem Weserwasser hinfliesst, ehe es sich damit vermischt. Schon weiter oberhalb lässt sich an der Mündung der kleinen Lesum*) die Beobachtung machen, dass ihr braunes Wasser neben der Weser herfliesst. Anderwärts bieten grössere Flüsse ähnliche, meist sichtbare Beispiele**) für die nach Eintritt von Nebenflüssen fortbestehende Sonderung der Wassermassen. Da der Ort Käseburg auf derselben, linken Seite der Weser liegt, auf der die Hunte einmündet, so liesse sich vermuten, dass

---

*) Festgabe, der 63. Versammlung der Gesellschaft deutscher Naturforscher und Ärzte gewidmet u. s. w. Bremen 1890. Seite 3.
**) Vergl. das durch Analysen nachgewiesene Nebeneinanderfliessen von Saale- und Elbwasser in: Fischer, das Wasser. 2. Aufl. 1891. Berlin, Springer. Seite 66 und 136.
Die vom Ofener Ufer nach dem Pester Ufer zunehmende Trübung der Donau. Berichte der deutschen chem. Gesellschaft. XI. 1878. S. 441.

das Käseburger Sammelwasser mehr als Huntewasser, denn als Weserwasser anzusprechen ist.

Das Wasser, das in der Unterweser auf derjenigen Strecke gesammelt worden ist, wo sich zur Hochwasserzeit das Salzwasser stets stark bemerklich gemacht hat, enthielt in 1 cbm durchschnittlich:

				bei Bremerhaven	bei Nordenhamm	bei Eljewarden
				g	g	g
Gelöste Stoffe (Trockenrückstand)	in der	wärmeren	Jahreszeit	8561	3338	492
	„ „	kälteren	„	6775	2382	390
Chlor	„ „	wärmeren	„	4343	1666	155
	„ „	kälteren	„	3469	1182	104
Magnesia	„ „	wärmeren	„	413	200	29
	„ „	kälteren	„	408	143	23
Schwefelsäure	„ „	wärmeren	„	455	239	68
	„ „	kälteren	„	389	188	61

Die Zusammenstellung zeigt, dass der Salzgehalt des Wassers in der wärmeren Jahreszeit grösser war, als in der kälteren, dass also in der wärmeren Jahreszeit die Unterweser stärker mit Salzwasser gemischt war, als während der kälteren.

Der Vollständigkeit halber sei erwähnt, dass auch das in dem Nebenarme bei der Brücke nach der Luneplate geschöpfte Wasser in der wärmeren Jahreszeit mehr Trockenrückstand enthalten hat, als in der kälteren. Es enthielt 1 cbm Wasser

	Trockenrückstand	Chlor
	g	g
in der wärmeren Jahreszeit	1368	621
„ „ kälteren „	1317	589

Der Unterschied tritt an dieser Schöpfstelle weniger hervor, als an den übrigen drei. Denn an der Brücke nach der Luneplate hat die Ebbe und die Flut jedenfalls keinen so regelmässigen Verlauf nehmen können, was die Mischung der Wassermassen betrifft, als in dem Hauptarme des Flusses. Je nach dem Wasserstande wird sich Brackwasser haben ansammeln können, da mit der Zeit der Nebenarm an seinem oberen Ende durch einen Damm vom Weserstrome abgeschlossen worden ist.

Wenn nun in der wärmeren Jahreszeit das zur Zeit der Flut an den unteren Schöpfstellen in der Unterweser vorhandene Wasser eine konzentriertere Salzlösung darstellt als in der kälteren, so hängt das nicht sowohl damit zusammen, dass, wie oben gezeigt worden ist, der Weserfluss überhaupt im Sommer ein an Trockenrückstand reicheres Wasser führt als im Winter, sondern vielmehr damit, dass zu dieser Zeit der Wasserstand des Flusses regelmässig niedriger zu sein pflegt, als in der kalten Jahreszeit. Er setzt dann der Flut, die von See her in der Flussmündung heraufdrängt, eine geringere Kraft entgegen, und die Stärke der Flut ist von der Jahreszeit weniger abhängig, als es die Stromkraft des Flusses ist.

Wenn die Flut aufläuft, rollt von der offenen See her durch die weite, trichterförmige Wesermündung ein Teil der Flutwelle des Meeres in das als eine lange Meeresbucht anzusehende Flutgebiet des Flusses hinein, vermöge der in der offenen See gewonnenen, lebendigen Kraft. Nur ein Teil des durch die Mündung eintretenden Wassers gelangt weit nach oben, da Hindernisse im Flussbett und das entgegenströmende Wasser fortwährend an der lebendigen Kraft zehren. Über eine gewisse Stelle hinaus kann das aus See gekommene Wasser nicht vordringen.*)

Die der Flut entgegenströmenden Wassermengen, das ist das Oberwasser, sind im allgemeinen im Vergleich zu den in der Unterweser infolge der Flut sich bewegenden Wassermassen verschwindend klein. Das ganze obere Flussgebiet der Weser, von Bremen an aufwärts, wird auf rund 6600 ha Wasserfläche veranschlagt, aus der bei mittlerem Wasserstande in jeder Sekunde 296 cbm von Bremen her in das Flutgebiet einfliessen. Das Flutgebiet von Bremen bis Bremerhaven umfasst ebenfalls 6600 ha Fläche, die täglich von der Ebbe und Flut bewegt ist und in der bei normalen Flutverhältnissen zur Zeit des stärksten Flutstromes 10 000 cbm in der Sekunde bei Bremerhaven fliessen.

Wenn auch vor höherem Oberwasser die Flutgrenze in der Unterweser nachweislich etwas abwärts weicht, erscheint doch der Flutstrom dem Oberwasser gegenüber so übermächtig, dass man denken sollte, der Höhe der Flut, die bei Bremerhaven aufläuft, entspräche auch ganz der Salzgehalt des Wassers.

Zu jeder bei Bremerhaven geschöpften Wasserprobe war vermerkt, wie hoch die Flut, nach Angabe des Pegels, aufgelaufen war. Nachstehende Zusammenstellung giebt für die einzelnen Zeitabschnitte an, bei welchem Wasserstande durchschnittlich das bremerhavener Sammelwasser entnommen worden, welcher höchste und welcher niedrigste Wasserstand dabei vorgekommen ist und welchen Chlorgehalt die entsprechende Probe hatte, ferner welcher Chlorgehalt im Durchschnitte dem gesammelten Wasser zukam.

	Juni 1887 bis Oktober 1887	Febr. 1888 bis Septbr. 1888	Septbr. 1888 bis Mai 1889	Juni 1889 bis Oktober 1889	Oktober 1889 bis März 1890	März 1890 bis Oktober 1890	Oktober 1890 bis April 1891	April 1891 bis Juni 1891	Juni 1891 bis Oktober 1891	Oktober 1891 bis März 1892
Wasserstand bei Bremerhaven, durchschnittlich über Null . . . . . m	3.35	3.52	3.56	3.62	2.94	3.55	3.38	3.45	3.55	3.36
im Maximum . . . „	4.03	4.16	5.02	4.34	4.02	4.49	3.83	3.60	3.95	3.90
„ Minimum . . . „	3.15	2.70	2.15	3.04	2.80	3.09	2.49	2.95	3.20	2.00
Chlor, in 1 cbm Wasser durchschnittlich . g	8790	3580	3824	6518	3362	4623	3222	2649	3423	4010
bei obigem Maximum „	10682	3539	7742	9573	7091	5822	7459	4413	3708	2355
„ „ Minimum „	6169	2071	2076	4449	826	4968	210	84	5069	7739

---

*) Franzius, Projekt zur Korrektion der Unterweser. Leipzig. Engelmann. 1882. Seite 4.

Aus dieser Zusammenstellung geht hervor, dass die Höhe, bis zu welcher die Flut in der Wesermündung aufgelaufen ist, allein nicht als Mass dafür genommen werden kann, in welchem Grade das Seewasser in dem Wasser der Unterweser vorwaltet. Das erklärt sich damit, dass Fortpflanzung der Flutwelle, d. h. einer blossen Bewegung, und der Transport von Seewasser in die Flussmündung hinein nicht ein und dasselbe sind. Denn nicht in demselben Masse, wie der Scheitel der Flutwelle, wandert auch das Wasser aus der offenen See dem Lande zu. Nur anfangs besteht die aus dem Meere kommende Flutwelle aus unvermischtem Meerwasser, im Mündungstrichter stösst sie auf gemischtes Wasser, das jetzt flussaufwärts gedrängt wird. Die ganze Fläche des Flutgebietes der Unterweser verhält sich zur Fläche des Weserstromes und seiner Nebenflüsse wie 60 000 zu 6600; demnach überwiegen die Wassermassen im Flutgebiete die Menge des von oberhalb zufliessenden Wassers derart, dass nicht zu erwarten ist, bei Ebbe oder Niedrigwasser werde bei Bremerhaven alles Salzwasser verdrängt und in die See hinausgespült.

In der ersten Beobachtungszeit, als sich das Salzwasser bei Bremerhaven sehr stark bemerklich machte, betrug dort am 10. September 1887 bei Niedrigwasser und einem Wasserstande von + 0.45 m um 12 Uhr mittags der Chlorgehalt in 1 cbm Wasser 3732 g, nachdem morgens um 5 Uhr 40 Minuten bei Hochwasser und + 3.75 m Wasserstand an derselben Schöpfstelle 1 cbm Wasser 10 139 g Chlor enthalten hatte. Die Mischungsverhältnisse liegen demnach nicht so einfach, dass man sich zu denken hätte, mit der Flut ströme in die Wesermündung reines Nordseewasser ein, mische sich da mit dem Flusswasser und werde mit dem Ebbestrom wieder ganz hinausgedrängt, sondern das Flutgebiet unterhalb Bremerhaven, die sogenannte Aussenweser, ist von Misch- oder Brackwasser erfüllt. Erst 50 km von Bremerhaven abwärts (etwa beim Leuchtturm auf dem roten Saude, vergl. die Kartenskizze in der Einleitung) findet sich ständig reines Meerwasser.

Immerhin ist es das Meerwasser, das dem Salzwasser in der Unterweser seine charakteristischen Eigenschaften verleiht, und es ist nicht ohne Interesse, zu verfolgen, in welcher Verdünnung es sich dort geltend macht. Der Salzgehalt der Nordsee ist wiederholt Gegenstand sorgfältiger Untersuchungen gewesen. Je nach der Lage der Örtlichkeit, wo der See eine Wasserprobe entnommen worden ist, sowohl in horizontaler als in senkrechter Ausdehnung, ist der Salzgehalt verschieden gefunden worden, an der Oberfläche geringer als in der Tiefe. Die an dem Rande des sich ganz allmählich erhebenden Festlandes zur Flutzeit aufwärts steigenden und in die Mündung eines Flusses, wie der Weser, eindringenden Wassermassen stellen naturgemäss Oberflächenwasser der Nordsee dar, zumal der Spiegel*) dieses kleinen Meeres muldenförmig gestaltet ist und sich von West nach Ost etwas erhebt. Beigegebene kleine Kartenskizze, die dem

---

*) Verhandlungen der Gesellschaft deutscher Naturforscher und Ärzte. 63. Versammlung zu Bremen. 1. Teil. Leipzig (Vogel) 1890. Seite 61.

Werke: Die Ergebnisse der Untersuchungsfahrten S. M. Kanonenboot „Drache" in der Nordsee in den Sommern 1881, 1882, 1884, Berlin (Mittler & Sohn) 1886, entnommen ist, giebt eine Übersicht über Orte, an denen bisher der Salzgehalt der Meeresoberfläche ermittelt worden ist. Die Zahlen bezeichnen den Salzgehalt des Oberflächenwassers in Prozenten (bis auf zwei Dezimalen).

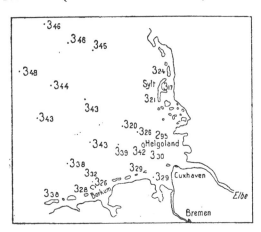

Die Skizze macht die Verschiedenheiten des Salzgehaltes, wenn sie auch gering sind, augenfällig und lässt erkennen, dass namentlich in der Nähe der Küste sich für die Zusammensetzung des Nordseewassers keine Zahlen aufstellen lassen, die unter allen Umständen Giltigkeit haben.

Ich lege daher den folgenden Berechnungen die Gehaltsziffern zu Grunde, die ich an einer Wasserprobe ermittelte, die von mir selbst im Juni 1887 bei Helgoland, mitten zwischen Düne und Insel an der Oberfläche entnommen worden ist. Dieses Nordseewasser enthielt in 1 cbm:

Chlor, Cl. . . . 17 979 g
Kalk, CaO . . . 606 „
Magnesia, MgO . 2 105 „
Schwefelsäure, SO_3 2 099 „
Kali, K_2O . . . 555 „
Eisen war in dem Wasser nicht nachweisbar.

Als Durchschnittszahlen für das Weserwasser sollen andererseits die in der Tabelle I oben schon für die Schöpfstelle Rekum mitgeteilten Zahlen gelten.

Danach standen die Gewichtsmengen der Hauptbestandteile des Weserwassers zu den Mengen, in denen sie sich im Seewasser finden, in folgendem Verhältnisse:

	während der wärmeren Jahreszeit	während der kälteren Jahreszeit
$\dfrac{\text{CaO im Seewasser}}{\text{CaO im Flusswasser}} =$	7.9 / 1	9.0 / 1

	während der wärmeren Jahreszeit	während der kälteren Jahreszeit
$\dfrac{\text{MgO im Seewasser}}{\text{MgO im Flusswasser}} =$	$\dfrac{136.6}{1}$	$\dfrac{158.0}{1}$
$\dfrac{SO_3 \text{ im Seewasser}}{SO_3 \text{ im Flusswasser}} =$	$\dfrac{36.9}{1}$	$\dfrac{39.3}{1}$
$\dfrac{\text{Cl im Seewasser}}{\text{Cl im Flusswasser}} =$	$\dfrac{362}{1}$	$\dfrac{393}{1}$

Bei dem Nachweise von Seewasser in Flusswasser mittels chemischer Analyse konnte thatsächlich nur das Chlor in Frage kommen; nur die Magnesia hätte noch ein Erkennungszeichen, jedoch nur halb so deutlich, abgeben können.

In der Zeit, während welcher sich das Salzwasser am stärksten in der Unterweser bemerklich machte (4. Juni bis 1. Oktober 1887), enthielt 1 cbm Wasser an der Schöpfstelle

	I	II	IIa	III	IV
Chlor . . . . g	8790.0	4657.5	2435.7	2111.4	472.65
Magnesia . . . „	976.50	?	289.20	255.66	67.77

Werden für unvermischtes Weserwasser aus der wärmeren Jahreszeit dieselben Durchschnittszahlen, wie vorhin, angenommen, so berechnen sich folgende Verhältnisse:

	bei I	II	IIa	III	IV
$\dfrac{\text{Chlor im Mischwasser}}{\text{Chlor im Weserwasser}} =$	$\dfrac{177.0}{1}$	$\dfrac{93.8}{1}$	$\dfrac{49.0}{1}$	$\dfrac{42.5}{1}$	$\dfrac{9.5}{1}$
$\dfrac{\text{Magnesia im Mischwasser}}{\text{Magnesia im Weserwasser}} =$	$\dfrac{63.3}{1}$	?	$\dfrac{18.8}{1}$	$\dfrac{16.6}{1}$	$\dfrac{4.4}{1}$

Oder es erschienen die genannten Bestandteile des Seewassers verdünnt, ungefähr wie folgt:

bei Bremerhaven . . . . das Chlor 2 fach, die Magnesia 2 fach
„ Nordenhamm . . . . „ „ 4 „ „ „ ?
„ d. Brücke n. d. Luneplate „ „ 7 „ „ „ 7 „
„ Eljewarden . . . . . „ „ 8¹/₂ „ „ „ 8 „
„ Sandstedt . . . . . „ „ 38 „ „ „ 31 „

Für die übrige Beobachtungszeit nach 1887 lässt sich in derselben Weise folgendes berechnen:

während der wärmeren Jahreszeit:

bei Bremerhaven $\dfrac{\text{Chlor i. Mischw.}}{\text{Chlor i. Flussw.}} = \dfrac{87.4}{1}$ $\dfrac{\text{Magnesia i. Mischw.}}{\text{Magnesia i. Flussw.}} = \dfrac{26.8}{1}$

„ Nordenhamm $\dfrac{\text{Chlor i. Mischw.}}{\text{Chlor i. Flussw.}} = \dfrac{33.5}{1}$ $\dfrac{\text{Magnesia i. Mischw.}}{\text{Magnesia i. Flussw.}} = \dfrac{13.0}{1}$

„ der Brücke n. der Luneplate $\dfrac{\text{Chlor i. Mischw.}}{\text{Chlor i. Flussw.}} = \dfrac{12.5}{1}$ $\dfrac{\text{Magnesia i. Mischw.}}{\text{Magnesia i. Flussw.}} = \dfrac{4.1}{1}$

„ Eljewarden $\dfrac{\text{Chlor i. Mischw.}}{\text{Chlor i. Flussw.}} = \dfrac{3.1}{1}$ $\dfrac{\text{Magnesia i. Mischw.}}{\text{Magnesia i. Flussw.}} = \dfrac{1.9}{1}$

während der kälteren Jahreszeit:

bei Bremerhaven $\dfrac{\text{Chlor i. Mischw.}}{\text{Chlor i. Flussw.}} = \dfrac{75.8}{1}$ $\dfrac{\text{Magnesia i. Mischw.}}{\text{Magnesia i. Flussw.}} = \dfrac{38.2}{1}$

„ Nordenhamm $\dfrac{\text{Chlor i. Mischw.}}{\text{Chlor i. Flussw.}} = \dfrac{25.8}{1}$ $\dfrac{\text{Magnesia i. Mischw.}}{\text{Magnesia i. Flussw.}} = \dfrac{10.7}{1}$

„ der Brücke n. der Luneplate $\dfrac{\text{Chlor i. Mischw.}}{\text{Chlor i. Flussw.}} = \dfrac{12.9}{1}$ $\dfrac{\text{Magnesia i. Mischw.}}{\text{Magnesia i. Flussw.}} = \dfrac{5.7}{1}$

„ Eljewarden $\dfrac{\text{Chlor i. Mischw.}}{\text{Chlor i. Flussw.}} = \dfrac{2.3}{1}$ $\dfrac{\text{Magnesia i. Mischw.}}{\text{Magnesia i. Flussw.}} = \dfrac{1.7}{1}$

Oder es erschien in dem mit der Flut auflaufenden Wasser das Chlor und das Magnesiumoxyd des Nordseewassers verdünnt:

während der wärmeren Jahreszeit:

bei Bremerhaven . . . das Chlor 4 fach, die Magnesia 5 fach
„ Nordenhamm . . . „ „ 11 „ „ „ „ $10^{1}/_{2}$ „
„ der Brücke nach der
Luneplate . . . · . „ „ 29 „ „ „ „ 33 „
„ Eljewarden . . . . „ „ 118 „ „ „ „ 72 „

während der kälteren Jahreszeit:

bei Bremerhaven . . . das Chlor 5 fach, die Magnesia 4 fach
„ Nordenhamm . . . „ „ 14 „ „ „ „ 15 „
„ der Brücke nach der
Luneplate . . . . „ „ 28 „ „ „ „ 28 „
„ Eljewarden . . . . „ „ 157 „ „ „ „ 93 „

Will man sich das in der Unterweser durch die Flut gestaute Brackwasser in seine Bestandteile, Fluss- und Seewasser, zerlegen, so ergiebt die Rechnung auf Grund der Unterschiede im Chlorgehalte, dass gemischt waren

bei Bremerhaven rd. 1 Teil Seew. mit 3 T. Flw., 1 T. Seew. mit 4 T. Flw.
„ Nordenhamm „ 1 „ „ „ 10 „ „ 1 „ „ „ 13 „ „
„ d. Brücke n.
d. Luneplate „ 1 „ „ „ 28 „ „ 1 „ „ „ 27 „ „
„ Eljewarden „ 1 „ „ „ 117 „ „ 1 „ „ „ 156 „ „
„ Sandstedt „ 1 „ „ „ 277 „ „ 1 „ „ „ 304 „ „

Sind so die Mischungsverhältnisse zwischen Seewasser und Flusswasser in der Unterweser ermittelt, dann ist es möglich, zu berechnen, welche Mengen an Kalk, Magnesia, Schwefelsäure und Chlor sich in 1 cbm Wasser, das aus der Unterweser geschöpft und gesammelt wurde, annähernd finden müssten.

In den folgenden Beispielen sind die zusammengestellten runden Ziffern auf Grund der oben (Seite 24) angegebenen Zusammensetzung des Nordseewassers einerseits und der Durchschnittszahlen der Schöpfstelle VI, Rekum, andererseits berechnet worden.

Juni bis Oktober 1887.

Mischung	Bremerhaven 1 Teil Seewasser und 1 Teil Flusswasser		Nordenhamm 1 Teil Seewasser und 3 Teile Flusswasser		Eljewarden 1 Teil Seewasser und 7½ Teile Flusswasser		1 cbm Flusswasser bei Rekum enthielt
	für 1 cbm berechnet	in 1 cbm Sammelw. gefunden	für 1 cbm berechnet	in 1 cbm Sammelw. gefunden	für 1 cbm berechnet	in 1 cbm Sammelw. gefunden	
	g	g	g	g	g	g	g
CaO . .	338	324	nicht	bestimmt	133	146	69.62
MgO . .	1059	977	„	„	262	256	14.57
SO₃ .	1071	1081	„	„	273	304	42.69
Cl . .	9009	8790	4525	4657	2150	2111	40.08

Wärmere Jahreszeit der übrigen Beobachtungszeit.

Mischung	Bremerhaven 1 Teil Seewasser und 3 Teile Flusswasser		Nordenhamm 1 Teil Seewasser und 10 Teile Flusswasser		Eljewarden 1 Teil Seewasser und 277 Teile Flusswasser		1 cbm Flusswasser bei Rekum enth.
	für 1 cbm berechnet	in 1 cbm Sammelw. durchsch. gefunden	für 1 cbm berechnet	in 1 cbm Sammelw. durchsch. gefunden	für 1 cbm berechnet	in 1 cbm Sammelw. durchsch. gefunden	durch- schn.
	g	g	g	g	g	g	g
CaO .	Diese Bestandteile sind in der Periode Juni bis Okt. 1889 nicht bestimmt worden, die Berechn. fällt daher nicht genau genug aus		124	123	78	79	76.33
MgO .			205	200	23	29	15.41
SO₃ .			242	239	64	68	57.02
Cl . .	4532	4342	1680	1666	113	154	49.66

Kältere Jahreszeit der übrigen Beobachtungszeit.

Mischung	Bremerhaven 1 Teil Seewasser und 4 Teile Flusswasser		Nordenhamm 1 Teil Seewasser und 13 Teile Flusswasser		Eljewarden 1 Teil Seewasser und 302 Teile Flusswasser		1 cbm Flusswasser bei Rekum enth.
	für 1 cbm berechnet	in 1 cbm Sammelw. durchsch. gefunden	für 1 cbm berechnet	in 1 cbm Sammelw. durchsch. gefunden	für 1 cbm berechnet	in 1 cbm Sammelw. durchsch. gefunden	durch- schn.
	g	g	g	g	g	g	g
CaO . .	175	181	106	111	67	74	67.53
MgO . .	430	408	162	143	20	23	13.32
SO₃ . .	406	389	199	188	53	61	53.42
Cl . .	3632	3469	1320	1183	105	104	45.78
K₂O . .	116	174	46	46	9	12	6.95

Die Berechnung ist mit Zahlen vorgenommen worden, die nur Durchschnittszahlen vorstellen, und die berechneten Zahlen sind mit solchen verglichen, die wieder nur Mittelzahlen der Analysen des gesammelten Wassers darstellen. Es konnte daher nur eine annähernde Übereinstimmung erwartet werden. Diese dürfte hinsichtlich der Orte Bremerhaven und Nordenhamm erreicht worden sein, und für den Ort Eljewarden, mitten in der Unterweser, ist die Übereinstimmung zwischen den berechneten und den gefundenen Zahlen in Anbetracht der Grundlagen geradezu genau zu nennen.

Damit ist bewiesen, dass der Einfluss des Seewassers in der Unterweser sich in einer zunehmenden Konzentration der in Lösung befindlichen anorganischen Salze äussert, nicht in erheblichen, chemischen Umsetzungen, die mit völliger Abscheidung des einen oder anderen Bestandteils unter Bildung von Niederschlägen verbunden wäre.

Zweitens ist zugleich Aufschluss darüber erlangt, wie sich die hydrostatischen Vorgänge zwischen dem spezifisch schwereren Salzwasser und dem leichteren Flusswasser abspielen mögen. Man hätte sich denken können, ersteres treibe das letztere vor sich her oder das Flusswasser gleite über das Salzwasser weg. Die Entnahme der Wasserproben, stets $1^1/_2$ m unterm Wasserspiegel, hätte hierüber keine Entscheidung zugelassen. Nunmehr ist anzunehmen, dass eine vollständige Durchmischung von Flusswasser mit Seewasser stattfindet, so dass ein Querschnitt durch das Strombett eine homogene Wasserschicht darstellt. Das wird hauptsächlich der lebhaften Bewegung der Wassermassen in der breiten Mündung zuzuschreiben sein.

Ein Bestandteil des Weserwassers, von dem sich annehmen liesse, er scheide sich unterm Einflusse des Seewassers ab, ist das Eisen. 1 cbm des Sammelwassers enthielt Eisenoxyd in g

an der Schöpfstelle	VI	V	IV	III	IIa	II	I
während der	(Rekum)						(Bremerh.)
wärmeren Jahreszeit	1.84	0.64	2.55	1.68	1.03	1.23	2.24
kälteren „	1.55	1.46	1.30	1.18	1.33	1.53	0.50

Der Eisengehalt ist hiernach ein äusserst geringer und auch wechselnder. Auf eine Abnahme von den oberen nach den unteren Schöpfstellen hin ist allenfalls aus der zweiten, die kältere Jahreszeit betreffenden Zahlenreihe zu schliessen, dass das Eisen an den untersten Schöpfstellen in geringerer Menge in dem Wasser vorkommt oder ganz verschwunden ist, geht aber unzweifelhaft daraus hervor, dass in dem Sammelwasser von Bremerhaven, aus der Zeit von September 1888 bis Mai 1889 und von Oktober 1890 bis April 1891, und in dem Sammelwasser von Nordenhamm, aus der Zeit von Februar 1888 bis September 1888 und von September 1888 bis Mai 1889, kein Eisen nachweisbar war. Da in der oben erwähnten Probe Nordseewasser mittels der gewöhnlichen Reagentien Eisen ebenfalls nicht nachweisbar war, so ist auch nicht ausgeschlossen, dass die Abnahme des Eisengehaltes nach der Mündung hin auf die Vermischung des eisenhaltigen Flusswassers mit dem nahezu eisenfreien Seewasser zurückzuführen ist.

In der gleichen Weise könnte man die Abnahme der gelösten, organischen Substanz flussabwärts bei Hochwasser erklären. An Kohlenstoff, der in organischer Substanz gelöst war, enthielt 1 cbm Wasser durchschnittlich

bei Schöpfstelle	VI	V	IV	III	IIa.	II	I
in der	(Rekum)						
wärmeren Zeit g	5.835	7.411	5.479	5.680	5.569	5.301	4.146
kälteren „ „	7.678	7.473	7.057	6.555	6.491	6.717	4.491

An den oberen Schöpfstellen war hiernach das Wasser an organischer Substanz reicher, als es bei Bremerhaven erschien. Hier mischte es sich mit wenigstens drei Teilen Seewasser, das nur verschwindende Spuren organischer Substanz gelöst enthält. Die Vermischung musste eine Verminderung des Gehaltes an organischer, gelöster Substanz in dem Wasser ergeben. Der Einfluss der Luft auf das lebhaft bewegte Wasser soll nicht unerwähnt bleiben, da ihm eine Verminderung der organischen Substanz ebenfalls zugeschrieben werden kann.

B. Die suspendierten Stoffe.

Wie auf Seite 15 und 16 erwähnt worden ist, soll der erste Abschnitt der Beobachtungszeit, vom Juni 1887 bis 1. Oktober 1887, auch bei Besprechung der in der Unterweser zur Hochwasserzeit vorhandenen suspendierten Stoffe ausser Betracht bleiben. Denkt man sich die suspendierten Teilchen völlig trocken, so kommen davon auf 1 cbm Wasser folgende Mengen:

	25. Februar 1888 bis 15. Sept. 1888	15. Sept. 1888 bis 25. Mai 1889	1. Juni 1889 bis 12. Okt. 1889	19. Okt. 1889 bis 15. März 1890	22. März 1890 bis 4. Okt. 1890	11. Okt. 1890 bis 4. April 1891	18. April 1891 bis 6. Juni 1891
bei Bremerhaven . g	306.85	272.40	265.56	285.20	277.71	313.46	285.00
„ Nordenhamm . „	144.60	221.51	106.68	170.16	130.78	95.52	79.00
„ der Brücke nach der Luneplate . „	107.63	196.03	104.76	152.68	104.23	95.36	78.12
„ Eljewarden . . „	107.37	104.35	56.06	60.14	51.90	48.83	39.78
„ Sandstedt . . „	61.44	75.86	60.95	46.67	50.46	52.78	26.40
„ Käseburg . . . „	47.68	98.42	68.81	33.21	53.70	61.27	30.90
„ Rekum . . . „	21.44	17.32	17.88	13.09	18.55	13.54	11.67

Demnach enthielt 1 cbm Wasser an suspendierten Stoffen durchschnittlich

	während der wärmeren Jahreszeit g	während der kälteren Jahreszeit g
bei Bremerhaven	283.78	290.35
„ Nordenhamm	115.27	162.39
„ d. Brücke n. d. Luneplate	98.68	148.02
„ Eljewarden	63.78	71.10
„ Sandstedt	49.81	58.44
„ Käseburg	50.27	64.30
„ Rekum	17.38	15.32

Die Ermittelungen beziehen sich zwar auf eine Wasserschicht, die mehr nach der Oberfläche hin gelegen ist, und sind bei einem gewissen Ruhestande des sonst fliessenden Wassers geschehen. Die gröbsten und schwersten Teilchen hatten vielleicht Zeit gehabt, sich in tiefere Wasserschichten zu begeben. Die zusammengestellten Zahlen sind aber jedenfalls ausserordentlich gut vergleichbar, da überall in $1^{1}/_{2}$ m Tiefe geschöpft wurde und für die Hauptmenge des im Profil des Flusses sich bewegenden Wassers giltig.

Aus der Zusammenstellung geht zunächst hervor, dass der Fluss im Winter bei Hochwasserzeit mit einer Ausnahme (bei Rekum) an allen Punkten, wo geschöpft wurde, durchschnittlich mehr suspendierte Stoffe geführt hat, als während der wärmeren Jahreszeit. Das wäre in Übereinstimmung mit der Beobachtung, dass die suspendierten Stoffe eines Wasserlaufs — von künstlichen Verunreinigungen abgesehen — mit dem Wasserstande zu- und abnehmen, wenn vorausgesetzt wird, dass ein Fluss in der kälteren Jahreszeit wasserreicher ist als in der wärmeren. Es leuchtet aber ein, dass der Gehalt eines Wasserlaufs an Sinkstoffen nicht sowohl dem durchschnittlichen Wasserstande entsprechen, als vielmehr von raschen Schwellungen beeinflusst sein wird, die eine Folge starker, viel Erdreich wegschwemmender Niederschläge in seinem oberen Gebiete sind. Derartige Niederschläge finden erfahrungsmässig im Sommer häufiger statt als im Winter; es kann daher nicht überraschen, wenn im Sommer bei Rekum, wo unvermischtes Weserwasser sich findet, dieses durchschnittlich trüber erschienen ist als im Winter. Wieweit sich damit der Wasserstand der Oberweser in Zusammenhang bringen liesse, liegt ausserhalb dieser Untersuchung.

Zweitens ergiebt sich aus obiger Zusammenstellung, dass die suspendierten Stoffe in dem Wasser der Unterweser zur Zeit der Flut stromabwärts zunehmen. Setzt man die Menge, die in dem bei Rekum durch die Flut gestauten Wasser gefunden wurde, gleich 1, so betrug die entsprechende

	in der wärmeren Jahreszeit	in der kälteren Jahreszeit
bei Käseburg	2.9	4.2
„ Sandstedt	2.8	3.8
„ Eljewarden	3.7	4.6
„ d. Brücke nach d. Luneplate	5.7	9.7
„ Nordenhamm	6.6	10.6
„ Bremerhaven	16.3	18.9

Die Trübung des Flutwassers stieg sonach in der wärmeren Jahreszeit in der Unterweser von Rekum bis Bremerhaven durchschnittlich auf das sechzehnfache, in der kälteren Jahreszeit auf das neunzehnfache.

Bei Bremen bereits besteht das Flussbett[*]) nur noch aus gewöhnlichem Sande, und nussgrosse Kiesel finden sich nur da, wo ein verstärkter Strom tiefere Rinnen gezogen hat. In der Wesermündung und entlang der ganzen Nordseeküste ist, wie schon erwähnt, ein grauer Schlamm abgelagert, der mit dem Namen Schlick bezeichnet wird. Er bildet einen äusserst zähen Boden, ist aber Ablagerung feinster Teilchen und derjenigen Sinkstoffe, die der Fluss unter allen Umständen mit sich bis hinaus ins Meer führt. Wird feuchter Schlick in Wasser aufgerührt, so verteilt er sich äusserst leicht und setzt sich nur ganz langsam wieder zu Boden. Das mit der

---

[*]) Franzius. Die Unterweser von Bremen bis Bremerhaven. Petermann's Mitteilungen aus J. Perthes' geograph. Anstalt. 26. Band. 1880. Heft VIII. Seite 295.

Flut in die Weser eindringende Seewasser ist von feinen Schlickteilchen stark getrübt und führt somit bedeutende Mengen suspendierter Stoffe in der Unterweser aufwärts. Da nun an der See mit
der kälteren Jahreszeit die stürmischen Zeiten zusammenfallen, so
ist erklärlich, dass in dieser Zeit das Salzwasser, das die Flut aus
der See mit sich bringt, in der Unterweser durchschnittlich stärker
getrübt ist, als in der wärmeren Jahreszeit, dass mithin auch das
Flusswasser, das sich mit dem Salzwasser vermischt hat, stärker
getrübt erscheint als im Sommer.

Der Umstand, dass die Weser bei Käseburg stärker getrübt
erscheint als bei Sandstedt, lässt zunächst schliessen, das rühre von
dem Zuflusse aus der Hunte her, der noch an der Schöpfstelle bei
Käseburg infolge unvollkommener Mischung des Weserwassers mit
dem Huntewasser sich bemerklich macht. Nicht minder wahrscheinlich ist es aber, dass mit dem Andringen der Flut gegen die Huntemündung, die während einer normalen Flut bereits vor der Korrektion
der Weser $2^{1}/_{4}$ Millionen cbm Flutwasser aufzunehmen vermochte,
Strömungen entstehen, weil der Strom gespalten wird. Ein Auf-
wühlen des Grundes und die Vermehrung der Sinkstoffe infolgedessen
ist wahrscheinlich, ebenso wahrscheinlich ist es, dass diese Vermehrung
der schwebenden Teilchen noch bei Käseburg zu spüren ist.

Bei Sandstedt erscheint das Wasser wieder klarer und von
Eljewarden abwärts nimmt die Trübung so stark zu, dass ihre Ursache, der Schlick des Salzwassers, deutlich zu erkennen ist.

Bei der näheren Untersuchung des Schlammes, der sich aus
dem Sammelwasser abgesetzt hatte, zeigte es sich, dass er im allgemeinen recht gleichmässig zusammengesetzt war. Eine Reihe, aus
der Zeit vom 11. Oktober 1890 bis 4. April 1891 stammend, ist
daher nicht analysiert worden. Wo es sich um die prozentische
Zusammensetzung der suspendierten Stoffe handelte, sind auch die in
dem ersten Zeitabschnitt, 4. Juni bis 1. Oktober 1887, gesammelten
mit berücksichtigt worden. Welche Bestandteile in der Trockensubstanz der Sinkstoffe bestimmt und in welchen Mengen sie gefunden worden sind, geht aus der beifolgenden Tabelle (siehe Tabelle II)
über die prozentische Zusammensetzung der in der Unterweser zur
Hochwasserzeit schwebenden Teilchen hervor.

Aus dieser Tabelle ist zu entnehmen, dass die suspendierten Stoffe
während eines Abschnittes der wärmeren Jahreszeit enthalten haben:
Mineralstoffe (Glührückstand) höchstens 93.33 u. mindestens 80.95%
(in konzentrierter Salzsäure u.

Salpetersäure), Unlösliches „ 78.55 „ „ 64.60 „
und dass während der kälteren Jahreszeit
Mineralstoffe (Glührückstand) höchstens 93.24 u. mindestens 78.55%
(in konz. Salzsäure u. Salpeter-
säure) unlösl. Bestandteile „ 63.79 „ „ 51.89 „
vorgekommen sind.

Die Maxima hiervon finden sich sämtlich an den untersten
Schöpfstellen, die Minima bis auf eins, das Eljewarden zugehört, an
den obersten Schöpfstellen. Dem entspricht auch folgendes.

Fasst man in der Tabelle der prozentischen Zusammensetzung die drei oberen Schöpfstellen zusammen, indem man aus den zugehörigen Durchschnittszahlen wieder Mittelwerte berechnet, und zieht man die Durchschnittszahlen der vier unteren Schöpfstellen ebenso zu einer Zahlenreihe zusammen, so ergiebt sich, dass die trockenen, suspendierten Stoffe enthielten von

	Bremerhaven bis Eljewarden		Sandstedt bis Rekum	
	in der warmen Jahreszeit	in der kalten Jahreszeit	in der warmen Jahreszeit	in der kalten Jahreszeit
Glührückstand .	90.43%	89.28%	87.96%	79.12%
Kohlensäure . .	2.90 „	3.91 „	2.53 „	1.71 „
Unlösliches . .	61.78 „	61.74 „	59.10 „	57.20 „
Eisenoxyd . .	17.49 „	16.92 „	16.97 „	18.61 „
Kalk	4.36 „	4.08 „	5.01 „	3.64 „
Magnesia . . .	2.56 „	2.62 „	2.91 „	2.81 „
Kali	2.07 „	1.75 „	2.52 „	1.74 „
Schwefelsäure .	1.05 „	0.74 „	0.96 „	1.01 „
Phosphorsäure .	0.55 „	0.36 „	0.97 „	1.15 „
Stickstoff . . .	0.55 „	0.53 „	1.03 „	1.08 „

Die Zusammenstellung lehrt erstens, dass die suspendierten Stoffe an den unteren und deutlicher noch an den oberen Schöpfstellen in der warmen Jahreszeit mehr mineralische Stoffe oder Glührückstand enthielten als in der kalten Jahreszeit, dass also in der kalten Jahreszeit eine grössere Menge schwebender Teilchen verbrennlicher, organischer Art vorhanden war als in der warmen. Auch der Gehalt an unlöslichen Bestandteilen zeigt sich an den unteren Schöpfstellen im Sommer etwas höher als im Winter, und ein noch grösserer Unterschied in diesem Sinne findet sich an den oberen Schöpfstellen. Zweitens zeigt sich, dass die suspendierten Stoffe von den oberen nach den unteren Schöpfstellen hin an Glührückstand und an unlöslichen Bestandteilen zunehmen, denn die Gehaltsziffern dafür sind sowohl in der warmen, als in der kalten Jahreszeit im oberen Teile der Unterweser geringer als im unteren.

Wenn berücksichtigt wird, dass der obere Teil der Unterweser nicht oder nur in höchst geringem Grade mit Seewasser versetzt gewesen ist, so lässt sich die Durchschnitts-Zusammensetzung der suspendierten Stoffe an den oberen Schöpfstellen als diejenige der in schwach strömendem Weserwasser schwebenden Teilchen hinstellen. Diese Sinkstoffe kommen nur in sehr geschützten Buchten und Nebenarmen zur Ablagerung, wenn sie nicht ins Meer geschwemmt werden. Im Mittel enthielten die suspendierten Stoffe

	der Weser	des Salzwassers (Flutwassers) bei Bremerhaven		
Unlösliches .	58.15%	61.76% der Trockensubstanz		
Kalk . . .	4.16 „	4.22 „ „	„
Magnesia . .	2.86 „	2.59 „ „	„
Kali . . .	2.13 „	1.91 „ „	„
Phosphorsäure	1.06 „	0.46 „ „	„
Stickstoff . .	1 05 „	0.54 „ „	

Nach früheren Untersuchungen der Moorversuchsstation*) in Bremen besitzt der an den Mündungen der nordwestdeutschen Flüsse abgesetzte Schlick eine ausserordentlich gleichmässige Zusammensetzung; Schlick in völlig trockenem Zustande enthielt

	bei Bremerhaven	Wilhelmshaven	im Dollart (Emsmünd.)
Unlösliches . .	67.05%	65.30%	64.38%
Kalk	5.86 „	6.57 „	7.09 „
Magnesia . .	1.71 „	1.81 „	1.85 „
Kali	0.73 „	0.89 „	0.62 „
Phosphorsäure .	0.21 „	0.18 „	0.23 „
Kohlensäure .	? „	5.72 „	? „
Stickstoff . .	0.30 „	0.27 „	0.31 „

Über die chemische Beschaffenheit des Bodens in der tiefen See lässt sich hier anführen, was über die Zusammensetzung dreier Meeresgrundproben westlich (I, II aus 37 m Tiefe) und nordwestlich (III aus 25 m Tiefe) von Helgoland bei den Untersuchungsfährten**) des Kanonenbootes „Drache" ermittelt worden ist. Jene enthielten

	I	II	III
Unlösliches	96.25%	86.80%	98.75%
Kalk	1.67 „	5.11 „	0.12 „
Magnesia	Spur	0.55 „	0.10 „

Zu bemerken ist, dass der Kalkgehalt des Meeresgrundes hauptsächlich auf beigemengte Trümmer organischer Gebilde zurückzuführen war. Kalk und Magnesia waren an Kohlensäure gebunden; von Eisen und Mangan waren unbedeutende Mengen vorhanden.

Vergleicht man nun die oben aufgestellte Zusammensetzung der suspendierten Stoffe in der Weser, diejenige der suspendierten Stoffe im Flutwasser bei Bremerhaven und die des abgelagerten Seeschlicks bei Bremerhaven, sowie diejenige des Meeresgrundes untereinander, so leuchtet ein, dass der abgelagerte Schlick ärmer an löslichen Bestandteilen erscheint als es die in Flusswasser suspendierten Teilchen sind; die Mitte zwischen beiden halten hinsichtlich des Gehaltes an löslichen Bestandteilen die im Salzwasser der Flut schwebenden Stoffe. Den grössten Gehalt an unlöslichen Stoffen besitzt die Ablagerung in der tiefen See, sie ist als Quarzsand angesprochen worden.

Hiernach kann man sich vorstellen, dass die Sinkstoffe des Flusses durch die Salze des Seewassers ausgelaugt werden; sie nehmen an Kalk, Magnesia, Phosphorsäure und Stickstoff, der in organischer Verbindung vorhanden ist, ab. Zur Ablagerung gelangt daher schliesslich nur Thon und Sand.

Den Gehalt der suspendierten Stoffe an Stickstoff habe ich im Wasser der Unterweser mehrmals verfolgt, indem ich ausser dem Schlamm des Sammelwassers noch besondere Proben der suspendierten Stoffe sammelte und auf ihren Gehalt an Stickstoff untersuchte:

---

*) Landwirtschaftliche Jahrbücher. 15. Band. 1886. S. 188.
**) Die Ergebnisse der Untersuchungsfahrten S. M. Knbt. „Drache" in der Nordsee in den Sommern 1881, 1882, 1884. Berlin (Mittler & Sohn). 1886. S. 26, 27.

1. wurde gesammelt während der Monate Januar, Februar und der
ersten Hälfte des März 1890, und zwar von der Schöpfstelle

	Trockensubstanz		Stickstoff
Bremerhaven	2.0695 g,	darin	0.371%
Nordenhamm	1.0185 „	„	0.494 „
Brücke nach der Luneplate .	0.8535 „	„	0.435 „
Eljewarden	0.2795 „	„	0.901 „
Sandstedt	0.2535 „	„	0,940 „
Käseburg	0.1595 „	„	1.163 „
Rekum	0.0745 „	„	2.162 „

2. wurde gesammelt aus dem Wasser der Schöpfstelle Bremerhaven
während Ende März, während April und Mai und zwar 1.7980 g
Trockensubstanz und darin gefunden: 0.345% Stickstoff; ferner
aus dem Wasser von Nordenhamm im Monat Mai und Anfang Juni
0.4540 g Trockensubstanz, worin 0.236% N gefunden wurde.

3. ist während der Monate August und September und zu Anfang
Oktober gesammelt worden:

von Nordenhamm	0.8520 g Trockensubstanz	mit 0.484% N
„ Eljewarden .	0.6190 „	„ 0.619 „ „
„ Sandstedt. .	0.5450 „	„ 0.540 „ „
„ Käseburg. .	1.3360 „	„ 0.484 „ „

Aus der letzten Zusammenstellung 3 ist zu ersehen, dass der
Stickstoffgehalt der suspendierten Stoffe an dem oberen Schöpfpunkte
Käseburg nicht höher war als bei Nordenhamm, dass aber im ganzen
mittleren Teile der Unterweser, von Sandstedt bis Eljewarden, die
suspendirten Teilchen reicher an Stickstoff waren, als bei Nordenhamm. Unter 2 wird der geringe Stickstoffgehalt der suspendierten
Stoffe an den unteren Schöpfstellen bestätigt, und die Zusammenstellung unter 1 beweist die beständige Verringerung des Stickstoff-
gehaltes der suspendierten Teilchen im Unterweserwasser von den
oberen nach den unteren Schöpfstellen hin, eine Verringerung, auf
welche die Durchschnittszahlen der Tabelle über die prozentische
Zusammensetzung der suspendierten Stoffe schliessen lassen. Die
Annahme liegt nahe, dass das eine Folge des Salz gehaltes im
Wasser ist, der an den untersten Schöpfstellen am grössten wird und
auf die Zersetzung oder Auslaugung der Sinkstoffe hinwirkt.

Man kann die Frage aufwerfen, ob man nicht eine Anreicherung
des Seewassers mit Stickstoff erwarten sollte? Diese Frage lässt
sich ebenso wenig bestimmt beantworten, wie die Frage nach dem
Verbleib der gelösten organischen Substanz. Die Mengen, die das
Wasser mit sich führt, sind im Vergleich zu den übrigen Bestandteilen sehr gering. Hinsichtlich des Stickstoffs wäre eine weitgehende
Zersetzung seiner Verbindungen bis zur Bildung gasförmigen Stickstoffs zu vermuten, denn ausser Spuren von Stickstoffverbindungen
enthält das Nordseewasser nicht mehr Stickstoffgas, als auch Süsswasser unter gewöhnlichem Atmosphärendruck gelöst enthalten kann.

Hinsichtlich der gelösten organischen Substanz, wie auch derjenigen in den Sinkstoffen ist es möglich, dass sie unterm Einflusse
des Seewassers bis zur Entstehung von Kohlensäure zersetzt wird.

Hierfür spräche, dass in dem Seewasser bedeutend mehr Kohlensäure (gebundene) angetroffen worden ist, als im Süsswasser.

Aus den Zahlen über die prozentische Zusammensetzung der suspendierten Stoffe war eine Tabelle berechnet worden, die angab, wieviel von jedem Bestandteile in 1 cbm Wasser suspendiert war. Diese Tabelle war wieder zu einer neuen zusammengezogen worden, worin die Zeitabschnitte nach der wärmeren und nach der kälteren Jahreszeit gesondert waren, und die für jede dieser Jahreshälften angab, wieviel an einer Schöpfstelle höchstens und wieviel mindestens, sowie im Durchschnitt in 1 cbm Wasser von den Bestandteilen der suspendierten Stoffe vorhanden gewesen war.

Diese Tabelle ist hier beigegeben (siehe Tabelle III).

Ihr Inhalt lässt sich besser übersehen, wenn ganz so, wie oben bei der Tabelle über den Gehalt des Wassers an gelösten Bestandteilen, die graphische Darstellung der Durchschnittswerte zu Hilfe genommen wird (siehe Tafel II).

Die Länge der Streifen der graphischen Darstellung drückt in gewissem Verhältnisse den Gehalt eines Kubikmeters Wasser an dem am Rande vermerkten Bestandteile in g aus. Auch in dieser Darstellung sind die Felder, die sich auf die Schöpfstellen Rekum bis Sandstedt beziehen, dunkel ausgezeichnet worden.

Es bietet sich fast ganz dasselbe Bild, wie bei der graphischen Darstellung, die sich auf die im Wasser gelösten Stoffe bezog. Wie dort das Seewasser bewirkte, dass von den oberen nach den unteren Schöpfstellen hin gewisse Bestandteile ungeheuerlich zunahmen, so zeigt sich auch eine starke Zunahme der in unlöslicher Form vorhandenen Bestandteile infolge der Vermehrung der Sinkstoffe durch den Schlick, den das Seewasser in die Unterweser einführt.

Von Rekum bis Bremerhaven nahmen in der Unterweser zu, in Form suspendierter Stoffe,

während der warmen Jahreszeit:

		in 1 cbm		in 1 cbm				
Mineralstoffe	von	14.51 g	bis	258.58 g,	das ist das	17 fache,
Unlösliches	„	9.99 „	„	179.11 „	„ „ „ „	18 „
Eisenoxyd	„	3.17 „	„	46.63 „	„ „ „ „	15 „
Kalk	„	0.67 „	„	12.75 „	„ „ „ „	19 „
Magnesia	„	0.79 „	„	6.91 „	„ „ „ „	9 „
Schwefelsäure	„	0.17 „	„	2.19 „	„ „ „ „	13 „
Phosphorsäure	„	0.34 „	„	1.29 „	„ „ „ „	4 „

während der kälteren Jahreszeit:

		in 1 cbm		in 1 cbm				
Mineralstoffe	von	12.35 g	bis	252.82 g,	das ist das	20 fache,
Unlösliches	„	8.30 „	„	174.92 „	„ „ „ „	21 „
Eisenoxyd	„	2.92 „	„	45.69 „	„ „ „ „	16 „
Kalk	„	0.48 „	„	11.91 „	„ „ „ „	25 „
Magnesia	„	0.50 „	„	6.73 „	„ „ „ „	13 „
Schwefelsäure	„	0.16 „	„	2.04 „	„ „ „ „	13 „
Phosphorsäure	„	0.32 „	„	0.85 „	„ „ „ „	3 „

Vergleicht man die Menge der in 1 cbm gelöst vorhandenen Stoffe mit der Menge der in 1 cbm Wasser in unlöslicher Form suspendierten Stoffe, was ohne weiteres Nebeneinanderstellen von Zahlen durch einen Vergleich der graphischen Tafeln möglich ist, deren eine die gelösten Bestandteile des Wassers in zehnmal kleinerem Massstabe veranschaulicht, als die suspendierten Mengen dargestellt sind, so ergiebt sich der schon früher einmal gezogene Schluss wiederum, dass chemische Umsetzungen grösseren Massstabes unter Bildung von Niederschlägen während der Vermischung des Flusswassers mit dem Seewasser nicht stattfinden. Es mischen sich Flüssigkeiten, die beide die gleichen Bestandteile aufweisen, nur sind diese in der einen in viel stärkerer Konzentration vorhanden, als in der anderen. Zur völligen Ausscheidung gelangen anscheinend nur Eisenoxyd und Phosphorsäure, letztere wohl bereits im Weserwasser, da hierin nur ganz verschwindende Spuren Phosphorsäure gelöst sind, während die suspendierten Stoffe mehr enthalten. Die in den schwebenden Teilchen enthaltene Menge Phosphorsäure ist jedoch immer noch viel zu gering, um alles Eisen gebunden halten zu können. Fällt Eisen aus dem Wasser als Oxyd aus, so geschieht das jedenfalls unterm Einflusse der gelösten Karbonate oder in Zusammenhang mit organischer Substanz.

4. Chemisch-geologische Beziehungen zwischen dem Gebiete und dem Wasser der Weser.

A. Kurze Übersicht über die geologische Beschaffenheit des Wesergebietes.[*]

Überblickt man die Bodenbildung des Landes, das sich von der Mündung der Weser hinauf bis zu den Wasserscheiden zwischen diesem Flusse und der Elbe, dem Main, dem Rhein und der Ems erstreckt, so entfallen von dem 875 Quadratmeilen (= 48 180 qkm) umfassenden Gebiete 500 Quadratmeilen auf bergiges Land. Der untere Teil, etwa ein Drittel des ganzen Gebietes, besteht aus Schwemmland.

Am Küstensaume und in den Niederungen der Zuflüsse, die der Unterweser zukommen — ihr Gebiet unterhalb Bremen umfasst noch 120 Quadratmeilen — finden sich mächtige Alluvialablagerungen,

[*] Hausmann. Übersicht über die jüngeren Flötzgebilde im Flussgebiete der Weser. Göttingen 1824.
Credner. Über die Gliederung der oberen Juraformation und der Wealdenbildung im nordwestlichen Deutschland. Prag 1863.
v. Dechen. Die nutzbaren Mineralien und Gebirgsarten im deutschen Reiche. Berlin 1873.
Credner. Elemente der Geologie. 2. Auflage. Leipzig 1872.
Die Hansestadt Bremen und ihre Umgebungen. Festgabe, der 63. Versammlung der Gesellschaft deutscher Naturforscher und Ärzte gewidmet. Bremen 1890.
Kayser. Lehrbuch der geologischen Formationskunde. Stuttgart 1891.

das ist Marschboden. Er bedeckt an der Unterweser etwa 18 Quadrat-meilen. Er wird nur aus lehmigen und thonigen Bodenarten ge-bildet, ist namentlich in älteren Schichten sandig und führt in den oberen Schichten Mergel und Torf.

Das übrige, ältere und höher liegende Land ist aus Tertiär-ablagerungen gebildet und von Diluvium überzogen. Es ist die Geest (mit Vorgeest). Auf der Geest ist dunkler Thon und feiner Sand, der meist mit weissen Glimmerblättchen vermengt ist, sehr verbreitet. Für das Diluvium ist als Gebirgsart der Blocklehm charakteristisch. Sein Liegendes ist gewöhnlich loser Präglacialsand, der gleichfalls Glimmer führt.

Als dritte Bodengestaltung des Schwemmlandes kommt das Moor in Betracht, eine alluviale Bildung, die der Marsch und der Geest geologisch nicht gleichwertig, weil sie vorwiegend organischer Natur ist.

Die Lagerungsverhältnisse der tieferen Schichten des Schwemm-landes sind wenig bekannt. Erwähnenswert ist, dass auch im Moor kochsalzhaltige Quellen*) entspringen, an denen das Wesergebiet in seinem oberen Teile nicht arm ist.

Anstehendes Gestein findet sich erst 90 km südlich von Bremen, links der Weser, in Hügeln bei Lemförde, und rechts der Weser, bei Rehburg und Neustadt a. R., wo Wälderthon und Kreideformation auftreten. Weiter östlich wird im Schwemmlande anstehendes Ge-stein nur in unbedeutenden, vereinzelten Inseln angetroffen, und selbst in dem Höhenrücken, der die Elbe von der Aller, d. i. der unteren Weser scheidet und weiterhin an der Bildung der lüneburger Haide beteiligt ist, findet sich festes Gestein nur östlich von Rotenburg, am nordöstlichen Abhange.

Die Grenze zwischen dem hügeligen und dem ebenen Teile des Wesergebietes bilden die wallartigen Ablagerungen des oberen und braunen Jura — Sandstein von kalkigem Gestein überlagert, umsäumt von sandigen und thonigen Schichten — in dem Wiehen-gebirge und in der „Weserkette" links der Weser. Sie setzen sich auf der rechten Seite des Flusses in langen, jurassischen und ooli-thischen Kalkrücken und elliptischen Mulden fort und ziehen sich an die Leine heran, bis in die Gegend von Gandersheim. Eine Masse oberen Jura-Kalkes bildet den Ith (weisser Jura) und den Süntel, jurassischer Kalk erstreckt sich von da bis an den Südwest-rand des Deisters. Im oberen Jura des Deisters findet sich Dolomit, reichlich ist dieser auch im Ith, zwischen Hils und Fuhregge ver-treten, ferner im Selter, weiter aufwärts findet man ihn südwestlich von Seesen (Kahlberg) und am nördlichen Saume des Harzes.

Der Jura-Weserkette ist von Minden an Wälderthonformation (Thon, Sandstein) vorgelagert. Der Raum zwischen Minden und Wunstorf wird durch das Weald zusammen mit keuperähnlichem Mergel ausgefüllt (oben Kalk, in der Mitte Mergel mit thonigem

---

*) Fleischer. Über eine Salzquelle im Moorgebiet des Wörpeflusses. Centralblatt für Agrikulturchemie. 15. Jahrgang. 1886. S. 352.

Gips oder Steinsalz, unten Plattenkalk). Auch der Süntel wird nördlich von ihnen umrandet und den Deister entlang ziehen sie sich hin. Der nordöstliche Abfall der Deisterkette ist vornehmlich aus Sandstein gebildet. Ein grauer, fetter Thon (Hilsthon) des Neocomien zieht sich als schmaler Rand mit der Wealdenformation am Deister entlang.

Oberhalb der Jurakette hat der Fluss im Weserberglande verschiedene Formationen durchbrochen. Im nördlichen Teile, nördlich einer Linie, die von dem Nordrande des Solling gegen den Harz hin gezogen wird, findet sich in grösserer Ausdehnung Quadersandstein und Sandsteinschiefer in Verbindung mit Thon- und Mergelmassen, untergeordnet sind Gypslager und Kalkstein. Rechts der Weser, bei Vlotho, in der Gegend von Hameln, am Fusse des Hils' und des Iths, stösst man auf bunten Thon und Mergel (Keuper, Lias). In der Gegend von Pyrmont ist mehrfach Muschelkalk durchbrochen, bereits zeigt sich auch Buntsandstein.

Je näher man der Vereinigung von Werra und Fulda kommt, um so stärker tritt die Formation des Buntsandsteins hervor. Sie bildet die Höhen des Reinhardswaldes, des Bramwaldes und des Sollings. Die Fulda wird von ihrer Quelle an von Buntsandstein stets begleitet und zwar lagern in Massen Thon und Mergel des Buntsandsteins in der oberen Fuldagegend. Von der Werra lässt sich nur im Allgemeinen behaupten, dass sie ihr Bett in Buntsandstein gegraben hat, denn sie entspringt zwar darin, sehr oft durchbricht sie aber auch bedeutende Massen der Muschelkalkformation, die schliesslich die Wasserscheide zwischen Weser und Main bildet (auf der linken Werraseite, zwischen Hildburghausen und Meiningen). Aus der oberen Werra-Gegend ziehen sich Thon und Mergel des Buntsandsteins in Massen an den Rand des thüringer Waldes, und von dessen Südseite erstreckt sich Buntsandstein bis in die Nachbarschaft der Rhön.

Den von Osten her der Weser zuströmenden Nebenflüssen sind ältere Gebirgsarten nur an wenigen Stellen in den Weg getreten. So windet sich um die West- und Südseite des Harzes, von der nordwestlichen Ecke, nördlich von Seesen her, das Zechsteingebirge, reich an Gips und Steinsalz.

Das Wasser der Aller stammt hauptsächlich aus dem Schwemmlande. Sie entspringt in mooriger Gegend; an der oberen Aller findet sich die Triasformation, aber auch Quadersandstein kommt in nicht ganz unbedeutenden Massen vor (Gegend von Völbke, Wefensleben, Helmstedt). In einzelnen Rücken und ausgebreiteten Höhen erhebt sich zwischen Aller und Oker der Muschelkalk mit Spuren der Buntsandsteinformation (Thon und Mergel). Die Gegend von Braunschweig bis an den Harz ist eine tiefe und breite, ausgezackte Bucht, die von unterer Kreide, Jura und Keuper umrahmt und von Kalkmergel, Pläner und Thon und Kreidemergel ausgefüllt ist, also von der oberen Kreideformation und von Schwemmland gebildet wird. Kreidemergel zieht sich aus dieser Bucht in isolierten, nicht sehr grossen Massen über Peine bis in die Niederung, welche die Gegend von Hannover umfasst. Diese Bodenbildung findet sich in keinen anderen, als in den nördlichen Teilen des Wesergebietes.

Die Leine nimmt ihren obersten Lauf durch Buntsandstein, und zwar durch Thonschiefer und Mergel dieser Formation. Diese hat auf dem Eichsfelde und in nördlicher Richtung weiter, auf der rechten Seite der Leine bis zum westlichen Rande des Harzes bedeutende Erstreckung in anhaltenden Bergzügen, und auch im Leinethal selbst, bis Elze und Gronau, eine grosse Ausdehnung. Muschelkalk hat in der oberen Leinegegend ebenfalls weite Verflächungen, er begleitet die Leine zu beiden Seiten bis in die Gegend von Eimbeck und umzingelt den Solling. Von hier bis in die Gegenden, die nach Norden durch eine von Hameln nach Hildesheim gezogene Linie ungefähr begrenzt wird, kommen zu beiden Seiten der Leine und zwischen ihr und der Weser noch einzelne Muschelkalk-Rücken vor. Nördlich einer Linie Seesen—Gandersheim—Greene—Wenzen findet sich Sandstein im Leinegebiete, er zieht sich auf der rechten Seite der Leine von Winzenburg ab, bildet den Hils und die Fuhregge, einen grossen Teil des Süntels, den nordöstlichen Abfall der Deisterkette. Diese Bodenbildungen sind teils der schon-erwähnten Formation des Jura, teils dem Weald zugerechnet worden.

Sehr mannigfaltig sind die Bodenbildungen, durch die sich das Thal der Innerste zieht. Sie entspringt im Übergangsgebirge, fliesst weiterhin durch Thon und Mergel der Buntsandsteinformation, und wo sie sich Hildesheim nähert, weist ihr Thal Quadersandstein, Muschelkalk, Keuper, weissen und braunen Jura auf.

Das Gebiet der links in die Weser mündenden Zuflüsse ist bemerkenswert durch das Zurücktreten der Kalkformation. Weisser Jura fehlt. Die Hunte entspringt zwar in Trias und durchbricht die erwähnte jurassische Weserkette, entwässert im Ganzen aber nur Schwemmland. Triasgebilde liegen meist auch zwischen Wiehengebirge und Teutoburger Wald. Auf Trias ruht in dem grossen, flachen Becken zwischen Bünde, Herford und Bielefeld bunter Thon und Mergel des Lias, die sich bis in die Gegend von Paderborn verfolgen lassen. Das Plateau von Paderborn ist zum Teil aus Muschelkalk gebildet, zum Teil ist es eine alluviale Sandfläche. Der Muschelkalk zieht sich aus der Gegend von Cassel durch das Waldeckische und die untere Diemelgegend heran. Von Paderborn nach Driburg hin, zwischen Fulda und Diemel, an der südwestlichen Verflachung des Reinhardswaldes lagert Thon und Mergel des Buntsandsteins. Hierdurch sind auch die weiten Mulden der Sandsteinhöhen Oberhessens und des Fürstenthums Waldeck ausgefüllt.

. Das in geologischer Hinsicht charakteristische des oberen Flussgebietes der Weser besteht, kurz zusammengefasst, darin, dass auf den Hebungen des welligen Hügellandes die unteren Glieder der Trias, besonders Buntsandstein, vorherrschen, während in den Senkungen auf Muschelkalk sich Keupermergel und Keupersandstein, oft auch Jura und Kreide (Pläner, Quadersandstein) lagern. Die Weser durchbricht also auf ihrem ganzen Laufe keine anderen als jüngere Gebirgsarten. Denn wenn auch die bedeutenden Erhebungen im

Flussgebiete der Weser, der Harz, Thüringer Wald, die höheren Berge Oberhessens, Westphalens und in Waldeck älteren Ursprungs sind, so bahnen sich doch auch kleinere Nebenflüsse, die im Gebirge entspringen, wie Oker, Innerste, Diemel, sobald sie die höheren Berge verlassen haben, durch jüngere Gebirgslagen ihren Weg.

Basalt (auch in verschiedenen Abänderungen, wie Mandelstein, Dolerit) hat hie und da die jüngeren Lagen durchbrochen, sich auf grosse Flächen aber nicht ausgedehnt.

Vor allen den Formationen jüngeren Ursprungs im Wesergebiete ist durch Ausdehnung in horizontaler Richtung und durch Mächtigkeit diejenige des Buntsandsteins ausgezeichnet. Beispielsweise kommen in dem Gebiete des ehemaligen Kurhessen*) von 174 Quadratmeilen 85 Qu.-M. auf Buntsandstein, 12 Qu.-M. auf Röth (Thon und Mergel des Buntsandsteins), 11.5 Qu.-M. auf Muschelkalk. Im Allgemeinen herrscht in den südlichen Teilen des bergigen Weserlandes Thonsandstein, in den nördlichen Mergelsandstein vor. Quarzsandstein ist, was die Mächtigkeit betrifft, am geringsten vertreten. Eine Mächtigkeit des Sandsteins von 400 bis 800 Fuss ist nicht ungewöhnlich, an einzelnen Stellen erreicht sie 1000 bis 1500 Fuss. Die thonigen und mergeligen Lagen der Formation (Letten, Schieferthon, Thonmergel, Mergelthon, Sandmergel) stehen dem Sandstein an Ausdehnung weit nach. Die Bergzüge haben geringere Breite als der bunte Sandstein und viel wechselndere Dimensionen. Die grösste Mächtigkeit steigt selten über 600 Fuss, meist liegt sie zwischen 50 und 400 Fuss. Im Allgemeinen zwar eng verbunden mit der Formation des Buntsandsteins, aber in unbedeutender Ausdehnung erscheint grauer und brauner Letten, Schieferthon und Mergelthon des Muschelkalkes; auf dem Wechsel zwischen Buntsandstein und Muschelkalk, in den Lagen, die zum oberen Buntsandstein gehören, kommt Steinsalz vor, daher die salzhaltigen Quellen, die zahlreich sind. Der Kalkstein der Muschelkalkformation, in der Hauptmasse ein dichter, grauer Kalkstein, hat in horizontaler Richtung oft sehr grosse Ausdehnung, schwankt aber bedeutend in seiner Mächtigkeit, zwischen ein paar Fuss und mehreren hundert.

Die Keupermergel kommen nicht in bedeutender Mächtigkeit vor, auch nicht zusammenhängend und nicht in grosser Ausdehnung. Ihre grösste Stärke beträgt selten mehr als 50 bis 100 Fuss. Bemerkt sei, dass in dieser Schicht in Norddeutschland kein Steinsalz gefunden wurde, wie es in Lothringen der Fall gewesen ist.

Bedeutend steht hinter den Hauptgliedern der jüngeren Gebirgsbildungen die Juraformation zurück, die gewöhnlich lange, schmale Bergrücken und lange, elliptische Mulden bildet. Die Mächtigkeit ist sehr verschieden, sie steigt bis auf 500 und 700 Fuss. Noch geringere Verbreitung besitzt der weisse Jurakalk. Seine Mächtigkeit ist gering und übersteigt schwerlich 600 Fuss. Die Formation enthält Dolomit.

---

*) Dietrich. Jahresbericht für Agrikulturchemie. 13. Jahrg. 1870. S. 4.

In grosser, horizontaler Ausdehnung erscheint die Formation der Kreide. Ihre Mächtigkeit ist schwieriger zu beurteilen, da sie sich nur zu Hügeln erhebt, die allerdings 400 bis 500 Fuss Höhe erreichen können.

Wie sich aus der Bodenbeschaffenheit im Flussgebiete der Weser ergiebt, herrschen da an Gebirgsarten vor:

Sandstein (auch thonig),

Thon und Mergel (Letten, Schieferthon, Mergelthon; der Thon oft sandig, eisenoxydhaltig, kohlig, bituminös),

Kalkstein (dichter Kalkstein, Muschelkalk, Gryphitenkalk, Kreide. — Dolomit).

Untergeordnet kommen vor:

Gips (besonders in Buntsandstein und Keuper, Muschelkalk, Jura).

Steinsalz.

Der Vollständigkeit wegen wären noch erwähnenswert: Eisen- und Kohlenlager.

B. Die Abtragung des Flussgebietes durch Tagewasser.

Die Hauptmenge des in der Weser fliessenden Wassers ist auf die Quellen des Flussgebietes zurückzuführen, sie versorgen fast allein in trockener Jahreszeit den Fluss mit Wasser; das sogenannte Tagewasser, das von den atmosphärischen Niederschlägen herrührt, ist nur periodisch von Einfluss. Die in dem Wasser gelösten Stoffe sind vornehmlich den Quellen entflossen, zum kleineren Teil werden sie durch das Wasser der atmosphärischen Niederschläge in die Weser gespült. Denn, wie weiter oben schon angeführt wurde, es erscheint in regenreicher Zeit das Flusswasser in seinen gelösten Stoffen verdünnt, mit schwebenden Teilchen dagegen bereichert.

Für die Zusammensetzung des Tagewassers, das sich in dem Flussnetz der Weser sammelt, ist sicher die Zusammensetzung des lockeren Bodens, das ist der Ackerkrume, massgebend, die aus der Zertrümmerung, Verwitterung oder Zersetzung der von ihr bedeckten Bodenschicht hervorgegangen ist. Wie in den Bodenschichten, so zeigt sich auch in der davon abhängigen Ackerkrume des Wesergebietes viel Abwechselung. Sie lässt sich indessen auf einige Hauptarten zurückführen, die den oben angeführten Hauptgebirgsarten als Verwitterungsprodukte entsprechen.

Verwitternder Buntsandstein[*]) liefert einen sehr leichten, an löslichen Mineralstoffen und an Phosphorsäure sehr armen Boden. In welchem Grade er sandig ist, hängt — wie auch beim verwitternden Sandstein anderer Formationen — von der Menge des kalkig-thonigen Bindemittels ab, das weggeschwemmt wird. Zurück bleibt ein Lössboden. Saure Silikate der Alkalien, Alkalikarbonate, Kalk-

---

[*]) E. Wolff. Württemberg. naturw. Jahreshefte. 23. Jahrgang. 1. Heft. S. 78.
Über Verwitterung von Sandstein:
Bischof. Lehrbuch der Geologie. 3. Band 1866. S. 158, folgende.
Schütze. Dissertation. Erlangen 1886. Berlin. (Unger.)
Stocklasa. Landw. Versuchsstationen. Band XXXII, 1885. S. 203.

bikarbonat und Kalkphosphat, ferner Kalksulfat werden in löslicher Form weggeführt. Nebenbei oxydieren sich beim Zerfall des Sandstein-Bindemittels die Ferro-Verbindungen, es entstehen Hydrate der Sesquioxyde und Hydrosilikate.

Im bergigen und hügeligen Teile des Wesergebietes haben tertiäre Massen, vor allem Lehmlager, einen grossen Einfluss auf die Ackerkrume.

Weniger leicht, als Sandstein, zerfällt und verwittert Kalkstein. Nicht nur Erdalkalien, Kalk und Magnesia, sondern auch Alkalien gelangen in Lösung. Der Rückstand ist reich an Kieselsäure. Für die Ackerkrume bieten hauptsächlich die Thon- und Mergellager zwischen den Kalksteinbänken das Material. Da im Wesergebiete die Kalkbänke oft mit Schieferthon und Letten wechseln, so ist die Ackerkrume auf Kalkstein sehr oft von thoniger Beschaffenheit. Besonders der Muschelkalk*) liefert eine Ackerkrume, deren Kalkgehalt wider Erwarten nicht sehr bedeutend ist, andererseits infolge des Gehaltes an Feldspath kalireich sein kann. Als Verwitterungsprodukt des mittleren Muschelkalkes**) kann sicher der Lehm betrachtet werden. Bei Verwitterung von Schiefer***) werden Kalk, Magnesia, Kali und Phosphorsäure ausgelaugt. Phosphorsäure wird auch von Gryphitenkalk†) beim Zerfall abgegeben. Wenn Phosphorsäure nur in äusserst geringen Spuren im Flusswasser gefunden worden ist, so liegt das daran, dass sie überall durch Eisen- und Thonerde-Verbindungen alsbald in unlösliche Verbindungen übergeführt und so festgehalten wird.

Eine mächtige Ackerkrume liefern Thon- und Mergelschichten. Aus Schieferthon und Letten bildet sich ein zäher Thonboden, aus Mergelthon und Thonmergel ein weniger zäher Kleiboden. Bunte Farben des Thons und Mergels teilen sich auch der Ackerkrume mit. Oft herrscht beim Mergelthon im Wesergebiete die rote Farbe vor.

Die Basaltmassen,††) die hin und wieder im Wesergebiete unter den jüngeren Schichten angetroffen werden, liefern bei der Verwitterung ebenfalls Thonboden, und zwar schweren, eisenschüssigen, der reich an Kalk und Magnesia ist.

Der Unterlauf des Flusses, der im Flachlande liegt, geht durch den „Detritus", die abwärts geschwemmten Zersetzungsprodukte des Gebirges.

Aus dem vorhergehenden erhellt, dass das Hauptprodukt beim Zerfall der Schichten, welche die Oberfläche des Wesergebietes zusammensetzen, Thon ist. Die leichten Thonteilchen werden vom Wasser ohne Schwierigkeit fortgetragen und wir begegnen ihnen in den suspendierten Stoffen des Weserwassers, das je nach der

---

*) E. Wolff. Jahresbericht des Vereins für vaterl. Naturkunde. 1878. — Jahresbericht für Agrikulturchemie. Jahrgang 1878. S. 13.
**) Weise. Landw. Versuchsstationen. 1877. S. 1.
***) v. Planta. Landw. Versuchsstationen. 15 Band 1872. S. 241.
†) Wolff u. R. Wagner. Württb. Jahreshefte für vaterl. Naturkunde. 1871.
††) Stock. Mineralog. petrolog. Mitteilungen. Tschermak 1888. IX. S. 429.
Hanamann. Journal für Landwirtschaft. 1887. XXXV. S. 85.
Fühlings landw. Zeitschrift. 1878. S. 350.

Heftigkeit der Niederschläge im bergigen Teile des Flussgebietes durch diese schwebenden Teilchen eine gelblichrote bis nahezu ziegelrote Färbung erhalten kann. Die Zufuhr gelöster Salze in dem über die Bodenoberfläche dem Flusse zurinnenden Wasser ist im ganzen und grossen gering im Vergleich zu dem, was er aus einer Anzahl Quellen erhält, auch liegt auf der Hand, dass es Salze derselben Art sind, die im Flusswasser schon enthalten sind.

Von einem Bestandteile lässt sich vermuten, dass er durch das über die Oberfläche zurinnende Wasser reichlicher zugeführt wird, als er im Wasser der Quellen enthalten ist, nämlich von der Kieselsäure und den Alkalisilikaten. Es hat denn auch 1 cbm des bei Rekum (Tabelle I) geschöpften Wassers enthalten: in der wärmeren Jahreszeit durchschnittlich 8.10 g SiO_2, in der kälteren, durch höheren Wasserstand ausgezeichneten Jahreszeit 13.19 g SiO_2.

Die Zusammensetzung der suspendierten Teilchen ist auf Seite 32 und folgenden erörtert und auf Seite 33 die Gleichartigkeit in der Zusammensetzung, die der Schlick an der ganzen Nordseeküste aufweist, hervorgehoben worden. Eine gewisse Gleichmässigkeit in der Zusammensetzung der feinen Teilchen, welche die Flussläufe der Erde in ihrem Wasser schwebend fortführen und vor ihren Mündungen absetzen, lässt sich aus den Analysen, die sich in der Litteratur hierüber finden, erkennen. Die Absätze bestehen meist, wie die nachstehenden Beispiele zeigen, zur Hälfte bis zu zwei Dritteln aus Kieselsäure und in Säuren unlöslichen Stoffen; gegen den Gehalt an Eisenoxyd und Thonerde treten stets alle übrigen Bestandteile zurück.

			I.	II.	III.	IV.	V.	VI.	VIIa.
Unlösliches,	Kieselsäure.	Proz.	45.95	49.67	53.07	58.97	57.63	62.30	58.15
	Thonerde .	„	17.58	11.98	14.57	9.97	10.75	7.96	}17.79
	Eisenoxyd .	„	7.13	11.73	10.21	4.25	14.42	7.89	
	Kalk . . .	„	5.88	0.88	1.74	0.02	2.73	7.68	4.16
	Magnesia .,	„	2.74	0.27	1.07	0.04	0.24	0 09	2.86
	Kali . . .	„	2.42	1.29	6.67	1.11	0.89	?	2.13

			VIIb.	VIII.	IX.	X.	XI.	XIIa.	XIIb.
Unlösliches,	Kieselsäure.	Proz.	61.76	62.90	60.39	60.48	64.51	82.94	82.25
	Thonerde .	„	}17.21	}21.25	} 9.82	22.00	14.10	12.85	5.51
	Eisenoxyd .	„				11.28	11.86	2.59	5.60
	Kalk . . .	„	4.22	0.66	6.91	1.75	Spur }	1.62	0 09
	Magnesia .	„	2.59	1.22	2.14	0.27	0.92 }		0.44
	Kali . . .	„	1.91	2.42	0.95	?	?	?	0.49

I. Suspendierte Stoffe der Donau bei Pest. Nach Ballo. Vergl. Fischer: Das Wasser. 2. Auflage. Seite 27.

II. Suspendierte Stoffe der Weichsel. Bischof, Lehrbuch der Geologie. 2. Auflage. 1. Band. Seite 515.

III. Suspendierte Stoffe des Nils nach Müntz. Zeitschrift für angewandte Chemie. 1889 Seite 233.

IV. Löss, den der Rhein angeschwemmt hat. Bischof, a. a. O. Seite 504. I.

V. Suspendierte Stoffe des Rheins bei Bonn. Bischof, a. a. O. Seite 498.

VI. Jüngere Absätze des Rheins, brauner Thon bei Bonn. Bischof, a. a. O. Seite 506.

VIIa. VIIb. Suspendierte Stoffe der Weser.

VIII. Marsch-Erde (Maibolt, mineralischer Untergrund des Kehdinger Moors). Landwirtschaftliche Jahrbücher. 1883. Seite 90.

IX. Schlick (obere Lage) aus dem Jadebusen. Landwirtschaftliche Jahrbücher. 15. Band. 1886. Seite 186.

X. Absatz eines Flusses in Surinam. Bischof, a. a. O. Seite 516. III.
XI. Schiefer. Bischof, a. a. O. Seite 498.
XII. Absätze zweier Flüsse in Nordamerika,
    a. des Grand Rond in den Rocky Mountains. Bischof, a. a. O. 1.
    b. des Mississippi. Brauner Lehm, der ungeheure Flächen von sehr
    gleichförmiger Beschaffenheit bedeckt. Hilgard. Agricultural Science.
    Vol. VI. 1892. Nr. 6.

Da die unlöslichen Anteile des Schlammes sein spezifisches Gewicht bedingen, und da das fliessende Wasser jedenfalls nur solche Teilchen weit forttragen kann, deren spezifisches Gewicht innerhalb gewisser Grenzen liegt, so ist die Ähnlichkeit der Zusammensetzung von Schlamm ganz verschiedener Herkunft nicht sehr auffällig. Die neue Bodenschicht, die von den grösseren Flüssen der Erde vor ihren Mündungen angeschwemmt wird, zeigt wohl überall denselben Charakter, nämlich den eines Thonbodens. Nach Bischof[*]) entspricht diese Neubildung, was den Rhein betrifft, einem eisenhaltigen Thonschiefer, für den oben unter XI die Zusammensetzung angegeben ist. Einem eisenhaltigen Thonboden ähnelt auch der Absatz aus der Weser. Von C. Virchow[**]) ist nachgewiesen worden, dass der Boden unserer Marschen ursprünglich die Zusammensetzung des Seeschlicks gehabt hat, die Weser ist sonach heute noch an der Erzeugung eines jüngsten Marschbodens in der See tätig.

Bischof[***]) hat es als wünschenswert bezeichnet, dass die schwebenden Teilchen eines Stromes kurz vor seiner Mündung untersucht werden möchten, damit die in geologischer Hinsicht wichtige Frage, ob dem Meere das Kalkkarbonat nur in Auflösung zugeführt werde, beantwortet werden könne. Wie auf Seite 32 angegeben ist, enthielten die suspendierten Stoffe

des Weserwassers:	des Salzwassers in der Mündung:
Unlösliches . 58.15 % der Trockens.	61.76 % der Trockens.
Kalk . . . 4.16 „ „ „	4.22 „ „ „
Magnesia . 2.86 „ „ „	2.59 „ „ „
Kohlensäure 3.41 „ „ „	2.12 „ „ „

Vergleicht man damit die Analyse von Schlick aus dem Jadebusen, Seite 33, der in der Trockensubstanz mehr Unlösliches, etwas mehr Kalk, weniger Magnesia und mehr Kohlensäure enthielt, so ergiebt sich, dass gegenüber dem in dem Weserwasser gelösten Kalkkarbonat diejenige Menge kohlensauren Kalkes, die an den suspendierten Stoffen haftet, gering ist. In Form schwebender Teilchen enthielt 1 cbm Wasser bei Bremerhaven durchschnittlich nur

    7.24 g CO_2 und 12.75 g CaO in der wärmeren Jahreszeit,
    12.29 g CO_2 und 11.91 g CaO in der kälteren Jahreszeit.

Der höhere Gehalt an kohlensaurem Kalk, den der abgelagerte Schlick besitzt, ist auf die Thätigkeit von Organismen, Protozöen und dergl., zurückzuführen. Die Abscheidung des kohlensauren Kalkes aus dem Meerwasser geschieht bekanntlich durch die Thierwelt des Meeres.

---

[*]) Lehrbuch der chem. und physikal. Geologie. 2. Aufl. 1. Bd. S. 499.
[**]) Das Kehdinger Moor. Landw. Jahrbücher. 1883.
[***]) a. a. O. Seite 514.

C. Die Abtragung des Flussgebietes durch Quellwasser.

Von den Bestandteilen, die im Weserwasser ermittelt wurden, übertreffen das Natron und das Chlor an Menge alle anderen. Die Regeln, welche die deutschen Chemiker einhalten, wenn sie die in den Lösungen von Chloralkalien bestimmten Basen und Säuren zu Salzen gruppieren, stimmen darin überein, dass die Schwefelsäure, SO_3, vor allem an Kalk, CaO, zu binden ist. Bleibt danach etwas Schwefelsäure übrig, so wäre dieser Rest nach der einen Vorschrift (Fresenius, Anleitung zur quantitativen chem. Analyse, 6. Auflage. II. Band, S. 232, 290, 315) an Magnesia, MgO, zu binden, nach der anderen Vorschrift (Böckmann, chemisch-technische Untersuchungsmethoden, 3. Auflage. I. Band, S. 294) ist ein solcher Rest mit Natrium zu verbinden, und die Magnesia soll nur als Chlormagnesium, $MgCl_2$, angeführt werden. Nach der ersten Vorschrift wäre die Magnesia zunächst als schwefelsaure Magnesia zu berechnen, falls nach Bindung des Kalkes an Schwefelsäure von dieser etwas übrig bliebe, und dann erst wäre sie als Chlormagnesium anzuführen.

Im allgemeinen ist die Berechnung der Analysen bekanntlich immer eine mehr oder minder willkürliche.

Die Bestandteile, die das Weserwasser gelöst enthält, sind nicht so mannigfaltig, dass es schwierig wäre, mit einiger Sicherheit anzugeben, welche Salze ihnen entsprechen. Es genügt, die Hauptbestandteile in Betracht zu ziehen. Die verschwindende Menge Eisen würde eine ebenso geringe Menge Kohlensäure nötig haben, um als Ferrokarbonat gelöst zu bleiben. Die organische Substanz, die das Wasser gelblich färbt, hat man vornehmlich als Humusverbindungen zu denken. Die folgende Darlegung liesse sich an jeder Probe Sammelwasser beweisen, um Weitläufigkeiten zu vermeiden, mögen jedoch wieder die Durchschnittszahlen (Tabelle I) zum Anhalt dienen:

1 Liter Weserwasser, das bei Rekum während der kälteren Jahreszeit geschöpft war, enthielt

Gebundene Kohlensäure, CO_2 . 0.03513 g
Kalk, CaO . . . . 0.06753 „
Magnesia, MgO . . . . . 0.01332 „
Schwefesäure, SO_3 . . . . 0.05342 „
Chlor, Cl . . . . 0.04578 „
Alkalien, als Chloride beberechnet, KCl + NaCl . 0.07565 „ (davon 0.06870 NaCl
Kali, K_2O . . . . 0.00695 „ = 0.03641 Na_2O
Kieselsäure, SiO_2 . . . . 0.01319 „ = 0.02694 Na_2)

Der Bestandteil Schwefelsäure wird vollständig von Kalk gebunden (0.05342 SO_3 verlangt 0.03740 CaO). Der Rest Kalk kann nur an Kohlensäure gebunden sein (0.03013 CaO verlangt 0.02368 CO_2). Denn das Natrium kann vollständig von der vorhandenen Menge Chlor gebunden werden (0.02694 Na verlangt 0.04158 Cl), es bleibt sogar ein geringer Rest Chlor übrig (0.00420 Cl). Die vorhandene Menge Kali würde zwar ausreichen, um den Rest Chlor ganz zu binden (0.00695 K_2O bindet 0.00525 Cl_2), da aber auch

Kieselsäure mit Kali in Verbindung zu bringen ist und diese verhältnissmäsig erhebliche Mengen Alkali verlängt, um ein lösliches Salz zu geben, so würde man sich immer dazu verstehen müssen, Chlor in Verbindung mit Magnesium zu bringen. Silikate[*]) finden sich in allen Flusswässern. Die übrige Hauptmenge Magnesia ist an Kohlensäure zu binden (0.01041 MgO + 0.01145 CO_2). Obwohl kohlensaure Alkalien[**]) so häufig sich in Quellwassern finden, sind sie nur ganz ausnahmsweise in Flusswasser gefunden worden, denn die Karbonate der Alkalien haben sich darin bereits mit den Sulfaten und Chloriden der Erdalkalien umgesetzt. Der hohe Chlorgehalt des Weserwassers spricht gegen die Bindung der Kohlensäure an Alkalien.

Folgende Salze sind in dem Weserwasser gelöst gewesen: Gips, Karbonate des Kalks und der Magnesia, Chlormagnesium, Kochsalz (vielleicht auch Chlorkalium), Alkalisilikate.

Zu dem gleichen Schlusse führt auch die Zusammensetzung des konzentrierteren Weserwassers, wie es in der wärmeren Jahreszeit zu finden ist. Nachstehend der Durchschnitt der an Chlor am wenigsten reichen unter den wärmeren Perioden, und zwar der drei letzten.

1 Liter Weserwasser, bei Rekum geschöpft, enthielt:

Gebundene Kohlensäure, CO_2 0.05622 g
Kalk, CaO . . . . 0.07777 „
Magnesia, MgO . . . . . 0.01575 „
Schwefelsäure, SO_3 . . . 0.05305 „
Chlor, Cl . . . . 0.05253 „
Alkalien, als Chloride bestimmt, KCl + NaCl . . . 0.08747 „ (dabei 0.07753 NaCl
Kali K_2O . . . . 0.00627 „ = 0.03048 Na)
Kieselsäure, SiO_2 . . . . 0.00786 „

Die Schwefelsäure wird von Kalk gänzlich gesättigt (0.05305 SO_3 verlangt 0.03714 CaO). Der Rest Kalk kann vollständig an Kohlensäure gebunden werden (0.04063 CaO verlangt 0.03197 CO_2). Das Natrium verlängt weniger Chlor als vorhanden ist (0.03048 Na verlangt 0.04704 Cl), an das übrig bleibende Chlor lässt sich ganz das Kali binden (0.00627 K_2O verlangt 0.00473 Cl_2), und der Rest Chlor (0.00076 Cl) ist als Chlormagnesium zu berechnen. Da noch Kieselsäure mit Alkalien in Verbindung zu bringen ist, so ist die Menge Chlormagnesium jedenfalls noch grösser anzunehmen. Die Hauptmenge des Magnesiums ist als Karbonat vorhanden.

Für das Vorhandensein von Chlormagnesium im Weserwasser spricht entschieden, dass salzhaltige Quellen oder Soolen thatsächlich Chlormagnesium als solches enthalten, wie J. und S. Wiernik[***]) mittels einer neuen Methode nachgewiesen haben. Das aus Soolen gewonnene Kochsalz enthält geringe Mengen Magnesia, viel seltener oder gar nicht findet sich darin Kali, es ist also genügend Grund dazu, das nach Bindung mit Natrium übrig bleibende Chlor an

---

[*) **]) Bischof, Lehrbuch der Geologie. 2. Aufl. I. Band. S. 280 u. folg.
[***]) Zeitschrift für angewandte Chemie. Jahrgang 1893. Heft 2. Seite 43 bis 47.

Magnesium zu binden, wie oben angegeben wurde. Wenn in dem Sommerwasser deutlicher das Chlor und Chlormagnesium hervortreten, so entspricht das dem Vorherrschen von Quellwasser in der Weser zu dieser Zeit.

Früher ist von Kreusler[*]) und Alberti die Zusammensetzung von Wasser aus der Innerste, einem Nebenflusse der Leine, angegeben worden, wonach 1 cbm 17.2 g $MgCl_2$ enthielt. Der Gehalt des Wassers an Chlor, 17.6 g in 1 cbm, ist übrigens nicht so hoch, dass der Innerste ein bedeutender Beitrag zu dem hohen Kochsalzgehalt der Weser zuzuschreiben wäre.

Von dem Trockenrückstande, der in 1 cbm des bei Rekum geschöpften Weserwassers im Jahresdurchschnitt 281 g betrug, entfällt rund ein Drittel allein auf den Gips, ebenfalls fast ein Drittel auf die als Chloride bestimmten Alkalien. In welcher Beziehung steht diese Salzmenge zu den geologischen Formationen des Wesergebietes?

Bei Besprechung der Bodengestaltung oben ist hervorgehoben worden, dass am oberen Laufe der Weser Buntsandstein vorherrscht. Quellwasser,[**]) die dieser Formation entspringen, sind durch ausserordentliche Reinheit und sehr geringen Gehalt an gelösten Stoffen ausgezeichnet. Von Wasser, das dem oberen Keupergebiete entspringt, ist gleichfalls bekannt, dass es beim Verdampfen einen sehr geringen Rückstand hinterlässt. Ueberschreitet der Trockenrückstand von Wasser, das in den genannten Schichten entspringt, bedeutend das gewöhnliche Mittel, so lässt sich sicher annehmen, dass es Gipseinlagerungen, die allerdings nicht gerade häufig sind, passiert hat. Nicht nur an Quellen, sondern auch im grossen lassen sich an Flüssen[***]) dieselben Verhältnisse beobachten. Solche, denen ihr Wasser zumeist aus dem Urgebirge oder aus Sandsteinformationen zugeführt wird, haben ein weicheres Wasser, als Flüsse, deren Einzugsgebiet sich auf Kalksteinformationen verteilt.

Der an Kohlensäure gebundene Kalk, der als Bikarbonat gelöst in die Weser gelangt, hat seinen Ursprung in dem Muschelkalk, in der Juraformation und in den Kreide-Ablagerungen, die den mittleren und unteren bergigen Teil des Wesergebietes bilden helfen. Die Herkunft des Magnesiumbikarbonats im Weserwasser ist vor allem in den Dolomitanhäufungen in der Jurakette zu suchen, die das Weserbergland begrenzt. Wenn die Magnesia der Menge nach hinter den Kalk zurücktritt, so entspricht das dem Umstande, dass sie in der Natur nur im Dolomit angehäuft vorkommt, auch schwieriger in Lösung durch die Kohlensäure gebracht wird als Kalk; selbst Kalksilikat wird von Kohlensäure und Wasser leichter zersetzt als dolomitähnliches Gestein.

---

[*]) Erster Bericht der Versuchsstation Hildesheim. 1873.
[**]) Die chemischen und hydrographischen Verhältnisse der fränkischen Keuperformation von M. Lechler. Inaugural-Dissertation. Erlangen 1892.
[***]) Bischof. Lehrbuch der Geologie. 2. Auflage. I. Band. S. 271 und folgende.
Roth. Chemische Geologie. I. Band. S. 439, 454 und folgende.

Von dem Kochsalz im Weserwasser ist anzunehmen, dass es, samt der geringen Menge Chlormagnesium, den zahlreichen Salzquellen oder Soolen entflossen ist, die sich im Wesergebiete finden. Die Salzlager, deren Auslaugung die Soolquellen anzeigen, sind zumeist zwischen Buntsandstein und Muschelkalk zu suchen, stellen also Einlagerungen dar, wie es die Gipsstöcke sind.

Demnach ergiebt sich, dass die im Weserwasser gelösten Salze sich zu zwei Dritteln ihrer Menge (Gips, Kochsalz) auf Ablagerungen zurückführen lassen, die den geologischen Formationen des Wesergebietes ganz untergeordnet sind, und dass nur rund ein Drittel des Wasserrückstandes von den Formationen, die sehr weite Verflächungen zeigen, geliefert wird.

Durch die im Wesergebiete liegenden Bevölkerungsmittelpunkte wird der Kochsalzgehalt des Wassers nur unwesentlich im Vergleiche zu der Menge erhöht, die durch die Quellen hineingelangt ist. Beispielsweise enthielt die Leine[*] oberhalb der Stadt Hannover in 1 l 100.1 mg Chlor, unterhalb der Stadt 108.7 mg Cl.

D. Die Abtragung quantitativ betrachtet.

Auf Seite 18 sind Zahlen zusammengestellt worden, die die Mengen gewisser Bestandteile angeben, die das Weserwasser an der Grenze des Flutgebietes während der warmen und während der kalten Jahreszeit durchschnittlich gelöst enthalten hat. Im Jahresdurchschnitt hatte sich in 1 cbm Weserwasser befunden:

$$\left.\begin{array}{lll} \text{Trockenrückstand} & 305 & \text{g} \\ \text{Chlor} & 41.5 & ,, \\ \text{Kalk} & 80 & ,, \\ \text{Magnesia} & 17 & ,, \\ \text{Schwefelsäure} & 56 & ,, \end{array}\right\} A$$

Aus der Tabelle I ergeben sich als Jahresdurchschnitt folgende Zahlen:

$$\left.\begin{array}{llll} \text{Trockenrückstand} & 281.0 & \text{g in 1 cbm} \\ \text{Chlor} & 47.7 & ,, \ ,, \ ,, \ ,, \\ \text{Kalk} & 71.9 & ,, \ ,, \ ,, \ ,, \\ \text{Magnesia} & 14.4 & ,, \ ,, \ ,, \ ,, \\ \text{Chlor-Alkalien} & 86.9 & ,, \ ,, \ ,, \ ,, \\ \text{Schwefelsäure} & 55.2 & ,, \ ,, \ ,, \ ,, \ ^{[**]} \end{array}\right\} B$$

Bei einem mittleren Jahreswasserstande von 0.73 m über bremer Null und bei einer mittleren Geschwindigkeit von 0.76 m fliessen in 1 Sekunde bei Bremen in das Flutgebiet ab: 300 cbm Wasser. Hiernach lässt sich berechnen, dass die Weser bei Bremen in einem Jahre durchschnittlich vorbeigeführt hat:

---

[*] Fischer. Das Wasser. 2. Auflage. Berlin (Springer). S. 25.

[**] Die gelöste Menge Phosphorsäure im Weserwasser beträgt höchstens 1.5 g P_2O_5 in 1 cbm. Der Fluss führt davon jährlich nicht mehr als 0.014 Millionen metr. Tonnen ins Meer.

zufolge A:

	in 1 Sekunde				metr. Tonnen
gelöste Stoffe	. 91.5 kg, daher	2 885 544 000	kg	=	2.89 Millionen
Chlor	. 12.5 „ „	349 200 000	„	=	0.35 „
Kalk	. 24.0 „ „	756 864 000	„	=	0.76 „
Magnesia. . .	. 5.1 „ „	160 833 600	„	=	0.16 „
Schwefelsäure .	16.8 „ „	529 804 800	„	=	0.53 „

zufolge B:

	in 1 Sekunde				metr. Tonnen
gelöste Stoffe	. 84.3 kg, daher	2 658 484 800	kg	=	2.65 Millionen
Chlor	. 14.3 „ „	451 280 160	„	=	0.45 „
Kalk	. 21.6 „ „	680 231 520	„	=	0.68 „
Magnesia. . .	. 4.32 „ „	136 235 520	„	=	0.14 „
Chlor-Alkalien .	26.1 „ „	822 143 520	„	=	0.82 „
Schwefelsäure .	16.6 „ „	522 236 160	„	=	0.52 „

An der Schöpfstelle Rekum fliessen durchschnittlich in einer Sekunde 400 cbm ab, denn man kann für diesen Punkt dasselbe gelten lassen, was für den Punkt Farge*), ganz wenig oberhalb Rekum gelegen, ermittelt worden ist. Diese Wassermenge von 400 cbm ist aber nicht, wie die Abflussmenge bei Bremen, direkt gemessen worden, sondern ist durch Rechnung gefunden. Diese ergiebt für Farge eine sehr geringe Strömung zur Zeit der Flut (Flutströmung) von 144 cbm in 1 Sekunde, und zwar bedeutet diese Zahl nicht einen Rückfluss des Wassers infolge der Flut, sondern die Hebung des Wasserspiegels, die von der Flut bewirkt wird, mithin die in der Sekunde zurückgestaute Menge Oberwasser, die sich über dem normalen Wasserspiegel ablagert. Mit der Ebbeströmung fliessen dann in 1 Sekunde im Mittel 485 cbm ab. Für die ganze Dauer der Ebbe und Flut, also während einer Tide, berechnet sich der Abfluss in einer Sekunde auf 400 cbm, der vor wie nach der Korrektion des Flusses derselbe bleibt. Weiter unterhalb, für einen Punkt zwischen den Schöpfstellen Käseburg und Sandstedt, berechnet sich bereits eine mittlere Wassermenge von 1800 cbm, die in der Sekunde während einer Tide fliessen.

Die Berechnung der im Weserwasser fortgeführten Stoffmengen stösst demnach unterhalb der Huntemündung auf bedeutende Schwierigkeiten, allein was die Wassermengen betrifft, die in der Zeiteinheit abwärts fliessen sollen. Berechnet man diese Stoffmengen für die Schöpfstelle Rekum, so erscheint die mittlere Abflussmenge von 400 cbm in der Sekunde vielleicht etwas zu hoch gegriffen, obwohl oberhalb der Stelle sich Lesum und Ochtum in die Weser ergossen haben. Die Hunte vermehrt, wie auf Seite 20 gezeigt wurde, die gelösten Stoffe in der Weser nicht.

---

*) Franzius, die Unterweser. Petermanns geographische Mitteilungen, 26. Bd. 1880. Heft VIII. S. 299 und 300.
Festgabe, der 63. Versammlung der Gesellschaft deutscher Naturforscher und Ärzte gewidmet. Bremen 1890. S. 172, 173.

Durchschnittlich enthielt das Jahr hindurch 1 cbm Wasser bei Rekum 281 g gelöste Stoffe (vergl. S. 19 und 48); die von der Weser dort jährlich vorbeigeführte Menge berechnet sich bei 400 cbm Abfluss zu 3.5 Millionen metrischer Tonnen. Durchschnittlich enthielt 1 cbm Weserwasser bei Rekum 16.35 g schwebende Teilchen, wovon 12.35 g mineralischer Art (Glührückstand) waren. Bei 400 cbm Abfluss werden dort 6540 g in 1 Sekunde vorbeigeführt, oder während eines Jahres 206 245 440 kg, wovon 155 787 840 kg mineralischer Art sind. Das sind 206 245 metrische Tonnen Schlamm, darunter 155 788 Tonnen Mineralstoffe während eines Jahres. Nimmt man für den Ort Bremen eine zwischen den auf Seite 49 berechneten Zahlen von 2.89 und 2.65 Millionen Tonnen liegende als die wahrscheinlichere für die gelösten Stoffe an, so wird man der Wirklichkeit sehr nahe kommen — und um annähernde Werte kann es sich nur handeln — wenn die Last gelöster und schwebender Bestandteile, die jährlich die Weser ins Meer trägt, auf rund 3 Millionen metrischer Tonnen beziffert wird.

Beim Austrocknen des an der Nordseeküste lagernden Schlicks findet nach Ermittelungen von Fleischer[*] eine Kontraktion des Volumens statt. 1 cbm Schlick, der nur 2.99 % Wasser enthielt, fasste 1255.2 kg völlig trockene Masse, und 1 cbm Schlick mit nur noch 1.30 % Wassergehalt enthielt 1262.4 kg Trockensubstanz. Man wird hiernach das Gewicht eines cbm völlig trockenen Schlicks zu rund 1270 kg ansetzen können. Schlick[**], der soweit ausgetrocknet war, dass seine Oberfläche betreten werden konnte, hatte in 1 cbm 856 kg Trockensubstanz enthalten.

Wenn nun die Weser in einem Jahre 206 245 440 kg feinen Schlamm ins Meer führt, so würde diese Menge, völlig trocken, einen Raum von 162 398 cbm einnehmen, oder eine Fläche von 487 194 qm $1/_8$ m hoch bedecken können, oder gar eine Fläche von 722 823 qm, wenn der Schlick nur soweit trocken ist, dass er betreten werden kann. Wird das Zuflussgebiet der Weser auf 48 180 qkm[***] berechnet, so ergiebt sich weiter, dass durch obige Schlammmassen allein das Gebiet abgetragen wird um 0.00337 mm jährlich (1 qkm um 3.37 cbm) bei 400 cbm Abfluss ins Flutgebiet in 1 Sekunde.

Selbst wenn man nur einen Abfluss von 300 cbm in der Sekunde annimmt, würde die Weser 154 684 080 kg feinsten Schlamm oder 121 800 cbm völlig trockene Masse jährlich ins Meer führen, womit 365 400 qm $1/_8$ m hoch bedeckt werden könnten, oder gar eine Fläche von 542 115 qm, wenn der Schlick nur soweit trocken ist, dass er betreten werden kann. Die Abtragung des Zuflussgebietes berechnet sich hierbei auf 0.00253 mm (1 qkm um 2.53 cbm); sie beträgt im Mittel aus dieser und der vorhin berechneten Zahl:

---

[*] Mitteilungen über die Arbeiten der Moor-Versuchsstation in Bremen. Sonderabdruck aus den landwirtschaftl. Jahrbüchern 1883. S. 222.

[**] Landwirtschaftl. Jahrbücher 1886. 15. Bd. S. 187.

[***] Nach Franzius. Festgabe u. s. w. S. 146.

0.00296 mm. Auf Seite 48 ist angegeben worden, welche Menge gelöster Stoffe die Weser jährlich bei 300 cbm Abfluss in 1 Sekunde in ihre Mündung trägt. Die meisten Gesteinsarten, die sich am Aufbau der Gebirge beteiligen, besitzen ein spezifisches Gewicht*) von 2.0 bis 2.9. Die schwefelsauren und Chlor-Verbindungen des Calciums und des Magnesiums und der Alkalien, die vorzugsweise im Weserwasser gelöst sind, besitzen in fester Form ebenfalls ein nicht hoch über 2 liegendes und unter 3 sich haltendes spezifisches Gewicht. Jene Gesamtmenge gelöster Stoffe würde in fester Form, wenn das spezifische Gewicht zu 2.25 angenommen wird, ein Volumen von

$$1\,282\,464\,000 \text{ l oder } 1\,282\,464 \text{ cbm (zufolge A)}$$
$$1\,181\,548\,800 \text{ „ „ } 1\,181\,549 \text{ „ („ B).}$$

einnehmen. Dieses Volumen vermöchte einerseits eine Fläche von

$$3\,847\,392 \text{ qm (zufolge A)}$$
$$3\,544\,646 \text{ „ („ B)}$$

mit einer $1/_3$ m hohen Salzschicht zu bedecken, andererseits das Zuflussgebiet um

$$0.0266 \text{ mm (1 qkm um 26.6 cbm) zufolge A}$$
$$0.0245 \text{ „ (1 „ „ 24.5 „) „ B}$$

abzutragen.

Zusammen mit dem feinsten Schlamm trägt die Weser eine Last jährlich in das Meer, die das Zuflussgebiet um

$$0.0266 + 0.00296 = 0.02956 \text{ mm (zufolge A)}$$
$$0.0245 + 0.00296 = 0.02746 \text{ „ („ B)}$$

abträgt, oder um

$$\text{rund } 0.03 \text{ mm.}$$

Das Gebiet würde auf diese Weise nach 33300 Jahren um 1 m erniedrigt sein.

Bei Bremerhaven enthält 1 cbm Wasser aus der Weser, wenn die Flut am höchsten steht, im Jahresdurchschnitt 287.065 g Schlick. Dort bewegt bei normaler Flut und bei normalem Oberwasser die Flutströmung während 20400 Sekunden 136223800 cbm Wasser, mithin 39105085 kg suspendierte Schlickteilchen, die, zu einer trockenen, betretbaren Bodenschicht angehäuft, eine Fläche von 137050 qm oder rund 14 ha $1/_3$ m hoch bedecken würden, oder als völlig trockene Masse einen Raum von 30791 cbm einnehmen und 92373 qm Fläche $1/_3$ m hoch bedecken würden. Demnach wälzt die Flut zweimal

---

*) Credner. Elemente der Geologie. 2. Aufl. S. 170.

täglich den sechsten Teil derjenigen Schlammmenge, die von der Weser binnen einem Jahre ins Meer geführt wird. Wenn man bedenkt, dass bei Bremerhaven der Mündungstrichter nur 1.8 km breit ist, sich aber 19 km weiter abwärts auf 20 km verbreitert, so erhält man eine Vorstellung davon, welche ungeheure Masse zukünftigen Alluvialbodens die Flutwelle des Meeres in sich trägt.

Um das 53000 ha oder 530 Millionen qm einnehmende Mündungsgebiet der Weser mit einer betretbaren Schlickschicht von 0.3 m Tiefe zu bedecken, müsste die Weser länger als 700 Jahre (730) geflossen sein, und um eine gleichhohe, völlig trockene Bodenschicht zu liefern, 1100 Jahre lang.

Da das Absetzen des Schlicks äusserst langsam vor sich geht, hat die Einwirkung des Salzwassers auf die schwebenden Teilchen, ihre auf Seite 33 erwähnte Auslaugung, eine ungeheuer lange Dauer. — Wollte man die Rechnung auf den Trockenrückstand oder die Salzmenge ausdehnen, die sich mit der Flutwelle einmal bei Bremerhaven binnen sechs Stunden vorbeibewegt, so würde sich ergeben: Bei einem specifischen Gewichte 1.01[*]) wiegen 136223800 cbm, die sich binnen 20400 Sekunden vor Bremerhaven bewegen, 137568038 Tonnen, sie enthalten in 1 cbm durchschnittlich 7668 g Salz, mithin 1044564098 kg, ausserdem 39105085 kg Schlamm, zusammen rund 1084000 metr. Tonnen.

Die Wassermassen in der Wesermündung sind demnach zu rund $1/8500$ ihres Gewichts mit Schlamm und zu $1/127$ ihres Gewichtes mit gelösten Stoffen nebst Schlamm beladen. Beim Eintritt in das Flutgebiet ist die Weser nur zu $1/62500$ ihres Gewichtes mit feinen Schlammteilchen, und zu rund $1/8000$ mit gelösten nebst suspendierten Stoffen beladen.

E. Kurzer Vergleich mit anderen Flüssen.

Hält man Umschau nach Beobachtungen der hydrologischen Verhältnisse anderer Flüsse, die mit Regelmässigkeit lange Zeit fortgesetzt sind, so dass die zahlenmässigen Ergebnisse einen wirklichen Durchschnitt darstellen, so kommen die Donau[**]) und die Maas[***]) in Betracht. Erstere ist bei Wien von Wolfbauer und bei Pest von Ballo, letztere bei Lüttich ein Jahr lang von Troost und Spring regelmässig untersucht worden. Der Vergleich mit der Weser sei der Kürze halber in folgende Zusammenstellung gefasst:

---

[*]) Das salzreichste Sammelwasser von 1887 hatte das specifische Gewicht 1.0128.

[**]) Vergl. „Die Donau" von Prof. Dr. A. Penck in den Schriften des Vereins zur Verbreitung naturwissenschaftlicher Kenntnisse in Wien. 31. Band. Wien 1891. Seite 3 bis 101. — Hierin werden zum ersten Male die hydrographischen Verhältnisse des Gesamtstromes zusammenhängend geschildert.

[***]) Annales de la Société géologique de Belgique. F. XI. 1884. p. 123. — Jahresbericht f. Agrikulturchemie. 28. Jahrgang für das Jahr 1885. S. 53.

	Länge des Laufes km	Strom-Ge-schwin-digkeit m	Wasser-führung cbm. in 1 Sek.	Zufluss-gebiet qkm	Jährl. Last gelöst. u. suspend Stoffe. Mill. Tonnen	Jährl. Ab-tragung d. Fluss-gebietes mm
Weser, bei Bremen .	588*	0.8	300	48180	3.0	0.030
Donau, bei Nussdorf, kurz oberhalb Wien	917.8		1650	102236	14.3	0.056
Im Vergleich zur Weser	1.6 fach	etwa 2 fach	5.5 fach	2.12 fach	4.6 fach	2 fach
Donau, bei Pest. . .	1222.6		2370	184200	23.9	0.052
Im Vergleich zur Weser	2,0 fach	etwa ebensogross	7.9 fach	3.8 fach	7.7 fach	fast 2 fach
Maas, bei Lüttich .	etwa 460	?	210	?	1.3	?

* Länge des Laufes der Weser von Münden bis Bremen 367 km, der Fulda allein 260 km, der Werra 181 km, zusammen $367 + \dfrac{260 + 181}{2} = 588$ km

Vergl. v. Dechen. Die nutzbaren Mineralien und Gebirgsarten im deutschen Reiche. Berlin 1873. S. 96 ff.

Nach zehnjährigen Beobachtungen (1862—1871) führt die Donau in ihrer Mündung während einer Sekunde 2164 kg Schlamm oder jährlich 69 Millionen metr. Tonnen ins Meer. Das sind 27.6 Millionen cbm, wodurch das ganze Zuflussgebiet (816947 qkm) jährlich um 0.033 mm abgetragen wird. Die Wassermassen sind zu $1/8060$ ihres Gewichts mit Schlamm beladen. Die Weser, deren Zuflussgebiet etwa den achtzehnten Teil des Donaugebiets beträgt, liefert jährlich nur 0.15 bis 0.21 Millionen cbm Schlamm.

Dem Gewichte nach verhalten sich in der
Donau bei Wien die suspendierten Stoffe : gelösten Stoffen wie 1 : 1.7,
„   „ Pest „   „   „ : „   „   „ 1 : 1.4,
Weser, an der
Flutgrenze „   „   „ · „   „   „ 1 : 20,
Maas bei Lüttich
zwischen Oberlauf
und
Anschwemmungs-
gebiet   „ ·   „   „ : „   „   „ 1 : 4.5.

Über den Rhein, die Elbe, Oder und Weichsel lassen sich ähnliche Betrachtungen aus Mangel an Durchschnittszahlen nicht anstellen. Für die meisten deutschen Flüsse fehlt es an Messungen der abfliessenden Wassermengen*) an gewissen Punkten und bei verschiedenem Wasserstande, so dass direkte Vergleiche nicht gezogen werden können.

Beispielsweise scheinen über den Rhein die Angaben Bischofs**) bisher die ausführlichsten geblieben zu sein. Unter einander würden sich der Rhein und die Donau, obwohl ihrem Gewässer nach beide Alpenflüsse sind, nicht schlechthin vergleichen lassen, da der eine von beiden im Bodensee ein grosses Klärbecken durchlaufen hat.

*) Franzius. Petermanns geograph. Mitteilungen. 26. Bd. 1880. Heft VIII. S. 296.

**) Lehrbuch der Geologie. 2. Aufl. 1. Bd. Kapitel V und VIII.

Im folgenden sind einige Einzelbeobachtungen über den Rhein zusammengestellt. Nach Horner[*]) enthielt im August 1833 1 cbm Wasser, das trüb und gelb war, 2 m unter der Oberfläche 310.02 g gelöste und schwebende Stoffe; im November 1833, als der Fluss dunkelgelb aussah und wasserreich war, 0.3 m unter der Oberfläche 514.5 g gelöste und schwebende Bestandteile in 1 cbm.

Nach Bischof[**]) enthielt 1 cbm im März 1851, als der Fluss trüb und geschwollen war, 317.3 g gelöste und suspendierte Stoffe; im März 1852, bei trockenem Wetter und recht klarem Wasser 188.1 g. Im ersten Falle fanden sich 205 g schwebende Teilchen, im andern 17.3 g in 1 cbm. Diese letztere Zahl ist ein Minimum; sie kommt dem Durchschnittsgehalt der Weser an suspendierten Stoffen sehr nahe.

Bei Köln enthielt im November 1870 der Rhein[***]) bei hohem Wasserstande das eine Mal 149.74 g, das andere Mal 116.66 g suspendierte Stoffe in 1 cbm; bei sehr niedrigem Wasserstande in demselben Monat 42.22 g und 38.2 g schwebende Teilchen in 1 cbm. Ferner findet sich angegeben, dass im März 1886 der angeschwollene Rhein[†]) in 1 cbm 249 g suspendierte Teilchen enthielt, dagegen im Juni darauf bei niedrigem Wasserstande 120 g. Dann wieder wird ein Durchschnitt[††]) von 0,533 g suspendierten Teilchen in 10 l Rheinwasser, gleich 53.3 g in 1 cbm angeführt.

Nach solchen auseinandergehenden Angaben kann man es nur als wahrscheinlich hinstellen, dass der Rhein durchschnittlich stärker getrübt ist, als die Weser. Er führt aus seinem Zuflussgebiete verhältnismässig grössere Mengen Wasser aus als die Weser, diese bei Bremen 0.62 cbm in der Sekunde von je 100 qkm Gebiet, der Rhein bei Koblenz 1.07 cbm. Wenn berechnet worden ist, dass der Rhein bei Bonn[†††]) jährlich so viel schwebende Teilchen vorbeiführt, dass damit 1956 qm $^1/_3$ m hoch bedeckt werden könnten, so ist diese Menge augenscheinlich zu gering. Denn nimmt man an, bei Bonn fliesse in 1 Sekunde eine Wassermenge von 1500 cbm vorbei (für Emmerich[†*]) unterhalb Bonn ist diese Menge ein Minimum) und nimmt man an, 1 cbm Wasser enthalte 120 g suspendierte Stoffe, wie im März 1886 bei Köln, als der Wasserstand niedrig war, so ergeben sich, wenn man in derselben Weise, wie bei der Weser rechnet, 4.47 Millionen cbm Schlamm in einem Jahre, und nimmt man den geringsten, beobachteten Gehalt von 17.3 g in cbm an, so ergeben sich 64 438 cbm trockener Schlamm, den der Rhein jährlich abwärts führt. Schon die viel kleinere Maas hat in einem Jahre bei Lüttich 238 191 417 kg anorganische suspendierte Stoffe oder über 187 000 cbm vorbeigeführt. Die jährliche Menge gelöster und suspendierter Stoffe dieses Flusses zusammen vermöchte über 300 ha Fläche $^1/_3$ m hoch zu bedecken.

---

[*]) Bischof. Lehrbuch der Geologie. 2. Aufl. 1. Bd. S. 497.
[**]) Ebenda. S. 497 u. 271.
[***]) Roth. Chemische Geologie. 1. Bd. S. 454, folgende.
[†]) Fischer. Das Wasser. 2. Aufl. S. 24.
[††]) Ebenda. S. 24.
[†††] Credner. Elemente der Geologie. S. 171.
[†*]) Fischer. Das Wasser. S. 2.

Die Beschaffenheit des Wassers in der Unter-Elbe bietet im Vergleich mit dem Weserwasser nichts auffälliges. Vielfältige Beobachtungen sind bei Hamburg angestellt worden, also ziemlich an der Flutgrenze, die noch oberhalb Hamburg und Harburg zu ziehen ist. Wibel*) findet als sicheres Ergebnis nach einer Zusammenstellung der Analysen von Flusswässern aller möglichen Länder, dass das Elbwasser bei Hamburg weder hinsichtlich seines Gesamt-Gehaltes, noch hinsichtlich der Art und Menge seiner organischen und anorganischen Bestandteile irgend aussergewöhnliche und abnorme Erscheinungen gegenüber anderen Strömen ähnlicher Grösse und ähnlicher Verhältnisse ihres Ursprungs und Oberlaufes bietet.

In den Jahren 1870—75 lieferten Wasserproben**) aus der Elbe hinsichtlich des Gehaltes an gelösten samt suspendierten Stoffen in 1 cbm Zahlen, die nur zwischen 270 und 290 g schwankten. Für Weserwasser (Rekum) hat sich als Durchschnittsgehalt für die kältere Jahreszeit ergeben: 271.30 g gelöste + 15.32 g suspendierte Stoffe = 286.62 g, und für die wärmere Jahreszeit 291.0 + 17.38 = 308.38 g. Die anorganischen, gelösten und suspendierten Bestandteile in der Unter-Elbe schwankten zwischen 227 und 269 g. Für Weserwasser (Rekum) berechnet sich diese Menge, als Summe des Glührestes der gelösten und suspendierten Stoffe, auf durchschnittlich 264.29 g in 1 cbm.

Die suspendierten Stoffe in der Elbe schwankten nach verschiedenen Untersuchungen bei mässiger Trübung des Wassers zwischen 18 bis 36 g in 1 cbm, bei sehr trübem Wasser zwischen 95 und 110 g. Hiernach liesse sich annehmen, dass die Elbe etwas reicher an schwebenden Teilchen ist, als die Weser.

Auch der Chlorgehalt***) der Elbe bei Hamburg, der zwischen 20 und 60 g in 1 cbm beträgt, bietet gegenüber den auf Seite 18 für die Unterweser zusammengestellten Zahlen nichts abweichendes. In ihrem mittleren Laufe, bei Magdeburg, führt die Elbe offenbar ein salzreicheres Wasser, das weiterhin durch Zuflüsse wieder verdünnt wird. Nach einer Zusammenstellung†) enthielt 1 cbm Elbwaser vorm Filtrieren im magdeburger Wasserwerk:

im Jahre 1885—86 677 g festen Rückstand, 220 g Chlor
„   „   1886—87 515 „   „   „   151 „   „
„   „   1887—88 547 „   „   „   166 „   „

Den hohen Chlorgehalt ins Auge fassend, geht man wohl nicht fehl, wenn der hohe Salzgehalt auf die bekannten stassfurter Lager zurückgeführt wird, die auch in das Flussgebiet der Saale gehören.

Ähnlich wie der Rhein entnimmt auch die Elbe ihr Wasser einem Gebiete, das, soweit es zu ihrem Oberlaufe gehört, grösstenteils Urgebirge umfasst. Die Gebirgszüge, die Böhmen umschliessen, sowie die ganze südliche Hälfte dieses Landes bestehen daraus. Im

*) Die Fluss- und Bodenwässer Hamburgs. Hamburg 1876. 152 Seiten 4⁰.
**) a. a. O. S. 33.
***) a. a. O. S. 105.
†) Fischer. Das Wasser. 2. Aufl. S. 238. — Vergl. ebenda S. 135, folgende

Innern Böhmens finden sich Becken, die aus tertiärem Thon und Sand gebildet sind. Einen weit längeren Weg als Weser und Rhein legt die Elbe durch die norddeutsche Tiefebene zurück.. Durch diese nehmen Nebenflüsse ihren Weg, die im Urgebirge entspringen, wie Spree und Mulde. Das Gebiet der Saale umfasst auch' Urgebirge (in Thüringen, im Harz), ausserdem silurische Schieferbildungen (Ostseite des Harzes), devonische Schichten und Grauwacke, die auch im Frankenwalde und in Thüringen vorhanden sind, aber den grössten Einfluss auf die Beschaffenheit des Saalewassers haben zweifellos der Muschelkalk, der sich vom Eichsfeld in die Unstrutgegend und durch Thüringen nach der Saale zieht, und die zahlreichen Salzquellen und Salzlager, die sich im Gebiete der Saale finden, nebst den Abwässern der hierauf sich gründenden Industrie. Für den Unterlauf der Elbe kommt nur Schwemmland, d. i. Thon, Mergel, Sand (Glimmersand) und vereinzelt Kreideformation (Lüneburg und Meklenburg) in Betracht.

Wie in der Weser wird man einen Hauptanteil der gelösten Stoffe in der Elbe auf geologisch den übrigen Formationen untergeordnete Ablagerungen zurückzuführen haben. Nach einer Analyse von Niederstadt*) enthielt bei Altona (Norderteil) geschöpftes Elbwasser in 100 cc 46.49 mg Trockenrückstand, und davon betrugen der Gips 16.49 mg, Kochsalz nebst Chlorkalium 22.00 mg, kohlensaurer Kalk 4.75 mg, kohlensaure Magnesia 2.60 mg.

Hiernach entfällt, wie im Weserwasser, der grösste Teil des Trockenrückstandes auf Gips und Chloralkalien, demnächst auf Karbonate des Kalks und der Magnesia. Stickstoffverbindungen in gelöster Form fehlen in der Unterelbe wie in der Unterweser.

---

*) Centralblatt f. allgem. Gesundheitspflege. 1891. X. 386.
Jahresbericht f. Agrikulturchemie. XIV. 1891. S. 31.

Die chemischen Untersuchungen zu vorliegender Arbeit wurden mit den Hilfsmitteln der Moorversuchsstation in Bremen (Vorsteher: Herr Dr. Tacke) ausgeführt.

Über den Salzgehalt des Wassers im „Nieuwen Waterweg" zwischen Rotterdam und der Nordsee.

Im Anschluss an die vorstehende verdienstvolle Arbeit des Herrn Dr. F. Seyfert über das Wasser im Flutgebiete der Weser lasse ich hier einige Bemerkungen über den „Nieuwen Waterweg" zwischen Rotterdam und dem Meere sowie seinen Salzgehalt folgen. Durch Herstellung dieser direkten Verbindung mit der Nordsee hat sich Rotterdam zum bedeutendsten Seehafen für das ganze Rheingebiet und zur ersten Handelsmetropole Hollands erhoben, welche im Schiffsverkehr Amsterdam bereits überflügelte und jetzt nahezu $1/4$ Million Einwohner zählt. Die an der Stadt vorüberfliessende gewaltige Wassermasse wird von den Holländern Maas genannt, obgleich sie vorzüglich dem Rhein entstammt, dessen verschiedene Arme oberhalb Rotterdam, soweit sie hier in Betracht kommen, Waal, Lek, Merwede und Noord heissen. Das frühere Fahrwasser führte an Zieriksee oder Brouwershaven vorbei über Hellevoetsluis nach Rotterdam, wobei noch die Schleusen am Voorne-Kanal passiert werden mussten, und hatte eine Ausdehnung von 45 bis 63 englischen Meilen. Anfangs der siebziger Jahre begann man die direkte Verbindung mit dem Meere durch den „Nieuwen Waterweg" herzustellen. Die Dünen am Hoek van Holland wurden durchstochen, der Wassermasse der sogenannten Maas auf dem nächsten Wege ein Abfluss verschafft, und dadurch die Entfernung Rotterdams von der See auf 18 englische Meilen verkürzt.

In den Jahren 1875 und 1876 hatte das neue Fahrwasser erst eine Tiefe von 4,3 m, die aber durch fortgesetzte Begradigung und stetes Baggern im Oktober 1893 bei Hochwasser auf 9,8 m gebracht worden ist. Zur weiteren Verbesserung dieses breiten Fahrwassers sind für das Jahr 1893 noch fünf Millionen Mark aufgewandt. Der durchschnittliche Unterschied zwischen Hoch- und Niedrigwasser beträgt am Hoek van Holland 1,7 m, in Rotterdam 1,2 m. Am 20. Juli 1888 besuchte ich den „Nieuwen Waterweg", wobei ich mich der Begleitung und gütigen Unterstützung des Herrn Konsul G. Dirkzwager Mz. in Maassluis zu erfreuen hatte. Derselbe lässt seit nunmehr zwanzig Jahren alljährlich die Schrift „Guide to the New-Waterway" mit

Karten und Plänen nach den amtlichen Feststellungen des „Water-staats" erscheinen. In Betreff des Salzgehalts dieser Strecke legte ich genanntem Herrn kürzlich eine Anzahl Fragen vor, die derselbe brieflich beantwortete und bald darauf auch bei einer persönlichen Begegnung mündlich vollauf bestätigte.

Darnach findet ein Heraufdringen des Seewassers nach Rotter-dam oder gar über Rotterdam hinaus nicht statt. Alle am rechten Maasufer gelegenen, zum Teil volkreichen Städte wie Delfshaven, Schiedam, Vlaardingen und Maassluis beziehen gleichwie Rotterdam ihr Trinkwasser aus dem „Maas" genannten Nieuwen Waterweg. Die Flut-staut ungefähr vier Stunden das Wasser auf, worauf eine etwa achtstündige Ebbe folgt. Maassluis, das nur sieben englische Meilen von der See entfernt ist, wird mit filtriertem Maaswasser versorgt, mit welchem man in der letzten Stunde der jedesmaligen Ebbezeit die Bassins der Wasserleitung füllt. Das Land zu beiden Seiten des Stromes wird durch starke Deiche vor den Fluten ge-schützt und besteht fast ausschliesslich aus Grasländereien, die von zahlreichen Gräben und Kanälen durchschnitten sind und hauptsächlich zur Viehweide dienen.

Folgende Sätze gebe ich nun nach den erhaltenen Mitteilungen wörtlich wieder.

1. Das Meerwasser dringt jetzt nach vollendeter Korrektion nicht höher in der Maas hinauf, als früher vor und bei Beginn derselben.
2. Der Graswuchs der anliegenden Ländereien ist immer derselbe geblieben, letztere sind nur selten vom Wasser überschwemmt worden, das dann auch nur einen geringen Salzgehalt hatte und nach Ansicht Einiger sogar befruchtend gewirkt haben soll.
3. Die Besitzer solcher Ländereien sind niemals entschädigt worden.
4. Es ist kein Bedürfnis eingetreten, den Salzgehalt von einer Behörde untersuchen zu lassen, weshalb es auch darüber keine Berichte giebt.

L. Häpke.

Zweiter Nachtrag

zu dem

Systematischen Verzeichnis der bis jetzt im Herzogtum Oldenburg gefundenen Käferarten.

Von C. F. Wiepken.

(Abh. d. naturw. Ver. z. Bremen. Bd. VIII. S. 39—101.)

Herr Dr. med. Köben in Augustfehn, der das Material gesammelt zu dem ersten Nachtrag des obigen Verzeichnisses, welcher in den Abhandlungen des naturwissenschaftlichen Vereins zu Bremen, Bd. IX. S. 339—354 abgedruckt, hat seine Forschungen mit Eifer fortgesetzt und das Resultat derselben hat ergeben 138 für das Herzogtum neue Arten und 56 Varietäten, die in nachfolgendem Verzeichnis aufgeführt. Durch diesen Zuwachs ist die bekannte Artenzahl der Käferfauna des Herzogtums von 1654 auf 1792 gestiegen.

Cicindelidae.

Cicindela Linné.

C. campestris L. var. funebris Sturm. Augustfehn. Im Moor. Selten. August, Sept.

C. campestris L. var. tartarica Mannerh. Osternburg, Bekhausen, Augustfehn. Im Moor. Nicht selten. Mai, Juni, September. Schaum I. p. 15.

C. hybrida L. var. maritima Dej. Wangerooge. In den Dünen. Nicht selten. September.

Carabidae.

Carabus Linné.

C. hortensis L. (gemmatus F.) Wardenburg. Selten. Juli.

C. ulrichi Germ. Wardenburg. Selten. Juli.

Cymindis Latreille.

C. vaporariorum L. Augustfehn. Im Moor am Uhlenmeer. Selten. September.

Demetrias Bonelli.

D. unipunctatus Germ. Wangerooge. Auf Disteln und Helm. Häufig. August.

Dromius Bonelli.

D. linearis Olio. Wangerooge. Auf Disteln und Helm. Selten. August.

D. quadrisignatus Dej. Wangerooge. Auf Disteln und Helm. Selten. August.

Masoreus Dejean.

M. wetterhali Gyll. Wangerooge. Unter faulendem Helm. Selten. August.

Harpalus Latreille.

H. griseus Pánz. Augustfehn. Dort häufig.

Omaseus Ziegler.

O. nigrita F. Im ganzen Herzogtum häufig. Mai — Sept.

Bradytus Stephens.

B. consularis Duft. Augustfehn. Unter Steinen nicht selten. Januar — December.

Cyrtonotus Stephens.

C. convexiusculus Marsh. Wangerooge. Im Sande. Selten. August.

Calathus Bonelli.

C. mollis Marsh. Wangerooge. In den Dünen unter Kuhdünger. Selten. September.

Platynus Bonelli.

P. viduus Panz. var. lugubris Dej. Oldenburg. Nicht selten. Mai — Sept.

Trechus Clairville.

T. discus. F. Augustfehn. Im Hause am Fenster. Selten. Juli.

Bembicidium Latreille.

B. quinquestriatum Gyll. (pumilio Duft.) Augustfehn. In Sandgruben. Häufig. Mai.

Cillenus Samouelle.

C. lateralis Sam. Wangerooge. Am Strande unter Seegras. Nicht häufig. August.

Dytiscidae.

Hydroporus Clairville.

H. depressus F. Ocholt. In der Torsholter Bäke. Sehr selten. September.

H. memnonius Nicolai. Ocholt, Augustfehn. In Wasserlachen. Selten. September.

Agabus Leach.

A. femoralis Payk. Oldenburg, Augustfehn. In Gräben. Nicht selten. Juni, Juli.

Hydrophilidae.
Spercheus Kugelann.

Sp. emarginatus Schaller. Holtgast. In Teichen am Bahndamm auf zusammengetriebenem Confervenschleim. Selten. Mai.

Helophorus Fabricius.

H. dorsalis Marsh. Wangerooge. Am Strande unter Seetang. Selten. August.

H. nanus Sturm. Apen, Holtgast. An schwimmendem Holze. Selten. Mai, Oktober.

H. pumilio Erichs. Apen. Vom Hochwasser angespült. Selten. Oktober.

Hydrochus Leach.

H. angustatus Germ. Augustfehn. In einer Wasserlache. Selten. Juli.

Ochthebius Leach.

O. bicolor Germ. var. rufomarginatus Steph. Wangerooge. Im Sande. Selten. August.

Hydraena Kugelann.

H. palustris Erichs. Ocholt. An schwimmendem Reisig. Selten. April.

Cercyon Leach.

C. littoralis Gyll. Wangerooge. Am Strande unter Seetang. Häufig. August.

Staphylinidae.
Autalia Mannerheim.

A. rivularis Grav. Augustfehn. Unter Steinen. Sehr selten. Mai.

Phytosus Curtis.

Ph. nigriventris Chev. Wangerooge. Am Strande auf den Bunen. Häufig. August.

Ph. spinifer Curt. Wangerooge. Am Strande auf den Bunen. Häufig. August.

Aleochara Gravenhorst.

A. bisignata Erich. Wangerooge. In Häusern am Fenster. Nicht häufig. September.

A. moerens Gyll. Hasbruch. Aus Pilzen. Selten. August, September.

A. obscurella Grav. Wangerooge. In Häusern am Fenster und an Aas. Häufig. September.

A. sanguinea L. (brunneipennis Kraatz.) Augustfehn. Unter Laub. Selten. April.

Oxypoda Mannerheim.

O. cuniculina Erichs. Wangerooge. Selten. August.

Homalota Mannerheim.

H. aequata Erichs. Holtgast. Unter abgefallenen Eichenästen an Schimmel, welcher die Unterseite derselben überzogen. Nicht häufig. April, Mai.

H. angustula Gyll. Augustfehn. Unter faulen Kohlblättern. Selten. Oktober.

H. aterrima Grav. Augustfehn. An faulenden Pflanzenresten. Selten. April.

H. celata Erichs. Augustfehn. An schimmlichem Brod im Freien gefunden. Nicht selten. August.

H. flavipes Grav. Augustfehn, Hengstforde. Gemein bei den grossen Waldameisen. März, April.

H. luridipennis Mannerh. Ocholt. In Mergelgruben unter faulenden Blättern. Nicht häufig. August.

H. variata Gemm. u. Hrld. (sordida Kraatz.) Ocholt. An Aas gefunden. Selten. April.

Oligota Mannerheim.

O. apicata Erichs. Augustfehn. In einer verfaulten Wallnuss gefunden. Selten. November.

O. parva Kraatz. Augustfehn. In einer verfaulten Wallnuss gefunden. Selten. November.

Myllaena Erichson.

M. intermedia Erichs. Apen. Unter angetriebenem Schilfe. Häufig. December.

M. minuta Grav. Apen. Unter angetriebenem Schilfe. Häufig. December.

Hypocyptus Mannerheim.

H. pygmaeus Kraatz. Vareler Hafen. Auf Salzpflanzen. Selten. August.

Leucoparyphus Kraatz.

L. silphoides L. Wangerooge. In Häusern am Fenster. Nicht häufig. August.

Tachyporus Gravenhorst.

T. transversalis Grav. Apen. Unter angeschwemmtem Schilf. Selten. November.

Mycetoporus Mannerheim.

M. splendidus Grav. Augustfehn. Aus einer morschen Esche. Selten. Juni.

Quedius Stephens.

Q. brevis Erichs. Ocholt. In Ameisennestern. (Formica rufa.) Nicht selten. April.

Q. infuscatus Erichs. Augustfehn. Unter Ameisen. Selten. November.

Ocypus Stephens.

O. pedator Grav. Ocholt. In einer Mergelgrube unter Laub. Selten. Juli.

Philonthus Curtis.

Ph. xantholoma Grav. Wangerooge. Am Strande unter Seetang. Nicht selten. August.

Leptacinus Erichson.

L. formicetorum Märkel. Augustfehn. In Ameisennestern. (Formica rufa.) Nicht selten. August.

L. batychrus Gyll. Augustfehn. Im Dünger. Nicht selten. August.

Lathrobium Gravenhorst.

L. dilutum Erichs. Oldenburg. Auf einem Gartenbeet. Selten. Mai.

Lithocharis Lacordaire.

L. castanea Grav. Augustfehn. Im Garten unter ausgelegtem Torf. Selten. April.

Stenus Latreille.

St. impressus Germ. Wangerooge. In Häusern am Fenster. Selten. August.

St. latifrons Erichs. Augustfehn. Unter angeschwemmtem Schilf. Selten. November.

St. melanarius Steph. (cinerascens Erichs.) Apen. Unter angeschwemmten Pflanzenresten. Selten. October.

Bledius Stephens.

B. arenarius Payk. Wangerooge. An der Flutgrenze im feuchten Sande. Häufig. August.

Oxytelus Gravenhorst.

O. complanatus Erichs. Augustfehn. Im Dünger. Selten. Mai.

Trogophloeus Mannerheim.

T. pusillus Grav. Oldenburg. An einer Mauer. Selten. April.

T. tenellus Erichs. Augustfehn. In Mistbeeten. Nicht selten. April.

Homalium Gravenhorst.

H. planum Payk. Augustfehn. Unter Baumrinde. Nicht selten. Mai, Juni.

H. pygmaeum Payk. Friesoythe, Augustfehn. In morschem Holze. Häufig. Juni.

Pselaphidae.
Tychus Leach.

T. niger Payk. Augustfehn. Im Hause am Fenster. Selten. Juli.

Euplectus Leach.

E. karsteni Reichenb. Augustfehn. Im Kehricht. Sehr selten. September.

Silphidae.
Agathidium Illiger.

A. laevigatum Erichs. Augustfehn. In einer Sandgrube und an faulem Holz. Selten. Mai, Oktober.

Trichopterigidae.
Ptenidium Erichs.

Pt. formicetorum Kraatz. Hengstforde. Unter Ameisen. Sehr selten. April.

Pt. pusillum Gyll. Augustfehn. Unter faulenden Blättern. Selten. Mai.

Ptilium Gyllenhal.

Pt. kunzei Heer. Augustfehn. Aus einer morschen Esche. Selten. Juni.

Histeridae.
Dendrophilus Leach.

D. pygmaeus L. Ocholt. In Ameisenhaufen. Selten. April.

Saprinus Erichs.

S. maritimus Steph. Wangerooge. Im Dünensande. Häufig. August.

S. metallescens Erichs. Wangerooge. Im Dünensande. Nicht häufig. August.

Plegaderus Erichson.

P. vulneratus Panz. Ocholt. Unter Kiefernrinde. Selten. Juli.

Phalacridae.

Olibrus Erichs.

O. pygmaeus Sturm. Oldenburg. Selten.

Nitidulidae.

Cryptarcha Schuckard.

C. imperialis F. Bokel. Am ausfliessenden Safte der Eichen. Selten. Mai — Juli.

Rhizophagus Herbst.

Rh. nitidulus F. Augustfehn. Im faulen Weidenholz. Selten. Juni.

Cucujidae.

Laemophloeus Castelnau.

L. pusillus Schönh. Augustfehn. Im Hause am Fenster. Selten. Juli.

Silvanus Latreille.

S. surinamensis L. (frumentarius F.) Augustfehn. In Gerste. Selten. März.

Cryptophagidae.

Cryptophagus Herbst.

C. acutangulus Gyll. Augustfehn. Im Hause am Fenster. Selten. August.

C. umbratus Erichs. Holtgast. Unter Hauspähnen einer gefällten Eiche. Selten. Mai.

Atomaria Stephens.

A. nigripennis Payk. Augustfehn. An Aas. Selten. Mai.

Ephistemus Stephens.

E. gyrinoides Marsh. var. dimidiatus Sturm. Augustfehn. An einer Mauer in der Nähe von Dünger. Selten. Juli.

Latrididae.

Monotoma Herbst.

M. spinicollis Aubé. An schimmlichem Brod. Häufig. Juli.

Latridius Herbst.

L. planatus Mannerh. Wangerooge. Unter faulem Helm. Häufig. August.

Myrmecoxenus Chevrolat.

M. subterraneus Chevr. Apen, Ocholt. In Ameisenhaufen. Selten. April.

Scarabaeidae.

Rhyssemus Mulsant.

Rh. germanus L. Wangerooge. Im Dünensande. Nicht häufig. August.

Odontaeus Klug.

O. mobilicornis F. Frisoythe. Unter Dünger. Selten. Juni.

Cetonia Fabricius.

C. floricola Herbst. Wardenburg. Auf Blüthen. Selten. Juni, Juli.

C. marmorata F. Ocholt. Auf Spiraea ulmaria. Selten. Juli.

Buprestidae.

Agrilus Stephens.

A. biguttatus F. Ocholt. Aus Eichenrinde, in der die Larven leben, gezogen. Selten. Juni.

Elateridae.

Cardiophorus Eschscholtz.

C. ruficollis L. Augustfehn. In Ameisenhaufen. Häufig. Mai, Juni.

Synaptus Eschscholtz.

S. filiformis F. Friesoyte. Auf Blüten. Selten. Mai.

Dascillidae.

Scirtes Illiger.

Sc. orbicularis Panz. Augustfehn. Im Hause am Fenster. Selten. Juli.

Malacodermidae.

Telephorus Schäffer.

T flavilabris Fallén. Oldenburg. Auf Blüten. Selten. Juni.

Malthinus Latreille.

M. balteatus Suffr. Ocholt. Auf Weidengesträuch. Selten. Juni.

Malthodes Kiesenwetter.

M. flavoguttatus Kiesenw. Auf Nusssträuchern. Nicht häufig. Juni.

Troglops Erichson.

T. albicans L. Ocholt. An einer Scheunenthür. Selten. Juli.

Cleridae.

Necrobia Latreille.

N. ruficollis F. Ocholt. Im Bahnhof am Fenster. Sehr selten. September.

N. violacea L. Oldenburg, Bekhausen. Auf der Geest häufig, vorzüglich in Häusern. März — Mai.

Ptinidae.
Hedobia Latreille.
H. regalis Duft. Oldenburg. Auf einem Gartentisch gefunden. Selten. Mai.

Ptinus Linné.
Pt. ornatus Müller. Augustfehn. In einem alten Weidenstamm. Selten. Juli.

Pt. sexpunctatus Panz. Augustfehn. Aus einem morschen Eschenstamm. Selten. Juni.

Ernobius Thomson.
E. longicornis Sturm. Augustfehn. An Bohnenstangen. Selten. Juli.

Oligomerus Redtenbacher.
O. striatellus Brisout. Augustfehn. Aus Fichtenzweigen gezogen. Selten. Juni

Cioidae.
Ennearthron Mellié.
E. cornutum Gyll. Augustfehn. In Polyporus zonatus (auf Erlen). Nicht selten. Januar bis December.

Octotemnus Mellié.
O. glabriculus Gyll. Augustfehn. In Polyporus versicolor. Selten. Juni.

Tenebrionidae.
Phaleria Latreille.
Ph. cadaverina F. Wangerooge. Am Strande unter Seegras. Häufig. August.

Melandryidae.
Eustrophus Latreille.
E. dermestoides F. Augustfehn. An altem Holze und in Pilzen. Häufig. Juli.

Conopalpus Gyllenhall.
C. testaceus Oliv. Augustfehn. An faulen Eichenstämmen. Selten. Juli.

Anthicidae.
Anthicus Paykull.
A. bimaculatus Illig. Wangerooge. Im Dünensande. Selten. August.

Mordellidae.

Mordellistena Costa.

M. lateralis Oliv. var. variegata F. Augustfehn. Aus einem morschen Eschenstamm. Selten. Juni.

Curculionidae.

Sitones Germar.

S. gressorius F. Augustfehn, Littel. Auf Sarothamnus scoparius. Häufig. Mai — Juli.

S. lateralis Gyll. Augustfehn.

Tanysphyrus Schönherr.

T. lemnae F. Apen. Unter angetriebenem Schilf. Sehr selten. December.

Apion Herbst.

A. urticarium Herbst. (vernale Payk.) Vareler Hafen. Auf Nesseln. Selten. August.

Rhychites Herbst.

Rh. pauxillus Germ. Ocholt. Auf Blüten von Sorbus aucuparia. Nicht selten. Mai.

Magdalis Germar.

M. duplicata Germ. Augustfehn. Auf Kiefern. Nicht selten. Mai.

Anthonomus Germar.

A. pyri Bohem. Augustfehn. Aus den Stengeln der Birnblüten gezogen. Selten. Juni.

Cionus Clairville.

C. fraxini De Geer. Ocholt. Auf Eichen. Selten. Mai.

Ceutorrhynchus Germar.

C. andreae Germ. Augustfehn. Auf Disteln. Selten. Juni.
C. litura F. Augustfehn. Auf Nesseln. Selten. Juni.

Phytobius Schönherr.

Ph. notula Germ. (canaliculatus Fahrs.) Wangerooge. Unter Tang im Sande. Nicht selten. September.

Scolytidae.

Trypodendron Stephens.

T. domesticum L. Ocholt. In Buchenstuken. Selten. April.

Xyleborus Eichhoff.

X. dispar F. ♂ Ocholt. In Buchenstuken. Selten. April.

Scolytus Geoffroy.

Sc. geoffroyi Goeze. (destructor Oliv.) Aus Birken gezogen, die von den Larven zerstört werden. Häufig. Mai, Juni.

Cerambycidae.

Tetropium Kirby.

T. luridum L. Augustfehn. In Häusern. Sehr selten. Juli.

Criocephalus Mulsant.

C. epibata Schiödt. Wangerooge. An Holz. Sehr selten. August.

Leptura Linné.

L. scutellata F. Ofener Büsche. Sehr selten. Juli.

Stenopterus Illiger.

St. rufus L. Wardenburg. Auf Chrysanthemum leucanthemum. Selten. Juli.

Saperda Fabricius.

S. scalaris L. Wardenburg, Friesoythe. Auf Hollunder und Apfelbaum. Selten. Mai, Juni.

Chrysomelidae.

Donacia Fabricius.

D. thalassina Germ. Ocholt. Auf Binsen. Häufig. Juli — September.

Longitarsus Latreille.

L. brunneus Duft. Augustfehn. Auf Wiesen. Häufig. Mai — Oktober.

Psylliodes Latreille.

Ps. chrysocephala L. var. anglica F. Wangerooge. Auf Cakile maritima. Nicht selten. August.

Ps. marcida Illig. Wangerooge. Auf Cakile maritima. Häufig. August.

Coccinellidae.

Coccinella Linné.

C. distincta Falderm. (labilis Muls.) Wardenberg. Selten. Juli.

Scymnus Kugelann.

Sc. minimus Rossi. Ocholt. Auf Fichten. Nicht selten. Mai.

Sc. rubromaculatus Goeze. (pygmaeus Fourcr.) Ocholt. Auf Eichen. Nicht selten. Mai, August.

Berichtigung.

Bei Revision der Lokalsammlung sind folgende Unrichtigkeiten gefunden:

Im Hauptverzeichnis ist Seite 78 Corynetes coeruleus Degeer zu streichen und dafür „Necrobia violacea L." zu setzen, die beiden Käfer sind irrtümlich verwechselt.

Im ersten Nachtrag ist Seite 340 Stenolophus discophorus Fisch zu streichen. Der Käfer war noch unreif und infolgedessen falsch. bestimmt.

Ferner muss es Seite 348 heissen „Aphodius porcus F." statt porcatus F.

Zur Moosflora von Spiekeroog.

Von Dr. Fr. Müller.

Infolge freundlicher Aufforderung des Herrn Prof. Dr. Buchenau schloss ich mich ihm und dem Primaner Wilde bei einem Besuch der Insel Spiekeroog für die Zeit vom 20. bis 23. Mai d. J. an, um mich an der Feststellung der dortigen Frühlingsflora zu beteiligen. Dabei habe ich Gelegenheit gefunden, auch auf die Moose zu achten und eine Anzahl davon zu sammeln. Da meine Beobachtungen Eibens „Beitrag zur Laubmoosflora der ostfriesischen Inseln"[*], sowie die Mitteilungen von Buchenau[**], Behrens[***] und Focke[†]) nicht unwesentlich ergänzen — es kommen für Spiekeroog 20 Arten hinzu und werden Funaria hygrometrica und Eurhynchium (Hypnum) praelongum, die bereits von Koch und Brennecke angegeben sind, bestätigt — und da mir auch einige bisher auf den ostfriesischen Inseln überhaupt nicht beobachtete Arten in die Hände gefallen sind, so dürfte eine Aufzählung der von mir auf dieser Insel gesammelten Moose, der ich einiges über Standort und Fructification beifüge, besonders für spätere Untersuchungen von Interesse sein.

Hylocomium loreum bei dem Wäldchen des Friederikenthals wird ebenso auf die Insel eingeschleppt sein wie Calluna vulgaris und Erica tetralix und mit der Zeit auch vielleicht einen gleichen Untergang wie diese Pflanzen erleben. Ob Fissidens bryoides an den Grabenwänden einer Wiese für die Insel ursprünglich einheimisch ist, lasse ich dahingestellt, hier bei Varel sah ich diese Art fast nur im feuchten lehmigen Laubwalde oder unter Hecken an nicht zu trockenen Stellen. Auch das von Behrens auf Spiekeroog gesammelte Orthotrichum fallax wird man als dort einheimisch nicht ansehen können. Dagegen können Leptobryum pyriforme (am Innenrand der Dünen), Bryum uliginosum, Hypnum Kneiffii, Wehera nutans, Polytrichum commune und P. piliferum, die ersten drei von Buchenau, die letzten von Koch und Brennecke für Langeoog angegeben, ferner Didymodon rubellus, Mnium affine und Hypnum

---

*) Diese Abhandl. III. Bd. 1. Heft pag. 212 u. f.
**) D. Abh. IV. Bd. 3. Heft pg. 243, 257, 259 und V. Bd. 3. Heft pg. 522.
***) D. Abh. ebenda pag. 523.
†) D. Abh. VIII. Bd. 2. Heft pag. 540.

intermedium, die Buchenau auf Borkum nachgewiesen hat, sowie das von Behrens auf Spiekeroog beobachtete Polytrichum strictum, das ich später auch auf Wangeroog*) gesammelt habe, endlich Mnium cuspidatum, Bryum pallescens, Hypnum cordifolium, von Buchenau auch auf Langeoog gesammelt, H. stellatum, H. pratense und Eurhynchium praelongum — von Koch und Brennecke schon 1844 für Spiekeroog angegeben — wohl ursprünglich einheimisch auf der Insel sein. Es würde unter Hinzurechnung dieser Arten die von Focke auf Seite 541 des 2. Heftes vom VIII. Bande dieser Abhandlungen angeführten Zahl der einheimischen Ostfriesischen Inselmoose von 48 auf 64 steigen.

Ganz besonders auffallend ist das äusserst spärliche Vorkommen von Racomitrium canescens auf Spiekeroog. Schon Eiben weist l. c. pag. 214 darauf hin; während er die Pflanze dort noch in kleinen Räschen angetroffen hat, ist es mir nicht geglückt, sie aufzufinden, trotzdem ich an passenden Orten eifrig darnach gesucht habe. Auch Behrens, sowie Koch und Brennecke zählen sie nicht mit auf. Auf Wangeroog sah ich dies Moos sehr verbreitet und reichlich fruchtend, ebenso verhält es sich nach Eiben auf Borkum und Norderney. Die Vegetationsbedingungen sind, sollte man meinen, auf Spiekeroog ebenso günstig wie auf den anderen Inseln. Wie mag sich das fast gänzliche Fehlen dieses Mooses dort erklären? Eine gewisse Übereinstimmung mit Racomitrium in seiner Verbreitung auf den ostfriesischen Inseln zeigt Calluna vulgaris: auf Wangeroog, Borkum und Norderney trifft man sie mehrfach, auf Spiekeroog sehen wir davon nur zwei kümmerliche Exemplare am Rande des Gehölzes im Friederikenthale, die ohne Zweifel dort eingeschleppt sind. Sollte dieser auffallenden Verbreitung der beiden Pflanzenarten wohl nicht dieselbe Ursache zu Grunde liegen?

Auf das Vorkommen mehrerer Waldmoose, besonders an der Nordseite der Dünen, hat bereits Focke für Norderney aufmerksam gemacht und eine Erklärung dafür gegeben. Für Spiekeroog treffen diese Ausführungen ebenfalls zu.

Barbula subulata, die dem Ankommenden bei ihrem massenhaften Auftreten an den aus Erdsoden der Wattweiden aufgebauten Schutzwällen, womit Gärten und Wiesen eingehegt sind, zuerst ins Auge fällt, habe ich auch fern vom Dorfe im Osten der Insel in der Nähe des Standortes von Botrychium Lunaria in den Dünen angetroffen; es scheint auch mir, dass sie einheimisch dort ist.

Ebenso massenhaft verbreitet wie einige Hypnum- und Hylocomium-Arten findet man in den Dünen Camptothecium lutescens, das ich dort auch mit Früchten sammeln konnte, was mir auf dem Festlande in der Marsch, wo es namentlich an Deichen sehr häufig ist, noch nicht hat gelingen wollen. Auch Hylocomium squarrosum hatte oberhalb des Friederikenthals auf einer ausgedehnten Fläche Früchte reichlich entwickelt.

---

*) D. Abh. X. Bd. 1. Heft pag. 188.

Sphagna habe ich in den Tümpeln der Insel nirgends entdecken können. Moorige Sümpfe scheint Spiekeroog gar nicht zu haben. Ich bemerke noch, dass ich von Hypnum stellatum und H. pratense nur winziges Material mitgebracht habe, das Herr Professor Glowacki, dem ich einiges zum Nachbestimmen zugesandt hatte, zwischen Eurhynchium praelongum entdeckt hat.

Verzeichnis der im Mai 1893 auf Spiekeroog gesammelten Laubmoose.*)

1.* Dicranella heteromalla Schimp. Spärlich an einem Grabenrande.
2. Dicranum scoparium Hedw. In den Dünen; Friederikenthal; c. fr.
3.* **Fissidens bryoides** Hedw. In einem trockenen Graben der mit Wall umgebenen Wiese, welche vor dem Dorfe östlich des Weges liegt, der von der Anlegestelle der Segelschiffe in das Dorf führt; c. fr.
4. Pottia Heimii Fürnr. Mit Fiss. bryoides zusammen; c. fr.
5. Barbula muralis Timm. Auf Dächern und Grabsteinen; c. fr.
6. Barbula subulata Brid. An Erdwällen und den Abhängen der Dünen; c. fr.
7. Barbula ruralis Hedw. In den Dünen; c. fr.
8. Ceratodon purpureus Brid. In den Dünen, an Wällen; c. fr.
9. Grimmia pulvinata Sm. Auf Dächern; c. fr.
10. Orthotrichum affine Schrad. An Bäumen im Dorfe; c. fr.
11. Funaria hygrometrica Hedw. Zwischen den Gärten; c. fr.
12.* Webera (Bryum) nutans Schimp. In Dünenthälern; c. fr.
13.* Bryum pendulum Schimp. Sehr verbreitet in feuchteren Dünenthälern; c. fr.
14.* **Bryum pallescens** Schleich. In Dünenthälern; c. fr.
15.* Bryum pallens Sw. An einer feuchten Stelle zwischen Dorf und Giftbude, nicht weit von dem Hause für das Rettungsboot; c. fr.
16.* Bryum capillare L. An Bäumen im Dorfe.
17.* Bryum pseudotriquetrum Schwgr. An tiefen Stellen der Dünenthäler.
18.* Mnium hornum L. In Menge die engen Gräben der Wiesen zwischen dem Dorfe und dem Aussichtsgerüst auskleidend.
19.* **Mnium cuspidatum** Hedw. Auf Wiesen.
20.* Aulacomnium palustre Schwgr. An einer feuchten Stelle in der Nähe des Rettungsbootshauses.
21. Atrichum undulatum P. B. Bei den Wiesen nördlich vom Dorfe; c. fr.

---

*) Die für Spiekeroog bislang noch nicht bekannten Arten sind mit einem * versehen, die für die ostfriesischen Inseln neuen Arten sind fett gedruckt.

22.* Polytrichum piliferum Schreb. Auf niedrigen Dünen; c. fr.
23.* Polytrichum juniperinum Hedw. Ebendaselbst; c. fr.
24.* Polytrichum commune L. In Dünenthälern; c. fr.
25. Homalothecium sericeum Br. S. An Bäumen im Dorfe.
26. Camptothecium lutescens B. S. Auf den hohen Dünen. An feuchten Stellen zwischen Dorf und Giftbude, schön braunrot, glänzend; c. fr.
27. Brachythecium albicans B. S. In den Dünen.
28. Brachythecium rutabulum B. S. Spärlich.
29. Eurhynchium (Hypnum) praelongum B. S. Beim Rettungs- bootshause.
30.* Hypnum polygamum Schimp. In einem feuchten Dünen- thal nordöstlich vom Aussichtsgerüst mit Bryum pendulum untermischt. In der Nähe Pyrola minor und Lycopodium Selago; c. fr.
31.* **Hypnum stellatum** Schreb. Zwischen Eurhynch. prae- longum.
32.* **Hypnum cordifolium** Hedw. An feuchten Stellen zwischen Dorf und Giftbude; c. fr.
33. Hypnum cuspidatum L. Ebendaselbst; c. fr.
34. Hypnum purum L. Friederikenthal.
35.* Hypnum fluitans L. Mit cordifolium zusammen.
36. Hypnum cupressiforme L. Besonders in einer robusten Form häufig; c. fr.
37.* **Hypnum pratense** B. S. Zwischen Eurhynch. praelongum.
38. Hylocomium (Hypnum) splendens B. S. An den hohen Dünen, besonders im Osten der Insel.
39.* **Hylocomium loreum** B. S. Friederikenthal.
40. Hylocomium triquetrum B. S. In den Dünen.
41. Hylocomium squarrosum B. S. Verbreitet; fruchtend ober- halb des Friederikenthals.

Fügt man diesen 41 Species noch die von Eiben angeführten Racomitrium canescens, Ulota phyllantha, Orthotrichum diaphanum, Bryum argenteum, Mnium undulatum, Hypnum uncinatum und die von Behrens beobachteten Orthotrichum fallax und Polytrichum strictum hinzu, so beläuft sich damit die Zahl der von Spiekeroog bekannten Laubmoose auf 49 Arten.

Von Lebermoosen habe ich folgende sechs Species auf der Insel aufgenommen: Scapania irrigua N. v. E., Jungermannia bi- cuspidata L., J. connivens Dicks., J. inflata Huds., Blasia pusilla L. und Pellia epiphylla D. M.

Varel, August 1893.

Naturwissenschaftlich-geographische Litteratur über das nordwestliche Deutschland.

Zusammengestellt von Franz Buchenau.

(Fortsetzung. — Siehe Band XII, pag. 555.)

Um Mitteilung der Titel von hier nicht aufgezählten Arbeiten wird freundlichst gebeten.

1887.

Löffler, Norbert. Verzeichnis der in der Umgegend von Rheine wachsenden phanerogamischen Pflanzen, nebst Angabe ihrer Standorte. Beilage zum Jahresberichte des Gymnasiums zu Rheine 1887. 59 Seiten.

1890.

Ohrt, Heinrich. Die grossherzoglichen Gärten und Parkanlagen zu Oldenburg, dargestellt in Wort und Bild. 8⁰. 96 Seiten. Mit vielen Holzschnitten und landschaftlichen Vollbildern in Lichtdruck. Oldenburg und Leipzig. Schulze'sche Hof-Buchhandlung.

1891.

Krause, E. H. L. Die Westgrenze der Kiefer auf dem linken Elbufer. In: Engler, botanische Jahrbücher, 1891, XIII, p. 46—52 (dieser Aufsatz bildet die teilweise Fortsetzung einer andern Arbeit desselben Verfassers: Beitrag zur Kenntnis der Verbreitung der Kiefer in Norddeutschland, in: Engler, bot. Jahrb., 1889, XI, p. 123—133).

1892.

Krause, E. H. L. Die Heide. Beitrag zur Geschichte des Pflanzenwuchses in Nordwesteuropa. In: Engler, bot. Jahrbücher, 1892, XIV, p. 517—539.

1893.

Apstein, C. Die während der Fahrt zur Untersuchung der Nordsee vom 6.—10. August 1889 zwischen Norderney und Helgoland gesammelten Tiere. In: 6. Bericht der Kommission zur wissenschaftlichen Untersuchung der deutschen Meere in Kiel, für die Jahre 1887—91, p. 191—198.

Baruschke, Fr. Ein Landsitz in der Nähe von Bremen. In: Der praktische Ratgeber in Obst- und Gartenbau, 1893, VIII, p. 283—284, mit Grundriss und 6 Abbildungen nach photographischen Aufnahmen des Verfassers. (Beschreibung des Precht'schen Landsitzes zu Deichhorst bei Delmenhorst.)

Beckhaus, K. Flora von Westfalen. Die in Westfalen wild wachsenden Gefässpflanzen. Nach des Verfassers Tode herausgegeben von L. A. W. Hasse. Münster 1893. Aschendorff'sche Buchhandlung; klein 8°; XXII und 1096 Seiten. Mit dem Bildnis des Verfassers.

Bergholz, P. Ergebnisse der meteorologischen Beobachtungen (auf der Station I. Ordnung zu Bremen). Stündliche Aufzeichnungen der Registrierapparate. Dreimal tägliche Beobachtungen in Bremen und Beobachtungen an vier Regenstationen. Bremen. Max Nössler's Buchdruckerei, 1892; 4°; VIII und 44 Seiten, mit 8 Tafeln.

— Meteorologische Station I. Ordnung: Ergebnisse der meteorologischen Beobachtungen 1893; Jahrgang III; 4°; XVI und 42 Seiten, 8 Tafeln; Bremen; Max Nössler's Buchdruckerei (darin auf p. VI—XVI elfjährige phänologische Beobachtungen, angestellt zu Bremen von Fr. Buchenau und W. O. Focke).

Borcherding, Frch. Siehe Schulze.

Brandi, K. Stammesgrenzen zwischen Ems und Weser. In: Mitteilungen des Vereins für Geschichte und Landeskunde von Osnabrück, 1893, XVIII, p. 1—14, Tafel I—III.

Brons, K. Über die Wasserversorgung Emdens. In: 77. Jahresbericht der naturf. Gesellschaft zu Emden, 1893, p. 67—84.

Buchenau, Fr. Phänologische Beobachtungen aus den Jahren 1882 bis 1892. Siehe Bergholz, P.

— Zur Geschichte der Einwanderung von Galinsoga parviflora Cavanilles. In: Abh. Nat. Ver. Bremen, 1893, XII, p. 551—554.

— Naturwissenschaftlich-geographische Litteratur über das nordwestliche Deutschland. Das. p. 555—561.

— Bericht der Kommission für die Flora von Deutschland über neue und wichtige Beobachtungen aus dem Jahre 1891. In: Berichte der deutschen bot. Gesellsch., 1892, X, p. (88), (89).

Buchenau Fr. Flora von Bremen und Oldenburg. Zum Gebrauche in Schulen und auf Exkursionen. 4. vermehrte und berichtigte Auflage. 1894. M. Heinsius Nachfolger. 8⁰ VIII und 328 Seiten. Mit 102 in den Text gedruckten Abbildungen.

Dahl, Friedr. Untersuchungen über die Tierwelt der Unterelbe. In: 6. Bericht der Kommission zur wissenschaftlichen Untersuchung der deutschen Meere in Kiel für die Jahre 1887—1891, p. 149—185, mit einer Karte.

Focke, W. O. Pflanzenbiologische Skizzen. In: Abhandl. Nat. Ver. Bremen, 1893, XII, p. 417—432.

 I. Der Epheu (Hedera Helix L.) p. 417—420.

 II. Die Stechpalme oder Hülse (Ilex Aquifolium L.), p. 420 —423.

 III. Das gemeine Kreuzkraut (Senecio vulgaris L.), p. 423 —425.

 IV. Die Mandelweide (Salix triandra L.), p. 425—429.

 V. Der Besenginster (Sarothamnus vulgaris Wimmer), p. 429 —432.

— Miscellen. Daselbst, p. 562—564.

 1. Über epiphytische Gewächse (p. 562—563).

 2. Fehlen der Schläuche bei Utricularia (p. 563).

 3. Flora kalkführender Sanddünen (p. 563, 564; behandelt namentlich die Düne von Ebbensiek an der Wumme zwischen Fischerhude und Verenmoor bei Borgfeld).

— Der Drachenstein bei Donnern. Zeitschrift des Histor. Vereins für Niedersachsen, 1893, p. 328—333.

— Phänologische Beobachtungen aus den Jahren 1882—1892. Siehe Bergholz, P.

Geisenheyner, L. Noch einmal das Oldenburgische Asplenium germanicum Weiss. In: Deutsche botanische Monatsschrift, 1893, XI, p. 33 (die meisten Pflanzen gehören zu A. Ruta muraria L. var. brevifolium Heufler oder zu Mittelformen nach der var. pseudo-germanicum Heufler).

Gottsche, C. Oberer Gault bei Lüneburg. Im: Jahresh. Nat. Ver. Lüneburg, 1893, XII, p. 99—104.

Höck, Fr. Über einige seltene Waldbäume Norddeutschlands. In: Deutsche botanische Monatsschrift, 1893, p. 25—29.

— Mutmassliche Gründe für die Verbreitung der Kiefer und ihrer Begleiter in Norddeutschland. In: Berichte der deutschen bot. Ges., 1893, XI, p. 396—402.

— Nadelwaldflora Norddeutschlands. Eine pflanzengeographische Skizze. In: Forschungen zur deutschen Landes- und Volkskunde, 1893, VIII, Heft 4, p. 321—372. Mit einer Karte.

Karsten, G. Die Beobachtungen an den Küstenstationen 1887—1890. In: 6. Bericht der Kommission zur wissenschaftlichen Untersuchung der deutschen Meere in Kiel für die Jahre 1887—1891, p. 207 (darin aus unserem Gebiete, p. 222: Sylt, p. 223; Helgoland, p. 224; Borkum, p. 225; Leuchtschiff Weser (meteorologische Beobachtungen von Wilhelmshaven), p. 226: die Normalen der physikalischen Erscheinungen an den Küstenstationen der Nordsee). — Siehe auch Ministerial-Kommission.

Klebahn, H. Zur Kenntnis der Schmarotzer-Pilze Bremens und Nordwestdeutschlands. Zweiter Beitrag. In: Abh. Nat. Ver. Bremen, 1893, XII, p. 361—376.

König, J. Die Moore Westfalens. In: Protokoll der 29. Sitzung der Zentral-Moor-Kommission, am 24. und 25. März 1893, Berlin, 1893, p. 67—130 (mit einer Übersichtskarte) .

Kohlrausch. Zoologische Mitteilungen: In: Jahresh. Nat. Ver. Lüneburg, 1893, XII, p. 106—108.
  1. Männliche Eiderente, Oktober 1890 bei Artlenburg an der Elbe erlegt.
  2. Ende Oktober 1891 eine grosse weibliche Wildkatze im Walde bei Hankensbüttel erlegt.
  3. Chlorops taeniopus im September 1892 massenhaft in einem Garten bei Lüneburg.

— Meteorologische Übersicht der Jahre 1889, 1890, 1891 in Lüneburg. Das., p. 109, 110, 111.

Krause, E. H. L. Historisch-geographische Bedeutung der Begleitpflanzen der Kiefer in Norddeutschland. In: Berichte der deutschen bot. Gesellschaft, 1893, XI, p. 307—311.

Leege, Otto. Volkstümliche Pflanzennamen auf Juist. In: Abh. Nat. Ver. Bremen, 1893, XII, p. 377, 378.

Lemmermann, E. Versuch einer Algenflora der Umgegend von Bremen (excl. Diatomaceen). In: Abh. Nat. Ver. Bremen, 1893, XII, p. 497—550.

Lindemann, Emil. Goldenes Armband von Helgoland. In: Verh. Berl. Ges. für Anthropologie, Ethnologie und Urgeschichte, 1893, p. 24, 25 (mit Holzschnitt).

Martin, J. Diluvialstudien. I. Alter und Gliederung des Diluviums im Herzogtum Oldenburg. In: 9. Jahresber. Naturw. Ver. Osnabrück, 1893, p. 113—162.

Matthias, Navigationslehrer. Ergebnisse der meteorologischen Beobachtungen in Emden im Jahre 1892. In: 77. Jahresbericht der naturf. Gesellschaft zu Emden, 1893, p. 36.

Ministerial-Kommission zur Untersuchung der deutschen Meere
in Kiel. Ergebnisse der Beobachtungsstationen an den deutschen
Küsten über die physikalischen Verhältnisse der Ostsee und
Nordsee und die Fischerei, Jahrgang 1892. (Auf diese seit
dem Jahre 1873 regelmässig veröffentlichten „Ergebnisse" darf
hier wohl hingewiesen werden, da sie offenbar noch nicht
genügende Beachtung finden. — Unser Verein beteiligt sich
an den Beobachtungen durch die unter seiner Oberleitung stattfindenden Beobachtungen auf dem Leuchtschiffe „Weser".)
Siehe auch Karsten.

Möllmann, G. Zusammenstellung der Säugetiere, Vögel, Reptilien,
Amphibien und Fische, welche bis jetzt im Artlande und in
den angrenzenden Gebieten beobachtet wurden. In: 9. Jahresbericht Naturw. Ver. Osnabrück, 1893, p. 163—232.

Poppe, S. A. Über das Vorkommen von Mus alexandrinus Geoffr.
in Vegesack. In: Potonié, naturwissenschaftliche Wochenschrift,
1893, VIII, p. 505—507.

Reinbold, Th. Untersuchung des Borkum-Riffgrundes. In: 6. Bericht
der Kommission zur wissenschaftlichen Untersuchung der deutschen Meere in Kiel für die Jahre 1887—1891, p. 189, 190.
Mit einer Karte in Holzschnitt.

— Bericht über die im Juni 1892 ausgeführte botanische Untersuchung einiger Distrikte der schleswig-holsteinischen Nordseeküste. Daselbst, p. 251, 252.

Reinke, J. Eine botanische Expedition in die Nordsee. In: 6. Bericht
der Kommission zur wissenschaftlichen Untersuchung der deutschen Meere in Kiel für die Jahre 1887—1891, p. 187, 188.
(Siehe auch Reinbold.)

Schulze, Erwin, und **Borcherding, Friedrich.** Fauna saxonica.
Amphibia et reptilia. Verzeichnis der Lurche und Kriechtiere
des nordwestlichen Deutschlands. Jena, 1893; klein 8⁰; 47
und 47 Seiten, mit 25 Abbildungen. (Die Bearbeitung der
Amphibien ist die 2. Auflage von Erw. Schulze's Fauna saxo-
thuringiaca.)

Sello, Georg. Der Denkmalschutz im Herzogtum Oldenburg. In:
Bericht über die Thätigkeit des Oldenburger Landesvereins für
Altertumskunde und Landesgeschichte, 1893, 7. Heft, p. 1—90
(wird wegen der geographisch wichtigen Angaben über die
megalithischen Denkmäler im Herzogtum Oldenburg hier aufgeführt).

Sonder, C. Die Characeen in den Museen der drei Hansestädte
Lübeck, Bremen und Hamburg. In: Mitteilungen der geographischen Gesellschaft und des naturhistorischen Museums
zu Lübeck, 1893, II, p. 15—37.

Stölting, Ad. Beitrag zur Cryptogamen-Florä des Fürstentums Lüneburg. In: Jahresh. Nat. Ver. Lüneburg, 1893, XII, p. 81—98. (Laubmoose, Lebermoose, Flechten.)

Stümcke, M. Verzeichnis der bis jetzt bei Lüneburg aufgefundenen und bis jetzt bestimmten Pilze, einschliesslich derjenigen von Harburg (Hamburg) und Lauenburg, nach den Angaben von Th. Overbeck und Rektor Claudius. In: Jahresh. Nat. Ver. Lüneburg, 1893, XII, pag. 45—80 (mit Kartenskizze).

— Neu aufgefundene Cryptogamen. Daselbst, p. 105 (Moose, Lebermoose, Flechten).

Verein, botanischer, zu Hamburg. Zweiter Jahresbericht. In: Deutsche botanische Monatsschrift, 1893, XI, p. 72—74. Für unser Gebiet die Angaben:
Lycopodium Selago L., var. recurvum Kitaibel (spec.) bei Appelbüttel.
Oxalis Acetosella L. var. lilacina Reichenbach, Doren bei Buxtehude.

Verhoeff, C. Blumen und Insekten der Insel Norderney und ihre Wechselbeziehungen, ein Beitrag zur Insekten - Blumenlehre und zur Erkenntnis biologischer und geographischer Erscheinungen auf den deutschen Nordsee-Inseln. In: Nova Acta der Ksl. Leop.-Carol. Akademie der Naturforscher, 1893, LXI, No. 2, p. 45—216; mit 3 Tafeln (No. IV—VI).

Wolterstorf, W. Die Reptilien und Amphibien der nordwestdeutschen Berglande. In: Jahresbericht und Abhandlungen des Naturw. Vereines zu Magdeburg für 1892; 1893, p. 1—242. (Berührt unser Gebiet an vielen Stellen.)

Eine Birne mit zweierlei Blättern.

(Pirus salicifolia ♀, communis ♂, forma diversifolia.)

Von W. O. Focke.

Unter den zahlreichen Erscheinungen und Thatsachen, welche durch die Entwickelungslehre unserem Verständnisse näher gerückt worden .sind, verdienen diejenigen Abänderungen der Tiere und Pflanzen, welche als .Rückschläge. gedeutet werden können, besondere Beachtung. Darwin hat die allgemeine Aufmerksamkeit unter anderm auf die Streifungen bei Pferdearten gerichtet. Bekanntlich ist das Zebra am ganzen Körper in auffälligster Weise gestreift; bei verwandten. Arten sind die Streifen weniger deutlich oder auf einzelne Körperteile beschränkt. Bei unsern zahmen Pferden und Eseln finden sich zuweilen Streifen auf dem Rücken und an den Beinen, ähnlich wie bei gewissen verwandten wilden Arten. Eine Thatsache, welche besonders merkwürdig erscheint, ist nun die, dass solche Streifungen .bei Maultieren viel häufiger vorkommen, als bei deren Stammarten, Pferd und Esel. Auch bei einem Bastarde zwischen Pferd und Quagga waren die Beine viel deutlicher gestreift. als beim Quagga selbst, welches zwar am vorderen Oberkörper gestreift ist, an den Beinen jedoch kaum Andeutungen von Streifen besitzt (vgl. Darwin, Variiren, deutsche Ausg. I S. 70 ff., II S. 54 ff.).

Ähnliche Erfahrungen hat man wiederholt gemacht, so dass man ganz allgemein den Satz aufstellen kann: bei Bastarden zeigen sich mitunter Eigenschaften, welche keiner der Stammarten, wohl aber verwandten Arten zukommen. — Die gewöhnliche Annahme, dass solche Eigenschaften als Rückschläge aufzufassen, dass sie ursprünglich gemeinsamen Vorfahren der gekreuzten Arten eigentümlich gewesen seien, vermag derartige Beobachtungen am einfachsten zu erklären. Man kann sich vorstellen, dass durch Artenkreuzung die beständigen Arttypen erschüttert werden, und dass unter solchen Umständen verloren gegangene vorelterliche Eigenschaften am leichtesten wieder auftreten.

Januar 1894.

Man hat nicht selten die verschiedenartigsten Abänderungen, welche an einzelnen Individuen von Tieren oder Pflanzen beobachtet wurden, als Rückschläge gedeutet. Manche Naturforscher sind in derartigen Erklärungsversuchen ziemlich voreilig gewesen; man darf nicht jede Variation als Rückschlag auffassen, sondern muss im einzelnen Falle untersuchen, ob auch sonstige Thatsachen es wahrscheinlich machen, dass die Vorfahren der betreffenden Art die Varietätseigenschaften besessen haben.

Bei manchen Bastarden sind Variationen auffallend häufig, haben jedoch eine sehr verschiedene Bedeutung. Wenn z. B. unter den Mischlingen von Digitalis purpurea und D. lutea Exemplare ohne Staubblätter vorkommen, so kann diese Erscheinung nicht etwa als Rückschlag aufgefasst und als ein Hinweis auf ehemalige Zweihäusigkeit der Gattung Digitalis gedeutet werden. Wenn dagegen statt der normalen zwei Fruchtblätter bei Digitalis-Hybriden deren drei auftreten (vgl. Focke, Pflanzenmischl. S. 317), so kann diese Vermehrung der Fruchtblattzahl möglicher Weise ein Rückschlag sein, obgleich in der Familie der Scrofulariaceen normaler Weise nur zwei Fruchtblätter vorhanden sind.

Es giebt unter den hybriden Pflanzen eine ganze Reihe von Vorkommnissen, welche sich ungezwungen als Rückschläge deuten lassen. Die Mischlinge von zwei weissblühenden Stechapfelarten (Datura ferox und D. laevis) blühen ausnahmslos blau, wie D. tatula und verwandte Arten (Pflanzenmischl. S. 269). — Von zwei grün blühenden Taback-Arten (Nicotiana rustica und N. panniculata) erhielt ich einmal hybride Pflanzen mit braunvioletten Kronen, wie sie bei N. Texana, einer Unterart von N. rustica vorkommen (Pflanzenmischl. S. 274). Es ist durchaus wahrscheinlich, dass die grünblühenden Nicotiana-Arten von Vorfahren mit anders gefärbten Blumen abstammen, weil die grüne Farbe mutmasslich nur durch Anpassung an nächtliche Bestäubung entstanden ist. — Bastarde, die ich aus einem blauen und einem gelben Polemonium (P. coeruleum und P. flavum) erhielt, blühten teils weiss, teils blassblau, besassen aber immer am Schlunde eine auffallende dunkel braunviolette Zeichnung, von welcher bei keiner der Stammarten auch nur eine Andeutung vorhanden ist (Abh. Naturw. Ver. Bremen XII, S. 406).

Seltener als Unterschiede in der Zahl und der Färbung treten bei den Bastarden Abweichungen von der Gestalt beider Stammarten auf. Unter den Abkömmlingen hybrider Aquilegien hat man z. B. mehrfach Exemplare mit spornlosen Kronblättern*) beobachtet, die bei reinen Arten nicht vorkommen.

Eine Thatsache, welche mir besonders merkwürdig erschienen ist, habe ich an einer hybriden Birne wahrgenommen. Pirus salicifolia L., eine südrussische Art, scheint zum Fruchtansatze Fremdbestäubung zu erfordern. Die vereinzelt in Gärten gezogenen Bäume

---

*) Ich habe 1892 ein solches Exemplar im Garten gehabt, es war spontan entstanden.

Blatt von P. communis und von P. salicifolia.

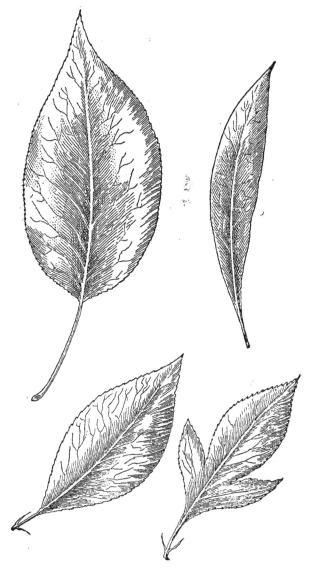

Gewöhnliches   Dreilappiges

Blatt des Mischlings.

pflegen daher nur dann Früchte zu bringen, wenn Pollen von Pirus communis, unserer Gartenbirne, eingewirkt hat. Aus dem Samen solcher Früchte gehen hybride Mittelformen zwischen den beiden Arten hervor; sie zeigen eine auffallende Ähnlichkeit mit der P. amygdaliformis der Mittelmeerländer.

Pirus salicifolia L. ist ein Birnbaum mit kurzgestielten, schmalen, unterseits seidig weissschimmernden Blättern, die an Weidenblätter erinnern. Setzt man die Spreitenlänge der verglichenen Blätter gleich, so ergeben sich annähernd folgende Massverhältnisse:

	Blattstiellänge.		Spreitenbreite.		Spreitenlänge.
Pirus communis	9	:	8	:	15
P. salicifolia	2	:	3	:	15
Mischling	3	:	6	:	15

Der Mischling steht somit durch den kurzen Blattstiel der P. salicifolia, durch die breite Spreite der P. communis näher. Er tritt indessen in wesentlich verschiedenen Abänderungen auf. Ich besitze einige vierjährige Sämlinge dieses Mischlings, welche eine ziemlich ungleiche Tracht zeigen. Einer derselben hat im letzten Sommer (1893) Blätter von verschiedener Gestalt gebracht, nämlich ausser den gewöhnlichen eilanzettigen auch mehr oder minder vollkommen dreilappige. An dem Haupttriebe waren diese dreilappigen Blätter der Zahl nach im Juni und Juli überwiegend, später erschienen wieder fast nur ungelappte. Dreilappige Blätter sind bei keiner der beiden Stammarten bekannt, können also nicht unmittelbar von einer derselben ererbt sein. Sie finden sich indessen mitunter vereinzelt bei einer verwandten Art, der Pirus betulaefolia Bunge. Die gewöhnlichen Blätter dieser Art sind kleiner und breiter als die der Gartenbirnen. — Häufiger und regelmässiger kommen solche dreilappige Blätter bei entfernter verwandten Arten vor, so z. B. bei Pirus (Sorbus) trilobata. In der Gattung Docynia, welche vielleicht richtiger nur als Untergattung von Pirus aufzufassen ist, besitzen die Blütenzweige länglich-lanzettige ungelappte, die jungen Triebe dagegen dreilappige Blätter. Sowohl bei Pirus trilobata als bei den Docynien zeigt der mittlere Lappen durch Einschnitte eine Neigung zu weiterer Lappenbildung. Eine Andeutung davon ist auch bei dem Abkömmling von Pirus salicifolia vorhanden, indem zuweilen an dem Mittellappen der dreilappigen Blätter ein oder der andere Einschnitt zu bemerken ist. — Anders als diese Art verhält sich, P. heterophylla Rgl. et Schmalhsn., bei welcher die Teilung der Blattflächen sehr unregelmässig und ungleichartig ist; manchmal geht die Erscheinung der Lappenbildung bei dieser Pflanze geradezu in Schlitzblättrigkeit über. — Unter den Äpfeln (Untergatt. Malus) ist namentlich Pirus (Malus) rivularis dadurch ausgezeichnet, dass diese Art regelmässig sowohl dreilappige als ungelappte Blätter bringt. Die dreilappigen Blätter finden sich vorzüglich an den kräftigsten Trieben.

Schon an den Keimpflanzen des Birnen-Mischlings zeigen die ersten drei Laubblätter mitunter mehr oder minder ausgesprochene

Anfänge von Lappenbildung. In Zukunft wird man darauf achten können, ob aus solchen Keimpflanzen mit Einschnitten an den ersten Blättern später die forma diversifolia hervorgeht. Die sämtlichen Blätter der Keimpflanzen sind völlig kahl und am Rande sehr scharf und deutlich gesägt. — An den späteren Blättern der jungen Pflanzen habe ich keine Andeutungen von Lappenbildung gesehen, bis im vierten Jahre bei dem beschriebenen Exemplare die ausgesprochene Verschiedenblättrigkeit auftrat.

Die scharfe Serratur und die Kahlheit der Laubblätter an den Keimpflanzen des Mischlings sind übrigens Eigenschaften, welche sich bis zu einem gewissen Grade bei den mehrjährigen Exemplaren erhalten. Bei P. salicifolia sind die Blätter ganzrandig, bei den verschiedenen Sorten von P. communis teils deutlich feingesägt, teils nahezu ganzrandig. Die Mischlingsblätter sind zwar auch nur fein gesägt, aber gewöhnlich doch merklich tiefer als die Blätter irgend welcher Sorten von P. communis. Ob bei zunehmendem Alter der Bäume die Serratur der Blätter feiner werden wird, muss sich noch zeigen. — Die Behaarung der Blätter ist bei den einzelnen Exemplaren des Mischlings verschieden, aber stets wesentlich geringer als man nach dem Durchschnitte aus der Behaarung der Blätter der beiden Stammarten erwarten sollte.

Die Mischlinge von P. salicifolia und P. communis haben, wie oben erwähnt, in ihrer Belaubung und anscheinend auch im Wuchse grosse Ähnlichkeit mit der mediterranen P. amygdaliformis Vill. Ihre Blätter sind durchschnittlich kleiner, etwas breiter, kahler und deutlicher gesägt als die der genannten Art. Es ist jedoch zweifelhaft, ob eine sichere Unterscheidung zwischen ihr und dem Mischlinge möglich sein wird, es sei denn durch die Untersuchung des Pollens. Die Blätter von P. amygdaliformis halten genauer als die Bastardblätter die Mitte zwischen den Blattformen von P. communis und P. salicifolia.

Man hat bereits früher dreilappige Blätter bei einer Birne unbekannter Herkunft beobachtet, und zwar bei einer Form, welche der P. amygdaliformis ähnlich ist. E. Koehne bemerkt darüber in der Deutsch. Dendrolog. S. 246 im Anschluss an P. amygdaliformis folgendes:

? β lobata m. Blätter klein, an Laubtrieben zuweilen mit 1—2 kurzen Seitenlappen in der Mitte des Randes, ausserdem bald ganzrandig, bald sehr klein gesägt. (Diese Form wurde von Decaisne als „P. amygdaliformis f. foliis lobatis" bezeichnet und findet sich in manchen Baumschulen als P. heterophylla Steud. und als P. Pashia.) Vergl. auch Dippel, Handb. d. Laubholzkunde III S. 363.

Man darf vermuten, dass diese forma lobata, die zu Pirus amygdaliformis gestellt wurde, ein Kreuzungsprodukt ähnlich meiner f. diversifolia ist. Es scheint, dass ihre Blätter nicht so deutlich gesägt sind wie bei meiner Pflanze und dass die Lappenbildung weniger ausgesprochen ist.

Für die Gärtnerei können die Mischlinge vielleicht von einiger Bedeutung werden. Die jungen Pflanzen treiben schon früh sehr tiefe Pfahlwurzeln. Sie eignen sich daher vermutlich später als Unterlagen für Edelbirnen auf durchlässigem trocknem Boden mit tiefem Grundwasserstande.

Wenn einerseits die Keimpflanzen, andererseits die Rückschläge bei den Kreuzungsprodukten Schlussfolgerungen auf den Urtypus gestatten, so hatten die Stammarten der Birnen dreilappige, fein und scharf gesägte, kahle Blätter. Sie mögen Ähnlichkeit mit den Blättern von Pirus trilobata oder von Docynia gehabt haben.

Christian Rutenberg's Ende.

Von Franz Buchenau.

Schon sind mehr als 15 Jahre verflossen, seitdem der aus Bremen stammende Reisende, · Dr. Christian Rutenberg, — am 25. August 1878 am Ufer des Flusses Meningaza auf Madagaskar — das Opfer eines schändlichen Raubmordes wurde. Die näheren Umstände, unter denen dieses Verbrechen begangen wurde, sind wenige Monate darauf an Ort und Stelle durch den von den tiefgebeugten Eltern des Ermordeten um die Erforschung ersuchten deutschen Reisenden J. M. Hildebrandt — der nun auch schon lange in Madagaskar's Erde ruht — festgestellt worden. (Hildebrandt, das darf wohl hier eingeschaltet werden, übernahm diesen Auftrag auch aus Dankbarkeit gegen unsern naturwissenschaftlichen Verein mit doppelter Freude, da der Verein eine der ersten Aktien auf seine (Hildebrandt's) Forschungsreise nach Ostafrika und den dortigen Inseln genommen und so zum Zustandekommen derselben wesentlich beigetragen hatte.)

Die von Hildebrandt gesammelten Nachrichten sind in extenso in der Schrift von Dr. H. Neuling: Zur Erinnerung an Dr. med. Christian Rutenberg, 1880, p. 59—61, abgedruckt und auch von mir in der kurzen biographischen Skizze, mit welcher ich die Reliquiae Rutenbergianae eröffnete (diese Abhandlungen, 1880, VII, p. 1—4), berücksichtigt worden.

Es musste natürlich grosses Erstaunen erregen, als im Dezember 1893, mehr als 15 Jahre nach dem Verbrechen, noch weitere Einzelheiten gemeldet wurden. Dieselben waren enthalten in der Beilage zu einem an Herrn Professor Dr. O. Boettger zu Frankfurt a. Main geschriebenen Briefe des jungen deutschen Zoologen Dr. A. Voeltzkow, d. d. Mojanga, 25. November 1893, und wurden mir von Herrn Direktor Dr. H. Schauinsland zur Mitteilung an die Familie und zur Veröffentlichung übergeben. (Mojanga ist der von uns Madjanga genannte Ort an der Westküste von Madagaskar unter 16⁰ s. Br.,

von welchem Christian Rutenberg am 26. Juli 1878 zu seiner letzten
See- und Landreise aufbrach.)

Die Mitteilung des Herrn Dr. Voeltzkow lautet nun wie folgt:
Wie bekannt, wurde Dr. Rutenberg in Westmadagaskar im
August 1878 auf einer Reise von Beravi nach dem Innern, ungefähr
acht Tagereisen von der Küste entfernt, ermordet. Trotzdem Hildebrandt einige Monate später bis zu dem Schauplatze der Mordthat
vordrang und eine ziemlich richtige Schilderung der Vorgänge ent-
warf, dürften doch einige nähere Einzelheiten darüber nicht ohne
Interesse sein.

Hildebrandt schreibt, nachdem er eine Beschreibung der Reise
von der Küste bis zu jener Unglücksstelle vorausgeschickt, darüber
Folgendes: „Da, wo der Strom, durch Felsblöcke eingeengt, einen
wildrauschenden Wasserfall bildet, findet sich eine kleine flache Ufer-
stelle. Hier hat sich der Unglückliche, nachdem er sein frugales
Mahl eingenommen, zur Nachtruhe hingestreckt. Im Schlafe über-
fielen ihn seine treulosen Begleiter, Varatraza und Bana mare. Mit
schweren Knitteln hieben sie ihn in den Nacken und auf die Arme.
Dolchstiche in den Rücken endeten das Leben des Wehrlosen. Jetzt
befestigten die Unmenschen schwere Steine an den Leichnam und
warfen ihn in den nahen Fluss, da, wo er am tiefsten und von
zahlreichen Krokodilen bewohnt ist. Der dritte seiner Begleiter,
seinen Namen habe ich nirgends erfahren können, beteiligte sich
nicht an der Unthat. Ihn, den einzigen Zeugen, wollten die Thäter
gleichfalls umbringen; er versprach aber ewiges Schweigen und sie
schonten seiner. Darauf nahmen die Mörder alle Habe ihres Opfers
an sich, darunter 2—300 französische Thaler in Silber, Flinte und
Revolver, welche ihm seine Freunde und Landsleute in Lokubé mit
auf die Reise gegeben hatten, Kleidung und auch sein Tagebuch,
und begaben sich auf den Rückweg. Als der dritte Diener sich in
Sicherheit in den Dörfern sah, erzählte er den ganzen Vorgang des
Verbrechens." Dem ist Folgendes hinzuzufügen. Dr. Rutenberg
unternahm den Zug in das Innere mit 6 Leuten, von denen 3 aus
Bali stammten. Die Reise ging ohne jeden Unfall von statten, auch
von Seiten der Sakalava entstanden keine Schwierigkeiten, und er
passierte glücklich die letzte Sakalavaniederlassung.

Zum Verständnis des Folgenden ist vorauszuschicken, dass
Dr. Rutenberg mehr Lasten mit sich führte, als er Träger besass,
oder vielmehr in Beravi nicht die nötigen Träger erlangen konnte.
Er reiste nun in der Weise, dass er mit sämtlichen Leuten, fünf
erwachsenen und einem Boy, bis zum Lagerplatz für die nächste
Nacht marschierte und die restierenden am Lagerglatz des vorhergehenden Tages bei den Eingeborenen deponierten Sachen durch seine
Leute nachholen liess. So am Tage vor seinem Tode. Drei seiner
Leute hatte er zurückgeschickt, um die restierenden Lasten zu holen
und im Lauf des nächsten Morgens zu bringen. Er selbst mit zwei
seiner Leute und dem Boy blieb am Lagerplatz. (NB. Unvorsichtiger-
weise führte er eine grössere Summe Geldes mit sich und hatte dies
nicht vor seinen Leuten verheimlicht. Dies sollte sein Verderben

werden.) Darauf bauten die Mordgesellen ihren Plan. Unter einem Vorwande wurde der Boy entfernt und der Arme in der von Hilde-brandt beschriebenen Weise ermordet. Der vorzeitig zurückkehrende Knabe wurde Zeuge des schauerlichen Vorganges, doch gegen das Versprechen ewigen Schweigens wurde ihm das Leben geschenkt. Zur Zeit, als die drei Träger herannahten, lief ihnen einer der Mord-gesellen unter Anzeichen höchsten Schreckens und Entsetzens ent-gegen, schreiend, die Sakalava hätten soeben seinen Herrn und seine Gefährten ermordet; mit Mühe wäre er ihnen entgangen, sie könnten ihn aber jeden Augenblick einholen. Entsetzt warfen die Träger die Lasten von sich und flohen zu den Dörfern zurück. Das Mörderpaar bemächtigte sich nun in Ruhe alles dessen, was sie für sich geeignet fanden und fortschleppen konnten, darunter 137 französische Dollar; einen Teil des Gepäckes stürzten sie in den Fluss, den Rest liessen sie liegen und dessen bemächtigten sich später die Sakalava; daher deren Furcht, als mitschuldig bestraft zu werden. Die Mörder be-schlossen zuerst, den Knaben, sein Name ist Fanúngi, als Sklaven zu verkaufen, später aber hielten sie es für besser, ihn zu tödten; der Knabe, der dies Gespräch belauschte, entfloh und erzählte den ganzen Vorgang in den Dörfern. Die Mörder leben heutzutage un-behelligt in Onára, nahe bei Minberans; für das Geld haben sie Rinder gekauft; doch die Nemesis schläft nicht. Vor kurzem bei einem Streit erhielt der eine der Mörder, Varatraza, einen Schuss durch beide Beine und ist zeitlebens gelähmt und muss an Krücken gehen. —

Ich handle gewiss im Sinne aller Beteiligten, wenn ich Herrn Dr. Voeltzkow auch an dieser Stelle den herzlichsten Dank für seine Bemühungen um Aufklärung dieser traurigen Angelegenheit sage.

Es wird nicht überflüssig sein, hier noch einmal die Titel der Arbeiten zusammen zu stellen, in welchen der wissenschaftliche Nachlass von Rutenberg, soweit derselbe in meine Hände gelangte, verwertet ist.

Reliquiae Rutenbergianae.

I. Abh. Nat. Ver. Bremen, 1880, VII, p. 1—54 (mit 2 Tafeln).
II. Daselbst, 1881, VII, p. 177—197 (mit 1 Tafel).
III. Daselbst, 1881, VII, p. 198—214 (mit 1 Tafel).
IV. Daselbst, 1882, VII, p. 239—264 (mit 1 Tafel).
V. Daselbst, 1882, VII, p. 335—365 (mit 1 Tafel).
VI. Daselbst, 1885, IX, p. 115—138.
VII. Daselbst, 1887, IX, p. 401—403.
VIII. Daselbst, 1889, X, p. 369—396 (Schluss, m. 1 Taf. u. Regist.).

(No. II. behandelt einen Teil der wenigen vorhandenen Tier-reste; alle anderen Abhandlungen sind den Pflanzen gewidmet; einige der letzteren wurden aber auch in dem Aufsatze von L. Radlkofer, ein Beitrag zur afrikanischen Flora (Abhandlungen, 1883, VIII, p. 369—442) beschrieben.) Die Zahl der in meine Hände gelangten

Pflanzen-Arten belief sich auf 605, darunter 5 neue Gattungen und 168 neue Arten oder Varietäten; die Zahl der bearbeiteten Tiere betrug 26, darunter eine neue Gattung (eine Spinne) und 10 neue Arten oder Unterarten. — Nach Rutenberg genannt wurden: eine Moos-Gattung: Rutenbergia Geheeb et Hampe, 52 Pflanzen- und 4 Tier-Arten.

So wird Rutenberg's Andenken in der Wissenschaft unauslöschlich und für immer mit der Kenntnis von Madagaskar verbunden bleiben. Die von dem Vater, Herrn Lüder Rutenberg, am 8. Februar 1886 gestiftete „Christian-Rutenberg-Stiftung" aber wird in unserer Stadt durch die Gewährung von Mitteln zu naturwissenschaftlichen Studien und Forschungen dauernden Segen stiften.

Arthur Breusing.

Von Dr. C. Schilling.

In Arthur Breusing, dem langjährigen Direktor unserer Seefahrtschule, hat Bremen einen Mann verloren, dessen Thatkraft nicht
nur diejenigen, die sein Wirken und Schaffen im Beruf beobachten
konnten, mit Hochachtung und Verehrung erfüllt, sondern der weit
über unsere Stadt hinaus, ja dort vielleicht in noch höherem Masse
Anerkennung und Bewunderung fand. Eine zuweilen rauhe Aussenseite im persönlichen Auftreten, eine Schärfe der Kritik traf wohl
oft Personen und Ansichten, aber in rauher Hülle barg sich der
edelste Kern, der der Erkenntnis der Wahrheit in den Anschauungen
des Lebens und der Wissenschaft unentwegt nachging und in Erfolgen und manchen Beweisen warmer Hochachtung die Triebfeder
zu weiterem Schaffen fand und dabei rückhaltslos sich stets bereit
zeigte, wissenschaftlichen Freunden aus dem reichen Schatze seines
Wissens freigebig zu geben und zu schenken. Schon gebrochen in
schwerer schmerzlicher Krankheit, hatte er den sehnlichsten Wunsch,
noch einmal an seinen Schreibtisch zurückkehren zu können, um
eine Arbeit, die ihm am Herzen lag — ich glaube es aussprechen
zu dürfen: über die Instrumente zur Zeit der Entdeckung Amerikas
— abfassen zu dürfen. Die Feder ist der Hand auf immer entfallen, und mit dem reichen Geiste sind Schätze des Wissens in den
Hades versunken.

Friedrich August Arthur Breusing war als der dritte Sohn
des Provinzialsteuerdirektors Breusing in Osnabrück am 18. März
1818 geboren. Der von ihm selbst wenig geliebte Vorname Arthur,
unter dem er in dem dankbaren Gedächtnis seiner Schüler lebt
und leben wird, war ihm von seinem Vater beigelegt nach Wellington,
unter dessen Oberbefehl der Vater als Offizier den Sieg von Waterloo
miterfocht. Schon in frühen Jahren trieb es Breusing neben und
trotz des Zwanges der Schule eigenen Studien nachzugehen und in
freiem Leben mit seinen Mitschülern diese zu führen und zu leiten.
Und als er zur Beendigung des gymnasialen Unterrichts nach Lingen
übersiedelte,*) da fand er in tüchtigen Lehrern die Männer, die

---

*) Breusing war in Lingen mit seinem älteren Bruder, dem späteren
Steuerrat, in Pension bei dem Gymnasialdirektor M. Rothert, einem hervorragenden Pädagogen, der 1844 die Leitung des Gymnasiums zu Aurich übernahm.

seinem Wissensdrang nachgebend ihm die Wege zu höchstem Erfolge wiesen. Waren seine Neigungen auch damals schon hervorragend den exakten Wissenschaften zugewandt, so wird doch im Abgangszeugnis auch das reiche Verständnis der Klassiker in rühmendster Weise erwähnt; und wie in prophetischem Sinne wird der „entschiedenen Willenskraft" eine wesentliche Bedeutung für die Zukunft zugesprochen. Schon frühzeitig vertiefte Breusing sich in Alexander v. Humboldt's „Ansichten der Natur", die ihm noch bis in sein spätes Lebensalter eine liebe und erhebende Lektüre geblieben sind. Es war der Wunsch der Mutter, in ihrem Sohne Arthur einen zweiten Humboldt heranwachsen zu sehen, und voll Freude verfolgte und unterstützte sie die naturwissenschaftlichen Neigungen des Sohnes.

Im Oktober 1838 bezog Breusing, wohl versehen mit einem Reisepass und den Wünschen seiner Eltern, zunächst die Universität Bonn, mathematischen Studien unter Plücker's Leitung, naturwissenschaftlichen Studien besonders unter dem Botaniker Treviranus, dem Geologen Bischof und anderen obzuliegen. Aber neben diesen Hauptaufgaben fand er noch Musse, um sowohl historischen als auch philologischen Studien nachzugehen; im dritten Semester hörte er bei Dr. Düntzer Homers Ilias „mit vielem Fleiss und beständiger Teilnahme". Der Aufenthalt in Bonn nahm infolge studentischer Streitigkeiten ein nicht ganz freiwilliges Ende; und wir finden ihn im Wintersemester 1840 auf 41 zu kurzem Aufenthalt in Berlin, wo vor anderen Dove's Vorlesungen über Meteorologie ihn fesselten; bis an sein Lebensende blieb er auch ein unentwegter Anhänger der Dove'schen Theorien. Von Berlin siedelte er schon im April 1841 nach Göttingen über, in diejenige Universität, die er mit dauernder Liebe als die wahre Stätte seiner wissenschaftlichen Universitätsstudien ehrte. Hier war es ihm auch vergönnt, die letzten Vorlesungen bei Gauss zu hören und mit diesem Heros mathematischen Wissens in persönlichen Verkehr zu treten. In der klaren Art dieses Gelehrten, der es nie verschmähte, in seinen Vorlesungen auch die Anfangsgründe mathematischer Disciplinen in fesselnder Weise zu lehren, dürfen wir wohl das Vorbild der Lehrmethode Breusing's erkennen; auch ihm war es eigen, in der durchsichtigen und oft ganz originellen Darstellung der Grundlagen aller Disciplinen die Hauptaufgabe seiner Tätigkeit als Lehrer und als Mann der Wissenschaft zu sehen.. Und wie er von Gauss die Äusserung gehört hatte, dass ordentlich Rechnen schon halb richtig Rechnen wäre, so legte er später als Lehrer hervorragenden Wert auf eine übersichtliche und streng inne zu haltende Ordnung in allen Berechnungen. Die Studien in Göttingen schlossen im Dezember 1847 mit der Ablegung des Staatsexamens ab, in der dem Kandidaten die Befähigung, Mathematik, Physik und deutsche Litteraturgeschichte in allen Klassen eines Gymnasiums zu lehren, zugesprochen wurde.

Aber die Zeit des Göttinger Aufenthalts war nicht allein von wissenschaftlichen Studien erfüllt; als Mitglied und langjähriger Senior des Corps Westphalia wusste Breusing auch dem studentischen Leben gerecht zu werden, und die Klinge des kräftigen Mannes hatte in manchem Kampfe die grün-weiss-schwarzen Farben zum Siege geführt. Auch im geselligen Leben fielen dem mit reichen Gaben ausgestatteten Jünglinge freundliche Pflichten zu, und ältere Herren und Damen wissen noch heute von fröhlichen, unter Breusing's Leitung unternommenen Fahrten in Göttingens waldgeschmückte Umgebung zu erzählen. Und als im Jahre 1848 der Sturm der Freiheit auch in der Musenstadt die Wogen hochschlagen liess, da griff wieder Breusing an das Ruder, und in überschäumender Manneskraft führte er das Schiff für Freiheit, Wahrheit und Recht in Kurse, die weit ab von den ruhigen Gestaden staatlicher Subordination gingen.

Als Ende Februar die ersten aufregenden Nachrichten aus Paris anlangten, da war es Breusing, der im Museum, dem Vereinigungslokal der Studenten, auf dem Tische stehend, die Zeitungen vorlesen musste. Nach erfolglosen Verhandlungen mit dem Rektor, der die Selbständigkeit der Studenten nicht dulden wollte, wurde am 15. März der Auszug der Studenten aus Göttingen nach Hamburg beschlossen und dieser auf Freitag den 17. März angesetzt. Breusing geleitete die Kommilitonen bis auf den Fuchsberg, blieb selbst aber als erwählter Vertreter der Studentenschaft in Göttingen zurück, um diesen anzuzeigen, wann ihre Forderungen erfüllt würden und man die Universität wieder besuchen dürfe. In den jetzt in Göttingen stattfindenden Bürgerversammlungen vertrat er mit Lebhaftigkeit die Interessen der Studenten, sprach für Volksbewaffnung und für die Freiheit des deutschen Vaterlandes und würde zum Leitmann einer Freischaar berufen, als welcher er auch in schmucker Uniform seine Schützen einexerzierte. Nachdem eine von Breusing verfasste Erklärung in einer grösseren Anzahl von Zeitungen erschienen war, empfahl er die Rückkehr der Studenten nach Göttingen, reiste selbst den Studenten bis Northeim entgegen und zog am 1. Mai an der Spitze derselben in festlichem Zuge unter Vortragung der deutschen Fahne in Göttingen wieder ein.

Der Aufenthalt Breusing's in Göttingen erfährt gerade jetzt, als er im Glanze studentischer Ehren stand, ein plötzliches Ende. Es ist nicht ersichtlich, ob nur der Wunsch der Eltern, den Sohn in die ruhigen Verhältnisse Osnabrück's zu führen, massgebend war, oder ob der Entschluss durch die Vorbereitung für die beabsichtigte Seereise zu erklären ist. Schon Ende 1847 hatte nämlich Breusing auf Anraten seiner Verwandten beschlossen, dem Wunsche der hannoverschen Regierung folgend, sich zum Navigationslehrer ausbilden zu lassen. Und diese Absicht fand bei der Mutter besonders freundliche Unterstützung, die in den dazu erforderlichen Seereisen die Möglichkeit begrüsste, die Humboldtnatur ihres Sohnes durch die fesselnden Eindrücke fremder Länder geweckt und in gewünschter Laufbahn reifen zu sehen.

Schon bei Beginn des Jahres hatte er bei einem Besuche, den er seinem sehr geliebten Bruder Georg in Leer machte, den Schiffsrheder Horch kennen gelernt, der dem jungen Gelehrten auf dem eben im Bau befindlichen Schuner „Henriette" eine Stellung anbot.

Die bis zur Fertigstellung des Schiffes noch freie Zeit war es, die Breusing nach Göttingen zurückgehen und dort in dem politischen Treiben eine führende Rolle spielen liess. Am 15. Mai war diese Zeit vorbei, und wir sehen ihn mit Wehmut von der ihm so lieben Musenstadt scheiden.

Jetzt galt es, die Vorbereitungen für die Seereise zu treffen; die hannoversche Regierung überwies ihm den Betrag von 30 Pistolen zur Anschaffung von Beobachtungsinstrumenten, die ihm Rümker, der Direktor der hamburgischen Navigationsschule, besorgte. Der Bau der „Henriette" hatte sich aber stark verzögert; daher konnte Breusing auch noch in Osnabrück an den politischen Versammlungen teilnehmen und bei verschiedenen Gelegenheiten das Wort ergreifen. Erst am 29. Juli fuhr er über Papenburg nach Leer, wobei er im Omnibus seinen Freund und Studiengenossen Miquel, den jetzigen Finanzminister, zu sehen die Freude hatte. In Leer fand er bei dem Kapitän der „Henriette", Janssen, Gelegenheit, sich in der Benutzung seiner Instrumente und der Berechnung nautischer Aufgaben zu üben. Endlich, am 16. August, fand der Stapellauf der „Henriette" statt, auf der mit der übrigen Mannschaft auch der Leichtmatrose Breusing zu Wasser lief. Die Mannschaft setzte selbst die Masten ein und holte die Takelung über, und Breusing, der mit ganzer Energie den Schiffsdienst von Grund auf kennen lernen wollte, nahm trotz manchen spöttischen Wortes an jeder Arbeit vollen Anteil. Nach Fertigstellung des Schiffes wurde die Ladung (Getreide) in Emden ebenfalls eingenommen. Auch Breusing musste nach seiner Verpflichtung an dieser durch die gewaltige Staubentwicklung sehr unangenehmen Arbeit teilnehmen, und wer Gelegenheit gehabt hat, diese Arbeit zu sehen, wird den Ausdruck, mit dem Breusing von dieser Arbeit sprach: „Dreckfressen" wohl verständlich finden. Aber mit frischem Sinne wusste der Studierte im Seemannskittel auch diesen Ärger durch frohen Gesang, den er meisterhaft zu pflegen wusste, zu überwinden. Am 29. September verliess das Schiff den Hafen und ging zunächst nach London, wo auf dem Flusse durch einen Zusammenstoss mit einem britischen Schiffe der Reise beinahe ein unfreiwilliges Ende gemacht wäre. Von dort ging die „Henriette" nach South Shields, wo das Schiff gekupfert werden sollte, eine Arbeit, die zu damaliger Zeit in Deutschland noch schlecht ausführbar war. Dieser neue Aufenthalt gestaltete sich dadurch für Breusing zu einem sehr unerfreulichen, dass die, wie es scheint, sehr rohe Mannschaft dem „Studenten" wenig hold war und seine mit Eifer durchgeführte Absicht, den Dienst als Leichtmatrose voll zu thun, mit unangenehmen Sticheleien verhöhnte und bei dem Kapitän in ein ungünstiges Licht zu setzen versuchte. Auf der andern Seite fand der Gekränkte auch bei dem Kapitän keine Unterstützung, da dieser seine ihm kurz vor der Abreise angetraute Frau an Bord hatte, für die zu sorgen eine wichtigere Aufgabe war. Zudem war der Kapitän in der Navigation so wenig beschlagen, dass er sich vor dem jungen Gelehrten fürchtete und von diesem häufig im Studium nautischer und mathematischer Bücher angetroffen wurde. Um aber nicht der ganzen Reise verlustig zu gehen und von Bord gewiesen zu werden, ertrug Breusing alle Unannehmlichkeit, die ihm die Zanksucht, Unreinlichkeit und bis zu kleinen Diebstählen gehende Geldgier der Schiffsleute bereiteten, bis das Schiff endlich am 9. Dezember zur Reise nach Rio in See gegangen war. Nun aber nahm er die erste Gelegenheit war, um dem Kapitän das Unhaltbare seiner Stellung auseinanderzusetzen; das Ergebnis war, dass er von nun an aus der abhängigen Stellung als Leichtmatrose austrat und als Passagier berechtigt, aber nicht verpflichtet war, an den Schiffsarbeiten teilzunehmen. Die Reise verlief unter gewöhnlichen Verhältnissen nicht eben sehr schnell, hatte aber für Breusing das Ergebnis, dass seine Stellung inmitten der Schiffsbesatzung sich erheblich besserte und dass ihm die Teilnahme an allerhand Schiffsarbeiten gestattet wurde. Am 23. Februar wurde Rio erreicht und damit für Breusing eine freud- und ereignisreiche Zeit gewonnen. Als dieser nämlich am zweiten Tage des Aufenthaltes die deutsche Kirche in Rio aufsuchte — am Gottesdienste nahmen 5 Damen und 15 Herren teil — nahm der Prediger nach der Predigt die Gelegenheit wahr, sich mit den Neuangekommenen in der Gemeinde zu unterhalten; der Pastor war Avé-Lallement. Und sein Neffe, der bekannte Arzt und naturwissenschaftliche Schriftsteller war es, der für den studierten Seemann mit Liebenswürdigkeit sorgte und ihm den Verkehr in allen deutschen Familien eröffnete. Hierdurch wurde Breusing in die Verhältnisse Brasiliens an der Hand eines bewährten Führers leicht und vollständig eingeführt, und von besonderem Werte würde ihm diese Freundschaft, als er, an der Malaria erkrankt, in dem Hause seines Freundes Unterkommen und den besten ärztlichen Rat finden durfte. So sehen wir ihn am 5. April mit Bedauern wieder Abschied nehmen von dem schönen Stück Erde, von dem romantischsten Hafen der Welt, um in die engen, wenig erfreulichen Verhältnisse an Bord der „Henriette" zurückzukehren. Auch über die Rückreise ist wenig zu bemerken, da das Verhältnis zu dem rohen und unerfahrenen Steuermann und zu der Mannschaft wieder sehr unangenehm sich gestaltete, der Kapitän und seine Frau infolge des Mangels jeglicher allgemeiner Bildung sich meist fern von Breusing hielten und ein Passagier, der die Reise nach England mitmachte, sich scheu und verlegen benahm und erst in der letzten Zeit etwas zur Unterhaltung beitrug.

Ergebnisreich war die Reise dagegen in Bezug auf ihren Hauptzweck, die nautische Ausbildung, und bezeichnend für die selbständige Auffassung seines Berufes ist es, dass Breusing, unzufrieden mit den vorhandenen deutschen und englischen Lehrbüchern, schon auf der Rückreise am 22. April mit der Abfassung eines eigenen Leitfadens für den Unterricht begann. Unmittelbaren Anlass dazu gab ihm der Versuch, zwei der Matrosen in den Anfangsgründen der Steuermannskunst zu unterrichten, ein Versuch, der freilich an der Gleichgiltigkeit und geistigen Trägheit dieser Gesellen scheiterte. So war die Stimmung Breusing's keine sehr glückliche, als er Mitte Juli in Rotterdam das Schiff verliess und in seine Heimat zurück-

kehrend einer unbekannten und wenig erfreulichen Zukunft entgegen-
ging. Die ganze Thatkraft des Mannes tritt uns darin entgegen,
dass er nicht zu anderen ihm offenstehenden Stellungen überging,
sondern in der Durchsetzung seiner einmal gefassten Absichten seine
Ehre fand. Freilich, nach Ostfriesland zu gehen, war ihm nach der
Schilderung der dortigen Verhältnisse, wie Kapitän und Steuermann
sie ihm gaben und durch ihre eigene Person illustrierten, wenig
verlockend erschienen; so nahm er zunächst, um auch andere und
wie er hoffte, bessere Verhältnisse kennen zu lernen, das Anerbieten
der hannoverschen Regierung, mit einem Staatsstipendium die Navigationsschule in Hamburg zu besuchen, dankbar an. Aber es sollte
nicht zur Ausführung dieses Planes kommen, denn im Jahre 1850
wurde ihm gleichzeitig der Antrag gestellt, als Navigationslehrer
nach Bremen und nach Ostfriesland zu gehen. In Bremen wurde
ihm ein auch für damalige Zeit sehr spärliches Gehalt von 300 Thaler
Gold geboten, während die hannoversche Regierung ihm fast das
Doppelte in Aussicht stellte. Aus dieser Zeit stammt das später
so oft genannte und selbst im Bilde festgehaltene Wort: Lieber in
Bremen Pellkartoffel und Heringe, als in Ostfriesland Austern und
Champagner!*) Und ohne Bedenken ging Breusing nach Bremen;
hoffte er doch in der grossen Handelsstadt auch für seinen Beruf
ein reiches Feld der Thätigkeit zu finden, und brachte er doch ausser
dem regsten Eifer einen Schatz theoretischen Wissens mit, das auf
praktischen Gebieten zu verwerten seiner ganzen Anlage nach ihm
besonders leicht wurde.

Am 20. Februar 1850 langte er in Bremen an, und am folgenden Tage wurde er von seinem Vorgesetzten, Senator Smidt, in
sein Amt eingeführt und dem ersten Lehrer, Lappenberg, vorgestellt.
Wurde Breusing von diesem schon mit Misstrauen empfangen, so
war es nur natürlich, dass dieses bald in Feindschaft ausartete.
Denn Lappenberg war eine geistig weit unter seinem jüngern
Kollegen stehende Natur, die, freilich nach dem Vorgange anderer,
besonders englischer Schulen, in dem mechanischen Einpauken und
gedankenlosen Nachbeten eingelernter Exempel die Hauptaufgabe
eines Lehrers erblickte. Breusing fand also in seiner Ansicht über
die Beruftsthätigkeit bei seinem Kollegen keine Zustimmung und
fand auch für seine Absicht, hier wissenschaftlich zu arbeiten,
wenigstens an der Steuermannsschule, keine Unterstützung durch

---

*) Dasselbe Wort in einer etwas abweichenden Fassung: „Lieber in
Bremen Pellkartoffel und Heringe, als in Preussen Austern und Champagner"
verwandte Breusing in einer politischen Rede, die er in einer Volksversammlung
im Tivoli zu Gunsten der Kandidatur Mosle's hielt. War auch Breusing's
ganze Natur im wesentlichen kritisch, so hatte er doch mit vollem Herzen
stets alles gute anerkannt, das Bremen und sein freies Staatswesen von dem
grossen benachbarten Königreich unterschied; stand ihm doch hier ein Wir-
kungskreis offen, der ihm die grösste individuelle Freiheit sicherte. Was
Preussen in harter Arbeit und mit schweren Opfern für Deutschland gethan
hatte, erkannte Breusing stets und mit warmen Worten an, aber die eng-
herzige, nicht am wenigsten im Schulwesen herrschende Gesinnung, die der
Entwicklung freier Kräfte nicht günstig war, missfiel ihm durchaus.

Litteraturmittel. Oft erzählte er später, wenn er wissenschaftlichen Freunden die besonders an alten Sachen überaus reichhaltige Bibliothek seiner Schule mit Stolz zeigen konnte, dass bei seinem Antritt die- selbe aus einem englischen Lehrbuch von Norie und einem defekten Exemplar von Bobrik's Praktischer Seefahrtskunde bestanden habe. Als Lehrbuch wurde an der Navigationsschule das eben erwähnte Buch von Norie benutzt, das wegen der ganz unwissenschaftlichen Methodik recht wertlos war. Dem Wunsche Breusing's, das einzige verwendbare deutsche Lehrbuch vom hamburgischen Navigations- schuldirektor Rümker einführen zu dürfen, wurde nur mit Wider- streben und unter der Bedingung stattgegeben, dass der eben ein- geführte Lehrer sich verpflichtete, innerhalb eines Jahres einen Leitfaden für den Unterricht zu verfassen, und nach harter Arbeit konnte er am 2. März 1852 seinem vorgesetzten Senator das Werk vorlegen, das in klarer, didaktisch vollkommener Form ein Meister- werk in seiner Art war. In dankbarer Erinnerung an die glück- lichen Tage in Rio de Janeiro trägt es die Widmung an Dr. med. Robert Avé-Lallement.

Es waren trübe Zeiten, die Breusing neben seinem Kollegen Lappenberg verleben musste, mit Bitterkeit sprach er noch oft von dem sittlich wenig geachteten Vorgänger als Leiter der Anstalt, und erst als Lappenberg im Jahre 1858 ein trauriges Ende nahm, waren Breusing die Hände freigegeben, um unterstützt von neuen Kollegen aus seiner Schule eine Anstalt zu machen, die bald mit steigendem Ansehen als die erste der Navigationsschulen galt und die besten der Seeleute nach Bremen, zu Arthur Breusing, zog. Die Darstellungs- gabe dieses Lehrers war hervorragend, durch treffliche Vergleiche wusste er in anschaulicher Klarheit mit wenigen Worten zu lehren, wozu mancher andere einen Wust von Worten, eine Fülle theoretischer Betrachtungen erforderlich hielt, und stets blieb er dabei in lebendigem Zusammenhang mit der Praxis.*) Mit der Gewalt über das Wort wusste er seine Schüler zu fesseln und verband gerne damit, um die Frische im Unterricht zu erhalten, Humor und Witz, zu dem ihm gerade das Seemannsleben so viel Veranlassung gab. Aber mit dem Bestreben, seinen Schülern die für ihren Beruf erforderlichen Kenntnisse zu geben, hielt er seine Aufgabe erst zum kleineren Teile erfüllt. Das Ansehen des Standes der Seeleute war, als Breusing seine Stellung übernahm, auf einer recht niedrigen Stufe, und nur

---

*) Wie sehr Breusing hierbei auch persönlicher Mut auszeichnete, zeigt — um ein einzelnes Beispiel herauszugreifen — die Thatsache, dass er zur Illu- stration des Leidenfrost'schen Phänomens seinen ungläubigen Schülern die Wahrheit desselben an seiner eigenen Hand bewies. Er führte seine Schüler in die Werkstätte der Aktiengesellschaft Weser, und vor ihren Augen tauchte er seine zuvor mit Wasser benetzte Hand und den Arm, ohne mit den Wimpern zu zucken, tief in einen grossen Tiegel mit geschmolzenem Eisen und wieder- holte diesen Versuch noch zweimal. Beim dritten Versuch fühlte er einen brennenden Schmerz; da die Haut zu trocken geworden war, waren die Spitzen der Nägel schwarz gebrannt. — Vorsichtigerweise hatte Breusing zu diesem Versuche die linke Hand benutzt, damit bei einem möglichen Unfall die rechte arbeitsfähig blieb.

wenigen durch Gaben des Verstandes hervorragenden Männern war
es gelungen, sich allgemeines Ansehen zu verschaffen; es waren
Ausnahmen, die das Traurige der Regel bewiesen. Breusing sah in
einer Änderung dieser Verhältnisse die wesentlichste Aufgabe seines
Berufes, und wie sein Ruf die besten Seeleute von überall herbeizog,
so gab er ihnen aus dem vollen Schatze seines Wissens Anregungen
und Lehren, die sie über die Genossen des Berufes hoben und in
die Reihen der geachtetsten Männer einstellten. Aber mit der Hebung
des sozialen Standes der Seeleute wusste er auch die pekuniäre
Lage seiner Pflegebefohlenen zu bessern, und wenn heute Kapitäne
für die treue Erfüllung in hartem Berufe Einkommen beziehen, die
dem eines preussischen Ministers nahestehen, so gedenken diese,
vom Glück gesegnet, mit dauerndem Danke des Mannes, der mit
Wort und That für sie eingetreten war und ihnen nach dem schweren
Kampfe mit Wind und Wellen ein sorgenfreies Alter verschafft hatte.
Und als die Augen sich geschlossen, die so scharf für das Wohl
seiner Seeleute gesehen hatten, da wird die Trauerkunde manches
Seemannsauge gefeuchtet, und deutsche Flaggen an Bord mancher
Schiffe auf dem ganzen Erdenrunde werden halbmast geweht haben.

Das Lehrbuch Breusing's „Die Steuermannskunst" hatte den
Verfasser sofort an die Spitze der Navigationslehrer Deutschlands
gestellt, aber auch in wissenschaftlichen Kreisen fand die didaktische
Gewandtheit und die Gabe der Darstellung, die besonders in der
nach wenigen Jahren erschienenen zweiten Auflage hervortrat, solche
Anerkennung, dass Breusing auf Grund dieser hervorragenden Leistung
am 27. Dezember 1861 den Doctorgrad von der Universität Göttingen
propter insignem scientiam mathematicam editis variis scriptis com-
probatam erhielt. Das Lehrbuch, vor einigen Jahren in fünfter
Auflage erschienen, darf wohl unwidersprochen auch heute noch als
das beste seiner Art bezeichnet werden und hat zahllosen Seeleuten
und wissenschaftlichen Reisenden als Führer durch das Gebiet astronomischen Wissens gedient. Und es ist wohl nur noch ein Rest
alter particularistischer Eifersucht, dass das Buch, das auf dem
Arbeitstisch des Prinzen Heinrich liegt, in den preussischen Navigationsschulen trotz des Mangels eines brauchbaren Leitfadens keinen
Eingang finden konnte.

In den ersten Jahren seiner Anwesenheit in Bremen hatte
Breusing, vor allem unterstützt von der Handelskammer, es versucht,
eine Monatsschrift für den deutschen Seemann herauszugeben. Die
Arbeitslast ruhte aber so vollständig und darum so schwer auf den
Schultern des auch im Beruf stark in Anspruch genommenen Mannes,
dass nur zwei Jahrgänge, 1852 und 1853, herauskommen konnten.

Neben dem Lehrbuch haben aber den Ruf Breusing's noch eine
grössere Anzahl wissenschaftlicher Arbeiten begründet, die von der
Tiefe des Wissens und der Schärfe des Urteils dieses Gelehrten
ein glänzendes Zeugnis ablegen. Es entsprach seiner hohen Natur-
anlage, dass er sich nicht mit der Kenntnis des augenblicklichen
Standes der Wissenschaft begnügte, sondern als wahrer Forscher
den oft schwer zu verfolgenden Spuren geschichtlicher Entwicklung

nachging; und so ist er in gewissem Sinne der Begründer der Geschichte der Nautik und einer der wesentlichsten Förderer der Geschichte der Geographie geworden.

Eine Gruppe der Arbeiten Breusing's behandelt die Geschichte nautischer Instrumente. Zu diesen gehören, inhaltlich und zeitlich an erster Stelle, die in der Zeitschrift der Gesellschaft für Erdkunde Band IV 1869 erschienenen Abhandlungen, welche der Geschichte der Erfindung der wichtigsten nautischen Hülfsmittel: des Kompasses, des Winkelmessinstrumentes (Jacobsstab) und des Fahrtmessers (Logge) gewidmet sind. In der ersten dieser drei Abhandlungen weist Breusing nach, dass das Wesentliche des Schiffscompasses, die Verbindung der Strichrose auf der frei schwebenden Magnetnadel das eigentliche und grosse Verdienst Flavio Gioja's aus Amalfi ist. Diese Verbesserung erst hat den Kompass für die Zwecke der Schiffahrt brauchbar gemacht. In Weiterem giebt der Verfasser dann eine Darstellung der verschiedenen Einteilungen der Kompassrose, der Windrose der Italiener und der Strichrose der germanischen Nationen und bespricht endlich die eigentümliche Art der Aufhängung des Schiffskompasses, die möglicherweise auch auf Gioja zurückzuführen ist, die sogenannte Cardanische Aufhängung, von der nachgewiesen wird, dass Cardanus selbst sie in einem ganz anderen Zusammenhang als etwas schon Bekanntes erwähnt. In der zweiten Abbandlung zeigt Breusing, dass Regiomontanus der Erfinder des ersten für den Seemann brauchbaren Winkelmessinstrumentes, des Gradstockes und des Jacobsstabes, gewesen ist. Zu den Schülern des Regiomontanus gehörte Martin Behaim, der den Gradstock in die portugiesische Marine einführte. Auch ihm sind dann ausführliche Betrachtungen gewidmet. In der dritten Abhandlung endlich folgt eine Geschichte der Erfindung der Logge. In der catena a poppa, von der Pigafetta spricht, erkannte Breusing nur eine dem Schiffe nachschleppende Leine, die dazu diente, um die durch seitlichen Wind hervorgerufene seitliche Verschiebung des Schiffskurses, die Abtrift, genauer zu messen. Die Logge ist dagegen eine englische Erfindung aus der Mitte des 16. Jahrhunderts. So gaben diese drei Abhandlungen, eine jede ein Kabinetsstück für sich, schon in gedrängter Kürze die Geschichte der Erfindung der wichtigsten nautischen Instrumente. Mit unablässiger Sorgfalt arbeitete und feilte Breusing an der Vervollständigung dieser Kapitel und bot dann das Ergebnis seiner Forschungen zunächst 1883 in einem Vortrage, den er auf dem Geographentage in Frankfurt a. M. hielt, und endlich bei Gelegenheit des Naturforschertages in Bremen 1890 in vollendeter Gestalt als eine Gabe, gewidmet den Mitgliedern der mathematischen, physikalischen und geographischen Abteilungen.

Ergänzend zu den ersten Studien über die Geschichte der nautischen Instrumente treten noch zwei Abhandlungen hinzu, von denen die erste, in den niederdeutschen Denkmälern 1876 erschienen, die nautische Einleitung zu dem von Karl Koppmann herausgegebenen Werke „Das Seebuch" bildet. Dieses Seebuch ist eine in der Commerzbibliothek zu Hamburg aufbewahrte Handschrift aus dem

15. Jahrhundert, die den ersten Versuch einer Segelanweisung darstellt, d. h. Vorschriften angiebt, wie man seine Seefahrten zu nehmen
habe und dabei das Küstengebiet von Cadiz bis zum finnischen
Meerbusen umfasst. In der dritten Abteilung giebt Breusing unter
dem Titel: „Das Seebuch in nautischer Beziehung" eine Darstellung
des damaligen Zustandes nautischen Wissens. Neu in diesen Betrachtungen ist vor allem der Nachweis, wie der Kompass auch zu
einer Zeitbestimmung benutzt werden konnte und besonders für die
Angabe der Hafenzeit benutzt wurde, wodurch er dem Seemanne
mit einiger Genauigkeit wenigstens die damals noch nicht allgemein
gebräuchliche Uhr ersetzte. Die andere hier zu erwähnende Abhandlung ist leider die einzige geblieben, welche sich auf die Geschichte des jetzt allgemein gebräuchlich nautischen Winkelmessinstrumentes, des Sextanten, bezieht. Sie führt den Titel; „Nonius
oder Vernier?" (Astronomische Nachrichten 1879, Band 96, S. 129.)
Bei der Ablesungsvorrichtung des erwähnten Instrumentes bedient
man sich einer besonderen Vorkehrung, deren Ausführung hier wohl
zu weit führen dürfte. Breusing weist nach, dass diese für die
Benutzung des Instruments sehr wichtige Erfindung nicht von
Vernier und nicht von Nonius, sondern von Clavius aus Bamberg,
einem deutschen Schüler des Portugiesen Nunez oder Nonius, herrührt.

Ich glaube diesen Abschnitt der rein nautischen Abhandlung
Breusing's nicht schliessen zu dürfen, ohne der Arbeiten zu gedenken,
die sich auf die Sprache des Seemannes beziehen und im 5. Bande
des Jahrbuchs des Vereins für niederdeutsche Sprachforschung 1879
erschienen sind. Der Wortschatz des Seemannes ist entstanden aus
einem Gemenge fremdartiger Sprachen. Ist auch die Mehrzahl der
Wörter der niedersächsischen Sprache entnommen, so spielen auch
die nordischen, die romanischen, ja auch aussereuropäische Sprachen,
wie die karaibische und arabische, eine nicht unerhebliche Rolle;
wurde ein Gerät oder Werkzeug auf den Fahrten zu einem Volke
fremder Zunge als eine praktische Einrichtung übernommen, so ging
häufig mit dem Begriffe auch sein Name, oft in sehr verballhornter
Gestalt, aus dem fremden Lande in unsere Seemannssprache über.
Überraschend ist die sprachliche Gewandtheit Breusing's, sich in
dieser Mannichfaltigkeit der Idiome mit sicherem Takte zurecht zu
finden, und nur selten hat die Kritik oder das Wort des wissenschaftlichen Freundes kleine Änderungen seiner Übersetzung notwendig gemacht.

Die Sprachkenntnisse Breusing's bezogen sich nach dem ganzen
Gang seiner Ausbildung vorzugsweise auf die alten Sprachen, sie
befähigten ihn wie keinen anderen, der Geschichte der Nautik der
Alten die Grundlagen zu geben, auf denen andere weiter bauen
mochten. Schon im Jahre 1882 hat er in einer Besprechung der
Arbeit A. Cartault's: La Trière Athénienne (Philologische Rundschau
II. Jahrgang Nr. 46) die Beherrschung dieses Gegenstandes in hohem
Masse bewiesen und bei voller Anerkennung dieser Arbeit auch
manche Anmerkung gemacht und begründet. Vier Jahre später
erschien dann als das Ergebnis langjähriger wissenschaftlicher Studien

„Die Nautik der Alten", von den meisten mit Anerkennung, ja Begeisterung begrüsst, von anderen in manchen Punkten mit Widersprüchen aufgenommen. Diesem ersten Teile folgte im Jahre 1889 der zweite Teil, der vor allem „Die Lösung des Trierenrätsels" und den in geistvoller und überaus ansprechender Weise gegebenen Abschnitt über die „Irrfahrten des Odysseus" brachte. Beide Abbandlungen haben Breusing's hervorragendes Talent, mit dem Auge des Sachkundigen in das Dunkel der Sage zu sehen, bekundet und ihre Bedeutung wird auch durch den Streit, den einzelne Erklärungen erregt haben, nicht geschmälert, sondern nur klar gelegt. In besonderen Kapiteln werden im ersten Teil das Schiff des Odysseus und die Seereise des Paulus nach der Apostelgeschichte dargestellt. Aus dem zum Teil polemischen Inhalt des zweiten Teiles ist besonders auf Breusing's Versuch, das Trieren-Problem zu lösen, hinzuweisen. Es ist bekannt, dass Breusing auf Grund seiner Kenntnisse mechanischer Gesetze die bisher übliche Auffassung des Trieren-Problems mit Entschiedenheit verwarf und auf dem Grundsatze bestand, dass immer nur eine Reihe von Remen benutzt wurde, die Erklärung der neben einander genannten Thraniten, Zygiten und Thalamiten aber in ähnlicher Weise zu finden sei, wie noch heutigentages an Bord unserer Schiffe Vollmatrosen, Leichtmatrosen und Jungen geführt werden. Zu den philologisch-nautischen Arbeiten gehören endlich noch die in Fleckeisen's Jahrbüchern für klassische Philologie 1885—1887 erschienenen und wohl allgemein mit Freude begrüssten Abhandlungen: „Nautisches zu Homeros". In diesen letzteren Arbeiten vor allem tritt die Art der Schlussfolge, wie sie Breusing eigen war, deutlich hervor. Er sucht nirgends das Wort in sprachwissenschaftlicher Weise aus dem Stamm zu erklären, sondern überall geht er mit dem grössten Misstrauen gegen alle Erklärungsversuche der meist nicht sachkundigen Scholiasten nur auf den Begriff, der seinen sachlichen Kenntnissen entsprechend an die gegebene Stelle zu treten hat. Ich glaube aus der Summe der hier gegebenen geistreichen Erklärungen als Beispiel an seine Übersetzung von πορφύρεος erinnern zu sollen, das wir so lange und so unpassend mit „purpurn" oder „purpurrot" übersetzt haben, wenn es sich auf das Meer, die Woge, den Nebel bezog, während nach Breusing's geistreicher Erklärung es strahlend, glänzend, leuchtend bedeuten muss.

Hatten diese Arbeiten Breusing mitten in die Schar der Philologen gestellt, so dürfen nicht minder die Geographen einen berechtigten Anspruch auf ihn machen, denen er ebenfalls durch kritische Geschichtsschreibung wesentliche Aufschlüsse über die Entwickelung der geographischen Wissenschaften, im Besonderen der Kartographie, zu bieten berufen war. Neben einer kurzen, aber inhaltreichen Abhandlung (Petermann's geographische Mitteilungen, 1880, Heft IV), in der er die „Lebensnachrichten von Bernhard Varenius", dem grossen Geographen des 17. Jahrhunderts, zusammentrug und über den Lebensgang des Mannes Klarheit verbreitete, sind es besonders die wichtigen Arbeiten über Gerhard Mercator, die

Breusing eine erste Stelle in den geographischen Wissenschaften sichern werden. Im Jahre 1869 hielt .er in Duisburg zum Besten des dort zu errichtenden Denkmals Mercators einen Vortrag, der zum ersten Male über das Leben und Wirken dieses Mannes überraschende Mitteilungen brachte; und diesen Forschungen ist es zu danken, dass wir in Mercator jetzt einen Deutschen und zugleich den grössten Kartographen alter Zeiten zu ehren haben. Aus den Legenden, die Mercator nach damaligem Gebrauche den Karten beizugeben pflegte, zeigte Breusing, dass Mercator im vollen Besitz der Theorie der nach ihm benannten und für die Seefahrt so unendlich wertvollen Projektionsart war, auf der die Meridiane einander parallel gezeichnet und die Kurse als gerade Linien einzutragen sind. Ausser dieser wichtigen Kartendarstellung ist Mercator aber auch schon im vollen Besitz einer ganzen Reihe von Projektionsarten gewesen; so ist die äquidistante Polarprojektion, die vielfach den Namen der Postel'schen fälschlich führt und ferner die flächentreue Projektion, die noch oft nach Bonne, einem späteren Benutzer derselben Darstellung, benannt wird, von Mercator schon mehrfach angewandt worden; so hat dieser gedankenvolle Kartograph aber auch die wissenschaftliche Theorie dieser Kartendarstellungen, wie nicht minder die Gesetze für die Winkeltreue, wie sie die stereographische Projektion uns bietet, voll erkannt. Und wenn diese Theorien später von neuem aufgefunden und angewandt wurden, so ist es das unbestreitbare Verdienst Breusing's, die Priorität dieser Entdeckungen für Mercator beansprucht zu haben. Wie ein Geschenk des dankbaren Genius musste Breusing es empfinden, als das Nachforschen nach den Nachkommen des grossen Mannes ihn zu der überraschenden Erkenntnis führte, dass seine eigene Gattin in direkter Linie von Mercator abstammte.

In das Gebiet der Geschichte der Kartographie gehört auch die in Kettler's Zeitschrift für wissenschaftliche Geographie (Band II 1881) erschienene Abhandlung: „La totela de Marteloio und die loxodromischen Karten", die Breusing selbst für die gelungenste seiner Arbeiten hielt. Unter einer Loxodrome verstehen wir die Linie, von der die Meridiane unter gleichem Winkel geschnitten werden. Sind die Meridiane wahre, so erhalten wir eine rechtweisende Loxodrome, und sind die Meridiane magnetische, so erhalten wir eine missweisende Loxodrome. Breusing wies nun durch weite Überlegungen und Rechnungen nach, dass die italienischen Seekarten dadurch entstanden sind, dass man die missweisenden Loxodromen zu geraden Linien auszog. Sie sind damit das Seitenstück zu Mercator's Projektion, bei der die rechtweisenden Loxodromen als gerade Linien zu zeichnen sind. Mit dieser Arbeit war ein langjähriger Streit um die bis dahin unverständliche Kartendarstellung endgültig entschieden.

Es entsprach der grossen Achtung, die. Breusing im Kreise der Geographen genoss, dass im Jahre 1882 an ihn der Wunsch herantrat, für den im folgenden Jahre zu Frankfurt a. M. stattfindenden Geographentag einen „Leitfaden durch das Wiegenalter der Kartographie" bis zum Jahre 1600 zu verfassen. Die Erfüllung dieses

Wunsches hat dem Verfasser den Dank aller Geographen eingebracht und giebt wie kein anderes Zeugnis von umfassendster Belesenheit.

Wenige Monate vor seinem Tode gab Breusing eine Arbeit heraus, die auf dem Gebiete der Kartographie wohl als eine klassische Arbeit wird bezeichnet werden: „Das Verebnen der Kugeloberfläche". Breusing verwirft in diesem Werke die Perspektive als Grundlage der Kartendarstellungen und geht in einer ihm ganz eigentümlichen Weise von der Gesichtslinie aus, die vom Standpunkt des Beobachters als Mittelpunkt nach allen Richtungen hin gelegt werden kann. Durch Verlegung dieses Punktes bald in den Pol, bald in den Äquator und durch Festlegung eines gewissen Massstabes für die Eintragung der Entfernungen entstanden die verschiedenen strahligen Gradnetzentwürfe. Setzt man an die Stelle des Punktes einen Hauptkreis der Kugeloberfläche, so ergiebt sich auf einfachem Wege eine zweite Gruppe, die säuligen Gradnetzentwürfe. Die überraschend einfache Schlussfolge in der Entwicklung, die mit den denkbar einfachsten Mitteln erreicht wird, führt zu einer wunderbaren Übersichtlichkeit und macht die Lektüre dieses Buches auch für den Laien interessant und fesselnd.

Ich glaube einige Worte über die Art, wie Breusing arbeitete, einfügen zu sollen. Es waren zunächst Notizen, Citate, kurze Bemerkungen, die er zusammentrug, und nur seinem ausserordentlichen Gedächtnis, das uns alle in Erstaunen setzte, war es möglich, den Faden in diesem Labyrinth zu finden. Erst wenn die Gedanken im wesentlichen fertig waren, schrieb er, nun aber in rastloser Arbeit, viele Seiten nieder, um freilich diese dann in mehrfachen Abschriften zu bessern und zu feilen. War die Abhandlung dann fertig, in der Form vollendet, aus einem Guss, dann änderte er auch auf Freundes Rat nur selten ein Wort und war mit dem Ergebnis seines Geistes so verwachsen, dass der Widerspruch ihn aufs äusserste erregte; und wurde er getroffen vom scharfen Wort der Kritik, dann wusste er den Schlag in kräftiger Weise zu parieren und seinerseits zum Angriff überzugehen, und gab insofern dem Worte Recht, dass der Angriff die beste Verteidigung sei.

Es war ein weiter Weg, den ich durch die Arbeiten Breusing's zu führen hatte, aber er macht es begreiflich, mit welcher Anerkennung und Verehrung die bedeutendsten Gelehrten zu dem Manne aufschauten, der ihnen so oft neue Blicke eröffnet und neue Wege gewiesen hatte, und manches Wort dankbarer Gesinnung hat für die Nachgebliebenen die Trauer um den Toten tröstend gemildert. Es war nur ein Tribut der Dankbarkeit, dass Breusing korrespondierendes oder Ehrenmitglied einer Reihe von wissenschaftlichen Vereinen war. Mit besonderer Freude erfüllte es ihn, als er im November 1889 aus seiner alten Musenstadt, von der Georgia Augusta, die Ernennung zum Korrespondenten in der historisch-philologischen Klasse der königlichen Gesellschaft der Wissenschaften erhielt.

Selbstverständlich war Breusing auch vielfach als Sachverständiger bei verschiedenen Anlässen thätig; so wurde seine Ansicht massgebend für die Betonnung der Weser gehört; so war er als

Kommissar zu den Beratungen über die Vorschriften, nach denen
im Reich die Prüfungen der Seesteuerleute und Seeschiffer abgenommen
werden, hinzugezogen; so hatte er vor allem noch in den letzten
Jahren seines Lebens die Freude, das Ruderkommando an Bord
unserer Schiffe in einem von ihm seit vielen Jahren vertretenen
Sinne durchgeführt zu sehen. Während Jahre hindurch, seit dem
Untergange des „Grossen Kurfürsten", das Ruderkommando in der
Kaiserlichen Marine und in der Handelsmarine im entgegengesetzten
Sinne verstanden werden musste, wird neuerdings das Kommando
überall nach der Richtung des Abfallens des Schiffes in Übereinstimmung mit der Richtung, in der das Steuerrad gelegt werden
muss, mit Rechts und Links bezeichnet. Diese in erster Linie vom
Norddeutschen Lloyd in Vorschlag gebrachte Änderung hat im Kreise
älterer Seeleute vielfach Widerspruch gefunden, die schnelle und
leichte Einführung des neuen Kommandos hat den jüngeren Seeleuten
aber wohl Recht gegeben, die der Änderung allgemein zustimmten.

Ich würde dem Lebensbilde Breusing's nicht gerecht werden,
wenn ich nicht seinem Auftreten in politischen Fragen noch einige
Worte widmete. Wie in allem, so war auch in dieser Hinsicht
sein Bild scharf gezeichnet. Mit tiefer Überzeugung hielt er von
Jugend auf an der Begeisterung für ein einiges deutsches Vaterland
fest und sah in Bismarck den Helden, der der führende Geist auf
diesem Wege sein musste. Im scharfen Kampfe vertrat er von
1864 an die Partei dieses Mannes; und bekannt ist es, wie er seinem
im Juli 1866 geborenen Sohn trotz des Widerspruchs des Standes-
amtes den Namen Bismarck beilegte und in hoher Freude über
die siegreichen Tage den Namen Siegfried hinzufügte. Mit Stolz
nannte er sich einen Ultra-Bismärcker; mit tiefer Trauer erfüllte
es ihn, als der grosse Kanzler von der Stätte ruhmvollster Wirksamkeit abberufen wurde. Auch in Bremens Bürgerschaft bildete er
Jahre lang eine eigenartige Persönlichkeit, als streitbarer Mann
wusste er auch in heftigem Kampfe doch stets mit witzigem Wort
die Lacher auf seine Seite zu bringen. Manches treffende Wort,
manch geistreicher Scherz wird im Gedächtnis nicht nur der Zeit-
genossen haften bleiben. Und als am Ende der 70er Jahre die
Woge sozialdemokratischer Erregung auch in unserer Stadt hoch-
schlug, da war es wieder Breusing, der furchtlos in ihre Versammlungen
ging und selbst dem Gegner die Anerkennung seiner Gründe abrang.
Die Höhe seines politischen Auftretens bildete wohl die Rede, die
er am Sedantage des Jahres 1874 hielt, als er, von einer Reise
durch die Schlachtfelder Elsass-Lothringens heimkehrend, seinen
Zuhörern in markigen Zügen die Geschichte des preussischen und
deutschen Volkes aufrollte und am Schluss von dem königlichen
Worte: „Welche Wendung durch Gottes Führung!" zu den von der
ganzen Versammlung gesungenen Klängen des „Nun danket alle
Gott" überleitete. Am 1. Oktober 1877 erlebte Breusing den Tag, an dem er als
den Lohn langer Arbeit das neue Gebände der Seefahrtschule ein-
weihen konnte, und voll Dankes hegte er den Wunsch, in diesen

ihm so lieben Räumen 10 Jahre noch verleben zu dürfen: genau
15 Jahre später, am 1. Oktober 1892, geleitete den am 28. September
Entschlafenen eine zahlreiche Trauerversammlung von dieser Stätte
seines Wirkens hinaus zur letzten Ruhe. Voll Dankbarkeit hat er
sein Leben hindurch in Frömmigkeit und Liebe das Wort seines
Gottes gesucht und voller Freude es empfunden, als er auch dem
Theologen in der Darstellung der Reise des Apostel Paulus einen Dank
für die Stunden innerer Erbauung widmen durfte. Bis in die Tage seiner
Jugend zurück sind in Briefen und Tagebüchern Worte des tiefsten
Glaubens zerstreut, und mit Eifer hat er lange Jahre hindurch an
kirchlichen Versammlungen teilgenommen.

Wir alle, die wir den Mann gekannt haben, wie er hochauf-
gerichtet, bis zum hohen Alter in jugendlich frischem Auftreten,
mit scharfem Blick, mit sicherem Wort und geistreichem Witz uns
entgegentrat, haben von ihm den Eindruck eines bedeutenden Mannes,
eines eisenfesten Charakters gewonnen; und wenn es nicht immer
Liebe war, die zu ihm hinziehen mochte, so war es doch Hochachtung,
die uns alle mit ihm verbinden musste.

Nun sind die Schlacken von ihm gefallen, und nur kleinliche
Gesinnung wird aus diesen die Erinnerung aufbauen wollen. Aber
bleiben wird in den Herzen seiner Schüler das Gedächtnis an den
Lehrer, der in klaren Worten Weisheit zu geben, der aber auch mit
Humor die Frische des Geistes zu erhalten verstand; bleiben werden
die Arbeiten, die auf weite Gebiete zerstreut überall Anerkennung
gefunden, stets Anregung und Förderung gegeben haben. „Ich bin
nur ein Navigationslehrer, das aber glaube ich auch in vollem
Masse zu sein", pflegte Breusing zu sagen. Er ist es im weitesten
Sinne des Wortes gewesen, nicht nur in der Enge des Lehrzimmers,
sondern in gleichem Masse auf dem weiten Felde der Wissenschaft!

Nanomitrium tenerum (Bruch) Lindb.

Am 22. August 1893 nahm ich am Rande des Mühlenteichs bei Varel kleine Räschen einer Ephemeracee auf, die mir wegen des eigentümlich dunklen Grüns ihrer Blätter aufgefallen war, und von der ich bei Lupenbesichtigung bereits die Überzeugung gewann, dass sie nicht zu dem hier vielfach verbreiteten Ephemerum serratum gehören könne. Die mikroskopische Untersuchung liess es mir dann nicht zweifelhaft erscheinen, dass ich es mit Nanomitrium (Ephemerum) tenerum zu thun hatte, und Herr G. Limpricht, dem ich einige Räschen zusandte, bestätigte meine Bestimmung.

Da diese Art in Deutschland nur einmal, und zwar von Breutel auf Teichschlamm bei Nisky in Schlesien vor mehr als dreissig Jahren gesammelt ist, so gehört sie bislang zu den grössten bryologischen Seltenheiten unserer Flora; durch Philibert ist sie 1877 in Frankreich aufgefunden worden, auch soll sie bei Echternach im Grossherzogtum Luxemburg gesammelt sein. Es ist übrigens nicht unwahrscheinlich, dass das Pflänzchen bei uns weiter verbreitet als zur Zeit bekannt ist; infolge seiner winzigen Grösse wird es aber leicht übersehen, und sein Standort ist nicht während des ganzen Jahres zugänglich. Um Bryologen das Auffinden dieses Mooses — das ein vorzügliches Tauschobjekt darbietet — zu erleichtern, mögen folgende nähere Angaben über seinen Standort hier Platz finden.

Ich fand das Moos ebenfalls auf Schlamm wachsend, der vor zwei Jahren, als der Mühlenteich abgelassen wurde, an das Ufer geschafft war, um dem von herrlichem Walde umgebenen Teiche, der seiner idyllischen Lage wegen von Einheimischen und Fremden viel besucht wird, seine bisherige Grösse zu erhalten. Da, wo die Ufervegetation — im wesentlichen Iuncus- und Carex-Arten — noch keinen dichten Rasen bildete, fanden sich an kahlgebliebenen Stellen die kleinen Räschen von Nanomitrium in Gesellschaft von Physcomitrium eurystomum, P. sphaericum, Pleuridium nitidum, P. alternifolium, Dicranella rufescens, Bryum cyclophyllum und anderen. Bis gegen Ende September blieb der Standort zugänglich, dann aber wurde er dauernd inundiert. Das Sammeln von Nanomitrium ist mit einigen Schwierigkeiten verknüpft; am besten sucht man es liegend oder doch wenigstens knieend. Im Laufe des kommenden Sommers hoffe ich noch mehr Material davon aufnehmen zu können und bin dann gerne bereit davon abzugeben.

Die Mühlenteichexemplare würden der Varietät β longifolium Philibert zuzurechnen sein. Allein Limpricht teilt mir hierüber mit „sie beweisen evident, dass β longifolium überhaupt keine Varietät, sondern nur eine durch den Standort mehr entwickelte Form ist".

Dr. Fr. Müller.

Zur Lichenenflora der nordfriesischen Inseln.

Von Heinr Sandstede.

Nachdem die Flechtenflora der ostfriesischen Inseln, sowie der Inseln Neuwerk und Helgoland mir aus eigener Anschauung bekannt geworden war, lag der Wunsch nahe, auch die Flora der nordfriesischen Inseln kennen zu lernen, um so mehr, als letztere Inselgruppe in lichenologischer Hinsicht eine terra incognita ist. Im Sommer 1893 konnte ich diesen Wunsch verwirklichen und mich auf Sylt, Föhr und Amrum, den drei bedeutendsten dieser Inseln, so lange aufhalten, wie es die Erlangung eines vorläufigen Überblicks erforderlich machte. Vielleicht gewinnt die Veröffentlichung meiner Beobachtungen durch den Umstand mehr an Wert, dass auch aus dem gegenüberliegenden Schleswig so sehr wenig bekannt geworden ist.

J. S. Deichmann-Branth erwähnt in seiner Schrift: „Lavernes Udbredelse i den nordlige Del af Jylland; Botanisk Tidsskrift, Kopenhagen 1867, nebensächlich von drei Flechtenspecies schleswigsche Fundorte: Coniocybe furfuracea Ach., Trachylia tympanella Fr. = inquinans Sm., Cladonia (Cladina) amaurocraea Feck. — Ferner sind verzeichnet in: Botanisk Tidsskrift 1869 pg. 127—284, in „Lichenes Daniae eller Danmarks Laver af J. S. Deichmann-Branth og E. Rostrup": Cladonia delicata (Ehrh.), Evernia prunastri (L.) c. ap. und Bilimbia sphaeroides Dicks, sowie in G. W. Koerber's Systema Lich. Germ. p. 430: Lichina confinis Müll. (Flensburg und Friedrichsort.) Im Flechtenherbare des botanischen Instituts der Universität Kiel, welches mir zur Einsicht vorlag, werden mehrere Flechten aufbewahrt, die in Schleswig gesammelt wurden: Alectoria jubata Ach., Ricasolia herbacea D. N., Lecanora tartarea Ach., Thelotrema lepadinum. Ach. und Pertusaria globulifera Turn. aus dem Dravidholz in der Gegend von Lügumkloster, Parmelia conspersa Ach. und P. isidiotyla Nyl. von Cliplef, ferner Lecanora haematomma Ach. vom Apenrader Meerbusen. —

Als ursprüngliche Teile des schleswigschen Festlandes führen die Inseln zum Teil hohen Geestboden, dessen Oberfläche zumeist aus jungdiluvialem Geschiebedecksand besteht und als Ackerland zugerichtet ist oder als Heideland brach liegt und zum Teil Marschboden. Ein grosser Flächinhalt von Sylt, Amrum und Romö ist von Dünen, grösstenteils aus tertiärem Sande bestehend, überlagert, während Föhr keine Dünen besitzt. Die Halligen sind uneingedeichte Marscheilande, ebenso bestehen Pellworm und Nordstrand nur aus Marschland, welches von Deichen eingeschlossen ist.

Aus den Bodenverhältnissen ergiebt sich, dass für lichenologische Untersuchungen zunächst notwendigerweise die vier erstgenannten Inseln in Frage kommen.*) Hier bilden vor allem die vielen nordischen Geschiebe, die allerdings jetzt weniger als erratische Blöcke umherliegen, sondern meistens zu den Umwallungen der Gehöfte und den Steindeichen Verwendung gefunden haben, ein dankbares Substrat für Flechten. Mehrere Species der granitbewohnenden Flechten bleiben den einzelnen, zerstreuten Blöcken eigentümlich und gehen nicht auf die in der Nähe der bewohnten Stätten errichteten Steinwälle über, z. B. Lecanora orostea Ach., L. polytropa Ehrh., Lecidea rivulosa Ach. und L. aethalea Ach. Dafür treten auf den Steinwällen wieder mehrere Arten auf, die nicht auf den zerstreuten Blöcken zu finden sind. Es sind dies solche Flechten, welche sich überall leicht in der unmittelbaren Umgebung menschlicher Wohnungen einbürgern: z. B. Physcia parietina D. C., Ph. tenella Scop., Ph. caesia Hffm., Ph. obscura Ehrh., Lecanoca saxicola Poll., L. pyracea Ach., L. vitellina Ehrh., L. exigua Ach., L. galactina Ach., L. dispersa Pers., L. campestris Schaer. — Das Überwiegen der Flechten auf Felsunterlage verleiht der Lichenenflora der nordfriesischen Inseln ein eigenartiges Gepräge und ergiebt eine wesentliche Verschiedenheit von der Flora der ostfriesischen Inseln. Eine Zusammenstellung der Flechten irgend einer Heidelandschaft des nordwestdeutschen Tieflandes würde ähnlich so ausfallen, wie eine Übersicht der Flechten der nordfriesischen Inseln.

Von den Flechten der Steindeiche ist Verrucaria maura Wbg. wegen ihres Vorkommens in der Flutlinie hervorzuheben. Auf den ostfriesischen Inseln fehlt diese Art, dagegen trifft man dort an gleichen Orten Verrucaria Kelpii Kbr.**)

Den Steinwällen reihen sich an durch Ergiebigkeit die kleinen Gehölze und Anpflanzungen und das Gebüsch der Vogelkojen (Anlagen zum Fange der landeinwärts ziehenden Seevögel).

Die Dünen kommen erst in weiterer Linie in Betracht, sie sind schlecht befestigt und daher in steter Wanderung begriffen, welche zur Folge hat, dass die Flechtenwelt andauernden Entwicklungsstörungen ausgesetzt ist.***) Etwas ergiebiger sind die Heideflächen, namentlich die anmoorigen Stellen derselben.

---

*) In Band IX dieser Abhandlungen pg. 361—384 schildert Herr Professor Dr. Buchenau in einer „Vergleichung der nordfriesischen Inseln mit den ostfriesischen in floristischer Beziehung" unsere Inselgruppe in so eingehender Weise, dass sich daraus lebhafte Schlüsse auf die zu erwartende Flechtenflora ziehen lassen. Der Arbeit ist auch ein Verzeichnis der botanischen Litteratur der nordfriesischen Inseln beigegeben.

**) Im ersten Jahresberichte der Königl. biologischen Anstalt auf Helgoland habe ich in einer Aufzählung der Helgoländer Flechten die an den deutschen Nordseeküsten und Inseln heimischen maritimen Flechten zu einer Liste vereinigt.

***) Vergl. unten die Übersicht über die Dünenflechten.

Aus den Marschdistrikten kann man ausser von altem Holzwerk der Wiesenhecken wenig mitnehmen..

Als abnorme Substrate nenne ich die Walfischknochen, vereinzelt an Gartenzäunen, als Thorpfosten und auf den Viehweiden als Scheuerpfähle angebracht, ausserdem wird man Phragmites und Typha der Hausdächer hierher stellen können.

Nicht vergessen darf man die alten Dorfkirchen, deren altes Gemäuer manchen speciellen Fund liefert.

Ich bemerke noch, dass von den gesammelten Flechten sich Belegexemplare in meinem Herbare befinden; auch ging ein Herbar der Inselflechten in den Besitz des botanischen Instituts der Universität Kiel über. Nur bei einigen Flechten musste ich mich wegen der aus diesem oder jenem Grunde unzugänglichen Unterlage mit einer blossen Notiz begnügen, so z. B. bei Lecanora haematomma Ach. an glatten Granitquadern der Kirche in Keitum und Lecidea lithophila Ach. an Grabsteinen des Kirchhofs daselbst.

Zwischenahn, Febr. 1894.

- - - - -

1. Flechtenflora der Dünen auf den deutschen Nordseeinseln.

Eine besondere Übersicht der Dünenflechten von den deutschen Nordseeinseln und der Küste unter gleichzeitiger Bezugnahme auf die holländischen Dünen dürfte hier angebracht sein. An unserer Küste sind nur bei Dangast in Oldenburg und zu Duhnen bei Cuxhaven Dünenbildungen.

Litteratur: Band X, p. 439—480, Band XII, p. 173—204, Band XIII dieser Abhandlungen; (Heinr. Sandstede, Beiträge zu einer Lichenenflora des nordwestdeutschen Tieflandes; Die Lichenen der ostfriesischen Inseln; Beiträge etc.: Zweiter Nachtrag; Zur Lichenenflora der nordfriesischen Inseln.) — Flora Belgii septentrionalis sive Florae Batavae compend. Vol II., pars II, cont. Lichenes quos elaboravit H. C. van Hall; Amsterdam 1840. — R. B. van den Bosch, Enumeratio plantarum Zeelandiae Belgicae in: Tijdschrift voor Nat. Geschiedenis en Phys., 1845, Lich. p. 1—8. — Fr. Holkema, De Plantengroei der Nederl. Noordzee-Eilanden 1870. — F. W. van Eeden, Lyst der Planten, die in de Nederlandsche Duinstrecken gevonden zyn, in: Nederl. kruidkundig Archief, Tweede Serie, 1e Deel, pag. 360—451; 1871.

Unter den von mir herrührenden Fundortsangaben habe ich nur die in dem eigentlichen Dünenrevier wachsenden Flechten angeführt und die an sandigen Abhängen und Erdwällen gefundenen so streng wie möglich davon getrennt gehalten. An Stellen letzterer Art kommen z. B. auf den ostfriesischen Inseln auch Urceolaria bryophila und Lecidea sabuletorum vor.

O. = Ostfriesische Inseln; N. = Nordfriesische Inseln; H. = Holländischer Dünenbezirk und holländische (westfriesische) Inseln.

Collema pulposum (Bernh.) Ach. — Dangast, H.

Leptogium lacerum (Sw.) Fr. (= atrocaeruleum Schaer.) — O. H.

L. sinuatum (Huds.) — O.

Stereocaulon tomentosum Fr. — O.

Cladonia alcicornis (Lightf.) Nyl. — O. N. H.

C. pyxidata Fr. — H. (vielleicht mit chlorophaea der ost- und nordfriesischen Inseln identisch!)

C. chlorophaea Flk. — O. N.

. pityrea (Flk.) Nyl. — O.

C. fimbriata (L.) Hffm. in verschiedenen Formen. — O. N. H.

C. ochrochlora Flk. *nemoxyna (Ach.) Nyl. — O. N. Nov. Zel. (1888), p. 18.

C. gracilis Hffm. — O. N. H.

C. verticillata Flk. — O.

C. sobolifera (Del.) Nyl. — O. N.

C. furcata Hffm., in mehreren Formen. — O. N. H.

C. pungens Ach. — Duhnen, O. N.

C. adspersa (Flk.) Nyl. — Duhnen, O. N.

C. cornucopioides (L.) Fr. — N. H.

Cladina amaurocraea Flk., *districta Nyl. — N.

C. sylvatica (Hffm.) Nyl., et f. tenuis Flk. — O. N. H.

C. rangiferina (L.) Nyl. — H.

Pycnothelia papillaria (Ehrh.) Duf. — O.

Ramalina farinacea (L.) Ach., *intermedia Nyl. — O.

Usnea florida (L.) Hffm. — O.

U. articulata (L.) — H. Vergl. Körber, Parerga lich. p. 3.

Cetraria aculeata (Schreb.) Fr. (et var. muricata Ach.) — O. N. H.

Platysma nivale (L.) Nyl. H.

P. glaucum (L.) Nyl. — N. H.

Evernia prunastri (L.) Ach. — O. H.

E. divaricata (L.) Ach. — H.

Alectoria jubata (Hffm.) Ach. — O.

Parmelia saxatilis (L.) Ach. — O.

P. physodes (L.) Ach. (et var. labrosa). — O. N. H.

Peltigera polydactyla (Neck.) Hffm. — O. N. H.

P. canina (L.) Hffm. — O. N. H.

P. rufescens Hffm. — O. N.

P. spuria (Ach.) D. C. — O. N. H.

Lecanora lentigera (Web.) Ach. — H.

Urceolaria scruposa (L.) Ach. — H.

U. bryophila Ach., Nyl. — H.
Biatora sphaeroides Schaer. d. vernalis. — H. (Was v. Eeden,
Lyst etc. p. 435, hierunter versteht, lässt sich nicht mit Sicher-
heit erkennen.)
Lecidea sabuletorum Flk. — H.
L. muscorum (Swartz) — O. N.
L. vesicularis Ach. — H.

---

2. Aufzählung der auf den nordfriesischen Inseln gefundenen Flechtenarten.

Sylt.

Wie bereits gesagt, ergaben die für den Flechtensammler wertvollen nordischen Gesteine ein geschätztes Material zur Einfriedigung
der Gehöfte. Am umfangreichsten auf Sylt! Jedes Gehöft wird
von einem regelrecht gebauten Wall aus Steinblöcken umschlossen.
Unberührte erratische Blöcke findet man in grösserer Zahl nur auf
dem östlichen hohen Heiderücken bei Kampen. — Die Uferschutz-
bauten sind noch zu neu, um Flechtenvegetation haben zu können.
Die steilen Abhänge im Westen und Osten der Insel, das „rote
Kliff" und das „Morsumkliff", an denen tertiäre Schichten sichtbar
werden, sind als Flechtenstandorte ungeeignet, weil sie durch Absturz
häufigen Veränderungen unterliegen. — Am Fusse des Morsumkliffs
einige den Überflutungen ausgesetzte Granitblöcke mit Verrucaria maura
Wbg. uud Lecidea lenticularis Ach. — Das ganze grosse Dünenrevier ist so eintönig, dass ein Besuch einer kleinen Partie schon
weitere Mühe verleidet. Von den Heideflächen ist Morsumheide der
beste Cladonienfundort, hier an tieferen Stellen Cladonia polybotrya
Nyl. — In der Nähe von Munkmarsch liegen zwei kleine Gehölze,
Lornsen's Hain und Victoriahain mit gemischten Beständen von
krüppeligen Birken, Eichen und Nadelhölzern. Lecidea tricolor With.
an Birken und Lärchen schön entwickelt. — Ein guter Fundort für
Rindenflechten ist der Amtsgerichtsgarten bei Tinnum.
Einen Besuch der Vogelkoje zwischen Kampen und List musste
ich aufgeben, weil mich gelegentlich des Ausfluges nach List die
Dämmerung überraschte, doch glaube ich wenig versäumt zu haben,
denn ziemlich alles, was hier zu erwarten war, wird auch in den
Gehölzen und Gärten vorkommen. — Die Kirche in Keitum ist
stark mit Flechten bewachsen, wogegen das Mauerwerk der Morsumer
Kirche getüncht und die Kirche zu Westerland noch zu neu ist.
Baeomyces rufus (Huds.) D. C. Häufig, doch meistens steril
oder mit verkümmerten Früchten, auf feuchtsandigem Boden zu
Morsumheide, am Abhang des Morsumkliffs, an Wegrändern, in der
Heide zu Munkmarsch etc.

B. roseus Pers. Der körnigkrustige Thallus häufig auf Morsumheide mit der vorigen Art zusammen.

Stereocaulon condensatum Hffm. Steril auf der Heide zwischen Kampen, Munkmarsch und Keitum, auf Morsumheide, am Morsumkliff.

Cladonia alcicornis (Lightf.) Nyl. Häufig in den Vordünen und Dünenthälern, an Erdwällen; gewölbte, kompakte Rasen auf Strohdächern in Keitum — gewöhnlich ohne Podetien.

C. chlorophaea (Flk.) Nyl. An Erdwällen in Gr. Morsum, an der Kirchhofsmauer zu Keitum an den Erdschollen zwischen den Granitblöcken, in einer gedrungenen Form in seichten Dünenthälern der Vordünen bei Kampen.

C. polybotrya Nyl. Wenig entwickelt auf Morsumheide an entblössten Stellen zwischen dem Heidekraut, wo sich zeitweilig Tümpel von Regenwasser bilden.

C. fimbriata (L.) Hffm. An Erdwällen und Grabenrändern, sowie auf den Steinen der Bewallungen auf erdiger Unterlage, am Fusse von Obstbäumen in Keitum, an Lärchen im Victoriahain in einer Form, die zu f. tubaeformis Hffm. gezogen werden kann; kümmerliche Lagerschuppen streckenweise in einem feuchten Dünenthale bei Kampen, auf einem Strohdache in Keitum.

C. ochrochlora Flk. — *nemoxyna (Ach.) Nyl. Eine wenig entwickelte Form an kleinen Heidehügeln auf Morsumheide.

C. sobolifera (Del.) Nyl. Mit der vorigen Art zusammen an kleinen Heidehügeln auf Morsumheide nicht weit vom Kliff entfernt; Abhang des Morsumkliffs.

C. furcata (Hffm.). In der Heide bei Munkmarsch, Morsumheide, an begrasten Dünenabhängen; auf einem Strohdache in Keitum. Die var. subulata Schaer. an gleichen Orten.

C. pungens Ach. In den Dünen, an sandigen Grabenufern, zerstreut in der Heide; nur steril gesehen.

C. adspersa (Flk.) Nyl. Seltener wie die beiden vorigen Speciès; Morsumheide, Morsumkliff und an Erdschollen der Kirchhofsmauer zu Keitum.

C. cornucopioides (L.) Fr. — *pleurota (Flk.) Schaer. Selten an kleinen Heidehügeln unweit des Morsumkliffs.

C. uncialis (L.) Nyl. Morsumheide, selten und steril.

C. amaurocraea Flk. — *destricta Nyl. Kräftige Rasen auf Morsumheide an den entblössten Stellen zwischen dem Heidekraut, eine niedrige, zarte Form in Dünenthälern und auf sandigen Plätzen in der Heide.

C. sylvatica (Hffm.) Nyl. Häufig in der Heide, an Dünenabhängen und begrasten Wegerändern; nur steril. — Die f. tenuis Flk. mit der robusteren Stammform zusammen.

Ramalina fraxinea (L.) Ach. An Bäumen in Gärten, in Lornsens Hain und im Victoriahain; grosse, üppige Exemplare an Linden im Amtsgerichtsgarten bei Tinnum.

R. fastigiata (Pers.) Ach. Reichlich im Amtsgerichtsgarten zu Tinnum, im Victoriahain und. Lornsens Hain an Stämmen und Zweigen der Laubbäume.

R. polymorpha Ach. Steril an einzelnen erratischen Blöcken auf dem heidebewachsenen Abhange bei Kampen, auf Granit an der Nordseite der Keitumer Kirche, an einem Grabstein aus Sandstein auf dem Kirchhofe daselbst.

R. pollinaria Ach. Überzieht völlig die Nordseite eines Hauses am nördlichen Ende von Keitum; steril.

R. farinacea (L.) Ach. — *intermedia Nyl. Umkleidet Äste und Zweige in den Hainen, üppiger, aber auch nur steril an Linden im Amtsgerichtsgarten zu Tinnum.

Usnea florida (L.) Hffm. Unfruchtbar und selten an Birken in Lornsens Hain, an Calluna und Salix repens bei Kampen.

U. hirta (L.) Hffm. An einer Lärche im Victoriahain, an einer Birke in Lornsens Hain; klein und steril.

Cetraria aculeata (Schreb.) Fr. Häufig in den Dünen und der Heide, am kräftigsten unter hohem Heidekraut; steril.

var. muricata (Ach.) Nyl. Noch häufiger, mehr an sonnigen Standorten; steril.

Platysma ulophyllum (Ach.) Nyl. Selten an Calluna auf Morsumheide, an einer Birke in Lornsens Hain; steril.

P. glaucum (L.) Nyl. Auf blossem Dünensande bei Kampen und über Calluna bei Morsum.

Evernia prunastri (L.) Ach. Häufig, aber nur steril an Bäumen in Lornsens Hain, im Viktoriahain etc.

Parmelia conspersa Ach. Selten an Granit der Kirchhofsmauer in Keitum, an einzelnen Granitblöcken am Ostabhang bei Kampen.

P. saxatilis (L.) Ach. An Granit der Steinwälle, an Laubbäumen; steril.

P. sulcata Taylor. Häufiger wie P. saxatilis; an den Steinwällen, an altem Holze, an Birken und anderen Bäumen in Lornsens Hain etc.; nur steril.

P. acetabulum (Neck.) Duby. Einmal auf Granit eines Walles in Keitum, selten an Bäumen im Amtsgerichtsgarten zu Tinnum.

P. exasperatula Nyl. Steril an Obstbäumen im Amtsgerichtsgarten.

P. isidiotyla Nyl. (subsp. prolixa Ach.) Viel auf Granit der Steinwälle, doch nur steril.

P. fuliginosa (Fr.) Nyl. Selten an mittelstarken Eichen in Lornsens Hain, an einer Linde im Amtsgerichtsgarten; — steril.

P. glomellifera Nyl. Selten und steril an einigen Granitfindlingen am Ostabhang bei Kampen.

P. subaurifera Nyl. Steril häufig an altem Holze, viel an Laubbäumen, an Calluna auf Morsumheide, an Stämmen und Zweigen an Nadelhölzern in Lornsens Hain.

P. physodes (L.) Ach. Steril häufig an Bäumen, namentlich Birken in Lornsens Hain, an altem Holze, an den Steinwällen, auf blossem Dünensande und über Calluna bei Kampen — var. labrosa Ach. zusammen mit der Stammform.

Peltigera polydactyla (Neck.) Hffm. Nicht gerade häufig an Erdwällen und grasigen Dünenabhängen, auf Morsumheide unter Calluna.

P. canina (L.) Hffm. Häufiger an gleichen Standorten; Morsumkliff.

P. rufescens Hffm. An Wegrändern bei Munkmarsch, Vordünen bei Kampen und Wenningstedt.

P. spuria (Ach.) D. C. Seltener an Vordünen und Abhängen.

Physcia parietina (L.) D. C. Verbreitet an Bäumen, an altem Holze, an Backsteinmauern und Dachziegeln, auf blosser Erde an Wällen in Morsum und Keitum, an einem Walfischknochen in Keitum.

var. aureola (Ach.) Nyl. Hin und wieder an Granit am Strande bei Keitum.

Ph. polycarpa (Ehrh.) Nyl. An Sträuchern in Gärten Keitums, im Amtsgerichtsgarten, an Rosa cinnamomea am Wege zwischen Keitum und Tinnum, an Kirschbäumen in Morsum, Stachelbeergebüsch daselbst, an einem Pfosten bei Munkmarsch.

Ph. lychnea (Ach.) Nyl. Steril und selten fruchtend an Granit der Umwallungen, an Kalkbewurf einiger Häuser in Keitum und Westerland, an altem Holze in Morsum, an eisernen Hängen eines Gartenthors in Osterhörn; an einem Walfischknochen in Keitum, der als Gartenpfosten dient.

Ph. ciliaris (L.) D. C. Dürftig an Bäumen im Amtsgerichtsgarten zu Tinnum.

Ph. pulverulenta (Schreb.) Fr. An Laubbäumen zerstreut, auf blosser Erde an der Bewallung der Kirchhofsmauer in Keitum, einmal auf Granit in Keitum.

*Ph. pityrea (Ach). Nyl. Steril an einer Esche am Kirchhof in Keitum, an Rosskastanien in einem Garten Keitums.

Ph. stellaris (L.) Fr. An Zweigen eines Apfelbaums in Morsum.

*Ph. tenella (Scop.) Nyl. Viel an Obstbäumen, an Stachelbeergesträuch in Morsum, Rosa cinnamomea bei Tinnum; an altem

Holze, an Granit der Steinwälle, auf blosser Erde an Bewallungen in Morsum und Keitum, an einem Walfischknochen in Keitum.

Ph. aipolia (Ach.) Nyl. Selten an Linden im Amtsgerichts-garten zu Tinnum.

Ph. caesia (Hffm.) Nyl. Steril auf Ziegeldach in Morsum, selten über Granit der Steinwälle, auf einem Grabstein aus Sand-stein auf dem Kirchhofe zu Morsum, am Strande bei Keitum auf Granit.

Ph. obscura (Ehrh.) Fr. An Rosskastanien im Amtsgerichts-garten, selten an Granit der Bewallungen.

var. virella (Ach.) Nyl. Häufig an Sambucus, an Ulmen bei der Schule in Morsum, auf blosser Erde an der Kirchhofsmauer in Keitum, an vielen Walfischknochen in Keitum.

Ph. lithotea (Ach.) Nyl. Selten und steril an einer Stein-bewallung an der Strandseite in Keitum.

Pannaria brunnea (Sw.) var. coronata (Hffm.) Am Abhang des Morsumkliffs.

Lecanora saxicola (Poll.) Nyl. Häufig an Granit der Be-wallungen, an Grabsteinen in Morsum und Westerland, an morschem Holze einer Brunneneinfassung in Morsum und bei Keitum, an einem Walfischknochen in Keitum.

L. murorum (Hffm.) Nyl. An Mörtel und Backsteinen der Kirche in Keitum, an einer Backsteinmauer in Osterhörn, auf eisernen Hängen eines Gartenthores daselbst.

var. pusilla Mass., Nyl. Selten an Granit der Kirche in Keitum.

*L. tegularis (Ehrh.) Nyl. An Mörtel eines Hauses in Keitum, auch an der Kirche daselbst.

L. sympagea (Ach.) Nyl. Am Fusse der Kirche in Keitum auf Granit, Mörtel und Backsteinen.

L. citrina (Hffm.) Nyl. Häufig an Mörtelfugen und Kalk-bewurf, an Backsteintrümmern in Morsum, an altem Holze einer Brücke bei Keitum und an einem Stacket bei Kampen, selten auf Granit um den Kirchhof in Keitum, auf altem Eisen am Morsum-kliff, an Erdschollen eines Gartenwalles in Morsum, an der Ostseite des Keitumer Kirchhofs an den Erdschollen der Bewallung, hier das Material für von Zwackh, Lich. exs. nro. 1171, gesammelt.

L. cerina (Ehrh.) Ach. — *chlorina. (Fw.) Nyl. Einmal auf Granit am Fusse einer Bewallung in Morsum.

L. pyracea (Ach.) Nyl. Selten an Granit der Steinwälle in Keitum und Tinnum, am Fusse des Morsumkliffs an einem einzelnen Granitblocke, an einer eisernen Verankerung der Giebelwand eines Hauses in Keitum, an einem Walfischknochen daselbst; ein Grabstein aus Sandstein auf dem Kirchhofe in Morsum ist ganz von der Flechte überzogen.

f. holocarpa (Ehrh.) Flk. An einer alten Brunneneinfassung in Morsum.

L. vitellinula Nyl. An Granitfindlingen am Strande zu Keitum.

L. phlogina (Ach.) Nyl. Selten auf Erde der Kirchhofsbewallung in Keitum. (Thallus K —, Ap. K +.)

L. vitellina (Ehrh.) Ach. Häufig an Granit der Bewallungen und auf einzelnen Blöcken am Strande zu Keitum, an Limonitsandstein am Morsumkliff, überzieht völlig einen Grabstein auf dem Kirchhofe in Morsum, viel an Brettern und Pfählen, an Erdschollen in Keitum an der Kirchhofsmauer, an einem Walfischknochen in Keitum.

L. exigua Ach. An Granit in Keitum, am Fusse des Morsumkliffs an einem einzelnen Granitblocke, an einer Sandsteinplatte auf dem Morsumer Kirchhofe, an Mörtel in Westerland und der Kirchhofsbewallung in Keitum, an Erdschollen daselbst, an einer eisernen Verankerung zu Keitum.

L. galactina Ach. Verbreitet an Backsteinen, auf Mörtel, an altem Holze, auf Dachziegeln, weniger an Granit in den Dörfern, auf blosser Erde der Kirchhofsmauer in Keitum und an Erdwällen in Morsum, auf altem Eisen in Osterhörn und Keitum, an einem Walfischknochen daselbst.

L. dispersa (Pers.) Flk. An Grabsteinen, an Granit der Keitumer Kirche, sowie an Mörtel und Backsteinen, an Scherben eines eisernen Topfes auf der Höhe des Morsumkliffs.

L. subfusca (L.). An alten Brettern einer Brücke bei Keitum, an einem Geländer in Kampen, an Bäumen hier und da.

*L. campestris Schaer. Zerstreut auf Granit der Steinwälle in Keitum.

L. intumescens Rebt. Selten an einigen Birken im Victoriahain.

L. albella (Pers.) Ach. Dürftig an einer Birke im Victoriahain.

L. angulosa Ach. An Birken in Lornsens Hain, Linden im Amtsgerichtsgarten zu Tinnum, Brettern einer Brunneneinfassung in Morsum.

L. glaucoma Ach. Sehr viel an Granit der Steinwälle, auf Sandsteinplatten des Kirchhofs zu Keitum, Morsum und Westerland, in Keitum auch auf Marmor, an Dachziegeln eines Anbaues der Morsumer Kirche, an Granitquadern der Kirche in Keitum, auf erratischen Blöcken am Abhang bei Kampen, hier besetzt mit Arthonia varians (Dav.) Nyl.

L. Hageni Ach. An Brettern und Pfosten einer Brücke bei Keitum.

L. umbrina (Ehrh.) Nyl. An eichenen Pfosten einer Brücke und einer Brunneneinfassung bei Keitum.

L. sulphurea (Hffm.) Ach. Nicht selten an Granit der Bewallungen, auf einer Sandsteinplatte des Kirchhofs in Morsum.

L. varia Ach. An einem Pfahl am Wege zwischen Munkmarsch und Keitum.

L. conizaea (Ach.). An einer Lärche im Victoriahain und steril an Birken im Victoriahain und in Lornsens Hain.

L. symmictera Nyl. Am unteren Stammende von Föhren in Lornsens Hain, an fingerdicken Zweigen von Föhren und Edeltannen daselbst; an altem Holze.

L. trabalis (Ach.) Nyl. Mit L. symmictera an altem Holze, schön an Bretterwänden der Ziegelei bei Munkmarsch.

L. orosthea Ach. Sehr schön an einem Granitblocke am Abhange bei Kampen.

L. piniperda Körb. An der Bretterwand der Ziegelei bei Munkmarsch zusammen mit L. symmictera, trabalis, effusa und Lecidea improvisa und fuliginea.

L. polytropa (Ehrh.) Schaer. Selten an einigen Granitblöcken am Abhang bei Kampen.

L. effusa (Pers.) Ach. Dürftig an der Bretterwand der Ziegelei bei Munkmarsch.

L. Sambuci Pers. Ar Sambucus auf dem Kirchhofe in Morsum und in Gärten zu Keitum und Tinnum.

L. erysibe (Ach.) Nyl. In Morsum an Backsteinwänden und über Backsteintrümmern, an Kalkbewurf eines Hauses in Westerland.

L. atra (Huds.) Ach. Sehr viel an Granit der Steinwälle, an den einzelnen Granitblöcken am Abhang bei Kampen, an Grabsteinen aus Sandstein und Marmor auf dem Kirchhofe in Keitum, auf dem Ziegeldache des Anbaues der Morsumer Kirche, an einer Birke in Lornsens Hain.

var. grumosa Ach. Auf einem Granitblocke am Ostabhang bei Kampen.

L. badia Ach. Auf einigen Granitblöcken daselbst.

L. haematomma Ach. Steril auf den Granitquadern der Kirche in Keitum und auf Grabsteinplatten aus Sandstein, an der nördlichen Giebelwand eines Hauses in Keitum auf Backstein.

L. parella Ach. Verbreitet an den Granitbewallungen, auf Sansteinplatten der Kirchhöfe, auf Marmor auf dem Kirchhofe zu Keitum, einmal auf blosser Erde an der Kirchhofsmauer in Keitum. — Eine f. corticola an Syringa und Fraxinus auf dem Kirchhofe und an Aesculus in einem Garten zu Keitum.

L. gibbosa (Ach.) Nyl. Selten auf Granit in Keitum.

*L. caesiocinerea Nyl. Zerstreut an Granitbewallungen in Keitum, Munkmarsch und Tinnum.

L. coarctata Ach. Nyl. Auf Granitgeröll bei Morsum und Munkmarsch, auf blosser Erde an der Kirchhofsmauer zu Keitum.

var. ornata (Smf.) Nyl. Auf Limonitsandstein am Fusse des Morsumkliffs, an einem Steinwall zu Morsum.

L. fuscata (Schrad.) Nyl. Auf den Granitbewallungen, an einzelnen Granitblöcken am Ostabhang bei Kampen und am Fusse des Morsumkliffs, auf Dachziegeln eines Anbaues der Morsumer Kirche.

L. privigna (Ach.) Nyl. Seltener wie vorige Art an Granit, z. B. an der Westseite der Kirchhofsmauer in Keitum.

L. simplex (Dav.) Nyl. Zerstreut an Granitbewallungen.

Pertusaria globulifera (Turn.) Nyl. Steril an Linden im Amtsgerichtsgarten zu Tinnum, an Apfelbäumen in Morsum, an einer Buche in Lornsens Hain.

P. amara (Ach.) Nyl. Steril an Calluna bei Kampen, viel an Birken und Eichen in den Hainen.

P. coronata (Ach.) Th. Fr. An Linden und Corylus im Amtsgerichtsgarten zu Tinnum; steril.

P. leioplaca Schaer. An Corylus im Amtsgerichtsgarten, an Birken in Lornsens Hain.

Phlyctis argena (Flk.) Wallr. Steril an Linden, Kirschbäumen und Apfelbäumen im Amtsgerichtsgarten, an Birken in Lornsens Hain und im Victoriahain.

Lecidea fuliginea Ach. Steril an der Bretterwand der Ziegelei bei Munkmarsch.

L. prasiniza Nyl. Am unteren Stammende von Pinus sylvestris und maritima in Lornsens Hain.

L. tricolor With., Nyl. Schön an Larix im Victoriahain und an Birken in Lornsens Hain.

L. egenula Nyl. Über feuchtliegenden Backsteintrümmern an einer Gartenmauer in Morsum.

L. muscorum (Swartz.) Nyl. In einem Dünenthale bei Kampen auf Dünensand, an Erdschollen einer Gartenumwallung in Morsum.

L. pelidna Ach., Nyl. Zerstreut an Granit der Steinwälle zu Munkmarsch, auf Granitgeröll bei Morsum; steril an eichenem Brückenholz bei Keitum.

L. improvisa Nyl. An Brettern der Ziegelei bei Munkmarsch.

L. parasema Ach. In Lornsens Hain, im Victoriahain und anderwärts an Bäumen und Sträuchern; hin und wieder an altem Holze; auf blosser Erde eines Gartenwalles in Morsum und der Kirchhofsmauer in Keitum.

L. enteroleuca Ach., Nyl. Zerstreut an Granit der Bewallungen.

L. platycarpa Ach. An einem Granitfindling am Ostabhang bei Kampen, an Granitgeröll bei Munkmarsch.

L. meiospora Nyl. Sehr schön an einzelnen Granitblöcken am Abhang bei Kampen, an Granit der Kirchhofsmauer in Keitum.

L. crustulata Ach. An kleinem Granitgeröll bei Kampen und Munkmarsch.

L. lithophila Ach. Eine handgrosse Kruste an einer Grabsteinplatte aus Sandstein auf dem Kirchhofe in Keitum.

L. fumosa (Hffm.) Whlbg. Am Ostabhang bei Kampen sehr schön an einzelnen Granitblöcken, häufig an Granit der Bewallungen.

L. grisella Flk., Nyl. Selten auf einigen Geröllsteinen bei Morsum.

L. rivulosa Ach. Selten auf einigen Granitblöcken am Ostabhang bei Kampen.

L. distincta (Th. Fr.) Nyl. An einem Granitblocke am Ostabhang bei Kampen, auf Granit an der Ostseite des Kirchhofswalles in Keitum.

L. lavata (Ach.) Nyl. Häufig auf Granitgeröll und an den Steinwällen.

L. aethalea Ach. Spärlich auf einem Granitblocke am Ostabhang bei Kampen.

L. canescens (Dcks.) Ach. An der Keitumer Kirche auf Granitquadern, an einem Grabstein aus Sandstein.

L. myriocarpa (D. C.) Nyl. Im Amtsgerichtsgarten zu Tinnum an Apfelbäumen, mehrfach an alten Brettern, zerstreut auf Granit der Steinwälle.

L. lenticularis Ach. Am Fusse des Morsumkliffs auf einigen Granitblöcken, die bei hoher Flut mitunter überspült werden.

L. expansa Nyl. Häufig auf Feuerstein und Granitgeröll in der Heide bei Munkmarsch, Braderup etc., an glattem Granit der Steinwälle, auf Limonitsandstein am Fusse des Morsumkliffs.

L. geographica (L.) Schaer. An der Kirchhofsumwallung zu Keitum und anderwärts an Granit.

Graphis scripta (L.) Ach. An Corylus im Amtsgerichtsgarten zu Tinnum.

Opegrapha pulicaris (Hffm.) Nyl. An Ulmen daselbst.

O. Chevallieri Lght. Granit und Backsteinen der Kirche in Keitum, an einem Grabsteine aus Sandstein auf dem Kirchhofe daselbst, auf Backsteinen an der Giebelwand eines Hauses am nördlichen Ende Keitums.

O. atra (Pers.) Nyl. An Crataegus in einem Garten zu Kl. Morsum.

O. hapaleoides Nyl. An mittelstarken Eichen im Amtsgerichtsgarten zu Tinnum.

O cinerea Chev. An Taxus baccata im Amtsgerichtsgarten zu Tinnum.

O. subsiderella Nyl. Mit voriger Art zusammen.

Arthonia astroidea Ach. An Crataegus in einem Garten zu Morsum, an Apfelbäumen im Amtsgerichtsgarten, an jungen Edeltannen in Lornsens Hain.

A. dispersa Schrad. An Birkenzweigen in Lornsens Hain, an Wipfelzweigen eines Apfelbaumes in einem Garten zu Morsum.

A. exilis (Flk. D. L. 187,) Nyl. Spärlich am Holze einer Brücke zwischen Keitum und Archsum.

A. varians (Dav.) Nyl. Häufig auf dem Thallus und den Apothecien von Lecanora glaucoma am Ostabhang bei Kampen.

Verrucaria nigrescens Pers. Hin und wieder auf morschem Granit der Bewallungen, an Grabsteinen.

V. maura Wbg. Am Fusse des Morsumkliffs an einem Granitblocke, der mitunter von der Flut überspült wird, zusammen mit Lecidea lenticularis und Lecanora exigua.

V. rupestris Schrad. Auf Mörtel der Kirche in Keitum.

V. biformis Turn., Borr. In Lornsens Hain an Eichen.

V. fallax Nyl. An Birken in Lornsens Hain.

V. punctiformis Ach. An Wipfelzweigen von Linden im Amtsgerichtsgarten zu Tinnum.

Mycoporum misserinum Nyl. An fingerdicken Zweigen am Eichengestrüpp in Lornsens Hain.

Föhr.

Föhr hat bis auf kleine Anflüge bei Witsum keine Dünen, doch sind die Flechten, welche man in den Dünen zu finden gewohnt ist, dort an Wegrändern und Abhängen vertreten. Die Steinwälle sind nicht so zahlreich und auch nicht so sehr mit Flechten bewachsen, wie auf Sylt; man hat in neuerer Zeit sich der Steinvorräte zum Bau der Steindeiche bemächtigt, mittels welcher der Strand in grosser Ausdehnung befestigt wurde. Am Oststrande Verrucaria maura Wbg. sehr häufig. Lichenologisch interessant ist das Gemäuer der drei alten Kirchen zu St. Nicolai, St. Johannis und St. Laurentius. Für Rindenflechten sind die Beholzungen der Vogelkojen und die Promenaden und Gärten zu Boldixum, Nieblum, der Königsgarten in Wyk etc. massgebend. Bei Boldixum und Oevenum stösst man auf eine Anzahl Walfischknochen mit gutem Flechtenüberzug. Man sagte mir, dass hier früher ganze Zäune aus Walfischknochen gestanden haben, wie jetzt noch auf Borkum.

Trachylia inquinans (Sm.) Fr. An einigen Heckenpfosten aus Eichenholz hinter Boldixum und Oevenum.

Baeomyces rufus (Huds.) D. C. Der sterile Thallus häufig an Grabenwänden und Abhängen, fruchtend in der Tannenschonung bei der Laurentiuskirche.

B. roseus Pers. Steril auf der Heidefläche von Hedehusum, mit Früchten in der eben genannten Tannenschonung.

Cladonia alcicornis (Lightf.) Nyl. An begrasten Graben-rändern bei Nieblum und Alkersum, ohne Podetien.

C. chlorophaea Flk. Auf morschem Holze der Vogelkoje bei der Burg.

C. polybotrya Nyl. In kleinen Niederungen der Tannen-schonung bei der Laurentiuskirche wenig entwickelt.

C. fimbriata (L.) Hffm. An Wegrändern vor Nieblum, Heide-fläche vor Hedehusum, auf einem Strohdache in Uetersum, überall sehr dürftig.

C. ochrochlora Flk. Mit C. chlorophaea auf morschem Holze einer Pipe in der Vogelkoje bei der Burg.

C. sobolifera (Del.) Nyl. Dürftig an Grabenrändern und Wällen bei Nieblum.

C. furcata (Hffm.). Häufig in den Heideflächen bei Hedehusum und bei der Laurentiuskirche, an Wegrändern bei Nieblum und Alkersum.

var. corymbosa (Ach.) Nyl. Dürftig an Wegrändern bei Nieblum.

var. subulata Schaer. An Grabenrändern bei Alkersum.

C. pungens Ach. In der Heidefläche vor Hedehusum und an Wegrändern bei Nieblum; nur steril.

C. adspersa (Flk.) Nyl. An Erdschollen der Granit-bewallungen in Uetersum; an Grabenufern bei Alkersum. Von letzterem Fundorte stammt v. Zwackh, Lich. exs. Nro. 1170.

C. cornucopioides.(L.) Fr. In der Tannenschonung bei der Laurentiuskirche spärlich, auf einem Strohdache in Borgsum.

Cladina uncialis (L.) Nyl. Sterile Rasen in der genannten Tannenschonung.

C. amaurocraea Flk. — *destricta Nyl. Mit voriger Art in der Tannenschonung; nur steril.

C. sylvatica (Hffm.) Nyl. An Wegrändern von Nieblum, bei Alkersum, Hedehusum, bei der Laurentiuskirche; steril. Mit der Stammform die f. tenuis Flk. untermischt

Ramalina fraxinea (L.) Ach. Häufig an Weiden, Eschen und an anderen Bäumen in den Vogelkojen, bei Boldixum, Oevenum, im Königsgarten etc.

R. fastigiata (Pers.) Ach. Zusammen mit voriger, ferner an altem Holze bei Boldixum.

R. polymorpha Ach. Steril an Granitquadern der Laurentius-kirche.

R. pollinaria Ach. Am Granit der Nicolaikirche in Boldixum und der Johanniskirche in Nieblum, nur an der Ostseite der Nicolai-kirche einmal fruchtend gefunden; sonst steril.

R. farinacea (L.) Ach. — *intermedia Nyl. Steril häufig an allerlei Laubbäumen, auch an altem Holze. In der Vogelkoje bei der Burg umkleidet die Flechte Äste und Zweige der Weiden und Eschen dergestalt, dass oft von der Rinde nichts zu sehen ist.

Usnea hirta (L.) Hffm. In wenigen sterilen Exemplaren an altem Holze der Vogelkojen.

Cetraria islandica (L.) Ach. Zwischen Heidekraut in der Tannenschonung bei der Laurentiuskirche; steril.

C. aculeata (Schreb.) Fr. Auf heidebewachsenen und sandigen Stellen häufig.

var. muricata (Ach.) Nyl. In der Tannenschonung bei der Laurentiuskirche fruchtend.

Platysma glaucum (L.) Nyl. Auf blosser Erde und über Heidegestrüpp in der Tannenschonung; steril.

Evernia prunastri (L.) Ach. Steril an Bäumen und Sträuchern, sowie an altem Holze.

Alectoria jubata (Hffm.) Ach. Dürftig und steril an altem Holze in der Vogelkoje bei der Burg.

Parmelia conspersa Ach. Selten an Granit der Bewallungen, z. B. in Uetersum; bei dem Laurentiuskirchhofe.

P. saxatilis (L.) Ach. An Bäumen in der Vogelkoje, steril und nicht häufig.

P. sulcata Taylor. Häufiger; auf Granitbewallungen, an altem Holze und an Bäumen.

P. acetabulum (Neck.) Duby. Häufig an Ulmen in Nieblum und Borgsum, im Königsgarten.

P. exasperatula Nyl. Steril an Ulmen in Nieblum.

P. isidiotyla Nyl. Steril an den Steinwällen, doch nicht so häufig wie auf Sylt.

P. subaurifera Nyl. An altem Holze zerstreut, an Weiden in der Vogelkoje; steril.

P. physodes (L.) Ach. Über Weidengestrüpp bei der Laurentiuskirche, an Holzwerk, Bäumen und Granit; steril.

var. labrosa Ach. An Heidegestrüpp und sonst mit der Stammform zusammen.

Peltigera polydactyla (Neck.) Hffm. Selten am Wegrand vor Nieblum, dort mit Celidium fuscopurpureum Tul. besetzt.

P. canina (L.) Hffm. Häufig an begrasten Wegrändern und Grabenufern.

P. rufescens Hffm. An sandigen Plätzen bei Hedehusum, am Wegrand bei Nieblum.

P. spuria (Ach.) D. C. Bei Alkersum und Nieblum an sandigen Grabenufern.

Physcia parietina (L.) D. C. An Bäumen aller Art, viel an Sambucus, an Granit der Bewallungen und am Steindeiche an der Nordseite, an altem Holze, auf Dachziegeln und Backsteinen, auf Schieferdach der Nicolaikirche, an Walfischknochen in Boldixum.

var. aureola (Ach.) Nyl. Selten an der Granitdossierung am Oststrande.

Ph. polycarpa (Ehrh) Nyl. An dürren Ästen in der Vogelkoje, an altem Holze in Nieblum.

Ph. lychnea (Ach.) Nyl. An Ulmen in Nieblnm, an Backsteinmauern in Uetersum, an einem Walfischknochen hinter Boldixum, häufig an Granit; steril.

Ph. pülverulenta (Schreb.) Fr. Häufig an Ulmen in Nieblum und Borgsum, an einem Walfischknochen in Boldixum.

*Ph. pityrea (Ach.) Steril an Ulmen in Nieblum.

Ph. tenella (Scop.) Nyl. An Gesträuch in den Vogelkojen, auf Grabsteinen des Kirchhofs in Nieblum, an altem Holze, auf Granit der Steindeiche am Strande, auf Walfischknochen bei Boldixum.

Ph. aipolia (Ach.) Nyl. Sehr schön an Eschen in der Vogelkoje bei der Burg.

Ph. caesia (Hffm.) Nyl. Steril auf Grabsteinen, zerstreut auf Dachziegeln, auf Granit der Bewallung bei der Johanniskirche.

Ph. obscura (Ehrh.) Fr. An Granit der Kirchofsumwallung in Boldixum, an Ulmen in Nieblum, eine kleinlappige Form an Ulmen vor der Lehrerwohnung in Boldixum.

var. virella (Ach.) Nyl. An Sambucus häufig, ferner an Ulmen in Nieblum, an Walfischknochen bei Boldixum am Wege nach den östlichen Vogelkojen.

Ph. lithotea (Ach.) Nyl. An Granitstufen einer Treppe auf dem Kirchhofe zu Nieblum.

Pannaria brunnea (Sw.) var. coronata (Hffm.). Vor Nieblum n einem sandigen Grabenufer.

Lecanora saxicola (Poll.) Ach. An Granit der Bewallungen, an einem Brette in Alkersum, an Walfischknochen in Boldixum.

L. murorum (Hffm.) Nyl. An Granit, Backsteinen und Mörtel der drei Kirchen.

var. pusilla Mass., Nyl. Schön auf Mörtel der Laurentiuskirche, auch an der Nicolaikirche in Boldixum vorhanden.

*L. tegularis (Ehrh.) Nyl. An Granit, Backsteinen und Mörtel der Kirchen, an der Nicolaikirche untermischt mit Lecidea alboatra.

L. sympagea (Ach.) Nyl. Sehr schön auf Mörtel an der Laurentiuskirche, auch an Granit und Backstein; an den beiden andren Kirchen ebenfalls, doch nicht so entwickelt.

L. citrina (Hffm.) Nyl. An Backsteinen und Mörtel der Johanniskirche, an Granit der Kirchhofsmauer in Boldixum, an einem entrindeten Sambucusstamm in Borgsum, an Wallfischknochen hinter Boldixum.

L. cerina (Ehrh.) Ach. An einer Ulme in Borgsum.

L. pyracea (Ach.) Nyl. Auf Granitblöcken des Steindeiches am Strande bei Uetersum.

L. phlogina (Ach.) Nyl. An einem Walfischknochen in Boldixum.

L. vitellina (Ehrh.) Ach. In Nieblum an alten Ulmen, häufig auf Brettern und Dachziegeln, an morschem Granit der Umwallung des Laurentiuskirchhofes, an Grabsteinen, an einem Walfischknochen in Boldixum.

L. epixantha (Ach.) Nyl. Spärlich an Backsteinen und Mörtelfugen an der Südseite der Nicolaikirche in Boldixum.

L. exigua Ach. Sehr viel an dem Steindeiche am Oststrande, an Backsteinen der Johanniskirche, mehrmals an altem Holze, an Ulmen in Boldixum, an Eschen in Oevenum, an Walfischknochen.

L. galactina Ach. An Granit der Bewallungen und Steindeiche, reichlich an Walfischknochen, an Backsteinen, Mörtel und auf Dachziegeln.

L. dispersa (Pers.) Flk. An Granit der Steindeiche, an Backsteinen und Granit der Johannis- und Nicolaikirche..

L. subfusca (L.) Verbeitet an Laubbäumen; an alten Brettern in Boldixum und bei Midlum.

*L. campestris Schaer. Einigemal an Granit, an Grabsteinen, auf dem Laurentiuskirchhofe, an Walfischknochen hinter Boldixum.

L. rugosa (Pers.) Nyl. An einer Esche in Boldixum.

L. angulosa Ach. Verbreitet an jüngeren Bäumen, auch an altem Holze.

L. glaucoma Ach. Viel auf Granit der Bewallungen, an Quadern der Laurentiuskirche, an Sandsteinplatten auf dem Nicolaikirchhofe.

L. Hageni Ach. An altem Holze nicht selten.

L. umbrina (Ehrh.) Nyl. Auf der schorfigen Rinde einer alten Esche in Boldixum, auf dem Holze eines entrindeten Sambucusstammes in Borgsum, an einer Ulme in Nieblum.

L. sulphurea (Hffm.) Ach. An Granit einiger Bewallungen, schön z. B. am Laurentiuskirchhofe, daselbst eine Grabsteinplatte ganz überziehend; an Granitquadern der Johannis- und Nicolaikirche.

L. varia Ach. Ein steriler Thallus an Brettern bei Midlum.

L. symmictera Nyl. An altem Holzwerk häufig.

L. trabalis (Ach.) Nyl. Nicht selten an altem Holze.

L. erysibe (Ach.) Nyl. An Granit und Mörtel der drei Kirchen.

L. atra (Huds.) Ach. Auf Granit des Steindeiches bei Uetersum, Quadern der Kirchen, häufig auf Granit der Bewallungen.

L. parella Ach. Auf Granit der Bewallungen, im allgemeinen nicht so häufig und schön wie auf Sylt, an Sandsteinplatten auf dem Nicolaikirchhofe.

L. coarctata Ach., Nyl., var. ornata (Smf.) Nyl. Auf verwittertem Gestein einer Umwallung in Uetersum.

L. fuscata (Schrad.) Nyl. Zerstreut an Granit.

L. privigna (Ach.) Nyl. Auf Granit des Walles um den Nicolaikirchhof.

L. simplex (Dav.) Nyl. Hin und wieder auf Granit der Bewallungen.

Pertusaria communis D. C. An der Strasse zwischen Wyk und Boldixum an Eschen; an Ulmen in Nieblum.

P. globulifera (Turn.) Nyl. Steril an Ulmen in Nieblum, Eschen in Boldixum, Oevenum.

P. amara (Ach.) Nyl. An verschiedenen Bäumen; steril.

Phlyctis argena (Flk.) Wallr. Steril an Ulmen in Nieblum.

Lecidea fuliginea Ach. An Brückenholz in der Nähe der Burg; steril.

L. cyrtella Ach., Nyl. In Borgsum an Sambucus, in Nieblum an Ulmen.

L. milliaria Fr., Nyl. Auf blosser Erde in der Tannenschonung bei der Laurentiuskirche.

L. luteola (Schrad.) Ach. Spärlich an einer Ulme hinter Witts Garten in Nieblum.

L. pelidna Ach., Nyl. An einem Grabstein aus Sandstein auf dem Laurentiuskirchhofe.

L. tantilla Nyl. Selten an einer Geländerlatte in der Nähe der Vogelkoje bei der Burg.

L. parasema Ach. An Bäumen und Gesträuch, an Brettern und Balken einer Schleuse an der Ostseite.

L. enteroleuca Ach., Nyl. Selten an Granit der Bewallungen, an einem Grabstein auf dem Laurentiuskirchhofe.

L. crustulata Ach. An einem glatten Granitfindling auf dem Johanniskirchhofe.

L. fumosa (Hffm.) Wbg. An Granit des Walles um den Laurentiuskirchhof.

L. lavata (Ach.) Nyl. An Granitquadern der Nicolaikirche, zerstreut auf dem Granit der Wälle.

L. alboatra (Hffm.) An verwitternden Granitquadern der Johanniskirche in Nieblum, an Backsteinen und Mörtel der Laurentiuskirche, an einem Walfischknochen bei Boldixum.

L. canescens (Dcks.) Ach. Steril an Granitquadern der Kirchen, an der Granitbewallung des Johanniskirchhofs und auf Sandsteinplatten daselbst, an einem Holzkreuz auf dem Laurentiuskirchhofe, an einem Epheustamm an der Nicolaikirche, auf der schorfigen Rinde alter Ulmen in Nieblum.

L. myriocarpa (D. C.) An Ulmen in Boldixum und Nieblum, mehrfach an altem Holze, an Granit am Laurentiuskirchhofe.

L. expansa Nyl. An glatten Granitblöcken der Umwallung des Laurentiuskirchhofs, Geröll in der Tannenschonung daselbst.

Opegrapha pulicaris (Hffm.) Nyl. An alten Ulmen vor Witts Gasthof in Nieblum.

O. atrorimalis Nyl. Bedeckt Phragmiteshalme eines Scheunendaches in Oevenum.

O. Chevallieri Lgbt. Auf Granit, Mörtel und Backsteinen der Kirchen.

Arthonia astroidea Ach. An jungen Eschen in Oevenum.

Verrucaria nigrescens Pers. Nicht häufig an morschem Gestein der Bewallungen, an Grabsteinen auf dem Laurentiuskirchhofe.

V. maura Wbg. Bewohnt glatte Steinblöcke der Dossierung am Oststrande. Während hoher Fluten steht die Flechte unter Wasser.

V. rupestris Schrad. Auf Kalkmörtel an der Nicolai- und Laurentiuskirche.

V. chlorotica Ach. f. corticola Nyl. Selten an einer Esche in Boldixum.

V. biformis Turn., Borr. In der Vogelkoje bei der Burg an Weiden.

————

Celidium fusco-purpureum Tul. Über Peltigera polydactyla an einer Grabenböschung vor Nieblum.

Pharcidia congesta Kbr. Auf den Apothecien von Lecanora galactina an Mörtel der Laurentiuskirche.

————

Lepraria candelaris (L.) Schaer. Bedeckt Phragmiteshalme und Typha eines Scheunendaches in Oevenum.

————

Amrum.

Unter den drei besuchten Inseln hat Amrum entschieden die kümmerlichste Flora. Das ausgedehnte Dünengebiet, abgesehen von einigen Thälern der Vordünen, ist höchst arm an Fechten. Auch die anstossende Heide hat keine grosse Auswahl an Arten.

Recht dürftig sind die Rindenflechten vertreten; sie beschränken sich auf vereinzelte Bäume in den Gärten und auf das Gebüsch der Vogelkojen. — Zu Norddorf einige Walfischknochen, am Strande bei Stenodde mehrere Steinblöcke, die von der Flut überspült werden, mit spärlichen Flechten. Die Steinwälle sind ärmer wie die Sylter und Föhringer. — An der Kirche zu Nebel hat man die Flechten durch Übertünchen erstickt.

Baeomyces rufus (Huds.) D. C. Steril am Ostabhang bei Stenodde und Nebel, dort auch an Backsteintrümmern.

Cladonia alcicornis (Lightf.) Nyl. An Wegrändern bei Süddorf und Nebel, in den Vordünen bei Norddorf, gewölbte, sterile Rasen viel auf Strohdächern in Nebel.

C. chlorophaea Flk. Am Ostabhang bei Stenodde in einer dürftigen Form.

C. fimbriata (L.) Hffm. Wenig entwickelt an Wegrändern, auf Strohdächern in Nebel.

C. gracilis Hffm. var. chordalis Flk. Häufig in der Heide bei Norddorf und Nebel.

f. aspera Flk. Auf Strohdächern in Norddorf und Nebel.

C. furcata (Hffm.) In den Vordünen; an f. recurva Hffm. erinnernde Formen auf Strohdächern.

var. subulata Schaer. An Erdwällen in der verlassenen Vogelkoje.

C. pungens Ach. Steril in den Vordünen und an Wegrändern, selten auf Strohdächern.

C. adspersa (Flk.) Nyl. An Wegrändern zwischen Süddorf und Nebel am Ostabhang bei Stenodde.

C. cornucopioides (L.) Fr. Bei Norddorf in einem heidebewachsenen Dünenthale.

Cladina uncialis (L.) Nyl. In der Heide bei Norddorf; steril und unansehnlich.

C. amaurocraea Flk. — *destricta Nyl. An gleichem Standorte, viel in einem langgestreckten Thal der Vordünen in der Nähe des Leuchtturms; steril.

C. sylvatica (Hffm.) Nyl. Steril; in der Heide, viel mit C. destricta in genanntem Thal, an Wegrändern bei Süddorf und Nebel.

f. tenuis Flk. An gleichen Standorten.

Ramalina fraxinea (L.) Ach. An Bäumen in der Vogelkoje, in Stenodde, an Holzwerk an Süddorf.

R. fastigiata (Pers.) Ach. An denselben Standorten mit R. fraxinea.

R. farinacea (L.) Ach. — *intermedia Nyl. An Gesträuch und Bäumen in der Vogelkoje; steril.

Usnea florida (L.) Hffm. Selten an Calluna, an Holzwerk in der Vogelkoje; steril.

Cetraria aculeata (Schreb.) Fr. Verbreitet in den Vordünen und Heideflächen.

var. muricata (Ach.) Nyl. Fruchtend in der Heide zwischen Norddorf und Nebel.

Platysma ulophyllum (Ach.) Nyl. Steril auf Latten einer Pipe in der verlassenen Vogelkoje.

P. glaucum (L.) Nyl. Zusammen mit P. ulophyllum; steril.

Evernia prunastri (L.) Ach. An Bäumen; an Latten in den Vogelkojen.

E. furfuracea (L.) Fr. Steril an Latten einer Pipe in der verlassenen Vogelkoje.

Alectoria jubata (Hffm.) Ach. An gleichem Standorte; steril.

Parmelia saxatilis (L.) Ach. Steril an Bäumen, an Granit, an Sarothamnus auf der Höhe bei Stenodde.

P. sulcata Taylor. Auf einem Grabstein aus Sandstein und auf Holzkreuzen auf dem Kirchhofe zu Nebel, an Latten in der verlassenen Vogelkoje; steril.

P. exasperatula Nyl. An einem Birnbaum im Garten des „Lustigen Seehund" in Stenodde; steril.

P. isidiotyla Nyl. Steril auf dem Granit der Bewallungen.

P. subaurifera Nyl. An altem Holze, an Sarothamnus bei Stenodde.

P. physodes (L.) Ach. An Granit der Wälle, an altem Holze, über Calluna, an Phragmites auf dem Dache der Mühle in Nebel.

var. labrosa Ach. Mit der Hauptform an Phragmites.

Peltigera polydactyla (Neck.) Hffm. Am Abhang bei Stenodde.

P. canina (L.) Hffm. In den Vordünen häufig.

P. rufescens Hffm. In den Vordünen bei Norddorf.

Physcia parietina (L.) D. C. Ausser an den gewöhnlichen Standorten auch an Walfischknochen in Norddorf und Nebel.

Ph. polycarpa (Ehrh.) Nyl. An Latten in der Vogelkoje, am Strande zu Stenodde auf dem Holze eines zerfallenen Bootes.

Ph. lychnea (Ach.) Nyl. Auf Granit in Süddorf, an einem Walfischknochen in Norddorf, an Grabsteinen auf dem Kirchhofe zu Nebel.

Ph. tenella (Scop.) Nyl. An Granitfindlingen am Strande bei Stenodde, an Sarothamnus bei dem geöffneten Hünengrabe, an Backsteintrümmern beim Leuchtturme, an Latten in der verlassenen Vogelkoje.

Ph. caesia (Hffm.) Nyl. Auf Granit in Süddorf, auf Grabsteinen in Nebel; steril.

Ph. obscura (Ehrh.) Fr. Einmal auf Granit in Süddorf.

Pannaria brunnea (Sw.) var. coronata (Hffm.). Am Abhang an der Strandseite zwischen Stenodde und Nebel.

Lecanora saxicola (Poll.) Nyl. In Süddorf an Granit der Bewallungen, an einem Grabstein aus Sandstein auf dem Kirchhofe in Nebel.

L. murorum (Hffm.) Nyl. Am Fusse der Kirche in Nebel auf Backsteinen.

*L. tegularis (Ehrh.) Nyl. An der Backsteinmauer eines Hauses in Süddorf.

L. citrina (Hffm.) Nyl. Auf Mörtel und Backsteinen eines Hauses in Süddorf, auf Backsteintrümmern beim Leuchtturme.

L. pyracea (Ach.) Nyl. Am Strande bei Stenodde auf einzelnen Granitblöcken, an Grabsteinen auf dem Kirchhofe in Nebel,' auf Backsteintrümmern beim Leuchtturme.

L. vitellina (Ehrh.) Ach. An einzelnen Granitblöcken am Strande bei Stenodde, an Granit der Bewallungen in Süddorf, an einem Geländer in Süddorf, an einem Walfischknochen in Nebel.

L. exigua Ach. Zusammen mit L. pyracea, citrina und erysibe an Backsteintrümmern beim Leuchtturme, an Granitfindlingen am Strande bei Stenodde.

L. galactina Ach. Auf Granit, Backsteinen und Mörtel, an Walfischknochen auf dem Kirchhofe in Nebel und in Norddorf.

L. dispersa (Pers.) Flk. An einem Granitblock am Strande bei Stenodde.

L. subfusca (L.). An Bäumen und Holzwerk, an einem Walfischknochen in Nebel.

L. angulosa Ach. An altem Holze in der Vogelkoje, in Süddorf, an Bäumen in Stenodde.

f. cinerella (Flk.). An Sarothamnus.

L. glaucoma Ach. An Granit der Bewallungen, sehr schön an Sandsteinplatten auf dem Kirchhofe in Nebel.

L. Hageni Ach. Auf dem Wrack eines Bootes in Stenodde.

L. umbrina (Ehrh.) Nyl. In der verlassenen Vogelkoje an tannenen Latten.

L. sulphurea (Hffm.) Ach. Schön auf einer Sandsteinplatte auf dem Kirchhofe zu Nebel, an der Kirchhofsmauer auf Granit.

L. varia Ach. An Phragmiteshalmen des Daches der alten Windmühle zu Nebel, auf dem Holze eines Schiffswracks zu Stenodde.

L. symmictera Nyl. Zwischen Stenodde und Süddorf an Sarothamnus, an einem Geländer in Süddorf.

L. trabalis (Ach.) Nyl. An altem Holze in Süddorf.

L. effusa (Pers.) Ach. Selten an Latten in der verlassenen Vogelkoje.

L. erysibe (Ach.) Nyl. Reichlich auf Backsteintrümmern beim Leuchtturme.

L. atra (Huds.) Ach. An Granit der Bewallungen, an einem Grabstein aus Sandstein in Nebel.

L. parella Ach. Häufig auf Granit der Bewallungen.

L. caesiocinerea Nyl. Auf einem Granitblocke am Eingange des Kirchhofs in Nebel.

L. coarctata Ach., Nyl. Auf Geröll zwischen Süddorf und Stenodde auf der Heidefläche.

L. fuscata (Schrad.) Nyl. Zerstreut an Granit.

L. simplex (Dav.) Nyl. Selten an Granit in Süddorf.

Lecidea parasema Ach. An Sarothamnus, an verschiedenen Bäumen in der Vogelkoje und sonst.

L. enteroleuca Ach., Nyl. Am Strande bei Stenodde auf einzelnen Granitblöcken.

L. fumosa (Hffm.) Wbg. Auf einigen Granitblöcken am Fusse des Ostabhangs bei Stenodde.

L. lavata (Ach.) Nyl. Mehrmals auf kleinem Geröll; auf den Steinwällen.

L. alboatra (Hffm.). An der Backsteinwand eines Hauses in Süddorf.

L. canescens (Dcks.) Ach. In Süddorf an den Steinwällen, an der Backsteinwand eines Hauses in Süddorf, an einem Walfisch-knochen auf dem Kirchhofe in Nebel.

L. myriocarpa (D. C.). Am Strande zu Stenodde an Findlingsblöcken.

L. expansa Nyl. Auf kleinem Geröll — Granit, Quarz, Feuerstein — in der Heide.

Opegrapha Chevallieri Lght. Spärlich an der Backstein-wand eines Hauses in Süddorf.

Verrucaria nigrescens Pers. An Sandsteinplatten auf dem Kirchhofe in Nebel, an Steinwällen in Süddorf.

V. maura Wbg. Selten am Strande zu Stenodde an über-spülten Granitblöcken einer alten Brückenanlage.

Systematisches Verzeichnis der Inselflechten.

Um gleichzeitig einen Überblick über die Verbreitung der Flechten auf den deutschen Nordseeinseln zu geben, ist das Ver-zeichnis dahin vervollständigt.

Abkürzungen: S. = Sylt; F. = Föhr; A. = Amrum; O. = Ostfriesische Inseln; N. = Neuwerk; H. = Helgoland.

Familia I. Collemacei.

Tribus 1. Collemei.

Collema pulposum (Bernh.) Ach. — H.

C. flaccidum Ach. — H. (nach Hallier.)

Leptogium lacerum (Sw.) Fr. — O. (nach Koch.)

L. sinuatum (Huds.) — O.

Familia II. Lichenacei.
Tribus 2. Caliciei.
1. Trachylia inquinans (Sm.) Fr. — F. — O.

Tribus 3. Baeomycei.
2. Baeomyces rufus (Huds.) D. C. — S. F. A.
3. B. roseus Pers. — S. F.

Tribus 4. Stereocaulei.
4. Stereocaulon condensatum Hffm. — S.
   St. tomentosum Fr. — O. (nach Koch.)

Tribus 5. Cladoniei.
5. Cladonia alcicornis (Lightf.) Nyl. — S. F. A. — O.
6. C. chlorophaea Flk. — S. F. A. — O. N.
   C. pityrea (Flk.) Nyl. — O.
7. C. polybotrya Nyl. — S. F.
8. C. fimbriata (L.) Hffm. et formae. — S. F. A. — O. N.
9. C. ochrochlora Flk. — F.
10. *C. nemoxyna (Ach.) Nyl. Nov. Zel (1888). — S. O.
11. C. gracilis Hffm. var. chordalis Flk. — A. — O. (Koch.)
   f. aspera Flk. — A.
   C. verticillata Flk. — O.
12. C. sobolifera (Del.) Nyl. — S. F. — O.
13. C. furcata (Hffm.) et var. subulata Schaer. — S. F. A. — O. N.
   var. corymbosa (Ach.) Nyl. — F.
14. C. pungens Ach., Nyl. — S. F. A. — O. N.
15. C. adspersa (Flk.) Nyl. — S. F. A. — O. N.
16. C. cornucopioides (L.) Fr. — F. A.
17. *C. pleurota (Flk.) Schaer. — S.
   C. macilenta Hffm., Nyl. — O.
18. Cladina uncialis (L.) Nyl. — S. F. A.
19. C. amaurocraea Flk. — *destricta Nyl. — S. F. A.
20. C. sylvatica (Hffm.) Nyl. — S. F. A. — O. N.
   f. tenuis Flk. — S. F. A. — O.

Tribus 6. Cladiei.
Pycnothelia papillaria (Ehrh.) Duf. — O. (nach Bentfeld.)

Tribus 7. Ramalinei.
21. Ramalina fraxinea (L.) Ach. — S. F. A. — O. N. H.
22. R. fastigiata (Pers.) Ach. — S. F. A. — O. N.
23. R. polymorpha Ach. — S. F.
24. R. pollinaria Ach. — S. F. — O.
25. R. farinacea (L.) Ach. — *intermedia Nyl. — S. F. A. — O. H. N.

Tribus 8. Usneei.
26. Usnea florida (L.) Hffm. — S. A. — O. N.
27. U. hirta (L.) Hffm. — S. F. — O. N.

Tribus 9. Cetrariei.

28. Cetraria islandica (L.) Ach. — F.
29. C. aculeata (Schreb.) Fr. — S. F. A. — O.
    var. muricata (Ach.) Nyl. — S. F. A. — O.[1]
30. Platysma ulophyllum (Ach.) Nyl. — S. A. — O. N.
31. P. glaucum (L.) Nyl. — S. F. A. — O. N.
    P. diffusum (Web.) Nyl. — O.

Tribus 10. Parmeliei.

32. Evernia prunastri (L.) Ach. — S. F. A. — O. N. H.
33. E. furfuracea (L.) — A. O.
34. Alectoria jubata (Hffm.) Ach. — F. A. — O.
    Parmelia caperata Ach. — O. N.
35. P. conspersa Ach. — S. F.
    P. tiliacea (Hffm.) Ach. — O. (Koch.)
36. P. saxatilis (L.) Ach. — S. F. A. — O. N. H.
37. P. sulcata Taylor. — S. F. A. — O. N. H.[2]
38. P. acetabulum (Neck.) Duby. — S. F. — O. N. H.
39. P. exasperatula Nyl. — S. F. A. — O. N.
40. P. isidiotyla Nyl. (subsp. prolixae). — S. F. A.
41. P. fuliginosa (Fr.) Nyl. — S. — O.
42. P. glomellifera Nyl. — S.
43. P. subaurifera Nyl. — S. F. A. — O. N. H.
44. P. physodes (L.) Ach. — et var. labrosa Ach. — S. F. A.
    — O. N. H.

Tribus 11. Peltigerei.

45. Peltigera polydactyla (Neck.) Hffm. — S. F. A. — O.
46. P. canina (L.) Hffm. — S. F. A. — O. N.
47. P. rufescens Hffm. — S. F. A. — O.
48. P. spuria (Ach.) D. C. — S. F. — O.

Tribus 12. Physciei.

49. Physcia parietina (L.) D. C. — S. F. A. — O. N. H.
    var. aureola (Ach.) Nyl. — S. F.
50. Ph. polycarpa (Ehrh.) Nyl. — S. F. A. — O. N. H.
51. Ph. lychnea (Ach.) Nyl. — S. F. A. — O. N.
52. Ph. ciliaris (L.) D. C. — S. — O. N.
53. Ph. pulverulenta (Schreb.) Fr. — S. F. — O. N.
54. *Ph. pityrea (Ach.) Nyl. — S. F. — O.
55. Ph. stellaris (L.) Fr. — S. — O. N.
56. *Ph. tenella (Scop.) Nyl. — S. F. A. — O. N. H.
57. Ph. aipolia (Ach.) Nyl. — S. F. — O. N.
58. Ph. caesia (Hffm.) — S. F. A. — O. N.
59. Ph. obscura (Ehrh.) Fr. — S. F. A. — O. N.
    var. virella (Ach.) Nyl. — S. F. — H.
60. Ph. lithotea Ach., Nyl. — S. F.

---

[1] var. muricata auch auf den ostfriesischen Inseln.
[2] P. sulcata kommt auf allen ostfriesischen Inseln vor und ist häufiger
wie P. saxatilis; ich hatte seinerzeit diese beiden nicht getrennt.

Tribus 13. Pannariei.

61. Pannaria brunnea (Sw.) var. coronata (Hffm.) — S. F. A.

Tribus 14. Lecano-Lecideei.

Subtribus Lecanorei.

62. Lecanora saxicola (Poll.) — S. F. A. — O. N.

L. scopularis Nyl. — *lobulata Smf., Nyl. — N.
63. L. murorum (Hffm.) Nyl. — S. F. A. — O. N. H.
var. pusilla Mass., Nyl. — S. F.
64. *L. tegularis (Ehrh.) Nyl. —S. F. A. — O. H.
65. L. sympagea (Ach.) Nyl. — S. F. — O. H.

66. L. citrina (Hffm.) Nyl. — S. F. A. — O. H.
67. L. cerina (Ehrh.) Ach. — F.
68. *L. chlorina (Fw.) Nyl. — S. — O.
69. L. pyracea (Ach.) Nyl. — S. F. A. — O. N. H.
f. holocarpa (Ehrh.) Flk. — S. — H.
70. L. vitellinula Nyl. — S.
71. L. phlogina (Ach.) Nyl. — S. F. — O. N.

72. L. vitellina (Ehrh.) Ach. — S. F. A. — O. N. H.
73. L. epixantha (Ach.) Nyl. — F. — O.[1]) N. H.

74. L. exigua Ach. — S. F. A. — O. N. H.
L. Conradi (Krb.) Nyl. — O.

75. L. galactina Ach. — S. F. A. — O. N. H.
76. L. dispersa (Pers.) Flk. — S. F. A. — O. N. H.
77. L. subfusca (L.) Nyl. — S. F. A. — O. N. H.
78. *L. campestris Schaer., Nyl. — S. F. — O. N. H.
L. coilocarpa (Ach.) Nyl. — O.
79. L. rugosa (Pers.) Nyl. — F.
80. L. intumescens Rebt. — S.
81. L. albella (Pers.) Ach. — S. — O.
82. L. angulosa Ach. — S. F. A. — O. N. H.
f. cinerella (Flk.). — A.
83. L. Hageni Ach. — S. F. A. — O. N. H.
84. L. umbrina (Ehrh.) Nyl. — S. F. A. — O. N. H.
L. crenulata (Dcks.) Nyl. — O.
L. prosechoides Nyl. — N.
85. L. sulphurea (Hffm.) Ach. — S. F. A.
86. L. varia Ach. — S. F. A. — O. N. H.
87. L. conizaea Ach. — S. f. betulina (Ach.) Nyl. — O.
88. L. symmictera Nyl. — S. F. A. — O. N. H.
89. L. trabalis (Ach.) Nyl. — S. F. A. — O. N. H.
90. L. orosthea Ach. — S.

[1]) An Holzwerk auf Wangerooge, nachträglich festgestellt.

91. L. piniperda Körb. — S.
92. L. polytropa (Ehrh.) Schaer. — S.
93. L. effusa (Pers.) Ach. — S. — O. H.
94. L. Sambuci (Pers.) — S. — O. H.

95. L. erysibe (Ach.) Nyl. — S. F. A. — O.[1]) N. H.

96. L. atra (Huds.) Ach. — S. F. A. — O. N. H.
    var. grumosa Ach. — S.

97. L. badia Ach. — S.

98. L. haematomma Ach. — S. — N.

99. L. parella Ach. — S. F. A.

100. L. gibbosa (Ach.) Nyl. — S. — N.
101. *L. caesiocinerea Nyl. — S. A.

102. L. coarctata Ach., Nyl. — S. A. — O. N.
     var. ornata (Smf.) Nyl. — S. F.

103. L. fuscata (Schrad.) Nyl. — S. F. A. — O. N. H.

104. L. privigna (Ach.) Nyl. — S. F.
105. L. simplex (Dav.) Nyl. — S. F. A. — O. N.

Subtribus Pertusariei.
106. Pertusaria communis D. C. — F. — O. N.
107. P. globulifera (Turn.) Nyl. — S. F. — O. N.
108. P. amara (Ach.) Nyl. — S. F. — O. N.
109. P. coronata (Ach.) Th. Fr. — S.
110. P. leioplaca Schaer. — S. — N.

Subtribus Thelotremei.
111. Phlyctis argena (Flk.) Wallr. — S. F. — O. N.
     Urceolaria bryophila Ach., Nyl. — O.

Subtribus Lecideei.
Lecidea quernea (Dcks.) Ach. — N.
L. flexuosa Fr. — O. N.
112. L. fuliginea Ach. — S. F. — O.
L. misella Nyl. — H.

L. denigrata Fr., Nyl. — O.
113. L. prasiniza Nyl. — S.

---

[1]) Band XII, Bremer Abhdl. p. 180. L. erysibe Ach., an einem Pfahl aus Tannenholz: sec. Nylander: Lecidea cyrtella Ach.

114. L. cyrtella Ach., Nyl. — F. — O.
115. L. tricolor With., Nyl. — S.

L. Naegelii (Hepp.). — O.
L. sabuletorum Flk. — O.
116. L. milliaria Fr., Nyl. — F.

---

117. L. luteola (Schrad.) Ach. — F.
L. chlorótica (Ach.) Nyl. — O.
L. effusa (Sm.) Nyl. — O.
118. L. egenula Nyl. — S.
L. Norrlini Lamy. — O.
119. L. muscorum (Swartz.) Nyl. — S. — O.

---

120. L. pelidna Ach., Nyl. — S. F. — O. H.

---

121. L. improvisa Nyl. — S. — O.
122. L. tantilla Nyl. — F.

L. scabra Taylor., Nyl. — N.
123. L. parasema Ach. — S. F. A. — O. N. H.
124. L. enteroleuca Ach., Nyl. — S. F. A. — O. N. H.

---

125. *L. platycarpa, Ach. — S.
126. **L. meiospora Nyl. — S.
127. ***L. crustulata Ach. — S. F. — O.
128. L. lithophila Ach. — S. — N.

---

129. L. fumosa (Hffm.) Wbg. — S. F. A.
130. L. grisella Flk., Nyl. — S.

---

131. L. rivulosa Ach. — S.

---

132. L. distincta (Th. Fr.) Nyl. — S.
133. L. lavata (Ach.) Nyl. — S. F. A. — O. N.

---

134. L. aethalea Ach. — S.

---

135. L. alboatra (Hffm.). — F. A. — O. N. H.
var. athroa Ach., Nyl. — O. N. H.

---

136. L. canescens (Dcks.) Ach. — S. F. A. — O. N.

---

137. L. myriocarpa (D. C.). — S. F. A. — O. N. H.

---

138. L. lenticularis Ach. — S.

---

139. L. expansa Nyl. — S. F. A.

140. L. geographica (L.) Schaer. — S.

Tribus 15. Graphidei.

Xylographa parallela Ach. — O.
141. Graphis scripta (L.) Ach. — S. — O.
142. Opegrapha pulicaris (Hffm.) Nyl. — S. F. — O. N.
O. saxatilis D. C. — O. (nach Koch).
143. O. atrorimalis Nyl. — F. — O. N.
144. O. Chevallieri Leight. — S. F. A. — O. N.
145. O. atra (Pers.) Nyl. — S. — O.
var. hapalea Ach., Nyl. — O. N.
146. O. hapaleoides Nyl. — S. — O.
147. O. cinerea Chev., Nyl. — S. — O.
148. O. subsiderella Nyl. — S. — O.
149. Arthonia exilis (Flk.) Nyl. — S.

150. A. astroidea Ach. — S. F. — O. N. H.

151. A. dispersa Schrad. — S. — O.

152. A. varians (Dav.) Nyl. — S.

Tribus 16. Pyrenocarpei.
Subtribus Eupyrenocarpei.

153. Verrucaria nigrescens Pers. — S. F. A. — O. H.
154. V. maura Wbg. — S. F. A. — N.

155. V. rupestris Schrad., Nyl. — S. F. — O. H.
V. muralis Ach., Nyl. — O.

156. V. chlorotica Ach. f. corticola Nyl. — F.

157. V. biformis Turn., Borr. — S. F. — O.

158. V. fallax Nyl. — S.
V. Kelpii (Kbr.). — O.
159. V. punctiformis Ach. — S. — O. N.

V. oxyspora Beltr., Nyl. — O.
V. populicola Nyl. — O.

Subtribus Peridiei.
160. Mycoporum misserinum Nyl. — S.

Anhang: 1. Parasiten.
Celidium fuscopurpureum Tul. — F.
Pharcidia congesta Kbr. — F. — O.

II. Leprarien.
Lepraria candelaris (L.) Schaer. — F.

Beiträge zur Flora von Sylt.

Von F. Alpers in Hannover.

Ein fast dreiwöchentlicher Aufenthalt auf Sylt im Juli vorigen Jahres (1893) bot mir Gelegenheit, die nördliche Hälfte dieser Insel (von der Linie Westerland-Keitum bis nach List) botanisch näher kennen zu lernen. Die Ergebnisse meiner Beobachtungen, die ich hier mitteile, sind zwar gering, sie vervollständigen aber doch in etwas das Bild der Sylter Flora. Eine erwünschte Bereicherung erfuhr die Zusammenstellung durch den Herrn Apotheker Andrée in Hannover, der die Freundlichkeit hatte, ein kleines Verzeichnis von ihm zu derselben Zeit auf Sylt gefundenen Pflanzen mir zur Verfügung zu stellen. Die Beiträge des Herrn Andrée sind mit (A.) bezeichnet.

Von Schriften, welche die Pflanzenwelt Sylts berücksichtigen, lagen mir ausser der noch weiterhin zu erwähnenden Arbeit von Prof. Buchenau, vor die „Kritische Flora der Provinz Schleswig-Holstein" von Dr. P. Prahl und die „Botanischen Wanderungen auf der Insel Sylt" von Dr. P. Knuth.*) In der nachfolgenden Aufzählung sind die Namen derjenigen von mir gefundenen Arten, Varietäten und Formen, die weder von Prahl, noch von Knuth für unser Gebiet aufgeführt werden, mit einem * versehen.

Ranunculus sardous Crntz. In wenigen Exemplaren an einem Teiche bei Braderup.

*Thalictrum flavum L. Ein Exemplar in einem dichten Bestande von Phragmites zwischen Kampen und der nördlichen Vogelkoje.

*Fumaria officinalis L. Vereinzelt in Westerland und Keitum.

Cochlearia danica L. Noch blühende Exemplare bei Westerland. (A.)

Lepidium ruderale L. Wenningstedt.

*Vaccaria parviflora Mnch. Wenningstedt.

Silene Otites L. Bei List nicht selten.

---

*) Knuth's Aufzählung umfasst gegen 440 Arten, erstreckt sich aber auch auf die Ziergewächse in den Gärten, wie Weigelia, Ampelopsis und andere, so dass die Zahl der auf der Insel wild vorkommenden bekannten Pflanzen um etwa 100 niedriger anzunehmen sein wird.

Sagina procumbens L. Zwergformen zwischen den Trottoirsteinen in Westerland. (A.)

— **nodosa** Fenzl. List. (A.) Braderup.

Spergularia marginata P. M. E. Am Strande von Braderup bis zur Vogelkoje sehr häufig.

*****Stellaria glauca** f. **Dilleniana** Mnch. An einem Teiche in Wenningstedt.

Genista pilosa L. Hünengräber bei Lornsens Hain. (A.)

*****Lupinus luteus** L. Bei Wenningstedt gebaut.

Trifolium fragiferum L. Bei Rantum ¦ häufig. (A.) Strandwiese bei Kampen.

— **repens** f. **pygmaea** Lange. Bei Kampen.

Lotus uliginosus Schk. Sehr hohe Exemplare mit abstehender Behaarung des Stengels bei der nördlichen Vogelkoje.

Potentilla silvestris Neck. Neben der gewöhnlichen Form eine sehr hohe, grossblütige im Gebüsch der nördlichen Vogelkoje.

*****Alchemilla arvensis** Scop. Westerland.

Pirus communis L. Auf einem Hünengrabe beim Leuchtturm verwildert.

— **Malus** L. Desgl.

Epilobium palustre L. Häufig auf der Strandwiese zwischen Kampen und der Vogelkoje.

Hippuris vulgaris L. List.

Callitriche vernalis Kütz. Braderup.

Peplis Portula L. Braderup.

Hydrocotyle vulgaris L. In Menge zwischen Kampen und der Vogelkoje.

Helosciadium inundatum Koch. Bei Braderup, auch die Form **terrestre** Müller.

Galium verum f. **littorale De Brébisson** kommt bei Kampen in einer sehr an G. ochroleucum Wolff erinnernden Form vor. G. Mollugo L. sah ich auf der Insel nicht.

— **uliginosum** L. Braderup.

Erigeron acer L. Heide bei Lornsens Hain. (A.)

*****Solidago Virga aurea** L. Auf der Heide zwischen Westerland und Wenningstedt.

Artemisia Absinthium L. List. (A.)

Achillea millefolium var. **setacea** W. K. List.

Gnaphalium silvaticum L. Heide beim Lornsens Hain. (A.)

*****Anthemis arvensis** L. Äcker beim Leuchtturm.

Chrysanthemum segetum L. Vereinzelt bei Morsum. (A.)

Senecio silvaticus L. Viel häufiger als S. vulgaris L., namentlich an den Feldsteinmauern der Gärten.

*Cirsium arvense Scop. Nicht selten.

Leontodon autumnalis var. nigro-lanatus Fries. In der Tracht an Achyrophorus maculatus Scop. erinnernd. Auf einem Hünengrabe beim Leuchtturm. Merkwürdige Zwergformen von L. autumnalis nahe dabei auf einem Acker.

Scorzonera humilis L. Die vielen Exemplare, welche ich auf der Heide bei Wenningstedt sah, gehörten bis auf eine Ausnahme der var. angustifolia an.

*Sonchus asper L. Keitum.

Hieracium umbellatum f. linariaefolium G. Mey. In den Wenningstedter und Lister Dünen.

*Hieracium laevigatum Willd. Im Victoria-Hain.

Jasione montana L. Mit weissen Blüten bei Kampen.

Vaccinium Oxycoccus L. List. (A.)

Erica Tetralix L. Weissblühend bei Wenningstedt.

Pirola minor L. Bei der nördlichen Vogelkoje. Hatte Anfang Juli schon reife Früchte, blühende Exemplare sah ich nicht.

Erythraea vulgaris Wittrock. Zwergformen neben grösseren auf der Strandwiese bei Kampen. Die ersteren behalten beim Trocknen ihre rote Blütenfarbe.

*Echium vulgare L. Wenningstedt.

*Borago officinalis L. Westerland.

Veronica serpyllifolia L. Braderup.

Thymus Serpyllum L. Weissblühend bei Kampen.

*Stachys arvensis L. Keitum.

Pinguicula vulgaris L. Mehrere Exemplare auf einem Wege (kein Moorboden) oberhalb des Roten Kliffs. (A.)

*Anagallis arvensis L. Westerland. Bislang war nur A. phoenicea Scop. von Sylt bekannt.

Plantago Coronopus L. Selten. Nur an Mauern in Wenningstedt bemerkt.

Obione pedunculata Moq. Tand. Häufig bei Keitum. (A.)

*Chenopodium glaucum. L. Wenningstedt.

*Polygonum aviculare f. crassifolium Lange. Wenningstedt.

Salix aurita L. In einem Dünenthal bei Wenningstedt.

*Alnus incana DC. Angepflanzt im Klappholtthale (A.)

Potamogeton natans L. Um Wenningstedt nicht selten.

Lemna minor L. Wenningstedt, Braderup.

Juncus filiformis L.*) List. (A.)

----

*) Juncus pygmaeus Thuill. Trotzdem ich das Klappholtthal, wo Herr Professor Dr. Buchenau 1886 diese Pflanze in grosser Menge sah (vergl. Abhandlungen des naturwissenschaftlichen Vereins in Bremen vom Jahre 1887), einmal allein und dann noch in Gemeinschaft mit Herrn Andrée durchsucht

*Heleocharis palustris R. Br. Auf der Strandwiese bei Kampen, nicht selten.

Scirpus pauciflorus Lightf. List. (A.)

*Scirpus setaceus L. List. (A.). Strandwiese bei Kampen.

— rufus L. Strandwiese bei Kampen.

Carex canescens L. Strandwiese bei Kampen.

— Goodenoughii var. turfosa Fr. Desgl.

— — — trinervis Degl. Klappholtthal, List, häufig.

Anthoxanthum odoratum L. Auf Brachäckern häufig.

Agrostis alba f. coarctata Blytt. Klappholtthal.

*Calamagrostis lanceolata, Roth. Wiesen östlich von Kampen.

Avena pratensis L. Auf der Heide nahe bei Wenningstedt.

— praecox P. B. In fast 30 cm hohen Exemplaren beim Leuchtturm.

Festuca distans Kth. Am Strande östlich von Kampen.

Bromus secalinus L. Vereinzelt bei Kampen.

Hordeum secalinum Schreb. Häufig am Oststrande.

*Pinus Mughus Scop. Bei der nördlichen Vogelkoje angepflanzt.

Osmunda regalis L. Ein bei Tinnum ausgegrabenes Exemplar sah ich im Garten des Friesenhofes in Keitum.

*Botrychium Lunaria L. Diese Pflanze, deren Vorkommen auf den nordfriesischen Inseln Herr Professor Dr. Buchenau schon vermutete (S. Abhandlungen des Bremer naturw. vereins 1887, Seite 383), wächst auf einer schwach mit Heide bestandenen Stelle ungefähr in der Mitte zwischen Wenningstedt und der Norddörfer Schule, etwas nach Braderup zu. Der Standort war während meiner Anwesenheit auf Sylt von Schulkindern aufgefunden worden, die ihrem Lehrer, Herrn Koopmann, Pflanzen gebracht hatten. Ein Exemplar besass 3 Fruchtähren.

*Webera nutans Schimp. Zwischen Kampen und der Vogelkoje.

*Atrichum undulatum P. B. Desgl.

*Fontinalis antipyretica L. Teich bei Braderup.

*Polytrichum strictum Banks. Zwischen Kampen und der Vogelkoje.

*Sphagnum squarrosum, Pers. Desgl.

*Jungermannia spec. Desgl.

*Fucus serratus L. An der Westküste angeschwemmt.

*Marchantia polymorpha L. Zwischen Kampen und der Vogelkoje.

*Peltigera canina L. Desgl.

---

habe, wollte Juncus pygmaeus sich nicht auffinden lassen, die anhaltende Dürre des Sommers hatte den Boden zu sehr ausgetrocknet. Was der Lister Lehrer, Herr Helliesen, als ein bei List gefundenes Exemplar der Pflanze mir zeigte, war eine wenig entwickelte kleine Carex-Art.

Über Rubus Menkei Wh. et N. und verwandte Formen.

Von W. O. Focke.

1. Über polymorphe Formenkreise.

Wenn wir auf dem Felde der Naturwissenschaft Erfahrungen sammeln, so erwerben wir uns zunächst nur einen toten Schatz, der erst dadurch nutzbar gemacht wird, dass wir die Thatsachen unter allgemeine Gesichtspunkte bringen, welche uns das Verständnis für die Ursachen des Geschehens erschliessen. Darwin's Werk über die Entstehung der Arten hat seiner Zeit den Naturforschern eine Fülle von einzelnen Beobachtungen und Erfahrungen vor Augen geführt, hat aber dann weittragende Schlussfolgerungen daran geknüpft, welche sich für die biologischen Wissenschaften als ausserordentlich fruchtbar erwiesen haben. Derartige Erfolge lassen sich aber durch die Spekulation nur dann erzielen, wenn eine genügende Menge von solchen Thatsachen angesammelt ist, welche geeignet sind, uns einen Einblick in das wahre Getriebe der Dinge zu eröffnen.

Die Darwin'sche Theorie hat uns einen allgemeinen Begriff von der Entstehung der Arten gegeben, aber sie hat nicht vermocht, von Stufe zu Stufe die einzelnen wirklichen Vorgänge darzulegen, durch welche eine bestimmte organische Form in eine andere übergeführt wird. Ein kühner Gedankenflug nützt uns nichts, wenn wir die Wahrheit im einzelnen kennen lernen wollen, vielmehr sind wir in diesem Falle auf den langsamen, aber sicheren Weg der thatsächlichen naturwissenschaftlichen Erfahrung angewiesen.

Schon vor dem Erscheinen von Darwin's „Entstehung der Arten" war die Forschung in dieser Richtung thätig. Sehr klar äusserte sich darüber Charles Naudin im Jahre 1852: „Nous ne croyons pas que la nature aît procédé, pour former ses espèces, d'une autre manière que nous ne procédons nous-mêmes pour créer nos variétés; disons mieux: c'est son procédé même que nous avons transporté dans notre pratique." (Revue hortic. 1852 pg. 102.) Die Entstehung neuer Arten ist nach dieser Auffassung ein Vorgang, der auf experimentalem Wege im Kleinen wiederholt werden kann,[*])

---

*) Ganz entsprechende Vorgänge, die ersten Anfänge der Artenbildung, kennen wir auch aus der Völkergeschichte: aus den Galliern sind Franzosen, aus den Britanniern Engländer geworden, und zwar unter dem Einflusse einer mehr oder minder starken Beimischung fremden Blutes.

ähnlich wie wir den Blitz oder geologische und geotektonische Vorgänge in kleinem Massstabe nachzuahmen vermögen. In vielen botanischen Schriften spielt, wenn man von den Veränderungen redet, welche die Pflanzen unter dem Einflusse des Menschen erleiden, das Wort „Kultur" eine grosse Rolle, ohne dass eine nähere Erklärung gegeben wird. Thatsächlich macht der Züchter, welcher eine Pflanze in „Kultur" nimmt, bewusst oder unbewusst von vier wirksamen Mitteln Gebrauch: Kreuzung, Auslese, Inzucht und Mästung (vgl. Abhandl. Naturw. Ver. Bremen IX S. 447 ff). Eine durch viele Generationen fortgesetzte Mästung kommt in der freien Natur nicht vor, weil meistens die Arten, jedenfalls aber die Individuen, sich jeden nahrungsreichen Fleck Erde streitig machen werden. Wohl aber giebt es noch ein fünftes wirksames Züchtungsmittel, welches die Gärtner bisher kaum je durch Generationen hindurch in Anwendung gebracht haben, nämlich die chemische und physikalische Zusammensetzung des Bodens. Sechstens würde der Einfluss der klimatischen Verhältnisse zu berücksichtigen sein, welche zwar wahrscheinlich meistens nur durch Auslese, unter Umständen aber auch durch unmittelbare Beeinflussung des Wachstums abändernd wirken.

Seit dem Jahre 1857 habe ich mich mit der Frage beschäftigt, ob und in wie weit Kreuzung an dem Formenreichtume der Gattung Rubus beteiligt sei. Im Jahre 1868 veröffentlichte ich die ersten Ergebnisse meiner Untersuchungen; ich war zu der Ansicht gelangt, dass die meisten europäischen Brombeeren aus Kreuzungen hervorgegangene samenbeständige Rassen seien (Abhandl. Naturw. Ver. Bremen S. 321—324). Seit dieser Zeit habe ich nicht nur die Rubi, sondern auch viele andere Pflanzengattungen in gleichem Sinne weiter untersucht, und habe mich ferner mit Hybridisation und mit den Züchtungsverfahren der Gärtner eingehend beschäftigt. Diese Studien haben dahin geführt, meine Ansichten über die Entstehungsweise der einzelnen Brombeerformen zu klären, haben aber im wesentlichen meine früheren Vorstellungen von dem Ursprunge unserer heutigen Arten bestätigt. Die vielgestaltigen oder „polymorphen" Formenkreise verhalten sich ganz gleich bei den Gartengewächsen wie bei den wilden Pflanzen. Solche Formenkreise bestehen aus wenigen typischen, meist verbreiteten Hauptarten mit regelmässigem Blütenstaube, einer Anzahl fruchtbarer konstanter Zwischenformen mit mischkörnigem Blütenstaube und einem Schwarme von fruchtbaren oder halb fruchtbaren Rassen oder Arten niederen Ranges, die gegen einander sehr schwer abgrenzbar sind. Im Garten kennen wir solche Formenkreise in den Gattungen Dianthus, Viola (Melanium), Abutilon, Pelargonium, Rosa, Fuchsia, Begonia, Bouvardia, Erica, Rhododendron, Primula, den Gesneraceen, Verbena, Narcissus, Hippeastrum, den Orchidaceen u. s. w. Unter den wilden Pflanzen mag an Viola, Dianthus, Potentilla, Rubus, Rosa, Callitriche, Galium, Centaurea, Cirsium, Hieracium, Betula und Quercus (orientalische Arten) erinnert werden, vieler ausländischen nicht zu gedenken.

Beispielsweise erwähne ich einige mitteleuropäische Potentillen.

Die sternfilzige P. subacaulis L. ist vom südlichen Sibirien durch Südrussland bis Südfrankreich und Spanien verbreitet; sie bewohnt Landstriche mit warmen trocknen Sommern; die westlichen geographischen Unterarten (P. Tommasiniana Fr. Schltz., P. incana Lam.) sind von den östlichen, welche strenge Winter zu überstehen haben, verhältnismässig wenig verschieden. In Zentraleuropa findet sich eine verwandte Art, P. arenaria Borkh. mit oberseits sternhaarigen Blättern, welche zwischen der P. subacaulis L. und der P. verna L. ex pte., Vill. (non Zimmet.) in der Mitte steht. Diese P. arenaria bewohnt ein ziemlich ausgedehntes Gebiet, verschwindet jedoch in der Nähe der mittleren und westlichen Alpen. Dagegen treten im Westen und am Südfusse der Alpen, seltener in den nördlichen Alpenthälern, andere Sternhärchen führende Zwischenformen auf, die eine geringe Verbreitung haben und zum Teil unter einander kaum abzugrenzen sind (P. Bolzanensis Zimmet., P. Albèrti Zimmet., P. Gaudini Gremli, P. cinerea Chaix, P. vestita Jord. etc.). Die P. arenaria wächst ferner häufig mit der P. verna L. ex pte. (non Zimmet.) zusammen und bildet mit ihr zahlreiche Mischformen.

Die P. argentea L. ist von den genannten Potentillen weit verschieden, aber in dem ganzen Gebiete, in welchem die P. arenaria oder ähnliche sternhaarige Formen vorkommen, treten Mittelglieder auf, die eine besondere Artengruppe bilden (P. collina Wib., P. Leucopolitana P. J. Muell., P. Schultzii P. J. Muell., P. alpicola De la Soie, P. confinis Jord., P. Wiemanniana Guenth. etc.). Sie verbreiten sich wenig über das Wohngebiet der P. arenaria und ihrer Verwandten hinaus.

In anderen Gegenden treten dann Zwischenformen auf, welche P. argentea L. mit P. recta L. verbinden. Eins der Mittelglieder, die P. canescens Bess., besitzt eine beträchtliche Verbreitung; eine grosse Zahl von Lokalformen steht teils zwischen P. canescens und P. argentea, teils zwischen P. canescens und P. recta in der Mitte, während seltene andere Formen Bastarde von P. recta und P. argentea zu sein scheinen.

Unter den Rosen ist die formenreiche R. stylosa Desv. ein Mittelglied zwischen R. arvensis Huds. und R. canina L.; zwischen R. canina L. und R. Gallica L. stellen sich mancherlei Formen, die als R. Jundzilli Bess., R. trachyphylla Rau, R. alba L. u. s. w. beschrieben sind. R. tomentella Léman verbindet die R. canina L. mit R. rubiginosa L.; R. rubella Sm., R. Sabini Woods., R. abietina Gren. und zahlreiche andere Formen sind ebenfalls Mittelglieder, welche stellenweise, zum Teil in erheblicher Verbreitung, wie selbstständige Arten auftreten.

Die Schwierigkeit in der systematischen Darstellung der polymorphen Formenkreise besteht zunächst darin, die Zwischenglieder zweckmässig einzureihen. Man mag es sich gefallen lassen, wenn die beständigsten und verbreitetsten Mittelformen, wie Potentilla arenaria, P. canescens, Rosa stylosa und R. Jundzilli als gleichwertig neben Pot. argentea, P. recta, Rosa arvensis und R. Gallica aufgeführt werden, aber es ist doch schon bedenklich, wenn dies mit einem

halben Dutzend nahe zusammengehöriger Formen aus der Verwandtschaft der Potentilla collina oder der Rosa abietina geschieht. Nun
kommen aber Lokalformen hinzu, die nur eine sehr beschränkte
Verbreitung besitzen und die nur durch minutiöse Unterschiede von
einer Unzahl anderer Lokalformen getrennt sind. Und doch kann
man durch diesen Schwarm von verwandten Formen keine halbwegs natürlichen Grenzlinien ziehen, weil noch alle denkbaren
Zwischenstufen vorhanden sind, die z. B. von Potentilla recta L.
über P. canescens, P. argentea, P. collina, P. arenaria, P. verna L.
ex pte. zu P. maculata Pourr. führen.

 In meiner Synopsis Rubor. German. habe ich vorgeschlagen,
die Ungleichwertigkeit der „Arten“ in der Systematik geradezu an-
zuerkennen und in jedem Falle den spezifischen Wert einer Art zu
bestimmen oder richtiger zu schätzen. Dies Verfahren wird schwer-
fällig, wenn man viele Stufen des Artwertes annimmt, es führt zu
Willkürlichkeiten, wenn man nur zwei oder drei unterscheidet. Dazu
kommt, dass es die Anordnung der Arten nicht erleichtert. Die
Zwischenformen haben eine doppelte Verwandtschaft. In
einzelnen Fällen kann man sie in der Mitte zwischen zwei Arten
abhandeln, aber in der Regel sind die Beziehungen der Arten unter
einander viel zu mannichfaltig, als dass sie sich in reihenförmiger
Anordnung darstellen lassen.

 Es entspricht nicht der Wahrheit, wenn man Hauptarten und
Lokalformen als gleichwertig neben einander beschreibt, aber es ist
ebenso unrichtig, thatsächlich getrennte, wenn auch verwandte Arten
unter einem gemeinsamen Namen zusammenzufassen. Die Mittelglieder werden durch ein solches Verfahren ganz einseitig mit einem
Teile der Verwandten enger verbunden, als thatsächlich richtig ist,
während sie von andern ebenso nahen Verwandten in künstlicher
und widernatürlicher Weise getrennt werden. Bei dieser Lage der
Dinge schlage ich vor, die unbrauchbare Schablone, nach der man
bisher systematisch gearbeitet hat, zu beseitigen, und darauf zu verzichten, die Zwischenformen in das alte Schema unter die Rubriken
Species, Subspecies und Varietas einzuzwängen. Man mag die Hauptarten in derselben Weise aufführen, wie es bisher geschehen ist,
aber man gruppiere alle Zwischenarten und Mittelglieder um die
Hauptarten, zu denen sie gehören. Sind A, B, C, D die Hauptarten
eines polymorphen Formenkreises, so führe man nach A die Zwischenformen auf, welche diese Art mit B, mit C, mit D verbinden, dann
nach B diejenigen, welche zwischen B und A, B und C, B und D
in der Mitte stehen u. s. w. Jede Zwischenform wird dann zweimal
aufgeführt werden; selbstverständlich braucht sie höchstens einmal
beschrieben zu werden, aber es dürfte zweckmässig sein, ihre Beziehungen zu jeder der beiden Hauptarten an der geeigneten Stelle
zu besprechen.

 Die Ausdrücke, welche Verwandtschaften bezeichnen, sind in
der Systematik meistens schon in bestimmtem Sinne vergeben und
verbraucht. Es hält daher schwer, für neue Begriffe neue Worte zu
finden. „Phratria“ war indessen im alten Griechenland ein weiter,

„Gene" ein enger Gemeindeverband. Ich schlage daher vor, die
Formenkreise, welche sich um eine Hauptart gruppieren, als Phratrien,
diejenigen, welche zwei gut getrennte Arten verbinden, als Genen
zu bezeichnen. Im Deutschen würde die Anwendung von Ausdrücken
wie Gau, Sprengel, Gemeinde, gegen den Sprachgebrauch verstossen;
Familie, Sippe u. s. w. sind vergeben. Ich werde daher Phratria
mit Gruppe, Gene mit Formengruppe übersetzen. Eine Verwechselung
von Gene mit Genus glaube ich nicht befürchten zu müssen.

Die Nomenclatur in den polymorphen Formenkreisen lässt
sich nicht nach „Gesetzen", „strengen Prioritätsprinzipien" u. s. w.
regeln. Man nehme z. B. eine unter dem Namen d bekannt gewordene Form, für welche aber aus Prioritätsrücksichten auch die
Namen a, b, c in Frage kommen. a ist der älteste Name, aber mit
schlechter Beschreibung veröffentlicht, so dass man nur nach dem
Standorte vermuten kann, es sei darunter d verstanden; b ist eine
Varietät von d, nach andern eine nahe verwandte Art; c ist eine
Monstrosität von d, bei deren Beschreibung der Autor nur Wert auf
die Monstrositätsmerkmale gelegt hat, die sich auch bei völlig ab-
weichenden Arten wiederholen. Wirklich gekannt hat keiner der
Autoren der Namen a, b, c die betreffende Pflanze; erst einem späteren
Schriftsteller, der den Namen d angenommen hat, ist die klare
Umgrenzung der Art zu danken. Welcher Name ist nun gültig?
Solche Fälle wiederholen sich in der Gattung Rubus hundertfach,
und oft genug kommen mehr als 4 Namen in Frage. Dabei ist zu
berücksichtigen, dass die meisten Beschreibungen nach individuellen
abgeschnittenen Zweigen entworfen sind und dass den Verfassern
jede wirkliche Kenntnis des betreffenden Formenkreises vollständig
fern lag. Die Schwierigkeit des Gegenstandes bringt es mit sich,
dass auch die sorgfältigen Beobachter in viele Irrtümer verfallen
sind. Weihe war gewiss einer der besten und gründlichsten Brom-
beerkenner, aber auf drei Tafeln seiner Rubi Germanici sind Teile
von je zwei verschiedenen Arten als zusammengehörig abgebildet
(R. fastigiatus, R. affinis, R. discolor). Die guten Abbildungen
machen es möglich, die Irrtümer nachzuweisen, aber je flüchtiger
ein Beschreiber gearbeitet hat, um so schwerer ist es, begangene
Fehler zu entdecken. Die nichtsnutzigsten Beschreibungen, wahre
Schandflecke der botanischen Litteratur, sind daher die Wonne unserer
heutigen Namenänderer.

Kleinen wie grossen Entdeckungen geht sehr häufig eine Vorgeschichte voll Irrungen voraus. In geschichtlicher Zeit hat Bjarne
Herjulfson zuerst Amerika gesehen, Leif Erikson hat es zuerst betreten; hätten er oder seine Nachfolger ihre Fahrten etwas weiter
ausgedehnt, so würden sie sich der Bedeutung ihrer Entdeckung
bewusst geworden sein. Es vergingen aber Jahrhunderte, bis Columbus
in dem neuen Erdteile landete. Er wusste freilich gar nicht, was
er eigentlich entdeckt hatte, sondern bildete sich ein, einen kürzeren
Seeweg nach Ostasien gefunden zu haben. Erst seinen Nachfolgern
wurde die Wahrheit klar, und von einem derselben erhielt der neue
Erdteil seinen Namen.

Unsere doktrinäre Schulweisheit kann schwere sachliche und Prioritätsbedenken gegen die Entdeckeransprüche des Columbus vorbringen. Und trotzdem lässt sich die öffentliche Meinung nicht in der Überzeugung irre machen, dass durch die That des Columbus Amerika entdeckt worden ist.

Wenden wir unsern Blick von grossen Entdeckungen zu kleinen zurück. Nach meiner Ansicht hat zunächst Derjenige Anspruch darauf, als Entdecker einer neuen Art betrachtet zu werden, welcher es verstanden hat, ihre Kennzeichen und Merkmale den Fachgenossen klar zu machen. Findet sich später, dass ein Vorgänger die nämliche Art in kenntlicher Weise beschrieben hat, so mag derselbe als Entdecker gelten. Eine unbrauchbare Beschreibung, die man allenfalls durch Aufsuchen eines angegebenen Standortes oder durch ein Herbarexemplar deuten zu können meint, sollte dagegen von Rechts wegen unbeachtet bleiben. Ein Herbarexemplar beweist höchstens, dass der Benenner die Form, der es angehört, zu der von ihm beschriebenen Art rechnete; es beweist aber nicht, dass er einen halbwegs klaren Begriff von der betreffenden Art hatte und sie von verwandten Arten zu unterscheiden wusste. Ich glaube kaum, dass mehr als ein Zehntel der beschriebenen europäischen Brombeerarten ihren Autoren wirklich bekannt gewesen ist.

Meiner Ansicht nach sollte man die nichtsnutzigen Beschreibungen und Namen dahin verweisen, wohin sie gehören: auf den Kehrichthaufen. Das ist freilich ein Sacrilegium in den Augen der Namenänderer.

Der Entdecker einer Art, der sie wirklich kennen und unterscheiden lehrte, hat sie nicht immer in brauchbarer Weise benannt. Der Namengeber ist daher oft eine Persönlichkeit, welche keine sachlichen Verdienste um die Erkenntnis der Art beanspruchen kann. Man muss aber wenigstens verlangen, dass die Bedeutung des Namens klar und zweifellos ist.

2. Systematik des R. Menkei Wh. et N.

Wiederholt habe ich darauf aufmerksam gemacht (Abh. Nat. Ver. Bremen, I (1868) S. 321; Synops. Rub. Germ. S. 27 ff.), dass ein Teil der Rubi sich ohne Schwierigkeit in eine mässige Zahl von Arten oder von Gruppen nahe verwandter Arten zweiten Ranges einordnen lässt. Dahin gehören:

1. Pollen gleichkörnig; weitverbreitete Arten: R. rusticanus Merc. (ulmifolius Schott), R. tomentosus Borkh., R. caesius L.

2. Pollen fast gleichkörnig: R. gratus Focke, R. Arrhenii J. Lange. Ob hieher R. incanescens Bertol.?

3. Pollen mischkörnig; Artengruppen: Suberecti, Rhamnifolii, Glandulosi, auch wohl Thyrsoidei und Rosacei.

4. Pollen mischkörnig; einheitliche Hauptart vorhanden: R. vestitus, R. micans, R. foliosus, R. rudis, R. scaber. Vielleicht sind auch R. Questierii, R. mucronatus und R. egregius hieher zu setzen.

Unter allen Umständen gruppieren sich die europäischen Brombeeren nach dieser Auffassung um eine mässige Zahl von wohl charakterisierten Typen. Einer dieser Typen ist, wie erwähnt, der R. vestitus.

Phratria Rubi vestiti.

Formae R. vestito Wh. et N. affines.

R. vestitus Wh. et N. Mässig kräftig, mit aus bogigem Grunde niederliegenden oder kletternden, stumpfkantigen, im Herbste wurzelnden Schösslingen, einer dichten, verwirrten, aus Stern- und Büschelhaaren gebildeten Bekleidung aller Achsen, ziemlich kräftigen schmalen. Stacheln· und meist mit zerstreuten oder zahlreichen, aber die Haare kaum überragenden Stieldrüsen. Blätter meist fussförmig-5 zählig, Blättchen ziemlich klein gesägt, meist beiderseits langhaarig, unterseits weich, oft graufilzig. Endblättchen kreisförmig bis breit elliptisch, mit kurzer Spitze. Blütenstände ziemlich lang, nach oben zu nicht verjüngt, nur unten beblättert; die oberhalb der Laubblätter entspringenden Ästchen regelmässige, 3—7 blütige Dichasien tragend. Kelchblätter an Blüte und Frucht zurückgeschlagen. Blumenblätter rundlich oder breit eiförmig.

Stimmt durch die rundlichen kleingesägten Blättchen mit den Formen der Rhamnifolius-Gruppe überein, von denen er jedoch durch die dichte Behaarung abweicht. Von anderen Brombeeren haben z. B. R. macrostachys P. J. Muell., R. echinatus Lindl., R. fuscus Wh. et N. und einige andere Arten dicht behaarte Achsen, aber nicht die weiche Behaarung der Blattunterflächen, während umgekehrt R. Arduennensis in Gestalt und Behaarung der Blätter an R. vestitus erinnert, aber durch hochwüchsige, kahle, kantige Schösslinge abweicht. Durch den Blütenstand steht R. rusticanus nahe, ist aber durch die ·Behaarung, Bewehrung, Blattform u. s. w. vollständig verschieden.

Die verwirrte, aus Sternfilz und Büschelhaaren gemischte Behaarung der Schösslinge ist dem R. vestitus und seinen nächsten Verwandten eigentümlich.

Zu der Gruppe des ·R. vestitus gehören drei Arten, welche sich durch eine ansehnliche Verbreitung und durch die Beständigkeit ihrer Merkmale als ausgeprägte selbständige Arten kennzeichnen. Es sind dies R. Boraeanus Genev., R. gymnostachys Genev. und R. pyramidalis Kaltenb.

R. Boraeanus G. Genev.: Schössling am Grunde rauh durch zahlreiche ungleiche Stachelchen und Stachelhöcker, die nach oben zu sparsamer werden, meist weniger dicht behaart als bei R. vestitus. Blättchen meist ungleich-, ziemlich tief- und zuweilen fast eingeschnitten-gesägt, das endständige von ziemlich wechselnder Gestalt, meist breit verkehrt eiförmig. Blütenstand kurz, bei grösserer Entwickelung sperrig, mit dicht filzigen Achsen und Blütenstielen, fast unbewehrt; Stacheln sehr klein und spärlich, Stieldrüsen spärlich. Kelchblätter nach dem Verblühen abstehend. Blumenblätter eiförmig, in den Nagel verschmälert, ziemlich klein, rosa oder purpurn.

Verbreitet im westlichen Frankreich und im südwestlichen England; auch Exemplare aus der südwestlichen Schweiz scheinen mir hieher zu gehören (s. unter R. obscurus).

R. gymnostachys Genev. (R. macrothyrsos J. Lange): Schösslinge kantig, mehr oder minder dicht büschelig behaart, meist ganz ohne. Stachelhöcker und Stieldrüsen. Blättchen oberseits fast kahl, unterseits sternfilzig mit mehr oder minder dichten, nervenständigen längeren Haaren, wenig weich, am Rande ungleich- und ziemlich grob gesägt; Endblättchen verkehrt eiförmig oder am Grunde und nahe der Spitze fast gleich breit. Blütenstand schmal, verlängert, mit zahlreichen, pfriemlich-lanzettigen Stacheln, zerstreuten oder ziemlich zahlreichen Stieldrüsen und mit 3 blütigen Ästchen; Blüten schön rosa. Kelchblätter an der Frucht zurückgeschlagen. Zierlicher, kahler und mit längerem Blütenstande als R. vestitus. R. macrothyrsos ist eine an Schössling und Blattunterflächen reichlicher behaarte Form.

Zerstreut durch einen grossen Teil Frankreichs sowie durch das westliche und südliche England; selten im nordwestlichen Deutschland (Holstein, westl. Harz, Westphalen).

R. pyramidalis Kaltenb.: Schösslinge kantig, mehr oder minder büschelig-behaart, meist ganz ohne Stachelhöcker und Stieldrüsen. Blättchen ungleich grob gesägt, oberseits behaart, unterseits weichhaarig, die jüngeren meist grau, das endständige elliptisch oder rhombisch, zugespitzt. Blütenstand mässig lang, nach oben verjüngt, ziemlich gedrungen; Ästchen und Blütenstiele kurz, zottig, zerstreute Drüsen und Nadelstacheln führend. Kelchblätter an der Frucht zurückgeschlagen; Blumenblätter elliptisch, blassrosa.

Im westlichen und nördlichen Deutschland bis zur Weichsel, zerstreut in Dänemark, dem südlichen Schweden, England und dem nordöstlichen Frankreich.

An diese dem R. vestitus verwandten Arten reihen sich nun die weniger verbreiteten, meist lokalen oder in zahlreichen Lokalvarietäten auftretenden Zwischenformen, welche ich in „Genen" (s. oben S. 145) ordnen möchte.

Es gehören hieher Übergangsformen zu:
der Phratr. Rub. Suberectorum: Gene R. hypomalaci Focke,
R. rusticanus Merc.: Gene R. lasiocladi Focke,
R. bifrons Vest: Gene R. conspicui P. J. Muell.,
der Phratria Rubi grati: Gene R. hirtifolii P. J. Muell.,
R. tomentosus Borkh.: Gene R. Bertricensis Wirtg.,
der Phratria Rubi rosacei: Gene R. obscuri Kaltenb.,
„ „ Ruborum Glandulosorum: Gene R. Menkei Wh. et N.,
R. caesius L.: Gene R. Balfouriani Blox.

R. pyramidalis würde sich in die Gene R. hirtifolii stellen lassen, R. Boraeanus in die Gene R. obscuri, zu der auch R. gymnostachys nahe Beziehungen hat. Man könnte auch auf den Gedanken kommen, R. gymnostachys als eine den Thyrsoideen genäherte Form zu betrachten.

Mittelformen zwischen R. vestitus und den übrigen Brombeergruppen sind weniger ausgeprägt. Allerdings erinnern manche Arten in einer oder der andern Beziehung an R. vestitus, aber der intermediäre Charakter tritt nicht deutlich genug hervor, um ihnen eine bestimmte Mittelstellung anzuweisen.

Beispielshalber soll auf den folgenden Blättern die Gene R. Menkei eingehend besprochen werden, sowie etwas kürzer die damit nahe verwandte Gene R. obscuri.

1. Gene Rubi Menkei.

Formae R. vestitum et R. Glandulosos conjungentes.

Turiones villosi glandulis stipitatis, setis glanduliferis, aculeolis inaequalibus aculeisque muniti. Foliola subtus pilis longis densis mollia vel rarius sericea. Flores plerumque albi. Folia saepe ternata.

Formengruppe des R. Menkei.

Zwischenformen, welche den R. vestitus mit den Glandulosen (R. Bellardii und Verwandte) verbinden.

Durch weiche Behaarung der Blattunterflächen und zottige Behaarung der Achsen sich an R. vestitus anschliessend, aber viel kleiner und mit einer mehr oder minder reichlichen Menge von ungleichen Stieldrüsen, Borsten und Stachelchen besetzt. Blüten meistens weiss, Blätter oft dreizählig.

Die wichtigsten Eigenschaften der beiden verbundenen Hauptarten sind folgende:

R. vestitus Wh. et N.	R. Bellardii Wh. et N.
Schössling bogig, kantig, mit gleichen, kantenständigen Stacheln, dicht verworrener Behaarung, zahlreichen gelben Sitzdrüsen, meist auch mit zerstreuten, die Haare nicht überragenden Stieldrüsen.	Schössling niedergestreckt, rundlich, bereift, mit feinen ungleichen Stacheln, Nadeln, Drüsenborsten und Stieldrüsen dicht besetzt, locker behaart.
Blätter 5zählig; Blättchen rundlich, kurz gespitzt, unterseits weichhaarig, oft graufilzig.	Blätter 3zählig; Blättchen elliptisch, mit schmäler, aufgesetzter Spitze, beiderseits hellgrün und zerstreut behaart.
Blütenstand verlängert, reichblumig, mit langen, graden Stacheln und dicht filzig-zottigen Achsen.	Blütenstand ziemlich kurz, locker, ungleich feinstachelig und drüsig.
Kelchblätter nach dem Verblühen zurückgeschlagen.	Kelchblätter nach dem Verblühen aufrecht.
Blumenblätter rundlich, rosa oder weiss.	Blumenblätter schmal länglich, weiss.

Die Zwischenform, welche die Eigenschaften der beiden verglichenen Arten miteinander vereinigt und ausgleicht, ist der R. Menkei Wh. et N. — Die ähnlichen Formen lassen sich nicht mit R. Bellardii, wohl aber mit nahe verwandten Arten der Glandulosen in Beziehung setzen. Von den in meiner Synopsis Rubor. Germ. beschriebenen Arten und Formen gehören hieher: R. hirsutus Wirtg., R. teretiusculus Kaltnb., R. fraternus Gremli, R. suavifolius Gremli, R. Menkei Wh. et N.

Über die Abgrenzung dieser Formen äusserte ich mich vielfach zweifelhaft; die weitere Beschäftigung mit diesen Pflanzen hat mich dahin geführt, sie etwas anders zu ordnen, als ich damals gethan habe. Zwischen R. fraternus und R. Menkei kann ich keinen Unterschied erkennen, dagegen glaube ich, dass es richtiger ist, den Begriff des R. teretiusculus nicht so weit auszudehnen, wie ich in der Synops. Rub. Germ. versucht habe. Unter dem „ältesten" Namen teretiusculus habe ich dort Formen vereinigt, die teils besser zu R. hirsutus gestellt, teils als besonderer Formenkreis aufgefasst werden dürften.

Die Formengruppe des R. Menkei findet sich nur innerhalb des Verbreitungsbezirkes des R. vestitus, fehlt daher in Ostdeutschland. An ihren besonderen Standorten sind die einzelnen Formen nicht an die Gesellschaft dieser Art gebunden. Aus England habe ich manche hiehergehörige Formen in getrockneten Exemplaren gesehen, bin aber nicht im stande zu sagen, ob sich dieselben wie einigermassen beständige Arten verhalten. Aus Frankreich sah ich nur wenige hiehergehörige Exemplare. Ich muss mich daher auf eine Beschreibung der in Deutschland und der Schweiz wachsenden Verwandten des R. Menkei beschränken. Ich ordne dieselben unter 5 verschiedene Benennungen.

I. Folia ternata.

R. Menkei Wh. et N.: Folia ternata quinatis raro intermixtis; foliolum terminale obovatum vel oblongum, acuminatum vel cuspidatum; inflorescentiae mediocris ramuli superiores patentes, aculei aciculares; sepala post anthesin patentia, rarius erecta.

R. Bregutiensis A. Kern.: Folia ternata, rarius singula subquinata; foliolum terminale e basi cordata late ovatum acuminatum; inflorescentiae divaricatae plerumque brevis aculei longi subulati; sepala post anthesin laxe reflexa.

II. Folia turionum quinata, ternatis saepe intermixtis.

1. Foliola adulta subtus viridia vel cano-viridia; flores albi vel pallide rosei.

R. hirsutus Wirtg.: Folia quinata, ternatis plerumque intermixtis; foliolum terminale cordato-ovatum sensim acuminatum; inflorescentia mediocris apicem versus saepe conferta.

R. teretiusculus Kaltnb.: Folia turionum quinata ternatis interdum intermixtis; foliolum terminale e basi breviter truncata rhombeum vel obovatum apicem versus inaequaliter grosse-serratum; inflorescentiae mediocris laxae aculei parvi; sepala post anthesin patentia.

2. Foliola adulta subtus mollia, cinereo- vel albo-micantia; flores rosei.

R. suavifolius Gremli: Turionum aculei conferti, folia quinata vel ternata; foliolum terminale anguste ovatum sensim longe acuminatum; inflorescentia brevis.

R. Menkei Wh. et N. in Bluff et Fngrh. Comp. Fl. Germ.
I. p. 679. (1825.) — Wh. et N. Rub. Germ. p. 66, t. XXII. —
Focke Synops. Rub. Germ. p. 303.

R. oblongifolius P. J. Muell. et Wirtg. Hb. Rub. Rhen. ed.
I. no. 148. ed. II. no. 77.

R. fraternus Gremli Beitr. Fl. Schwz. p. 34. Focke Synops.
Rub. Germ. p. 302.

Turiones prostrati vel in dumetis scandentes, obtusanguli to-
mentoso-villosi, aculeis glandulisque inaequalibus obsiti. Aculei
majores subaequales lanceolati vel subulati. Folia ternata, interdum
subquinatis vel quinatis singulis intermixtis. Foliola omnia petiolulata
subaequaliter serrata, superne parce, subtus molliter pilosa, juniora
cinerascentia; terminale e basi truncata obovatum vel oblongum,
acuminatum vel cuspidatum. Inflorescentiae mediocris ramuli in-
feriores axillares erecto-patentes, superiores patuli, omnes tomentoso-
villosi glandulosi aculeis acicularibus armati. Flores mediocres:
sepala canescentia post anthesin patula, rarius erecta; petala obovata
alba; stamina stylos parum superantia.

Crescit in silvaticis Germaniae occidentalis, Helvetiae et Galliae
orientalis.

R. Menkei schliesst sich durch die dichte verwirrte Behaarung
der Achsen, so wie durch die unterseits weichhaarigen, ziemlich
gleichmässig und nicht tief gesägten Blättchen dem R. vestitus eng
an. Die Kleinheit, der niedrige Wuchs, die dreizähligen Blätter
und die zahlreichen ungleichen Stieldrüsen und Stacheln nähern ihn
den Glandulosen, die schmale, oft plötzlich aufgesetzte Blattspitze
erinnert insbesondere an R. Bellardii.

Die Blättchen sind in der Regel schmal und ihre grösste Breite
liegt der Spitze näher; sie sind daher als verkehrt-eiförmig bis
verkehrt-eilänglich zu bezeichnen, doch geht ihre Gestalt durch
Verbreiterung des Blattgrundes mitunter in die längliche über. Die
Zuspitzung ist nicht lang, bald mehr allmählich, bald plötzlich.
Der Blütenstand ist gewöhnlich unten durchblättert mit entfernten
achselständigen, aufrecht-abstehenden Ästchen; die oberen Äste sind
einander mehr genähert, fast wagerecht abstehend. Die Ästchen
sind filzig zottig und tragen ungleiche, zum Teil den Filz über-
ragende Stieldrüsen und Borsten, sowie nadelige Stacheln. Blüten
mittelgross oder ziemlich klein; Kelchblätter nach dem Verblühen
meistens abstehend. Blumenblätter weiss, Staubblätter die Griffel
etwas überragend.

Die Blüte fällt vorzüglich in den Juli.

Originalfundort: Königsberg bei Pyrmont im nordwestlichen
Deutschland; von K. Th. Menke zuerst gesammelt und von Weihe
beschrieben.

Verbreitung: ziemlich häufig in Waldungen des Berg- und
Hügellandes an der oberen Weser; Rheinprovinz; sehr verbreitet im
Schwarzwalde, bis über 800 m ansteigend. In der Schweiz im Kanton
Schaffhausen (R. fraternus Gremli).

In Frankreich am Westabhange der Vogesen (R. distractus P. J. Muell.), im Departement Saône et Loire (Assoc. Rubolog. no. 391). Aus England sah ich noch keinen R. Menkei, wohl aber sehr ähnliche Formen. R. Menkei ist im Schwarzwalde und in den Vogesen eine derjenigen Brombeerarten, welche am höchsten ansteigen; sie wird indessen in dieser Beziehung von R. Bellardii und R. brachyandrus übertroffen, welche bis 1000 m und in besonders günstigen Lagen noch darüber hinaus vorkommen.

Ein irgendwie durchgreifender Unterschied zwischen dem norddeutschen und dem Schwarzwälder R. Menkei lässt sich nicht auffinden. Es kommen mit den typischen Formen hin und wieder Abänderungen vor, welche sich in einer oder der andern Beziehung dem R. Bellardii oder dem R. vestitus nähern. Sie treten zu vereinzelt auf, um als besondere Rassen gelten zu können. Bemerkenswert sind:

1. forma thyrsiflora: mit verlängertem blattlosen Blütenstande. Als R. distractus aus dem Dep. Saône et Loire: Assoc. Rubol. no. 337, 384.

2. forma subdiscolor: mit unterseits filzigen Blättchen und sperrigem Blütenstande. Oberwesergegend.

3. forma latifolia: kahler und mit breiteren Blättchen. Oberwesergegend (Köterberg).

4. forma orthosepala: mit nach dem Verblühen aufgerichteten, die Frucht umhüllenden Kelchblättern. Eine grosse Form bei Bückeburg, eine kleine Assoc. Rubol. no. 338 aus dem Dep. Saône et Loire als R. distractus.

5. forma ellipticifolia: mit schmal elliptischen Blättchen. So in Angeln (Schleswig), ges. von Jensen. Den typischen R. Menkei sah ich aus jener Gegend noch nicht.

Verwandt mit R. Menkei ist R. pannosus P. J. Muell. et Wirtg.; Focke Synops. Rub. Germ. p. 304. Die Pflanze erinnert durch Blütenstand und Blattform an R. pallidus Wh. et. N., weicht aber durch Behaarung, Drüsen und Bewehrung ab und gleicht in diesen Beziehungen dem R. Menkei. Bedarf weiterer Untersuchung.

R. Bregntiensis A. Kern. in sched.

R. teretiusculus Focke Synops. Rub. Germ. p. 300 ex pte.

Endblättchen aus herzförmigem Grunde breit eiförmig, allmählich zugespitzt; Blütenstand ziemlich kurz, sperrig, oft ganz durchblättert, mit reichlichen kräftigen Nadelstacheln; Fruchtkelch locker zurückgeschlagen. — Im übrigen dem R. Menkei ähnlich.

Blütezeit: Juni, Juli.

Originalfundort: bei Bregenz in Vorarlberg am Bodensee.

In der Schweiz an den Vorbergen und am Fusse der Voralpen sehr verbreitet (z. B. bei Zürich, Schaffhausen, Bern, Interlaken, Bex u. s. w.). In Vorarlberg bei Bregenz. Im Schwarzwalde viel seltener als R. Menkei.

Fünfzählige Blätter sind bei R. Bregutiensis nicht häufiger vorhanden als bei R. Menkei.

R. hirsutus Wirtg. Prodr. Fl. Rheinl., Hb. Rub. Rhen. ed. I. no. 83. ed. II. no. 21.

R. sericatus P. J. Muell. ex pte. — R. hirsutus Synops. Rub. Germ. pg. 297 et R. teretiusculus Synops. Rub. Germ. pg. 300 ex pte.

Blätter meistens fussförmig-5 zählig; Endblättchen aus herzförmigem Grunde eiförmig, allmählich lang zugespitzt; jüngere Blättchen unterseits grau-zottig, Blütenstand ziemlich lang, die oberen Ästchen abstehend, oft gedrängt, mit kürzeren Blütenstielchen als bei R. Bregutiensis. Stacheln im Blütenstande meistens kleiner und schwach. Fruchtkelch abstehend. Blumenblätter weiss oder blass rosa.

Blütezeit: Juli.

Originalfundort: Koblenz.

Eine von Weihe als R. Zizii (in sched.) bezeichnete Pflanze, wahrscheinlich bei Herford gesammelt, ist dem R. hirsutus ähnlich. Den R. Septemmontanus Wirtg., auf dem fruchtbaren Trachytboden des Siebengebirges wachsend, halte ich für eine gedrungenblütige Varietät. Bairische Exemplare (Gegend von München, ges. von Gremli) haben gröber gezähnte Blätter und einen kurzen Blütenstand; Würtembergische (Tübingen, ges. von Hegelmaier) sind den rheinländischen sehr ähnlich, nordschweizerische und Breisgauer (Freiburg, ges. von Mez) haben breite rundliche Blättchen.

Die Formen des R. hirsutus von den verschiedenen Fundorten stimmen nicht so gut unter einander überein wie die des R. Menkei und R. Bregutiensis.

R. teretiusculus Kaltenb. Fl. Aach. Bek. pg. 282; Synops. Rub. Germ. pg. 300 ex pte.

Etwas kräftiger als die verwandten Formen; Schösslingsblätter zum Teil 3 zählig, meist fussförmig-5 zählig mit aus schmal gestutztem Grunde rhombischen bis verkehrteiförmigen, vorn grob und ungleich gesägten Endblättchen. Blättchen in der Jugend unterseits graufilzig, schimmernd. Blütenstand locker, durchblättert, mit feinen, auf den Blütenstielchen gehäuften Stacheln. Kelchblätter nach dem Verblühen abstehend.

Blüht im Juli.

Originalfundort: bei Aachen.

Genau übereinstimmende Pflanzen aus andern Gegenden sind mir nicht bekannt. R. Bregutiensis tritt in der Schweiz als ein beständiger und gleichförmiger Typus auf, so dass die Vereinigung mit dem erheblich abweichenden R. teretiusculus sich nicht aufrecht erhalten lässt. Andere Formen, die ich zu R. teretiusculus stellte, sind dem R. hirsutus ähnlicher. Aus England sah ich Formen, welche dem R. teretiusculus näher stehen als irgend einer der verwandten andern deutschen Brombeerarten, aber eine wirkliche Übereinstimmung liess sich nicht feststellen.

Der typische R. teretiusculus ist daher bis jetzt als eine Aachener Lokalform aus der Gruppe des R. Menkei aufzufassen. Die Möglichkeit, dass er eine Standortsvarietät von R. Menkei sei, lässt sich nicht abweisen.

R. suavifolius Gremli Beitr. Fl. Schwz. pg. 35; Synops. Rub. Germ. pg. 303.

Schössling niedergestreckt, dicht behaart, mit zahlreichen ungleichen Drüsen und Borsten sowie mit leicht rückwärts geneigten, nicht gebogenen Stacheln. Blätter bald 3-, bald 5 zählig; Blättchen oberseits schön lebhaft grün, unterseits durch lange, seidige Haare schimmernd, die jüngeren weiss-, die älteren graufilzig, alle ungleich- und ziemlich grob gesägt; Endblättchen eiförmig, zugespitzt, manchmal schmal eiförmig, lang zugespitzt. Blütenstand ziemlich kurz; Blumenblätter schön rosa, Staubblätter die Griffel wenig überragend; Kelchblätter nach dem Verblühen zurückgeschlagen.

Blütezeit: Juli.

Originalfundort: Wald zwischen Hallau und Eberfingen (Kant. Schaffhausen).

Verbreitung: Schwarzwald (im Elzthale, ges. von Götz und unter Götz' Führung von mir), nördl. und westl. Schweiz (Schaffhausen, Bern, Waadt). Bis jetzt nur an zerstreuten Fundorten nachgewiesen; die einzelnen lokalen Formen sind sich zwar sehr ähnlich, stimmen aber doch nicht genau mit einander überein.

Rückblick auf die Gene R. Menkei. Die Verwandten des R. Menkei unterscheiden sich von R. fuscus Wh. et N. und R. echinatus Lindl. durch die Ungleichheit der Stieldrüsen und Stachelborsten, von R. fuscus ausserdem durch die dichtere Behaarung der Blattunterflächen, von R. echinatus durch oberflächlichere Bezahnung der Blättchen. Viel schwieriger ist die Abgrenzung gegen die Gene R. obscuri, in welcher manche Formen durch ungleiche Stieldrüsen, weichhaarige Blattunterflächen und dichte Behaarung der Schösslinge mit den Formen der Menkei-Gruppe übereinstimmen. Es ist daher erforderlich, den R. obscurus und seine nächsten Verwandten im Vergleich mit R. Menkei etwas ausführlicher zu besprechen.

Wenn ich nach den Grundsätzen mancher neueren Floristen alles benennen und beschreiben wollte, was sich unterscheiden lässt, so würde ich aus der Gene R. Menkei etwa 20 Arten machen können, bin aber überzeugt, dass mir höchstens der vierte, wahrscheinlich aber noch nicht der zehnte Teil der thatsächlich vorhandenen Formen bekannt ist. Die Menkei-Gruppe ihrerseits mag $1/2$ bis höchstens 1 Prozent der europäischen Brombeerflora ausmachen. Dass das menschliche Unterscheidungsvermögen nicht ausreicht, um 10 000 oder 20.000 europäische Brombeeren gesondert zu halten, wird Jeder zugeben; die unentbehrlichen ausführlichen Beschreibungen und Abbildungen würden hunderte von Bänden füllen. Eine Spezialforschung in dieser Richtung dürfte zwecklos sein.

Die Wahrscheinlichkeit spricht dafür, dass die Formen der Menkei-Gruppe aus Kreuzungen des R. vestitus mit Glandulosen aus der Verwandtschaft des R. Bellardii hervorgegangen sind. R. Bregutiensis ist von A. Kerner für einen R. hirtus $\times$ vestitus gehalten worden, R. Menkei ist zwischen R. Bellardii und R. vestitus intermediär. Es scheint nicht, als ob neu entstandene Bastarde unter den Formen der Menkei-Gruppe häufig sind. Die gegenwärtig vorhandenen Pflanzen stammen wahrscheinlich meistens seit einer kürzeren oder längeren Reihe von Generationen von ihresgleichen ab; nur entfernte Vorfahren waren Mischlinge. Die lebenden Formen verhalten sich trotz ihrer ursprünglich hybriden Abstammung mehr oder minder wie echte Arten. Am meisten ausgeprägt ist der selbstständige Artcharakter bei R. Menkei. Auch diese Art geht in ihrer Gesamtverbreitung nicht über das Gebiet hinaus, in welchem R. Bellardii und R. vestitus gesellig wachsen, obgleich ihr örtliches Vorkommen von der Gesellschaft der beiden mutmasslichen Stammarten unabhängig ist.

2. Gene Rubi obscuri.

Formae R. vestitum cum R. rosaceo, R. bystrici, R. Lejeunei eorumque affinibus conjungentes.

Turiones villosi vel pilosi, glandulosi. Foliola subtus pilis longis mollia vel sericeo-micantia. Flores plerumque rosei. Folia quinata vel ternata.

Formengruppe des R. obscurus.

Zwischenformen, welche den R. vestitus mit R. rosaceus, R. hystrix, R. Lejeunei und deren Verwandten verbinden.

Die Formen der Obscurus-Gruppe haben mit den Formen der Menkei-Gruppe die von R. vestitus stammenden Merkmale gemein. Sie unterscheiden sich durch das Fehlen der ausgesprochenen Merkmale der Glandulosen. Da aber die Rosacei in vielen Eigenschaften mit den Glandulosen übereinstimmen, ist eine Abgrenzung ungemein schwierig.

Zu einer richtigen Würdigung der Obscurus-Gruppe ist Kenntnis der Rosacei unentbehrlich. Man hat vielfach den R. hystrix als Typus einer besonderen Gruppe betrachtet, doch scheint mir diese Art eine zu einseitig ausgeprägte Form zu sein, um als Mittelpunkt der Artengruppe betrachtet werden zu können, zu welcher R. rosaceus gehört. R. rosaceus, R. Lejeunei, R. Fuckelii und R. adornatus bilden eine naturliche Artengruppe, ausgezeichnet durch ungleiche Stacheln und Stieldrüsen, kräftige grössere Stacheln, geringe Behaarung der Schösslinge und Blattunterflächen, Seltenheit von Sternfilz, Neigung zu Dichasienbildung an den Zweigen des Blütenstandes, meistens lebhaft rosafarbene Blumen. R. hystrix ist ein R. Fuckelii mit der gedrängten Bestachelung des R. Koehleri und meist auch mit etwas reichlicherer Behaarung. R. Koehleri, der allerdings dem R. hystrix sehr nahe steht, ist ebenso wie R. pilocarpus aus der Rosaceus-Gruppe auszuschliessen. Die Ungleichheit der Stacheln ist bei den Rosaceus-Formen nicht so ausgeprägt wie bei den Glandulosen.

Abgesehen von dem R. hystrix sind bei den Rubi Rosacei die grossen Stacheln untereinander nicht sehr ungleich, Übergänge zu den kleinen Stacheln, Stachelhöckern und Borsten kommen sehr spärlich vor.

Bei den Arten der Obscurus-Gruppe sind die Stieldrüsen bald ziemlich gleichförmig und kurz, bald mit längeren Stieldrüsen und Drüsenborsten gemischt. Das Vorkommen langer Drüsenborsten ist kein spezifisches Merkmal, da es bei Aussaat nicht beständig bleibt. Kleine Stacheln sind häufig vorhanden, die Behaarung der Achsen ist dicht und in der Regel lang, aber bei sonnenständigen Exemplaren oft kürzer. Die lange Behaarung der Blattunterflächen ist zwar immer vorhanden, aber bald locker, bald sehr dicht, zuweilen mit Sternfilz untermischt.

Typische Art der Gruppe ist R. obscurus Kaltenb. Formen, die diesem Typus ungemein ähnlich sind, finden sich in weiter Verbreitung, aber vollkommene Übereinstimmung wird kaum angetroffen. In meiner Synops. Rub. Germ. unterschied ich zwei Hauptformen, die in ausgeprägter Gestalt ziemlich verschieden sind.

1. R. obscurus: Schösslinge dicht behaart und drüsig, ohne Stachelhöcker; Endblättchen elliptisch, kurz gespitzt; Blütenstand dicht, gedrungen, mit spärlich bewehrten, zottigen und drüsigen Blütenstielen; Griffel grün.

2. R. rubicundus: Schösslinge dicht behaart, drüsig und zerstreut stachelhöckerig; Endblättchen eiförmig, allmählich in eine lange Spitze verschmälert; Blütenstand locker, mit reichlich bewehrten, kurzhaarig-filzigen, spärlich zottigen Blütenstielen; Griffel gelblich, am Grunde rot, oder ganz rot.

Mein R. concinnus Synops. Rub. Germ. pg. 309 steht in den meisten Eigenschaften in der Mitte zwischen R. rubicundus und R. obscurus, ist aber viel drüsenärmer als beide. R. insericatus P. J. Muell. schwankt in den Eigenschaften ebenfalls zwischen beiden Typen hin und her. Fängt man einmal an zu unterscheiden, so bekommt man von jedem Standorte eine besondere Form. Unter diesen Umständen dürfte es richtiger sein, alle diese offenbar nahe verwandten und eng zusammengehörigen Lokalformen unter einem gemeinsamen Namen zusammenzufassen. Es gehören hieher:

1845 Rubus obscurus Kaltenb. Fl. Aach. Beck. pg. 281 (non P. J. Mueller!).

[1858 R. sericatus P. J. Muell. in Flora (B. Z.) 41 pg. 184 ex pte. (non R. sericatus P. J. Muell. et Lefvre.).] Ohne Beschreibung.

1859 R. insericatus P. J. Muell. in Wirtg. Hb. Rub. Rhen. ed. I. no. 86; ed. II. no. 25.; Flora (B. Z.) 42 (1859) pg. 233.

1859 R. rubicundus P. J. Muell. et Wirtg. in Hb. Rub. Rhen. ed. II. no. 39; Focke Synops. Rub. Germ. pg. 310.

1861 R. Hasskarlii P. J. Muell. et Wirtg. in Hb. Rub. Rhen. ed. I. no. 156, 183; ed. II. no. 99 (non Miquel!)

1862 R. exsecatus P. J. Muell. et Wirtg. in Hb. Rub. Rhen. ed. I. no. 179.

1877 R. (obscurus) concinnus Focke Synops. Rub. Germ. pg. 309.

1877 R. insericatus Guestphalicus Focke l. c. pg. 310.

1877 R. rubicundus Buhnensis Focke l. c. pg. 311.

Der R. insericatus der Schweizer Botaniker (Gremli, Favrat, Schmidely) gehört im allgemeinen dem nämlichen Formenkreise an.

Die Namen R. sericatus und R. Hasskarlii sind ungültig; für den gesamten Formenkreis kann wohl nur der älteste Name, R. obscurus, zur Anwendung kommen, die Namen insericatus, rubicundus, exsecatus, concinnus, Guestphalicus und Buhnensis können zur Bezeichnung einzelner Lokalformen dienen.

R. obscurus Kaltenb. Fl. Aach. Beck. pg. 281 (sens. ampl.); Focke Synops. Rub. Germ. pg. 308. Schössling niedergestreckt, seltener klimmend, stumpfkantig, dicht verworren langhaarig, mit zerstreuten oder zahlreichen ungleichen Stieldrüsen, oft auch mit Stachelhöckern, sowie entweder mit ziemlich zahlreichen, fast gleichen, feinen, pfriemlichen Nadelstacheln oder mit kräftigeren lanzettigen Stacheln bewehrt. Blätter teils 3-, teils 5 zählig, an kräftigen Exemplaren meistens die 5 zähligen überwiegend. Blättchen ungleich-scharfgesägt, oberseits reichlich striegelhaarig, unterseits langhaarig, meistens dicht weichhaarig, schimmernd, die jüngeren manchmal grau. Endblättchen aus manchmal herzförmigem Grunde eiförmig bis elliptisch, allmählich (seltener ziemlich plötzlich) zugespitzt. Blütenstand kurz oder mittellang, manchmal gedrungen, mit zottigen, drüsigen, oft reichlich bewehrten Ästen und Blütenstielchen. Aeste meist trugdoldig geteilt. Deckblätter schmal lanzettig, Blumen klein bis mittelgross, Kelchblätter zur Blütezeit zurückgeschlagen, später abstehend bis aufrecht. Blumenblätter länglich bis verkehrt-eiförmig, rosenrot oder purpurn. Staubblätter aufrecht, die grünen oder roten Griffel überragend.

Die Form Guestphalicus von Burgsteinfurt hat nur dreizählige Blätter, die Form concinnus Focke Synops. Rub. Germ. pg. 309 ist drüsenarm, der R. Hasskarlii derbstachelig (daher möglicherweise ein zwergiger R. cruentatus?).

Originalfundort: in der Nähe des Waldes bei Burtscheid.

Verbreitet am Mittelrhein in den Bergwäldern und Bachthälern der Rheinprovinz und Nassaus, von dort ostwärts zur mittleren Weser (var. Buhnensis bei Vlotho) verbreitet. Auch eine Pflanze aus dem östlichen Schleswig (Glücksburg, ges. von Weidemann) scheint hieher zu gehören. Rheinaufwärts findet sich die Pflanze im Schwarzwalde sowie in der nördlichen und westlichen Schweiz. Aus Frankreich sah ich eine charakteristische Form aus dem Dep. Seine-Inférieure (Assoc. Rubol. no. 649 als R. Lejeunei, gesammelt von Letendre), aus England von Herefordshire (gesammelt von Aug. Ley).

Einige Exemplare, die ich aus der südwestlichen Schweiz als

R. insericatus erhielt, scheinen mir zu R. Boraeanus Genev. zu gehören, namentlich eins von Cullayes (Haut Jorat), wahrscheinlich auch eins aus der Nähe von Payerne. Beide sind von Favrat gesammelt.

Eine kahlere, derbstachelige und drüsenarme Form erhielt ich aus Thüringen (zwischen Schleifereisen und St. Gangloff gesammelt von Max Schulze) und der Oberlausitz (Paulsdorfer Spitzberg, ges. von W. Schultze). Ich weiss nicht, ob ich diese Form zu R. obscurus oder R. cruentatus stellen soll.

R. cruentatus P. J. Muell. in Jahresb. Pollich. 16 (1859) pg. 294; Wirtg. Hb. Rub. Rhen. I. no. 136; II. no. 36.

Durch grössere Blätter und grössere Blüten von R. obscurus verschieden. Blattunterflächen auch an den jungen Blättern grün, zerstreut anliegend-langhaarig. Stacheln kurz lanzettig.

Viel weniger veränderlich als R. obscurus, von dessen zahlreichen Formen der R. cruentatus sich indessen durch kein einzelnes Kennzeichen trennen lässt. Die Behaarung der Blattunterflächen in Verbindung mit der Bestachelung genügt indess in der Regel zur Unterscheidung.

Originalfundort: Umgegend von Koblenz.

Vorkommen: zerstreut in der Rheinprovinz, in Nassau und im Schwarzwalde. R. erythrostemon Favrat aus der südwestlichen Schweiz scheint kaum verschieden zu sein.

R. aggregatus Kaltenb. Fl. Aach. Beck, pg. 277.

Dem R. obscurus in der Tracht ähnlich, aber ohne die zottige Behaarung der Achsen, daher eigentlich gar nicht in die Gruppe gehörig. Achsen kurzhaarig, die Blütenstiele angedrückt filzig, Blätter unterseits von angedrücktem Sternfilz weiss.

Originalfundort: bei Burtscheid; ähnliche Formen kenne ich aus dem Taunus und dem Schwarzwald. — Namentlich die Aachener und die Schwarzwälder Form machen den Eindruck von Bastarden des R. rosaceus Wh. et N.

R. venustus Favrat in Bull. Soc. Vaud. d. Sc. nat. XVII (1881) pg. 534.

Schösslinge reichlich behaart und drüsig mit zahlreichen feinen, graden, fast gleichartigen Stacheln. Blätter überwiegend 3 zählig; Blättchen fein gesägt, unterseits blassgrün, dünn behaart, Endblättchen elliptisch, spitz. Blütenstand verlängert, ziemlich schmal, nur am Grunde beblättert, oberwärts traubig, unterwärts mit abstehenden wenigblütigen Ästchen; Achse und Blütenstiele kurz filzig, stieldrüsig und feinstachelig. Kelchblätter an Blüte und Frucht zurückgeschlagen, Blumenblätter lebhaft rosa. Fruchtzweige überhängend.

Originalfundort: Wald beim Turme von Gourze, Kant. Waadt.

Nach Gremli in der östlichen Schweiz vorkommend; gut übereinstimmende Formen sammelte Götz im Elzthale im Schwarzwalde.

R. festivus P. J. Muell. et Wirtg.

Von R. obscurus vorzüglich durch die Kahlheit der Blattoberfläche und durch den schmalen, ziemlich lockeren Blütenstand abweichend, der bei kleinen Exemplaren einfach traubig, bei grossen verlängert straussförmig ist. Stacheln des Schösslings ziemlich kräftig, kurz, aus breitem Grunde rückwärts geneigt. Blättchen oberseits fast kahl, schön grün, unterseits bald spärlich langhaarig (Schattenformen), bald durch dichte lange Haarbekleidung grauschimmernd. Endblättchen herzeiförmig bis schmal-verkehrt-eiförmig. Sonst wie R. obscurus.

Originalfundort: Bertrich in der Rheinprovinz.

R. fusco-ater Wh. et N. in Bluff et Fngrh. Comp. Fl. Germ. I. pg. 681; Rub. Germ. pg. 72; Focke Synops. Rub. Germ. pg. 343.

Von R. obscurus vorzüglich durch die dichte ungleiche Bestachelung verschieden. Grössere Stacheln breit pfriemlich, wenig zurückgeneigt; Blätter meist 5 zählig, Blättchen nicht tief gesägt, oberseits striegelhaarig, unterseits weichhaarig, grün oder graulich; Endblättchen aus oft herzförmigem Grunde rundlich oder breit elliptisch, kurz zugespitzt. Blütenstand mittellang, unterwärts locker und durchblättert, die oberen Ästchen rechtwinklig abstehend; Stacheln pfriemlich zahlreich, mit gedrängten Borsten und Drüsen. Blüten ziemlich klein bis mittelgross; Kelchblätter nach dem Verblühen abstehend, zuletzt oft aufgerichtet. Blumenblätter lebhaft rosa.

Originalfundort: Schlossberg zu Altena in Westfalen.

Verbreitet im westlichen Westfalen (Lenne- und Ruhrthal), zerstreut in der Rheinprovinz (Siebengebirge, Eifel), neuerdings von Herrn Götz auch in dem brombeerreichen Elzthale im Schwarzwalde nachgewiesen.

Erinnert an die rotblühenden, dicht mit Stieldrüsen und Stacheln bewehrten Formen der Corylifolii (R. dumetorum ferox u. s. w.), ist aber leicht durch die deutlichen Stielchen der äusseren Blättchen zu unterscheiden. Andrerseits manchen Formen des R. obscurus und des R. adornatus ähnlich; Bestachelung fast wie bei R. hystrix.

Die Formen der Gruppe des R. obscurus erinnern vielfach an R. rosaceus, R. Fuckelii, R. adornatus, R. hystrix, R. Lejeunei, sowie andererseits an R. gymnostachys und R. Boraeanus. Diese Ähnlichkeiten unterscheiden sie von dem R. Menkei und seinen Verwandten, aber es ist nicht möglich, bestimmte allgemeine Merkmale anzugeben, durch welche man die Obscurus-Gruppe von der Menkei-Gruppe trennen kann. R. obscurus und R. Menkei sind hinreichend von einander verschieden; die übrigen Formen stehen der einen oder der andern dieser beiden Arten so nahe, dass sie ihr naturgemäss zugesellt werden können.

Alphabetisches Verzeichnis der besprochenen Rubus-Arten.

Max Nössler's Buchdruckerei, Bremen.

Über einige Rosaceeen aus den Hochgebirgen Neuguineas.

Von W. O. Focke.

Während der Tertiärzeit war Europa bekanntlich von einer üppigen Flora bedeckt, deren Glieder grossenteils eine nahe Verwandtschaft zu lebenden nordamerikanischen, ostasiatischen oder selbst australischen Typen zeigen. Unter den Paläontologen, welche diesen Beziehungen besondere Aufmerksamkeit zugewandt haben, ist von Ettingshausen zu nennen, der u. a. sorgfältige Untersuchungen darüber anstellte, wie stark die verschiedenen Florenelemente an der Zusammensetzung der Vegetation Europas während der einzelnen Perioden der Tertiärzeit beteiligt gewesen sind. Obgleich der wirkliche geschichtliche Sachverhalt durch diese Formulierung der Thatsachen keinesweges besonders klar beleuchtet wird, so haben jene Untersuchungen doch in eindringlichster Weise die Erfahrung bestätigt, dass in der Vorzeit Pflanzenformen gesellig neben einander wuchsen, die jetzt nur zerstreut in weit von einander entlegenen Gegenden zu finden sind.

Wenn man beim Durchmustern eines Pflanzenverzeichnisses aus den Hochgebirgen Neuguineas dem Namen v. Ettingshausen's begegnet, den Ferd. v. Müller einer dort entdeckten Gentiana beigelegt hat, so wird man lebhaft an die erwähnten Untersuchungen des berühmten Phytopaläontologen erinnert. Auf jenen tropischen Gebirgsketten hat sich nämlich eine Vegetation angesiedelt, welche das Bild einer aus Bestandteilen grundverschiedener Florengebiete bunt gemischten Pflanzenwelt liefert, ähnlich wie es die Tertiärablagerungen thun. Den Grundstock bilden die Abkömmlinge der malayischen Tropenvegetation, welche das untere Berg- und Hügelland überzieht; je höher man aber emporsteigt, um so zahlreicher mischen sich neuseeländische und südaustralische Typen einerseits, asiatische Hochgebirgsformen, ja selbst europäische Bekannte andererseits ein.

Ferd. v. Müller hat Gelegenheit gehabt, die Pflanzen zu untersuchen, welche Sir William Mac Gregor auf seinen Expeditionen in
die Gebirge des östlichen Neuguinea gesammelt hat. Seiner zuvor-
kommenden Güte verdanke ich einige Proben der Rosaceen, welche
in jenem fernen Gebirgslande aufgefunden worden sind. Ausser der
kosmopolitischen Gattung Rubus ist dort auch Potentilla durch
zwei Formen vom Typus der Himalaya-Arten vertreten; die Auffindung anderer Species und anderer Gattungen (Prunus?, Geum?,
Raphiolepis?, Acaena?) ist nicht ausgeschlossen.

Die einzelnen bis jetzt bekannten Arten sind folgende.

1. **Potentilla Papuana** n. sp. — P. leuconota F. Muell. in
Transact. Roy. Soc. of Victoria I, 2 p. 5 (non Don).

Caudex subterraneus crassus lignosus coma foliorum cauliumque
floriferorum terminatus. Folia basalia sub-interrupte multijugo-im-
pari-pinnata, foliola oblonga serraturis crebris angustis incisa, subtus
cum rhachide albo-sericeo-villosa. Caules ascendentes humiles albo-
villosi pauciflori, flore uno terminali, aliis axillaribus. Flores pro
more generis mediocres; sepala exteriora ovato-triangularia v. bi- v.
triloba. Carpella numerosa parva dorso rotundata; styli laterales
breves non incrassati.

Brit. Neuguinea: „Owen Stanley's Range and Mount Musgrave,
8—13 000!"

Grundachse dick (bis 2,5 cm), holzig, oberwärts mit den
dürren braunen Resten der alten Blattstiele und Nebenblätter umhüllt, eine aus Laubblättern und Blütenstengeln gebildete Rosette
tragend. Grundständige Blätter zahlreich, bis 10 cm lang, mit 5 bis
12 Fiederpaaren, von denen die untersten nahe am Grunde stehen.
Nebenblätter dem Grunde des Blattstiels angewachsen, breit, früh
braun und trockenhäutig werdend. Fiederblättchen von unten nach
der Mitte zu an Grösse zunehmend, die oberen oft wieder etwas
kleiner, das endständige ungestielt, an Grösse und Gestalt den Nach-
barblättchen ähnlich. Die mittleren und oberen Blättchen länglich-
verkehrt-eiförmig bis länglich-elliptisch, etwa 2 cm lang, jederseits
mit 6—12 schmalen, spitzen, tiefen Sägezähnen, die oberen gedrängt,
sich mit den Rändern deckend; Blattstiel, Spindel und Blattunterflächen mit langen, zottigen, weissen, schimmernden Haaren versehen,
die Blattunterflächen manchmal seidig weiss, die Oberseiten mit anliegenden Haaren. Zwischen die mittleren Fiederblättchen sind oft
einige kleine eingeschnitten - gezähnte Blättchen eingeschoben. —
Stengel aus liegendem Grunde aufstrebend, seltener fast aufrecht,
etwa 8—25 cm lang, die Blätter kaum oder unerheblich überragend,
anliegend weisshaarig, mit wenigen Blättern, einer endständigen und
1—2, selten mehreren (bis 4) achselständigen Blüten. Untere Stengelblätter gefiedert, mit 3—7 Blättchen, die oberen einfach, hochblatt-
artig; Nebenblätter dem Blattstiele angewachsen, eingeschnitten; die
oberen grösser und tiefer geteilt als die unteren. Behaarung und
Gestalt der Blättchen wie bei den grundständigen Blättern. Seitliche
Blütenstiele blattlos oder mit 1—2 Hochblättern, mehrere cm lang,
Blüten etwa 10 — 15 mm im Durchmesser. Aussenkelchblätter

eiförmig-dreieckig oder 2- bis 3spaltig, so lang wie die eiförmigen Kelchblätter. Blumenblätter breit verkehrt-eiförmig, in einen breiten Nagel verschmälert, gelb, die Kelchblätter wenig überragend. Frucht- boden dichthaarig. Früchtchen zahlreich, kahl, auf dem Rücken abgerundet, im Profil halbkreisförmig; Griffelansatz in der Mitte des Innenrandes. Griffel kurz, gleich breit, mit verhältnismässig grosser, langwarziger Narbe.

Die Nebenblätter an den grundständigen Blättern sind so trocken und zerfetzt, dass sich ihre ursprüngliche Gestalt nicht mehr sicher erkennen lässt.

Wie aus seiner Besprechung dieser Pflanze a. a. O. hervorgeht, beabsichtigte F. v. Müller anfangs, sie als neue endemische Art zu beschreiben, wählte aber schliesslich die Benennung P. leuconota, weil Jos. D. Hooker ihm mitteilte, dass die in Borneo aufgefundene Varietät dieser Art ein Mittelglied zwischen der indischen und der papuanischen Pflanze darzustellen scheine. Das nach Kew gesandte Exemplar genügte nicht, um die Eigenartigkeit der P. Papuana zu erkennen; das mir vorliegende etwas reichere Material lässt je- doch nicht den geringsten Zweifel an der Verschiedenheit derselben von P. leuconota zu. Müller hat seiner Pflanze keinen besonderen Varietätsnamen beigelegt; dagegen fand ich sie in Kew als var. Papuana bezeichnet, so dass ich es für richtig hielt, diesen Namen beizubehalten.

F. v. Müller's Beschreibung bezieht sich auf die papuanische Art und passt in mehrfacher Hinsicht nicht für die indische; bei- spielsweise sagt Müller: flowers ... never numerous; peduncles .... singly terminal or one or more axillary. Dagegen nennt Hooker in der Flor. Brit. Ind. II p. 352 die Blüten der P. leuconota an einer Stelle: „subumbellate", an einer andern: „crowded". Müller macht ausserdem ausdrücklich auf die Verschiedenheiten zwischen beiden aufmerksam.

Abgesehen von Blattform und Haarbekleidung gleicht die P. Papuana in ihrer Tracht manchen europäischen Arten, z. B. der P. maculata Pourr. (P. alpestris Hall. f.), während wir bei keiner europäischen Potentilla eine Blütenstellung wie bei P. leuconota finden, welche fast an die doldigen Inflorescenzen von Androsace septentrionalis und ähnlichen Arten erinnert.

Die P. leuconota hat ziemlich aufrechte Blütenstengel, welche meistens nur ein einziges Laubblatt und ausserdem eine Anzahl kleiner Hochblätter am Grunde der endständigen, aus etwa 8—15 Blüten gebildeten, fast doldigen Inflorescenz besitzen. Besonders kräftige Exemplare tragen Seitenäste aus den Achseln von mehreren (1—3) Laubblättern, und jeder dieser Seitenäste endigt wieder mit einer 5—10blütigen, fast doldigen Inflorescenz. Die Zahnung der Laubblätter ist weniger tief als bei P. Papuana, die Blätter sind viel kleiner, die Aussenkelchblätter sind lineallanzettig, ungeteilt, die Früchtchen wenig zahlreich, auf dem Rücken etwas gekielt.

Die vielen indischen Exemplare der P. leuconota, welche ich in den Herbarien zu Kew und Berlin sah, glichen einander vollständig

11*

und liessen keine wesentlichen Verschiedenheiten (abgesehen von Grösse und Behaarung) erkennen. Die auf dem Kini Balu gefundene var. Borneensis Stapf hat dagegen weniger zahlreiche und dafür grössere Blumen, sowie etwas grössere und an der Spitze behaarte Carpelle; nach Hooker kommen aber auch bei indischer P. leuconota mitunter behaarte Früchtchen vor. Die var. Borneensis steht der P. Papuana nur wenig näher als die typische P. leuconota.

P. peduncularis Don hat in Tracht und Blütenstellung grosse Ähnlichkeit mit der P. Papuana. Bei der P. peduncularis fehlen indessen die eingeschobenen Blättchen an den Blattspindeln oder sind wenigstens sehr selten. Der wesentlichste Unterschied ist in den Früchten zu finden, welche bei P. peduncularis wenig zahlreich und ungewöhnlich gross sind. Gleich P. leuconota hat auch P. peduncularis nicht so tiefe Blattzähne wie die P. Papuana.

P. Mooniana Wight, die nachher noch zu erwähnen sein wird, steht schon erheblich ferner als die beiden genannten zunächst verglichenen Arten.

2. **P. microphylla** D. Don, Prodr. Fl. Nep. p. 231; J. D. Hooker, Fl. Brit. Ind. II p. 352.

Brit. Neuguinea: Mount Victoria, Mount Musgrave, 8000—8500'; gesammelt 1889 von Sir Will. MacGregor.

Die Exemplare dieser Pflanze fand ich in verworrene Massen farnähnlichen Laubwerks eingebettet. Obgleich Spreuschuppen an den Stielen sowie Gestalt und Zahnung der Blättchen lebhaft an Farnwedel erinnerten, war es nicht möglich, eine Verwandtschaft dieser Blätter mit irgend einer Farnordnung aufzufinden. Die Kenntnis der richtigen systematischen Stellung dieser Pflanze verdanke ich dem Direktor des Herbariums zu Kew, J. G. Baker, dessen Scharfblick darin eine Species der Gattung Elatostemma*) (Urticaceae) erkannte. Die Vergesellschaftung von Potentilla und Elatostemma ist ein trefflicher Beleg zu der eingangs dieser Zeilen hervorgehobenen Thatsache, dass auf den Hochgebirgen Neuguineas Pflanzenformen gemischt wachsen, die man sonst nur in geographisch und klimatisch ausserordentlich verschiedenen Ländern anzutreffen gewohnt ist.

Die P. microphylla des Himalaya ist weit formenreicher als die P. leuconota, so dass in der Fl. Brit. Ind. nicht weniger als 5 benannte Varietäten von ihr aufgeführt werden. Die Neuguinea-Pflanze schliesst sich am nächsten der var. latiloba Wall. an, also den verhältnismässig grossen und breitblättrigen indischen Formen.

---

*) Spezifisch ist dieses Elatostemma „filicinum" offenbar von allen bekannten Arten weit verschieden, so dass es nicht überraschen könnte, wenn auch Blüte und Frucht abweichend wären. Am ersten zeigen noch E. podophyllum Willd. von Luzon und E. bulbothrix Stapf von Borneo eine gewisse habituelle Ähnlichkeit mit meiner farnartigen Pflanze, während das von Warburg Botan. Jahrb. XVI, p. 19 beschriebene E. Finisterrae aus Deutsch-Neuguinea offenbar völlig verschieden ist.

Die Blättchen der Neuguinea-Pflanze haben meistens jederseits 3 Zähne, die Stengel sind 1—2blütig.

Sehr ähnlich ist auch die P. parvula (Hook. f. mss.) Stapf in Hook. Icones plant. t. 2294 von Borneo, deren Blattzähne jedoch weniger tief und stumpfer sind als die der P. microphylla.

P. Mooniana Wight, die von Stapf mit P. parvula, von F. v. Müller mit P. Papuana verglichen wird, ist von beiden Arten zunächst schon durch die reichblumigen Stengel verschieden; die Aussenkelchblätter sind 2—3spaltig, während sie bei P. microphylla einfach und ungezähnt sind.

3. **Rubus Macgregorii** F. Muell. in Transact. Roy. Soc. Victoria I, 2 p. 4.

Brit. Neuguinea: Mount Victoria.

Nach der Beschreibung eine niedrige Staude; wird mit R. fragarioides Bertol., R. Thomsoni Focke und R. alpestris Blume verglichen, drei Arten, die unter einander sehr verschieden sind. Nach dem spärlichen mir vorliegenden Material möchte ich eher an eine zwergige Form aus der Verwandtschaft von R. fraxinifolius Poir. denken.

4. **R. diclinis** F. Muell. in Transact. Roy. Soc. Victoria I, 2 p. 5.

Brit. Neuguinea: Mount Knutsword und Mount Musgrave.

F. v. Müller vergleicht diese Art, zunächst wegen ihres Diöcismus, mit R. Moorei F. Muell. und R. australis Forst. — Eine kleine Probe, welche ich der Güte des Autors verdanke, scheint mir für die Richtigkeit dieser Ansicht zu sprechen. Es ist nicht unmöglich, dass R. diclinis andrerseits mit dem R. Lowii Stapf von Borneo ziemlich nahe verwandt ist.

5. **R. Ferdinandi Muelleri** n. sp.

Tenuis, ramosus; rami puberuli sparsim subulato-aculeati; foliorum pinnatorum rhachis aculeis longis tenuibus acicularibus armata; foliola distantia, inciso-serrata, utrinque viridia, pilosa; stipulae setaceo-subulatae; flores singuli in ramis foliiferis terminales v. axillares; sepala lanceolata, externe puberula; carpella numerosissima fructum oblongum efformantia, glabra.

Ex affinitate R. rosaefolii (?) vel R. pungentis (?), ut videtur. Speciminis unici rudimenta tantum exstant, ita ut nil nisi descriptio valde incompleta dari possit. Aculei crebri subulati longissimi foliolis saepe aequilongi, qui in ramis et in calyce, praecipue vero in rhachide foliorum occurrunt, in nulla alia specie mihi nota inveniuntur. Calyx fundum fructus immaturi amplectens.

„Higher regions of British Newguinea. 1894. Sir W. Mac Gregor."

Das mir gütigst übersandte Exemplar dieser merkwürdigen Rubus-Art gelangte leider in Bruchstücken in meine Hände. Die Beschreibung kann daher nur sehr unvollständig sein und ist in einigen Punkten unsicher, bezieht sich auch nur auf ein einzelnes Exemplar.

Wurzel dünn, holzig, mit vielen Fibrillen. Stengel halb holzig, rund, ästig, kurzhaarig-flaumig, mit zerstreuten langen, dünnen, geraden oder schwach gebogenen Stacheln. Blätter unpaarig-gefiedert; die Zahl der Fiederpaare (etwa 2—4?) lässt sich bei dem Zustande des Exemplars nicht mehr sicher bestimmen. Blattspindel flaumig, mit zahlreichen, oft paarigen, langen, graden, kahlen, pfriemlichen Nadelstacheln bewehrt. Blättchen entfernt stehend, breit elliptisch, eingeschnitten-spitz-gesägt, zerstreut behaart, beiderseits-grün. Nebenblätter schmal, fädlich, vom äussersten Grunde des Blattstiels entspringend. — Blüten einzeln, an beblätterten Zweigen endständig, auch wohl eine einzelne seitenständig, zur Fruchtzeit ziemlich langgestielt. Kelchblätter lanzettig, anscheinend etwas ungleich, aussen feinhaarig; zwischen den Kelchblättern stehen manchmal, aber nicht regelmässig, lange Nadelstacheln. Früchtchen sehr zahlreich (gegen 100), spiralig geordnet, eine längliche Sammelfrucht bildend, kahl; Stein runzlig; Fruchtträger kurz zottig. Die Kelchblätter umfassen den Grund der unreifen Frucht.

Die Stengel sind nur 1—2 mm dick, die Blättchen 10—12 mm lang, die wegen ihrer Dünne etwa mit den Dornen von Xanthium spinosum vergleichbaren Stacheln sind oft über 1 cm lang.

Gehört anscheinend in die Verwandtschaft des R. rosaefolius Sm. oder vielleicht eher des R. pungens Cambess. und R. Chinensis Thbg. (= R. Coreanus Miq.), ist aber durch die ausserordentlich langen Nadelstacheln von allen mir bekannten Arten verschieden.

Es wird keiner Entschuldigung dafür bedürfen, dass ich durch den Namen dieser Rubus-Art an den hochverdienten australischen Phytographen zu erinnern wünsche, wohl aber muss ich die Länge, bezw. die Vollständigkeit, des von mir gewählten Namens dadurch rechtfertigen, dass erstlich verschiedene angesehene Botaniker den Familiennamen Müller führen, und dass zweitens der Name Rubus Müllerii bereits einer französischen Lokalform beigelegt ist, die freilich kaum irgend Jemanden wirklich bekannt sein dürfte. Der Pathe des R. Mullerii war der Apotheker Philipp Jakob Müller in Weissenburg i. E.

R. fraxinifolius Poir. wird von Warburg Bot. Jahrb. XVI p. 14 aus dem Berglande Deutsch-Neuguinea's aufgeführt, jedoch nur von einer Meereshöhe von 900 m. Es ist dies eine durch den malayischen Archipel weit verbreitete Art, die dem tropischen niederen Berg- und Hügellande angehört. Warburg sammelte diese Art nebst R. rosaefolius Sm. und R. Moluccanus L. auch in der Nähe der Küste unweit Finschhafen (Engler, Bot. Jahrb. XIII, p. 320).

6. **Acaena** spec. Nachdem der Anfang dieser Mitteilung bereits gesetzt war, ging mir in einem an Herrn Professor Dr. Buchenau gerichteten Briefe Ferd. von Müller's die Nachricht zu, dass Sir Will. MacGregor eine Acaena aus den Hochgebirgen Neuguineas mitgebracht hat. Es ist die erste Art dieser Gattung aus dem malayischen Florengebiete. Der Fund bestätigt meine oben S. 162 ausgesprochene Vermutung.

Nordamerikanische Hydrachniden.

Von F. Koenike.

(Hierzu Tafel I—III.)

Der Geologe Herr Dr. J. B. Tyrrell in Ottawa erwarb sich ein nicht zu unterschätzendes Verdienst um die Kenntnis der nordamerikanischen Hydrachniden, indem er ein nennenswertes Material aus genannter Gruppe zusammen trug, das diesem Aufsatze zum Gegenstande dient. Unsere Kenntnis der nordamerikanischen Wassermilben liegt noch sehr im Argen, deshalb ist es mit Freuden zu begrüssen, wenn wir dank dem Sammeleifer des canadischen Gelehrten in den Stand gesetzt werden, einen guten Schritt vorwärts zu thun. Dr. Tyrrell ist übrigens betreffs der Hydrachniden-Faunistik seines Kontinents selbst schon publicistisch hervorgetreten (Nr. 9,[*] p. 140). Er berichtet über das Vorkommen von drei Species: Eylais extendens (O. F. Müll.), Atax bonzi Clap. und Atax ypsilophorus (Bonz).

Nachdem ich bereits früher in einem kurzen Aufsatze (Nr. 18) Einiges aus dem Material herausgegriffen habe, so soll hier endgültig über dasselbe berichtet werden.

Wenn ich über die nordamerikanischen Hydrachniden-Litteratur genau unterrichtet bin, so verdanken wir Thomas Say (Nr. 33) die erste Nachricht über nordamerikanische Wassermilben. Er beschreibt in Kürze zwei Species: Hydrachna triangularis Say und Limnochares extendens Latr. Letztere Form halte ich für synonym mit Eylais extendens (O. F. Müll.). Die erstere hat er bei Unio cariosus zwar nur zufällig angetroffen, wie er meint, doch darf man wohl voraussetzen, dass es sich in der That um einen Schmarotzer-Ataciden handelt, der allerdings nur unsicher zu identifizieren sein dürfte, doch geht meine Vermutung dahin, dass wir es mit Atax ypsilophorus (Bonz) zu thun haben.

Anderthalb Jahrzehnte später veröffentlichten Dana und Whelpley (Nr. 4) eine Arbeit über zwei Bivalvenschmarotzer, von denen der

---

[*] Die Nummer bezieht sich auf das Litteratur-Verzeichnis dieses Aufsatzes [pag. 169].

eine (Hydrachna formosa Dana und Whelpley) kenntlich beschrieben und abgebildet ist und sich mit Sicherheit auf Atax ypsilophorus (Bonz) beziehen lässt, während der andere (Hydrachna pyriformis Dana und Whelpley) weniger scharf gekennzeichnet worden ist.

Das Jahr 1842 brachte drei unbedeutende Arbeiten über nordamerikanische Hydrachniden von Haldeman. Die eine (Nr. 5) beschäftigt sich mit Muschelschmarotzern, für die das Genus Unionicola Haldeman geschaffen wird. Trotz unzureichender Beschreibung und Abbildung lassen sich 2 Arten (Unionicola oviformis Haldeman u. U. lactea Haldem.) insoweit deuten, dass man sie als Synonym zu Atax ypsilophorus Bonz erkennt. Bezüglich der andern 7 Arten lässt sich eine Deutung schwer vornehmen; vielleicht handelt sich's in allen gleichfalls um Synonyme zu genannter Atax-Species. In der zweiten Arbeit. (Nr. 6) beschreibt Haldeman zwei freilebende Hydrachniden-Species, die wegen des Mangels an Abbildungen noch unkenntlicher sind als die oben erwähnten Arten. Die eine Form (Hydrachna scabra) scheint eine echte Hydryphantes-Species zu sein, was ich, abgesehen von der roten Färbung nebst der warzigen Haut und der einfachen Fusskralle, aus dem Umstande schliesse, dass die Tiere gelegentlich das Wasser verlassen und auf feuchter Erde zubringen. Von der andern Art lässt sich nicht einmal das Genus vermuten. In der dritten Veröffentlichung (Nr. 7) werden weitere zwei Species bekannt gemacht, von denen die zweite vermutlich eine echte Hydrachna ist, während die erste die Gattung nicht erkennen lässt.

A. S. Packard beschrieb in seiner Arbeit über „Marine Insects from deep water" (Nr. 28, p. 108) eine Süsswassermilbe (Hydrachna tricolor Pack.), die an Unkenntlichkeit den Haldeman'schen Arten gleichkommt.

Riley beschrieb in einem mir unbekannt gebliebenen Aufsatze (Nr. 32) eine Hydrachna belostomae.

J. Leidy fand zwei parasitierende Ataciden-Species zwischen den Kiemen von Muscheltieren auf (Nr. 23 u. 24), in denen er Atax ypsilophorus Bonz und At. bonzi Clap. vermutet. Er gedachte die Frage später einer eingehenden Prüfung zu unterziehen, was indes nicht zur Ausführung gelangt ist. Das Vorkommen von At. ypsilophorus in Nordamerika hat sich als feststehende Thatsache herausgestellt, nur bleibt das betreffs At. bonzi noch zweifelhaft.

In meiner gegenwärtigen Arbeit repräsentiert sich die nordamerikanische Hydrachniden-Fauna in der ansehnlichen Zahl von 14 Gattungen. Es war geboten, ein neues Genus für eine Wassermilbe aufzustellen, die in den Palpen und dem äussern Genitalorgan den Limnesia-Species gleicht und in der Körperhaut und den Gliedmassen den Thyas-Arten nahesteht, deren Epimeralgebiet nebst Einlenkung des letzten Fusspaares indes einen typischen Charakter zeigt. Als Anerkennung für das Verdienst des Herrn Dr. Tyrrell um die Hydrachnidenkunde einerseits und als Dankbezeugung für die mir durch ihn zu Teil gewordene Unterstützung hinsichtlich der Herbeischaffung einschlägiger nordamerikanischer Litteratur möge dem canadischen Gelehrten die neue Gattung (Tyrrellia n. g.) gewidmet werden.

Die 14 Gattungen werden durch 30 Arten vertreten, von denen 16 neu sind. . Von den bekannten 14 Formen hat Nordamerika 13 mit unserm Erdteile gemeinsam, die vierzehnte (Curvipes guatemalensis Stoll) kennen wir zuerst aus Mittelamerika. Es dürfte das Interesse der Hydrachnidenkenner erregen, dass hier das Genus Sperchon Kramer, für das bisher nur zwei Vertreter bekannt waren, eine Erweiterung um zwei Mitglieder erfährt, von denen eins auffallenderweise mit einem Paar Rückenschilder ausgestattet ist. . Durch eine eigenartige Limnesia-Species (L. anomala nov. spec.) werden wir belehrt, dass die Sechsnapfigkeit des Geschlechtshofes nicht als charakteristisches Gattungsmerkmal gelten kann, da die Form bei dem Besitze aller übrigen typischen Limnesia-Kennzeichen ein vielnapfiges Genitalorgan aufweist. Ein gleiches Vorkommnis bietet das Genus Hygrobates, indem unter drei neuen Arten zwei mit mehr als sechs Geschlechtsnäpfen ausgestattet sind. Unter den vier Ataciden sind drei bei Bivalven parasitierende Formen, von denen zwei neu sind.

Das Material ging mir grösstenteils bei Alkoholkonservierung in Präparatengläsern zu, zum kleinern Teile in mikroskopischen Dauerpräparaten. Von jenen war bei 7 Fläschchen die Konservierungsflüssigkeit gänzlich verdunstet. Um das Material, soweit es nicht präpariert war, untersuchungsfähig zu machen, kochte ich es in zehnprozentiger Kalilauge, um es hinterdrein in destiliertem Wasser aufquellen zu lassen. Ich glaube auf diese Weise Aufschluss vor allem über die natürliche Körpergestalt erhalten zu haben. Belege zu sämtlichen hier behandelten Arten werden in mikroskopischen Dauerpräparaten an Dr. Tyrrell verabfolgt.

Auch an dieser Stelle will ich nicht versäumen, Herrn Prof. Stoll für die gefällige Unterstützung in der Beschaffung nordamerikanischer Hydrachniden-Litteratur pflichtschuldigst zu danken. Sein Verdienst um die Kenntnis der mittelamerikanischen Wassermilben (Nr. 36) möge durch Widmung einer Species (Thyas. stolli nov. spec.) Anerkennung finden.

Litteratur.

1. **Barrois, Th.,** Matériaux pour servir à l'étude de la faune des eaux douces des Açores I. Lille, 1887.
2. — — et **R. Moniez,** Catalogue des Hydrachnides recueillies dans le nord de la France avec des notes critiques et la description d'espèces nouvelles. Lille, 1887.
3. **Berlese, A.,** Acari, Myriopoda et Scorpiones hucusque in Italia reperta. Padova.
4. **Dana, D. and James Whelpley,** On two American species of the genus Hydrachna. Sillim. Americ. Journ. of sc. and arts. 1836. Vol. XXX, p. 354—359.

5. **Haldeman, S. S.,** Zoological Contributions. On some American species of Hydrachnidae. Philadelphia, 1842. No. 1.

6. — — Description of two species of Entomostraca and two Hydrachnae. Proceed. Acad. nat. sc. Philadelphia. 1843. Vol. I, p. 184.

7. — — Description of two new species of Hydrachna and one of Daphnia. ibid. p. 196.

8. **Haller, G.,** Die Hydrachniden der Schweiz. Mitthlgen. d. naturf. Ges. Bern. 1881. 2. Heft, p. 18—83.

9. **Harrington, W. H., J. Fletcher** and **J. B. Tyrrell,** Report of the entomological branch for the season of 1883. Ottawa Field-Naturalists' Club. 1884. Vol. II. No. I. p. 134—140.

10. **Koch, C. L.,** Deutschl. Crust., Myr. u. Arachn. Nürnberg, 1835—41.

11. — — Übersicht des Arachnidensystems. Nürnberg, 1842.

12. **Koenike, F.,** Über das Hydrachniden-Genus Atax Fabr. Abhandlgen. naturw. Ver. Bremen. 1882. Bd. VII, p. 265—268.

13. — — Zwei neue Hydrachniden aus dem Isergebirge. Zeitschr. f. wiss. Zool. 1885. Bd. 43, p. 277—284. Taf. IX, Fig. 12—24.

14. — — Eine neue Hydrachnide aus dem Karrasch-See bei Deutsch-Eylau. Schriften naturf. Ges. Danzig. 1887. Bd. VII. 1. Hft. Taf. I.

15. — — Ein neues Hydrachniden-Genus (Teutonia). Wiegm. Arch. Naturg. 1890. Bd. I, p. 75—80. Taf. V.

16. — — Südamerikanische auf Muscheltieren schmarotzende Atax-Species. Zool. Anz. 1890. No. 341, p. 424—427.

17. — — Verzeichnis von im Harz gesammelten Hydrachniden. Abhandl. naturw. Ver. Bremen. 1883. Bd. VIII, p. 31—37.

18. — — Kurzer Bericht über nordamerikanische Hydrachniden. Zool. Anz. 1891. No. 369, p. 256—258.

19. — — Anmerkungen zu Piersig's Beitrag zur Hydrachnidenkunde. Zool. Anz. 1892. No. 396, p. 263—268.

20. — — Die von Herrn Dr. F. Stuhlmann in Ostafrika gesamm. Hydrachniden des Hamburger naturhist. Museums. Jahrb. Hamb. wiss. Anst. 1893. X. p. 1—55. Taf. I—III.

21. — — Hydrachniden. F. Stuhlmann, Die Tierwelt Ostafrikas. 1895. IV. Bd. 1 Taf. u. 8 Textfig.

22. **Kramer, P.,** Beiträge z. Naturgesch. der Hydrachniden. Wiegm. Arch. f. Naturg. 1875. Bd. I, p. 263—332. Taf. VIII u. IX.

23. **Leidy, J.,** On the reproduction and parasites of Anodonta fluviatilis. Proceed. Acad. nat. sc. Philadelphia. 1883. p. 44—46.

24. — — On the parasites of Anodonta fluviatilis. Ann. Mag. nat. hist. 1883. Vol. 11, p. 391—392.

25. **Müller, O. F.,** Hydrachnae quas in aquis Daniae palustribus. 1781.

26. **Neuman, C. J.**, Om Sveriges Hydrachnider. Kongl. Svenska Vetensk. — Akad. Handl. 1880. Bd. 17. Mit 14 Taf.
27. — — Om Hydrachnider anträffade vid Fredriksdal på Seland 1883. Kongl. Vetensk. — och Vitterhets-Samhället. Göteborg. Handl. 1885. Bd. 20, p. 1—12.
28. **Packard, A. S.**, Marine Insects from deep water. Sill. Americ. Journ. 1871. Vol. I, p. 107—110.
29. **Piersig, R.**, Beitrag zur Hydrachnidenkunde. Zool. Anz. 1892. No. 389, p. 151—155.
30. — — Beiträge zur Kenntnis der im Süsswasser lebenden Milben. ibid. No. 400, p. 338—340 u. No. 401.
31. — — Über Hydrachniden. ibid. 1894. No. 443, p. 107—111 u. No. 444.
32. **Riley, I.** Req. U. S. Entom. Com. 312. 1878.
33. **Say, Th.**, A description of the Insects of North America. American Entomology. 1821. Vol. II.
34. **Schrank, Franz v. Paula,** Beiträge zur Naturgeschichte. Leipzig 1776.
35. — — Enumeratio Insectorum Austriae Indigenorum. Augsburg, 1781. Mit 4 Tafeln.
36. **Stoll, O.**, Hydrachnidae. Biologia Centrali-Americana. Zoology. Part. LIX. 1887. p. 9—15. Tab. VII—XI.

I. Fam. Medioculatae Hall.

1. Genus. Eylais Latr.

I. Eylais extendens (O. F. Müll.).

1821. Limnochares extendens, Say: Philad.: Journ. of Acad. nat. sc. 1821. II. Bd. p. 8 .

1884. Eylais extendens, Harrington, Fletcher· and Tyrrell: Ottowa Field-Naturalist's Club. 1884. II. Bd. Nr. 1, p. 140.

Nach meiner Ansicht kann man Say's Limnochares extendens Latr. mit Eylais extendens (Müll.) als gleichartig betrachten. Say's bezügliche Beschreibung ist zwar etwas knapp, doch glaube ich mein Urteil mit seinen folgenden Worten begründen zu können: „The posterior feet being destitute of cilia, are only useful in walking; when the animal is swimming, they are extended behind, without distinct motion." Say giebt das „tergum with a few indented points" an, doch beruht das auf Irrtum, denn was Say gesehen hat, ist die geriefte Liniierung der Oberhaut, die am Körperumrisse als Zähnelung zum Ausdruck kommt. Gestützt wird diese Ansicht durch den Umstand, dass die mir zahlreich zugegangenen Tiere kein Merkmal von solchem Belang aufweisen, das die Trennung der amerikanischen von der europäischen Form bedingte.

Fundort: Pond at Dechenes; 2. Sept. 1882. Pond near Hop Back on the Ridean; 4. Dez. 1881. From Ridean; 26. Aug. 1882.

II. Fam. Lateroculatae Hall.

2. Genus Arrenurus Dugès.

I. Arrenurus lautus nov. spec.

(Taf. I, Fig. 1—5).

Der nachstehenden Beschreibung liegt ein männliches Exemplar zu Grunde. Es erinnert in seiner äusseren Gestalt am meisten an Arr. affinis mihi ♂ (Nr. 14).

Grösse. Die Körperlänge beträgt einschliesslich des Anhangs ohne Petiolus 0,88 mm, die grösste Körperbreite zwischen den zwei letzten Fusspaaren 0,78 mm. Der Körper ist ausserordentlich hoch (0,67 mm in der Richtung der dritten Hüftplatte.)

Färbung. Der Rand des Körpers ist grün, im übrigen unten und oben grünlich gelb.

Gestalt. Bei Rücken- oder Bauchlage zeigt Arr. lautus einen ähnlichen Körperumriss (Fig. 1 und 2) wie Arrenurus affinis ♂, nur mit dem Unterschiede, dass bei dieser Art der Körperanhang länger ist. Der Stirnrand ist schwach ausgebuchtet, desgleichen der Seitenrand hinter den Augen, wodurch die etwas abgestutzten Schulterecken kräftig hervortreten. Die Hinterrandsecken des Körpers stehen am Grunde des Anhangs stark vor. In dem Winkel zwischen diesem und jenem bemerkt man einen deutlichen Wulst, hervorgerufen durch die Geschlechtsnapfplatten. In der Seitenlage lässt die ungewöhnliche Höhe den Körper nur recht kurz erscheinen (Fig. 3). Bauch- und Rückenlinie sind mässig gekrümmt. Vorn ragt der Körper nur wenig über das Maxillarorgan hinaus. In der Stirnansicht erscheint die Körperkontur nahezu quadratisch, da die Höhe nur wenig geringer als die Breite ist. In der Richtung der Mittellinie läuft über den Rücken eine wallartige Erhebung. Der Körperanhang erinnert, von seiner geringen Grösse abgesehen, bei Rücken- oder Bauchansicht in der Gestalt auffallend an den von Arr. affinis ♂. Auf der Unterseite (Fig. 1) ist er ganz besonders kurz (0,08 mm ohne Petiolus), nur ein Drittel desjenigen der Vergleichsart (0,24 mm ohne Petiolus) betragend. Von oben betrachtet (Fig. 2), erscheint er merklich länger (0,2 mm, von den Hinterrandsecken des Körpers gemessen, ohne Petiolus); obgleich seine Totallänge nicht einmal völlig zum Ausdruck kommt. In der Seitenlage des Tieres bemerkt man, dass der massige Grundteil des Anhangs von mächtiger Dicke ist (Fig. 3), der nur wenig hinter der des Körpers zurücksteht; es ist hierin ein beachtenswerter Unterschied gegenüber der Vergleichsart gegeben. Die seitlichen Hinterrandshöcker, die, wie die Seitenansicht zeigt, in annähernd halber Höhe — etwas mehr nach unten zu — angebracht sind (Fig. 3h), springen nur mässig vor, wodurch die Hinterkante fast abgestutzt erscheint. Dadurch schliesst sich Arr. lautus dem Typus Arr. maculator (O. F. Müller) ♂ an. Des weiteren sei über die in Rede stehenden Anhangshöcker bemerkt, dass sie stumpf kegelförmig sind und eine ziemlich stark auswärts gehende Richtung aufweisen (Fig. 1 und 2). Ihre Aussenseite ist

bei Rückenansicht nahe der Spitze stark gebogen; diese liegt mehr
nach innen. Es ist das die gleiche Gestaltung, wie man sie bei Arr.
affinis ♂ beobachtet. An der erwähnten kräftigen Biegung des An-
hangskegels steht ein schwimmhaarartiges Haar, das bei der Vergleichsart näher der Spitze angebracht ist. Am Hinterrande des Anhangs findet sich jederseits des Petiolus ein breiter Wulst, der
namentlich bei Rückenlage des Tieres deutlich zu erkennen ist
(Fig. 1). An der Aussenseite desselben, nahe der Spitze, bemerkt
man ein langes Haar und weiter zurück noch ein wesentlich kürzeres, das an der Seite des Anhangs erscheint. Bei Bauchlage (Fig.
2) treten auf dem Anhange über dem Petiolus, ähnlich wie bei Arr.
affinis ♂, zwei ziemlich lange und mässig dicke Hautfortsätze auf,
die an ihrer Spitze durchsichtig sind und ein kurzes Härchen tragen
(Fig. 2 w). Diese Haarwälle treten jedoch näher zusammen als bei
der Vergleichsart, ohne indes mit einander verwachsen zu sein, wie
bei Arr. maculator. In der Seitenansicht erkennt man, dass die in
Rede stehenden Haargebilde am Hinterende des Anhangs höher als
die kegelförmigen Seitenhöcker stehen (Fig. 3 w). Es möge hier
noch nachgetragen werden, dass Arr. affinis unter den soeben beschriebenen Haarwällen ein weiteres kleineres Höckerpaar besitzt
(Nr. 14, Fig. 3a). Es wurde dies derzeit irrigerweise als „hya-
lines Appendiculum" gedeutet. Je einer dieser beiden Höcker steht
auf den zwei Hautstellen, die durch einen Chitinrand eingerahmt
sind (Nr. 14, Fig. 2). Diese Abbildung stellt nur das grössere
Höckerpaar dar, das hinten und aussen neben der gezeichneten Haut-
stelle befindlich ist, wo die Horneinfassung eine Unterbrechung erleidet.
Die von letzterer eingeschlossene Haut ist weich. Es fehlt der Panzer darunter; es scheint auch der darauf vorhandene Hautfortsatz
von weichem Bau zu sein; einen Haarbesatz habe ich auf diesen
Höckern nicht erkannt. Die letztern mangeln dem Arr. lautus. Ein
drittes Paar Höcker erscheint beim Anhange in der Seitenlage an
der obern Hinterrandsecke. Sie sind ohne Haarbesatz, am Grunde
recht kräftig und mit scharfer Spitze versehen, die nach vorn herüber
gebogen ist, so dass der ganze Hautaufsatz wie ein kurzes kräftiges
Horn erscheint (Fig. 3c). Bei Rückenansicht zeigen diese Höcker
gleiche Lagerung (Fig. 3c) wie bei dem Arr. affinis ♂, aber ihre Gestalt ist, wie ein Vergleich der beiden betreffenden Abbildungen ergiebt, völlig verschieden. Während dieselben bei der Vergleichsart
niedrig und oben breit abgerundet sind, so zeigen sie bei Arr. lautus eine ähnliche Gestalt wie die des Arr. maculator (Nr. 14, Fig.
8), doch sind sie hier mit einander verwachsen (Nr. 14, Fig. 7, die
Lage des Höckerpaares ist durch die elliptische Figur angedeutet)
und nur an beiden vorstehenden Spitzen als Höckerpaar kenntlich.
    Bei Stirnlage von Arr. lautus bemerkt man zwischen den beiden
seitlichen Hinterrandshöckern (Fig. 4h) des Körperanhangs auf letzterem eine Hautauszeichnung, die zunächst aus einem nach dem
Petiolus zu gelegenen anscheinend unter der Oberhaut befindlichen
0,2 mm langen Chitinleistchen (Fig. 4l) besteht, das in der Mitte
gebrochen ist. Davor liegen auf zwei mit einander zusammen hän-

genden Platten jederseits drei dunkle geschlechtsnapfartige Gebilde (Fig. 4n). Von der abweichenden Lagerung der Näpfe abgesehen, hat das ganze Hautmerkmal eine unverkennbare Ähnlichkeit mit dem männlichen Geschlechtshofe von Brachypoda versicolor (O. F. Müll.).

Der Petiolus besitzt eine Länge von 0,16 mm und erscheint bei Rücken- und Bauchansicht des Tieres in der Mitte zwischen den beiden seitlichen Hinterrandshöckern des Körperanhangs. In Wirklichkeit ist er indes weit tiefer als die letztern gestellt (Fig. 3p); man sieht ihn in der Seitenlage des Tieres nahe an der unteren Ecke des Anhangs. Von oben oder unten gesehen gleicht er einer Lanzenspitze, indem er am freien Ende mit einem kräftigen Zahne ausgestattet ist, wodurch Arr. lautus ♂ an Arr. edentator Berlese (Nr. 3. I. Bd. V. Hft. Nr. 7) erinnert. Am Grunde zeigt der stielförmige Anhang eine geringe Verbreiterung und eine weit stärkere von eckiger Beschaffenheit vor dem äussern Ende. Bei Seitenansicht überzeugt man sich, dass der Petiolus oben muldenartig vertieft ist (Fig. 5). Noch deutlicher zeigt sich das bei Stirnlage des Objekts (Fig. 4p), wo der Petiolus einem Pilze nicht unähnlich sieht, indem deutlich Hut und Stiel zu unterscheiden sind. Der Hinterrand der Vertiefung ist wesentlich niedriger als deren Seitenränder. Der Zahn (Fig. 5z) erweist sich bei dieser Ansicht als durchsichtig. Unten ist der stielförmige Anhang schwach ausgeschweift und in der Ausbuchtung mit einem vorstehenden durchsichtigen Häutchen versehen. Der ganze Petiolus ist grünlich gefärbt und durchscheinend. In der Mulde desselben bemerkt man ein am Basalende befestigtes leistenartiges Gebilde, das von dunklem Aussehen ist und etwas über die Mitte des Petiolus hinausragt (Fig. 5l). Am Hinterende steht auf der Leiste ein kräftiger Aufsatz, der schräg auf- und rückwärts gerichtet und in der Mitte gekniet ist (Fig. 5a). Er ragt etwa zu zwei Dritteln über die Seitenränder der Mulde empor. Sein freies Ende erfährt vom Knie an eine konische Zuspitzung. Das Knie entsendet jederseits einen kräftigen Fortsatz, der nach hinten und seitwärts gerichtet ist (Fig. 5f). Bei Arr. affinis ♂ ist der Petiolus oben gleichfalls muldenartig vertieft, doch ist der Hinterrand nicht niedriger, sondern im Gegenteil merklich höher als die Seitenränder. Auch fehlt das entsprechende Gebilde in der Mulde nicht (Nr. 14, Fig. 3), doch hat dasselbe eine völlig abweichende Gestalt, denn es mangeln ihm am Knie die seitlichen Fortsätze; statt deren zeigt das freie Ende eine scheibenartige rund abschliessende Erweiterung, die über das äussere Ende des stielförmigen Anhangs ein wenig hinausragt (Nr. 14, Fig. 2). Das durchsichtige Anhängsel über dem Petiolus ist ziemlich breit und kurz und sein äusseres Ende schwach ausgebuchtet (Fig. 2). Es zeigt durchaus keinen Unterschied von dem der Vergleichsart. Ausserhalb des hyalinen Anhängsels steht je eine kräftige krumme Borste, deren umgebogene Spitze nach der eckigen Erweiterung vor dem Aussenende des Petiolus zuneigt.

Haut. Die Mündungen der Panzerporen messen 0,016 mm. Der Rückenbogen (Fig. 2) gleicht in der Gestalt genau demjenigen des Arr. affinis ♂. Seine freien Enden ziehen sich bis auf den Körperanhang, laufen aussen an den seitlichen Hinterrandshöckern herunter (Fig. 3) bis auf die Unterseite und endigen unweit des Petiolus (Fig. 4 b). Das Paar der antenniformen Borsten erscheint bei Bauchlage an den Vorderrandsecken vor den Augen (Fig. 2); thatsächlich steht es aber tiefer als diese (Fig. 3). Es ist ziemlich lang und endigt scharfspitzig. Auf der Innenseite wird es von einem feinen Haare begleitet, das indes seine Stellung über den Augen hat.

Augen. An jeder Vorderecke des Körpers liegt ein Augenpaar (Fig. 2). Beide Paare sind 0,25 mm von einander entfernt. Der derbe Hautpanzer verhindert es, sich über deren Bau zu unterrichten.

Palpen. Der Maxillartaster entspricht dem Arrenurus-Charakter. Seine Porenöffnungen liegen weitläufig und messen etwa 0,002 mm. Das Grössenverhältnis der einzelnen Glieder bietet keine Artmerkmale, nur wäre vielleicht zu erwähnen, dass das vorletzte Segment in seinem vordern Teile kaum so stark ist als hinten. Die Schwertborste dieses Gliedes ist sehr lang, indem sie weit über den Vorderrand hinausragt.; man nimmt keine Krümmung bei ihr wahr. Das oft kennzeichnende Borstenpaar am Vorderrande desselben Gliedes habe ich nicht gesehen. Das erste Glied besitzt auf der Streckseite das übliche Haar; das zweite hat innen nahe der Beugeseite unweit des Vorderrandes zwei lange Borsten, deren äusseres Drittel auf beiden Seiten gefiedert ist. Derselbe Palpenteil trägt auf der Streckseite etwa in der Mitte ein kurzes und kräftiges Haargebilde, das gleichfalls gefiedert ist; ein eben solches aber längeres steht auf gleicher Seite am Vorderrande. Vor diesem ist ein kürzeres Haargebilde sichtbar, das ungefiedert und gerade ist. In der Mitte zwischen den zwei zuletzt erwähnten Haaren und dem Borstenpaare nahe der Beugeseite befindet sich innen noch ein langes schwächeres Haar. Das kurze dritte Glied trägt in der Mitte der Streckseite ein langes dünnes Haar. Im übrigen verdient die Borstenbewehrung der Palpe keine weitere Beachtung.

Hüftplatten. Ein Blick auf Fig. 1 lässt erkennen, dass wir's bei Arr. lautus mit einem typischen Arrenurus-Epimeralgebiete zu thun haben. Das erste Plattenpaar ist vollständig zu einer Platte verschmolzen; seine hintern Ecken stehen ein wenig vor. Die letzte Platte ist dadurch bemerkenswert, dass die vordere Aussenecke fortsatzartig vorragt, d. i. die Einlenkungsstelle des letzten Fusses. In dem Scheitelpunkte des durch diesen Fortsatz und den Seitenrand der Epimere gebildeten Winkel steht eine kräftig gebogene Borste und an der hintern Aussenecke noch eine solche, die indes gerade und sehr kurz ist.

Füsse. Der erste Fuss hat etwa die Länge des Körpers, der zweite und dritte, die überein lang sind, kommen dem Körper mit Anhang (ohne Petiolus) gleich, während der letzte Fuss die Gesamtlänge — einschliesslich des stielförmigen Anhangs — noch etwas übertrifft. Beachtenswert ist die Erscheinung, dass sämtliche Gliedmassen ein stark behaartes zweites und drittes Glied besitzen, was besonders auffallend bei den zwei ersten Paaren zur Geltung kommt, deren übrigen Glieder sehr viel weniger bewehrt sind. Schwimmhaare treten nur an den beiden letzten Fusspaaren auf, doch nirgends in starken Büscheln. Im übrigen bilden vorzugsweise halblange steife Borsten die Fussbekleidung. Dem letzten Fusse ist ein ungemein kurzes fünftes Glied eigen, während das vierte mindestens doppelt so lang ist. Das letztere besitzt an seinem Aussenende einen Fortsatz, der von mehr als halber Länge des folgenden Fusssegmentes ist; sein freies Ende zeigt eine leichte Verdickung und Borstenbesatz. Erwähnen will ich noch, dass das dritte Glied an seinem Aussenende jederseits einen kräftigen Stachel aufweist, zwischen denen das vierte Glied eingelenkt ist. Die Fusskralle ist zweizinkig.

Geschlechtshof. Wie Fig. 1 veranschaulicht, gleicht das äussere Genitalorgan durchaus demjenigen von Arr. affinis ♂; auch die Geschlechtsnäpfe sind von gleichem Durchmesser (0,01 mm).

After. Die Afteröffnung findet sich auf dem Körperanhange nahe der Basis des Petiolus (Fig. 1).

Fundort. Small Lake near Pincher Creek; 23. Aug. 1883.

2. Arrenurus interpositus nov. spec.

(Taf. I, Fig. 6—10).

Tyrrell's Hydrachniden-Kollektion enthält nur das ♂ in einem einzigen unreifen Individuum. Sein Hautpanzer ist nur schwach entwickelt und mit ungewöhnlich grossen Porenöffnungen versehen. Die Form gehört, so viel lässt sich wohl trotz der bei Alkoholaufbewahrung eingetretenen starken Schrumpfung mit Sicherheit erkennen, nach der Körpergestalt zu Arr. calcarator C. L. Koch und Arr. nobilis C. J. Neuman, zu denen auch Arr. incisus Barrois u. Moniez zählen dürfte.

Grösse. Die Länge des Tieres einschliesslich des Anhangs — ohne Petiolus — beträgt 1 mm, die grösste Breite — Einlenkung des letzten Beinpaares — 0,7 mm.

Färbung. Das mir vorliegende Individuum ist hellgelb mit blaugrünlichem Anfluge; der Petiolus ist dunkelblaugrün, welche Farbe den ausgewachsenen Tieren eigen sein dürfte.

Gestalt. Der Körperumriss ähnelt bei Rückenansicht mehr dem Arr. nobilis Neum. als dem Arr. calcarator Koch, welche Formen sich dadurch unterscheiden, dass bei der schwedischen der Körper unmittelbar ohne jegliche Markierung in den Anhang übergeht, während Koch's Species den Beginn des Anhangs deutlich erkennen lässt.

Im übrigen getraue ich mir nicht, über die Körpergestalt aus dem oben angeführten Grunde Angaben zu machen. Es dürfte sich jedoch empfehlen, den Petiolus eingehend zu beschreiben, da derselbe, soweit meine Beobachtungen zutreffend sind, im allgemeinen bereits bei nicht voll entwickelten Arrenurus-Männchen eine Gestalt aufweist, die derjenigen ausgewachsener Individuen gleichkommt. Da in vorliegendem Falle das in Rede stehende Organ eine dunkle Färbung zeigt, so berechtigt das um so mehr zu der Annahme, dass es seine endgültige Gestalt angenommen hat. Ausführliche Angaben über dieses Anhangsorgan werden voraussichtlich in erster Linie dazu beitragen können, die Art später zu identifizieren. In der Ansicht von oben hat der Petiolus bei einer Länge von 0,1 mm etwa die gleiche Form wie bei Arr. affinis Koenike ♂, jedoch treten bei jenem die Hinterrandsecken schärfer hervor (Fig. 6). Bei Arr. nobilis ist das Organ weit schlanker. Oben hat der Petiolus der neuen Spezies wie der des Arr. lautus ♂ eine muldenartige Vertiefung, die der Erweiterung des ganzen Organs entsprechend sich gleichfalls verbreitert (Fig. 7). Der Hinterrand dieser Mulde hat mit dem Seitenrande gleiche Höhe. Über den Hinterrand ragt noch ein in der Mulde befindliches Gebilde etwas hinaus, dessen Hinterende eine kurze birnförmige Gestalt besitzt (Fig. 6 e), während es bei Stirnlage des Tieres einen kreisförmigen Umriss und innerhalb desselben drei kleine dunkle Flecke hat (Fig. 7 e). Bei Seitenansicht nimmt man wahr, dass sich dasselbe ein wenig über den Seitenrand erhebt (Fig. 8 e). Der Petiolus ist von bedeutender Höhe (0,13 mm am Grunde und 0,16 mm am freien Ende). Das krumme Borstenpaar seitlich des Petiolus ist auf einer nicht derben Papille eingelenkt und biegt, von oben gesehen, kurz vor den Hinterrandsecken des Petiolus kräftig einwärts um (Fig. 6), indem es die freien Enden etwas nach vorn wendet; diese berühren einander beinahe, schliessen dick und etwas zackig ab (Fig. 8 b) und sind in ihrer ganzen Länge gleichmässig stark. In der Seitenlage erhebt sich das Aussenende der krummen Borste beträchtlich über den Petiolus empor. Ein durchscheinendes Hautanhängsel über dem Petiolus habe ich nicht beobachtet. Am Hinterrande findet sich auf dem Körperanhange eine Hautauszeichnung, die erwähnt zu werden verdient. Zunächst bemerkt man zwei hornig eingefasste hinten offene Figuren, die einen dem Petiolus an Länge gleich kommenden gegenseitigen Abstand zeigen (Fig. 6 h¹). In der Seitenlage des Tieres erkennt man in diesen Gebilden ein Höckerpaar (Fig. 8 h¹). Jeder dieser beiden Höcker lässt bei Stirnlage des Tieres hinten nach aussen zu ein geschlechtsnapfartiges Gebilde wahrnehmen (Fig. 7 n). Zwischen den beiden Höckern steht ein Borstenpaar. Dann ist ein zweites dichter gestelltes Höckerpaar unmittelbar am Hinterrande befindlich (Fig. 8 h²), das sich bei Rückenansicht als zwei einander berührende Chitinleisten darstellt (Fig. 6 h²). Durch den Petiolus ist Arr. interpositus von dem ihm in der Körperform am nächsten stehenden Arr. nobilis aufs beste unterschieden, denn ausser der bereits hervorgehobenen schlankeren Form desselben bei der schwedischen Art sind hier statt des krummen Borstenpaars jederseits neben dem Petiolus ein Paar halbmondförmige Anhänge vorhanden; und ausserdem fehlt das durchscheinende Anhängsel nicht. Arr. interpositus hat am Hinterrande des Körperanhangs ausser dem krummen Borstenpaare noch sechs lange Haare, während Arr. nobilis an entsprechender Stelle deren nur vier besitzt.

Haut. Der Hautpanzer ist bei dem zu beschreibenden Individuum noch sehr wenig entwickelt und seine Porenöffnungen von beträchtlicher Grösse. Die antenniforme Borste ist lang und stumpf endigend; auf der Innenseite derselben steht ein längeres feines Haar. Vom Rückenbogen ist noch keine Spur vorhanden.

Palpen. Charakteristische Unterscheidungsmerkmale bietet der Maxillartaster, soweit mir die Beobachtung möglich war, nicht. Erwähnenswert ist die reiche Behaarung des zweiten Gliedes, das auf der inneren Seite fünf mässig lange und zwei etwas gekrümmte und gefiederte Borsten auf der Streckseite trägt. Das dritte Glied besitzt auf dieser Seite ein Haar. Die Schwertborste auf dem Zangenantagonisten (dem vorletzten Tastersegmente) ist auffallend lang. Über die feinere Haarausstattung des Vorderrandes dieses Tastergliedes vermag ich nichts beizubringen.

Hüftplatten. Das erste Paar ist mit einander verwachsen, doch ist die Naht noch erkennbar (Fig. 9). Die drei ersten Epimeren jeder Seite haben an der vorderen Aussenecke einen langen Fortsatz, während die letzte einen solchen an der hintern Aussenecke besitzt. Auf diesem ist der letzte Fuss eingelenkt. Am Hinterrande letztgenannter Epimere findet sich eine schwach ausgezogene Spitze. Die dicht gestellten Porenöffnungen der Hüftplatten sind erheblich kleiner (0,005 mm) als die Panzerporen, unter denen man vereinzelte von 0,04 mm Durchmesser antrifft.

Füsse. Die kräftigen Gliedmassen werden vom Vorder- bis Hinterpaare zu gradweise länger. Der erste Fuss erreicht bei 0,9 mm Länge nicht ganz die Körpergrösse, während der letzte (1,2 mm) dieselbe übertrifft. Die Borstenbewehrung ist besonders beim Hinterfusse recht reich; sein viertes und fünftes Glied besitzen starke Schwimmhaarbüschel nebst vielen halblangen und kurzen Borsten. Dem bei weitem längsten vierten Gliede ist am Aussenende innen ein starker Fortsatz eigen, der am freien Ende mit einem Haarbüschel ausgestattet ist (Fig. 10).

Geschlechtshof. Die Geschlechtsöffnung hat eine Länge von 0,096 mm (Fig. 9). Die recht langen Geschlechtsnapfplatten treten unmittelbar an dieselbe hinan und greifen hoch an den Seiten des Körpers hinauf, so dass ihre Totallänge in Fig. 9 nicht zum Ausdruck kommt. Sie sind mit ausserordentlich zahlreichen 0,014 mm grossen Näpfen dicht besetzt.

After. Die Afteröffnung findet sich auf der Unterseite des Körperanhangs ziemlich nahe am Basalende des Petiolus.

Fundort. Small Lake near Pincher Creek; 23. Aug. 1883.

3. Arrenurus setiger nov. spec.
(Tafel I, Fig. 11—13.)

Es liegt diese Art in nur einem männlichen Individuum vor. Beim ersten Anblicke glaubt man, darin auf Grund der Gestalt des Körperanhangs Arr. integrator (O. F. Müll.) vor sich zu haben, doch sind die Abweichungen, wie die nachstehende Beschreibung darthun wird, so mannigfaltig und beträchtlich, dass eine spezifische Sonder-stellung der canadischen Form nicht zu umgehen ist. Die Identität mit Arr. anomalus Barrois und Moniez ♂ (Nr. 2, pag. 31), der einen ähnlichen Körperanhang besitzt, ist schon deshalb ausgeschlossen, weil die Spezies einen Fortsatz am vierten Gliede des letzten Fusses besitzt. Noch weniger kann Arr. spectabilis Barr. und Mon. (Nr. 2, pag. 32) in Frage kommen, da diese Form sich dem Arr. furvator C. L. Koch anzuschliessen scheint, was ich aus dem Satze schliesse: „l'appendice est très large et très court, arrondi dans toute son étendue."

Grösse. Die Körperlänge einschliesslich des Anhangs stimmt mit der von Arr. integrator überein (0,8 mm). Die grösste Körperbreite in der Richtung des letzten Hüftplattenpaares misst 0,64 mm; annähernd dieselbe Breite findet sich bei Arr. integrator, doch unmittelbar vor dem Körperanhange.

Färbung. Das mir vorliegende Männchen ist gelb gefärbt, doch entspricht das wahrscheinlich der Naturfarbe nicht.

. Gestalt. Der Körper zeigt bei Rückenlage mit dem Anhange zusammen einen lang eiförmigen Umriss, der durch die äusserst langen, nach den Seiten umgreifenden Geschlechtsnapfplatten unterbrochen wird (Fig. 11). Ausserdem tritt jederseits des Anhangs nahe dem Hinterende eine schwache Einkerbung auf und hinten in der Mitte ein tiefer Einschnitt, fast von gleicher Tiefe wie bei Arr. bisulcicodulus Piersig.*) Arr. integrator besitzt den Einschnitt von wesentlich geringerer Tiefe. Ferner sind bei dieser Art seitlich am Anhange je zwei Einkerbungen und die Hinterrandsecken des Körpers treten stark bauchig über den Anhang hinaus, so dass der Körper hier sehr viel breiter ist als vorn. Koch's Abbildung (Nr. 10, Hft. 13, Nr. 12) giebt die Körpergestalt unrichtig wieder. Auch vermisst man beim Anhange Genauigkeit der Darstellung, da beispielsweise der Einschnitt am Hinterende fehlt, der indes in der Beschreibung Erwähnung findet („doppelte Spitze"). Im übrigen glaube ich, dass Arr. integrator Koch mit Recht auf Hydrachna integrator O. F. Müll. bezogen worden ist. Auch die Seitenlage ergiebt dem Arr. integrator gegenüber beachtenswerte Unterschiede. Der Hinterkörper fällt bei Arr. setiger auf der Oberseite nach dem Anhange zu flach ab (Fig. 12), bei Arr. integrator dagegen steil. Der Beginn dieser Abflachung — das ist über dem hintern Ende des Hüftplattengebiets — ist bei der neuen Art durch ein Wülstepaar markiert (Fig. 12w), das man bei der Vergleichsart vermisst. Letztere besitzt auf dem Rücken in der Mittellinie eine lange wallartige Erhebung, zu deren beiden Seiten sich eine Senkung hinzieht. Ein ähnliches Merkmal findet sich bei Arr. setiger nicht. Der Körper des letztern tritt vorn stärker vor als der der Vergleichsart. Diese

---

*) Übrigens ist Piersig's betreffende Abbildung (Nr. 29, pag. 155, Fig. 1) bezüglich des Einschnitts ungenau; derselbe ist weniger tief als es die Figur veranschaulicht.

erreicht ihre grösste Höhe über dem Geschlechtsorgane (0,45 mm), während dieselbe bei Arr. setiger vor dem Wülstepaar, also etwa in der Mitte des Körpers, sich befindet und bedeutender ist (0,6 mm). Die Stirnlage lässt erkennen, dass die Seiten des Körpers sich stark einwärts abschrägen, wodurch die Bauchseite nennenswert schmaler wird als der Rücken, was bei Arr. integrator nicht der Fall ist. Ausser den bereits oben verzeichneten Abweichungen bietet der Körperanhang noch einige weitere Verschiedenheiten. Während der Anhang beider Arten auf der Bauchseite deutlich vom Körper abgegrenzt ist, so zeigt auf dem Rücken nur Arr. integrator eine scharfe nach hinten schwach vorgebogene Trennungslinie. Der Anhang der neuen Form hat eine Länge von 0,2 mm und am Grunde eine Breite von 0,4 mm. Die Vergleichsart weist geringere Masse auf, nämlich 0,16 mm und 0,33 mm.*) Letztgenannte Spezies hat eine muldenartige Vertiefung, die über den ganzen Anhang reicht, während dieser bei der neuen Form nur in seinem basalen Teile flach vertieft ist (Fig. 12). Diese Art besitzt vor und nach dem Seitenkerb des Anhangs eine mässig lange Borste und neben dem tiefen Einschnitte eine solche von Schwimmhaarlänge. Arr. integrator hingegen zeigt auf beiden Seiten der vordern Einkerbung je ein Borstenpaar; das vordere ist mittellang, das eine des hintern Paars sehr lang und das zweite ausserordentlich kurz.

Haut. Die Panzerporen beider Arten haben eine nahezu gleich weite Oeffnung (0,015 mm). Der Rückenbogen der neuen Art bleibt vorn 0,2 mm vom Körperrande entfernt, während der entsprechende Abstand des Arr. integrator ♂ 0,1 mm misst, so dass er hier länger, dann aber auch beträchtlich breiter ist. Die beiden hintern Endigungen des Rückenbogens liegen bei der neuen Art etwa in der Mitte des Anhangs bei einem gegenseitigen Abstande von 0,2 mm. Das antenniforme Borstenpaar des Arr. integrator ♂ ist kräftiger und weiter von einander entfernt (0,25 mm) als bei Arr. setiger (0,2 mm). Im Borstenbesatz der Oberhaut möchte ich noch auf den Unterschied hinweisen, dass auf den zwei bezeichneten Rückenwülsten Arr. setiger je ein feines kurzes und aufrechtes Haar besitzt (Fig. 12), während bei Arr. integrator ♂ an entsprechender Stelle ein Borstenpaar steht, das sehr steif und rückwärts gerichtet ist.

Augen. Die Augenpaare von Arr. setiger liegen näher zusammen (0,22 mm) als die von Arr. integrator (0,25 mm); in der Seitenlage erscheinen sie näher am Vorderrande als dort (Fig. 12).

Palpen. Der Maxillartaster der neuen Art ist durch den Haarbesatz des zweiten Gliedes recht auffallend gekennzeichnet (Fig. 13). Derselbe erinnert an denjenigen von Arr. pectinatus Koenike; es ist nämlich auf der Innenfläche bürstenartig mit ungewöhnlich zahlreichen kurzen und steifen Borsten besetzt, welches Merkmal der Benennung zu Grunde liegt. Wir finden darin den Hauptunterschied gegenüber dem Arr. integrator ♂, wo das betreffende Palpenglied am Vorder-

---

*) Die Masse wurden bei beiden Spezies auf der Unterseite des Anhangs ermittelt.

ende nur drei steife, mässig lange Borsten trägt, von denen die oberste gefiedert ist (Fig. 14). Auf der Streckseite besitzt dasselbe Glied der gleichen Spezies zwei weit aus einander gerückte Haare, wohingegen die neue Form daselbst drei aufweist, die aber nahe dem Vorderende ziemlich dicht beisammen stehen. Das krallenartige fünfte Glied, sowie der ganze Taster kennzeichnen sich bei Arr. setiger durch einen kräftigeren und plumpen Bau. Bei Müller's Art ist die Palpenendigung zweispitzig (Fig. 14), was bei der nordamerikanischen Form nicht der Fall ist. In der Mitte der Beuge- und Streckseite trägt das Krallenglied beider Arten ein borstenartiges Gebilde. Der Härchenbesatz am Vorderrande des vorletzten Gliedes unterscheidet sich nicht in der Gestalt, wohl aber in der Stellung, indem derselbe sich bei Arr. integrator näher beim Krallengliede befindet als bei Arr. setiger. Die Schwertborste des vorletzten Taster-segmentes ist bei dieser Art kürzer als bei jener.

Hüftplatten. Die Epimeren beider Spezies unterscheiden sich kaum in der Gestalt, wohl aber dadurch, dass bei Müller's Art die Grenzlinien der Hüftplatten stets scharf hervortreten, während die-selben bei Arr. setiger im ganzen nur schwach markiert sind. Am zweiten Hüftplattenpaare war mir's nicht möglich, auch nur eine Spur von der hintern Längskante aufzufinden (Fig. 11).

Füsse. Das dritte Fusspaar von Arr. setiger ist wie bei vielen Ataciden im Vergleich zum zweiten Paare verkürzt, während bei Arr. integrator die betreffenden Gliedmassen von gleicher Länge sind. Letztere Art besitzt einen verhältnismässig längeren ersten Fuss, doch einen kürzeren vierten als Arr. setiger. Nachstehende kleine Tabelle möge das eben Gesagte ziffernmässig veranschaulichen.

	I.	II.	III.	IV.
Arr. setiger n. sp. ♂	0,59 mm	0,72 mm	0,62 mm	0,84 mm
„ integrator (Müll.) ♂	0,64 „	0,69 „	0,69 „	0,80 „

Der Haarbesatz der Gliedmassen ist bei Arr. setiger ziemlich reich. Schwimmborsten finden sich vom zweiten bis vierten Paare in steigenden Mengen. Im übrigen sind an sämtlichen Füssen, besonders am zweiten und dritten Gliede, ausser kurzen zahlreiche mittellange steife Borsten. Arr. integrator besitzt eine ähnliche Borstenausstattung, doch ist dieselbe weniger reich. Dem vierten Gliede des letzten Fusses mangelt der Fortsatz bei beiden Formen. Barrois und Moniez meinen zwar (Nr. 2, p. 25), Koch habe bei Arr. integrator ♂ einen solchen Fortsatz („éperon") gezeichnet, doch scheint mir das auf einem Irrtum zu beruhen, denn was an Koch's bezüglicher Zeichnung allenfalls als Fortsatz gedeutet werden könnte, findet sich beim letzten Fusse rechter Seite nicht am vierten, sondern am fünften Gliede. Jedoch ist an diesem Fussteile noch niemals bei einem Arrenurus-♂ ein solcher in Frage kommender Fortsatz beobachtet worden. Ich habe zwar an gleichem Gliede ein Anhängsel gesehen, doch handelt sich's darin um eine Abnormität. Wie ich bereits früher erwähnte (Nr. 19, pag. 263), verfüge ich über ein männliches Individuum von Arr. integrator, dessen letzter Fuss rechter Seite am fünften Gliede einen Fortsatz besitzt, den ich hier im Bilde vorführe (Fig. 15). Derselbe ist an seinem freien Ende lang-keulig verdickt und gleich dem das männliche Geschlecht der Arrenurus-Spezies vielfach auszeichnenden Anhang mit einem Haarbüschel ausgestattet. Er weicht jedoch insofern von diesem Gebilde ab, als er gelenkartig am vorletzten Fussgliede haftet, während der regelrechte Fortsatz stets unbeweglich mit dem vierten Fussgliede verwachsen ist. Die Fusskralle der neuen Art ist mit einem grossen Grundblatte versehen und gleicht auffallend der zweizinkigen Curvipeskralle. - Geschlechtshof. Das äussere Genitalorgan des Arr. setiger (Fig. 11) ist von beträchtlicher Ausdehnung. Die mit breiten Genitallefzen umgebene Geschlechtsspalte hat eine für ein Arrenurus-♂ immerhin ansehnliche Länge (0,08 mm). Die grossen Napfplatten zeigen eine schön geschweifte Gestalt und nehmen nicht nur die ganze Breite der Bauchseite ein, sondern ziehen sich auch noch hoch an den Körperseiten hinauf (Fig. 12). Ihr freies Ende ist abgerundet und bedeutend schmaler als das andere. Arr. integrator ♂ hat einen bei weitem kleineren Geschlechtshof. Derselbe besitzt bei gleicher Lage in seinen schmalen Napfplatten nicht ganz die Breite des Körperanhangs. Die Geschlechtsöffnung misst 0,04 mm.

Fundort. Small Lake near Pincher Creek; 23. Aug. 1883.

4. Arrenurus krameri nov. spec.
(Tafel I, Fig. 16—20.)

Diese dem Acarinologen Herrn Prof. P. Kramer gewidmete neue Art liegt mir in nur einem männlichen Individuum zur Beschreibung vor. Anfangs glaubte ich die Form auf Arr. buccinator C. L. Koch beziehen zu können, lernte jedoch jüngst durch Herrn Dr. Th. Steck (Bern) eine obiger Form ausserordentlich nahestehende Schweizer Arrenurus-Spezies in beiden Geschlechtern kennen, die sich besser mit Arrenurus buccinator Koch identifizieren lässt. Koch hielt seine Art fälschlicherweise für synonym mit Hydrachna buccinator Müller, welche Form zweifelsohne nichts anderes ist als Arr. caudatus (de Geer). Statt die letztere eingehend mit der nordamerikanischen Spezies zu vergleichen, wie das nachstehend geschieht, wäre es zweckentsprechender gewesen, zu dem Ende Arr. buccinator Koch heranzuziehen, doch lässt sich das wegen der bereits fertig gestellten Tafeln jetzt nicht mehr ermöglichen. Voraussichtlich wird mir indes in Bälde an anderm Orte Gelegenheit, das Versäumte nachzuholen. Es möge an dieser Stelle nur auf die am meisten in die Augen fallenden Unterschiede zwischen beiden Arten hingewiesen werden. Ausser einer stärkern Wölbung des Rückens (Fig. 17) und einer weiter hinten befindlichen Lage des Sehorgans (Fig. 17) ist bei Arr. buccinator Koch ♂ der auf dem Körperanhange vorhandene Aufsatz bedeutend massiger und höher (Fig. 19h[1] und h[2]) und präsentiert sich im Gegensatze zu dem bezüglichen Gebilde des Arr. krameri (Fig. 18h[1] und h[2]) bei Rückenansicht in deutlicher Herzform.

Grösse. Die Körperlänge (einschliesslich des Körperanhangs) beträgt bei Arr. krameri wie bei Arr. caudatus (de Geer) 1,36 mm. Übereinstimmend mit dieser Art findet sich die grösste Körperbreite bei der Einlenkungsstelle des dritten Fusspaares und misst 0,67 mm.

Gestalt. Bei Bauch- und Rückenansicht ergiebt sich ein ähnlicher Körperumriss (Fig. 16) wie bei Arrenurus caudatus (de Geer). Beide Arten zeigen in der Gegend der Einlenkung des vorletzten Fusses eine deutliche Ecke. Von dieser Ecke aus verschmälert sich der Körper der neuen Art nach vorn zu stark, so dass nur ein kurzer Vorderrand vorhanden ist, der bei der Vergleichsart sich nennenswert erweitert. Von jenen Ecken aus tritt bei Arr. krameri nach hinten zu allmählich eine Verschmälerung ein, indem die Seitenränder, die hinten in einer deutlich erkennbaren Ecke abschliessen, fast gradlinig verlaufen. Diese hintern Ecken sind bei Arr. caudatus weniger ausgeprägt. In dem Winkel zwischen Körper und Anhang erscheint bei Arr. krameri je ein deutlicher Wulst, erzeugt durch die nach den Seiten des Körpers sich umbiegenden Geschlechtsnapfplatten. Dieses Merkmal fehlt dem Arr. caudatus. In der Seitenlage erweist sich der Körper der letztern Art hinten stärker abgeflacht als der des Arr. krameri (Fig. 17). Letzterer hat auf dem Rücken jederseits einen Längswall, der vorn am Rückenbogen endigt und hier am höchsten ist. Der Körper wölbt sich über den Mundteilen stark vor. Der ausserordentlich lange Körperanhang (0,53 mm) hat im allgemeinen die gleiche Gestalt, wie bei der Vergleichsart. Am Grunde ist eine rund um den Anhang vorhandene Einschnürung (Fig. 16 und 17). Vor dem Ende findet dann noch einmal eine Einschnürung statt, die hinten seitlich durch eine kräftig vorspringende Ecke abgegrenzt ist. Das hintere Ende des Körperanhangs ist mässig ausgebuchtet (Fig. 18). In der Gestaltung seines freien Endes ist der am meisten in die Augen springende Unterschied gegeben. Am Hinterrande des Anhangs besitzt nämlich Arr. caudatus zwei stark vorspringende Höcker (Fig. 21 h[3]), die bereits von de Geer („zween rundlichte Knoten") und von Müller („papillae binae superne versus apicem") erkannt und dargestellt wurden (Nr. 25, Tafel III, Fig. 1), während dieselben bei Arr. krameri nur wenig entwickelt sind (Fig. 18 h[3]). Letztere Art lässt auf dem Anhange vor den höckerartig vortretenden Hinterrandsecken (Fig. 18 e) ein kräftiges Höckerpaar erkennen (Fig. 18 h[2]), das um die halbe Anhangsbreite von einander gelegen ist, und dessen Spitzen schräg auswärts und nach hinten gerichtet sind (Fig. 19 h[2]). Zwischen diesen Höckern und den Hinterrandsecken ist ein tiefer Einschnitt, den die Seitenlage des Tieres zur Anschauung bringt (Fig. 19, zwischen h[2] und e). Im Zusammenhange mit den erwähnten Höckern befindet sich vor denselben noch ein anderes dichter zusammen stehendes Höckerpaar (Fig. 18 h[1]), das eine aufrechte Stellung hat (Fig. 19 h[1]). Von hier aus ist der Körperanhang nach seinem Hinterrande zu stark abgeschrägt. Die zwei jederseitigen Höcker (Fig. 19 h[1] und h[2]) sind durch einen Wall mit einander verbunden, so dass zwischen ihnen in der Mittellinie des Anhangs eine Senkung auftritt, die sich bis zum Hinterrande hinzieht. In dieser Senkung zwischen den hintern schräg gestellten Höckern liegt ein paariges Gebilde, das stark hornig umrandet, etwas erhaben und mit je einer Öffnung versehen ist; die letztere möchte ich als Drüsenmündung deuten (Fig. 18 g). Zwischen den beiden Drüsen und darüber hinaus ist die Oberhaut schwach gekörnelt. Ausser dem Unterschiede in den Hinterrandshöckern des Körperanhangs bietet das abgeschrägte freie Ende des letztern noch mancherlei Abweichungen, zu deren Veranschaulichung ich ein paar Figuren von Arr. caudatus beifüge, da wir nur bei Berlese (Nr. 3, VI. Bd., 51. Hft., Nr. 5, Fig. 2 und 3) über entsprechende Abbildungen verfügen, die jedoch an Genauigkeit zu wünschen übrig lassen. Die Hinterrandsecken treten bei de Geer's Art mehr zurück (Fig. 21 e), so dass das Hinterende schmaler ist, als das der nordamerikanischen Art. Im übrigen zeigt dasselbe bei Arr. caudatus eine ähnliche Gestaltung (Fig. 21), wie sie vorhin bei Arr. krameri ausführlich dargelegt wurde. Es findet die gleiche Abschrägung statt (Fig. 22); auch ist die Anzahl und Anordnung der Höcker übereinstimmend. Das hintere Paar ist indes niedriger und massiger (Fig. 22 h² und Fig. 21 h²); das vordere Paar liegt unmittelbar zusammen, bei Rückenansicht einen dunklen Fleck bildend, der bereits von Schrank erwähnt wird (Nr. 34, pag. 5, Taf. I, Fig. 3 und 4). Auf Grund dieses Merkmals nebst der Farbenangabe („schmutzig grün") beziehe ich die betreffende Schrank'sche Art im Gegensatze zu Neuman (Nr. 26, pag. 4), der sie für Arr. globator (Müll.) hält, auf Arr. caudatus, mit welchem Namen sie später von Schrank selbst bezeichnet wurde (Nr. 35, pag. 509). Berlese zeichnet an Stelle des erwähnten Flecks auf dem Körperanhange eine grössere Reihe Öffnungen in der Anordnung eines nahezu geschlossenen Kreises. Es sind das Porenkanäle des Hautpanzers, die ihrer ganzen Länge nach zum Ausdruck kommen (Fig. 21 h¹). Bei Arr. caudatus ist zwischen dem mittleren Höckerpaar (Fig. 21 h²) gleichfalls ein paariges Drüsenorgan gelegen, an dessen Stelle bei Berlese irrtümlich ein Borstenpaar gezeichnet ist. Indessen stehen zwei kleine Borsten dicht hinter den vordern Höckern und eben solche hinter dem Drüsenorgan nahe am Grunde der Hinterrandshöcker. Das Drüsenorgan hat bei de Geer's Art einen eigentümlichen Bau. Es ist aussen von einer durchscheinenden, nicht sehr derben Hautdecke überkleidet, die sich deutlich wölbt und bei Porenlosigkeit mit einer dichten Linienverzierung ausgestattet ist (Fig. 21 d). Nicht oben, sondern seitlich lässt sie eine weite eigentümlich gestaltete Öffnung frei (Fig. 21 ö). Durch diese hindurch sieht man im Innern die Drüsen liegen (Fig. 21 g), die mit einer winzigen (0,003 mm) kreisrunden Mündung versehen ist. Der Hohlraum, der die Drüse überwölbt, zeigt auf der einen Seite nahe der Mittellinie des Anhangs einen derben Bau, bestehend aus mehreren Chitinleisten, die sich an einen chitinösen Bogen anschliessen, durch den hinten das ganze Drüsenorgan abgegrenzt wird.

Haut. Die Panzerporen haben bei Arr. krameri eine äussere

bis 0,02 mm messende Öffnung; auf dem Körperanhange sind sie durchgehends kleiner. Der Rückenbogen beginnt in einem Abstande von 0,2 mm vom Vorderrande. Er lässt sich bei Bauchlage des Tieres bis zum Grunde des Körperanhangs verfolgen, doch erreicht er dort nicht sein Ende, sondern zieht sich an der Seite des Anhangs herunter (Fig. 17b), um auf der Unterseite desselben zu endigen (Fig. 16b).

Augen. Die beiden Augenpaare liegen bei einem gegenseitigen Abstande von 0,3 mm ziemlich nahe am Seitenrande des Körpers. Vor jedem Doppelauge ist eine beträchtliche Linse gelagert; die zweite Linse habe ich nicht erkannt.

Palpen. Die Palpe (Fig. 20) ist im ganzen kräftiger als bei Arr. caudatus. Der Borstenbesatz ist bei beiden Formen nur schwach; das meist behaarte Glied ist das zweite, das übereinstimmend vorn auf der Streckseite mit drei kräftigen und ziemlich langen Borsten ausgestattet ist, die bei de Geer's Art merklich weiter zurückstehen. Die letztere besitzt ausserdem am gleichen Tastergliede noch drei Borsten innen nahe der Beugeseite, die der Palpe des Arr. krameri fehlen. Dafür zeigt diese auf der Innenseite am Vorderrande ein Haar, das man bei der Vergleichsart vermisst. Die breite Borste am Vorderrande des vierten Gliedes ist bei beiden Formen überein gekrümmt.

Hüftplatten. Das Epimeralgebiet (Fig. 16) gleicht in der Gestaltung demjenigen von Arr. caudatus, doch ist's weniger scharf in seinen Umrissen gekennzeichnet; auch mangelt ihm die Flecken-ausstattung, die namentlich bei den zwei letzten Epimerenpaaren der Vergleichsart recht auffallend hervortritt.

Füsse. Über die Gliedmassen vermag ich nur unzulängliche Angaben zu machen, da dieselben bis auf wenige Glieder dem Individuum verloren gegangen sind. Der letzte Fuss besitzt gleich demjenigen des Arr. caudatus einen Fortsatz am vierten Gliede, der am freien Ende mit einem Büschel schwimmhaarartiger Borsten ausgestattet ist.

Geschlechtshof. Das äussere Genitalorgan (Fig. 16) hat die bei dem Arrenurus-Männchen übliche Lage. Es ist gekennzeichnet durch dick aufliegende wulstige Napfplatten von ansehnlicher Breite. Sie biegen nach den Seiten des Körpers um und ziehen sich noch ein gutes Stück hinauf, wo sie bei Bauch- oder Rückenansicht, wie bereits oben angegeben wurde, als starker Wulst zum Ausdruck kommen, was bei Arr. caudatus nicht der Fall ist, obgleich die Platten auch hier erst an den Körperseiten ihr Ende erreichen. Die äusserst zahlreichen Geschlechtsnäpfe sind wie beim Genus Arrenurus in der Regel sehr viel kleiner, als die Porenöffnungen des Hautpanzers.

After. Die Afteröffnung (Fig. 18a) befindet sich wie bei Arr. caudatus (Fig. 21a) am äussersten Ende des Körperanhangs. Bei beiden Arten erkennt man auf dem letztern in der Nähe jener Öffnung einen dunklen Fleck, der eine dem Muskelansatze dienende Chitin-verhärtung sein dürfte.

Fundort. Swamp near Flathead River; 27. Juli 1883.

3. Genus. Aturus Kramer.

I. Aturus scaber Kramer.

(Taf. I. Fig. 23.)

1875. Aturus scaber ♀, P. Kramer: Wiegm. Arch. f. Naturgesch. 1875. I. Bd. pag. 309—310. Taf. VIII, Fig. 3.

1891. Aturus scaber ♂, F. Koenike: Zool. Anz. 1891. Nr. 369, pag. 257—258.

Wir kennen bisher nur diese eine Spezies, doch glaube ich mit einigem Rechte die Vermutung äussern zu dürfen, dass Atractides anomalus C. L. Koch (Nr. 10, Hft. 11, Nr. 10) eine zweite Art der Kramer'schen Gattung ist.*)

Aturus scaber ist anscheinend auf unserm Kontinente recht selten; die Litteratur berichtet nur von einem einzigen in Thüringen aufgefundenen Weibchen**). Aus Canada liegen mir 8 Weibchen, 2 Männchen und eine Nymphe vor. Nachdem ich bereits früher das ♂ in wenigen Worten gekennzeichnet habe, will ich es an dieser Stelle ausführlicher schildern und eingehend mit dem ♀ vergleichen, um überzeugend darzuthun, dass die beiden fraglichen Formen spezifisch zusammen gehören.

Grösse. Die Körperlänge des ♂ beträgt 0,37 mm, die grösste Breite — an den Hinterrandsecken — 0,3 mm. Das ♀ ist nur wenig grösser; Kramer giebt die Länge mit 0,5 mm an, doch wird dieselbe bei den canadischen Exemplaren nur vereinzelt erreicht.

Gestalt. Während das ♀ bei Bauchlage einen verkehrteiförmigen — breites Ende vorn — Körperumriss hat (das Hinterende ist bei einigen Individuen ungewöhnlich spitz ausgezogen, was indes der Konservierungsflüssigkeit zuzuschreiben sein dürfte), so ist derselbe beim ♂ vorn am schmalsten (Fig. 23). Bei der Einlenkungsstelle des Fusspaares tritt jederseits eine abgerundete schwache Ecke vor, wohingegen am Hinterende des Körpers beiderseitig eine solche, jedoch bei weitem stärkere vorhanden ist. Das äusserste Hinterende läuft gleichfalls in zwei dicht nebeneinander befindliche Ecken aus. In der Mitte des Vorderrandes bemerkt man eine winzige Kerbe, die nebst der am entgegengesetzten Körperende auch beim ♀ nicht vermisst wird. Der Körper hat nur eine geringe Höhe, bei einem 0,42 mm langen ♀ vorn 0,17 mm messend, in der Mitte 0,19 mm und hinten 0,11 mm. Oben ist der Rumpf des ♀ schwach gewölbt, unten hingegen völlig platt.

Haut. Wie Kramer bereits betont hat, gehört Aturus scaber zu den gepanzerten Wassermilben. Gleich dem ♀ hat auch das ♂ unter der dünnen Oberhaut einen derb organisierten Panzer. Der Rückenpanzer hat nahezu die Grösse und Gestalt der Rückenober-

---

*) Als Fundort giebt Koch die Schwarzbach bei Zweibrücken an, wo ich die Art vor etlichen Jahren leider vergeblich gesucht habe.

**) Brieflich teilte mir allerdings Prof. Kramer mit, dass er die Art auch bei Halle erbeutet habe.

fläche, nur mangeln ihm die beim Körperumriss erwähnten vordern Seitenecken. Vom Vorderrande bleibt die Trennungsfurche zwischen Rücken- und Bauchpanzer (Rückenbogen) 0,02 mm entfernt; an den Seiten tritt der Rückenbogen dagegen unmittelbar an den Körperrand hinan. Kurz vor den Hinterrandsecken des Abdomens biegt er stumpfwinklig um, eine abgerundete Ecke bildend. Am Hinterende zieht er sich in gleichem Abstande vom Körperrande hin, um an der Einkerbung zu endigen und zwar derart, dass die freien Enden ein wenig nach vorn umbiegen, ähnliche aber kleinere Vorsprünge erzeugend, wie sie Fig. 23 in der Mitte des Hinterrandes zeigt. Auf den beiden Längsseiten des Rückenbogens erkennt man je vier von je einem Haare bekleidete Drüsenmündungen, welcher Befund sich auch beim ♀ bestätigen lässt. Auch bei letzterem tritt der Rückenbogen in seinen Längsseiten ziemlich nahe an den Körperrand hinan. Vorn ist derselbe zwischen den Augen ein wenig derart vorgebogen, dass über dem Sehorgan eine flache Ausbuchtung entsteht. Auf beiden Seiten des Rückenbogens läuft bei geschlechtsreifen Weibchen in nicht überall gleichem Abstande eine dunkle Linie entlang, in der man es vermutlich mit einer Hornverdickung des Panzerrandes zu thun hat. Auf einen ähnlichen Befund wies Koch bei Atractides anomalus hin: „eine vertiefte Bogenlinie wie bei Arten der Gattung Arrenurus, wenig deutlich, eine zweite nahe am Rande und mit dieser parallel."

Der Hautpanzer ist wie gewöhnlich von Porenkanälen durchbrochen. Diese erscheinen bei mittelstarker Vergrösserung noch als Pünktchen und erst bei starker Vergrösserung geben sie sich als Öffnungen zu erkennen, die 0,0008 mm im Durchmesser haben. Beim ♀ erweisen sie sich nur wenig grösser (0,0010 mm).

Das antenniforme Borstenpaar ist auf kleinen Drüsenhöckern eingelenkt, stumpf endigend, kräftig und in beiden Geschlechtern etwa von gleicher Länge (0,045 mm).

Augen. Die beiden Doppelaugen sind beim ♂ 0,14 mm von einander entfernt und haben ihre Lage unter dem Rückenbogen gefunden. Sie sind von der Körperhaut bedeckt. Die beiden Pigmentkörper eines Augenpaars sind nicht mehr erkennbar. Dagegen sind je zwei Linsen noch deutlich wahrzunehmen; eine grosse kurz ovale liegt vorn und eine kleinere von derselben Gestalt hinten etwas auswärts. Bei einem 0,45 mm langen ♀ zeigen die zwei Doppelaugen den gleichen gegenseitigen Abstand sowie auch dieselbe Lage wie beim ♂. Ebensolche Übereinstimmung lässt sich auch hinsichtlich der Gestalt und Lagerung der zwei Linsen wahrnehmen. Letztere sind beim ♀ teilweise von zwei schwarzen fast gleich grossen Pigmentkörpern verdeckt.

Mundteile. Die äussere Maxillarplatte erinnert in der Form an diejenige der Gattung Arrenurus. Die Mundöffnung liegt nahe am Vorderrande, der in der Mitte mit zwei schwachen Vorsprüngen versehen ist, an deren Aussenseite noch je ein schwacher Wulst erscheint. Es befindet sich die Mundöffnung auf einer winzigen Erhebung. Seitlich derselben beobachtet man vorn je ein kurzes

Härchen. Die meist kreisrunden Porenöffnungen der Maxillarplatte sind weiter als die Hautpanzerporen, nämlich 0,002 mm. Der hornige Hakenteil der weiblichen Mandibel ist rechtwinklig gekniet; der längere vordere Teil derselben ist dolchartig gerade und mit schlanker Spitze versehen.

Palpen. Bei beiden Geschlechtern sind die Maxillartaster von halber Körperlänge und kennzeichnen sich durch einen auswärts abstehenden Chitinzapfen am Vorderende auf der Beugeseite des zweiten Gliedes (Fig. 23). Auch in der Seitenansicht der Palpe hebt sich derselbe recht deutlich ab. In Hinsicht ähnlicher Auszeichnungen desselben Tastersegmentes innerhalb anderer Genera (Limnesia, Sperchon etc.) dürfte dem Zapfen der Wert eines generischen Merkmals beizulegen sein. Die Aturus-Palpe ist ferner am Hinterende auf der Beugeseite auffallend verdünnt, ein Merkmal, das sich in stärkerem Grade bei dem Eylais-Taster findet. Die Aturus-Palpe besitzt am vorletzten Gliede im vordern Drittel auf der Beugeseite eine abgeflachte Stelle, die am hintern Ende eine am Grunde kräftige und dem Endgliede zugebogene Borste trägt. Während das erste Tasterglied ungewöhnlich lang ist, so ist das Endglied nur recht kurz, kaum länger als jenes. Die Bewaffnung des freien Palpenendes besteht in zwei Hornspitzen. Der Borstenbesatz ist im ganzen nur recht spärlich. Die weibliche Palpe zeigt gegenüber der männlichen weiter keinen Unterschied, als dass bei dieser der Hornzapfen des zweiten Segmentes etwas länger ist und ihre Porenöffnungen doppelt so gross sind als bei jener.

Eine auffallende Ähnlichkeit stellt sich zwischen dem Aturus- und Feltria-Taster heraus, wenn man von dem Mangel eines Zapfens bei letzterem absieht. Das Grössenverhältnis der einzelnen Palpenglieder ist völlig übereinstimmend. Ferner weist der Borstenbesatz kaum einen nennenswerten Unterschied auf. Ausserdem zeigt sich eine Übereinstimmung in der Zweispitzigkeit der Tasterendigung. Doch nicht nur auf Grund der Palpen, sondern in mehrfacher Hinsicht besitzt Feltria verwandtschaftliche Beziehungen zu Aturus.

Hüftplatten. Die Bauchseite des ♂ wird durch das Hüftplattengebiet vollständig bedeckt. Besonders ist es das letzte Plattenpaar, das sich durch bedeutende Grösse auszeichnet. In der Mittellinie sind die Epimeren völlig mit einander verschmolzen, so dass nicht einmal eine Grenzlinie zu unterscheiden ist. Zwischen dem ersten und zweiten Paare und ebenso zwischen dem dritten und vierten bleibt die Grenze auf einer längern Strecke wahrnehmbar, während dieselbe zwischen der zweiten und dritten Epimere nur aussen schwach angedeutet ist (Fig. 23). Die dem Maxillarorgan zunächstliegende Ecke der ersten Platte ist fortsatzartig ausgezogen. Das gleiche Merkmal findet sich in etwas geringerem Grade bei den zwei folgenden Plattenpaaren. Erwähnenswert erscheinen mir die an den bezeichneten Fortsätzen der beiden vordern Paare stehenden kräftigen Haare, die stark rückwärts gekrümmt sind. Der bezeichnete Borstenbesatz ist auch dem weiblichen Hüftplattengebiete eigen, sowie auch alles vorher gesagte beim ♀ zutrifft, ausgenommen die Raumausdehnung desselben, denn das letzte Paar lässt hier einen schmalen Streifen auf dem Hinterleibe frei (Nr. 22, Taf. VIII, Fig. 3). Dann sind auch die weiblichen Epimeralporen-Öffnungen nur halb so weit wie die männlichen, welcher Unterschied sich vielleicht auch dadurch erklärt, dass das dieser Beschreibung zu Grunde liegende ♂ noch nicht vollkommen ausgewachsen ist. Dafür spricht der Befund bei einem weiblichen Individuum, dessen Porenöffungen hinsichtlich der Weite mit denen des ♂ übereinstimmen.

Füsse. Die zwei ersten Paare sind etwa von Körperlänge, während das dritte Paar reichlich $1/2$ mal und das letzte fast doppelt so lang ist als der Körper (Fig. 23). Der vorletzte Fuss besitzt an seinem fünften Gliede eine stattliche Reihe von Schwimmhaaren, während die übrigen Gliedmassen derselben ermangeln. Es verdient das Vorhandensein von Schwimmhaaren besonders hervorgehoben zu werden, da das gänzliche Fehlen derselben beim ♀ Kramer Anlass gab, dieses Merkmal unter die Genus-Charaktere aufzunehmen, was demnach einer Berichtigung bedarf. Der letzte männliche Fuss zeigt eine seltsame Gestaltung. Seine drei Grundglieder nebst dem letzten sind von gewöhnlicher Bildung, wohingegen das vierte, in erster Linie aber das fünfte Segment eine auffallende männliche Auszeichnung aufweisen. Jenes ist am Aussenende keulenartig verdickt, welche Verdickung einen Besatz zahlreicher Borsten hat, die teilweise recht kräftig und gebogen sind. Das vorletzte Glied ist in der Mitte merklich verdickt und gekrümmt. An seinem Innenende steht ein Paar ungewöhnlich breiter Haargebilde, die nur auf einer Seite wenige kräftige Fiedern besitzen. Neben diesen zwei Haargebilden ist noch eine etwas weniger breite aber längere Borste eingelenkt, die an der Spitze umgebogen ist. Auch stehen noch einige Haare dabei von gewöhnlicher Dicke und mittlerer Länge. Das Vorderende desselben Gliedes ist mit kürzern Borsten besetzt (Fig. 23). Sämtliche Füsse sind porös. Die Fusskralle ist wie beim ♀ dreizinkig; der mittlere ist am längsten (Nr. 22, Taf. VIII, Fig. 1b).

Geschlechtshof. Das männliche Geschlechtsfeld liegt wie das weibliche unmittelbar am Hinterende des Körpers. In einem rundlichen Ausschnitte des letzten Epimerenpaars ist ein Geschlechtsplattenpaar eingelassen, das vorn auf einer kurzen Strecke zusammenhängt und sonst seiner ganzen Länge nach von einander getrennt ist. An den Aussenseiten ist dasselbe mit den Epimeren verwachsen. Das hintere abgerundete Ende der beiden Platten ragt ein beträchtliches Stück über den Körperrand hinaus, was bereits bei der Darstellung der Körpergestalt Erwähnung fand. Die Geschlechtsplatten sind wie die Epimeren porös und tragen je einen Napf. Der hintere Rand der Platten ist mit schwimmhaarartigen Borsten besetzt, während an den Seiten derselben vereinzelte feinere Härchen wahrgenommen werden. Ferner ist das Geschlechtsorgan noch in einer Weise ausgezeichnet, wie das bisher bei keiner Hydrachnide beobachtet worden ist. Oberhalb jeder Platte ist nämlich an einem Vorsprunge ein Bündel keulenartiger Haargebilde befestigt, das wie ein aufgemachter Fächer erscheint (Fig. 23). Jederseits der beiden Geschlechtsplatten bemerkt man eine lange Reihe von Geschlechtsnäpfen, die sich hart am Körperrande bis beinahe an die Einlenkungsstelle des letzten Fusspaares hinzieht. Ausserhalb der Näpfe-stehen um die Hinterrandsecke des Körpers in langer Reihe ausserordentlich lange Borsten, wozu wir unter den bekannten Wassermilben kein Analogon wissen. Diese Borsten sind am Grunde zwiebelartig verdickt, im übrigen steif und auffällig gekrümmt. Bei dem hier als männliches Geschlecht beschriebenen Tiere erkennt man durch die Haut hindurch das Penisgerüst, so dass es sich darin zweifellos um ein ♂ handelt. Beim ♀ möge noch auf die mächtigen Eier hingewiesen werden, die im reifen Zustande bei lang-eiförmiger Gestalt eine Längsachse von 0,19 mm und eine grösste Breitenachse von 0,14 mm (gemessen bei einem 0,43 mm langen ♀). Die aufrecht am Hinterende des Körpers befindliche Geschlechtsspalte misst 0,14 mm.

After. Die Afteröffnung liegt wie beim ♀ auf dem Rücken vor den freien Endigungen des Rückenbogens.

Nymphe. Das Tier ist von etwas mehr als halber Länge (0,22 mm) des ♂. Seine Gestalt ist fast kreisrund, denn die grösste Breite beträgt in der Mitte des Körpers reichlich 0,2 mm. Vorn ragt der Körperrand etwas über das Maxillarorgan hinaus. Es ist bereits ein Rückenbogen vorhanden, der etwa in gleicher Weise wie beim ♀ verläuft, doch sich dadurch von dem des letztern unterscheidet, dass er hinten, wo er mit dem Körperrande zusammenfällt, geschlossen ist. Die Oberhaut ist, vorzüglich auf der Bauchseite, soweit die Epimeren sie nicht bedecken, mit einer deutlichen und zierlichen Liniierung ausgestattet. Dieses Merkmal findet sich gleichfalls beim ♀ an gleicher Stelle, nur weniger ausgeprägt. Beim ♀ erkennt man, beiläufig bemerkt, in der Seitenlage auch über dem Rückenbogen eine Linienverzierung. Weder Rücken- noch Bauchpanzer noch Palpen und Epimeren der Nymphe zeigen das Porenmerkmal; nur die beiden letzten Gliedmassen besitzen in ihren zwei Endgliedern eine grosslöcherige Beschaffenheit. Im übrigen weist die Haut genannter Organe einen zelligen Bau auf, wie ich das bei Curvipes clathratus Koenike (Nr. 20, pag. 33—34) beschrieben habe.

Dicht am Rückenbogen befindet sich die Analöffnung, die wie bei den zwei ausgewachsenen Geschlechtern rückenständig ist.

Die Augen haben die gleiche Lagerung und denselben Bau wie die der reifen Tiere; sie sind annähernd so gross wie beim ♀; der vordere Pigmentkörper — beide sind schwarz — ist merklich grösser als der hintere. Die antenniformen Borsten stehen gleichfalls auf kleinen Drüsenhöckern und sind ebenso lang wie die der vollkommenen Tiere. Die Maxillarplatte sowie die Taster weichen durchaus nicht von denen der ausgewachsenen Formen ab. Betreffs der Taster möchte ich besonders auf das Vorhandensein des kennzeichnenden Palpenzapfens hinweisen und den Wulst in der Mitte des vorletzten Gliedes mit der steifen, dem Endgliede zugebogenen Borste.

Die Hüftplatten sind bei sonstiger Übereinstimmung bezüglich charakteristischer Merkmale doch dadurch von denen der geschlechtsreifen Formen verschieden, dass sie nicht eine einzige zusammen-

hängende Platte bilden. Nur das erste Paar ist nach Art der Arre-
nurus-Epimeren fest miteinander verschmolzen. Im übrigen haben
die einzelnen Hüftplatten, wenn sie auch an einander lehnen, immerhin ihre bestimmte Gestalt durch eine scharfe Abgrenzung gewahrt.
Die dritte Hüftplatte ist innen sehr schmal, aussen jedoch bei An-
lehnung an die zweite ungemein breit. Die zwei letzten Plattenpaare berühren einander in der Mittellinie etwa in der vorderen
Hälfte, während die hintere Innenecke der letzten Platte breit abgerundet ist, wodurch ein spitzwinkliger Teil der liniierten ventralen
Oberhaut freibleibt. Das letzte Epimerenpaar verläuft in seinem
Hinterrande fast gerade, welches Merkmal an das Epimeralgebiet
mancher Ataxformen erinnert. Über die vierte Platte sieht man ein
flächenartiges Gebilde nach hinten hinausragen, das, soweit es zu
erkennen ist, der Gestalt der letzten Epimere entspricht. Es scheint
mir das in der That die bezügliche Hüftplatte des in der Nymphe
sich ausbildenden Imagos zu sein. Dafür spricht meines Erachtens
der Umstand, dass bei starker Vergrösserung das Gebilde nur bei
tieferer Einstellung erkennbar ist als die Nymphen-Epimere. Die
zwei ersten Paare gleichen in ihren Eckenfortsätzen nebst den daran
befindlichen steifen und krummen Borsten durchaus denjenigen der
vollkommenen Tiere. Die acht Beine stimmen in Gestalt — der
Unterschied betreffs des Porenmerkmals wurde bereits oben angegeben
— und Beborstung mit den Gliedmassen des ♀ überein, nur sind
dieselben bei dem Jugendstadium verhältnismässig länger. Auch die
Fusskralle mit ihren drei Zinken bietet keinerlei Abweichung. Das
am Hinterende des Körpers gelegene Geschlechtsfeld enthält vier
Näpfe, die zu Paaren jederseits der Mittellinie hart am Köperrande
liegen und sich beträchtlich über letztern hinauswölben. Sie sind
frei in die Körperhaut gebettet und fallen durch ihre Grösse auf,
denn während die grössten männlichen Näpfe nur 0,022 mm und
die weiblichen 0,025 mm im Durchmesser haben, so messen die der
Nymphe 0,03 mm. In der Mittellinie bemerkt man zwischen den
jederseitigen Geschlechtsnäpfen ein rundliches Gebilde in der Haut,
das ich als Muskelansatzstelle deute.

Die vorstehenden Angaben dürften genügen, um darzuthun,
dass das hier gekennzeichnete Jugendstadium in der That dem Aturus
scaber Kram. angehört.

Fundort. Kit-a-mun River; 23. Juli 1883. Flathead River;
29. Aug. 1883.

4. Genus. Mideopsis Neuman.
I. Mideopsis orbicularis (O. F. Müll.)

1781. Hydrachna orbicularis, O. F. Müller: Hydrachnae etc.
pag. 51, Taf. V, Fig. 3 und 4.

1880. Mideopsis depressa, C. J. Neuman: Om Sveriges Hydrachnider, pag. 67—68, Taf. V, Fig. 1.

Diese zuerst von O. F. Müller entdeckte und durch C. J.
Neuman genauer bekannt gewordene Wassermilbe ist mir aus Nord-

amerika in einem einzigen männlichen Exemplare in Form eines mikroskopischen Dauerpräparates zugegangen. Es lässt sich an dem durchscheinenden Penisgerüst mit Sicherheit erkennen, dass es sich um ein Männchen handelt. Da dies Geschlecht noch nicht beschrieben ist, so hätte ich die Pflicht, solches zu thun, doch lässt dies das schlecht erhaltene Exemplar nicht zu, das ungünstigerweise in Canadabalsam liegt, der milchig geworden ist. Mir will es scheinen, als ob das ♂ in seinem Äussern sich nicht vom ♀ unterscheide; besonders will ich betonen, dass weder der dritte noch der vierte Fuss irgend eine Auszeichnung besitzt, während, wie bekannt, das ♀ der nahe verwandten Midea orbiculata (O. F. Müll.) ein umgewandeltes Endglied am dritten Fusse hat.

Fundort. Ottawa (from Brook Bank St.); 20. Jan. 1883.

5. Genus. Feltria Koenike.
I. Feltria minuta Koenike.

1892. Feltria minuta, Koenike: Zool. Anz. 1892. Nr. 399 u. 400, pag. 323—326, Fig. 3 und 4.

Fundort. Canada (ohne nähere Fundortsangabe); 7. August 1883. 1 ♀.

6. Genus. Thyas C. A. Koch.
I. Thyas pedunculata nov. spec.
(Taf. I, Fig. 24—28.)

Da mir die Art namentlich im ♀ in hinreichender Individuen‑zahl vorliegt, so kann ich dieselbe hinlänglich kennzeichnen. Die nachfolgenden Angaben beziehen sich hauptsächlich auf das ♀.

Grösse. Die Körperlänge beträgt 1,2 bis 1,3 mm.

Gestalt. Bei Rücken- oder Bauchlage ist der Körper lang‑eiförmig mit der grössten Breitenachse (0,8 bis 0,85 mm) auf dem Hinterleibe. Die Körperhöhe ist mässig, bei den grössten Individuen in der Mitte 0,6 mm betragend. Die Bauchseite ist ziemlich flach, die Rückenseite mässig gewölbt. Das Stirnende steht nur wenig vor.

Haut. Die Oberhaut erscheint wie mit Schuppen bedeckt. Am Körperrande geben sich diese Gebilde als abgerundete und sehr dicht stehende Tüpfel zu erkennen (Fig. 24), ähnlich wie bei Hydryphantes ruber (de Geer), doch sind dieselben kräftiger als bei dieser Art. Ferner trägt die Haut in regelmässiger Anordnung eine Fleckenzeichnung, die flüchtig betrachtet an die von mir bei Sperchon glandulosus Koenike als Drüsen gedeutete Hautgebilde erinnert (Nr. 13, pag. 270—284. Taf. IV, Fig. 18). Auf dem Rücken zeigt Thyas pedunculata einen Kranz grosser Flecke nahe am Körperrande und innerhalb des Kranzes noch zwei Längsreihen kleinerer Flecke. Am grössten ist ein Fleck zwischen den Augen; derselbe ist länglich rund und hinten merklich schmaler; dieser erinnert in etwas an das Rückenschild der Hydryphantes-Arten, nur hebt wie hier sich das Gebilde nicht scharf ab. Auf allen diesen Flecken fehlen die Haut‑tüpfel; sie sind dagegen mit zahlreichen sehr feinen Porenkanälen

durchbrochen, deren äussere Öffnung 0,002 mm misst. Diese Haut-
flecke, die von C. L. Koch als „Rückenstigmen" bezeichnet werden
(Nr. 11; pag. 36), sind es besonders, die mich veranlassten, die hier zu
beschreibende neue Art auf das Koch'sche Genus Thyas zn beziehen.
Die antenniformen Borsten sind stark und recht kurz, nur
0,02 mm über den Stirnrand vorstehend.

Augen. Die beiden Doppelaugen liegen 0,35 mm von einander
entfernt. Bei Rückenansicht erscheinen sie unmittelbar am Körperrande. Die Augen erheben sich ein beträchtliches Stück über die
Körperhaut, wovon man sich leicht bei Seitenlage des Tieres überzeugt (Fig. 24). In der Mitte des oben erwähnten, zwischen den
zwei Augenpaaren gelegenen Flecks findet sich ein rundes Gebilde, das als fünftes unpaares Auge zu deuten sein dürfte. Etwa
in der Mitte zwischen diesem und einem Doppelauge steht eine Borste
und ausserdem innenseits der letzteren eine solche, die besonders
kräftig und rückwärts gekrümmt ist (Fig. 24).

Mundteile. Das Maxillarorgan ist ziemlich schmal. Das Rostrum
ist etwa von der Länge und Form wie bei den Hydryphantesarten
(Fig. 25). Die Mandibel gewinnt ein scherenaitiges Aussehen dadurch, dass am Vorderende des Grundgliedes dem Hakengliede gegenüber ein dem letztern an Länge gleichkommender Fortsatz vorhanden
ist (Fig. 26). Das Hakenglied ist nur kurz und sehr wenig gekrümmt. Auf der Seitenfläche desselben nahe dem Rücken erscheint
eine Reihe feiner Zähnchen. Der Grundteil der Mandibel ist recht
massig und verläuft seiner ganzen Länge nach gerade, da das die
Mandibulargrube enthaltende Hinterende desselben beim Knie kaum
merklich abbiegt.

Palpen. Der Maxillartaster beträgt kaum $1/4$ der Körperlänge.
Im allgemeinen stimmt er hinsichtlich der Gestalt und des Längen-
verhältnisses der 5 Glieder mit demjenigen von Hydryphantes schaubi
Koenike überein. Das Grundglied ist an seinem Innenende ausserordentlich dick. Das vorletzte Glied läuft am Aussenende und zwar
an der Beugeseite in einen chitinösen Zapfen aus, der abwärts gekrümmt und stark zugespitzt ist und mit dem kurzen Endgliede
eine Schere bildet. Das zuletztgenannte Glied besitzt an der Beuge-
und Streckseite etwa in der Mitte je eine kurze steife Borste, welche
dicht anliegt und an ein gleiches Vorkommnis bei den Arrenurus-
Palpen erinnert (Fig. 27). Die Borstenbewehrung ist im ganzen
mässig; das am meisten behaarte Glied ist das zweite, das auf der
Streckseite vier kurze und steife Borsten trägt; ausserdem besitzt
es auf der Innenseite noch ein schwach gefiedertes Haargebilde.

Hüftplatten. Die mit zahlreichen Porenöffnungen versehenen
Epimeren weichen in der Form nicht von denen der Gattung Hydryphantes ab. Bemerkenswert ist bei denselben ein reicher Haarbesatz
(Fig. 25). Die vorderste Hüftplatte ist dadurch eigenartig, dass die
zweite Vorderrandecke stärker ausgezogen ist als die erste, während
sonst das Umgekehrte Regel ist. Ausserdem sei noch auf einen
ziemlich tiefen Einschnitt zwischen der ersten und zweiten Epimere
hingewiesen.

Füsse. Die vorderen Gliedmassen sind kurz, denn selbst der letzte Fuss bleibt hinter der Körperlänge zurück. Sie sind sämtlich dick, besonders der erste Fuss, der auch ein starkes Endglied aufweist, während dies bei den übrigen Beinen wesentlich dünner ist. Alle Gliedmassen sind ohne Schwimmhaare; hingegen besitzen sie einen reichen Besatz an sehr kurzen und dicken Borsten, die namentlich am Aussenende der mittleren Fussglieder in dichter kranzartiger Stellung auftreten. Die Fusskralle ist schwach sichelförmig und bei den zwei letzten Beinpaaren ungewöhnlich gross.

Geschlechtshof. Eine gewisse Ähnlichkeit des Geschlechtsfeldes mit demjenigen von Hydryphantes ruber (de Geer) und Hydryphantes dispar v. Schaub ist unverkennbar, denn ausser den beiden beweglichen Geschlechtsklappen sind auch sechs Näpfe vorhanden, die bis auf das hinterste Paar die gleiche Anordnung zeigen. Bei Thyas pedunculata ist dieses wie das zweite Paar nahe der Mittellinie gelegen (Fig. 25). Die Näpfe fallen durch ihre ungewöhnliche Grösse auf; ihr Durchmesser beträgt etwa 0,04 mm. Eigentümlich sind sie durch den Umstand, dass sie auf Stielen sitzen (Fig. 28 d), wovon man sich bei Seitenlage des Tieres leicht überzeugen kann. Dies Merkmal diente zur Benennung. Die beiden Geschlechtsklappen sind mit kleinen Porenöffnungen übersät und haben eine dreieckige Gestalt; die abgerundete Spitze ist der Geschlechtsspalte zugekehrt und mit der Grundseite sind sie aussen beweglich eingelenkt (Fig. 28 k). An den freien Rändern der Klappen bemerkt man zahlreiche steife und teilweise stark gekrümmte Borsten (Fig. 25 und 28 k). Bei in Kalilauge erweichten Tieren erscheint bei Seitenlage zwischen den Klappen ein starker getüpfelter Wulst (Fig. 28 w), der die Klappen nach der Seite drängt. Die Geschlechtsspalte reicht vom ersten bis zum zweiten Geschlechtsnapfpaare und misst 0,13 mm; der ganze Geschlechtshof ist 0,2 mm lang und in seinem breitesten Teile 0,15 mm. Das reife Ei ist kugelrund mit einem Durchmesser von 0,15 mm.

Männchen. Ausser der geringern Grösse (0,64 mm) zeigt das ♂ dem ♀ gegenüber keine äussern Unterschiede.

Fundort. Kit-a-mun River; 23. Juli 1883.

2. Thyas stolli nov. spec.

(Taf. II, Fig. 29—32.)

Auch diese Art ist mir in einer Reihe von Individuen bekannt geworden.

Grösse. Thyas stolli ist im ganzen ein wenig kleiner als die vorhergehende Art. Ihre Körperlänge beträgt 0,75 bis 1,2 mm. Gestalt. Im Körperumriss gleicht Thyas stolli dem Hydryphantes ruber (de Geer); derselbe ist also eirund mit der grössten Breitenachse hinter dem Geschlechtshofe (0,62 bis 1 mm). Die grösste Körperhöhe misst in der Mitte bei einem 0,9 mm langen Tiere 0,56 mm. Das Stirnende des Körpers steht nicht vor. Die Bauchseite ist nur etwas schwächer gewölbt als der Rücken.

Haut. Die Oberhaut hat das gleiche Aussehen wie bei Thyas pedunculata, nur haben die Tüpfel bei dieser Art die dreifache Grösse von denen der hier beschriebenen. Das Fleckenmerkmal, das bei Thyas pedunculata beschrieben wurde, mangelt vorliegender Form völlig. Das antenniforme Borstenpaar ist sehr kurz und deutlich beiderseitig gefiedert, welch letzteres Merkmal das entsprechende Haargebilde der vorigen Art entbehrt.

Augen. Die beiden Augenpaare sind bei einem 1 mm grossen Tiere 0,29 mm auseinander gelegen. Sie sind randständig; bei Seitenlage des Tieres erkennt man, dass sie sich etwas über die Körperhaut erheben. Jedes Augenpaar besitzt einen länglich runden Hornrand; als solcher kommt nämlich die das Sehorgan umschliessende Chitinkapsel bei Rückenansicht zum Ausdruck. In der Mitte zwischen den beiden Doppelaugen beobachtet man einen 0,035 mm im Durchmesser haltenden kreisrunden Chitinring. Es unterliegt keinem Zweifel, dass hier der Sitz des durch v. Schaub zuerst bei Hydryphantes entdeckten fünften unpaaren Auges ist. Anscheinend besitzt dieses Sehorgan nur ein Pigmentkörperchen. Auf der Innenseite jedes Doppelauges in geringer Entfernung von letzterem steht auf einer Haarplatte eine feine Borste. Sonst bemerkt man auf der ganzen Oberseite des Körpers noch eine Anzahl halblanger Haare, die in mehreren Reihen angeordnet sind.

Mundteile. Das Maxillarorgan ist in seiner zu Tage tretenden Platte, die mit feinen Porenöffnungen versehen ist, verhältnismässig kürzer und breiter (Fig. 29) als bei Th. pedunculata. Hinten zeigt dasselbe bei dem Tiere in toto keine Fortsätze, denn wie sich aus Fig. 30 f ergiebt, sind zwar solche vorhanden, aber so kurz, dass sie nicht über das Hinterende der Maxillen hinausragen. Das Rostrum (Fig. 30 r) ist nur kurz und stumpfwinklig zur Maxillarplatte geneigt und trägt die Mundöffnung, wie das bei den Thyasformen Regel ist, an seinem scheibenartigen Vorderende. Die Mandibel zeigt gegenüber derjenigen von Th. pedunculata mehrere kennzeichnende Unterschiede. In erster Linie gilt das vom Hakengliede, das sich bei Th. stolli durch eine erhebliche Länge auszeichnet (Fig. 31). Dagegen ist der durchscheinende spitze Fortsatz, der seine Stellung gegenüber dem Hakengliede hat, kleiner. Das Grundglied der Mandibel besitzt ein stärker vorspringendes Knie als bei der vorigen Spezies, wodurch das ganze Glied ein kräftigeres Aussehen gewinnt.

Palpen. Die Maxillartaster sind am Grunde des Rüssels recht hoch eingelenkt (Fig. 30 t). Sie erreichen etwa ein Drittel der Körperlänge und zeigen den Bau der Hydryphantes-Palpe, was sich namentlich aus der Palpenendigung ergiebt, die scherenartig ist (Fig. 32). Von dem verhältnismässig reichen Borstenbesatz will ich nur zwei kurze und gefiederte Haargebilde auf der Innenseite des zweiten Gliedes erwähnen. Dann scheint mir auch das Auftreten zweier Borsten auf der Streckseite des Basalgliedes bemerkenswert, da gewöhnlich nur eine solche an deren Stelle angetroffen wird.

Hüftplatten. Das Epimeralgebiet hat den Hydryphantes-Charakter (Fig. 29). Die Behaarung desselben ist schwächer als bei Th. pedunculata. Beim vordern Plattenpaare ist die erste Vorderrandsecke stumpfeckig ausgezogen. Die zwei Vorderpaare besitzen hinten einen gemeinsamen Fortsatz, der an der hintern Innenecke etwas vorsteht und das Maxillarorgan umgreift.

Füsse. Das letzte Paar ist etwa von Körperlänge, während die andern nennenswert kürzer sind. Die mittleren Gliedmassen-Paare stimmen in der Länge überein. Sämtliche Beine sind ohne Schwimmhaare; es treten überall nur kurze Borsten auf und zwar in erheblich geringerer Anzahl als bei Th. pedunculata. Die Aussenenden des ersten bis fünften Gliedes sind vielfach mit breiten gefiederten Haargebilden in kranzartiger Stellung besetzt, während sich solche bei der Vergleichsart an keiner Stelle auffinden liessen. Die Endbewaffnung der Beine besteht in einer kleinen Doppelkralle, die stark sichelförmig gebogen und ohne Nebenhaken ist.

Geschlechtshof. Einer der wesentlichsten Unterschiede gegenüber Th. pedunculata bietet die gegenwärtige Art durch die Gestalt des äussern Genitalorgans, indem dasselbe äusserst lang gestreckt ist (0,24 mm). Die beiden porösen aussen beweglich eingelenkten Geschlechtsklappen sind leistenartig schmal und hinten ein wenig breiter als vorn (Fig. 29). Ihre hintere Innenecke ist kräftig ausgeschweift und die gegenüberliegende Aussenecke abgerundet. Der Innenrand der Klappen ist mit feinen Borsten besetzt, die in der angegebenen Eckenausbuchtung von mässiger Länge sind, während sie im übrigen durch ihre ausserordentliche Kürze auffallen. Auch die Lagerung der in gleicher Anzahl — nämlich 6 — vorhandenen Geschlechtsnäpfe bietet eine wenn auch geringe Abweichung. Übereinstimmend ist je ein Napf vor den Klappen gelegen, während hinten jederseits deren zwei liegen. Von den letztern ist der hintere mehr nach aussen gerückt als bei Th. pedunculata. Die Näpfe sind ungestielt. Die Geschlechtsöffnung hat die Länge des ganzen Organs.

Es ist sehr wahrscheinlich, dass sich die vorstehende Beschreibung auf das ♀ bezieht. Ein ♂ habe ich nicht erkannt.

After. Die Analöffnung liegt in der Mitte zwischen Geschlechtshof und Hinterrand des Körpers.

Fundort. Old marsh under moss North Fock, Old Man River, in Rocky Mountains, Canada; 10. Aug. 1883.[*]

3. Thyas cataphracta nov. spec.
(Taf. II, Fig. 33—35.)

Es liegt nur ein Individuum der nachstehenden Beschreibung zu Grunde.

Grösse. Die Körperlänge beträgt 1,2 mm, die grösste Breite — in der Mitte des Körpers — 0,88 mm, die Höhe 0,2 mm.

Gestalt. Im Körperumriss gleicht die neue Spezies der Thyas venusta C. L. Koch, nur ist derselbe bei Th. cataphracta merklich

---

[*] Thyas stolli ist jüngst auch in Deutschland aufgefunden worden.

schlanker. Unter- und Oberseite des Körpers sind schwach gewölbt.
Der Vorderkörper ragt nur wenig vor; auch ist derselbe im ganzen
niedriger als der Hinterkörper.

Haut. Am Körperrande erkennt man, dass die Oberhaut mit
winzigen Tüpfeln dicht besetzt ist. Thyas cataphracta zählt auffälligerweise zu den gepanzerten Wassermilben, so dass Alkohol-Kon-
servierung wie bei Arrenurus-Formen kaum irgendwelche Schrumpfung
hinterlassen hat. Vor allem mache ich auf den ungemein derben
Rückenpanzer aufmerksam, der mir Anlass zur Benennung vorliegender
Spezies gab. Der in Rede stehende Panzer hat im grossen ganzen
die Gestalt des Körperumrisses, ist jedoch vorn unterschiedlich flach
ausgeschweift. Seine Oberfläche erscheint dicht warzig (Fig. 33),
indes handelt es sich in Wirklichkeit nicht um Warzen, sondern
um helle Flecke von verschiedener Grösse und unregelmässiger
Gestalt. Der ganze Panzer ist anscheinend von zahlreichen Porenkanälen wie bei Arrenurus durchbrochen (Fig. 33), deren äussere
Mündungen sich am deutlichsten auf den genannten Flecken zu erkennen geben. Bei Anwendung eines Immersions-Systems überzeugt
man sich indes, dass eine scheinbare Porenmündung von etwa 0,003
mm Durchmesser sich in eine grössere Anzahl winziger Porenöffnungen
auflöst. Der bei weitem schwächere Bauchpanzer lässt weder das
Flecken- noch Porenmerkmal des Rückenpanzers wahrnehmen. Ein
sogenannter Rückenbogen fehlt, da der Bauchpanzer, tief an den
Seiten des Körpers beginnend, einen weiten Abstand vom Rückenpanzer zeigt. Ich erwähne noch zweier Drüsen auf dem Hinterleibe
in der Nähe des Hinterrandes. Sie liegen 0,3 mm aus einander
und sind dadurch eigentümlich, dass sie von einem chitinösen und
porösen Hofe in ovaler Form von 0,096 mm Länge umgeben sind,
worin wir es offenbar mit der Drüsenwand zu thun haben.

Augen. Bei Bauchlage der Hydrachnide erkennt man an den
Seiten des Rückenpanzers nahe den Vorderrandsecken je ein Doppelauge, dessen Chitinkapsel beträchtlich über den Panzerrand hinausragt. Der gegenseitige Abstand der beiden Augenpaare beträgt
0,3 mm. Es gelang nicht, das unpaare fünfte Auge auf dem Rückenpanzer nachzuweisen, doch ist an dem Vorhandensein eines solchen
nicht zu zweifeln.

Mundteile. Das Maxillarorgan (Fig. 34) ist dem Gattungscharakter entsprechend rüsselförmig; das stumpf kegelförmige Rostrum
ist vorn wie immer scheibenartig und besitzt eine Länge von 0,2
mm und eine Neigung zur Maxillarplatte von ungefähr 135°. Die
letztere ist fein porös und mit vielen krummen Stricheln gezeichnet
(Fig. 34).

Palpen. Der kurze kaum mehr als $^1/_4$ Körperlänge betragende
Maxillartaster ist seitlich etwa in halber Höhe des Rostrums eingelenkt. Derselbe ist wesentlich schlanker gestaltet als der der
beiden andern amerikanischen Thyas-Spezies. Der mit dem Endgliede die Schere bildende Fortsatz des voraufgehenden Segmentes
ist ungewöhnlich dünn und spitz und nur wenig kürzer als das
Endglied (Fig. 35). Von dem schwachen Haarbesatz will ich nur

auf zwei kurze gefiederte Borsten auf der Aussenseite des zweiten und auf ein eben solches Haargebilde derselben Seite des Grundgliedes verweisen.

Hüftplatten. Das erste Epimerenpaar ist auf der Innenseite in der Mitte ausgeschweift, der Gestalt des Maxillarorgans entsprechend (Fig. 34). Aussen bemerkt man vom zweiten nach dem dritten Paare gehend eine Kante, die an letzterem fortsatzartig vorsteht. Auf den Hüftplatten finden sich namentlich an den Rändern mehrere kurze Haare.

Füsse. Die Gliedmassen sind sehr kurz; das erste Paar ist nicht halb so lang wie der Körper, während selbst der letzte Fuss bei weitem die Körperlänge nicht erreicht. Um die Aussenenden der mittleren Fussglieder findet sich ein dichter Kranz kurzer recht kräftiger Borsten, die meist schwach gezähnelt sind. Schwimmhaare werden an keinem Fusse angetroffen. Die Fusskralle ist einfach ohne Nebenhaken, auffallend schwach gebogen und erlangt am letzten Fusspaare eine ansehnliche Grösse.

Geschlechtshof. Das äussere Geschlechtsorgan hat die übliche Lage (Fig. 34). Es besitzt jederseits eine auswärts beweglich eingelenkte Chitinklappe, die vorn sehr schmal ist und nach hinten zu sich etwas verbreitert. Der innere Klappenrand ist mit zahlreichen ziemlich steifen Borsten besetzt. Am vordern und hintern Ende jeder Klappe befindet sich ein grosser Geschlechtsnapf und ein dritter auf der Innenseite derselben. Das ganze Geschlechtsfeld entspricht in seiner Anordnung demjenigen von Hydryphantes ruber (de Geer). Ob auch eine Übereinstimmung bei aneinandergelegten Klappen vorhanden ist, kann ich nicht entscheiden, da ich bei dem mir vorliegenden Individuum das Organ nur bei zurückgeschlagenen Klappen beobachtet habe, wie es Fig. 34 zur Anschauung bringt.

After. Die Analöffnung liegt 0,3 mm vom Geschlechtshofe entfernt.

Fundort. Small brook between the North and Middle Focks of Old Man River; 15. Aug. 1883.

7. Genus. Tyrrellia nov. gen.

Oberhaut wie bei Hydryphantes C. L. Koch mit Zäpfchen besetzt. Maxillarorgan, Taster, Epimeren und Füsse porös. Wie die genannte Gattung mit Rückenschild versehen. Mundöffnung am Vorderrande des Maxillarorgans in der Mitte einer scheibenartigen Erweiterung gelegen. Palpenende spitz und ohne scherenartige Bildung; das zweite Glied auf der Beugeseite mit Chitinstift. Das Hüftplattengebiet aus vier nahe an einander gerückten Gruppen bestehend; letzte Epimere mit starker seitlicher Ausdehnung und nebst der vorhergehenden schräg zur Mittellinie des Körpers gelagert. Füsse ohne Schwimmhaare; viertes Gliedmassenpaar an der hintern Innenecke der letzten Epimere eingelenkt. Doppelkrallen ohne Nebenhaken. Geschlechtshof in einer von sämtlichen Hüftplatten gebildeten Bucht gelegen, bestehend aus zwei porösen, grosse Geschlechtsnäpfe tragenden Platten.

Dem Habitus nach gehört Tyrrellia zu den Gattungen Hydryphantes, Bradybates, Thyas und Zschokkea, doch kann das neue
Genus auf Grund verschiedener charakteristischer Merkmale mit
keinem der genannten Formenkreise vereinigt werden. Einen der
Hauptunterschiede bietet die Tyrrellia-Palpe durch den Mangel einer
scherenartigen Beschaffenheit und den Besitz eines Chitinstiftes am
zweiten Gliede, wodurch das Organ das Ansehen eines Limnesia-
Tasters erhält (Fig. 36). Das Maxillarorgan erinnert zwar infolge
der die Mundöffnung umgebende Scheibe (Fig. 37) an den bezüglichen
Körperteil der am nächsten verwandten Gattungen, doch unterscheidet
sich derselbe durch den Mangel einer Rüsselbildung. Allerdings ist
nach meinen jüngsten Beobachtungen darauf kein allzu grosses Gewicht zu legen, da es thatsächlich vorkommt, dass in einer mit Rostrum
ausgestatteten Gattung (Sperchon) dasselbe auch fehlt. Es ist somit
nicht ausgeschlossen, infolge der Mundbildung sogar wahrscheinlich,
dass später mit Rüssel versehene Tyrrellia-Formen aufgefunden werden.
Die letzte Hüftplatte ist nicht wie bei den verwandten Gattungen
nach hinten zu verschmälert, sondern schliesst breit ab. Ganz besonders eigentümlich ist sie aber durch ihre Schrägstellung und die
an der hintern Innenecke befindliche Insertionsstelle des letzten Beines,
ein Vorkommen, das meines Wissens bislang bei keiner Hydrachnide
beobachtet worden ist. Das Geschlechtsfeld macht eine Sonderstellung
der neuen Wassermilbe dadurch erforderlich, dass die wenigen Näpfe
(6) auf porösen Platten liegen und zwar in einer Anordnung, wie
sie bei Hygrobates-Formen angetroffen wird. Ein fünftes unpaares
Auge, das nach Analogie der nächst verwandten Vergleichsgattungen
vorausgesetzt werden muss, konnte nicht nachgewiesen werden;
vielleicht gelingt das einem spätern Beobachter, dem ein ausgiebigeres
Material zu Gebote steht.

I. Tyrrellia circularis nov. spec.

(Taf. II, Fig. 36—38.)

Die nachstehende Beschreibung bezieht sich auf das ♀, denn
nur dieses liegt vor.

Grösse. Der Körper misst in der Länge 1,2 mm und in der
Breite 1 mm, in der Höhe 0,88 mm.

Gestalt. Der Körperumriss ist bei Rücken- oder Bauchlage
fast kreisrund, welches Merkmal bei der Benennung Berücksichtigung
fand. Die Seitenlage lässt erkennen, dass der Vorderkörper stark
vorsteht, was übrigens auch Fig. 37 zur Anschauung bringt.

Haut. Die weiche Oberhaut ist mit 0,0028 mm hohen abgerundeten Tüpfeln ziemlich dicht besetzt (Fig. 37). Die Lage der
zahlreichen von einem Härchen begleiteten Hautdrüsen ergiebt sich
aus den bezüglichen Abbildungen (Fig. 37 und 38). Auf ein Paar
Rückendrüsen unweit des Vorderrandes mit auffallend grossen Öffnungen
will ich noch besonders aufmerksam machen (Fig. 38 d). Tyrrellia
circularis ist durch zwei fein poröse Rückenschilder gekennzeichnet.
Das vordere entspricht nach der Lagerung dem Rückenschilde der
Hydryphantes-Spezies (Fig. 38 s[1]). Dasselbe gleicht einem spitz-

winklig gleichschenkligen Dreiecke mit nach vorn gerichteter abgerundeter Spitze und vorgebogenen Seitenlinien. An den Basalecken findet sich je ein kurzer Vorsprung, der indes nicht immer deutlich hervortritt. Dieser kleine Fortsatz schliesst mit einem winzigen kugeligen Gebilde ab, das einer Augenlinse ähnelt (Fig. 38 k). Im hintern Teile des Schildes nimmt man zwei feine Härchen wahr. Das zweite weit kleinere Rückenschild befindet sich im letzten Drittel der Rückenoberfläche (Fig.. 38 s²); es ist eiförmig mit einem Einschnitt am hintern breiten Ende; das entgegengesetzte Ende ist abgeplattet. Die antenniformen Borsten stehen ziemlich nahe beisammen, sind recht kurz und einwärts gekrümmt (Fig. 38).

Augen. Über das Sehorgan lassen sich nur unvollständige und unsichere Angaben machen, da infolge der Behandlung des Objekts mit Kalilauge die Pigmentkörper verloren gegangen sind. Ich vermute, es handelt sich in einem paarigen Gebilde unmittelbar am Vorderrande des Körpers um die beiden Doppelaugen (Fig. 38a). Die Körperhaut wölbt sich darüber empor und entbehrt die Oberhaut-Tüpfel.

Mundteile. Das von Porenkanälen durchbrochene Maxillarorgan ist glockenförmig und besitzt keine rüsselförmige Verlängerung, aber wie beispielsweise die Hydryphantes-Spezies eine fast kreisrunde Scheibe mit der Mundöffnung in der Mitte. (Fig. 37). Von jener nach dem obern Rande der Scheibe geht ein Spalt, neben welchem am Scheibenrande jederseits eine kurze und krumme Borste steht.

Palpen. Der poröse Maxillartaster trägt als Hauptkennzeichen auf der Beugeseite etwa in der Mitte einen 0,0168 mm langen Chitinstift, der in einem Haarwall von ungefähr halber Höhe des Stiftes eingelassen ist (Fig. 36). Dem vierten Gliede ist in der vordern Hälfte der Beugeseite ein kennzeichnender Borstenbesatz eigen. Zunächst stehen auf der Innenseite an einer Chitinleiste entlang mehrere Härchen (Fig. 36 k). Ferner bemerkt man ausser wenigen feinen Härchen eine kräftige der Palpenspitze zugebogene Borste. Das freie Ende des fünften Tastergliedes ist ohne jegliche Auszeichnung; es fehlen selbst die an genannter Stelle meist auftretenden Chitinspitzen.

Hüftplatten. Das Hüftplattengebiet lässt vorn einen Abstand von 0,112 mm und reicht etwa bis zur Mitte der Bauchseite. Es besteht aus vier Gruppen, die nahe beisammen liegen. Das erste Paar umgreift hinten, wo eine geringe Verbreiterung erfolgt, das Maxillarorgan und lässt hier nur einen schmalen Abstand zwischen sich. Die beiden ersten Paare besitzen hinten einen kurzen gemeinsamen Fortsatz. Die zwei letzten Paare fallen bezüglich ihrer Lagerung nur dadurch auf, dass sie nicht rechtwinklig, sondern schräg zur Mittellinie des Körpers gerichtet sind und zwar derart, dass sie wie die beiden ersten Paare gelegen sind. Innen lassen sämtliche Epimeren einen breiten Raum für das äussere Geschlechtsorgan frei. Die vierte Epimere, welche die andern an Raumausdehnung übertrifft, ist nur mässig gross; ihre sämtlichen Ecken sind abgerundet. An der hintern Innenecke, wo der letzte Fuss eingelenkt ist, steht ein Büschel aus vier Haaren. Auch auf den andern Epimeren bemerkt man einige kurze Haare (Fig. 37).

Füsse. Die porösen Gliedmassen sind ausserordentlich kurz (Fig. 37); der erste Fuss bleibt noch hinter der halben Körperlänge zurück, und der letzte erreicht bei weitem nicht die Körperlänge. Beim ersten Fusse möge auf die auffallend starke Verkürzung des Endgliedes aufmerksam gemacht werden. Die Beine, besonders die zwei ersten Paare, machen einen sehr kräftigen Eindruck; das dritte Paar ist indes merklich schwächer. Die letzten Endglieder sämtlicher Gliedmassen sind am Aussenende auffallend verdickt. Das fünfte Glied des letzten Paares ist auswärts etwas ausgeschweift. Die Borstenbewehrung der Füsse besteht nur aus kurzen kräftigen Haargebilden, die besonders am Aussenende des vierten und fünften Gliedes aller Gliedmassen zu einem dichten Kranze zusammengedrängt sind. Ich will noch erwähnen, dass am Krallenende des letzten Fusses mehrere starke Borsten stehen. Die Krallen besitzen keinen Nebenhaken, ihre Basalhälfte ist nahezu gerade, während in der Mitte eine starke Biegung erfolgt.

Geschlechtshof. Das äussere, zwischen die beiden letzten Epimerenpaare hineingeschobene Geschlechtsorgan besteht aus zwei porösen Napfplatten von lang dreieckiger Gestalt, die mit ihren geraden Innenseiten einander berühren (Fig. 36); die Aussenseiten sind gebogen. Auf den Platten liegen je drei grosse länglich runde Näpfe in gleicher Weise wie z. B. bei Hygrobates longipalpis (Herm). Das reife Ei ist kugelrund und hat einen Durchmesser von 0,12 mm. Ein Weibchen trug zahlreiche vollentwickelte Eier bei sich, von denen Fig. 37 drei zur Anschauung bringt.

After. Die Analöffnung befindet sich etwa in der Mitte zwischen Geschlechtsfeld und Hinterrand des Körpers und hat mit dem Hof eine sehr langgestreckte rundliche Gestalt.

Fundort. Pond at Dechenes; 2. Sept. 1882.

8. Genus. Lebertia C. J. Neumann.

I. Lebertia tau-insignita (Lebert).

Ausser zahlreichen reifen Tieren lag auch die Nymphe in einigen Exemplaren vor, die, wie bereits Piersig bemerkte (Nr. 30, pag. 339), der vollkommen entwickelten Form ähnelt. Besonders gilt das in Betreff des Hüftplattengebiets, das hauptsächlich durch eine geringere Raumausdehnung und den Mangel einer Ausbuchtung am Hinterrande des Epimeralpanzers abweicht. Es ist ein viernapfiges Geschlechtsfeld vorhanden, das auf der abdominalen Bauchseite liegt. Auf der Beugeseite des zweiten Palpengliedes tragen die adulten Tiere eine kräftige und gebogene Borste, welche der Nymphe fehlt. Ich will noch bemerken, dass dieses Haargebilde bei der nordamerikanischen Form merklich länger ist als bei der europäischen, der einzige Unterschied, der sich auffinden liess.

Fundort. Ich fand die Art in vier verschiedenen Gläschen vor, von denen nur das eine mit Fundortsangabe versehen war: Flathead River; 29. Aug. 1883.

9. Genus. Sperchon P. Kramer.

Ausser dem schon früher von mir gemeldeten Vorkommen des Sperchon glandulosus Koenike in Nordamerika kann ich jetzt noch zwei weitere neue Spezies derselben Gattung bekannt machen. Sämtliche Formen zeichnen sich durch den Besitz zweier Taststifte am vorletzten Palpensegmente aus; das sind kurze Borstengebilde, die am freien Ende wie abgebrochen erscheinen (Taf. II, Fig. 45 t) und nach Stellung beachtenswerte Artunterschiede darbieten. Man darf diesem Gebilde deshalb wohl mit Recht die Bedeutung eines Gattungsmerkmals zuerkennen. Bemerkenswert ist eine nordamerikanische Sperchon-Spezies (Sperchon parmatus) dadurch, dass ihr Rückenschilder eigen sind (Taf. II, Fig. 40), die sonst bei Sperchon noch nicht beobachtet wurden.

1. Sperchon glandulosus Koenike.

(Taf. II, Fig. 39.)

1885. Sperchon glandulosus Koenike: Zeitschr. f. wiss. Zool. 43. Bd., 1885, pag. 270—284. Taf. IX, Fig. 17—24.

Die nordamerikanischen Individuen unterscheiden sich von den Typen der Art hauptsächlich nur durch den Besitz eines längern und kräftigern Palpenzapfens (Fig. 39). Auf Unterschiede in der Borstenbewehrung darf kein Gewicht gelegt werden, da meine der Beschreibung beigegebene Palpenzeichnung (Nr. 13, Taf. IX, Fig. 20) die Borstenbewehrung infolge unzureichenden Materials nur ungenau darstellt. Bei der Identifizierung der nordamerikanischen Form mit der europäischen stütze ich mich hauptsächlich auf die Übereinstimmung im Bau der Mandibel (Nr. 13, Taf. IX, Fig. 22) und des Maxillarorgans (Nr. 15, Taf. V, Fig. 10).

Fundort. Small brook between the North and Middle Focks of Old Man River; 15. Aug. 1883. Wigwam River, Rocky Mountains, Idaho; 25. Juli 1883. Kit-a-mun River; 23. Juli 1883.

2. Sperchon parmatus nov. spec.

(Taf. II, Fig. 40 u. 41.)

Es liegen nur zwei Weibchen vor, die sich indes in solch dürftigem Zustande befinden, dass die Beschreibung nur lückenhaft erfolgen kann; doch denke ich die Spezies immerhin derart kennzeichnen zu können, dass sie in der Folge wieder zu erkennen sein wird.

Grösse. Die Körperlänge beträgt 1,2 mm beim grössten Individuum.

Gestalt. In der Körperform zeigt sich gegenüber dem Sperchon glandulosus Koenike kaum ein bemerkenswerter Unterschied; nur möge eine geringere Breite des Vorderkörpers Erwähnung finden (Fig. 40).

Haut. Die Haut bietet den Hauptunterschied gegenüber den beiden bisher bekannten Arten. Dem Sp. parmatus mangeln nämlich nicht nur die stark entwickelten Drüsen, sondern auch das Tüpfelmerkmal der Epidermis, die vollkommen glatt ist. Dafür ist die Art aber mit zwei Rückenschildern ausgerüstet (Fig. 40), die mir als das geeignetste Merkmal zur Benennung erschienen. Das vordere kleinere Schild hat die gleiche Lage wie das Rückenschild der Hydryphantes-Formen. Es ist ein stumpfwinklig-gleichschenkliges Dreieck mit hinten befindlicher Basis und abgerundeten Ecken. Die Basis besitzt in der Mitte einen breiten rundlichen Vorsprung. Das andere grössere Schild liegt in der hintern Hälfte des Rückens und bildet ein spitzwinklig-gleichschenkliges Dreieck mit stark abgestumpfter Spitze, die nach hinten gerichtet ist. Die Seitenlinien sind ein wenig herausgebogen und die Basis schwach ausgeschweift (Fig. 40). Beide Schilder haben eine fein poröse Oberfläche, die bei geringer Vergrösserung als gekörnelt erscheint. Die Porenöffnungen sind 0,003 mm weit.

Augen. Die beiden Augenpaare sind randständig, während dieselben bei Sp. squamosus Kram. und Sp. glandulosus Koen. einen nennenswerten Abstand vom Körperrande zeigen. Die Entfernung der Doppelaugen von einander beträgt bei Sp. parmatus 0,48 mm (bei einem 1,2 mm langen Individuum gemessen).

Mundteile. Über Maxillarorgan und Mandibel, die bei Sperchon-Spezies charakteristische Unterschiede aufweisen, vermag ich nichts zuverlässiges beizubringen. Das Maxillarorgan ist im ganzen wohl schlanker gestaltet als bei Sp. glandulosus (Nr. 15, Taf. V, Fig. 10), doch erreicht es bei weitem nicht die Länge desjenigen von Sp. squamosus.

Palpen. Der Maxillartaster ist reichlich von halber Körperlänge (Fig. 41) und macht durch den Besitz eines Zapfens am zweiten Gliede und zweier Taststifte am vorletzten Segmente, sowie auf Grund der doppelklauigen Palpenendigung ganz den Eindruck eines typischen Sperchon-Tasters. Im allgemeinen erinnert derselbe zumeist an denjenigen von Sp. glandulosus, doch lassen sich Unterschiede leicht nachweisen. Zunächst ist der Zapfen der neuen Art auffallend länger und am Grunde schwächer als der der Vergleichsart; derselbe hat fast die doppelte Länge desjenigen der ungewöhnlich langzapfigen canadischen Form des Sp. glandulosus. Ferner fehlt bei Sp. parmatus die kräftige Borste auswärts an der Basis des Zapfens. Das Paar der Taststifte des schlanken vorletzten Tastersegmentes steht in der vordern Hälfte desselben und zeigt demnach eine ähnliche Stellung wie bei Sp. squamosus. Die Chitinkörperchen sind aber erheblich kleiner als bei den bekannten Spezies (Fig. 41). Das Endglied der Palpe ist wesentlich kürzer als bei Sp. glandulosus, hat aber wie bei dieser Art zwei mit ihren Spitzen weit auseinander stehende Chitinhäkchen. Nur das zweite und dritte Tastersegment haben deutliche Porenöffnungen.

Hüftplatten. Das poröse Epimeralgebiet weicht nur in ganz geringem Grade von demjenigen des Sp. glandulosus ab. Die dritte

Hüftplatte der neuen Spezies ist merklich schmaler und die Drüse derselben, die bei der Vergleichsart unmittelbar am Vorderrande gelegen ist (Nr. 13, Taf. IX, Fig. 19), befindet sich bei der neuen Art in der Mitte zwischen Vorder- und Hinterrand. Die vierte Epimere zeigt eine grössere Längenausdehnung.

Füsse. Die porösen Gliedmassen sind von mittlerer Länge; der letzte Fuss ist etwa so lang wie der Körper. Die Borstenbewehrung ist gleich den beiden bekannten Arten recht dürftig. Die Fusskralle besitzt wie bei Sp. glandulosus am Grunde eine blattartige Erweiterung.

Geschlechtshof. Das äussere 0,24 mm lange Genitalorgan hat nicht nur dieselbe Lage wie bei Sp. glandulosus, sondern auch die gleiche Gestalt. Von den sechs Geschlechtsnäpfen sind die zwei vordern Paare sehr lang und schmal. Die Klappen sind fein porös und am Innenrande mit Härchen besetzt, die weitläufiger stehen als bei Sp. glandulosus (Nr. 13, Taf. IX, Fig. 19).

After. Der Anus hat die gleiche Lage wie bei S. glandulosus (Nr. 13, Taf. IX, Fig. 17).

Fundort. Kit-a-mun River; 23. Juli 1883.

3. Sperchon tenuipalpis nov. spec.

(Tafel II, Fig. 42—47.)

Schon allein die abweichende Gestaltung des Maxillartasters des einen mir vorliegenden Individuums bedingt die specifische Sonderstellung desselben.

Grösse. Die Körperlänge beträgt 0,95 mm, die grösste Breitenachse (hinter dem letzten Epimerenpaare) 0,88 mm. Ob das Breitenmass und mithin die Wiedergabe des Körperumrisses durch Fig. 42 der Wirklichkeit entspricht, ist mir zweifelhaft, da der Hinterleib des einzigen mir vorliegenden Exemplars zerrissen ist. Die grösste Höhenachse (in der Mitte des Körpers) misst 0,7 mm.

Gestalt. Bei Rückenansicht ist der Körperumriss kurz eiförmig; am schmaleren Stirnende befindet sich jederseits ein stark vortretender breiter Wulst mit einer kurzen kräftigen antenniformen Borste (Fig. 42). In der Seitenlage ist der Körperumriss gleichfalls eiförmig, da Rücken- wie Bauchfläche stark gewölbt sind.

Haut. Die Haut besitzt stark entwickelte Drüsen, wie ich sie bei Sp. glandulosus abgebildet und beschrieben habe. Doch zeigen dieselben eine andere Anordnung (Fig. 42) als bei genannter Art (Nr. 13, Taf. IX, Fig. 18). Im übrigen besitzt die Oberhaut keine Auszeichnung; besonders hebe ich die Abwesenheit von Tüpfeln hervor.

Augen. Die beiden Doppelaugen befinden sich hinter den oben erwähnten Stirnwülsten, sind randständig und erheben sich beträchtlich über die Epidermis (Fig. 42).

Mundteile. Dem Maxillarorgan sind mehrere Artunterschiede eigen. Zunächst ist es bei weitem schlanker (Fig. 43) als bei Sperchon glandulosus (Nr. 15, Taf. V, Fig. 10); seine Länge verhält sich zur Breite wie 21 : 11, bei der Vergleichsart wie 19 : 14.

Bei letzterer befindet sich an der Spitze; des in Rede stehenden Organs eine wulstartige Verdickung, die der neuen Art fehlt. Ferner ist bei dieser die hintere Ausbuchtung der Maxillarplatte flacher, während die darüber befindliche Ausbuchtung — der Hinterrand der obern Decke — merklich tiefer ist als bei Sp. glandulosus. Letztere Art besitzt in dieser Ausbuchtung ein Paar Fortsätze (Nr. 15, Taf. V, Fig. 10f[1] und f[2]), die der neuen Art fehlen., Wie aus Fig. 10 meines Teutoniaaufsatzes (Nr. 15) ersichtlich ist, besitzt Sperchon glandulosus an den hintern Seitenrändern deutliche abwärtsgehende Falten, welches Merkmal der neuen Spezies mangelt, doch besitzt diese daselbst einen kurzen Fortsatz (Fig. 43 p). Die beiden Mandibeln liegen auf dem Maxillarorgan (Fig. 43 m). Ich habe mich überzeugen müssen, dass meine frühere Annahme der Einfügung des Mandibelpaars bei Sperchon und Teutonia irrig ist. Damit fällt selbstredend auch die Deutung der Öffnung in der Mundrinne zwischen den beiden Palpeninsertionsstellen (Fig. 43 s) als Mandibulardurchlass. Die Mandibel (Fig. 44) gleicht auffallend derjenigen von Sp. glandulosus (Nr. 13, Taf. IX, Fig. 22). Der Hakenteil ist bei jener etwas kräftiger und weniger gekrümmt; am Vorderende des Basalteils vermisst man das Häutchen.

Palpen. Die Maxillartaster sind von reichlich halber Körperlänge und bieten das hauptsächlichste Artkennzeichen, indem nämlich ihr drittes Glied erheblich verlängert ist; es übertrifft das sonst bei weitem längste vorletzte Segment (Fig. 45). Gegenüber dem dritten Tastergliede des Sp. glandulosus und noch mehr demjenigen des Sp. squamosus zeigt der entsprechende Palpenteil der neuen Art eine auffallend geringe Dicke, was ich im Namen der Form zum Ausdruck bringen zu müssen glaubte. Der Palpenzapfen des zweiten Gliedes ist lang und kräftig und bietet insofern einen Artenunterschied, als er eine Stellung in der Mitte des Gliedes gefunden hat, während derselbe bei den übrigen Formen am Aussenende steht. Übereinstimmend mit der Stellung des Zapfens ist das Zapfenglied in der Mitte verdickt. Das fünfte Palpenglied hat etwa die Länge wie bei Sperchon glandulosus und besitzt die für das Genus Sperchon charakteristische Klauenendigung.

Hüftplatten. Das Hüftplattengebiet (Fig. 46) unterscheidet sich nur wenig von demjenigen des Sp. glandulosus (Nr. 13, Taf. IX, Fig. 17), doch zeigt es eine geringere Raumausdehnung. Die vordere Innenecke der dritten Hüftplatte ist abweichend stark ausgezogen. Die bei Sp. glandulosus in bezeichneter Ecke befindliche Drüsenmündung liegt hier 0,04 mm von der Ecke entfernt, nahe an der Vorderkante. Ausser wenigen vereinzelt stehenden Haaren mögen drei ziemlich lange an der vorderen Aussenecke der ersten Epimere Erwähnung finden. Die Porenöffnungen der Hüftplatten sind wesentlich kleiner als bei Sp. glandulosus, doch sind dieselben von einem 0,0084 mm grossen Hofe umgeben, wodurch die Epimeren gefeldert erscheinen.

Füsse. Die Füsse sind von gewöhnlicher Länge; der letzte Fuss ist so lang wie der Körper, der erste misst 0,6 mm, während die andern nur wenig länger sind. Die Borstenausstattung ist sehr dürftig, etwa derjenigen des Sp. glandulosus entsprechend. Auch die Fusskralle bietet nur geringe Unterschiede; sie ist wie bei genannter Art mit blattartigem Grunde versehen, doch findet bei diesem keine Verbreiterung nach den Zinken zu statt. Die letzteren sind merklich kürzer (Fig. 47).

Geschlechtshof. Das äussere Genitalorgan hat die für Sperchon bekannte Lage (Fig. 46) und kennzeichnet sich durch geringe Länge (0,14 mm). Die Geschlechtsklappen, welche in normaler Lage nicht beobachtet und in der bezüglichen Abbildung in nach aussen umgeschlagenem Zustande dargestellt wurden, sind nach hinten zu merklich verbreitert und am Innenrande mit etwa einem Dutzend kurzer und kräftiger Borsten besetzt. Von den sechs Geschlechtsnäpfen sind die beiden vorderen Paare länglich rund, das letzte Paar beinahe kreisrund.

Es dürfte sich in dem hier beschriebenen Individuum um ein ♀ handeln, was sich aus der Kürze der Gliedmassen schliessen lässt; bei Sperchon-Männchen pflegen dieselben länger zu sein. Es kommt hinzu, dass sich ein Penisgerüst nicht auffinden liess.

Fundort. Canada (ohne nähere Angabe).

10. Genus. Limnesia C. L. Koch.

I. Limnesia undulata (O. F. Müll.).

(Taf. II, Fig. 48).

Es liegen drei Individuen (1 ♂ u. 2 ♀♀) vor, die zweifellos auf die genannte Art bezogen werden können. Die Form ist am kenntlichsten durch Neumann unter der Bezeichnung L. pardina Neum. beschrieben und abgebildet worden. Aus der Litteratur kennt man nur das ♀, das ♂ wird meines Wissens nirgends erwähnt. Es soll dasselbe deshalb hier in Kürze gekennzeichnet werden. Ausserlich weichen die beiden Geschlechter, abgesehen vom Grössenunterschiede, nur durch den Geschlechtshof von einander ab. Übereinstimmend ist derselbe zwischen dem vierten Epimerenpaare gelegen. Doch während er beim ♀ eine schmale langgestreckte Gestalt hat, so ist er beim ♂ breit und rundlich. Seine Längsachse kommt hier der Breitenachse gleich. Die Geschlechtsnäpfe sind wie beim ♀ derart gelagert, dass jederseits der vordere von dem zweiten einen grösseren Abstand aufweist, als dieser vom dritten. Die Napfplatten sind an der Aussenseite mit zahlreichen feinen Härchen besetzt (Fig. 48).

Fundort. Small Lake near Pincher Creek; 23. Aug. 1883.

2. Limnesia koenikei Piersig.

1994. Limnesia koenikei, Piersig: Zool. Anz. 1894, Nr. 444, pag. 115.

1894. Limnesia koenikei, Koenike: F. Stuhlmann, Die Tierwelt Ostafrikas. 1894. IV. Bd., pag. 9—11, Fig. 5—8.

Die in beiden Geschlechtern nebst Nymphe vorliegende nordamerikanische Form ist mit der europäischen vollkommen übereinstimmend.

Fundort. Swamp near Flathead River; 27. Juli 1883.

3. Limnesia anomala nov. spec.

(Taf. 11, Fig. 49—53).

Diese durch einen vielnapfigen Geschlechtshof und stachligen Hautbesatz vom Limnesia-Charakter auffallend abweichende Spezies ist in mehreren männlichen und einem weiblichen Individuum erbeutet worden. Das Material befindet sich indes in mangelhaftem Zustande, weshalb manche meiner Angaben unzulänglich ausfallen werden.

Grösse. L. anomala gehört zu den grösseren Arten.

Haut. Die Epidermis ist mit 0,01 mm langen Chitinspitzen wie bei Atax vernalis (O. F. Müll.) dicht besetzt (Fig. 49).

Augen. Die beiden Augen eines jederseitigen Augenpaares sind ungemein weit auseinander gerückt (0,256 mm). Das grössere vordere Auge besitzt eine kugelrunde Linse vorn, während dieselbe beim andern sich an entgegengesetzter Seite befindet.

Mundteile. Das Maxillarorgan bietet, soweit es bei dem Tiere in toto ersichtlich ist, nichts auffallendes in seiner Gestalt (Fig. 50). Die Mandibel hat die beträchtliche Länge von 0,56 mm, wovon 0,16 mm auf den Hornhaken entfallen. Der letztere ist schwach gekrümmt und besitzt auf jeder Seite eine Reihe deutlicher Zähne. Am Vorderende des Grundgliedes gewahrt man ein durchsichtiges Anhängsel von reichlich halber Länge des Hakengliedes.

Palpen. Der Maxillartaster erreicht die halbe Körperlänge nicht. Das zweite Glied hat auf der Beugeseite in der vorderen Hälfte einen kurzen Chitinstift, der nicht wie bei den meisten Arten auf einem Basalhöcker eingelenkt ist (Fig. 51). Auf der Streckseite des zweiten und dritten Gliedes stehen mehrere meist kurze und dicke Borsten, die teilweise schwach gefiedert sind. Das vorletzte Tasterglied, das beinahe die Länge der drei Grundglieder hat, besitzt vorn auf der Beugeseite eine stärkere etwas gekrümmte Borste von der Länge des Endgliedes und dahinter ein gleich langes feineres Haar; ausserdem bemerkt man an derselben Stelle noch drei ungemein kurze Borsten (Fig. 51).

Hüftplatten. Wie aus Fig. 50 ersichtlich ist, entspricht das Epimeralgebiet in der Gestaltung dem Genustypus. Die Platten des ersten Paares sind hinten ein wenig verbreitert und treten in der Mittellinie recht nahe zusammen. Die dritte Platte ist sehr schmal, kaum merklich breiter als die der ersten beiden Paare. In dem Winkel zwischen dem Innenende der weit überstehenden dritten Epimere und der letzten befindet sich eine 0,039 mm grosse Drüsenmündung.

Füsse. Die Gliedmassen sind von gewöhnlicher Länge. Das letzte Paar ist ungefähr so lang wie der Körper, während die übrigen wie in der Regel entsprechend kürzer sind. Der Haarbesatz der zwei ersten Beinpaare ist mässig, aus kurzen und halblangen kräftigen Borsten bestehend, die zum Teil gefiedert sind. Beim zweiten Fusse mache ich auf ein einzelnes Schwimmhaar am Aussenende des vierten Gliedes aufmerksam. Die beiden letzten Fusspaare zeichnen sich durch eine reiche Behaarung aus; das vierte und fünfte Glied derselben tragen zahlreiche Schwimmborsten; selbst das Endglied des Hinterfusses weist ausser einer langen steifen Borste nahe am krallenlosen freien Ende noch sechs Schwimmhaare auf. An den zwei letzten Fusspaaren, besonders am vierten sind viele steife Borsten meist kräftig gefiedert. Der letzte Fuss hat eine nicht zu verkennende Ähnlichkeit mit demjenigen von L. koenikei (Nr. 21, pag. 10, Fig. 7). Die Fusskralle besitzt eine Gestalt, wie sie meines Wissens noch bei keiner Hydrachnide beobachtet wurde. Auf der Aussenseite hat dieselbe wie die Limnesiakralle gewöhnlich ein winziges Nebenhäkchen, aber auf der Innenseite am Blattrande entlang auffallenderweise fünf Zähne, von denen der dem Haupthaken am nächsten befindliche am längsten und kräftigsten ist (Fig. 52).

Geschlechtshof. Das zwischen das letzte Hüftplattenpaar hineingeschobene äussere Genitalorgan ist völlig abweichend von allen bis jetzt bekannten Limnesia-Species durch eine grosse Menge Näpfe. Letzteres Merkmal und der oben bezeichnete Hautbesatz, die Anlass zur Benennung gaben, vermögen den Hydrachnidenkenner zu der Überlegung anzuregen, ob es nicht geraten sei, für die Art eine neue Gattung zu begründen; doch muss dieser Gedanke in Anbetracht der Thatsache weichen, dass in Betreff des Chitinstiftes am zweiten Tastersegmente, des Mangels einer Krallenbewehrung am Hinterfusse und der Gestalt des letzten Hüftplattenpaares mit den bekannten Limnesia-Formen eine völlige Übereinstimmung herrscht.

Männchen. Das ♂ unterscheidet sich in seiner äussern Erscheinung, abgesehen von einer geringern Körperlänge, durch den Geschlechtshof. Die zwei Napfplatten sind in der Mittellinie an beiden Enden auf längerer Strecke zusammengewachsen, eine Naht noch deutlich erkennen lassend. Das Geschlechtsfeld ist herzförmig mit nach vorn gerichteter abgestumpfter Spitze, an der gleichfalls eine herzförmige Einkerbung wahrgenommen wird. Die in der Mitte des Genitalorgans befindliche Geschlechtsöffnung misst nur 0,16 mm; die grösste Breite beträgt 0,58 mm (Fig. 50).

Weibchen. Beim ♀ sind die zwei Napfplatten des Geschlechtsfeldes nicht mit einander verwachsen; hinten berühren sie indes einander, während sie vorn einen ziemlich weiten Abstand aufweisen (Fig. 53). Auffallenderweise ist der weibliche Geschlechtshof nennenswert kürzer als der männliche, nämlich nur 0,35 mm; hingegen ist die Geschlechtsspalte erheblich länger (0,288 mm).

Fundort. Meeches Lake, Province of Quebec.

11. Genus. Curvipes Koenike.

I. Curvipes fuscatus Hermann.

Das eine mir vorliegende ♂ unterscheidet sich in keinem Punkte von demjenigen unserer europäischen Form. Fundort. Swamp near Flathead River; 27. Juli 1883.

2. Curvipes guatemalensis. (Stoll).

(Taf. II, Fig. 54—56).

Wenn ich mich über diese bekannte Spezies ausführlich äussere, so geschieht das einesteils deshalb, weil ich nicht sicher weiss, ob das mir in mehreren Individuen vorliegende ♀ mit Recht auf obige Art bezogen werden darf und andererseits deshalb, weil Curvipes rotundus Kramer und C. clathratus Koenike obiger Art ausserordentlich nahe stehen. Letzterer Umstand erfordert eine Darlegung der zuverlässigsten Unterscheidungsmerkmale.

Grösse. In der Grösse übertrifft die nordamerikanische Form im ♀ die Typen, indem ich die Körperlänge bis zu 1 mm messe, während Stoll nur 0,75 mm verzeichnet; doch sind derartige Grössenunterschiede innerhalb derselben Spezies namentlich bei ungleicher Fundstätte keine Seltenheit.

Gestalt. In der Körpergestalt ähnelt C. guatemaleusis dem C. clathratus. Der Umriss ist bei Rückenlage eirund, mit der grössten Breitenachse in der Gegend des Geschlechtsfeldes. Bei Seitenlage gewahrt man, dass der Vorderkörper über das Maxillarorgan hinausragt, doch weniger (0,08 mm) als bei C. clathratus. Auch in dieser Lage ist der Körper eiförmig mit sehr spitzem Vorderrande.

Haut. Die Körperhaut besitzt ein gleiches zelliges Unterhautgewebe, wie ich es bei C. clathratus beschrieben habe. Wahrscheinlich bezeichnet Stoll dasselbe Merkmal mit „dorsal gland narrow" (Nr. 36, pag. 11, Taf. X, Fig. 2).

Augen. Die Lage der beiden Augenpaare ist genau so, wie sie Stoll in der soeben angeführten Abbildung zur Anschauung bringt. Antenniforme Haare habe ich bei keinem Exemplare auffinden können, während die beiden Vergleichsarten solche, wenn auch kurze, besitzen.

Mundteile. Das Maxillarorgan hat in seiner freiliegenden Platte eine Gesalt wie sie dem Gattungscharakter entspricht. Die kleine runde Mundöffnung befindet sich an gleicher Stelle wie bei C. rotundus. Auch in seinen hintern Fortsätzen weicht das Maxillenpaar, was die Gestalt betrifft, nicht von dem der Vergleichsart ab, nur sind dieselben bei dieser etwas schlanker.

Das Hakenglied der Mandibel (Fig. 54) ist an der Spitze etwas aufwärts gebogen. An seinen beiden flachen Seiten ist auf ziemlich langer Strecke deutliche Querriefelung wahrnehmbar. Das Grundglied ist gross und in der Kniegegend stark verdickt (Fig. 54 k). Das die Mandibulargrube (Fig. 54 g) enthaltende Hinterende des Grundgliedes ist stumpfwinklig rückwärts gerichtet und sehr verlängert. Erwähnenswert sind zwei borstenartige Chitinspitzen am

Vorderende des Grundgliedes, die ich gleichfalls bei der Mandibel des C. rotundus beobachtet habe.

Palpen. Die Maxillartaster bieten zur Unterscheidung von Stoll's und Kramer's Spezies, die auch bezüglich dieser Körperteile eine nahe Verwandtschaft bekunden, sichere Unterscheidungsmerkmale. Bei C. rotundus ist die Palpe sehr viel schlanker als bei C. guatemalensis. Die letztere Art hat ein anscheinend zweispitziges Palpenende (Fig. 55); thatsächlich ist indes auf der Streckseite noch eine dritte Chitinspitze vorhanden, die etwas weiter zurück steht und merklich kleiner ist als die beiden Endspitzen; sie ist nur bei hinlänglicher Vergrösserung sichtbar. Der Taster des C. rotundus (Fig. 57) ist hingegen dreispitzig, besitzt aber noch eine vierte Chitinspitze, die ihre Stellung an der Streckseite ein wenig vom Palpenende entfernt einnimmt und stark absteht. Es sind hier im ganzen diese Chitingebilde nennenswert kleiner als bei C. guatemalensis; dann verdient noch bemerkt zu werden, dass bei Kramer's Art die Spitze der Streckseite am längsten ist. Die nahe Verwandtschaft der mit einander verglichenen Formen erweist sich besonders auch durch die Gestaltung des vorletzten Tastergliedes. Beide Arten besitzen daselbst auf der Beugeseite zwei mit je einem Härchen versehene Höcker und ein Chitinkörperchen. Dieses hat seine Stellung übereinstimmend unmittelbar am distalen Ende des Segmentes. Das Höckerpaar hat indes einen abweichenden Stand, denn während dasselbe bei C. rotundus (Fig. 57), wo es sich auch durch bedeutendere Grösse auszeichnet, neben einander steht, so erscheint es bei C. guatemalensis hinter einander (Fig. 55). Jene Spezies hat den grösseren Höcker an der Aussenseite des Tastergliedes, diese dagegen an der entgegengesetzten Seite, C. clathratus entbehrt bekanntlich das Chitinkörperchen am distalen Tasterende, an dessen Stelle drei Härchen auf winzigen Papillen stehen (Nr. 20, Taf. III, Fig. 28). Die beiden behaarten Höcker erscheinen hier zwar gleichfalls hinter einander, doch steht der grössere hinten, während bei C. guatemalensis der vordere grösser ist. Ferner sind sie bei jener Art im ganzen wesentlich niedriger als bei dieser. Die Tasterbehaarung ist bei Stoll's und Kramer's Art, wie aus den beiden bezüglichen Abbildungen zu ersehen ist, nahezu übereinstimmend.

Stoll's weibliche Palpe des C. guatemalensis (Nr. 36. Taf. X, Fig. 2b) stimmt, da sie am vierten Gliede nur einen Höcker darstellt, sehr wenig mit meiner bezüglichen Abbildung (Fig. 55) überein, mehr schon der männliche Taster (Nr. 36, Taf. XI, Fig. 1c). Hat Stoll die zu einander gehörenden Geschlechter richtig erkannt, so dürfte die weibliche Palpe ungenau gezeichnet sein.

Hüftplatten. Das Epimeralgebiet gleicht genau demjenigen von C. rotundus. Selbst die Hinterrandspitze der letzten Platte, die bei C. clathratus scharf ausgezogen ist, erweist sich bei den zwei erstgenannten Formen übereinstimmend als sehr wenig vorstehend und stumpf endigend, etwa so wie Stoll es in Fig. 1a auf Taf. 11 zu bildlicher Anschauung bringt.

Füsse. Der Borstenbesatz der Gliedmassen zeigt gegenüber

dem des C. rotundus kaum einen bemerkbaren Unterschied. Die
einzige auffallende Abweichung scheint in der Länge derselben zu
bestehen, denn während der letzte Fuss der amerikanischen Form,
der wie gewöhnlich am längsten ist, die Körperlänge kaum übersteigt, so ist bei der europäischen schon der Vorderfuss und vor
allem der Hinterfuss bei weitem länger als der Körper.
Die Totalfigur des ♂ zeigt bei Stoll (Nr. 36, Taf. XI, Fig. 1)
die Bewaffnung des Fussendes am dritten Paare genau wie die der
andern. Da wird indes ein Irrtum vorliegen, denn bei allen übrigen
bis jetzt bekannten Curvipes-Männchen ist der dritte Fuss als Samen-
überträger in seinem Endgliede abweichend gestaltet. Auch bedürfen
die beiden Tasterhöcker bei Fig. 1c auf Taf. 11, die ausserordentlich
lang sind und unmittelbar hinter einander stehen, einer Aufklärung:
Geschlechtsfeld. Wie aus Figur 56 erhellt, zeigt C. guatemalensis die Geschlechtsnäpfe in gleicher Anordnung wie C. rotundus
und C. clathratus. Sie sind grösstenteils auf zwei schmalen gekrümmten Platten gelegen; wenige Näpfe sind ebenso wie bei den
Vergleichsarten auf der Innenseite der Napfplatten frei in die Körperhaut gebettet. Die Platten rahmen das Geschlechtsfeld derart ein,
dass dieses in Herzform erscheint, deren Spitze nach vorn gerichtet
ist. Es fehlen auch die Härchen an den beiden Enden der Napfplatten nicht, doch sind sie hier weniger zahlreich als bei den zwei
Vergleichsarten. Bei einer Länge von 0,27 mm beträgt die grösste
Breite des Geschlechtshofes 0,35 mm, während derselbe bei einem
1 mm grossen ♀ von C. rotundus 0,25 mm lang und 0,37 mm breit
ist. Die Geschlechtsspalte der nordamerikanischen Form misst
0,28 mm. Das kugelrunde reife Ei besitzt einen Durchmesser
von 0,2 mm.
Fundort. Swamp near Flathead River; 27. Juli 1883.

12. Genus. Atractides C. L. Koch.
1. Atractides ovalis Koenike.
(Taf. III' Fig. 58 u. 59).

1880. Megapus spinipes, Neuman: Om Sveriges Hydr. etc.,
pag. 64—65, Taf. I, Fig. 4.
1883. Atractides ovalis, Koenike: diese Vereinsschr. 1883;
VIII. Bd., pag. 32—33.
1887. Atractides ovalis, Barrois u. Moniez, Cat. des Hydrachnides, pag. 20.
Piersig reklamiert (Nr. 31, pag. 116) Nesaea spinipes Kramer
als Nymphe zu Atractides spinipes C. L. Koch. Kramer schreibt
seiner Form „bedeutend viel grössere Krallen" am letzten Fusse zu,
während Piersig mir brieflich mitteilte, dass seine darauf bezogene
Nymphe daselbst grössere Krallen zu besitzen scheine. Da die
Identität somit noch keineswegs zweifellos ist, so behalte ich vorab
obige Bezeichnung bei.
Es liegt aus Canada nur das ♂ in einem einzigen Individuum
vor, das gegenüber dem bei uns vorkommenden keine Unterschiede

14*

aufweist. Da dieses Geschlecht meines Wissens noch nicht beschrieben worden ist, so mag das an dieser Stelle in Kürze geschehen. Die Körperlänge beträgt 0,5 mm; das entsprechende Mass des ♀, ermittelte ich, übereinstimmend mit Neuman als 0,75 mm. Die männlichen Maxillartaster zeichnen sich im vierten Gliede vor den weiblichen durch eine merkliche Verdickung aus (Fig. 58). Im übrigen besitzen sie dieselben charakteristischen Merkmale, nämlich Zweispitzigkeit des Endgliedes, eine besonders kräftige Borste ausser, zwei gewöhnlichen Haaren auf der Beugeseite des vorletzten Segmentes und eine auffallend starke Behaarung — aus kurzen, an der Spitze gekrümmten Borsten bestehend — auf der Streckseite desselben Tasterabschnittes. Wenn Neuman's bezügliche Abbildung (Nr. 26, Taf. I, Fig. 4d) das zuletzt angegebene Merkmal nicht darstellt, so erklärt sich das vermutlich dadurch, dass es selbst bei Seitenlage der Palpe nicht immer deutlich zu erkennen ist. Das Hüftplattengebiet bedeckt wie beim ♀ (Nr. 26, Taf. I, Fig. 4b) kaum die vordere Hälfte der Unterseite. Auch weicht's in der Gestalt nicht von dem des andern Geschlechts ab; doch ist der freie Raum auf der Innenseite der Epimeren beim ♂ merklich kleiner als beim ♀. Fig. 4b auf Taf. I der Neuman'schen Monographie giebt insofern das Hüftplattengebiet ungenau wieder, als sie dasselbe in vier Gruppen darstellt, während in Wirklichkeit alle Epimeren mit ihren Längsseiten an einander liegen. Das erste Gliedmassenpaar zeigt betreffs der Krümmung seines Endgliedes sowie der Verdickung des distalen Endes des vorletzten Segmentes und der Ausstattung des letztern mit zwei breiten Schwertborsten gegenüber dem ♀ keine Abweichung (Nr. 26, Taf. I, Fig. 4b u. c). Es möge noch besonders betont werden, dass die Fusskralle des Endpaares gegenüber der Kramer'schen Form sich durchaus nicht durch bedeutendere Grösse auszeichnet.

Der männliche Geschlechtshof liegt wie der weibliche weit von dem Hüftplattengebiete entfernt. Bezüglich der Gestalt besteht zwischen den Organen beider Geschlechter ein gleiches Verhältnis wie bei der Hygrobates-Spezies, indem die Napfplatten des ♂ unmittelbar an die Geschlechtsöffnung hinantreten (Fig. 59). Die letztere bildet ein schmales sphärisches Zweieck von 0,056 mm. Jederseits der Geschlechtsspalte liegen drei Näpfe mit je einer kleinen Porenöffnung. Ausserdem bemerkt man auf den Platten namentlich vorn mehrere feine Härchen.

Fundort. Canada (ohne nähere Angabe); 7. Aug. 1883.

13. Genus. Hygrobates C. L. Koch.

I. Hygrobates longipalpis (Herm.).

Die nordamerikanische Form dieser Spezies zeigt im Vergleich mit der europäischen nicht die geringfügigsten Unterschiede; besonders gilt das von den Maxillartastern. Es sind beide Geschlechter unter Tyrrell's Material vertreten. Das ♂ wurde bisher nur von, G. Haller erkannt, der einen männlichen Geschlechtshof von abnormer Bildung zu bildlicher Anschauung bringt (Nr. 8, Taf. I, Fig. 10).

Die die sechs Geschlechtsnäpfe tragenden Platten treten nahe an die Geschlechtsöffnung hinan. Diese ist verhältnismässig kürzer als beim ♀.

Ausser durch Haller ist das ♂ auch von andern Forschern beobachtet, doch nicht erkannt worden. Ich erkenne es z. B. in Hygrobates impressus Neuman (Nr. 26, pag. 63, Taf. IV, Fig. 4) wieder, dessen Berechtigung als selbständige Art bereits von Barrois und Moniez angezweifelt wurde: „Ce n'est péutêtre qu'une variété du précedent" (nämlich H. longipalpis).

Fundort. Kit-a-mun River; 23. Juli 1883.

2. Hygrobates exilis nov. spec.

(Taf. III, Fig. 60—61.)

Diese dem H. longipalpis (Herm.) im Geschlechtshofe nahe stehende, doch sonst gut zu unterscheidende Art steht mir in zahlreichen weiblichen Individuen zur Verfügung.

Grösse. Ein sofort in die Augen fallender Unterschied zeigt sich in der Grösse, denn während das weibliche Geschlecht der Vergleichsart eine Körperlänge bis zu 2 mm erreicht, so messe ich bei H. exilis nur 0,5 bis 0,75 mm.

Gestalt. Falls die am besten erhaltenen Exemplare die Körpergestalt richtig erkennen lassen, so ist die Kontur länger gestreckt als bei H. longipalpis; derselbe zeigt die Eiform, deren Längs- zur Breitenachse (Genitalgegend) sich wie 4 zu 3 verhält.

Haut. Die Oberhaut ist ohne Auszeichnung wie bei der Vergleichsart. Auf dem Abdomen gewahrt man ein Paar ungemein kräftig entwickelte Drüsen, die eine gleiche Lage wie bei Atax crassipes (O. F. Müll.) die „Steissdrüsen" haben; ihre Mündung tritt aber nicht wie bei dieser Spezies höckerartig über die Oberhaut vor; dieselbe ist spaltförmig und misst 0,014 mm. Nach derselben führt ein 0,04 mm langer und 0,008 mm breiter Gang. Die Drüse selbst hat eine birnförmige Gestalt von 0,1 mm Länge, ist von gelbbräuner Farbe und besitzt eine derb organisierte Wandung.

Augen. Die beiden Doppelaugen weisen hinsichtlich ihrer Stellung und Gestaltung keine Abweichung gegenüber denen von H. longipalpis auf.

Mundteile. Das Maxillarorgan (Fig. 60) besitzt das der Gattung Hygrobates eigentümliche Merkmal, dass es hinten mit dem zusammen gewachsenen Epimerenpaare fest verbunden ist; nur die Seitenränder sind teilweise frei geblieben. Sein Vorderrand gleicht demjenigen der Curvipes-Formen. Die Mundöffnung befindet sich in der Maxillarplatte nahe dem höckerartigen Vorsprunge am Vorderrande. Die Mandibeln haben $1/4$ Körperlänge; ihr Grundglied verjüngt sich stark nach hinten zu, was in der Seitenlage des Organs erkennbar ist. Die Mandibulargrube ist von ungewöhnlicher Länge, $2/3$ des Grundgliedes betragend. Das Hakenglied der Mandibel ist mit einem kräftigen Ansatzstücke versehen und mit diesem quer vor dem Mandibel-Grundgliede eingelenkt. Der Haken ist schwach gebogen und ungewöhnlich dünn.

Palpen. Die Maxillartaster sind etwa von halber Körperlänge. Der eigentliche Hygrobates-Charakter tritt dabei fast ganz zurück, denn von einem Zapfen des zweiten Gliedes kann keine Rede sein, und die Zähnelung erweist sich nur bei starker Vergrösserung als in wenigen winzigen Tüpfeln bestehend, die ich in der betreffenden Zeichnung (Fig. 61) angedeutet habe, obgleich die Vergrösserung, bei der dieselbe angefertigt wurde, nichts davon erkennen lässt. Die Borstenbewehrung des Tasters bietet gegenüber dem H. longipalpis kaum einen nennenswerten Unterschied, nur möchte ich bemerken, dass die eine der beiden etwa in der Mitte der Beugeseite des vorletzten Gliedes stehenden Borsten wesentlich länger ist, als bei der Vergleichsart. Ganz besonders kennzeichnend für H. exilis ist aber die Hakenbewaffnung der Palpenendigung, die nicht nur einen kräftigeren Bau zeigt, sondern auch dadurch eigenartig ist, dass der an der Streckseite befindliche Haken den andern an Länge beträchtlich überragt (Fig. 61).

Hüftplatten. Das Hüftplattengebiet (Fig. 60) lässt nicht nur vorn einen ansehnlichen Raum, sondern auch mehr als die hintere Bauchhälfte frei. Die Platten des H. longipalpis dagegen treten hart an den Vorderrand des Körpers hinan. Anordnung und Gestalt der Epimeren sprechen dafür, dass es sich in der hier zu beschreibenden Art in der That um eine echte Hygrobates-Form handelt. Das letzte Plattenpaar endigt hinten nahezu gerade. Das erste Paar ist völlig mit einander verwachsen. Sämtliche Platten berühren sich mit den einander zugekehrten Längsseiten, so dass also selbst der innerhalb anderer Gattungen zwischen dem zweiten und dritten Paare oftmals vorhandene Abstand fehlt. Beiderseits der Mittellinie bleibt allerdings ein ansehnliches Stück zwischen den drei letzten Plattenpaaren frei. Ein eigenartiges Gepräge erhält das Epimeralgebiet durch die ungemein lange dritte Platte, die stark spitzwinklig zur Mittellinie geneigt ist; in der Mitte besitzt sie ein deutliches Knie, von welchem aus das Innenende derselben auffallend verschmälert ist. Die letzte Epimere, die aussen sehr viel breiter als innen ist, hat gleichfalls keine rechtwinklige Lage zur Mittellinie. Es möge noch erwähnt werden, dass die Epimeren in ihren Grenzen nicht überall scharf markiert sind.

Füsse. Der letzte Fuss ist länger als der Körper; nach vorn zu werden die Gliedmassen allmählich kürzer. Der Borstenbesatz ist ähnlich wie bei H. longipalpis, indem Schwimmhaare gänzlich fehlen. Die Borsten sind im ganzen noch verhältnismässig kürzer als bei der Vergleichsart.

Geschlechtshof. Das äussere Genitalorgan (Fig. 60) hat grosse Ähnlichkeit mit demjenigen von H. longipalpis ♀, da hier wie dort drei länglich runde und mit einer Porenöffnung versehene Näpfe auf einer Platte derart angebracht sind, dass am Aussenrande sich zwei befinden, während der dritte auf der Innenseite neben dem hintern gelegen ist. Ausserdem finden sich übereinstimmend auf den Geschlechtsplatten Pünktchen eingestreut, am zahlreichsten an der Aussenseite des vordersten Napfes. Es sind das winzige Haarpapillen, auf denen je ein feines Härchen steht. Die Genitalplatten des H. longipalpis tragen zahlreichere Härchen als die der neuen Art. Ausserdem bemerkt man noch andere mehr in die Augen springende Abweichungen. Die Napfplatten der Vergleichsart reichen bis an das Vorderende der Geschlechtsspalte, während man bei der neuen Art daselbst einen grösseren Abstand bemerkt. Die Geschlechtsöffnung der letztern ist verhältnismässig viel länger (bei einem 0,55 mm grossen ♀ 0,13 mm) als die der erstern (bei einem 1,3 mm langen ♀ 0,17 mm). Ferner zeigt H. exilis das Geschlechtsfeld näher am Epimeralgebiet als H. longipalpis ♀. Wie bereits eingangs dieser Beschreibung angegeben wurde, handelt sieh's in der hier gekennzeichneten neuen Form um das weibliche Geschlecht, wofür das Vorhandensein von Eiern der sicherste Beweis ist. Das reife kugelrunde Ei hat einen Durchmesser von 0,17 mm.

Fundort. Canada (ohne nähere Angabe); 27. August 1883. Flathead River; 29. Aug. 1883.

3. Hygrobates decaporus nov. spec.

(Taf. III, Fig. 62 u, 63).

Der Inhalt des Gläschens, das diese Art in nur einem weiblichen Individuum enthielt, war vollständig trocken, weshalb das Exemplar mir in recht kläglichem Zustande vorliegt.

Grösse. In der Körperlänge kommt die Art wohl etwa dem H. longipalpis (Herm.) gleich.

Haut. Die Oberhaut ist nicht wie bei H. gracilis Haller netzartig gezeichnet, sondern glatt und ohne jegliche Auszeichnung wie die des H. longipalpis.

Palpen. Der Maxillartaster ist kürzer als der des H. longipalpis ♀; besonders ist es das vorletzte Segment, das weniger schlank ist. Das freie Palpenende ist scheinbar zweispitzig, in Wirklichkeit sind jedoch drei Chitinspitzen vorhanden, von denen die zwei längsten neben einander stehen und daher bei Seitenlage der Palpe leicht als ein einziges Gebilde betrachtet werden können (Fig. 62). Das Hauptmerkmal weisen das zweite und dritte Glied auf. Jenes besitzt am distalen Ende auf der Beugeseite den der Gattung Hygrobates eigentümlichen Fortsatz (Fig. 62f), der bei H. decaporus ist weit weniger entwickelt ist als bei H. longipalpis. Auch die Zähnelung desselben ist wesentlich schwächer. Man bemerkt nur an dem flach abgerundeten Ende des Fortsatzes wenige Chitinspitzen von winziger Grösse (Fig. 62 stellt dieselben kräftiger dar, als sie in Wirklichkeit sind, denn nur bei starker Vergrösserung sind sie wahrnehmbar). Ebenso schwach tritt auch das Zahnmerkmal des dritten Gliedes hervor. Wenn die Borsten nicht teilweise verloren gegangen sind, so ist die Behaarung der Taster recht spärlich. Das Endglied weist am Grunde der Chitinspitzen einige feine Härchen auf; dann besitzt nur noch das vierte Glied auf der Beuge- und Streckseite je ein nicht wesentlich längeres Haar.

Hüftplatten. Das Epimeralgebiet bedeckt etwa nur ein Drittel der Bauchseite. In der Gestalt entspricht es besonders bezüglich der letzten Platte dem Hygrobates-Charakter. Dieselbe zeigt hinten einen fast geraden, schwach gerundeten Abschluss. Ihre Ausdehnung in der Richtung nach dem Seitenrande des Körpers ist grösser als bei H. longipalpis. An den Innenseiten bleiben die zwei letzten Plattenpaare reichlich 0,2 mm von einander entfernt.

Füsse. Das dritte Fusspaar hat etwa die Länge des Körpers, während das vierte denselben etwas übertrifft; die beiden vorderen Paare sind kürzer. Sämtliche Gliedmassen sind dünn, und ihr Borstenbesatz ist, wenn auch spärlich, immerhin reichlicher als bei H. longipalpis und H. gracilis. Hervorgehoben zu werden verdient das Auftreten vereinzelter Schwimmhaare an den Segmenten aller Gliedmassen.

Geschlechtshof. Die Begründung der neuen Spezies geschieht in erster Linie auf Grund des eigenartig gestalteten Geschlechtsfeldes, das hinsichtlich der Anzahl der Näpfe von denjenigen der bisher bekannten Arten, die ausnahmslos deren sechs besitzen, abweicht. Es sind vielmehr bei H. decaporus deren 10 vorhanden,. was im Namen zum Ausdruck gekommen ist. Auf dem Abdomen liegt das äussere Geschlechtsorgan etwa 1 mm weit von dem letzten Hüftplattenpaare. Es besteht aus einer nahezu 0,3 mm langen Spalte, zu deren beiden Seiten in weitem Abstande wie bei H. longipalpis ♀ auf zwei nierenförmigen Platten mit breiterem Hinterende die länglich runden Näpfe gelagert sind. Drei derselben liegen am ausgebuchteten Innenrande der schwach chitinisierten Platten; davon ist der hinterste nur halb so lang wie die übrigen. Der vierte und fünfte Napf liegen aussen auf dem hintern breiten Teile der Platte (Fig. 63). Sämtliche Näpfe sind mit deutlicher Porenöffnung versehen.

Nach der Gestalt des Geschlechtsorgans zu schliessen, handelt sich's in dem hier gekennzeichneten Individuum um ein ♀. Eier habe ich dabei zwar nicht beobachtet.

Fundort. Swamp near Flathead River; 27. Juli 1883.

4. Hygrobates multiporus nov. spec.
(Tafel III, Fig. 64.)

Von dieser durch den Geschlechtshof von allen Hygrobates-Spezies gut unterschiedene Form steht mir für die Beschreibung ein einziges männliches Individuum zur Verfügung. Dasselbe ist recht mangelhaft erhalten, und es lassen sich daher nur unvollständige Angaben machen.

Grösse. Die Körperlänge beträgt etwa 1 mm.

Hüftplatten. Das Maxillarorgan ist, wie allgemein bei der Gattung Hygrobates, zu einem guten Teile mit dem Hüftplattengebiete derart verschmolzen, dass nur zu beiden Seiten auf kürzer Strecke die Grenze zwischen dem Organ und dem ersten Epimerenpaare zu unterscheiden ist. Der hintere Abschluss des Maxillarorgans nebst dem ersten Hüftplattenpaare ist ähnlich wie bei H. gracilis Haller, indem der Bogen merklich flacher ist als beispielsweise bei H. longipalpis (Herm.). Das Hüftplattengebiet ist nur recht klein, entspricht aber in der Gestalt, besonders betreffs des letzten Plattenpaares durchaus dem Hygrobates-Charakter. Die Hinterkante desselben ist nahezu gerade und die ganze Platte hat annähernd Quadratform.

Füsse. Die Gliedmassen sind von gewöhnlicher Länge. Die Behaarung derselben ist ausserordentlich spärlich, vorausgesetzt, dass der Haarbesatz nicht gelitten hat. Schwimmhaare bemerkt man überhaupt nicht, nur recht kurze Borsten.

Geschlechtshof. Das äussere Geschlechtsorgan hat beim ♂ seine Lage etwa in der Mitte des Abdomens. Es besitzt eine breit herzförmige Gestalt, mit der stumpfen Spitze nach vorn gekehrt (Fig. 64). Seine Länge beträgt 0,16 mm, die Breite 0,24 mm; die Geschlechtsspalte, die beinahe in der Mitte des Geschlechtsfeldes — etwas mehr nach vorn zu — liegt, misst 0,08 mm. Einen specifischen Charakter erhält der Geschlechtshof durch die ansehnliche Menge von Näpfen, die nicht jederseits in gleicher Zahl verteilt sind (9 u. 12), ein Vorkommnis, das beim Vorhandensein von mehr als im ganzen 12 Näpfen stets beobachtet wird. Auf den Aussenrändern des Geschlechtsfeldes sowie seitlich der Geschlechtsöffnung stehen zahlreiche Härchen.

Fundort. Kit-a-mun River; 23. Juli 1883.

14. Genus. Atax (Fabr.) C. L. Koch.

I. Atax ypsilophorus (Bonz).

1821. ? Hydrachna triangularis, Say: Amerieán Entomology. Boston 1821, II. Bd., pag. 9.

1836. Hydrachna formosa, Dana u. Whelpley: Sillim. Am. Journ. 1863, XXX. Bd., pag. 357—358, Fig. 1—8.

1842. Unionicola oviformis, Haldemàn: Zool. Contr. 1842, pag. 1, Fig. 1—5.

Unionicola,	lactea,	id. ibid.	pag. 1, Fig. 6—8.
? "	personata	" "	pag. 2, Fig. 10.
? "	humerosa	" "	pag. 2, Fig. 11.
? "	symmetrica	" "	pag. 2.
? "	proxima	" "	pag. 2.
? "	lugubris	" "	pag. 2—3.
? "	unicolor	" "	pag. 3.
? "	reticulata	" "	pag. 3.

1883. Atax ypsilophorus, Leidy: Proc. Acad. nat. sc. Philad. 1883, pag. 44—46.

1883. Atax ypsilophorus, derselbe: Ann. Mag. nat. hist. 1883, XI. Bd., pag. 391—392.

Über das Vorkommen von Atax ypsilophorus in Nordamerika erfuhren wir zuerst durch C. J. Neumann (Nr. 26, pag. 26), der Hydrachna formosa Dana u. Whelpley für identisch mit Atax ypsilophorus hält, welche Identität ich bestätigen kann. Bald nach Neuman verwies J. Leidy auf das mutmassliche Vorkommen der Bonz'schen Spezies in Nordamerika. Eine beabsichtigte Prüfung der Frage durch Leidy ist nicht ausgeführt worden. Harrington,

Fletcher und Tyrrell (Nr. 9, pag. 140) beziehen Hydrachna formosá
gleichfalls auf At. ypsilophorus. Dass diese Identität ganz zweifellos
ist, erhellt am sichersten einmal aus Fig. 6 der nordamerikanischen
Forscher Dana u. Whelpley, die ein gutes Bild der Palpe darstellt
und dann auch aus Fig. 7, wodurch die kennzeichnende Fusskralle
zur Anschauung gebracht wird. Ausser dem At. ypsilophorus besitzt zwar At. intermedius Koen. (Nr. 12, pag. 265—266) noch
eine gleich gestaltete Kralle, doch kann diese Art schon wegen der
Verschiedenheit in der Zahl der Geschlechtsnäpfe nicht in Frage
kommen.

Ich muss an dieser Stelle noch etwas ausführlicher auf einen
ältern nordamerikanischen Autoren hinweisen. S. S. Haldeman-
(Nr. 5) will neun verschiedene Unionen-Schmarotzer-Arten entdeckt
haben, für die er unnötigerweise ein Genus Unionicola gründet.
Zwei derselben (U. oviformis u. U. lactea) glaube ich mit ziemlicher Gewissheit auf At. ypsilophorus beziehen zu können. In
den betreffenden Beschreibungen, die sich fast ausschliesslich auf
Farbenangaben beschränken, findet man allerdings wenig Anhaltspunkte, doch lässt sich durch die Abbildungen, wenngleich sie ob
ihrer Kleinheit einen zweifelhaften Wert haben, meine Ansicht hinlänglich begründen. Fig. 3 zeigt ein auffälliges Vortreten der Mandibeln, wie es bei At. ypsilophorus charakteristisch ist. Desgleichen
bringt dieselbe Abbildung sowie Fig. 4 das ungemein stark verdickte
zweite Tasterglied zur Anschauung, wie es Bonz' Spezies besitzt.
Ganz besonders ist es aber die Form der Fusskralle (Fig. 5 bei
Haldeman), die mich in meiner Annahme bestärkt (Nr. 5, pag. 4).
Von U. lactea meint Haldeman selbst, dass sie vielleicht nur eine
Varietät zu U. oviformis sei. Auf Grund von Haldeman's Angabe
über die Fusskralle, welche bei seinen 9 Unionen-Schmarotzern
gleiche Gestalt hat (Nr. 5. pag. 4), halte ich es nicht für ausgeschlossen,
dass auch die übrigen 7 Haldeman'schen Arten mit At. ypsilophorus
synonym sind.

Mutmasslich lässt sich auch Hydrachna triangularis Say als
Synonym hierher stellen. Dafür spricht nicht nur der gleiche Wirt
wie bei Uniocola Haldeman (Unio cariosus), sondern auch Say's
Angabe in der sonst recht dürftigen Beschreibung: „eyes 2, san-
guineous."

Unter dem Tyrrell'schen Material war kein ganzes Exemplar
von At. ypsilophorus, sondern nur vereinzelte Körperteile: der
Geschlechtshof nebst Penisgerüst eines ♂, ein Maxillarorgan mit
zwei Palpen und etliche Füsse mit Krallen. Es lässt sich indes
an der Hand dieser Bruchstücke mit Sicherheit auf At. ypsilophorus
schliessen.

Wirt. Anodonta fragilis.

2. Atax vernalis (Müll.) Neuman.

Unter dem Tyrrell'schen Material findet sich nur ein ♂ dieser
Art. Dasselbe ist durch ein verdicktes Glied des letzten Fusspaares
gekennzeichnet. Die Form, die Neuman unter obiger Bezeichnung

kenntlich beschreibt und abbildet, ist das männliche Geschlecht. Wahrscheinlich ist die von ihm unter dem Namen Nesaea mirabilis Neum. gekennzeichnete Hydrachnide (Nr. 26, pag. 31—32, Taf. III, Fig. 3) das ♀ dieser Art. Jedenfalls ist es keine Curvipes-(Nesaea-) Spezies, sondern zweifellos ein echter Atax.

Fundort. Swamp near Flathead River; 27. Juli 1883.

3. Atax ingens nov. spec.

(Taf. III, Fig. 65—67.)

Auf keinen der für Nordamerika beschriebenen Bivalven-Parasiten lässt sich diese bei Anodonta angetroffene Spezies beziehen. Ich führe ihn infolge seiner ungewöhnlichen Grösse — das ♀ misst 4 mm — unter obiger Bezeichnung ins System ein. Da mir nur wenige recht dürftig erhaltene Individuen zur Verfügung stehen, so wird die Beschreibung unvollständig und lückenhaft ausfallen.

Mundteile. Das Maxillarorgan ist auffallend kurz und breit, und sein Hinterrand flach abgerundet. Die hintern Fortsätze sind kurz und ragen nicht über das Hinterende des Organs hinaus. An den hintern Seitenecken befindet sich je ein dem Muskelansatze dienender Processus, der nur recht dünn und unter dem ersten Epimerenpaare versteckt ist.

Das Grundglied der Mandibel (Fig. 65) ist besonders am Vorderende recht dünn. Merkwürdig und sonst noch nicht beobachtet ist ein rückwärts gerichteter Fortsatz auf einem Seitenrande der Mandibulargrube (Fig. 65f). Das Hakenglied (Fig. 65h) fällt durch seine Dicke des Basalteils auf; es ist daselbst kräftig gebogen, während das freie Ende völlig gerade verläuft.

Palpen. Die Maxillartaster sind ausserordentlich kurz, kaum ⅕ der Körperlänge betragend. Durch ihre klobige Gestalt erinnern sie an die des At. ypsilophorus (Bonz), nur ist bei jener Art das zweite Glied verhältnismässig nicht so stark; dafür ist aber das vorletzte Segment, welches das zweite an Länge nicht übertrifft, ungemein dick. Das letzte Glied besitzt am freien Ende vier hinter einander gestellte Chitinspitzen von geringer Krümmung und ungleicher Grösse; die beiden der Beugeseite zunächst stehenden sind am längsten. Der Borstenbesatz der Palpen ist äusserst dürftig; man bemerkt nur am zweiten und dritten Gliede wenige feine Haare von mässiger Länge. Die Tasterhaut enthält überall zahlreiche und dicht stehende Porenöffnungen von winziger Weite.

Hüftplatten. Das wenig ausgedehnte Epimeralgebiet (Fig. 66 und 67) zeigt in der letzten Platte, die hinten flach abgerundet ist, das der Gattung Atax eigentümliche Merkmal. Eigenartig ist bei At. ingens eine plattenartige Erweiterung der vierten Hüftplatte ausserhalb der Insertionsstelle — in der Mitte des Seitenrandes — des letzten Fusspaares; diese Erweiterung ist abgerundet und derart nach vorn gerichtet, dass zwischen ihr und der dritten Hüftplatte ein schmaler Einschnitt bleibt. Sämtliche Platten weisen das Porenmerkmal in gleicher Weise wie die Palpen auf.

Füsse. Die Gliedmassen bleiben alle hinter der Körperlänge zurück. Ihre Behaarung ist recht dürftig; ausser einzelnen feinen Haaren an anderen Stellen gewahrt man an den distalen Enden der mittleren Glieder — und zwar auf der Beugeseite — kurze breite, vielfach etwas gekrümmte Schwertborsten, die indes nirgends auf Höckern eingelenkt sind. Die Fusskralle ist mässig gross, stark gekrümmt und ohne Nebenhaken.

Geschlechtshof. Das grosse Geschlechtsfeld liegt ziemlich nahe hinter dem letzten Hüftplattenpaare. Jederseits befindet sich eine flügelartige Napfplatte in einer Gestalt, die an das betreffende Organ mancher Arrenurus-Spezies erinnert. Die Platte ist innen breit und wird nach aussen hin allmählig schmaler, hier in einem abgerundeten Ende abschliessend. Sie ist etwa rechtwinklig zur Mittellinie des Körpers gerichtet und besitzt zahlreiche mit Poren versehene Näpfe, die meistens von geringer Grösse sind; zwei inmitten gelegene zeichnen sich indes durch besondere Grösse und Lage aus; die unmittelbare Umgebung dieses grossen Napfpaares ist frei von Näpfen (Fig. 65 u. 66).

Männchen. Die zwei letzten Epimerenpaare treten innen ziemlich nahe zusammen. Die vierte Hüftplatte (Fig. 66) ist durch eine grössere Breite ausgezeichnet. Das vierte Glied des letzten Fusspaares weisst eine schwache Verdickung auf. Der Geschlechtshof liegt dicht hinter dem Epimeralgebiet. Die Geschlechtsplatten treten in der Mittellinie unmittelbar an einander, besitzen hier eine Breite von 0,35 mm und lassen in der vordern Hälfte die 0,14 mm lange Geschlechtsöffnung erkennen.

Weibchen. Die zwei letzten Hüftplattenpaare bleiben innen weit von einander entfernt (Fig. 67). Die letzte Epimere ist von geringer Breite. Auch die Geschlechtsplatten sind innen weit aus einander gerückt; ebenso ist deren Abstand von dem Hüftplattengebiete bei weitem grösser als beim ♂. Die Geschlechtsöffnung ist erheblich länger als die Innenbreite der Napfplatten; ihr vorderes Ende befindet sich hinten zwischen dem letzten Epimerenpaare und ihr hinteres zwischen den beiden hintern Innenecken der Napfplatten (Fig. 67).

Nymphe. Neben ausgewachsenen Formen sah ich das Maxillarorgan nebst Epimeralgebiet mit daraufhaftenden Stücken der Bauchhaut, welche Überreste offenbar der Nymphe angehören; und wie aus den wenigen folgenden Angaben erhellt, darf diese Nymphe mit Sicherheit der hier beschriebenen Art zuerteilt werden. Das Maxillarorgan hat genau die Gestalt desjenigen der oben beschriebenen voll entwickelten Geschlechter. Die letzte Epimere besitzt dieselbe Gestalt und die verhältnismässige Grösse wie beim ♂ nebst der den beiden Geschlechtern eigentümlichen plattenartigen Erweiterung der Aussenseite der in Rede stehenden Hüftplatte. Auf dem an das letzte Epimeralpaar sich anschliessenden Stücke der Abdominalhaut sind zwei Paar grosse Geschlechtsnäpfe mit weiter Porenöffnung gelegen. Die zwei Näpfe jedes Paars befinden sich dicht neben einander, doch nahe an der letzten Hüftplatte.

Wirt. Anodonta fragilis u. Unio complanata.

4. Atax fossulatus nov. spec.

In dieser neuen Art handelt sich's um einen weiteren Muschelschmarotzer, der nur in einem einzigen ausgewachsenen ♀ und einer
Nymphe zur Beschreibung vorliegt. Ob Fig. 68 den Körperumriss
richtig wiedergiebt, muss ich dahin gestellt sein lassen, da das ♀
schlecht erhalten ist.

Grösse. At. fossulatus gehört zu den grösseren Arten, denn
das ♀ misst 1,6 mm in der Länge.

Palpen. Die Maxillartaster sind von $\frac{1}{8}$ Körperlänge und
haben im ganzen ein ausserordentlich kräftiges Aussehen gleich,
denen von At. ingens. Das vierte ebenfalls recht starke Glied ist
kaum so lang wie das zweite. Der Borstenbesatz ist äusserst schwach;
ausser wenigen feinern Haaren bemerkt man am distalen Ende des
vorletzten Gliedes — und zwar auf der Beugeseite — eine ziemlich
kurze breite und stumpf endigende Schwertborste. An gleichem
Orte gewahrt man ausserdem noch einen spitzen Höcker. Die
Palpenspitze ist mit drei kleinen Chitinzapfen ausgestattet (Fig. 71).

Hüftplatten. Die Epimeren bedecken die vordere Hälfte der
Bauchseite (Fig. 68) und weichen in der Gestalt nicht von dem
Atax-Typus ab. Die beiden letzten Paare erinnern in der Form
auffallend an diejenigen von At. crassipes (O. F. Müll.). Erwähnenswert scheint nur der geringe Abstand der beiden letzten Plattenpaare von einander an der vordern Innenecke gegenüber der viel
grössern Entfernung der hintern Innenecken. An diesen befindet
sich je eine kleine flache Ausbuchtung. Die Einlenkung des vierten
Fusses erfolgt an der hintern Aussenecke der letzten Epimere.

Füsse. Die Gliedmassen sind mässig lang; der erste Fuss
hat $\frac{2}{8}$ Körperlänge, während der vierte die letztere ein wenig übertrifft. Der dritte Fuss ist im Gegensatze zu demjenigen einiger
Atax-Spezies nicht verkürzt. In betreff der Gliederlänge mag darauf
aufmerksam gemacht werden, dass das Endglied des letzten Fusses
dem vorhergehenden, das am längsten ist, gleichkommt, während
solches bei den andern Beinpaaren nicht der Fall ist. Der Vorderfuss ist ungemein kräftig. Auffallend ist die Erscheinung, dass
sämtliche Gliedmassen in den Basalsegmenten verdickt sind und
nach auswärts allmählich dünner werden, so dass das letzte Glied
besonders am Krallenende ungewöhnlich dünn ist. Der Haarbesatz
zeigt nirgends Schwimmborsten, sondern nur kurze und mittellange
Haare, an den mittleren Gliedern besonders der zwei letzten Paare
in grosser Menge. Dem ersten Fusse fehlt das Haarhöckermerk-
mal. Einen stark ausgeprägten Artcharakter trägt das Krallenende
der Füsse. Das Krallenpaar des ersten Fusses ist klein, ziemlich
stark gekrümmt und besitzt an der convexen Seite in mässiger Entfernung einen kräftigen Nebenhaken (Fig. 69). Die Krallen der
drei übrigen Fusspaare hingegen sind gross, auffallend wenig gebogen (Fig. 70) und haben gleichfalls an der convexen Seite aber
näher der Spitze ein winziges Nebenhäkchen. Krallengruben wie

wir sie bei den Hydrachniden kennen, sind bei vorliegender Art innerhalb der Fussenden nicht vorhanden, sondern statt deren gewahren wir an der Fussspitze ein häutiges durchsichtiges Anhängsel, dem eine muldenartige Vertiefung eigen ist und das in seinen Rändern durch steife borstenartige Gebilde die nötige Festigkeit erhält (Fig. 69 h u. 70 h). · Diese eigenartigen als Krallengruben dienenden Fussanhänge verschafften der neuen Spezies den obigen Namen. · · Der Vorderfuss erinnert übrigens in seinem Endgliede bei flüchtiger Betrachtung an denjenigen von At. procurvipes Koenike (Nr. 16, pag. 425), mit welcher Art At. fossulatus in mehr als einer Hinsicht nahe Beziehungen aufweist. Doch handelt sich's in dem südamerikanischen Muschelschmarotzer nicht um ein Anhängsel, sondern um eine fortsatzartige Verlängerung des Fusses über die Einlenkungsstelle der Doppelkralle hinaus (Fig. 72), worin die Krallengrube enthalten ist, welch letztere mithin keine Abweichung von der Regel darbietet.

Geschlechtshof. Das äussere Geschlechtsorgan hat seine Lage wie bei manchen Atax-Spezies nahe am Hinterrande des Körpers (Fig. 68). Genitalplatten sind nicht zu erkennen. Die 0,25 mm lange Geschlechtsspalte ist von 10 grossen länglich runden Näpfen umgeben; je vier liegen jederseits hinter einander und der fünfte hinten auf der Innenseite des vierten. Die Geschlechtsspalte besitzt in der Mitte jederseits zwei kurze und steife Stechborsten, die mich hauptsächlich nächst dem Mangel eines Penisgerüstes zu der Annahme veranlassen, dass es sich in dem hier beschriebenen Tiere um das weibliche Geschlecht handelt. Die Gestaltung des Geschlechtsfeldes ist ein weiterer Beweis für die nahe Verwandtschaft dieser neuen Art mit At. procurvipes. An eine Vereinigung beider Formen zu einer Spezies ist indes ausser der Verschiedenheit der Fussendigung auch schon wegen der völlig von einander abweichenden Maxillartaster nicht zu denken.

Nymphe. Eine auffallendere Übereinstimmung zwischen Nymphe und Imago als bei gegenwärtiger Art dürfte innerhalb der Hydrachnidengruppe noch wohl kaum beobachtet worden sein. Alle oben angegebenen Einzelheiten, ausschliesslich des Geschlechtshofes, sind auch bei genannter Entwicklungsform zutreffend, nur sind ihre Palpen schlanker. Ausser diesem unwesentlichen Unterschiede besteht das Hauptunterscheidungsmerkmal in der Beschaffenheit des Geschlechtsfeldes, das sich bei dem Jugendzustande, wie das bei den Atax-Nymphen fast ohne Ausnahme der Fall ist, aus vier Näpfen zusammen setzt, die zu je zweien hinter einander nahe am Hinterende des Abdomens gelegen und gleichfalls von ansehnlicher Grösse sind.

Wirt. Anodonta luteola (Rideau River); 5. Nov. 1882.

Erklärung der Abbildungen.

Taf. I.

Arrenurus lautus nov. spec. ♂.

Fig. 1. Bauchansicht. Vergr. 35 : 1.

Fig. 2. Rückenansicht. c = hornartiger Höcker, w = Haarwall über dem Petiolus. Vergr. 35 : 1.

Fig. 3. Seitenansicht. c = hornartiger Höcker, h = Hinterrandshöcker des Körperanhangs, p = Petiolus, w = Haarwall über dem Petiolus. Vergr. 33 : 1.

Fig. 4. Körperanhang bei Stirnlage. b = Endigung des Rückenbogens, h = seitlicher Hinterrandshöcker, l = Chitinleistchen, n = geschlechtsnapfartiges Gebilde. Vergr. 60 : 1.

Fig. 5. Petiolus in Seitenansicht. z = Zahn am freien Ende, l = Chitinleiste in der Mulde, a = Aufsatz auf der Chitinleiste, f = seitlicher Fortsatz des Leistenaufsatzes. Vergr. 177 : 1.

Arrenurus interpositus nov. spec. ♂.

Fig. 6. Petiolus von oben gesehen. e = Gebilde in der Mulde, h^1 und h^2 = Höcker auf dem Anhange, b = gebogene Borste neben dem Petiolus. Vergr. 80 : 1.

Fig. 7. Petiolus bei Stirnlage des Tieres gesehen, bei einer geringen Neigung nach der Bauchseite. e = Gebilde in der Mulde, n = geschlechtsnapfähnliches Gebilde. Vergr. 95 : 1.

Fig. 8. Petiolus in Seitenansicht. b = gebogene Borste, e = Gebilde in der Petiolusmulde, h^1 und h^2 = zwei Höckerpaare auf dem Anhange. Vergr. 100 : 1.

Fig. 9. Epimeralgebiet nebst Genitalhof. Vergr. 35 : 1.

Fig. 10. Vierter Fuss linker Seite. Vergr. 56 : 1.

Arrenurus setiger nov. spec. ♂.

Fig. 11. Bauchansicht. Vergr. 45 : 1.

Fig. 12. Seitenansicht. w = Rückenwulst. Vergr. 42 : 1.

Fig. 13. Linke Palpe. Vergr. 230 : 1.

Arrenurus integrator (O. F. Müll.) ♂.

Fig. 14. Linke Palpe. Vergr. 145 : 1.

Fig. 15. Die beiden Endglieder des letzten Fusses rechter Seite. Vergr. 105 : 1.

Arrenurus buccinator C. L. Koch ♂.

Fig. 16. Bauchansicht. b = Ende des Rückenbogens. Vergr. 30 : 1.

Fig. 17. Seitenansicht. b = Rückenbogen. Vergr. 29 : 1.

Fig. 18. Ende des Körperanhangs von oben gesehen. a = Anus, e = vorstehende Hinterrandsecke, g = Drüsenmündung, h¹ und h² = Höcker auf dem Anhange, h³ = Höcker am Hinterrande des Anhangs. Vergr. 115 : 1.

Fig. 19. Ende des Körperanhangs in Seitenansicht. e = Hinterrandsecke, h¹ und h² Höcker auf dem Anhange, h³ Hinterrandshöcker. Vergr. 125 : 1.

Fig. 20. Rechte Palpe. Vergr. 170 : 1.

Arrenurus caudatus (de Geer).

Fig. 21. Ende des Körperanhangs. e = Hinterrandsecke, g Drüsenöffnung, d = Drüsenüberwölbung, ö = Eingang der Drüsenüberwölbung, h¹ und h² Höcker auf dem Anhange, h³ = Hinterrandshöcker. Vergr. 115 : 1.

Fig. 22. Ende des Körperanhangs in Seitenanhangs in Seitenansicht. e = Hinterrandsecke, h¹ und h² = Höcker auf dem Anhange, h³ = Hinterrandshöcker. Vergr. 105 : 1

Aturus scaber Kramer ♂.

Fig. 23. Bauchansicht. Vergr. 95 : 1.

Thyas pedunculata nov. spec. ♀.

Fig. 24. Rechtes Doppelauge in Seitenansicht. Vergr. 130 : 1.

Fig. 25. Hüftplattengebiet und Geschlechtshof. Vergr. 55 : 1.

Fig. 26. Mandibel. Vergr. 208 : 1.

Fig. 27. Rechte Palpe. Vergr. 154 : 1.

Fig. 28. Geschlechtsfeld in Seitenansicht. d = Geschlechtsnapf, k = Geschlechtsklappe, p = Brustkontur, v = Hinterleibskontur. Vergr. 130 : 1.

Taf. II.

Thyas stolli nov. spec.

Fig. 29. Hüftplattengebiet. Vergr. 75 : 1.

Fig. 30. Maxillarorgan in Seitenansicht. f = Maxillarfortsatz, r = Rostrum, t = Basalsegment des Tasters. Vergr. 150 : 1.

Fig. 31. Mandibel. Vergr. 260 : 1.

Fig. 32. Linke Palpe. Vergr. 170 : 1.

Thyas cataphracta nov. spec.

Fig. 33. Ein Stück Rückenpanzer. Vergr. 120 : 1.

Fig. 34. Hüftplattengebiet und Geschlechtshof. Vergr. 64 : 1.

Fig. 35. Linke Palpe. Vergr. 140 : 1.

Tyrrellia circularis nov. spec. ♀.
Fig. 36. Rechte Palpe. Vergr. 73 : 1.
Fig. 37. Bauchseite. Vergr. 40 : 1.
Fig. 38. Rückenansicht. Vergr. 40 : 1.

Sperchon glandulosus Koenike.
Fig. 39. Linke Palpe. Vergr. 115 : 1.

Sperchon parmatus nov. spec.
Fig. 40. Rückenansicht. Vergr. 35 : 1.
Fig. 41. Palpe. Vergr. 108 : 1.

Sperchon tenuipalpis nov. spec.
Fig. 42. Rückenansicht. Vergr. 50 : 1.
Fig. 43. Maxillarorgan. Vergr. 150 : 1.
Fig. 44. Mandibel mit Luftsack. Vergr. 200 : 1.
Fig. 45. Palpe. Vergr. 136 : 1.
Fig. 46. Hüftplattengebiet u. Geschlechtshof. Vergr. 50 : 1.
Fig, 47. Kralle des dritten Fusspaares. Vergr. 430 : 1.

Limnesia undulata (O. F. Müll.) ♂.
Fig. 48. Geschlechtshof (nach einem hiesigen Individuum gezeichnet). Vergr. 115 : 1.
Limnesia anomala nov. spec.
Fig. 49. Ein Stück Körperkontur mit Hautbesatz.
Fig. 50. Epimeralgebiet u. Genitalhof des ♂. Vergr. 37 : 1.
Fig. 51. Rechte männliche Palpe. Vergr. 74 : 1.
Fig. 52. Kralle des dritten Fusspaares. Vergr. 240 : 1.
Fig. 53. Weiblicher Geschlechtshof. Verg. 53 : 1.

Curvipes guatemalensis (Stoll).
Fig. 54. Männliche Mandibel. Vergr. 210 : 1.
Fig. 55. Rechte weibliche Palpe. Vergr. 160 : 1.
Fig. 56. Weiblicher Geschlechtshof. Vergr. 90 : 1.

Curvipes rotundus (Kramer).
Fig. 57. Rechte weibliche Palpe. Vergr. 140 : 1.

Taf. III.

Atractides ovalis Koenike ♂.
Fig. 58. Linke Palpe. Vergr. 200 : 1.
Fig. 59. Geschlechtshof. Vergr. 115 : 1.

Hygrobates exilis nov. spec. ♀.
Fig. 60. Epimeralgebiet nebst Geschlechtshof. p = Insertionsstelle des letzten Fusses. Vergr. 73 : 1.

Fig. 61. Rechte Palpe. Vergr. 156 : 1.

Hygrobates decaporus nov. spec. ♀.

Fig. 62. Palpe ohne Grundglied. f = fortsatzartige Erhebung. Vergr. 114 : 1.

Fig. 63. Geschlechtshof. Vergr. 70 : 1.

Hygrobates multiporus nov. spec. ♂.

Fig. 64. Geschlechtshof. Vergr. 110 : 1.

Atax ingens nov. spec.

Fig. 65. Weibliche Mandibel. f = Fortsatz an der Mandibular-grube, h = Hakenglied. Vergr. 88 : 1.

Fig. 66. Männlicher Geschlechtshof nebst Epimeralgebiet. Vergr. 34 : 1.

Fig. 67. Weiblicher Geschlechtshof nebst Epimeralgebiet. Vergr. 34 : 1.

Atax fossulatus nov. spec. ♀.

Fig. 68. Bauchseite. Vergr. 35 : 1.

Fig. 69. Endglied des ersten Fusses. h=Krallengrube. Vergr. 195:1.

Fig. 70. Endigung des zweiten Fusses, h = Krallengrube. Vergr. 195 : 1.

Fig. 71. Linke Palpe. Vergr. 93 : 1.

Atax procurvipes Koenike ♀.

Fig. 72. Endglied des ersten Fusses. Vergr. 227 : 1.

Berichtigung.

Seite 223 Z. 4 von unten lies: Arrenurus krameri nov. spec. (statt: Arrenurus buccinator C. L. Koch).

Die Hydrachniden-Fauna von Juist

nebst Beschreibung einer neuen Hydrachna-Spezies von Borkum
und Norderney.

Herr Lehrer Leege, der sich mannigfache Verdienste um die
Fauna und Flora der Insel Juist erwarb, hat auch den Wassermilben
einige Aufmerksamkeit geschenkt. Seine diesbezügliche Ausbeute
soll hier veröffentlicht werden. Es handelt sich um 11 Arten, die
8 verschiedenen Genera angehören. Es gelang ihm, eine neue Hydrachna-Spezies zu entdecken, die ihm gewidmet werden möge. An
die Beschreibung dieser Art anschliessend veröffentliche ich die
Diagnose einer zweiten neuen Hydrachna-Form, die ich Pfingsten
1886 auf Norderney erbeutete*) und die neuerdings von Herrn Prof.
Schneider auch auf Borkum angetroffen wurde.

1. Fam. Medioculatae Haller.

Gen. Eylais Latr.

E. Extendens (0. F. Müll.).

Grosse Viehtränke auf der Bill. 1 Imago.

2. Fam. Lateroculatae Hall.

Gen. Arrenurus Dugès.

A. radiatus Piersig.

Grosse Viehtränke auf der Bill; 2 ♀♀, und an anderer Stelle
der Insel 1 ♂ und 3 ♀♀.

Gen. Hydryphantes C. L. Koch.

H. ruber (de Geer).

Grosse Viehtränke auf der Bill; 10 Imagines und 1 Nymphe,
ndu an anderer Stelle äusserst zahlreich. Herr Leege schrieb mir: „Es

---

*) Ausser der Hydrachna-Spezies fand ich auf Norderney nur noch
Limnesia histrionica (Herm.) in einem ♂.

15*

228

ist doch wunderbar, dass gerade jetzt (März) diese Art in so grosser Menge auftritt; ich könnte in kurzer Zeit Tausende fangen." Ich traf auffallend viele Deformitäten darunter an, die sich am Rückenschilde und Geschlechtshofe zeigten; jenem fehlten vielfach die hintern Fortsätze, diesem teilweise die grossen Näpfe.

Gen. Diplodontus Dugès.
D. despiciens (O. F. Müll.).

Genus. Limnesia C. L. Koch.
L. histrionica (Herm.).

Grosse Viehtränke auf der Bill; 2 ♀♀, und anderer Stelle 5 ♂♂ und 9 ♀♀.

Gen. Piona C. L. Koch.
P. latipes (O. F. Müll.).

Grosse Viehtränke auf der Bill; 1 ♂.

Gen. Curvipes Koenike.
C. conglobatus (C. L. Koch).

·Grosse Viehtränke auf der Bill; 1 ♀.

C. fuscatus (Herm.).

Grosse Viehtränke auf der Bill; 1 ♂ u. 10 ♀♀.

C. uncatus (Koenike).

Grosse Viehtränke auf der Bill; 16 ♀♀, und an anderer Stelle 1 ♂ und 9 ♀♀.

Gen. Hydrachna (O. F. Müll.) Dugès.

Dugès, dem wir die Klarstellung des heutigen Hydrachna-Gattungsbegriffes und eine exakte Kennzeichnung von Hydrachna globosa (de Geer) verdanken, stellt einen Geschlechtsdimorphismus bezüglich der letztern Art in Abrede: „Entre les postérieures (Epimeren) se trouve l'orifice des organes genitaux. Pour ce qui concerne ce dernier, je n'ai pu établir la différence qui distingue les mâles d'avec les femelles."[*]) Auf einen thatsächlich bestehenden Dimorphismus habe ich bereits früher hingewiesen, der sich auf das Genitalorgan beschränkt.[**]) Der männliche Geschlechtshof der von mir

*) Dugès, Deuxième mémoire sur l'ordre des Acariens. Remarques sur la famille des Hydracnés. Ann. sc. natur. II sér. Tome I. 1834. pag. 165.
**) Koenike, Die von Herrn Dr. F. Stuhlmann in Ostafrika gesammelten Hydrachniden. Jahrb. Hamburg. Wissensch. Anstalten. 1893. X. pag. 46.

beobachteten Hydrachna-Spezies ist stets länger gestreckt (Fig. 1) als der weibliche (Fig. 2g). Ein weiterer Unterschied zeigt sich

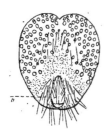

darin, dass der männliche Geschlechtshof in seiner ganzen Ausdehnung der Bauchdecke aufgewachsen ist, während der weibliche nur vorn mit derselben zusammenhängt, aber hinten frei ist und nach vorn umgeklappt werden kann (Fig. 3). Ferner besitzt das männliche Geschlechtsfeld eine kurze Geschlechtsspalte in dem verschmälerten Hinterende (Fig.

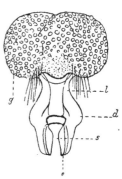

1. Hydrachna globosa (de Geer) Dugès. Männlicher Geschlechtshof. v = Geschlechtsöffnung. Vergr. 71 : 1.

2. Hydrachna globosa (de Geer) Dugès. Weiblicher Geschlechtshof mit vorgeschobener Legescheide. g = äusseres Geschlechtsorgan, l = Legescheide, d = ringwulstartige Erweiterung der Legescheide, e = chitinisierte Endspitze, s = Spalt am freien Ende der Legescheide. Vergr. 75:1.

1 v u. Fig. 7 v), das weibliche hingegen hat eine lange Vagina, die bei normaler Lage des Plattenpaars verdeckt ist (Fig. 2) und erst bei zurückgeklapptem Geschlechtshofe sichtbar wird (Fig. 3 v). Diese Eigentümlichkeit in dem Bau des äussern Genitalorgans ist schon von Dugès beobachtet worden. Ich möchte an dieser Stelle noch auf ein inneres weibliches Geschlechtsorgan verweisen, das man gelegentlich aus der Scheide hervortreten sieht und hinsichtlich der Gestalt und Struktur nach den Arten verschieden ist. Bei Hydrachna globosa ♀ ist es ein bis zu einem 0,5 mm lang aus der Geschlechtsöffnung herausragendes häutiges Gebilde von drehrunder Gestalt (Fig. 21) mit einem Längskanal im Innern und dicker muskulöser Wandung, die aussen undeutlich gefeldert ist. Das freie Ende des Organs zeigt einen tiefgehenden weiten Spalt (Fig. 2s); die hierdurch hervorgerufenen zwei Spitzen sind kräftig chitinisiert. Vor dem Spalt ist das Gebilde ringwulstartig erweitert (Fig. 2d). Zweifelsohne handelt sich's in dem hier kurz beschriebenen Gebilde um ein bei der Eiablage in Funktion tretendes Organ; wir haben es offenbar darin mit einer Legescheide zu thun. Dieselbe entging dem scharfsichtigen Dugès nicht, der in aller Kürze darauf hinweist („sous sa pointe (des Geschlechtshofs) est une ouverture que la plaque découvre en s'inclinant en avant, et d'où peut sortir un tube ou pondoir d'un demimillimetre de longueur"), ohne dasselbe zu beschreiben oder bildlich darzustellen. Mir will es so scheinen, als wenn die Hydrachna-Weibchen aus dem Grunde mit diesem Hülfs-

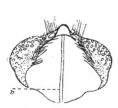

3. Hydrachna globosa (de Geer) Dugès. Nach vorn übergeklapptes weibliches Geschlechtsorgan. v = Geschlechtsöffnung. Vergr. 73 : 1.

organ der Eiablage ausgerüstet seien, weil bei ihnen die letztere besonders erschwert ist. Nach meinem Dafürhalten dürfen die Beobachtungen über die Eiablage bei Hydrachna noch keineswegs als abgeschlossen betrachtet werden. Dugès hat angeblich gesehen, dass Hydrachna-Weibchen ihre Eier an Potamogeton und Spongien absetzten, während die daraus hervorgehenden Larven anfänglich frei im Wasser umherschwärmten, um sich einen. Wirt selbständig aufzusuchen. Dagegen muss ich einige Bedenken geltend machen. Thatsache ist, dass man Hydrachniden-Larven an Wasserinsekten nie vereinzelt, sondern stets zu mehreren — oft massenhaft — antrifft. Thatsache ist ferner, dass unter vielen Individuen der von Hydrachna bevorzugten Wasserinsekten nur wenige mit Parasiten behaftet sind. Wenn es der Wirklichkeit entspräche, dass die Larven nach dem Ausschlüpfen aus dem Ei umherschwärmten, um sich hinterdrein einen geeigneten Wirt auszuwählen, so könnten die Schmarotzer nicht bei vereinzelten Individuen vielfach auftreten, sondern bei vielen Individuen vereinzelt. Ich nehme an, dass das Hydrachna ♀ seine Eier an ein Wasserinsekt absetzt und dass ihm, da die mehr oder weniger grosse Beweglichkeit des Insekts die Eiablage erschwert, von der Natur ein Hülfsorgan, die Legescheide, verliehen worden ist. Zur Unterstützung meiner Annahme führe ich Folgendes an: Linné beobachtete, dass eine rote Wassermilbe (Hydrachna ♀?) ihre Eier an einem Wasserskorpion absetzte. Ferner wurde mir von einem Schüler ein Wasserkäfer (Dytiscus marginalis) gebracht, unter dessen Flügeln ich ein Hydrachna ♀ antraf. Ungünstigerweise waren Käfer und Wassermilbe bereits in solch dürrem Zustande, dass das Suchen am Käfer nach etwa abgelegten Milbeneiern erfolglos war.

H. geographica (O. F. Müll.).

Grosse Viehtränke auf der Bill; 1 ♂.

H. leegei n. sp.

Der nachfolgenden Beschreibung lagen 5 ♂♂ und 1 ♀ zu Grunde.

Grösse. In der Grösse stimmt die Art mit Hydrachna globosa (de Geer) Dugès überein.

Gestalt. Die Körpergestalt ist nahezu kugelig, doch das Hinterende des Körpers merklich dicker als das vordere.

Haut. Die Epidermis ist wie bei H. globosa dicht getüpfelt. (Fig. 4f). Während wir in H. spinosa Koenike (l. c. p. 43—46, Taf. III, Fig. 32 u. 33) eine Art kennen lernten, der Rückenschilder gänzlich mangeln, so treten solche bei der Juister Form in rudimentären Gebilden auf. Sie sind paarig und zeigen die gleiche Lagerung wie bei H. globosa, nämlich auf der Innenseite der beiden Augenpaare beginnend und sich rückwärts erstreckend. Vorn

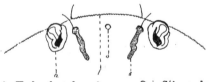

4. Hydrachna leegei n. sp. ♀. Stirnende.
a = Doppelauge, o = unpaares Auge, f =
Körperkontur, s = Rückenschild. Vergr. 37:1.

schliessen sie mit einem starken Chitinrande ab, auf welchem ein Härchen steht (Fig. 4s).

Auge. Die beiden Augenpaare erscheinen am Stirnrande und erheben sich ein beträchtliches Stück über die Körperhaut (Fig. 4a). In der Mitte zwischen den beiden Doppelaugen befindet sich ein kleines rundes Gebilde, in dem sich's um das fünfte unpaare Auge handeln dürfte (Fig. 4o).

Mundteile. Das Maxillarorgan besitzt vorn ein dem Gattungscharakter entsprechendes langes abwärts gebogenes Rostrum, das einem oben spaltartig offenen Kanale gleicht, in dem die langen säbelförmigen Mandibeln in ihrer vordern Hälfte Platz finden. Dieselben entsprechen in der Form dem Bilde, das wir bei Neuman*) von der Mandibel der H. geographica finden, nur mit dem Unterschiede, dass das Hinterende noch stärker umgebogen ist.

Palpen. Der Maxillartaster ist nur um ein Geringes länger als das Rostrum. Sein Grundglied ist wie gewöhnlich bei den Hydrachna-Palpen auffallend stark und bietet wohl kaum ein erwähnenswertes Artmerkmal. Das Endglied ist recht kurz, kaum merklich länger als der gekrümmte Chitinfortsätz des vorhergehenden. Der Haarbesatz der Palpe ist nur spärlich; das meist behaarte Segment ist das zweite, das auf der Streckseite mehrere kurze Borsten trägt (Fig. 5).

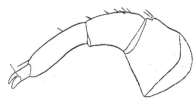

5. Hydrachna leegei n. sp. ♂. Maxillartaster. Vergr. 105 : 1.

Hüftplatten. Das Epimeralgebiet, das die gleiche Lagerung und Ausdehnung wie bei H. globosa aufweist, unterscheidet sich hauptsächlich im letzten Plattenpaare. Während bei der Vergleichsart die letzte Epimere wesentlich breiter als die vorhergehende ist, so steht bei H. leegei die dritte der letzten nur um ein Geringes nach. Ferner ist die hintere Innenecke der vierten Epimere nennenswert breiter und weit weniger ausgezogen als bei H. globosa (Fig. 6). Die neue Form gleicht in dem Punkte der H. spinosa Koenike. H. globosa besitzt eine seitliche Erweiterung der in der Rede stehen-

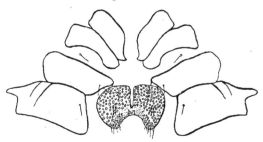

6. Hydrachna leegei n. sp. ♀. Epimeralgebiet nebst Geschlechtshof. Vergr. 46 : 1.

den Hüftplatte über die Einlenkungsstelle des letzten Fusses hinaus, was bei der Juister Spezies nicht der Fall ist. Die letztere zeigt

---

*) C. J. Neuman, Om Sveriges Hydrachnider Taf. XIV, Fig. 2e.

namentlich bei der vierten Epimere eine deutliche Queraderung; auch nimmt man das Porenmerkmal wahr, doch ist dasselbe viel undeutlicher als bei de Geer's Art.

Füsse. Die Gliedmassen sind von gewöhnlicher Länge; der letzte Fuss ist etwa so lang wie der Körper. Der recht kurze erste Fuss ist mässig behaart; er besitzt keine Schwimmborsten; solche finden sich indes vom zweiten bis vierten Paare in steigenden Mengen. Die halblangen und kurzen Borsten sind meist deutlich gefiedert. Die Fusskralle ist sichelförmig und nur recht klein.

After. Die Analöffnung befindet sich an gleicher Stelle wie bei H. globosa.

Geschlechtshof. ♂. Das 1,8 mm grosse ♂ kennzeichnet sich ausser den oben angegebenen, beiden Geschlechtern gemeinsamen Merkmalen im Geschlechtshofe, der eine herzförmige Gestalt besitzt, deren Spitze nach hinten gerichtet ist. Das Geschlechtsfeld hat die ansehnliche Länge von 0,4 mm und eine Breite von 0,45 mm im vordern Teile; es ragt ein beträchtliches Stück über das letzte Epimerenpaar hinaus. Die beiden Geschlechtsplatten sind in der Mittellinie bis zu der 0,16 mm langen Geschlechtsspalte mit einander verwachsen; die letztere erstreckt sich von der Herzspitze nach vorn (Fig. 7 v). Ich hebe besonders hervor, dass die Spitzen der beiden Platten ohne Zusammenhang sind (Fig. 7), weil darin ein Unterschied gegenüber dem ♂ von H. globosa gegeben ist, wo eine Verwachsung der beiden Spitzen stattgefunden hat (Fig. 1). Beim ♂ der H. leegei stehen neben der Geschlechtsöffnung auf den Plattenrändern zahlreiche Härchen,

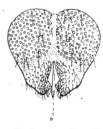

7. Hydrachna leegei n. sp. ♂. Äusseres Genitalorgan. v = Genitalöffnung. Vergr. 60:1.

welche Behaarung bis an die Aussenränder hinanreicht, nach hier aber allmählich spärlicher werdend. Um diesen behaarten Plattenteil herum zieht sich im Bogen ein schmaler fein-poröser Streifen. Der übrige Teil der Platten ist mit vielen kleinen Näpfen dicht besetzt, in der Mittellinie einen schmalen Streifen freilassend. Zwischen den Näpfen bemerkt man vereinzelte feine Härchen.

♀. Das Weibchen hat eine Körperlänge von etwa 2 mm. Das äussere Genitalorgan kennzeichnet sich auffallenderweise dadurch, dass die Napfplatten nahezu völlig von einander getrennt sind, nur hinten hängen sie auf kurzer Strecke zusammen. Hinten ist der Geschlechtshof tief ausgebuchtet, und um diese Ausbuchtung herum besitzt derselbe eine schmale Zone, die fein-porös und an den Ecken behaart ist. Der übrige Teil der Platten ist mit einer grossen Menge kleiner Näpfe versehen, zwischen denen an einigen Stellen vereinzelte Härchen stehen (Fig. 6). Die Trennung der beiden Genitalplatten könnte zu der Vermutung führen, es handle sich in der bezeichneten Form um eine Nymphe, doch überzeugte ich mich durch Abheben des Genitalorgans in der hintern Ausbuchtung von dem Vorhandensein einer Vagina, ein sicherer Beweis dafür, dass sich's um ein adultes Stadium handelt. Ausserdem erkannte ich durch· die Körperhaut hindurch Eier im Innern, die eine kugelrunde Gestalt haben mit einem Durchmesser von 0,144 mm. Im Vergleich mit H. globosa ♀ bieten die Form der Eier, die Trennung der Napfplatten, der fein-poröse Hinterrand und die tiefe Ausbuchtung des letztern hinreichende specifische Unterschiede.

Fundort. Grosse Viehtränke auf der Bill.

Hydrachna schneideri n. sp.

Für die Beschreibung liegt eine Reihe von Weibchen nebst einem ♂ vor. Oberflächlich betrachtet, kann diese Art leicht mit H. globosa (de Geer) Dugès verwechselt werden, doch lehrt eine genauere Besichtigung, dass eine specifische Sonderstellung der in Frage kommenden Form nicht zu vermeiden ist.

Grösse. In der Grösse kommt die neue Art der Hydr. globosa gleich.

Gestalt. Der Körper ist stark gewölbt; seine Länge verhält sich zur grössten Breite wie 8 zu 7.

Haut. Der Hautbesatz besteht aus sehr dicht stehenden stumpfspitzigen Zapfen und unterscheidet sich durch letzteres Merkmal deutlich von demjenigen der Juister Form, wo derselbe nicht nur der Spitze entbehrt, sondern wo er auch nur die halbe Höhe hat als bei H. schneideri. Ein weiterer Unterschied findet sich noch darin, dass bei letzterer Spezies die Hautzäpfchen nach rückwärts geneigt sind (Fig. 8). Besonders kennzeichnend für die hier zu beschreibende Art ist die Form des Rückenschildes, welches eine ungewöhnliche Raumausdehnung aufweist, indem es fast das vordere Drittel der Rückenoberfläche bedeckt, seitlich nur je eine schmale Fläche freilassend. Vorn tritt das Schild an den Körperrand hinan und besitzt daselbst zwei tiefe Ausbuchtungen für die beiden Doppelaugen. An der Hinterseite findet sich eine flache Ausbuchtung (Fig. 9).

8. Hydrachna schneideri nov. spec. ♀. Ein Stück Körperkontur. Vergr. 225 : 1.

Die letztere trifft man nicht stets von gleicher Tiefe an, sowie auch das ganze Schild sich nicht in allen Fällen scharf konturiert und von derselben Gestalt erweist. Soweit das Rückenschild reicht, mangelt der Haut das Zapfenmerkmal; es ist nur schwach chitinisiert und erscheint bei geringer Vergrösserung dicht gefleckt; bei hinreichender Vergrösserung hingegen erkennt man, dass es fein-porös ist.

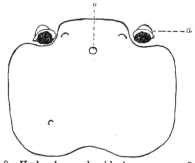

9. Hydrachna schneideri nov. spec. ♀. Rückenschild und Augen. a = Augenpaar, o = unpaares Auge. Vergr. 56 : 1.

Auge. Die beiden Augenpaare befinden sich am Stirnrande in einer Ausbuchtung des Rückenschildes (Fig. 9a). Das fünfte unpaare Auge weicht dadurch von dem betreffenden Organ der Juister Art ab, dass es nicht genau in der Mitte zwischen beiden Doppelaugen liegt, sondern etwas weiter nach hinten gerückt ist (Fig. 9o).

Mundteile. Das Maxillarorgan entspricht in seinem Aufbau dem Gattungstypus. Das Rostrum ist nur schwach abwärts gebogen. Dieser geringen Biegung entsprechend sind die eingliedrigen Mandibeln auch wenig gekrümmt. Ihr hinteres Ende ist stark verdickt und umgebogen. Das messerartige Mittelstück ist breiter als bei H. leegei. An der Spitze befindet sich eine doppelreihige kräftige Zähnelung; die Zähnchen sind rundlich. Die Zähnelung nimmt man zwar auch bei der Mandibel der Juister Spezies wahr, doch ist solche wesentlich undeutlicher.

Palpen. Der Maxillartaster überragt das Rostrum etwas an Länge und ist sehr kräftig gebaut, besonders zeichnen sich die beiden Grundglieder durch bedeutende Dicke aus, selbst das dritte ist noch merklich stärker als bei H. leegei. Die Borstenausstattung ist verhältnismässig reich, besonders beim zweiten Segmente, das auf der

10. Hydrachna schneideri nov. spec. ♀.
Rechte Palpe. · Vergr. 75 : 1.

Streckseite viele kurze kräftige Borsten trägt u. auf dessen Aussenseite man zwei halblange gefiederte Borsten bemerkt. Am schlanken dritten Gliede mögen noch drei kürzere Härchen auf der Beugeseite Erwähnung finden (Fig. 10). Durch den Haarbesatz sowie durch die bedeutendere Stärke des zweiten Gliedes ist die Palpe gegenüber derjenigen von H. leegei deutlich unterschieden.

Hüftplatten. Das Epimeralgebiet besitzt durch die vierte Platte eine etwas grössere Raumausdehnung als bei H. leegei. Die letzte Platte ist nicht nur merklich breiter, sondern vor allem viel länger und zwar dadurch, dass ihre hintern Innenecken stark ausgezogen sind und nahe zusammentreten (Fig. 11). Durch d. auffallende Vortreten derselben ist die Hinterkante der Epimere an einer Stelle eigenartig gebogen (Fig. 11 b). Bei geringer Vergrösserung erscheinen die Epimeren wie das Rückenschild dicht gefleckt; bei hinreichender Vergrösserung erweisen sie sich als fein-porös.

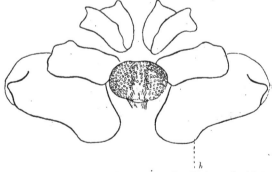

11. Hydrachna schneideri n. sp. ♀. Epimeralgebiet nebst Geschlechtshof. Vergr. 45 : 1.

Füsse. Die Gliedmassen zeigen gegenüber denjenigen von H. leegei in Bezug auf Borstenausstattung und Krallenbewehrung keinen nennenswerten Unterschied.

After. Die Analöffnung ist um $1/3$ näher beim Geschlechtshofe als bei H. globosa.

Geschlechtshof. ♂. Das eine mir zur Verfügung stehende männliche Exemplar ist recht dürftig konserviert, weshalb die nachfolgenden Angaben auf Genauigkeit keinen Anspruch erheben dürfen. Während bei H. globosa, ganz besonders aber bei H. leegei das männliche Geschlechtsfeld ein beträchtliches Stück über das letzte Epimerenpaar nach rückwärts hinausragt, so ist das bei H. schneideri nicht der Fall; es erreicht hier die Spitze des kurz birnförmigen Geschlechtshofes nicht einmal die hintere Grenze des letzten Plattenpaares. Seine Länge beträgt 0,35 mm und seine grösste Breite 0,4 mm. Bei H. globosa ♂ sind die entsprechenden Masse 0,468 mm und 0,32 mm. Die Lage der 0,128 mm langen Genitalöffnung sowie die Verteilung von Borsten und Näpfen ist bei H. schneideri dieselbe wie bei H. leegei.

♀. Die Gestalt des Geschlechtshofs entspricht etwa derjenigen des ♀ von H. globosa. Die Breite desselben (0,4 mm) übertrifft bei weitem die Länge (0,24 mm). Beide Napfplatten sind im Gegensatze zu denjenigen von H. leegei ♀ ihrer ganzen Länge nach mit einander verwachsen und bis auf ein kleines fein-poröses Feld im hintern Teile mit zahlreichen Näpfen dicht besetzt. Am Hinterrande bemerkt man jederseits der Mittellinie einen Büschel Borsten, und ausserdem steht auf jeder Platte eine Längsreihe feiner Härchen (Fig. 11). Über die Legescheide, die mir nur teilweise zu Gesicht kam, kann ich nur berichten, dass ihr freies Ende zwei kräftige Chitinspitzen besitzt und dass die Wandung aussen dieselbe Beschaffenheit zeigt wie die Epidermis, indem sie mit gleichgestalteten Zapfen äusserst dicht besetzt ist (Fig. 8). Das reife Ei ist kugelrund mit einem Durchmesser von 0,17 mm.

Fundort. Norderney (Schanzengraben) und Borkum.

Zur Kenntnis der Blattwespenfauna der ostfriesischen Inseln.

Von Carl Verhoeff, Dr. phil., Bonn a. Rhein.

In seinem „Beitrag zur Insekten-Fauna der Nordsee-Insel Juist" teilte Diedrich Alfken nur 3 Arten phytophager Hymenopteren mit, nämlich

1. Tenthredo atra L.
2. Athalia spinarum F.
3. Cladius difformis Pz.

Er bemerkt jedoch dazu auf pag. 122: „Diese grosse Spärlichkeit lässt sich aus dem fast völligen Mangel an Sträuchern und Bäumen auf der Insel erklären. Herr Prof. Metzger, welcher auf sämtlichen ostfriesischen Inseln sammelte, kann schon für dieselben 8 Arten verzeichnen."

Da ich nun selbst von den beiden Inseln Norderney und Juist 12 Arten besitze, so halte ich es für angebracht, dieselben hier mitzuteilen.

Es befinden sich unter denselben 3 Arten, welche ich nach der mir zugänglichen Litteratur für neu halten müsste. Doch will ich keine neuen Namen schaffen, mich vielmehr auf eine Beschreibung nach der einmal üblichen Methode nach ausschliesslich äusseren Merkmalen beschränken; ich bin aber überzeugt, dass manche Gattungen, z. B. Nematus, sich niemals wissenschaftlich werden bewältigen lassen, wenn man nicht auch anatomische Merkmale berücksichtigt, so besonders die Kopulationsorgane und Mundteile.

Es liegen mir folgende Arten vor:

1. Cryptocampus sp. 1 ♀ N.*) 14. 6. 91. Im Schanzengehölz.
2. Nematus emarginatus André. 2 ♀ 1 ♂. Ebendaselbst.
3. Nematus togatus Zaddach. 1 ♂. Gleichfalls dort. Es fehlen die hellen Flecke auf dem Mesonotumlappen. N.

---

*) N. = Norderney.

4. **Nematus monticóla** Thoms. 1 ♂ Auf Anthriscus silvestris. Wiesen an der Windmühle. 16. 6. 91. N.

5. **Nematus capreae** Pz. 1 ♀. 23. 5. 91. N. Auf Salix repens.

6. **Nematus sp.** 1 ♀. N. 14. 6. 91. Im Schanzengehölz.

7. **Kaliosysphinga Dohrnii** Tischb. 1 ♀. Ebendort.

8. **Emphytus cinctus** Klug. 2 ♀. N. Sie wurden von mir aus Nymphen gezogen. Gefunden 1. 6. 91. Eine derselben lag in einer Höhlung an der Basis eines grossen, dunkelbraunen Lycoperdon von becherförmiger Gestalt, die andere ebenfalls in einer Höhlung hinter Zaunpfahlsplittern. Beide zeigten eine schön spangrüne Färbung, wie ich das auch früher von der Nymphe des verwandten cingillum Klug angegeben habe.*) Auch hier bei cinctus färben sich zuerst die Augen schwarz. Am 6. Juni war eine Nymphe noch grün, die andere schwarz, aber der 5. Abdominalring hatte oben die grüne Farbe behalten. Das ist nämlich derselbe Ring, welcher auch bei der Imago die helle Binde trägt. Die Flügelscheide und die Beine hatten am 6. auch noch eine helle Farbe behalten. Am 7. Juni war die 2. Nymphe in die Imago übergegangen, aber die Flügel noch weich, am 8. zeigte sich das Tierchen ganz entwickelt. In der hellen Binde des Abdomens haben wir also nicht etwas Secundäres, sondern im Gegenteil etwas Primäres zu erblicken. Die grüne Farbe ist eine Zellenfarbe, erzeugt durch lebende Substanz, die schwarze diffuse Farbe dagegen ist die des Skelettes, sie tritt in der Entwickelung erst später auf. Da sie am 5. Ringe dorsalwärts fehlt, schimmert die unterliegende Farbe der Zellen durch. Ein Cocon wird nicht verfertigt, doch findet sich an der Wand des Ruhekämmerchens ein schwacher Schimmer, welcher darauf hindeutet, dass dieselbe mit einigen Fäden überzogen wird.

9. **Selandria serva** F. N. 2 ♂. 8. 6. 91 auf den Wiesen an der Meierei.

10. **Taxonus Equiseti** Fall. 1 ♀. 14. 6. 91 an der Schanze. N.

11. **Taxonus glabratus** Fall. 1 ♂ dieser schönen Form fand ich 19. 6. 91 am Westende von Baltrum.

12. **Poecilosoma sp.** 1 ♀. N. 14. 6. 91. Im Schanzengehölz. Ausser den genannten beobachtete ich noch einen unbekannten Nematus und eine Tenthredo sp. bei Gelegenheit blütenbiologischer Studien, fing dieselben aber nicht ab. Da nun obige 3 von Alfken beobachteten Arten andere sind als die von mir gefundenen, so sind bereits 15 Tenthrediniden von den fries. Inseln bekannt und es dürften gewisslich mindestens 20 Arten vorkommen.

Alfken hat übrigens ganz Recht, wenn er die Spärlichkeit an Blattwespen auf Insel Juist zurückführt auf „den fast völligen Mangel an Sträuchern und Bäumen." Unter den 12 von mir auf N. konstatierten Arten nämlich habe ich 7 nur im Schanzengehölz gefunden, sodass diese, ebenso wie Selandria serva, sicherlich erst

---

*) Biologische Aphorismen über einige Hymenopteren, Dipteren und Coleopteren, pag. 3. Verh. d. naturhist. V. f. Rheinl. u. Westfalen 1890.

durch den Menschen nach der Insel verschleppt worden sind oder auch erst dann daselbst ihre Existenzbedingungen gefunden haben, nachdem die Schanzenanpflanzungen herangewachsen.

An Rosa pimpinellifolia habe ich auf N. im Jahre 1891 zahllose Blatt- und Stielgallen gefunden, welche den Fig. 13 d e f in Mayrs Arbeit über „die europäischen Cynipiden-Gallen" entsprechen. Obwohl die Erzeuger keine Tenthrediniden sind, sondern Cynipiden, möchte ich doch hier auf das Vorkommen des Rhodites spinosissimae Gir. hinweisen. Ich habe aus mitgenommenen Gallen mehrere Exemplare gezogen, gleichzeitig in viel grösserer Anzahl einen schwarzen Chalcidier, anscheinend eine Eurytoma-Art. Auf N. leben auch einige metallfarbene, kleine Torymiden.

ad 1. Cryptocampus sp. Lg. 4,2 mm. Mundgegend grauweiss. Körper gedrungen. Antennen schwarz, die 2 Endglieder gebräunt. 3 Cubitalzellen sind deutlich abgesetzt. Flügelmal braun, im vorderen Drittel weisslich. Tegula und Vorderstück der Vorderrandader weiss.

Kopf, Thorax und Abdomen schwarz, letzteres am Ende etwas gebräunt. Beine gelblichweiss, die Hüften schwarz, die Schenkel grösstenteils und die Schienenenden und Tarsen dunkelbraun. Kopf sehr quer, wie der übrige Körper glänzend. Kiefertaster braun.

ad 6. Nematus sp. Lg. 7²/₃ mm. Flügelmal und der grösste Teil der Vorderrandader gelb, sonst das Geäder schwarz. Körper grösstenteils graugelblich.

Antennen oben mehr schwarz, unten mehr bräunlich. Augen und Ocellengegend schwarz. Enden der Tarsenglieder braun. Auf dem Mesonotum jederseits eine braune Längsbinde. Schwarze Fleckchen neben dem Skutellum. Die Mitte der 1., 2., 3., 4. und 5. Rückenplatte ist breit geschwärzt. Mittlerer Lappen des Mesonotum mit Mittelfurche.

ad. 12. Poecilosoma sp. Lg. 8 mm. (Poecilostoma wäre doch etwas bezeichnender als Poecilosoma).

Hinterflügel mit einer geschlossenen 5-eckigen Diskoidalzelle: Clypeus flach ausgebuchtet, seine Aussenecken braun, wie der grösste Teil der Mandibeln. Palpen gelblich. Körper schwarz, glänzend.

Ecken des Prothorax weisslich gesäumt, Tegula bräunlich. Flügelmal gelblich, aussen braun. Abdominalende gelbbraun. Hüften grösstenteils schwarz, teilweise gelbbraun. Beine rotbraun, Tarsen braun, Kopf und Thorax fein greis schimmernd behaart. Hintere Ocellen durch eine tiefe Querfurche verbunden. Eine noch tiefere Längsfurche zieht jederseits von einer der beiden Hinterocellen mit doppelter Krümmung nach vorne und hinten. Die 3 Lappen des Mesothoraxrückens sind durch tiefe Furchen gegen einander abgesetzt.

Die Klauen der Tarsen teilen sich in je 2 Spitzen (bifides). Die Enddorne der Metatibien sind sehr kurz und erreichen noch nicht ¹/₄ des 1. Metatarsalgliedes.

Bonn, 8. April 1894.

Über einige polymorphen Formenkreise.

Von W. O. Focke.

1. Nordwestdeutsche Callitrichen.

Es giebt im Pflanzenreiche eine Anzahl von Formenkreisen, welche sich nicht in der üblichen Weise in Arten gliedern lassen. Solche „polymorphen" Formenkreise zeigen einige auffallende Eigentümlichkeiten, insbesondere enthält bei den meisten zugehörigen Gliedern der Blütenstaub eine mehr oder minder ansehnliche Zahl von missgebildeten und verkümmerten Körnern. Genau untersucht habe ich diese Verhältnisse zunächst bei den europäischen Brombeeren, habe mich dann aber überzeugt, dass Artengruppen von Rosa, Potentilla, Draba, Hieracium, Taraxacum, Centaurea, Sphagnum u. s. w. die nämlichen Eigenschaften besitzen. Auch unsere europäischen Arten der Gruppe Eucallitriche bilden einen polymorphen Formenkreis mit unsichern Artgrenzen und mangelhafter Pollenbeschaffenheit.

Die Callitriche-Arten sind in ihrer Tracht ungemein veränderlich, je nachdem sie in tiefem oder flachem Wasser oder auf dem Lande gewachsen sind; von der Nährkraft des Bodens oder des Wassers ist ferner ihre mehr oder minder üppige Entwickelung abhängig; in fliessendem Wasser verlängern und verschmälern sich die Blätter. Abgesehen von diesen Einwirkungen des Standortes und der individuellen Lebensbedingungen scheinen die Callitrichen nicht wesentlich variabler zu sein als andere Pflanzen; wirkliche Verschiedenheiten in der Gestaltung weisen auf specifische Unterschiede hin. Es ist nicht richtig, wenn man lehrt, dass die Callitriche-Arten ausschliesslich nach der Form der Früchte beurteilt werden müssen. Die einseitige Beachtung eines einzigen Merkmals oder eines einzigen Organs hat in polymorphen Artengruppen noch niemals zu einer wirklich naturgemässen Gliederung geführt.

Unter den nordwestdeutschen Callitrichen unterscheidet man, wie mir scheint, am besten zunächst vier Arttypen, und zwar etwa in folgender Weise.

I. **Alle Blätter, auch die tief untergetauchten, elliptisch.**

1. C. stagnalis Scop. *Früchte auf dem Rücken flügelig-gekielt; Pollenkörner alle gleich, kugelig.*

2. C. obtusangula Le Gall. *Früchte auf dem Rücken mit abgerundeter Kante; Pollen mit vielen verkümmerten Körnern, die wohlgebildeten Körner kugelig.*

II. **Die unteren, oft auch die oberen untergetauchten Blätter linealisch.**

3. C. verna L. *Blätter der schwimmenden Rosetten breit elliptisch; Früchte auf dem Rücken mit abgerundeter Kante; Narben lange bleibend; Pollen mit vielen verkümmerten Körnern, die wohlgebildeten ellipsoidisch.*

4. C. hamulata Kuetz. (C. autumnalis Roth, non L.) *Untergetauchte Blätter schmal linealisch, vorn ausgerandet, die schwimmenden linealisch oder schmal elliptisch; Narben hinfällig; Pollenkörner teilweise verkümmert, die wohlgebildeten kugelig.*

Die am frühesten (von Mitte Mai an) blühende Art ist C. obtusangula, der die C. verna indessen unmittelbar folgt. Die beiden andern Arten findet man erst von Ende Juni an, meistens im August, in Blüte.

Im westlichen England und Frankreich kommt die C. verna nicht vor oder ist doch ausserordentlich selten. Der Name C. obtusangula ist sehr bezeichnend gewählt, um den Unterschied zwischen dieser Art und der mit ihr gesellig wachsenden C. stagnalis hervorzuheben. Zur Trennung der C. obtusangula von der mitteleuropäischen C. verna dürfte die wenig auffallende Verschiedenheit in der Gestalt der Früchte nicht genügen, während der Pollen und, bei schwimmenden Formen, die untergetauchten Blätter auf den ersten Blick die Verschiedenheit der Arten erkennen lassen.

Unentwickelte Callitrichen ohne Blüten und Früchte sind meistens nicht mit Sicherheit zu bestimmen. In allen polymorphen Artengruppen erweisen sich die Merkmale, welche in einer bestimmten Gegend zur Unterscheidung der Arten brauchbar sind, in andern Gegenden als unzuverlässig; das nämliche ist ohne Zweifel bei Callitriche der Fall.

Seit Roth 1782 in Beytr. z. Bot. I. pag. 2 die C. hamulata als C. autumnalis L. aufführte, ist das Vorkommen dieser letzten Art im nordwestlichen Deutschland oft behauptet, aber, wie mir scheint, noch nicht bewiesen worden.

2. Die nordwestdeutschen Taraxacum-Arten.

Vor etwa 20 oder 25 Jahren begann ich einmal Taraxacum-Formen im Garten auszusäen, überzeugte mich aber bald, dass es nicht so ganz einfach ist, diese Pflanzen in Bezug auf Abänderungsfähigkeit und Befruchtungsverhältnisse zu studieren. Ohne einen regelrechten Versuchsgarten lassen sich kaum irgendwelche zuver-

lässigen Ergebnisse gewinnen, weil eine sorgfältige kundige Überwachung erforderlich ist, um unbeabsichtigte Kreuzungen zu verhüten und um einem Anfliegen von fremden Früchten zwischen die
Aussaaten vorzubeugen. Wer Taraxacum palustre auf ungeeignetem Boden aussäet, braucht sich nicht zu wundern, wenn statt
dessen T. vulgare aufgeht, freilich nicht aus den gesäeten, sondern
aus zugeflogenen Früchten. Wenn ich nun auch die geplanten Versuche aufgeben musste, habe ich doch der Gattung Taraxacum,
gleich andern polymorphen Artengruppen, dauernd im Freien meine
Aufmerksamkeit zugewendet. Ausser dem gewöhnlichen T. vulgare
lassen sich im nordwestlichen Deutschland zwei Typen unterscheiden,
welche, sobald man sie an ihren natürlichen Standorten beobachtet,
eine bemerkenswerte Beständigkeit zeigen, so dass man entschieden
berechtigt ist, sie „Arten" zu nennen. Sie sind auch keineswegs
Lokalarten, sondern zeigen eine beträchtliche Verbreitung.

Die erste übersichtliche Zusammenstellung der zahlreichen unterschiedenen Taraxacum-Formen findet sich in DC. Prodr. VII, pag.
146 ff. (1838). Mehr Klarheit über die Arten des westlichen Mitteleuropa giebt die Darstellung in Gren. et Godr. Flore de France II,
pag. 316, 317 (1850). Es sind dort 7 Arten beschrieben, von denen
jedoch 3 ausschliesslich dem Mittelmeergelände angehören. Von den
4 übrigen Arten unterscheiden sich zwei fast nur durch die Farbe
der Frucht, werden daher von den meisten andern Schriftstellern
zusammengezogen. Insbesondere thut dies auch Grenier in Fl. de
la chaîne Jurass., pag. 467 (1865), indem er folgende Arten und
Varietäten aufführt:

1. T. officinale Wigg.
2. T. laevigatum DC.
   β. coloratum (T. erythrospermum Gren. et Godr.,
   an Andrz.?)
3. T. palustre DC.
   β. udum (T. udum Jord.).

Ungefähr die nämliche Art der Darstellung der Gattung passt
auch für das nordwestliche Deutschland. Wilms hat in Jahresber.
Westf. Prov. Ver. 1874, pag. 8—12, die europäischen und insbesondere die westfälischen Arten besprochen; er trennt T. erythrospermum von T. laevigatum.

Das schmalblättrige, kleinköpfige T. palustre mit breiten,
dem Köpfchen angedrückten äusseren Hüllblättern findet sich vorzüglich auf salzführendem Boden, aber auch zerstreut an andern
feuchten Stellen. Ich habe es stets in Gesellschaft oder doch in
der Nachbarschaft von T. vulgare (officinale) gesehen. Kreuzung
war somit leicht möglich; auch kommen in der That regelmässig
Zwischenformen in Begleitung der beiden Arten vor. Im Herbar
scheinen diese Zwischenformen die Grenzen zwischen T. palustre
und T. vulgare vollständig zu verwischen, während sie an den
natürlichen Standorten den Eindruck von Blendlingen machen. Sie
sind meistens in viel geringerer Zahl vorhanden als die Hauptarten,
ferner ist unter ihnen die genaue Mittelform, die das T. udum Jord.

(ob T. scorzonera Rchb.?) darstellen dürfte, zahlreicher vertreten als die Übergänge zu den Stammarten. Zweifellos lehrt die Beobachtung im Freien, dass T. palustre nicht einfach eine durch den Standort bedingte Abänderung sein kann, denn typisches T. vulgare und typisches T. palustre finden sich oft unmittelbar neben einander.

Das T. laevigatum mit fein zerschnittenen krausen Blättern, ziemlich kleinen Blumen von etwas blasserer Farbe als die des T. vulgare, und mit locker abstehenden oder zurückgekrümmten äusseren Hüllblättern wächst auf trockenem Sande und stets in Gesellschaft von T. vulgare. Zwischenformen sind indessen keineswegs häufig. Die typische graufrüchtige Form ist bei uns viel seltener als die rotfrüchtige, die var. coloratum Gren. Diese Varietät ist von Grenier und Godron so wie von vielen andern Autoren für T. erythrospermum Andrz. in Bess. Fl. Podol. II. gehalten worden, während Andere diese südosteuropäische Pflanze als verschiedene Art auffassen. Es ist daher vorsichtiger, die rotfrüchtige mitteleuropäische Form als var. coloratum Gren. zu bezeichnen.

Die dritte und zugleich die bei weitem häufigste Art wurde lange T. officinale G. H. Weber (in Wiggers Prim. Fl. Hols. pag. 56) genannt, doch hat man neuerdings den älteren Namen T. vulgare Schrk. hervorgesucht. Diese Pflanze gedeiht auf sehr verschiedenen Bodenarten und unter sehr verschiedenen äusseren Verhältnissen. Sie ändert vielfach ab, doch sah ich, abgesehen von den erwähnten mutmasslich aus Kreuzung hervorgegangenen Zwischenformen, keine Annäherungen an T. palustre oder T. laevigatum. Die Art zeigt sich jedoch in vielen einzelnen Eigenschaften veränderlich und zwar auch in solchen, die in der Regel als gute spezifische Merkmale gelten. Die äusseren Hüllblätter der Blütenköpfchen z. B. sind in der Regel zurückgeschlagen, aber es kommen hie und da Exemplare vor, bei denen sie abstehend oder aufrecht sind. Zuweilen sind die normaler Weise schrotsägeförmigen Blätter nur ungleich grob gesägt, so dass sie zugleich länglich-verkehrteiförmig werden. Hin und wieder ist auch die wollige Behaarung am Blütenstiele und den Hüllblättern ungewöhnlich reichlich. Derartige Abweichungen finden sich zuweilen bei einer und derselben Pflanze mit einander vereinigt, so dass eine gewisse Ähnlichkeit mit südeuropäischen Arten, wie T. obovatum DC. und T. tomentosum J. Lange hervorgebracht wird.

Alle diese Abänderungen sah ich nur an einzelnen oder wenigen Pflanzen von T. vulgare; niemals habe ich in der nordwestdeutschen Ebene eine einigermassen charakteristische konstante Varietät in einer ansehnlichen Zahl von Exemplaren bei einander beobachtet.

Taraxacum gehört zu denjenigen Gattungen, in welchen Polymorphie und unsichere Umgrenzung der Arten mit dem Vorkommen missgebildeter und verkümmerter Pollenkörner verbunden ist. Bei Benutzung untergeordneter Merkmale kann man recht zahlreiche Formen unterscheiden, namentlich nach Herbarexemplaren.

In Südosteuropa und den Mittelmeerländern finden sich viele Arten und Formen, deren spezifischer Wert kaum ohne Kulturversuche zu bestimmen sein dürfte.

Die nordwestdeutschen Taraxacum-Formen sind nach dieser Auseinandersetzung:

1. Taraxacum vulgare Schrnk. (T. officinale Web.).
2. T. laevigatum DC. typ. et var. coloratum Gren. (T. erythrospermum Gren. et Godr., Wilms, et alior., an Andrz.?).
* T. laevigatum ✕ vulgare, selten.
* T. palustre ✕ vulgare (T. udum Jord.).
3. T. palustre DC.

3. Über sizilianische Spergularien.

Die Gattung Spergularia (Lepigonum) ist gut charakterisiert und besser umgrenzt als die meisten andern Alsineen-Gattungen, bereitet aber durch die Verschwommenheit ihrer Artgrenzen dem Systematiker viele Schwierigkeiten. Um so interessanter ist sie phylogenetisch betrachtet.

Auf einem Nachmittagsausfluge, den ich im Mai 1885 unter freundlicher Führung des Herrn Dr. Herm. Ross in die Umgegend von Palermo unternahm, sammelte ich eine stattliche Form von Spergularia campestris Kindb., die durch besondere Reichblumigkeit der unter der Endblüte der Hauptäste entspringenden Zweige ausgezeichnet war. Die Sp. campestris ist eine Parallelform der nordeuropäischen Sp. rubra, mit der sie in niedergestrecktem Wuchs, so wie in der Kleinheit der Blüten und Samen übereinstimmt. Sie unterscheidet sich von ihr durch ausserordentlichen Drüsenreichtum, durch die beträchtliche Grösse der einzelnen drüsentragenden Gliederhaare, durch die kürzeren Blütenstiele und die nicht so lang und fein zugespitzten Nebenblätter.

An der Südküste Siziliens fand ich am Strande eine Spergularia, welche sich zu der halophilen nordeuropäischen Sp. salina fast ebenso verhält wie die Sp. campestris zur Sp. rubra. Diese strandbewohnende Art oder Unterart stimmt in dem Drüsenreichtum und den meisten andern Merkmalen mit der Beschreibung der Sp. media Presl überein, deren Samen jedoch als sämtlich flügelrandig bezeichnet werden. Die Alsine heterosperma Guss. soll ziemlich lange Blütenstiele und zwei schwarze Punkte am Grunde jedes Kelchblattes haben, die bei meinen Exemplaren wenigstens nicht regelmässig vorhanden sind. Nichtsdestoweniger kann man meine Pflanze wohl als zu Sp. heterosperma (Guss.) gehörig betrachten. Sie ist grösser als Sp. salina und ungemein drüsenreich; die Blütenstiele sind durchschnittlich etwas kürzer, die Nebenblätter anscheinend noch etwas breiter bei Sp. salina. Es ist daher nicht richtig, Sp. salina und Sp. heterosperma kurzweg für synonym zu erklären, wenn auch die Unterschiede kaum erheblich genug sind, um für spezifische gehalten zu werden. An den nördlichen Mittelmeerküsten kommen Zwischenformen vor.

Die drüsenreiche westeuropäische Sp. rupestris (Lebel) unterscheidet sich von Sp. heterosperma durch grössere Blüten, längere Blütenstiele und einen fast blattlosen Blütenstand. Die damit zusammenhängende schärfere Trennung zwischen Laubregion und Blütenregion der Pflanze bedingt eine wesentlich verschiedene Tracht.

Den Gattungsnamen Spergularia gebrauche ich, weil er neuerdings üblich geworden ist; für richtiger halte ich Lepigonum.

Verzeichnis

der in den öffentlichen Bibliotheken der Stadt Bremen im Jahre 1894
gehaltenen

mathematischen, geographischen
und naturwissenschaftlichen Zeitschriften.

Zusammengestellt von Fr. Buchenau.

Für eine Stadt mit rasch zunehmenden wissenschaftlichen Bestrebungen ist es gewiss von Bedeutung, eine Übersicht der vorhandenen periodischen Litteratur zu besitzen. Von doppeltem Werte
wird dies sein, wenn die für wissenschaftliche Zwecke vorhandenen
Mittel so gering sind, wie es in Bremen der Fall ist. — Eine derartige Übersicht wird den Blick auf vorhandene Lücken hinlenken;
sie wird aber auch andererseits die Frage anregen, ob nicht die
mehrfach gehaltenen Zeitschriften an einzelnen Stellen entbehrlich
sind, und die auf sie verwendeten Mittel zweckmässiger verwendet
werden könnten. —
Von diesen Gesichtspunkten aus, welche bei meinen Freunden
warme Zustimmung fanden, ist das nachfolgende Verzeichnis zusammengestellt.
Um das erforderliche Material zu erhalten, versandte ich im
April 1894 das nachfolgende Cirkular:

Bremen, April 1894.

Hochgeehrter Herr!

Nach mehrfachen Erkundigungen glaube ich annehmen
zu dürfen, dass vielseitig der Wunsch empfunden wird,
eine Übersicht über die in den Bibliotheken der Behörden,
Institute und Vereine unserer Stadt vorhandenen

mathematischen, naturwiss. u. geogr. Zeitschriften

zu erhalten. Eine solche Übersicht würde bei Studien auf
den bezeichneten Gebieten gewiss oft sehr erspriessliche

Dienste leisten. — Gern werde ich mich der mit der Aufstellung einer solchen Liste (welche in einem der nächsten Hefte der Abhandlungen des naturw. Vereines zu veröffentlichen wäre) verbundenen Mühewaltung unterziehen und ersuche Sie daher ganz ergebenst, mir bis zum

15. Mai d. J.

ein Verzeichnis der von Ihrer Bibliothek gehaltenen Zeitschriften jener Wissensgebiete gefälligst zustellen zu wollen. Hochachtungsvoll und ergebenst

Prof. Dr. Buchenau.

Ich verschickte dieses Cirkular an die Vorstände der Bibliotheken folgender Behörden, Institute und Vereine: Stadtbibliothek, Handelskammer, Gewerbekammer, Oberbaudirektion, Kataster-Amt, städt. Krankenhaus, ärztlicher Verein, bakteriologisches Institut, chemisches Staats-Laboratorium, meteorologische Station, Moorversuchsstation, Hauptschule (Gymnasium und Handelsschule), Seminar, Realschule in der Altstadt, Realschule beim Doventhor, Seefahrtsschule, städtisches Museum, Künstler-Verein, geographische Gesellschaft, naturwissensch. Verein, Gartenbau-Verein, landwirtschaftlicher Verein.

Fast alle Verwaltungen beantworteten die Zuschrift mit dankenswerter Bereitwilligkeit; einige konstatierten freilich nur das Nichtvorhandensein derartiger Zeitschriften. —

Es erscheint nicht überflüssig, der Zusammenstellung noch einige Bemerkungen vorauszuschicken.

Zunächst ist hervorzuheben, dass alle vor Beginn des Jahres 1894 eingegangenen, sowie alle in diesem Jahre nicht mehr gehaltenen Zeitschriften ausgeschlossen sind. (Die Liste würde durch die Anführung derselben auf den mehrfachen Umfang angeschwollen sein).

Sodann wurde bei den vorhandenen Zeitschriften keine Übersicht der vorhandenen Jahrgänge gegeben, obwohl mehrere Bibliotheks-Vorstände die betr. Daten mit freundlicher Bereitwilligkeit aufgeführt hatten. Es musste genügen, zu konstatieren, dass die betreffende Zeitschrift im Jahre 1894 gehalten wurde (natürlich fast überall mit der Absicht, sie fortzusetzen).

Die (bei längeren Bandreihen naturgemäss wiederholt wechselnden) Namen der Herausgeber sind teils weggelassen, teils aber, wo es wünschenswert schien, in Klammern vor dem Titel der Zeitschrift angegeben worden.

Die Grenzen zwischen Zeitschriften, Gesellschaftsschriften und Lieferungswerken sind natürlich sehr schwer zu ziehen. Es sei darum hier wenigstens aufmerksam gemacht auf die überaus zahlreichen Gesellschaftsschriften, welche dem naturwissenschaftlichen Vereine durch den Schriftenaustausch zugeführt werden, und welche derselbe, wie alle seine Erwerbungen, der Stadtbibliothek als völlig unentgeltliches Geschenk überweist. Ein genaues Verzeichnis derselben wird in jedem Jahresberichte des naturwissenschaftlichen Vereines veröffentlicht. Die entsprechenden Tausch-Erwerbungen der

247

geographischen Gesellschaft werden in der Bibliothek der Gesellschaft (im Rutenhof) aufbewahrt. (Die Tausch-Erwerbungen der historischen Gesellschaft des Künstlervereins werden in der Stadtbibliothek aufgestellt).

Um doch einige der grösseren Lieferungswerke zu nennen, führe ich im Anhang eine Reihe derselben (welche sämtlich vom naturwissenschaftlichen Vereine erworben und der Stadtbibliothek schenkweise übergeben werden), auf. —

Die angewendeten Abkürzungen für die einzelnen Bibliotheken werden wohl von selbst verständlich sein. Alle Bibliotheken sind in den Gebäuden oder Räumen der betreffenden Institute aufgestellt; das bakteriologische Institut befindet sich auf dem Krankenhause, alle mit „Nat. Ver." bezeichneten Werke aber, wie bereits erwähnt, auf der Stadtbibliothek.

A. Mathematik und Verwandtes.

(Clebsch u. Neumann). Mathematische Annalen	St.-Bibl.
Journal f. d. reine u. angewandte Mathematik	St.-Bibl.
(Grunert, Hoppe). Archiv der Mathematik und Physik	Seef.-Sch.
(Schlömilch). Zeitschrift für Mathematik und Physik	Seef.-Sch.
(J. Klein). Jahrbuch der Astronomie u. Geophysik	St.-Bibl.
(Schumacher, Hansen, Petersen, Peters). Astronomische Nachrichten	Seef.-Sch.
(Bode, Enke, Foerster u. Tietjen). Berliner astronomisches Jahrbuch	Seef.-Sch.
Zeitschrift für Vermessungswesen; Organ des deutschen Geometervereins	Kat.-Amt.
Allgemeine Vermessungsnachrichten	Kat.-Amt.
Aus dem Archiv der deutschen Seewarte	Seef.-Sch.
(Bremiker). Nautisches Jahrbuch*)	Seef.-Sch.
Nautical Almanac	Seef.-Sch.
(J. C. V. Hoffmann). Zeitschrift für mathematischen u. naturwissenschaftl. Unterricht	Hpt.sch.,Realsch.i.d.A., Seef.-Sch., Realsch. b. D.

B. Geographie und Verwandtes.

(Petermann). Mitteilungen aus Perthes geographischer Anstalt	Hpt.sch.,Realsch.i.d.A., Künstl.-Ver., St.-Bibl., Seef.-Sch., Ggr. Ges.
(Behm, Supan). Geographisches Jahrbuch	Seef.-Sch., Ggr. Ges., St.-Bibl.

*) Die rein nautischen Zeitschriften sind hier nicht aufgeführt.

(Kettler). Zeitschrift f. wissenschaftliche Geo-
graphie . . . . Seef.-Sch.
(Andrée). Globus, Illustrierte Zeitschrift für
Länder- und Völkerkunde . . . . Städt. Mus., Ggr. Ges.,
Künstl.-Ver.
(Umlauft). Deutsche Rundschau f. Geographie
und Statistik . . . . Realsch. i. d. A., Ggr. Ges.
Deutsche geographische Blätter. Bremen Ggr. Ges., Nat. Ver.,
Realsch. b. D.
(Kollen). Verhandlungen des Deutschen
Geographentages . . . . Ggr. Ges.
(Kollen). Verhandlungen der Gesellschaft
f. Erdkunde in Berlin . . . . . . Ggr. Ges., Nat. Ver.
The Geographical Journal. London . . Ggr. Ges.
Le Tour du Monde. Paris . . . . . Ggr. Ges.
Le Mouvement géographique. Brüssel . Ggr. Ges.
Geografisk Tidskrift. Kopenhagen . . . Ggr. Ges.
(Seibert). Zeitschrift für Schulgeographie . Hpt.sch., Realsch. b. D.,
Realsch. i. d. A.

(Kirchhoff). Forschungen zur deutschen
Landes- und Volkskunde . . . . Realsch. b. D.
Zeitschrift und Jahrbuch des deutschen und
österr. Alpenvereines . . . . . . Ggr. Ges., Nat. Ver.,
Künstl.-Ver.

Deutsch. Kolonialblatt. Amtsblatt für die
Schutzgebiete des Deutschen Reiches Gew.-Kamm.
(Dankelmann). Mitteilungen von Forschungs-
reisenden und Gelehrten aus den Deut-
schen Schutzgebieten . . . . . . Gew.-Kamm.
Deutsche Kolonialzeitung. Berlin . . . Ggr. Ges.
Export. Organ des Centralvereins für Han-
delsgeographie und Förderung deutscher
Interessen im Auslande . . . . . Ggr. Ges.
Zeitschrift für Missionskunde und Religions-
wissenschaft. Berlin . . . . . . Ggr. Ges.
Zeitschrift des deutschen Palästina-Vereins Ggr. Ges.
Österreichische Monatsschrift für den Orient.
Herausgeg. vom oriental. Museum in Wien Ggr. Ges.
L'Afrique explorée et civilisée. Genf . . Ggr. Ges.

C. Naturwissenschaften.

Verhandlungen des Vereines deutscher Na-
turforscher und Ärzte. . . . . . Nat. Ver.
Leopoldina. Amtliches Organ der Kais. Leop.
Carol. deutschen Akademie der Natur-
forscher . . . . Ggr. Ges., Nat. Ver.,
Städt. Mus.

Denkschriften derselben Akademie . . . St.-Bibl.

Verhandlungen der Kön. sächsischen Gesellschaft der Wissenschaften*)	Nat. Ver.
Philosophical Transactions of the Royal Society. London*)	Nat. Ver.
Transactions of the Linnean Society. London*)	Nat. Ver.
„ „ Zoological „ London*)	Nat. Ver.
Mémoires de l'Académie de St. Petersbourg*)	Nat. Ver.
Bulletin - de l' „ „	Nat. Ver.
Sitzungsberichte der Akademien zu Berlin, Wien, München, Stockholm u. s. w. (siehe Tauschliste des naturw. Vereins) . .	Nat. Ver.
Abhandlungen der Akademie zu Berlin .	St.-Bibl.
„ „ Wien*) . .	Nat. Ver.
„ „ München*)	Nat. Ver.
„ „ Stockholm	Nat. Ver.
Comptes rendus de l'Académie de Paris*)	Nat. Ver.
Nouvelles Archives du Muséum d'histoire naturelle	Nat. Ver.
Abhandlungen des Nat. Vereins zu Bremen**)	Städt. Mus., St.-Bibl., Realsch. b. D.
Nature. A weekly illustrated Journ. of Science	Ggr. Ges.
(M. Wildermann). Jahrbuch der Naturwissenschaften	St.-Bibl.
(Potonié). Naturwissenschaftl. Wochenschr.	Moor-V.-St.
(Sklarek). Naturwissenschaftl. Rundschau	Sem., Hpt.sch., Realsch. i. d. A.
(Silliman). American Journal of Science***)	Nat. Ver.
Annual Report of the Smithsonian Institution etc. Washington	Seef.-Sch., Nat. Ver., Ggr. Ges.
(Behrens). Zeitschrift für wissenschaftliche Mikroskopie und mikroskop. Technik	Städt. Mus.

(Nobbe). Die landwirtschaftlichen Versuchsstationen†)	Moor-V.-St., Nat. Ver.
Landwirtschaftl. Jahrbücher. — Zeitschrift für wissenschaftl. Landwirtschaft††) .	Nat. Ver., Moor-V.-St.
(Wollny). Agriculturphysik	Moor-V.-St.
Journal für Landwirtschaft	Moor-V.-St.

*) Für diese Werke, sowie für die Annales de chémie et de physique und die Annals of natural history trägt die Stadtbibliothek die Hälfte des Ankaufspreises.

**) Werden von dem Nat. Ver. der Stadtbibliothek in zwei, dem städtischen Museum in drei Exemplaren geschenkt.

***) Geschenk des Herrn Gg. W. Krüger zu New York.

†) Geschenk des Herausgebers.

††) Zuwendung des Königl. Preuss. Ministeriums für Landwirtschaft, als Anerkennung der Thätigkeit des naturw. Vereines f. d. Moor-Versuchsstation.

Jahresbericht über die Fortschritte der gri-
culturchemie . . . .`A.` . Moor-V.-St.

(Poggendorf). Annalen der Physik . . . . Nat. Ver.
(Physikalische Gesellschaft zu Berlin). Die
   Fortschritte der Physik . . . . . Nat. Ver.
(Poske). Zeitschrift für den physikalischen
   und chemischen Unterricht . . . . Hpt.sch., Realsch. b. D.,
                        Sem.
Elektrotechnische Zeitschrift; Organ des elek-
   trotechnischen Vereins . . . . . Gew.-Kamm.
(Hann u. Hellmann). Meteorolog. Zeitschrift Nat. Ver., Ggr. Ges.
Annalen der Hydrographie u. maritimen Me-
teorologie. Herausgeg. v. d. deutschen
   Seewarte in Hamburg . . . . . . Ggr. Ges.
(Liebigs). Annalen der Chemie . . . . Chem.St.-Lab.,Nat.Ver.
Journal für praktische Chemie . . . . Chem. St.-Lab.
(Fresenius). Zeitschr. f. analytische Chemie Chem. St.-Lab.,
                        Moor-V.-St.
Chemisches Centralblatt . . . . Chem. St.-Lab.
Berichte der deutschen chem. Gesellschaft Chem. St.-Lab.,
                        Nat. Ver.
Zeitschrift für Nahrungsmitteluntersuchung
   und für Hygiene . . . . Chem. St.-Lab.
Forschungsberichte über Lebensmittel, foren-
sische Chemie u. s. w. . . . . . . Chem. St.-Lab.
Zeitschrift für physiologische Chemie . . Chem. St.-Lab.
Vierteljahrsschrift über die Fortschritte der
   Nahrungsmittel-Chemie . . . . . Chem. St.-Lab.
Zeitschrift für angewandte Chemie . . . Chem. St.-Lab.,
                        Moor-V.-St.
Deutsche Chemiker-Zeitung . . . . . Chem. St.-Lab.,
                        Moor-V.-St.
(Richard Meyer). Jahrbuch der Chemie . Nat. Ver.
(Liebig u. Kopp, jetzt Fittica). Jahresbericht
   . über die Fortschritte der Chemie . . Nat. Ver.
(Krüss). Zeitschrift für die anorgan. Chemie Nat. Ver.
Annales de chémie et de physique . . . Nat. Ver.

(Leonhard u. Bronn). Jahrb. f. Mineralogie Nat. Ver.
(Dunker u. Zittel). Palaeontographica . . Nat. Ver.

Berichte der deutsch. botan. Gesellschaft Nat. Ver.
Bulletin de la société botanique de France Nat. Ver.
Bulletin of the Torrey Botanical Club,
   New York . . . . Nat. Ver.
(Pringsheim). Jahrbücher für wissenschaft-
   liche Botanik . . . . Nat. Ver.
(Engler). Botanische Jahrbücher . . . . Moor-V.-St., Städt. Mus.

(Lürssen u. Haenlein). Bibliotheca botanica Nat. Ver.
Botanische Zeitung . . . . Nat. Ver.
Flora . . . . Nat. Ver.
Österreichische botanische Zeitschrift ˙. . Nat. Ver.
Journal of botany. (London) . . . . . . Nat. Ver.
Botanical Gazette. (Madison, Wisc.) . . Nat. Ver.
Annals of botany . . . . Nat. Ver.
Nuovo Giornale botanico . . . . . . Nat. Ver.
Botaniska Notiser. (Lund, Schweden) . . Nat. Ver.
(Curtis). Botanical Magazine . . . . Nat. Ver.
Hedwigia, Organ für Kryptogamenkunde Städt. Mus.
Notarisia, Zeitschrift für Algenkunde . . Nat. Ver.
Botanisches Centralblatt . . . . Städt. Mus.
(Just-Köhne). Botanischer Jahresbericht . Nat. Ver.
Bulletin de l'herbier Boissier . . . . Nat. Ver.
(Sorauer). Zeitschr. f. Pflanzenkrankheiten Nat. Ver.

(Siebold u. Kölliker). Zeitschrift für wissen-
   schaftliche Zoologie . . . . Nat. Ver.
(Lacaze-Duthiers). Archîves de Zoologie, expérimentale . . . . Nat. Ver.
(Troschel). Archiv für Naturgeschichte . Nat. Ver.
Annales des sciences naturelles. (Zoologie
   et botanique) . . . . Nat. Ver.
Annals and Magazine of natural history Nat. Ver.
(Spengel). Zoologische Jahrbücher, Zeitschrift
   für Systematik, Geographie und Biologie
   der Tiere . . . . Städt. Mus.
Dasselbe. Abteilung für Anatomie und On-
   togenie der Tiere . . . . Städt. Mus.
(v. Carus). Zoologischer Anzeiger . . . Städt. Mus.
(A. Schuberg). Zoologisches Centralblatt . Städt. Mus.
(v. Carus). Zoologischer Jahresbericht, heraus-
   gegeben v. d. zoolog. Station z. Neapel Städt. Mus.
Mitteilungen der zoolog. Station zu Neapel Nat. Ver.
Flora und Fauna des Golfes von Neapel,
   (von derselben) . . . . Nat. Ver.
(Zacharias). Forschungsberichte der biolo-
   gischen Station zu Plön . . . . . Nat. Ver.
(Gegenbaur). Morphologisches Jahrbuch;
   Zeitschrift für Anatomie und Entwicke-
   lungsgeschichte . . . . Städt. Mus.
Archiv für mikroskopische Anatomie . . Nat. Ver.
(C. Bardeleben). Anatomischer Anzeiger.
   Centralblatt für die gesamte wissen-
   schaftliche Anatomie . . . . . . Städt. Mus.
Berliner entomologische Zeitschrift . . . Nat. Ver.
Stettiner entomologische Zeitschrift . . . Nat. Ver.
(Karsch). Entomologische Nachrichten . Städt. Mus.

Entomologische Zeitschrift. Centralorgan des entomologischen international. Vereins	Städt. Mus.
Allgemeine Fischerei-Zeitung	Nat. Ver.
(Dürigen). Blätter für Aquarien- und Terrarienfreunde	Städt. Mus.
Zeitschrift für Fischerei und deren Hülfswissenschaften mit Einschluss v. Fischwasser-Hygiene, Fischerei u. Wasserrecht	Nat. Ver.
(Baumgarten). Jahresbericht über die Fortschritte in der Lehre von den pathogenen Mikroorganismen	Bakt. Inst.
(Koch u. Flügge). Zeitschrift für Hygiene und Infektionskrankheiten	Bakt. Inst.
Centralblatt für Bakteriologie und Parasitenkunde	Bakt. Inst.
Arbeiten aus dem Kaiserl. Gesundheitsamt.	Bakt. Inst.
Hygienische Rundschau	Bakt. Inst.
Correspondenz-Blatt der deutsch. Gesellsch. für Anthropologie, Ethnologie und Urgeschischte (wird von der anthropolog. Kommission gehalten)	Nat. Ver.
Verhandlungen der Berliner Gesellschaft für Anthropologie, Ethnologie u. Urgesch.	Ggr. Ges., Nat. Ver.
(Schmaltz). Internationales Archiv für Ethnographie	Städt. Mus., Ggr. Ges.
Mitteilungen der deutschen Gesellschaft für Natur- u. Völkerkunde Ostasiens. Tokio	Ggr. Ges., Nat. Ver.

Anhang.

Flora brasiliensis.
Semper, Reisen in den Philippinen.
Archiv für die wissenschaftliche Durchforschung von Böhmen.
Biologia centrali-americana.
Martini und Chemnitz, Conchylien-Cabinet.
Fehling, Handwörterbuch der Chemie.
Jensen, Ergebnisse der Plankton-Expedition der Humboldt-Stiftung.
Schimper, botanische Mitteilungen aus den Tropen.
Cohn, Beiträge zur Biologie der Pflanzen.
Bronn, Klassen und Ordnungen der Tiere.
Rossmässler, Iconographie der europäischen Land- und Süsswasser-Mollusken.
Wilhelm Weber's Werke.

Pflanzenbiologische Skizzen.

Beiträge zum Verständnisse des heimischen Pflanzenlebens.

(Fortsetzung von Bd. XII, S. 417—432).

Von W. O. Focke.

VI. Die Heide.

Gar manche frische und fröhliche deutsche Lieder sind der
Wanderlust gedichtet worden, jahraus, jahrein werden sie, wie sie
einst im Kreise der Väter erklangen, von den Söhnen und Enkeln
fortgesungen. Jedoch nicht alle Gegenden des Vaterlandes laden
zum Durchstreifen ein. Der Wechsel von Berg und Thal, von freien
aussichtreichen Höhen und kühlen, rauschenden Wäldern, von sonnigen Matten und lauschigen Quellgründen ist ganz besonders geeignet, das Herz des rüstigen Wanderers zu begeistern. Die ausgedehnten eintönigen Ebenen dagegen werden meistens verachtet,
man freut sich, sie auf der Eisenbahn durcheilen zu können.
Erst in neuester Zeit wächst die Zahl der Freunde unserer nordwestdeutschen Heiden. Freilich erfordert es ein erhebliches Mass
von Anstrengung, in diesen zum Teil recht einförmigen Landstrichen
lange Märsche auszuführen, denn man entbehrt dabei die vielseitige
Anregung und Abwechselung, welche die Gebirgsgegenden bieten.
Die Heide besitzt aber doch ihre eigenartigen landschaftlichen Vorzüge, zu denen sich der Reiz der urwüchsigen, verhältnismässig
wenig vom Menschen beeinflussten Natur gesellt. Freilich ist unsern
Heiden der Anspruch auf Ursprünglichkeit neuerdings lebhaft be-
stritten worden. Gewiss waren sie nicht von Anfang aller Dinge
an da, aber schon die Reste der Vergangenheit, welche sie uns aufbewahrt haben, weisen darauf hin, dass die natürliche Beschaffenheit
dieser Landstriche während der letzten Jahrtausende keine tief-
greifenden Veränderungen erfahren haben kann. Die ältesten von
Menschenhand errichteten Werke, welche sich in hiesiger Gegend

finden, die Steindenkmäler, liegen nur zum Teil in der Heide, und
dann oft an auffallenden Punkten, zum Teil gehören sie dem alten
Waldgebiete an. Dagegen sind die Urnenfriedhöfe, die runden Grab-
hügel, die Ringwälle, die germanischen Schanzen und die umwallten
römischen Lagerplätze der Natur der Sache nach ursprünglich auf
offenem waldlosen Lande angelegt worden. Sie liegen auch jetzt
noch in der freien Heide, wenn nicht etwa ihre Umgebung im Laufe
des letzten Jahrhunderts in Ackerland verwandelt oder mit Kiefern
bepflanzt ist. Sie liegen auch regelmässig nahe dem angebauten
oder bewaldeten, von Alters her besiedelten Lande; im Innern der
grossen Heiden begegnet man keinen Resten der Vorzeit, obgleich
gerade dort selbst niedrige Erdwerke und Wälle am meisten vor
Zerstörung geschützt gewesen wären.

Die Zeugen einer fernen Vergangenheit, die einfachen Bau-
werke unbekannter Vorfahren, tragen gewiss wesentlich dazu bei,
das Durchwandern der Heide anziehender zu machen. Der eigentliche Reiz liegt jedoch in der Weite und Freiheit des Blickes, in
der Einsamkeit und der eigenartigen durch die Einsamkeit bedingten
Grossartigkeit der Heidelandschaften. Je nach Witterung und Jahreszeit empfängt man allerdings sehr verschiedenartige Eindrücke. Im
Festgewande erscheint die Heide während der Blütezeit, im August.
Die weiten braunen Flächen sind dann von einer reichen Lillafärbung
übergossen und werden durch das Summen unzähliger Bienen belebt.
Anders ist es im Winter, wenn das düstere Braun des Heidelandes
durch keinen grünen Halm unterbrochen wird und nur an halb
feuchten Stellen schwellende weissgrüne Moospolster (Leucobryum)
eine Abwechselung bieten. Wenn dann, wie es häufig der Fall ist,
trübe Nebelluft den Blick einengt, verliert der Wanderer, selbst in
bekannten Gegenden, leicht den Pfad und die Richtung, weil alles
um ihn herum gleichförmig braun und grau aussieht. Und doch
liegt ein eigener Reiz darin, dem Weltgetriebe entrückt, aufmerksam
spähend, den ungewissen einsamen Weg in diesen öden Gegenden,
manchmal zwischen unzugänglichen Moorgründen hindurch, zu suchen
und zu finden.

In den nordwestdeutschen Heiden herrscht eine einzige niedrig
strauchige Pflanzenart, das gemeine „Heidekraut" (die Besenheide),
Calluna vulgaris, unbedingt vor. Neben ihr gewinnt, namentlich
an den feuchteren Stellen, eine verwandte Art, die Glockenheide,
Erica tetralix, eine erhebliche Bedeutung, so dass sie ihr hie
und da den Vorrang streitig macht. Die besonderen Eigenschaften
dieser beiden Pflanzen werden am Schlusse dieser Schilderung besprochen werden. Alle übrigen Gewächse des Heidebodens erscheinen
als untergeordnete oder doch nur an einzelnen Stellen auffallend
hervortretende Bestandteile der Heideflora. Im östlichen Deutschland
ist das Wort Heide in anderem Sinne gebräuchlich als im Westen.
Dort, auf altslavischem Grunde, aber ausschliesslich auf solchem,
versteht man unter einer „Heide" einen Kiefernwald. In den ursprünglich germanischen Ländern ist diese Bedeutung unbekannt.
Die Schweden nennen unsere Heiden in westdeutschem Sinne mit

dem lautlich wie sachlich entsprechenden Worte „bedar,“ die Dänen „heder.“ Die Holländer sagen: „Heide,“ wie wir, die Engländer: „heath.“ Die rein germanischen Völker sind sich somit über die Bedeutung des Wortes Heide vollkommen einig; wie es zugeht, dass die germanisierten Slaven im Osten der Elbe den Ausdruck auf Kieferwälder übertragen haben, mag eine nähere Untersuchung verdienen, kann aber an der Thatsache nichts ändern, dass die ursprünglich deutsche Bedeutung des Wortes die ist, in welcher es in Niedersachsen und Holland gebraucht wird. Im mittelalterlichen Latein wurde Heide mit „myrica“ oder „merica“ übersetzt; es ist das ein Wort, welches sicherlich nicht gleichbedeutend mit „pinetum,“ d. i. Kiefernwald, sein soll. Sowohl damals wie jetzt wird das Wort Heide auch in weiterem Sinne für Heidelandschaft gebraucht; die Lüneburger Heide z. B. enthält zahlreiche Waldungen, Gehöfte, Ortschaften u. s. w., ebenso wie der Thüringer Wald, der Odenwald u. s. w. viel bebautes Land umfassen. Überall in unserm Nordwesten spricht man von Heidebächen, Heidewaldungen, Heidedörfern, Heidebewohnern u. s. w., so dass Heide in diesen Zusammensetzungen die Heidelandschaft, die Gegend, welcher die Heide ihr charakteristisches Gepräge verleiht, bezeichnet.

Man stellt sich die Heiden im allgemeinen als trockene sandige Landstriche vor, als „braun und dürr,“ wie es im Liede heisst, und dieser Eindruck ist in der That vielfach zutreffend. Die Heide bedeckt aber auch nasse sumpfige und moorige Flächen, so dass der Begriff der Dürre nicht zu eng mit dem der Heide verbunden werden darf.

Häufig hat man Heiden und Steppen mit einander verwechselt oder hat sie als nahe verwandte Pflanzenformationen hinzustellen versucht. Der Unterschied ist indessen so leicht zu erkennen, dass schon im naturwissenschaftlichen Elementarunterrichte auf denselben hingewiesen werden sollte. In der Steppe empfängt der Boden nur während weniger Wochen oder Monate im Jahre die für den Pflanzenwuchs erforderliche Feuchtigkeit; die Vegetationsperiode ist daher kurz, die vorherrschenden ausdauernden Gewächse erhalten sich durch unterirdische Teile (Grundachsen, Knollen, Zwiebeln, Wurzeln), welche in der Erde vor völligem Austrocknen geschützt sind. Sie treiben Stengel, Blätter und Blüten, sobald Regen oder Schneeschmelze bei rasch steigender Wärme eintreten. Zwischen ihnen pflegen zahlreiche kurzlebige, einjährige Pflanzen zu gedeihen, deren Samen während der trocknen und während der kalten Jahreszeit im Boden ruhen. In der Heide dagegen ist die Vegetationsperiode lang und wird nur durch die kalte Jahreszeit unterbrochen, die ausdauernden Gewächse behalten während des ganzen Jahres ihre wesentlichen oberirdischen Teile: Stämme, Äste und Blätter. In der Heide bestimmen immergrüne niedrige Sträucher, in der Steppe zeitweilig grüne Gräser und Stauden (Zwiebelgewächse u. s. w.) den Landschaftscharakter. In der Steppe ist während einiger Wochen Nahrungsüberfluss für weidende Säugetiere vorhanden, die während der Zeit des Mangels alle erreichbaren und irgendwie geniessbaren Vegetationsreste, also Blätter, sowie etwaige Zweige, Rinden u. s. w. zerstören. Es können sich also oberirdische Pflanzenteile in der Steppe nur dann erhalten, wenn sie nicht nur der Austrocknung zu widerstehen vermögen, sondern wenn sie auch durch Stacheln oder Gift gegen den Zahn der Tiere geschützt sind. Die Tiere sind gezwungen, sich während der Zeit der Dürre aus der eigentlichen Steppe an feuchte Stellen, insbesondere in Bach- und Flussthäler, zurückzuziehen. Die gegen Dürre geschützten Sträucher und Halbsträucher gehören übrigens mehr der Wüste als der Steppe an.

Eine gemeinsame Eigentümlichkeit der Steppen und Heiden ist der Mangel an Baumwuchs. An manchen Stellen würden gepflanzte Bäume in der Heide wie in der Steppe ganz gut gedeihen können, aber eine natürliche Ansiedelung derselben wird dadurch verhindert, dass die jungen Sämlinge zu ungünstige Lebensbedingungen finden. Aus dem keimenden Samen geht in der Steppe in der kurzen Zeit bis zum Beginn der Dürre ein Pflänzchen hervor, welches sich in keiner Weise gegen Vertrocknen schützen kann. In der Heide ist es die Armut des Bodens, welche ein schnelles Wachstum der Baumsämlinge unmöglich macht, so dass sie an vielen Stellen schon durch kurze Dürreperioden vernichtet werden. An Abhängen, an welchen seitliche Feuchtigkeit nahe an die Oberfläche tritt, gestalten sich die Lebensbedingungen für die jungen Baumsämlinge wesentlich günstiger, so dass an solchen Stellen der Heidegegenden die Heidevegetation leicht durch Baumwuchs unterdrückt wird. An manchen Plätzen ist es übrigens nicht die Dürre, sondern die anhaltende übermässige Nässe, welche dem Fortkommen der Baumsämlinge in der Heide verderblich ist. Wo durch Armut des Bodens und gleichzeitige unregelmässige Durchfeuchtung desselben das Gedeihen der Bäume erschwert wird, da findet sich die Heide ein. Überall jedoch, wo die Menschen und die örtlichen Verhältnisse dem Waldwuchse nur einigermassen günstig sind, wird die Heide notwendig im Laufe der Zeit durch die Bäume unterdrückt werden.

Der erfahrene Pflanzenkenner wird schon aus den kleinen nadeligen Blättern der Heiden den Schluss ziehen, dass diese Gewächse befähigt sind, der Austrocknung zu widerstehen. Mit der Thatsache, dass die Heiden mit Schutzvorrichtungen gegen Dürre ausgerüstet sind, scheint ihre Verbreitung in entschiedenem Widerspruch zu stehen. Die Heiden gedeihen am zahlreichsten in der Nähe der Küsten; einige Arten, die im Innern des Landes heimisch sind, zeigen sich an das verhältnismässig feuchte Bergklima gebunden. Um diese Erscheinungen richtig zu verstehen, wird es zweckmässig sein, die Pflanzenfamilie der Ericaceen und namentlich die dazu gehörige Ordnung der Ericeen, d. h. der eigentlichen Heiden, etwas näher zu betrachten.

Die Ericaceae, also die heideartigen Gewächse in weitestem Sinne, bilden mit einigen nahe verwandten kleinen Familien eine sehr natürliche Unterabteilung der Dicotyledonen, welche manchmal als Bicornes bezeichnet wird. Die Familie der Heidegewächse enthält Gattungen mit getrennten und mit verwachsenen Blumenblättern,

so wie mit oberständigen und unterständigen Fruchtknoten; sie
liefert somit den Beweis, dass jene Merkmale, denen man oft einen
übertriebenen systematischen Wert beigelegt hat, bei Beurteilung der
wahren natürlichen Verwandtschaften nur mit grosser Umsicht und
Vorsicht benutzt werden dürfen.

Die Ericaceae sind grösstenteils immergrüne Sträucher mit
einfachen Blättern und zierlichen, manchmal prächtigen, schön gefärbten Blumen. Sie lieben den aus unvollkommen zersetzten vege-
tabilischen Substanzen gebildeten Humusboden oder auch nacktes
Gestein und dürren Sand, meiden jedoch das fruchtbare Acker- und
Wiesenland. Viele Arten siedeln sich auf Moorgrund oder humosem
Waldboden an, im Tropenklima lieben es einige sogar auf Bäumen
zu wachsen. Sie meiden das Wasser und die Überschwemmungen,
doch bedürfen manche Arten ziemlich viel Bodenfeuchtigkeit; alle
erfordern ein gewisses Mass von Luftfeuchtigkeit. In den Tropen
bewohnen sie meistens die Hochgebirge und auch in der wärmeren
gemässigten Zone bevorzugen sie vielfach das Bergland. In verhältnismässig grosser Artenzahl treten sie in die subarktische und ark-
tische Zone ein. Sie meiden sowohl die schwülen heissen Tropen-
gegenden als auch alle dürren kontinentalen Wüsten und Steppen.
Von den Arten, welche Länder mit schneearmen strengen Wintern
bewohnen, sind manche laubwechselnd geworden.

Wegen ihrer Blütenpracht oder ihrer Zierlichkeit werden manche
Ericaceen als Schmuck der Zimmer und Gärten im Topfe oder im
Freien gezogen. Man kann sie aber niemals, wie die meisten andern
Gewächse, in den gewöhnlichen Kulturboden pflanzen; vielmehr muss
man das Erdreich stets für sie besonders zubereiten. Auch unter
der Pflege des Menschen gedeihen sie nur unter ähnlichen Bedingungen,
wie diejenigen sind, von welchen, wie erwähnt, ihr natürliches Vorkommen abhängig ist.

Die Ericaceen sind durch Amerika, Europa, Afrika und Asien
bis nach Neuguinea verbreitet; im aussertropischen Australien fehlen
sie, sind aber durch verwandte Familien ersetzt. Eine besonders
grosse Verbreitung besitzt die Gattung Rhododendron, deren
Glieder vorzugsweise Gebirgsbewohner sind. In ausserordentlicher
Artenzahl bewohnt sie die Abhänge des Himalaya, von wo aus sie
Vertreter einerseits über die Hochgebirge der Sundainseln nach Neuguinea und Nordaustralien (1 Art), andererseits sowohl über Japan
als über Europa nach Nordamerika senden. In den südamerikanischen
Anden erscheint statt der Rhododendren die Gattung Bejaria, die
der durch ganz Amerika und den Norden der alten Welt verbreiteten
Gruppe der Ledeae angehöret, deren bekanntestes Glied der ost-
deutsche „Porst," das in vereinzelten Exemplaren bis in das
östliche Wesergebiet verbreitete Ledum palustre, ist. Die zahlreichen Verwandten von Andromeda bewohnen ungefähr dieselben
Gebiete wie die Ledeae, kommen aber auch im südöstlichen Asien
vor. Die beerentragenden Vaccinieen, die Verwandten der Heidelbeeren, sind ausserordentlich weit durch die nördliche gemässigte
Zone und die Hochgebirge der Tropen verbreitet.

Eine ganz eigenartige Ordnung der Familie der Ericaceen bilden die Heidegewächse in engerem Sinne, die Ericeen. Jedermann kennt diese zierlichen, immergrünen, meist niedrig bleibenden, reichblühenden Sträucher mit den kleinen nadeligen Blättern und den gewöhnlich an den jüngeren Trieben seitenständigen, schön gefärbten, glockigen oder röhrigen Blumen. Die Ericeen gehören so gut wie ausschliesslich dem Westen der alten Welt, also Afrika und Europa, an; einige europäische Arten finden sich noch im westlichen Asien und die drei gewöhnlichsten englischen Heiden sind merkwürdigerweise an der gegenüberliegenden Küste Nordamerikas, auf einem Inselchen von Massachusetts, gefunden worden. Eine dieser drei Arten, nämlich unser gemeines Heidekraut, wächst ausserdem als grosse Seltenheit an wenigen Stellen Neufundlands und der amerikanischen Festlandsküste. Eigene Arten von Ericeen besitzt weder Asien noch Amerika.

Wunderbar ist der Formenreichtum, welchen die Ericeen im aussertropischen Südafrika, und zwar im wesentlichen in der äussersten Südwestecke, entfalten. Die Zahl der dort einheimischen Arten lässt sich nur annähernd schätzen, kann aber, die Unter-Ordnung der Salaxideen eingeschlossen, zu etwa 500 angenommen werden, ganz abgesehen von Varietäten, Unterarten und Hybriden. In Europa hat Portugal klimatisch am meisten Ähnlichkeit mit dem südwestlichen Afrika, und auf der pyrenäischen Halbinsel, also im Südwesten Europas, treffen wir in der That 13 Arten von Ericeen an. So klein diese Zahl auch erscheint im Vergleich mit den 500 Arten Südafrikas, so ist sie doch verhältnismässig gross, denn in keinem dritten Lande kommt eine so ansehnliche Zahl von Heiden vor. Von Südafrika aus verbreiten sich die Ericeen nach Madagascar und den Mascarenen, südeuropäische Arten gedeihen in den nordwestafrikanischen Küstenländern so wie auf den Bergen Madeiras und der Azoren; als Zwischenstationen, die von Südafrika nach Europa überleiten, sind die Gebirge Ostafrikas, der Kilimandscharo, Ruwenzóri und Abessinien einerseits, der Kamerunpik und Fernando Po andrerseits zu betrachten.

Die Erscheinung, dass verwandte Pflanzenformen sowohl in Südafrika als in Südeuropa heimisch sind, wiederholt sich in einer Reihe von Gattungen, z. B. Helichrysum, Mesembryanthemum, Gladiolus. Die Erklärung muss teilweise in dem Entwickelungsgange und den Wanderungen der einzelnen Pflanzengeschlechter gesucht werden, teilweise ist sie in klimatischen Verhältnissen begründet. Westaustralien ist ein Land, welches klimatisch viel Ähnlichkeit mit Südafrika besitzt, welches aber keine Ericeen, sondern statt derselben eine Fülle von Formen aus einer verwandten Familie, den Epacridaceen, erzeugt hat. In diesem Falle zeigt sich, dass das Klima in den beiden ähnlichen Ländern aus verschiedenem Material ähnliche Formen gemodelt hat.

Pflanzen von heideähnlicher Tracht mit schmalen harten Blättern kommen überall auf dürrem Boden und in zeitweise trocknen Klimaten — auch in der arktischen Flora — vor. Gewächse aus den

verschiedensten Familien haben sich in dieser Gestalt den klimatischen Bedingungen angepasst. In Südeuropa zeichnen sich z. B.
manche Compositen und Labiaten, die trocknen Boden bewohnen,
durch steife schmale Blätter aus; es mag nur an die Gattungen
Helichrysum, Lavandula, Hyssopus erinnert werden; ganz andern
Familien gebören Hypericum ericaefolium, die Cistacee Fumana, die
heideähnliche Primulacee Coris, die Thymelaeaceengattungen Passerina
und Thymelaea an. Es würde zu weit führen, Beispiele aus ausser-
europäischen Ländern heranzuziehen, doch mag daran erinnert werden,
wie fremdartig sich unter ihren systematischen Verwandten z. B.
die heideartige Rhamnaceengattung Phylica oder die Rosaceengattung
Adenostoma ausnehmen.

Südeuropa steht dem Kaplande in klimatischer Beziehung nicht
so nahe wie Südaustralien, aber es hat Formen aus dem am Kap
so reich entwickelten Ericeenmaterial erhalten und hat sie seinen
etwas abweichenden klimatischen Verhältnissen anzupassen vermocht.
Am Kap, wo die zahlreichen Arten sich drängen, hat jede einzelne
von ihnen gleichsam ihre Spezialität, indem sie nur unter ganz besondern Verhältnissen vorkommt. So wie die Lebensbedingungen
sich in anscheinend ganz unerheblicher Weise ändern, tritt sie den Platz
an eine andere dafür bestimmte Art ab. Spuren einer gleichen eng
spezialisierten Anpassung finden wir auch bei einigen europäischen
Arten vor, z. B. bei Erica ciliaris und namentlich bei E. vagans,
während andere Arten, wie E. cinerea, E. tetralix, E. arborea und
vor allen Dingen Calluna vulgaris, keineswegs wählerisch sind.

Auf die biologische Bedeutung der heideähnlichen Tracht
der Pflanzen ist in den vorstehenden Auseinandersetzungen bereits
wiederholt hingedeutet worden. Das immergrüne nadelige Laub der
Heiden leistet verhältnismässig wenig physikalische und chemische
Arbeit, es verdunstet wenig Wasser und bildet wenig organische
Substanz. Der Beschränkung der Wasserabgabe dient auch das oft
dichte Haarkleid. Die geringe chemische Leistungsfähigkeit des
Laubes hat notwendig ein langsames Wachstum zur Folge. Damit
hängt nun sowohl die langsame Zufuhr des Saftes von der Wurzel
zu den Blättern, als auch die Anspruchslosigkeit in Bezug auf den
Boden zusammen. Die Heiden bedürfen wenig Grundfeuchtigkeit,
aber der Boden, auf dem sie fortkommen sollen, darf andererseits
nicht völlig austrocknen. Die Luft darf nicht anhaltend trocken sein,
weil sonst die Blätter mehr Wasser verlieren würden als ihnen der
Stamm zuführen kann; daher lieben die Heiden die Küstenländer,
in denen sich Nachts Thau niederschlägt und in denen die Luft oft
nebelig oder doch dunstig zu sein pflegt.

Die Gärtner kennen die Eigentümlichkeiten der langsam
wachsenden Sträucher mit langsamer Saftbewegung in den Stämmen
sehr wohl; sie nennen dieselben: hartholzige Gewächse.

Infolge dieser Eigenschaften sind die Heiden befähigt, in
Ländern mit langen Dürreperioden zu gedeihen. Und doch lieben
sie andererseits die Nähe des Meeres. Südwestafrika, wo mehr als

$^4/_5$ aller Arten heimisch ist, springt in den Ocean der südlichen
Erdhälfte vor. In Europa bewohnen die meisten Arten die Süd-
und Westküsten. Die zerstreut vorkommenden Arten finden sich
in den Gebirgen, in denen die Feuchtigkeit gleichmässiger ist, als in
den Ebenen. Auch diese Thatsachen nötigen zu dem Schlusse, dass
die Ericeen eine gewisse Luftfeuchtigkeit zu ihrem Gedeihen verlangen. Wir sehen dies bestätigt durch die Beobachtungen an kultivierten Pflanzen. Die Ericeen verdorren regelmässig in der trockenen
Luft unserer geheizten Zimmer, man mag so viel begiessen wie man
will. Offenbar ist die Saftbewegung innerhalb des Pflanzenkörpers
bei diesen Gewächsen eine zu langsame, um einen starken Verlust
von Wasser, den die Blätter erleiden, zu ersetzen,

Diese allgemeinen Betrachtungen über die Ericaceen und insbesondere die Ordnung der Ericeen werden ergänzt und bestätigt
durch einen Blick auf die europäischen Vertreter der Familie. Europa besitzt etwa 40 Arten von Ericaceen, darunter 36 immergrüne.
17 dieser Arten sind Ericeen, also Heiden in engerem Sinne; sie
haben, wie gezeigt, ihre nächsten Verwandten in Südafrika. Etwa
ebenso viele Arten sind circumpolar oder amerikanisch oder haben
doch amerikanische Verwandtschaften. Asiatische Beziehungen (Himalaya) zeigen nur wenige Arten der nord- und mitteleuropäischen
Gebirge (Rhododendron, Rhodothamnus). Eine einzige Art (Da-
boecia) von heideähnlicher Tracht, aber den Rhododendron näher
verwandt, hat eine rein atlantische Verbreitung, d. h. sie gehört
dem westlichsten Europa und den Azoren an.

Die 17 europäischen Arten der eigentlichen Ericeen verteilen
sich in der Weise, das 11 dem atlantischen Küstengebiete angehören,
von denen jedoch 5 zugleich in den Mittelmeerländern vorkommen.
4 Arten sind ausschliesslich mediterran und 2 sind in den mitteleuropäischen Gebirgen zu Hause. Die Pyrenäische Halbinsel besitzt
13 Arten, von denen 11 in Portugal wachsen; Frankreich hat 10,
England 6, Island 2, Italien 9, die Balkanhalbinsel 5, Deutschland
4 Arten. Diese Zahlen zeigen deutlich die Abnahme der Artenzahl
in der Richtung nach Norden und Osten. Es ist die feuchte Luft
der Küstenländer und in zweiter Reihe auch der Gebirge, welche
den Ericeen zusagt.

Aus dieser Schilderung dürfte zur Genüge hervorgehen, wie
wenig die Heiden sich für ein Steppenklima eignen, in dem sowohl
der Boden als die Luft während vieler Monate anhaltend trocken
sind. Es wird aber nun auch andererseits leicht sein, die Lebensbedingungen unserer einheimischen Heidearten richtig zu verstehen.
Die wenigen Heidearten, welche nach Nordeuropa vorgedrungen sind,
unterscheiden sich von ihren südeuropäischen und südafrikanischen
Verwandten durch ihre Widerstandsfähigkeit gegen Kälte und Nässe.
Im Norden ist es nicht allein gelegentliche sommerliche Dürre, welche
die Heide zu ertragen hat, sondern auch die Austrocknung durch
eisige winterliche Ostwinde, welche den Pflnzen Feuchtigkeit ent-
ziehen, während ein Ersatz derselben aus dem gefrorenen Boden
nicht möglich ist. Im übrigen sind die nordischen Heiden ihren

südlichen Stammesgenossen in ihren Ansprüchen ähnlich geblieben. Ein armer Torf- oder Kieselboden so wie eine nicht zu trockene Luft sind zu ihrem Gedeihen unbedingt erforderlich.

Durch diese Betrachtungen über die gemeinsamen Eigentümlichkeiten der Heidegewächse wird das Verständnis unserer heimischen Heideflora wesentlich an Klarheit gewinnen. Ein beträchtlicher Teil des Geest- und Moorlandes in der deutschen Nordseeküstengegend ist mit Heidevegetation bedeckt. An manchen Stellen, auf denen sich jetzt Heide findet, weisen Reste von Eichen- und Hainbuchengestrüpp darauf hin, dass dort ehemals Wald war. Es lässt sich nicht mit Sicherheit sagen, wie viel jetziges Heideland früher bewaldet gewesen und wann dieser Waldwuchs zu Grunde gegangen ist. Wer sich alles Heideland als ursprünglich bewaldet vorstellt, und den Menschen für den Waldzerstörer hält, muss annehmen, dass unsere Vorfahren den Wald in den abgelegenen weglosen Gegenden fast überall vernichtet, in der Nähe ihrer Wohnungen dagegen geschont haben. Wie eingangs bei Erwähnung der vorgeschichtlichen Denkmäler gezeigt wurde, bestehen die Heiden der Geest jedenfalls schon recht lange. Im wilden Moor, welches nur bei anhaltend strengem Frostwetter zugänglich ist, hat der Mensch noch keinerlei Einfluss auf die ursprüngliche Vegetation ausgeübt; weder Plaggenhieb noch Weidegang hat dort auf die Heide eingewirkt. Meist kümmerlich stehen dort die Heidebüsche mit Wollgras, Rhynchospora und wenigen anderen Blütenpflanzen zwischen den schwammigen Torfmoosmassen. Diese äusserst ärmliche Vegetation in den gegenwärtig allerdings sehr eingeengten wilden Mooren ist bisher nicht durch den Menschen verändert worden. Durch künstliche Entwässerung der Moore wird zunächst das Gedeihen der Heide wesentlich gefördert, während dann Torfmoos und Wollgras weniger gut fortkommen. Infolge längerer Austrocknung und Durchlüftung wird allmählich der Moorboden für die Birke vorbereitet, die zuerst vereinzelt auftritt, schliesslich aber an manchen Stellen die Heide verdrängt, falls der Mensch in den natürlichen Verlauf der Dinge nicht weiter eingreift. Die Ähnlichkeit der Vegetation, welche Sand- und Moorland bedeckt, wird sprachlich dadurch zum Ausdruck gebracht, dass die Engländer das Heideland „moor" nennen.

Im Sandboden übt die Heidevegetation eine eigenartige Einwirkung auf das Erdreich aus, auf welchem sie sich einmal angesiedelt hat. Die abfallenden sehr langsam verwesenden Nadeln bilden auf dem Boden eine verfilzte humose Decke, welche in regenlosen Zeiten leicht austrocknet, aber den unterliegenden Sand bis zu einem gewissen Grade vor Austrocknung schützt. In dem humosen Heidenadelfilz vermögen nur wenige Pflanzensamen zu keimen. Unterhalb der Sandschicht, in welcher die Heidewurzeln sich ausbreiten, findet man in der Regel „Ortstein", d. h. einen eisenschüssigen und oft gleichzeitig humushaltigen Sand. Die Körner desselben sind durch Eisenoxydhydrat zu einer festen, wenn auch zerreiblichen Masse verkittet, welche für Pflanzenwurzeln undurchdringlich ist. Die Ortsteinbildung steht anscheinend mit der Heidebedeckung des Bodens in ursächlichem Zusammenhange, bedarf aber im einzelnen wohl noch einer genaueren Erklärung. So lange die Humusdecke unversehrt ist, können Baumsamen in der Heide nicht keimen und so lange der Ortstein im Untergrunde nicht zerstört ist, können junge Bäume nicht heranwachsen. Auf hügeligem, geneigten Boden pflegt sich keine vollständige Nadeldecke zu bilden, weil die Nadeln von Wind und Regen fortgeführt werden; aus diesem Grunde können an solchen Stellen zahlreiche Pflanzen gedeihen, welche der ebenen Heide fehlen. Der Ortstein bildet sich aber auch auf welligem Dünenboden.

Gegen Bodenfeuchtigkeit ist die Heide nicht empfindlich. Im wilden Moore stecken die Wurzeln und Stämme des Heidekrautes oft tief im nassen Torfmoose, aber das Laubwerk der Pflanze ist geschützt vor Überschwemmungen. In den sandigen Heideschlatts (abflusslosen Niederungen) dagegen würde die Heide bei nasser Witterung zeitweilig ganz überschwemmt werden. Das erträgt sie nicht für längere Zeit. Die im Sommer oft ganz dürr aussehenden seichten Mulden sowie die Ränder der kleinen Wassertümpel in der Heide haben keine Heidevegetation. Grüne oder doch graugrüne Wiesen von Molinia coerulea, Aëra canina oder Juncus filiformis, bei grösserer gleichmässiger Feuchtigkeit von Littorella lacustris, unterbrechen an solchen Stellen die einförmig braune Heidevegetation. Auf nassem Sande sieht man zuweilen Heide und Wiesen sich so ineinanderschieben, dass jeder Centimeter Höhenunterschied für Graswuchs oder Heidewuchs entscheidet, zuweilen auch eine wirkliche Mischung stattfindet. Durch Abmähen pflegt übrigens der Mensch in diesen Kampf zu Gunsten der Gräser einzugreifen, doch lässt sich die Glockenheide dadurch nicht so schnell unterdrücken wie die gemeine Heide. — Auf die trockenen sandigen Anhöhen steigt die Heide ziemlich weit hinauf. Wird aber die wasserhaltende Kraft des Sandes gar zu gering, dann vermögen die zarten Heidesämlinge trotz ihrer Bedürfnislosigkeit nicht aufzukommen. Gräser wie Festuca ovina und Corynephorus canescens, ja selbst niedrige Sträucher, wie Empetrum, Arctostaphylos, Thymus angustifolius, Genista Anglica und G. pilosa, bedürfen noch weniger Bodenfeuchtigkeit als die Heide.

Es ist nicht ohne Interesse, die wichtigsten Begleitpflanzen der Heide in unsern nordwestdeutschen Ebenen zu betrachten. Die verbreitetste von allen ist die Glockenheide, Erica tetralix, die in unsern Gegenden regelmässig in Gesellschaft des gemeinen Heidekrautes wächst. Sie verlangt und erträgt etwas mehr Feuchtigkeit als dieses, so dass die nassen Heideniederungen und Heidetümpel zunächst von einem Glockenheidensaume umgeben zu sein pflegen. Auf trockenem Boden wird sie spärlicher; auf sandigen Höhen, an Nordhängen steiler Dünen und an andern Stellen, an denen die gemeine Heide noch ganz gut fortkommt, zeigt sich die Glockenheide nicht mehr. Im Moore gesellen sich den beiden Heidearten noch einige andere Ericaceen zu, vor allen Dingen Andromeda polifolia und Oxycoccos palustris, zwei der reizendsten Pflanzen unserer heimischen Flora. Stellenweise ist dort auch die Sumpf-

heidelbeere, Vaccinium uliginosum, häufig. Eine andere Eri-
cacee, die gemeine Bärentraube, Arctostaphylos officinalis,
liebt dagegen kiesige Abhänge und Hügel, Stellen, an denen die
Heidevegetation nicht mehr dicht geschlossen auftritt. In den Heidewaldungen, unter Birken, Eichen und Kiefern, mischt sich das
Heidekraut vielfach mit Bickbeeren (Heidelbeeren), Vaccinium
myrtillus, oder Kronsbeeren (Preisselbeeren), V. vitis Jdaea. Die
Kronsbeere könnte man in hiesiger Gegend als „kiefernhold" bezeichnen. In der Nähe der Küste, wo es keine alten Kiefernwal-
dungen giebt, kommt sie nur zerstreut in den während der letzten
100—150 Jahre angelegten Kiefernpflanzungen vor, breitet sich
dort aber sichtlich aus. In den alten grösseren Kiefernbeständen,
die sich weiter im Binnenlande, z. B. in der Lüneburger Heide,
finden, bedeckt. sie den Boden massenhaft. Besonders lehrreich ist
das Verhalten der beiden Beerensträucher in den alten, noch nicht
ganz der forstmännischen Schablone verfallenen Mischwäldern aus
Eichen, Hainbuchen, Birken und Kiefern. Unter jeder Kiefer oder
Kieferngruppe breitet sich die immergrüne dunkellaubige Kronsbeere
aus, während unter den benachbarten Eichen helllaubige Bickbeeren
stehen, die man recht wohl als „eichenhold" bezeichnen könnte.
Wo die beiden Vaccinien gut gedeihen, da verdrängen sie durch ihr
kräftigeres Wachstum die Heide, die übrigens mässige Beschattung
recht wohl erträgt. Im Buchenwalde kommt die Heide nicht
fort, im Bruchwalde wird sie durch die üppige Staudenvegetation
unterdrückt.

Nächst den Ericaceen ist unter den Begleitern der Heide die
Rauschbeere, Empetrum nigrum, zu nennen. Die kleine Familie
der Empetraceen steht systematisch etwas isoliert da und ihre Verwandtschaften sind sehr verschieden beurteilt worden. Sie erinnert
indessen nicht allein in der Tracht, sondern auch durch manche
Eigentümlichkeiten des Blütenbaues an die Ericaceae. Die Rauschbeere hat nadelige Blätter wie die Heiden, unterscheidet sich aber
von ihnen sofort durch ihr frisches lebhaftes Grün und durch ihren
niedergestreckten kriechenden Wuchs, in welchem sie mit Arctostaphylos übereinstimmt. . Die Rauschbeere ist sehr selten auf
den einförmigen ebenen Heideflächen, aber sie begleitet die Heide
sowohl im Hochmoore, namentlich im entwässerten, als auch auf
trockenem hügeligem Boden; sie gedeiht ferner, wie erwähnt, auf
dürrem Sande, auf welchem die Heide nicht mehr fortkommt.

Mit Ausnahme von zwei Vaccinium-Arten (V. myrtillus und
V. uliginosum) sind die genannten Begleitpflanzen der Heide immergrün. Unter den laubwechselnden ist zunächst der aromatische
Post (Myrica gale) zu nennen, der an den Rändern der sumpfigen
Bachthäler und Quellsümpfe oft dichte Gebüsche bildet, aber auch
in die Moore geht. Etwas höher als die Heide, mischt er sich
einerseits mit dieser, andrerseits mit dem Erlengebüsch des Bruch-
waldes oder mit dem Juncus acutiflorus der quelligen Sümpfe. Die
Kriechweide, Salix repens, begleitet die Heide vom Moore bis auf
die Sandhügel, der englische Ginster, Genista Anglica, hat eben-

falls eine weite Verbreitung, meidet aber die sumpfigen Stellen, jedoch nicht das entwässerte Hochmoor. Der behaarte Ginster, G. pilosa, liebt die trocknen sandigen Stellen, der Färbeginster, G. tinctoria, den fruchtbareren Boden in der Nähe des Waldes. Der deutsche Ginster, G. Germanica, ist selten und ist auf den Eichenbuschwald in der Heide beschränkt, in dem er mit Serratula tinctoria und Lathyrus macrorrhizus, zuweilen auch mit Anthericum ramosum, wächst. Der Besenginster, Sarothamnus scoparius, endlich ist häufig an Abhängen und auf hügeligem Boden.

. Unter den Stauden und Kräutern der Heide seien nur einige besonders ausgezeichnete Arten genannt, zu denen zunächst der auf welligem Heideboden wachsende Wohlverlei, bei uns Wulfsblome genannt, Arnica montana, zu rechnen ist. Dem feuchten humosen Heideboden gehören der schön blaue Enzian, Gentiana pneumonanthe, die Scorzonera humilis, die Abends köstlich duftende Orchidee Platanthera bifolia, die zierlichen Sonnenthau-Arten (Drosera rotundifolia und Dr. intermedia) an. Unter den Gräsern sei namentlich der Bähnthalm oder Benthalm (englisch: „bentgrass"), Molinia coerulea, genannt, der die Heide vom Moore bis auf die Sandhügel und bis in den lichten Birken- und Kiefernwald begleitet. Unter den Halbgräsern sind die Rhynchosporen und Wollgräser (Eriophorum) der feuchthumosen und moorigen Heidestriche bemerkenswert. Besondere Aufmerksamkeit verdienen noch vier Arten von Bärlapp, Lycopodium, die teils die trockenen, teils die feuchten Heiden bewohnen. Endlich sind noch die durch Massenhaftigkeit des Vorkommens wie durch Formenreichtum bemerkenswerten Torfmoose (Sphagnum), stattliche Laubmoose aus den Gattungen Polytrichum, Dicranum, Leucobryum und anderen, sowie eine Anzahl von Lebermoosen (Ptilidium, Alicularia) und grauen oder braunen Flechten (Cladonia, Baeomyces, Pycnothelia, Cetraria) zu erwähnen.

In dieser Aufzählung von Begleitpflanzen der Heide ist die stattlichste von allen Arten noch nicht genannt worden, nämlich der Wacholder, Juniperus communis. Unter günstigen Verhältnissen, z. B. in den Gärten der Heidebewohner, wird der Wacholder ein wirklicher Baum; vielfach trifft man ansehnliche, 2—4 m hohe baumartig gewachsene Sträucher in den lichten Kieferhainen der Heide, insbesondere an den Thallehnen an. Der Wacholder begleitet die Kiefer eigentlich mehr als die Heide und findet sich namentlich auch in den Mischwäldern aus Kiefern und Laubholz, aber dann meist zerstreut, während er in reinen Kiefernbeständen zuweilen hohe dichte Gebüsche bildet. In manchen Gegenden tritt der Wacholder indessen hinaus in die offene Heide. Er findet sich hier bald zerstreut, bald gruppenweise, und verleiht der Landschaft ein ganz eigenartiges Aussehen. Besonders in abgelegenen Heidestrichen, wo die mächtigen erratischen Blöcke noch nicht gesprengt und fortgeschleppt sind, sondern in grosser Zahl meterhoch und höher über den Boden emporragen, wo man sich seinen Weg von einem wacholderumrahmten Heidefleckchen zum ·

andern zwischen Felsblöcken und hohem Nadelgebüsch hindurch suchen muss, glaubt man sich aus der norddeutschen Ebene in ferne Berggegenden versetzt.

Merkwürdig ist die Verbreitung des Wacholders in hiesiger Gegend, die nordwärts nur an wenigen Stellen über die gerade Linie Hamburg-Bremen-Leer hinaus geht, meistens sogar dieselbe nicht erreicht. In den zwischen jener Grenze und der Küste gelegenen Heiden sieht man kaum jemals einen Wacholderbusch und in den Waldungen dieses Landstrichs trifft man höchstens ganz vereinzelte und daher unfruchtbare Sträucher an.

Im Schutze des Wacholders wachsen in der Heide nicht selten junge Bäumchen heran: Vogelbeeren (Ebereschen), Birken, Kiefern, ja zuweilen selbst Eichen. Nur in einzelnen Fällen werden sie einige Meter hoch, so dass die weidenden Schafe sie selbst ohne den Wacholderschutz nicht zerstören können. Aber dennoch sieht man sie in der Heide verkümmern; die Verhältnisse (Bodenarmut, Ortstein, Wind) sind für ihr Gedeihen im allgemeinen zu ungünstig.

Die genannten Begleit-Pflanzen der Heide gehören sehr verschiedenen natürlichen Familien an, zeigen jedoch unter einander eine grosse Übereinstimmung in ihren Ansprüchen an Boden und Umgebung. Die Gewächse, welche das Kulturland und die fruchtbaren Marschwiesen bewohnen, meiden die Heide. Die Familien der Ranunculaceen, Cruciferen, Umbelliferen und Polygonaceen, welche in der Marsch eine so grosse Rolle spielen, reichen nur mit wenigen Arten bis in das Heidegebiet herein und verschwinden im Innern desselben vollständig. Manche Gewächse, die wir gewohnt sind als die allergemeinsten zu betrachten, verirren sich höchstens einmal zufällig in die Heide, so z. B. Ranunculus repens, R. ficaria, Heracleum sphondylium, Bellis perennis, Taraxacum vulgare, Plantago major, Pl. lanceolata, Festuca elatior u. s. w., der eigentlichen Unkräuter gar nicht zu gedenken. Flussmarsch und Heidegebiet sind überhaupt in ihrer Vegetation so verschieden, dass man kaum irgend welche gemeinsamen Arten aufzufinden vermag.

Einige der Begleitpflanzen der Heide sind ihr durch charakteristische Eigenschaften ähnlich. Juniperus, Empetrum, Lycopodium selago, L. clavatum, die Polytrichum- und Dicranum-Arten haben, gleich der Heide, Nadelblätter und sind immergrün; ausserdem kommen einige immergrüne Sträucher mit breiteren Blättern (Arctostaphylos, Andromeda) vor. Die meisten holzigen Arten sind langsam wachsende, niedrige Sträucher von etwa 0,25—0,50 m Höhe; nur Myrica und Sarothamnus werden meterhoch und zuweilen höher; Juniperus allein ragt wirklich auffallend über die Heide hinaus.

Manche Eigenschaften des Heidekrautes oder der gemeinen Heide (Calluna vulgaris Salisb.) sind bei Musterung der verwandten Arten schon eingehend erörtert worden, so dass es nicht erforderlich ist, dieselben im Zusammenhange nochmals zu besprechen. Die Calluna ist ein aufrechter, ästiger, bei freiem Stande oft sehr

umfangreicher Strauch von etwa 0,5—0,6 m Höhe, der indessen
meistens in seinem Wachstum so gestört wird, dass er nur halb so.
hoch wird. Die kleinen, nadeligen, gedrängten Blätter haben nur in
der Jugend eine frisch grüne Färbung, später werden sie bräunlich.
und sind namentlich im Winter ganz braun; in unserer Gegend sind
sie kahl. Die kleinen, glockigen, lillavioletten Blüten erscheinen im
Spätsommer in grosser Zahl an den jungen Trieben. Sie sind honig-
reich und werden bekanntlich fleissig von Bienen besucht, die eine
ausgiebige Bestäubung und Kreuzung verschiedener Stöcke bewirken.
Die Blumen, deren Kelchblätter kronenartig und der Krone gleich.
gefärbt sind, verbleichen und verwelken nach dem Fruchtansatze,.
fallen aber nicht ab. Die Früchte reifen noch im Herbste; sie enthalten in jedem ihrer vier Fächer mehrere winzige Samen, die, weil
sie in der trockenen Blume eingeschlossen sind, nur nach und nach
ausgestreut werden. Im Laufe des Winters fallen die Blumen ab
und können bei ihrer Leichtigkeit mit den etwa noch darin eingeschlossenen Samen von Stürmen weithin fortgeführt werden. Die
aus den Samen hervorgehenden Keimpflänzchen sind ungemein zart.
und klein; sie erreichen im ersten Jahre etwa eine Höhe von 2—3 cm.
Im dritten oder vierten Jahre bringt das Pflänzchen bei guter Entwickelung die ersten vereinzelten Blüten; es ist dann etwa 5 cm
hoch und der Hauptstamm ist 0,5 mm dick. Man vergleiche damit
das Wachstum anderer Holzgewächse. Die Samen der Korbweide,
Salix viminalis, sind nicht viel grösser als die der Heide, aber die
auf gutem Boden aus ihnen hervorgegangenen Pflanzen sind nach 3
Monaten 30 cm hoch. Ein junger Goldregenbaum, der allerdings
aus einem viel grösseren Samen hervorkeimt, wird im ersten Jahre
1 m hoch und gelangt ungefähr gleichzeitig mit der Heide zur
Blühreife, ist dann aber ein Baum von 3—4 m Höhe.

Es ist bereits darauf hingewiesen worden, dass die Heide wenig
Bodenfeuchtigkeit bedarf, aber sehr viel erträgt; sie leidet in unserm
Klima auf geeignetem Boden weder von der Sommerdürre noch von
den austrocknenden winterlichen Ostwinden.

Die gemeine Heide ist, abgesehen von ihrem spärlichen Vorkommen in Nordamerika, über den grössten Teil Europas verbreitet,
nämlich von Portugal, Irland und Island bis zum Uralgebirge, ja
über dasselbe hinaus. Nur im Südosten des Erdteils wird sie selten
und fehlt stellenweise auch im Süden. Diese eine Art bedeckt ohne
Zweifel grössere Flächen Erde als hunderte von südafrikanischen
Arten zusammengenommen. — Trotz ihrer grossen Verbreitung
ändert die gemeine Heide wenig ab. An den atlantischen Küsten
wird sie schmächtiger und zugleich empfindlicher gegen Frost: Seemann hat diese Form, die sich aber durch keine greifbaren Merkmale unterscheidet, Calluna Atlantica genannt. Auffallender weicht
die var. incana Hook. f. ab, welche sich durch eine reichliche graue
Behaarung auszeichnet und an dürren Stellen gesellig vorkommt.
Die einzige Abänderung, welche man in hiesiger Gegend antrifft,
besteht in Weissblumigkeit; solche weisse Exemplare kommen aber
immer nur vereinzelt vor.

Die gemeine Heide ist die einzige Art der Gattung Calluna, welche sich durch den kronenartigen Kelch, die tiefer geteilte Krone und die kleinere Samenzahl von den echten Heiden der artenreichen Gattung Erica unterscheidet.

Unsere zweite Heideart, die Glockenheide, Erica tetralix L., ist ein viel schwächerer Strauch als die gemeine Heide. Die Blätter stehen lockerer, zu 4 wirtelig und sind reichlich behaart. Die Belaubung ist weisslich grün, die Blumen stehen am Ende der jungen Zweige in nickenden Köpfchen. Die einzelnen Blumen sind viel grösser als die der gemeinen Heide, von eiförmiger Gestalt, mit enger Mündung; ihre Färbung ist wechselnd und schwankt zwischen weiss und lebhaftem Rosa in allen Abstufungen. Die Glockenheide steht von Juni bis September in Blüte; ihre Kronen vertrocknen ebenso wie die der gemeinen Heide und fallen erst gegen Ende des Winters ab. In ihrer Verbreitungsweise und Keimung verhält sich die Glockenheide ähnlich wie die gemeine Heide; die jungen Pflänzchen sind noch zarter als die der Calluna und sind an den Haaren auf den Blättern (zuerst nur eins an der Spitze) leicht zu erkennen. — Abgesehen von der Blütenfarbe ändert unsere Glockenheide nicht erheblich ab. — Unsere Landleute benutzen die Glockenheide zur Herstellung des Firstes auf den Reith- und Stroh-dächern. In Westeuropa ist die Verbreitung der Glockenheide eine ähnliche wie der gemeinen Heide, doch fehlt sie überall an den Mittelmeerküsten und ist sehr selten im mitteleuropäischen Binnen-lande. Sie folgt den Küsten des atlantischen Oceans (Portugal, Irland, Island), der Nordsee (Norwegen) und zum Teil der Ostsee (Südschweden und die Südküste bis in die russischen baltischen Provinzen).

Unsere beiden Heidearten sind zur Blütezeit entschiedene Schmuckpflanzen. In England, wo allerdings die Heideflora noch mannichfaltiger ist als bei uns, weiss man sie sehr zu schätzen. Wenn dort in Heidegegenden Gärten und Landsitze angelegt werden, sucht man ein Stück ursprünglicher Heidevegetation innerhalb der Anlagen zu erhalten und ist stolz darauf, wenn dies gelingt.

Die ausgedehnten nordwestdeutschen Heiden bieten nicht überall das Bild eines urwüchsigen ungestörten Gedeihens. Im wilden un-entwässerten Moore beeinträchtigt der Mensch das Wachstum der Heide freilich nicht, aber das allzu üppige Torfmoos lässt sie kaum zu freudiger Entwickelung kommen. Im entwässerten Hochmoore bleibt sie oft sich selbst überlassen, wird später aber nicht selten all-mählich von Myrica oder von Birken unterdrückt. Auf Sandboden giebt es nur vereinzelte abgelegene Stellen, an denen die Heide kaum oder gar nicht genutzt wird. Sie erreicht dann eine ansehnliche Höhe, die schwer verwesenden alten Nadeln bedecken den Boden in einer starken Schicht, welche zwar Flechten und einige Moose, aber wenige andere Gewächse aufkommen lässt. In der Regel wird die Heide zum Plaggenhieb benutzt, d. h. die Sträucher werden mit der obersten Bodenschicht, insbesondere der humosen aus den Nadeln hervorgegangenen Decke, abgestochen, um als Streu und zur Aufsaugung des Düngers verwendet zu werden. Das zurückbleibende nackte Erdreich überzieht sich zunächst mit Moosen (Polytrichum) und einjährigen Zwergkräutern (Radiola, Centunculus, Cicendia), zwischen denen Heidesämlinge, oft auch junge Bäume, besonders Birken oder Kiefern, aufgehen. Der Plaggenhieb ermöglicht eine Wiederbewaldung der Heide an einzelnen besonders günstigen Stellen; wenn der Mensch nicht störend eingreift, kann man hin und wieder nach der Rodung der Heide Wald emporwachsen sehen. Meistens gehen aber die jungen Baumsämlinge auf dem schlechten Boden bei der ersten Sommerdürre zu Grunde und nach einigen Jahren hat die Heide wieder von ihrem alten Grunde unbestrittenen Besitz genommen. Bis nun an derselben Stelle wieder Plaggen gehauen werden können, vergeht eine Reihe von Jahren, und während dieser Zeit dient die Heide zur Bienenzucht und zur Schafweide. Diese Plaggenwirtschaft ist in vielen, aber keineswegs in allen Heidegegenden üblich. An manchen Orten dient die Heide ausschliesslich als Weide. Die Sträucher bleiben dann niedrig, behalten nur wenige Blattzweige und blühen sehr spärlich; die zarten jungen Laubtriebe, welche dann in grosser Menge aus den holzigen Zweigen hervorbrechen, liefern ein vorzügliches Futter. — Für Bienenzucht und Plaggenhieb wird die Heide bei dieser Art der intensiven Weidenutzung unbrauchbar; der Boden, auf dem sich keine Nadeldecke bildet, verarmt und dörrt aus; die Heidepflanzen bleiben kümmerlich. Unter diesen Umständen kann durch zu starke Beweidung die Heide vollständig ausgerottet werden; es gedeiht dann auf dem ganz verarmten Boden nur noch eine spärliche Grasvegetation von Festuca ovina und Corynephorus canescens, zwischen denen hin und wieder dichte schön grüne Empetrum-Büsche sich in grossen runden Flecken ausbreiten.

Neuerdings hat man an vielen Stellen die Heiden mit Erfolg bewaldet, und zwar allmählich in immer grösserem Umfange. Frühere Versuche sind vielfach fehlgeschlagen, namentlich solche mit Eichen. Kiefern und noch mehr Birken gedeihen bei tiefer Pflanzung fast überall leidlich, wie man an den Bienenständen und Ställen in der freien Heide sehen kann, die in der Regel von solchen Räumen umgeben sind. Nachdem man neuerdings die an den meisten Orten unter dem Heideboden vorhandene Ortsteinlage (Limonitsand) durchbrochen hat, pflegen Baumpflanzungen fast immer zu gelingen, wenn auch Sämlinge, trotz Schutzes vor Schafen, nicht aufkommen.

Der Heidewanderer hat Zeit, seinen Gedanken nachzuhängen, die beim Anblick alter Menschenwerke in die ferne germanische Vorzeit, bei näherer Betrachtung der Heidepflanzen nach entlegenen Ländern, in denen deren Verwandte wohnen, hinüberschweifen. Aber auch die unmittelbaren Beziehungen zum Moor- und Heideboden, zu der Wald- und Wiesenvegetation so wie zu dem Menschen, der sich alles dienstbar zu machen strebt, geben Anlass genug zu den mannigfaltigsten Betrachtungen und Untersuchungen.

Beiträge zur Adventivflora Bremens.

Von G. Bitter.

Die Botaniker, welche sich mit dem Studium der heimischen Pflanzenwelt beschäftigen, haben, besonders an den Plätzen des Weltverkehrs, seit mehreren Decennien einen eigenartigen Zuwachs der Flora konstatieren können. In der Nähe von Fabriken und Mühlen, auf den Bahnhöfen und in den Hafenanlagen erschien, teils dauernd, teils bald wieder verschwindend, eine Reihe ausländischer Gewächse, die natürlich wegen ihres sonderbaren Auftretens ein mannigfaches Interesse wachriefen.

Ein jeder Einwanderer giebt dem Finder zu raten. Oft macht bereits die Bestimmung der Pflanze einige Schwierigkeiten, noch weniger leicht ist oft ein bestimmter Ursprungsort und die Ursache der Verschleppung anzugeben. Bei vielen Pflanzen kann man sich allerdings sofort darüber klar werden: die Abfälle der Wolle z. B. enthalten eine Reihe von Samen und Früchten, die durch Widerbaken, Stacheln, Klebstoffe und andere Transportmittel an der Wolle festhaften und so aus ihrer fernen Heimat auf die Abfallstellen unserer Wollkämmereien gelangen. Da sind zu nennen die bekannten Medicago- und Xanthiumarten aus Südeuropa, Erodium moschatum L'Hér. und eine ziemlich grosse Zahl von Gräsern. Anders ist das Bild der Adventivflora der Bahnhöfe! Es ist bunter gemischt, denn es verdankt den verschiedensten Handels- und Industriezweigen seine Zusammensetzung. Ungarisches Vieh, russisches und amerikanisches Getreide, der Seeschlick, der jetzt im Binnenlande viel zum Düngen benutzt wird, Guano, Reis, Holz, Leitungsröhren und viele andere Produkte des Handels und der Technik ermöglichen die Ansamung eines bunt zusammengewürfelten Wandervölkchens. Ähnlich ist es in den Hafenanlagen, doch lässt sich hier meistens eine Sonderung nach den verschiedenen Ladeplätzen bemerken.

Eine besonders reiche und interessante Besiedelung mit fremden Pflanzen zeigt die Umgebung der Mühlen. Während früher das Getreide beinahe ohne vorherige Reinigung in Mehl verwandelt wurde, macht es jetzt einen sehr eingehenden Reinigungsprozess durch, indem sämtliche Samen der Begleitunkräuter des Korns ausgeschieden und gewöhnlich in der Nähe der Mühlen mit den Erdteilchen zusammen hingeschüttet werden. In den Abfallstoffen gedeihen nachher die Pflanzen vortrefflich; besonders sind es die Unkräuter in den Feldern Südrusslands und des nordöstlichen Teils der Balkanhalbinsel, welche dort auftreten, während das Gebiet des Mississippi und Argentinien, woher ebenfalls viel Getreide, das auf den Mühlen gemahlen wird, stammt, bisher nur spärlich der Ruderalflora ihren Tribut darbringen. Sollte in späteren Zeiten das Getreide am Produktionsorte selbst gereinigt werden, so würde diese Quelle der Einwanderung neuer Gewächse in ähnlicher Weise verstopft werden, wie es bereits mit den Abfällen der Wolle geschieht, die allerdings noch immer in Deutschland gereinigt wird, deren Verunreinigungen jetzt aber ebenfalls eine technische Verwendung finden.

Ein hervorstechender Zug der Adventivfloren der drei grossen Verkehrscentren im deutschen Norden, Berlin, Hamburg und Bremen, ist die stark ausgeprägte Gleichheit in dem Auftreten der meisten Einwanderer an allen drei Plätzen; die Mittel der Einschleppung sind eben bei ihnen so ziemlich die gleichen. Alle drei erhalten sehr viel Getreide und Vieh aus dem südöstlichen Europa, ausserdem verwildern aus den Gärten fast dieselben Gewächse an allen drei Orten, wenngleich Hamburg und Berlin durch ihre botanischen Gärten vor Bremen, was die Verwilderung ausländischer Pflanzen anlangt, einen bedeutenden Vorzug haben. Die meisten hernach aus der Flora Bremens zu nennenden Gewächse sind in den vier Verzeichnissen des Herrn Justus J. H. Schmidt und zerstreut in den Verhandlungen des Brandenburgischen Botanischen Vereins auch für die beiden andern Städte aufgezählt worden. Manche Möglichkeiten der Einwanderung fehlen der einen Stadt, während die andern zu irgend einer Zeit dieselben besassen oder noch besitzen. So wurden bei Berlin mit der Serradella portugiesische Pflanzen in grösserer Zahl eingeschleppt, während Bremen und Hamburg davon beinahe nichts aufzuweisen haben. Diese und einige andere Ausnahmen unberücksichtigt gelassen, kann man vielfach die Gewächse, welche erst von einer oder zweien der drei verglichenen Städte bekannt sind, auch an dem noch ausständigen Platze früher oder später erwarten, so gross ist die bisher konstatierte Übereinstimmung. Eine genauere Vergleichung zwischen den drei Adventivfloren schien wenigstens jetzt noch nicht angezeigt, da noch immer neues Material solcher Pflanzen uns von allen Seiten zufliesst.

Es sei hier nur eine kurze Übersicht über die Litteratur gegeben, in der sich jeder, den die Vergleichung näher interessiert, selbst informieren kann:

Für Hamburg:

Die eingeschleppten und verwilderten Pflanzen der Hamburger Flora. Zusammengestellt von Justus J. H. Schmidt 1890. 32 Seiten.

Erster Jahresbericht über die Thätigkeit des Botanischen Vereins
zu Hamburg in „Die Heimat, Monatsschrift des Vereins zur
Pflege der Natur- und Landeskunde in Schleswig-Holstein,
Hamburg und Lübeck." 2. Jahrg. Nr. 7 und 8. Juli und
August 1892.
Zweiter Jahresbericht über die Th. d. Bot. Ver. zu Hamburg.
Mai 1893.
Dritter Jahresbericht. Mai 1894.

Für Berlin:

Zahlreiche kürzere und längere Mitteilungen in den Verb. des
Brand. Bot. Ver., aus deren Reihe nur die folgenden als auch für
unser Gebiet wichtig hervorgehoben seien:
R. Büttner, Flora advena marchica (Verb. XXV, Seite 1—59).
Bünger: Die Adventivflora auf dem Bauterrain am Stadt-
bahnhof Bellevue in Berlin (XXVI, 203).
Taubert: Eine Kolonie südosteuropäischer Pflanzen bei
Köpenick unweit Berlin (XXVIII, 22—25).
A. Winkler: Keimpflanze von Lepidium incisum Roth (Verb.
XXVIII, 33—36) ferner die Anmerkungen Aschersons daselbst.
W. Behrendsen, Adventivpflanzen zu Rüdersdorf bei Berlin.
Mit einer Nachschrift von Ascherson (XXX, 282).
Jacobasch, Funde eingewanderter und seltener Pflanzen
bei Berlin (XXX, 337).
Ascherson, Über Juncus tenuis Willd. und andere Adventiv-
pflanzen (XXXII, Seite XXXVIII).
Ascherson, Lepidium apetalum Willd. u. virginicum L. und
ihr Vorkommen als Ruderalpflanzen (XXXIII, 108).
Die bremischen Angaben sind in unseren Abhandlungen zerstreut. Sie wurden in dieser Arbeit teils eingehend berücksichtigt,
teils wenigstens citiert, sodass damit ein annähernd vollständiger Überblick über den Stand der Kenntnis der Adventivflora in unserem
Gebiete gegeben ist.
In dem nachfolgenden Verzeichnisse sind in der Heimatsangabe
meistens diejenigen Gegenden angegeben, welche als der mutmassliche Ursprungsort der betreffenden Pflanze anzusehen sind. Denn
nicht die ungleich näher liegenden Landstriche Deutschlands, in
denen die in Rede stehenden Gewächse sich entweder sporadisch
oder sogar wild wachsend vorfinden, liefern uns in den meisten
Fällen diese Fremdlinge, sondern oft weit entfernte Länder, deren
Handelsprodukte bei uns eingeführt werden. Die meisten Acker-
unkräuter des Kalkbodens von Mitteldeutschland gelangen nicht aus
diesem Gebiete auf die Schuttstellen unserer Mühlen, sondern ihre
Vorfahren sind unter einer südeuropäischen Sonne gereift. Speziell
für Caucalis daucoides L., ein gemeines Ackerunkraut Mitteldeutschlands, — um ein Beispiel anzuführen — habe ich dafür einen Beweis: Ich fand nämlich in Proben bulgarischen Getreides die charakteristischen Früchte dieser Pflanze. Überhaupt sollte man sehr

vorsichtig sein, wenn man von der Verbreitung einer Adventivpflanze von einem bestimmten Punkte aus redet: ist doch oft die
Pflanze nur übersehen worden oder es erfolgt eine gleichzeitige Einwanderung an entfernteren Punkten, sodass bei einer darauf beginnenden grösseren Verbreitung um die vielleicht zum Teil nicht be-
merkten ersten Erscheinungscentren, wenn ich mich so ausdrücken
darf, eine klare Einsicht in die Wanderung der betr. Pflanze niemals gewonnen werden kann.

Die vorliegende Arbeit wurde unternommen auf die Veranlassung des Herrn Dr. W. O. Focke. Sie soll eine Zusammenfassung
der bis jetzt gewonnenen Kenntnisse über die Adventivpflanzen
Bremens liefern. Ausserdem giebt die Aufzählung einen Überblick
über das neueingerichtete Herbarium der Adventivpflanzen Bremens.
Es ist klar, dass ein grosser Vorteil darin liegt, wenn eine „rein-
liche Scheidung" zwischen den Bürgern der Bremer Flora und diesen
unbeständigen Einwanderern auch in den Herbarien gemacht wird,
wie es bereits fast überall in Buchenaus Floren durchgeführt ist.
Um ein möglichst vollständiges Bild zu liefern, sind, wie bereits erwähnt, auch die früheren in diesen Abhandlungen niedergelegten
Mitteilungen benutzt resp. citiert worden. Zur Unterscheidung von
den schon seit längerer Zeit bei uns bekannten, teilweise eingebür-
gerten Gewächsen sind die erst seit den letzten 25 Jahren etwa zu
uns gelangten Adventivpflanzen mit einem Stern (*) bezeichnet.

Der Verfasser erfreute sich bei der Zusammenstellung der
freundlichen Unterstützung der Herren Dr. W. O. Focke (F.), Reallehrer C. Messer (M.), Apotheker J. Herbst (H.) in Hemelingen und
Oberprimaner Fr. Wilde (W.). Für die freundlichst gewährte Einsicht in die von diesen Herren gesammelten Pflanzen sage ich hier-
mit meinen besten Dank.

Delphinium Consolida L. Verbreitet als Ackerunkraut in
Südeuropa, ferner im grössten Teile von Deutschland, in der nord-
westdeutschen Ebene (siehe Buchenaus Flora) nur an einzelnen
Stellen eingebürgert, bei Bremen immer nur vorübergehend in der
Nähe von Mühlen und Lagerplätzen von Getreide; in den letzten
Jahren mehrfach an verschiedenen Orten, wohin Kornabfälle gelangten
(W., F., Verf., ferner Abhandlungen Band I, pag. 4).

Papaver Rhoeas L. Mit Ausnahme von Nordeuropa auf dem
ganzen Kontinent verbreitet, Heimat Südeuropa. Sehr vereinzelt auf
Gartenland (vergl. Abh. Band I), neuerdings an Mühlen (F.).

P. somniferum L. Heimat der Orient. Verwildert nicht
selten auf Schutt.

***Roemeria hybrida DC.** Stammt aus Südeuropa. 1894 ein
Exemplar bei einer Mühle (F.).

Fumaria capreolata L. Süd- und Westeuropa. Wurde in
früheren Jahren vereinzelt in Hecken gefunden (Abh. I, pag. 5 und
II, 1, 87).

*Arabis arenosa Scop. Bereits in Mitteldeutschland heimisch, aber wohl stets aus Südeuropa zu uns gelangend, liebt sandige, rasige Abhänge. Verf. fand sie 1891 in grosser Anzahl am Oldenburger Bahndamm, wo sie sich gut hält. Die Angabe in Buchenau's Flora wäre dahin zu modificieren. 1894 am Bahnhofe zu Oslebshausen und bei Ottersberg an einem Chausseedamm ziemlich abgelegen (F.), 1893 am früheren Hamburger Bahnhof (W.).

Cochlearia Armoracia L. Kommt in Deutschland vereinzelt an Flussufern vor (so an der Saale bei Jena). Am Eiskeller der Bremer Brauerei bei Woltmershausen vor mehreren Jahren einmal; in Deutschland überhaupt wohl nur als Ackerflüchtling zu betrachten. In der Nähe unseres Fundortes wird die Pflanze mehrfach gezogen. „Von Treviranus zu Anfang des Jahrhunderts als Weseruferpflanze aufgeführt, von mir im Laufe von mehr als 40 Jahren nur zwei Mal vorübergehend an der Weser gesehen" (F.).

C. officinalis L. Meeresstrand. 1853 einmal an einem Zaune in Walle bei Bremen (Pharmaceut Dannenberg).

Berteroa incana DC. Bei Mühlen, in den Hafenanlagen; tritt regulär in der Nähe der Ausladeplätze von Getreide auf. Auch bei Ziegeleien und an andern Orten tritt diese sonst auf der Geest heimische Pflanze auf, so z. B. am Weserufer (Vergl. Abh. X, 3, 434).

*Alyssum calycinum L. In Mittel- und Südeuropa verbreitet. An Bahndämmen (siehe Buchenau's Floren). Früher auf Kleeäckern bei Sudwalde und Freidorf eingeschleppt (Beckmann). Mehrfach an Mühlen (H., F., M., W.). Neuerdings von Herrn Leege auf Juist an einem Zaune gefunden (1894).

*Erysimum orientale R. Br. Am Weserufer, in der Nähe der Mühlen und Häfen nicht selten, aber unbeständig. Bereits in Mitteldeutschland zu den gemeinsten Ackerunkräutern zählend. Wichtig für das Auftreten dieser Pflanze bei uns sind ihre Wohnstätten in Südrussland, der Türkei, Ungarn und Österreich. Sie ist auch in den letzten Jahren stets hier beobachtet. (Focke in diesen Abhandl. IX, 2, 114 und XI, 2, 434).

*E. repandum L. Südrussland, Türkei, Ungarn, Österreich. An Mühlen und auf Bahnhöfen, nicht gerade häufig bis jetzt beobachtet. (Abh. XI, 2, 434).

*E. canescens Roth. Südosteuropa. Bei einer Mühle (F.).

Hesperis matronalis L. Als Gartenflüchtling manchmal auf Schutt verwildert (1892 Wahrdamm, Verf.), ferner am Weserufer angeschwemmt (Abh. I, 5. F.). Einheimisch ist sie erst in Österreich.

Sisymbrium Sinapistrum Crantz. Heimat: Ungarn, daher von Jacquin S. pannonicum genannt. Bemerkungen über diese durch die Viehsendungen aus Ungarn auf vielen Bahnhöfen Deutschlands und Österreichs verbreitete Pflanze finden sich: Abh. VI, 2, 511; VIII, 2, 543; Buchenau, Fl. von Bremen II. Aufl.: „seit 1870" beobachtet. Auch bei Mühlen, auf den Lagerplätzen in den Hafenanlagen ist sie vielfach alljährlich anzutreffen. Seit 1892 im Rasen der Dossierung des verlängerten Osterdeiches, ferner Lübeckerstrasse

(W.). Längere Jahre vor dem Lazarett an der Neustadtscontrescarpe (Verf.). Seit 1890 auf Juist (Buchenau, Fl. der nordwestdeutschen Tiefebene).

*S. Loeselii L. Hat mit S. Sinapistrum die Heimat gemein. Sie kommt bei uns nicht so häufig vor wie die vorige, gehört aber trotzdem noch zu den Hauptvertretern der Adventivflora. (Focke in Abh. VI, 2, 511; VIII, 2, 543 auch für die folgende Spezies, dann Buchenau, Fl. v. Bremen, III. Aufl.) Bahnhöfe, Mühlen, Hafenplätze, am Weserufer.

*S. Columnae Jacq. Ebenfalls aus Südeuropa stammend. An denselben Orten auftretend, verhältnismässig die seltenste der drei ungarischen Sisymbrien. „War während einiger Jahre am Weserufer unterhalb der Stadt massenhaft verbreitet": F.

*S. polyceratium L. Stammt aus Südeuropa. 1894 mehrfach auf Mühlenabfall (F.).

Lepidium ruderale L. An der Nordsee und auf den Inseln nicht selten (vergl. Buchenau's Floren), Der Seeschlick hat dieser Pflanze zum Teil ihre grosse Verbreitung verschafft (F. in Abh. VIII, 2). Besonders fühlt sich diese Spezies auf den Bahnhöfen heimisch; sie ist überall im Gebiet verbreitet. Seit 1877 auf dem Werder (Prof. Buchenau). Auf wüsten Bauplätzen, an Dorfstrassen. Vergl. auch Focke in diesen Abh. I, pag. 6 und VI, 2, 511 sowie Hagena II, 1.

*L. perfoliatum L. In Deutschland weder einheimisch noch eingebürgert, daher z. B. bei Garcke nicht erwähnt. Heimat: Südosteuropa (Ungarn, Croatien, Türkei, Südrussland). Focke: Abh. VI, 2, 511: Beobachtungen aus den Jahren 1876 und 1877, daher rührt wohl die seltsame Angabe Halliers in Schlechtendal's Flora von Deutschland, Österreich und der Schweiz: „Verwildert bei Bremen", als wenn die Pflanze dauernd aufgetreten wäre. In den letzten Jahren mehrt sich die Zahl der Vorkommnisse. Besonders in den Hafenanlagen in der Nähe der Getreideschuppen, dann auch bei Mühlen. (F., M., H., W., Verf.).

*L. campestre R. Br. Bereits in Mitteldeutschland als Ackerunkraut. Kalkpflanze. In ganz Süd- und Mitteleuropa verbreitet. Häufig in neu angesätem Rasen (Abh. I, pag. 6), so auch seit 1892 massenhaft im Rasen des Osterdeiches (F., W., Verf.). Auf Kleefeldern bei Bassum mehrfach beobachtet. An Mühlen zahlreich (W., H., Verf.). Vor einigen Jahren in Menge bei Verden (F.). Auf Bahnhöfen nicht selten (Lesum 1890 und 1892 Verf.). Bei Varel (Abh. XI, 2, 434) und bei Zwischenahn. Vergl. auch Abh. VI, 2, 510.

L. sativum L. Gartenflüchtling, nicht selten auf Schutt, auch am Weserufer. (F. in Abh. I).

*L. Draba L. Spärlich in Mittel- und Süddeutschland, liebt Schuttplätze (so bei München) und ist unbeständig. Verbreitet in Südosteuropa. Bei Nordenham während einer Reihe von Jahren

(1888—1893) in grosser Menge von Focke und Jülfs beobachtet (XI, 2, 434), 1866 im Rasen eines Gutes bei St. Magnus (Buchenau), 1894 bei einer Mühle in Bremen (F.).

*L. mieranthum Ledebour. Südöstliches Russland. Seit 1892 am verlängerten Osterdeich beobachtet (F., Verf., W.), ferner an verschiedenen Mühlen (H., F., W., Verf.). Siehe Ascherson in Verh. des Brand. Bot. Ver. XXXIII, pag. 108.

Camelina sativa Fries. Häufig auf Schutt. Abh. VI, 2, 511 (F.); VIII, 2, 543. Häufig auch an der Weser (F.).

C. foetida Fries fand Verf. mehrfach in der Nähe von Ziegeleien bei Wahrdamm und auch am Sicherheitshafen. Beide Spezies sind bekanntlich bei uns als Unkräuter in den Leinfeldern einheimisch.

*C. microcarpa Andrzejowski (= C. silvestris Fries) 1883 am Weserufer (F.: VIII, 2, 591). An Mühlen 1894 (Verf.). Alle drei Camelina-Arten kommen wohl meist aus Südeuropa auf unsere Schuttplätze, wenn sie auch bisweilen durch Leinsaat oder Getreide aus näher gelegenen Gebieten verschleppt werden.

Neslea panniculata Desv. Mittel- und Südeuropa. Im Gebiete nur spärlich und stets eingeschleppt, wenn auch bisweilen recht lange bei uns aushaltend (50 Jahre bei Gröpelingen beobachtet, F.). Vereinzelt auf Schuttstellen in der Nähe der Häfen auftretend, auch 1892 am neuen Osterdeich (Verf.). Siehe ferner Buchenau's Floren und Abh. I, pag. 6.

Bunias orientalis L. Heimat: das östliche Europa. An vielen Orten Deutschlands eingeschleppt. Bei Bremen mehrfach beobachtet, so mehrere Jahre am Sicherheitshafen an verschiedenen Stellen; ebenso in Woltmershausen (Verf.), jetzt verschwunden. 1893 und 1894 verschiedentlich in der Nähe von Mühlen (W.). Über frühere ebenso vorübergehende Fundorte vergl. Buchenau's Floren.

Sinapis alba L. Verwildert nicht selten auf Schutt.

*Rapistrum perenne All. Ungarn, Banat, Österreich, Siebenbürgen. Selten an Hafenplätzen eingeschleppt, einmal vor mehreren Jahren am Sicherheitshafen (Verf.).

*R. rugosum All. Mittel- und Südeuropa. Bei Dötlingen einmal von Hagena gefunden, wahrscheinlich mit Medicago sativa eingeschleppt.

*Diplotaxis muralis DC. Balkanhalbinsel, Siebenbürgen, Ungarn, Österreich. Am Weserufer 1883 (F.). Mehrfach neuerdings am Osterdeich und an Mühlen gefunden (W.). Überhaupt in Deutschland an vielen Orten verschleppt.

*D. tenuifolia DC. Auch vielfach in Deutschland eingewandert. Heimatsbezirke wie die vorige. 1893 am Osterdeich (W.).

*Chorispora tenella DC. Südrussland. Wie bei Hamburg so auch neuerdings bei Bremen in der Nähe von Mühlen bemerkt (H., W.).

*Eruca sativa Lam. Wird in Südeuropa als Senfpflanze gebaut. Am alten Hamburger Bahnhof 1893 (W.); Fabrikhafen 1894 (F.).

18*

Viola odorata L. Vereinzelt als Gartenflüchtling auf Schutt, unter Hecken und auf Rasenplätzen.

Reseda Luteola L. Mittel- und Südeuropa. In Mitteldeutschland an Wegen und Bergabhängen nicht. selten. Kalkliebend. Manchmal auf Schutt, auch auf frischgesäten Rasenflächen.

***R. lutea L.** Heimat und Verbreitung ähnlich wie bei der vorigen. 1883 am Weserufer bei Oslebshausen (F.). Bahnhof Osterholz-Scharmbeck in den siebziger Jahren (F. in Abh. VII, 2, 510). Hallier citiert jene Stelle der Abh. falsch: „Reseda lutea L. auf und neben dem Bahnhof Oslebshausen." Er übersieht das Kolon, das sich auf die folgende Pflanze bezieht. Auf Bahnhöfen überhaupt mehrfach beobachtet, z. B. Dreye, Burg-Lesum. Häufig in der Nähe der Häfen (M., Verf.), Mühlen sowie an verschiedenen andern Orten.

R. odorata L. Gartenpflanze, zuweilen verwildert auf Schutt (F. in Abh. VI, pag. 511).

***Dianthus prolifer L.** Mittel- und Südeuropa. Auch in Deutschland nicht selten, aber wohl aus dem Südosten unseres Kontinentes zu uns gelangt: mehrfach an einer Stelle im Holzhafen 1894 (F., Verf.).

D. barbatus L. Alpen. Zierpflanze. Bisweilen verwildert.

D. Armeria L. In Nordwestdeutschland beinahe fehlend, erst in Mitteldeutschland häufiger, überhaupt in Mittel- und Südeuropa verbreitet. Vereinzelt am Osterdeich 1892 (Verf.).

Gypsophila muralis L. Im bremischen Gebiete nicht einheimisch. In Mitteldeutschland stellenweise auf Äckern, in fast ganz Europa verbreitet. Früher in Leuchtenburg. Am Weserufer (F. in Abh. VIII, 2, 509), Hafenanlagen mehrfach (Böhne, Verf.).

***G. paniculata L.** Südosteuropa durch Ungarn bis Österreich, dort aber nur noch vereinzelt. 1894 ein Exemplar bei einerMühle (F.).

***Vaccaria parviflora Mönch.** Mittel- und Südeuropa, fast allgemein verbreitet. Auf dem Kalkboden Mitteldeutschlands mehrfach. Abh. VI, 2, 511: am Centralbahnhof*) 1877 (F.), Holzhafen 1894 (Verf.). Hagena: „Einzeln zwischen Flachs" (Abh. II, 1, 89). 1894 in einem Garten an der Kreuzstrasse, „durch ausgestreuten Rübsamen dahin gelangt": W.

***Silene dichotoma Ehrh.** Südosteuropa bis Ungarn. Nicht selten auf Schutt, ferner am Weserufer (F. in Abh. VIII, 2, 591 und VI, 2, 511). In der Nähe von Mühlen und Hafenanlagen häufig.

S. gallica L. Mittel- und Südeuropa. 1864 Gröpelinger Deich (Abh. I), auch sonst nur spärlich (F. in Abh. VI, 510) auf Schutt, so bei Vegesack 1894.

S. inflata Smith. Im eigentlichen Bremer Gebiet wohl kaum wild, dagegen nicht selten eingeschleppt (siehe Buchenau's Floren). Rasige Abhänge, ferner in der Umgebung von Mühlen und auf den Lagerplätzen in den Hafenanlagen, auf dem Schutt der Bahnhöfe.

---

*) Anm. „Das für den künftigen Centralbahnhof bestimmte Grundstück", Abh. VI, pag. 510, ist später nicht für diesen Zweck benutzt worden.

S. Armeria L. Manchmal auf Bauschutt, an Wegen u. s. w. als Gartenflüchtling. Heimat besonders Südeuropa bis Mitteldeutschland.

*S. conica L. West- und Südeuropa, wohl aus dem Südosten unseres Kontinentes zu uns gelangt. Bei einer Mühle in ziemlicher Menge (F.)

*S. cretica L. Stammt aus Südeuropa. Bei einer Mühle (F).

*Melandrynm noctiflorum Fries. Mittel- und Südeuropa. Am Weserufer unterhalb der Stadt 1883 (F.). In der Nähe der Häfen nicht selten auftretend (Verf.). Früher mehrfach in der Umgebung des Bremer Bahnhofes gesehen (F.). Dunkhase'sche Mühlen bei Leeste.

*M. macrocarpum Willk. Heimat Südeuropa. 1893 und 1894 bei einer Mühle (F.).

Alsine tenuifolia Wahlenberg. In einem Garten zu Oslebshausen seit 1857, mit Grottensteinen eingeschleppt (Abh. Band I.).

Linum usitatissimum L. Gebaut. Vielfach in der Umgebung der Häfen, der Mühlen und auch anderswo verschleppt.

Malva moschata L. Westeuropa, in Mitteldeutschland verbreitet. 1887 einmal bei einer Ziegelei zu Wahrdamm (Verf.), 1894 am Osterdeich (W.). Bei Achim an der Eisenbahn (Alpers).

M. rotundifolia L. (= M. borealis Wallmann). Seit alter Zeit in einigen abgelegenen Dörfern der Umgegend von Bremen (F.). In früheren Dezennien: „Hin und wieder in der Osterthorsvorstadt" (Abh. I, pag. 9). In den letzten Jahren zahlreich bei Mühlen und in den Hafenanlagen aufgetreten.

*Hibiscus Trionum L. (= H. vesicarius Cav.). Südost europa bis Ungarn. Einmal auf Bauschutt bei Wahrdamm (Verf.).

Geranium pratense L. In Mitteldeutschland eine häufige Wiesenpflanze. Buchenau in Abh. I: „Hie und da auf Wiesen und an Grabenufern als Gartenflüchtling, 1858 im Werder, zu Horn und sonst." Seit 1886 auf dem Werder in bedeutender Zahl beobachtet, dort vollständig eingebürgert (W.), „1888 ein Exemplar auf dem Harrier Sande bei Brake, war 1893 noch vorhanden" (F.).

*G. pyrenaicum L. Mitteldeutschland. 1886 in der Nähe des Weiher Berges (Verf.), 1894 Osterdeich (W.).

*Erodium moschatum L'Héritier. Mittel- und Südeuropa. In Deutschland ist die Pflanze sicherlich nicht heimisch, doch tritt sie an verschiedenen Stellen als Adventivpflanze auf. So 1886 mehrfach bei Burg-Lesum auf dem Areale der Wollwäscherei (Verf). Auch bei Berlin durch Wolle eingeschleppt (Abh. des Brand. Bot. Ver. XXV, 24). In dem Hamburger Verzeichnis wird sie ebenfalls aufgeführt, jedoch wird die Art des Auftretens und die Möglichkeit der Einführung nicht näher angegeben.

Oxalis stricta L. Nordamerika. Gemeines Gartenunkraut.

O. corniculata L. Südeuropa. Selten im Gebiete als Gartenunkraut auftretend (siehe Buchenau, Fl. v. Bremen).

Anthyllis Vulneraria L. Im Gebiete der Bremer Flora nicht als ständiger Bürger figurierend. Der Wundklee verlangt Kalkboden, gedeiht daher auch gut auf den Ostfriesischen Inseln, weil dem Dünensande die Fragmente von Muschelschalen und Crustaceen-panzern beigemengt sind. An der Weser nicht selten angeschwemmt, besonders auf neuem Boden, der an Mineralien reicher ist, so seit 1892 am verlängerten Osterdeich in grosser Menge (F., Verf., W.), in demselben Jahre auch sehr üppig am Holzhafen (M.), 1893 Werder (W.). Über frühere ähnliche Standorte siehe Abh. I, pag. 10.

Medicago falcata L. In Mitteldeutschland heimisch, folgt wie Anthyllis der Weser und tritt wie diese in manchen Jahren vielfach auf. Auch in den Hafenanlagen kehrt diese Pflanze regelmässig wieder. Manchmal findet sie sich auch auf neugesätem Rasen. — Im vorigen Jahrhundert am Bremer Stadtgraben (Hagemann in Roth Beitr. II, pag. 179).

M. sativa L. Von der in Mitteldeutschland häufig als Futterkraut gebauten Luzerne gilt dasselbe wie von M. falcata, mit der sie meistens auch gemeinsam bei uns auftritt.

*Mit den Stammeltern zusammen, kommt auch der Bastard: **M. falcata ×. sativa** (M. varia Martyn) vor, so z. B. von 1889 bis 1891 beim Lazarette an der Neustadtscontrescarpe, ferner zahlreich seit 1892 am Osterdeich.

*M. arabica All. var. maculata. Heimat Südeuropa. Durch Wolle vielfach nach Deutschland verschleppt. In der Nähe der Wollkämmereien bildet sie mit einigen Verwandten nicht selten ein stark wucherndes Unkraut. Lesum, Vegesack. In manchen Jahren zahlreich auf dem Dreieck. Bahnhöfe (1876 F.).

*M. hispida Gärtner. Teilt mit der vorigen die Heimat und ihre Verbreitung im Gebiet der Bremer Flora.

*Melilotus coeruleus Desrousseaux. Ist ursprünglich in Deutschland nirgends wild, wird in manchen Gegenden, besonders in der Schweiz, zur Bereitung des Kräuterkäses gebaut und verwildert dann oft. Neuerdings mehrfach in ziemlicher Menge in der Nähe der Häfen und Mühlen aufgetreten, wohl mit südrussischem Getreide eingewandert (Verf.).

*M. officinalis Desr. Mittel- und Südeuropa. Als Adventivpflanze in Rasen des Osterdeiches, in den Hafenanlagen und an Mühlen mehrfach.

*M. parviflorus Desf. 1876 mehrfach auf Schutt am Centralbahnhof (F.). 1894 bei einer Mühle (F.).

*M. ruthenicus M. B. Südöstliches Russland. Vor einigen Jahren in ziemlicher Menge bei der Gröpelinger Mühle (F.).

*Trifolium incarnatum L. Südeuropa. Selten bei uns gesät, einzeln bald hier, bald da einmal erscheinend, so am Osterdeich, Buntenthorssteinweg, bei Woltmershausen (Verf.).

T. striatum L. Mittel- und Südeuropa. Bei uns im Rasen: St. Magnus (F.), 1864 Stadtwerder (Abh. I), 1892 einmal am Osterdeich (Verf.). Während vieler Jahre zu Oslebshausen (F.).

T. agrarium L. Im Gebiete dauernd bei St. Magnus (siehe Buchenau's Flora), 1873 in Achim (Alpers), ferner massenhaft vor mehreren Jahren in einem Kleefelde in Nienstedt bei Bassum (Verf.), bereits früher einmal von Beckmann dort beobachtet (vergl. dessen Florula Bassumensis). Längere Zeit bei Gross-Ringmar (Beckmann). Einmal am Eisenbahndamm bei der Munte; bald hier, bald da (F.).

T. spadiceum L. Mittel- und Süddeutschland. 1857 beim Hirtenhause am Gröpelinger Deich in mehreren Exemplaren (Prof. Buchenau).

*T. resupinatum L. Südeuropa. Vereinzelt an Mühlen mit südrussischem Getreide eingeführt (Verf.).

*Coronilla varia L. In Mitteldeutschland auf Kalkboden häufig. 1885—1891 in mehreren Exemplaren auf dem Bauhofe an der Fuldastrasse beobachtet, dann durch die Vergrösserung des Hauses der Strassenbaudirektion vernichtet (Verf.).

*Onobrychis viciaefolia Scop. In Mitteldeutschland auf Kalk als Futterpflanze viel gebaut. Seit 1887 an der Mündung des Holzhafens (M.), seit 1892 am Osterdeich massenhaft (F., Verf., W.).

Vicia villosa Roth. Mittel- und Südeuropa. Früher an der Weser bei Baden (F. in Abh. I., pag. 11). Nach Hagena an der Weser und zwischen Getreide in der Marsch (II, pag. 94). Neuerdings mehrfach an Mühlen.

*V. peregrina L. Südeuropa. Mehrfach 1894 an einer Mühle (Verf.).

*V. melanops Sibth. et Sm. (= V. tricolor Seb. et Maur.). Italien, Sicilien, Dalmatien bis Laconien herunter. Mit voriger 1894 an einer Mühle (Verf.).

*V. lutea L. Allerdings am Mittelrhein und an andern Orten in Süddeutschland unter der Saat; zu uns kommt sie aber aus Südrussland, Bulgarien und Rumänien. An einer Mühle (Verf.).

*V. pannonica Jacq. Südrussland bis Ungarn und Österreich. 1894 mehrfach an einer Mühle, zugleich dabei die **V. pannonica Jacq. var. purpurascens Koch** (Verf.).

Lens esculenta Mönch. Auf Kalkboden gebaut; im bremischen Gebiete nur zufällig und vereinzelt auf Schutt.

*Lathyrus Aphaca L. Südrussland, Balkanhalbinsel, Ungarn bis nach Süd- und Mitteldeutschland hinauf. 1894 an einer Mühle in grosser Menge (Verf.).

Potentilla recta L. In Mitteldeutschland wild. Manchmal auf wüstem Gartenland (Abh. I), so auch vor mehreren Jahren am Neustadtswall (Verf.).

*P. recta L. var. Astrachanica Jacq. Heimat: Südrussland. In mehreren Exemplaren 1894 bei einer Mühle (F.).

P. argentea L. In unserer Flora besonders auf sandigem Terrain wild. Häufig in Hafenanlagen und an Mühlen, sowie an Eisenbahndämmen, dann offenbar eingeführt.

*P. pilosa Willd. 1894 an einer Mühle (Verf.).

*P. intermedia L. Russland. 1884 zwei Exemplare am Weser-ufer (F. Abh. IX, 2, 114: „In Deutschland kaum einheimisch"), 1892 und 1893 mehrfach in der Gegend der Parkstrasse und an andern Stellen der östlichen Vorstadt (F.).

*P. canescens Bess. Mittel- und Südrussland, Ungarn, Österreich. Einzeln an Häfen und bei Mühlen (F., Verf.),
Sanguisorba minor Scop. Kalkliebend, in Mitteldeutschland besonders auf Esparsettfeldern gemein. An der Weser und Lesum (F.), vielfach auf Neuland und an Stellen, die der Überschwemmung ausgesetzt sind, so am Osterdeich, auf dem Werder, Pauliner Marsch, dann auch nicht selten mit oberländischem Grassamen zu uns gelangend (siehe bereits Abh. I), am Holzhafen seit 1891 (M.).
Amelanchier vulgaris Mönch. Gebirge Süd- und Mitteldeutschlands, verwildert bisweilen aus Gärten (ebenso wie A. canadensis Torrey et Gray, vergl. Buchenau's Floren). Einmal im Weidengebüsch am Magazinsberg bei Hastedt, „offenbar durch die Weser angeschwemmt": Buchenau.
Oenothera biennis L. Heimat: Virginien. Seit 1614 in Europa. Anfänglich kultiviert, verwilderte diese Pflanze bald an Eisenbahndämmen, auf wüstem Gartenland, besonders auch aus Bauerngärten, wo sie noch jetzt in der Umgegend nicht selten gezogen wird. Eine unstäte Pflanze, bald hier, bald da einmal (siehe Buchenau's Floren.).
*O· sinuata Mich. St. Louis. In mehreren Exemplaren an einer Mühle 1893 und 1894 (F., Dr. Klebahn, Verf.).
Portulaca oleracea L. und **P. sativa Haworth.** Gebaut; nicht selten auf Bauschutt, ferner am Weserufer, an Mühlen, in der Nähe der Häfen. Stammen aus Südeuropa.
Claytonia perfoliata Donn. Heimat: Nordamerika. Seit 1873 bei Stade in Sanders Anlagen von Alpers beobachtet: „Scheint sich zu halten" (Abh. IX, 3). „Um 1850 mehrere Jahre an einer Gartenhecke zu Rockwinkel beobachtet, später verschwunden" (F.). Kommt auch an andern Orten in Deutschland vor, so bei Berlin an einigen Stellen ein lästiges Unkraut (Verb. d. Brand. Bot. Ver. XXV, 32).
*Mesembryanthemum crystallinum L. Heimat: Capland. In Südeuropa stellenweise gemein. Bei uns in Gärten und als Topfpflanze gezogen. 1877 Schutt beim Bahnhofe (F.).
Ribes Grossularia L. und **R. alpinum L.** verwildern manchmal (siehe Buchenau's Floren).
*Falcaria vulgaris Bernh. Kalkliebende Pflanze. Mittel- und Südrussland, Türkei, Ungarn, Österreich, Mittel- und Süddeutschland. Einzeln an Mühlen 1893 (W.).
*Bupleurum rotundifolium L. Südrussland, nördliche Balkanhalbinsel, Ungarn, Österreich, Mittel- und Süddeutschland. Bei uns auf dem Schutt der Bahnhöfe (F. 1877, ein Exemplar), an den Häfen bei den Lagerplätzen von Getreide oft zahlreich (Verf.), ferner bei Mühlen (M., W., Verf.) neuerdings mehrfach.
Silaus pratensis Bess. Wiesen in Mittel- und Süddeutschland. Früher von Dr. H. Koch auf der Pauliner Marsch beobachtet, jetzt dort nicht wieder gefunden, dagegen auf dem Werder zahlreich und am Osterdeich vereinzelt neuerdings bemerkt (W.).
*Orlaya grandiflora Hoffm. Süd- und Mitteleuropa. Kalkpflanze, in manchen Gegenden Mitteldeutschlands, besonders früher,

wegen ihrer Massenhaftigkeit ein sehr lästiges Feldunkraut: „Bettellaus." Bei uns wegen des Kalkmangels immer nur vorübergehend wie alle hier zu erwähnenden Umbelliferen von den Äckern Mitteldeutschlands. In den Hafenanlagen mehrfach in den letzten Jahren (M., Verf.), einmal auf verwildertem Gartenland an der Hohenthorscontrescarpe (Böhne).

*Caucalis daucoides L. Mittel- und Südeuropa. In der Nähe der Häfen und Mühlen oft zahlreich (M., Verf.).

*Turgenia latifolia Hoffm. Heimat wie die vorige. Bis jetzt nur selten bei uns eingeschleppt: 1892 auf Dr. Adami's Landgut zu Sebaldsbrück von Dr. Klebahn gefunden.

Scandix Pecten veneris L. Mittel- und Südeuropa. Im Gebiete nicht als Bürger zu bezeichnen, überhaupt in Deutschland nur zerstreut, liebt Kalkboden. 1865 vereinzelt beim Krankenhause (F.), 1878 eine Anzahl Exemplare dieser Pflanze an der Meterstrasse.

Anthriscus Cerefolium Hoffm. Südeuropa. Bisweilen gebaut. Abh. I, pag. 17: „Verwildert auf Schutt: Bremen, Vegesack."

*Coriandrum sativum L. Südeuropa; selten gebaut. Vor mehreren Jahren am Sicherheitshafen (Verf.), Schutt beim Schlachthof (W.), Fabrikhafen 1894 (F.).

Symphoricarpus racemosus Mich. Häufiger Zierstrauch. Verwildert bei St. Magnus (zuerst von Chr. Luerssen gefunden).

*Galium tricorne With. Mittel- und Südeuropa. Auf den Kalkäckern Mitteldeutschlands verbreitet. 1877 Schutt beim Centralbahnhof und auf dem angrenzenden Friedhofe (F. und Rehberg).

*G. silvestre Pollich. Bei uns nicht heimisch, einzeln mit fremdem Grassamen eingewandert (vergl. Buchenau's Floren).

Sherardia arvensis L. In Mitteldeutschland häufig auf Kalkäckern, auf dem ganzen Kontinent mit Ausnahme des Nordens verbreitet. Bei uns ziemlich häufig in frischem Rasen (vergl. Abh. I, pag. 17 und 18; II, 1, 102), aber nicht dauernd. Bereits 1807 einmal bei Baden gefunden (L. C. Treviranus). Massenhaft 1892 am Osterdeich. Bisweilen auf Kleeäckern bei Bassum (Beckmann). Anscheinend ständig im Rasen von Creutzenberg's Hôtel in Zwischenahn.

Asperula arvensis L. Mittel- und Südeuropa. Nach Trentepohl einmal von Roth bei Oldenburg im Getreide gefunden, in Norddeutschland nirgends einheimisch. Selten eingeschleppt (F. in Abh. VI, pag. 510).

Valerianella dentata Pollich. Auf dem ganzen Kontinent verbreitet. 50 Jahre bei Gröpelingen, etwa 20 Jahre bei Oslebshausen beobachtet (F.), jetzt verschwunden. Einmal auf dem Dreieck in wenigen Exemplaren (Verf.). Bei Neunkirchen früher von Apotheker L. Meyer gesammelt.

Aster leucanthemus Desf. Heimat: Nordamerika. Seit langer Zeit eingebürgert. An der Weser und ihren Nebenflüssen wild. Wird wie der verwandte **A. salicifolius Scholler,** der sich an denselben Orten findet, in Bauerngärten vielfach gezogen und verwildert daraus leicht.

A. novi Belgii L. Verwildert in Bauerngärten, so bei Kellinghausen unweit Bassum. Heimat: Nordamerika.

Solidago serotina Aiton. Nordamerika, Zierpflanze. Verwildert: so einmal unter Weiden am Weserufer bei Woltmershausen (F.).

Erigeron canadensis L. Seit dem 17. Jahrhundert aus Kanada nach Europa gelangt. Sehr schnell verbreitete er sich über den ganzen Erdteil. Er ist in der Bodenart durchaus nicht wählerisch, gedeiht sogar auf dem sterilen Baggersand in unseren Hafenanlagen vorzüglich. Wegen der ungeheuren Menge der Früchte und der so überaus leichten Transportierbarkeit derselben kann er sich binnen kurzem jeden neuen Distrikt erobern. Im Gebiete ist er besonders in der Stadt selbst auf wüsten Plätzen und dann an den Eisenbahnen entlang sehr gemein. Vielfach auch am Weserufer.

*Artemisia scoparia W. K. Heimat: Südrussland, Donaugebiet. Im deutschen Reiche wohl nur eingeschleppt (besonders an mehreren Stellen im Gebiete der Weichsel). Bei Bremen einmal in grösserer Anzahl beobachtet: 1889 in der Nähe einer Ziegelei am Wahrdamm (Verf.).

*A. austriaca Jacq. Südrussland durch Ungarn bis Österreich. 1894 mehrfach an einer Mühle (H.).

*A. biennis Willd. Nordamerika (Mississippigebiet). 1894 einige Exemplare bei einer Mühle (Verf.).

Cotula coronopifolia L. Heimat vielleicht die südliche Halbkugel (Buchenau). Über die Verbreitung dieser Wanderpflanze im Gebiete der Bremer Flora siehe Buchenau in Bot. Zeitung 1862, diese Abh. I, pag. 19 u. 101, IV, 2, 213, endlich Buchenau's Floren.

*Achillea nobilis L. Kalkliebend. Süd- und Mitteleuropa. In der Nähe der Häfen mehrfach zu verschiedenen Malen (Verf.), 1883 an der Weser bei Oslebshausen (F.), neuerdings an mehreren Mühlen aufgetaucht (H., F., Verf.).

*A. tomentosa L. Südrussland. In der Nähe einer Dampfmühle in ziemlicher Anzahl 1894 (M., F. Verf.).

*Anthemis tinctoria L. Südost- und Centraleuropa. In Mitteldeutschland auf Kalkboden häufig, bei uns nicht eingebürgert, dagegen vielfach auf den Schuttstellen bei Mühlen und an Häfen. 1892 auch am Osterdeich.

*A. Ruthenica M. B. Südrussland, Ungarn. 1893 und 1894 in Menge bei einer Mühle (F.).

Chrysanthemum Parthenium Persoon. Orient, Südeuropa. Vielfach als Zierpflanze verwendet, verwildert nicht selten, so auf Bauschutt in der Stadt und an Dorfstrassen, auch an Bahndämmen.

*Matricaria discoidea DC. Westliches Nordamerika und Ostasien. Seit 1852 in Deutschland, zuerst aus dem botanischen Garten zu Berlin verwildert, jetzt an den verschiedensten Punkten eingebürgert, verbreitet sich besonders entlang den Eisenbahnen. In Bremen und Umgegend an fast allen Bahnhöfen zu finden. Dr. W. O. Focke entdeckte 1883 diese Pflanze zuerst auf den Bahnhöfen von Oslebshausen und Lesum (Abh. VIII, 2, 498). Seit 1886 massenhaft am Sicherheitshafen und Neustadtsbahnhof bemerkt (Verf.). Jetzt, wie erwähnt, überall angesiedelt.

*Rudbeckia hirta L. 1893 Osterdeich (W., M.), Ufergebüsch am Werder (W.). Heimat: Nordamerika.

*Lepachis pinnata Torr. et Gray. St. Louis. In der Nähe einer Dampfmühle (Verf.).

*Coreopsis tinctoria Nutt. Nordamerika. — In der Nähe einer Dampfmühle (F., Verf.).

Galinsoga parviflora Cavanilles. Peru. Über die Verbreitung dieser Pflanze in Deutschland liegt eine grössere Anzahl von Mitteilungen vor: Ascherson und Kronfeld haben 1889 und 1892 in der österreichischen botanischen Zeitschrift wichtige Daten ihres Eroberungszuges gegeben. Nach der eingehenden Untersuchung von Prof. Buchenau „Zur Geschichte der Einwanderung von Gal. parv. Cav." (Abh. XII, 551—554) dürfte· sie bei Vegesack und Oberneuland von Pflanzen abstammen, die Roth und vielleicht auch Treviranus*) an den beiden Orten auf ihren Besitzungen zu botanischen Zwecken züchteten und zwar um das Jahr 1798. Über ihre weitere Verbreitung finden sich keine Nachrichten, bis Herr Dr. W. O. Focke sie 1843 zahlreich bei Vegesack, Grohn und Aumund bemerkte. 1850 bei dem sog. Richtstuhl im Hollerlande (F.), 1859 im westlichen Teile von Oberneuland und Rockwinkel gemein, erst einige Jahre später in der Gegend des Mühlenfeldes (F.), noch später zu Oyterdamm (F.). Sonst fand sie sich vorübergehend einige Jahre auf wüstem Gartenland an der Hohenthorscontrescarpe, jetzt dort ausgerottet (Böhne, Verf.). 1894 in Menge auf Gemüseland in der östlichen Vorstadt (F.). Ob die Empfindlichkeit dieser Pflanze gegen Frost ihrer übermässigen Verbreitung Einhalt thut, wie Buchenau meint, dürfte wohl fraglich sein. Hat sie doch diese Eigenschaft mit dem Allerweltsunkraut Senecio vulgaris gemein. Sie hat sogar noch mancherlei Vorzüge vor diesem voraus (siehe F. in Abh. XII, 425), wenn auch zugegeben werden muss, dass der starke Pappus von S. vulgaris dieses im Kampfe um den Platz ungleich günstiger stellt.

Senecio viscosus L. tritt, ausser auf sandigem, trocknem Brachlande, auch ·häufig als Ruderalpflanze auf, findet sich z. B. auf Bauplätzen, an Eisenbahndämmen (besonders neuen), am Weserufer und in der Nähe der Häfen oft in grosser Zahl.

*S. vernalis W. et K. Eine Wanderpflanze aus dem Osten. Einen interessanten Beitrag zur Geschichte dieser Pflanze lieferte Ascherson ·in den Verh. des Brand. Bot. Vereins III und IV, pag. 150—155. Im Gebiete seit 1882 auf Kleeäckern bei Brachhausen und seit 1883 bei Sudwalde in der Nähe von Bassum durch Beckmann beobachtet. 1883 auch die var. eradiatus zwischen Freidorf und Neubruchhausen. (Abh. X, 494). Die Kleesaat, welche auf

---

*) Anm. Wuchs 1859 und 1860 sicher nicht in der Nähe von Treviranus einstmaligem Besitztume. W. O. F.

jenen Äckern gezogen wurde, stammte aus Schlesien, wo die Pflanze ebenso wie in der Prov. Brandenburg als ein äusserst lästiges Unkraut auftrat. Bei Sudwalde ist sie auf die Warnung des Herrn Beckmann hin ausgerottet worden. 1892 ein einzelnes Exemplar bei Gruppenbüren (F.), 1894 zu Oslebshausen (F.) und auf Mühlenschutt in Bremen (F.).

Xanthium strumarium L. Einheimisch, aber selten und unbeständig an Dungstätten in den Dörfern, ausserdem einzeln in Hafenanlagen, bald hier, bald da. War während einiger Jahre häufig in der Nähe von Bahnhöfen (F.).

*X. spinosum L. Südeuropa. An Bahnhöfen, auf Hafenplätzen, an Mühlen, ferner auf Schuttplätzen in der Stadt. Besonders zahlreich in der Nähe der Wollwäscherei zu Burg-Lesum. Seit 1877 im bremischen Gebiete beobachtet (zuerst durch H. Kurth).

*Ambrosia artemisiaefolia L. Amerika. Auf Kleeäckern bei Bassum zweimal (Beckmann), 1877 einmal bei Hemelingen (Kurth), ferner zweimal auf dem Dreieck beobachtet (Verf.).

Silybum Marianum Gärtn. Südeuropa. Verwildert manchmal.

Onopordon Acanthium L. In Mitteldeutschland ziemlich· verbreitet, auch sonst in Süd- und Mitteleuropa. Bei uns nur spärlich und vorübergehend: 1865 bei Lesum und auf dem Werder (Buchenau), 1866 Buntenthorssteinweg. Alter Bahndamm bei der Neukirchstrasse 1894 (W). „Von Zeit zu Zeit vorübergehend an wüsten Stellen in den Vorstädten von Bremen gesehen" (F.). Schon 1781 von Hagemann als in Bremen vorkommend aufgeführt (Roth Beitr. II, 180).

*Carduus acanthoides L. Fast in ganz Europa. An Mühlen (H., W., Verf.).

*Centaurea thrincifolia DC. Cappadocien, Syrien. Einzeln im Freihafengebiete, gefunden durch Herrn Boveroux 1894.

*C. nigra L. West- und Centraleuropa. Bahndämme (zweimal bei Bassum: Beckmann) bei Nienstedt seit 1874: Abh. X, 495. Früher auch in Menge längs des Bahndammes bei der Parkstrasse (F.). Vor einigen Jahren an einer Mühle (Verf.), 1894 am Osterdeich (W.).

*C. solstitialis L. Südosteuropa. In Mitteldeutschland mehrfach auf Luzerne- und Esparsettfeldern eingeschleppt. Bei uns nur einzeln: Einmal bei Osterbinde (Beckmann), Centralbahnhof (F.), bei Häfen (W., Boveroux, Verf.), Osterdeich (W.).

*C. melitensis L. Südeuropa. In Deutschland nirgends eingebürgert. 1877 Centralbahnhof (von Herrn Rehberg gefunden).

*C· Calcitrapa L. In Deutschland meist nur aus dem Süden eingeschleppt. Centralbahnhof 1876 (F.).

*C. orientalis L. Südosteuropa. An einer Mühle 1893 (W.).

Cichorium Intybus L. Diese Pflanze ist an verschiedenen Stellen der Bremer Flora eingebürgert (siehe Buchenau's Floren). Sie ist in Mitteldeutschland weit häufiger als im Nordwesten. An der Weser, am verlängerten Osterdeich, seit 1892 ständig, früher bei Korff's Raffinerie, ferner an der Neustadtscontrescarpe, dort wieder verschwunden wie auch in der Umgebung der Häfen, wo sie bisweilen auftritt.

Picris hieracioides L. Wird aus dem Oberlande durch die Weser auf die bei Hochwasser von ihr überfluteten Wiesen gebracht, so auf den Werder. „An der Weser oberhalb Bremen bis Intschede nicht selten" (F.).

*Helminthia echioides Gärtner. Süd- und Westeuropa. In Deutschland nur eingeschleppt. Osterdeich 1893 (W.), 1894 dort völlig verschwunden.

*Tragopogon orientale L. Süd- und Mitteleuropa. 1894 ein Exemplar bei einer Mühle (F.).

Tr. porrifolium L. Südeuropa. Um 1780 „vor dem Doventhore" (Hagemann in Roth Beitr. II, pag. 179). Hat sich zu Rodenkirchen im Stadlande (an der Unterweser) eingebürgert.

*Lactuca Scariola L. Fast ganz Europa. An einer Mühle 2 Exemplare 1894 (Verf.).

*Crepis setosa Haller fil. Südeuropa, im übrigen Europa meist nur verschleppt. Bei uns selten mit Luzerne eingewandert: Osterbinde (Abh. X., Beckmann).

*Hieracium praealtum Vill. Süd- und Mitteleuropa. 1894 bei einer Mühle (F.).

Specularia Speculum Alph. DC. Mittel- und Südeuropa. An einer Mühle 1893 und 1894 (F., Verf.), manchmal auf neugesätem Rasen (Bürgerpark, Verf.).

Bryonia alba L. In Hecken, manchmal verwildert, so vielleicht 1857 und 1858 in der Doventhorsvorstadt (Dr. Noltenius), Hastedt 1862 (Luerssen) und anderswo.

Cuscuta Epithymum L. var Trifolii Bab. In der Nähe von Bassum auf Klee (Beckmann Abh. X).

C. Epilinum Weihe ist in Bassum nach Beckmann endemisch, nicht durch auswärtigen Leinsamen eingeschleppt.

Collomia grandiflora Lindl. Nordwestamerika. Früher eine Zeitlang als Zierpflanze verwendet, entfloh bald aus den Gärten, hat sich an verschiedenen Orten in Deutschland eingebürgert. Um 1852 während mehrerer Jahre in Menge bei Hastedt am Rande der Wesermarsch am Fusse der Dünen und des Deiches. Blühte hier nur kleistogamisch (F.).

*Schizanthus pinnatus Ruiz et Pavon. Peru. Kleefelder bei Nienstedt 1877 (Lehrer Weimer).

*Phacelia tanacetifolia Benth. Zierpflanze. 1894 bei Oberneuland auf Schutt (Dr. Klebahn).

Asperugo procumbens L. Fast durch ganz Europa verbreitet. Im Gebiete nur sehr spärlich wild, dagegen mehrfach eingeschleppt. Zuerst 1810 von Treviranus an der Düsternstrasse gefunden. 1886 in einem Garten am Neustadtswall, 1891 massenhaft am Hakenburger See (Verf.), dort aber bereits im folgenden Jahre verschwunden, daher nicht etwa „seit 1891," wie in der 4. Auflage der Flora von Bremen angegeben ist. 1894 am Holzhafen (M.).

*Lappula Myosotis Mönch. Süd- und Mitteleuropa. Bei uns auf dem Schutt der Bahnhöfe, der Hafenanlagen und Mühlen meist zahlreich.

Borrago officinalis L. Gebaut und bisweilen verwildert.

Anchusa officinalis L. Mittel- und Südeuropa. Schutt der Bahnhöfe und Mühlen vereinzelt.

*A. ochroleuca M. B. (?) Südrussland, Rumänien. 1894 an einer Mühle (F.).

Hyoscyamus niger L. Schutt der Dörfer, ausserdem in der Nähe der Häfen und auf wüsten Plätzen in der Stadt, unbeständig.

Datura Stramonium L. An ähnlichen Plätzen wie Hyoscyamus, aber spärlicher.

D. Stramonium var. Tatula L. (als Art) einmal bei einer Ziegelei in Wahrdamm (Verf.). Südeuropa.

Nicandra physaloides Gärtner. Ziemlich häufig in wüsten Gärten der Stadt und auf Gemüseland. Zuerst um 1850 von Focke beobachtet. Manchmal auf Schuttplätzen in der Nähe der Bahnhöfe. Seit mehreren Jahren im Garten der Moorversuchsstation zahlreich, von Pflanzen herstammend, die in dem Garten des Herrn Dr. Janke gezogen waren. Heimat: Peru.

Verbascum Thapsus L. Auf wüstem Gartenland, in der Nähe der Ziegeleien, auf Friedhöfen, in manchen Jahren nicht selten. Wohl kaum im Gebiete eingebürgert. Bereits in Mitteldeutschland häufig.

Digitalis purpurea L. Westeuropa. Bei uns bisweilen als Zierpflanze kultiviert und verwildert auf Gartenland. Seit 1878 bei Posthausen an Rainen von Prof. Buchenau gefunden.

Mimulus luteus L. Nordamerika. An vielen Orten in Deutschland an Flussufern und Gräben verwildert. An Gräben zu Altkloster bei Buxtehude in Menge, eingebürgert (F. in Abh. XII, 91).

*M. moschatus Douglas. Heimat: Westl. Amerika. Häufige Zierpflanze. 1876 einmal auf Schutt am Centralbahnhof.

Linaria Cymbalaria Mill. Italien. Häufig, überall in Deutschland völlig verwildert, besonders in Felsen- und Mauerritzen. Über ihre Verbreitung in der Umgegend von Bremen vergl. Buchenau's Floren und Beckmann, Florula Bassumensis (Abh. X).

L. minor Desf. Kalkliebend. Mittel- und Südeuropa. Nicht selten auf wüsten Plätzen, in der Nähe der Häfen. Besonders in der Umgebung von Wahrdamm bald hier, bald da. An manchen Stellen dauernd, z. B. beim Sicherheitshafen am Neustadtsdeich seit 1857 durch Herrn Dr. Noltenius bekannt geworden, noch 1890 dort bemerkt (Verf.). Hin und wieder vereinzelt am Weserufer, so 1894 bei Gröpelingen (F.).

*L. striata DC. In Deutschland nicht einheimisch. West- und Südeuropa. „An einem Ackerrande bei Jardinghausen seit 1881, scheint sich dauernd zu halten": Beckmann.

*L. spuria Mill. Süd- und Westeuropa, so auf den Kalk-äckern Mitteldeutschlands. Einmal durch Getreide eingeschleppt bei einem Hafen beobachtet (Verf.).

*L. genistifolia Trevir. Südrussland, Balkanhalbinsel, Ungarn, Österreich. 1894 bei einer Mühle (F.).

*Veronica austriaca L. var. bipinnatiflda Koch. Durch Südrussland bis Österreich. An einer Mühle 1893 (W.).

*Salvia pratensis L. Süd- und Mitteleuropa. Seit 1884 beständig im Rasen am Sicherheitshafen an einer Stelle (Verf.).

*S. verticillata L. Osteuropa. In den letzten Jahren an vielen Orten gefunden, besonders in der Nähe der Häfen und Mühlen nicht selten (Prof. Buchenau, H., W., F. Verf.).

*S. silvestris L. Südosteuropa, Ungarn, Österreich, Süd-und Mitteldeutschland. Mehrfach an den Häfen (Verf.), neuerdings auch an verschiedenen Mühlen beobachtet (H., W.), einmal bei Bassum bemerkt.

*S. lanceolata Willd. Einmal an einer Mühle 1894 (Verf.). Heimat: Nordamerika (Mississippigebiet).

*Calamintha Acinos Clairv. Mittel- und Südeuropa. In Nordwestdeutschland nur vereinzelt; mehrere Male eingeschleppt: Bahnhof Syke (F.), Bahnhof Dreye 1894 (Stucken), an einer Dampfmühle (Verf.).

*Nepeta ucranica L. (= N. parviflora M. B.). Südrussland, Rumänien, Siebenbürgen. Ein Exemplar 1893 bei einer Ziegelei (Verf.).

*Galeopsis Ladanum L. Süd- und Mitteleuropa. In Deutschland ziemlich verbreitet, im Gebiete der Bremer Flora nicht wild. Vereinzelt auf Gemüseland (IX, 3), an Häfen und Mühlen.

*Stachys annua L. Südost- und Mitteleuropa. Vereinzelt am Weserufer (F.), Hafenplätze (Verf.) und Mühlen (Verf.).

*Sideritis montana L. Südosteuropa. Mehrere Male auf Schuttstellen an den Häfen (Verf.). Bei Bassum 1888 ein Exemplar am Bahnhofe (Beckmann).

Ajuga genevensis L. Auf dem Kalkboden Mitteldeutschlands nicht selten, im bremischen Gebiete nur in einem Garten in Oslebshausen eingeschleppt.

*A. Chamaepitys Schreber. Südrussland, Rumänien, Ungarn, Österreich, Mittel- und Süddeutschland u. s. w. Kalkliebend. Einzeln vor einigen Jahren auf dem Dreieck am Sicherheitshafen (Verf.).

Verbena officinalis L. ist in Mitteldeutschland an Wegrändern in der Nähe der Dörfer häufiger als bei uns. Im Gebiete tritt die Pflanze ausser an ihren festen Standorten manchmal auf wüsten Bauplätzen in Menge, aber unbeständig, auf.

*Androsace maxima L. Südrussland, Moldau, Ungarn, Österreich. An einer Mühle 1894 (H.).

Anagallis arvensis L. var. coerulea Schreber tritt nicht selten mit der Hauptform zusammen an Ausladeplätzen der Hafenanlagen auf.

Plantago media L. Gemein in Mittel- und Süddeutschland. Bei uns ziemlich oft auf frischem Rasen. Am Ende des Buntenthorsfriedhofes zahlreich seit einer Reihe von Jahren (Verf.). Neuerdings wieder auf dem Werder (W.).

* **P. serpentina Vill.** Catalonien, Südfrankreich, Alpengebiet. 1894 ein Exemplar zwischen den Bahngeleisen am Fabrikhafen (F.).

* **P. altissima L.** Südosteuropa. „1894 bei einer Mühle, in der Tracht von Pl. lanceolata auffallend verschieden." (F.)

* **P. patagonica Jacq. var. aristata Michaux.** St. Louis. 1892 in 5 Exemplaren am verlängerten Osterdeich (Verf.). Neuerdings auch bei Hamburg bemerkt.

* **P. arenaria W. et K.** Südeuropa. In Deutschland nur unbeständig. Am Weserufer (1883, 1884, 1894 F.). Jetzt hin und wieder an Häfen und bei Mühlen, oft in grosser Menge (M., Verf.). Vorübergehend bei Zwischenahn (Sandstede: Abh. IX, 108).

Amarantus Blitum L. Südeuropa. Früher auf Gemüseländereien der Vorstädte, jetzt ausserdem oft in den Hafenanlagen und an Bahnhöfen.

A. retroflexus L. Mittel- und Südeuropa. Mit dem vorigen, aber häufiger, beinahe auf jedem Schuttplatz in grosser Anzahl, auch an Mühlen.

* **A. albus L.** Ursprünglich in Nordamerika heimisch, von dort nach Südeuropa gelangt, jetzt in Italien, Frankreich, Spanien und Griechenland völlig eingebürgert. Bei uns bis jetzt seltener als die beiden vorigen. (Dreieck 1892: Verf., 1893 am Fabrikhafen: F., 1893 am alten Hamburger Bahnhof: W.).

* **Salsola Kali L.** Meeresstrand. Massenhaft seit 1893 im Freihafengebiete (M.).

* **Kochia scoparia Schrader.** Südrussland, Balkanhalbinsel, Spanien. Einmal in grösserer Zahl an einem Hafen (Verf.).

* **Roubieva multifida Moq.-Tand.** 1889 u. 1890 in mehreren Exemplaren am Sicherheitshafen (Verf.). In Südeuropa als Ruderalpflanze.

Chenopodium hybridum L. Im Gebiete auf Schutt durchaus nicht selten.

C. murale L. Schutt in den älteren Dörfern. Krähenberg (vergleiche Buchenau's Floren).

C. urbicum L. Selten. In den Dörfern an Wegen. Einzeln eingeschleppt, so 1894 an einer Dampfmühle (Verf.).

* **C. ficifolium Sm.** Südosteuropa. 1893 und 1894 in Menge bei einer Mühle (F.).

* **C. opulifolium Schrader.** Seit 1880 in Borgfeld, an der Weser unterhalb der Stadt (1883 Focke), auf Schuttstellen in der

Stadt und in den Hafenanlagen nicht selten (F., Verf.). An allen
Stellen unbeständig. Fast in ganz Europa.

Blitum virgatum L. Südrussland, Ungarn, Mitteleuropa.
1814 von Heinrich Mertens in Stürens Garten gesammelt, 1876
Schutt beim Centralbahnhof (F.).

*Polygonum Bellardi All. Südrussland, Donaugebiet. 1893
und 1894 in der Umgebung einer Mühle und zwar an einer feuchten
Stelle in Menge, sonst zerstreut (F.).

Fagopyrum tataricum Gärtn. Als Unkraut unter F.
esculentum Mönch.

Euphorbia dulcis Jacq. 1864 Höpkensruh (Chr. Luerssen)
„wohl nur mit Gartenschutt an jene Stelle gelangt" (Abh. I). Mittel-
und Süddeutschland.

*E. virgata W. et K. Südrussland, Donaugebiet. 1893 im
Freihafen an einer Stelle (M. und Verf.). Ein Exemplar seit vielen
Jahren auf dem Bahnhofe Osterholz-Scharmbeck (F.).

Mercurialis annua L. In Mitteldeutschland gemein. Doven-
thorsfriedhof, Realschule am Doventhore (seit einer langen Reihe
von Jahren dort beobachtet).

Cannabis sativa L. Gebaut; nicht selten auf Schutt.

*Elodea canadensis Richard. Nordamerika. Herr Dr. Focke
machte im Jahre 1874 in diesen Abhandlungen auf das rapide Vordringen dieser Wanderpflanze aufmerksam. Damals war sie erst
von der unteren Elbe bekannt. Nach Alpers (Abh. IV, 368) rückte
sie 1869 aus dem alten Lande her bis nach Stade vor, besonders
in der Nähe von Stade und Uelzen wucherte sie in den Gewässern.
Bereits 1875 wurde ihr Auftreten in der Delme gemeldet; damit
hatte sie das bis dahin freie Wesergebiet erobert. 1876 Stedinger-
land, Lesumbrook, 1877 Borgfeld, 1878 Lilienthal und Weiher Berg.
Seitdem fast allgemein verbreitet, die gemeinste unserer Wasserpflanzen.

Crocus vernus Wulfen. Schlesien, Alpen. In Gärten gezogen, bisweilen verwildert: Contrescarpe und am Wallabhang zwischen
dem Salz- und Hohen-Thor in Stade (Alpers).

Sisyrinchium anceps Cavanilles. Nordamerika. Gartenflüchtling: Bei Verden 1842 (Dr. Lang), seit 1889 wohl nicht mehr
vorhanden, in den siebziger Jahren nach Alpers einmal am Grossen
Bracken bei Harsefeld und an andern Stellen (siehe Buchenau,
Flora der nordwestdeutschen Tiefebene).

Narcissus Pseudonarcissus L. Zierpflanze; verwildert zuweilen.

Ornithogalum nutans L. In Bauerngärten ebenso wie O.
umbellatum L. gezogen. Verwildert, doch weit spärlicher wie das
letztere, so auf Äckern bei Gröpelingen (F.). Siehe über beide
Buchenau's Floren.

Tulipa silvestris L. Südeuropa. Unter Bäumen in einem

Garten zu Hartwarden an der Unterweser in Menge; hier schon seit etwa 100 Jahren bekannt.

*Juncus tenuis Willdenow. Über diese leicht zu übersehende Pflanze liegen verschiedene ausführliche Angaben vor. Besonders ist ein Artikel von Ascherson (Verh. des Brand. bot. Ver. XXXII, Seite XXVIII) von Bedeutung. Hiernach ist unser Juncus, wie auch schon Buchenau in seiner Monographia Juncacearum hervorhebt, als eine Wanderpflanze zu betrachten. Diese Ansicht dürfte auch das Auffinden der Pflanze an den verschiedensten Stellen erklären: Die bei Nässe schleimig werdenden Samen haften leicht an und werden so besonders durch fremde Erdarbeiter oder auf andere Weise verschleppt (siehe Ascherson l. c.). Bei Ihlpohl an Wegen verbreitet, auch bei Stendorf (F. in Abh. IX, 2 und XI, 2), Ziegelei bei Abbenhausen (Beckmann), Bürgerpark (Buchenau), Stickgras bei Delmenhorst (F., Abh. X, 3), Nienstedt und Gr. Bramstedt 1888 (Beckmann: Abh. X, 3).

Panicum sanguinale L. In Deutschland ziemlich verbreitet, im Gebiete aber kaum heimisch. Kommt wohl besonders aus Südrussland und Rumänien durch Getreide zu uns. Manchmal am Weserufer (seit 1868 beobachtet: F.). In den letzten Jahren oft in grosser Menge in der Nähe der Häfen und Mühlen (W., Verf.). Bei Ottersberg und Achim (Alpers in Abh. IV, 3).

*P. miliaceum L. Im Süden von Europa gebaut, bei uns nur sehr spärlich bisweilen in der Nähe der Häfen eingeführt (Verf.).

P. capillare L. Nordamerika. 1868 am Weserufer bei Gröpelingen (F.). 1889 einige Exemplare am Sicherheitshafen (Verf.).

*P. proliferum Lam. Lesumer Wollwäscherei 1889 (Verf.). An einer Dampfmühle 1894 (Verf.). Nordamerika.

*Pollinia ciliata Trin. Heimat: Ostindien. Lesumer Wollwäscherei 1886 (Verf.).

Phalaris canariensis L. Als Vogelfutter benutzt, häufig auf Schutt.

Anthoxanthum Puelii Lecoq et Lamotte. Über die Verbreitung dieser Pflanze in unserem Gebiete haben wir mehrere Berichte: Focke in Abh. IV, 2, 214; Beckmann Abh. X, 3; ferner besonders Buchenau, Fl. der nordwestdeutschen Tiefebene. Die Pflanze scheint ausserdem in der Nähe der Häfen und Mühlen immer noch von neuem eingeführt zu werden, wie ihr massenhaftes Auftreten an jenen Stellen in manchen Jahren beweist. Südeuropa.

*Setaria italica P. de B. Ostindien, in Südeuropa gebaut. An Häfen und Mühlen spärlich (F. in Abh. VI, 2, 512; Verf.).

Alopecurus agrestis L. Im Gebiete der Bremer Flora nicht eingebürgert, in Ostfriesland häufig, bei uns nur einzeln und unbeständig (Buchenau's Floren, F. in Abh. VI, 2, 512).

Avena fatua L., A. sativa L., A. strigosa Schreber und A. brevis Roth treten sämtlich bisweilen in der Nähe der Häfen auf.

Avena flavescens L. Fast überall in Deutschland verbreitet. Im Gebiet, wie es scheint, nur eingeschleppt, an manchen Stellen aber vielleicht dauernd; so im Rasen des Sicherheitshafens auf beiden Seiten in Menge seit 1886 ständig beobachtet (Verf.), Osterdeich seit 1880 (F., W., Verf.), ebenso am Holzhafen (M.), 1877 auch im Bürgerpark (Prof. Buchenau), 1863 Buntenthorssteinweg am Deich.

. . A. pubescens Huds. Ebenso in Deutschland verbreitet, wie vorige. Auch durch Grassaat mehrfach zu uns gekommen, siehe z. B. Beckmann, florula Bassumensis (Abh. X), ferner einmal bei Oslebshausen (F.).

Avena tenuis Mönch. Süd- und Mitteleuropa. Im Herbarium der Adventivflora von Bremen liegt ein Exemplar aus dem Herbarium Mertens mit der Angabe „prope Lesum".

*Eragrostis minor Host. In Mittel- und Südeuropa. In Deutschland meist nur eingeschleppt. Wollwäscherei bei Burg-Lesum einmal (Verf.), ferner 1889 auf dem Dreieck (Verf.), 1894 bei einer Dampfmühle ein Exemplar (Verf.).

Poa compressa L. Süd- und Mitteleuropa. In Mitteldeutschland nicht selten an trockenen Abhängen, im Gebiete nur spärlich (vergl. Buchenau's Flora), vereinzelt eingeschleppt bei einer Dampfmühle 1894 (Verf.).

*P. Chaixi Villars. Alpen, mitteldeutsche Gebirgswälder, Eingeschleppt auf einem Gute bei Tenever (Buchenau).

Cynosurus echinatus L. Südeuropa. 1861 am Eisenbahndamm bei Oslebshausen (Buchenau).

Festuca distans Kunth. (=Atropis distans Grisebach). Salzpflanze. Im Gebiete heimisch nur an einer Salzstelle bei Oberneuland. Ausserdem mehrfach auf Schuttstellen mit fettem Boden (z. B. an der Neustadtscontrescarpe und auf dem Areale des zugeschütteten Neustadtsgrabens, bei Woltmershausen an dem Eiskeller der Bremer Brauerei seit mehreren Jahren: Verf.). Früher am Bahnhofe Bassum, durch Seeschlick hergeführt (Beckmann, Abh. X).

*Vulpia ciliata Lk. Südeuropa. 1894 bei einer Mühle (F.).

Bromus secalinus L. Zwischen dem Getreide nicht selten. Auch bisweilen in der Nähe von Mühlen und auf Hafenschuttstellen.

B. arvensis L. Im Gebiete nicht einheimisch. Erscheint regelmässig auf Schuttstellen, wie der vorige, bei Mühlen, an Häfen und Bahndämmen; Osterdeich (F., M., Verf.). 1884 am Weserufer bei Woltmershausen (F.).

B. sterilis L. Überall auf Schutt anzutreffen.

*B. tectorum L. Mittel- und Südeuropa. Bei uns häufig an Wegen in den Hafenanlagen, an Eisenbahndämmen, bei Mühlen, aber unbeständig.

*B. squarrosus L. Südeuropa. 1876 bei Achim (Alpers), 1892 Dreieck und Sicherheitshafen (Verf.), 1894 in Menge bei einer Mühle (F.).

*B. patulus M. et K. Südeuropa. Bei uns nur vereinzelt. 1879 und 1880 an der Eschenhauser Windmühle (Beckmann und Buchenau). 1892 Holzhafen (M.).

*B. pendulinus Schrader. Lesumer Wollwäscherei 1892 (Verf.), an einer Dampfmühle zahlreich 1894 (Verf.).

*B. erectus Huds. In Mitteldeutschland verbreitet. Seit mehreren Jahren beständig im Rasen des Dreiecks beobachtet, sicherlich dort schon lange vorhanden, nur übersehen (Verf.). 1888 und 1889 am Sommerdeiche auf dem Harrier Sande bei Brake (F. Abh. XI, 2, 437 u. XII, 1, 94).

Lolium italicum A. Br. (L. multiflorum Lam.). Südeuropa. Im Gebiete oft in frischgesätem Rasen, z. B. 1879 bei Bassum (Beckmann), 1864 Chaussee bei Gröpelingen (F. und Luerssen), 1892 Lesum, St. Magnus, Osterdeich (Verf.).

L. temulentum L. In Getreidefeldern, auch vereinzelt in der Nähe von Mühlen und Ziegeleien.

*Triticum villosum M. B. Südeuropa. 1894 bei einer Mühle (F.).

*T. cristatum Schreb. Südeuropa. 1894 bei einer Mühle (F.).

*Hordeum maritimum With. Strandpflanze. Buchenau: „Sie ist bei uns wohl nur eine gelegentliche maritime Ruderalpflanze." 1894 ein Exemplar auf Schutt bei Vegesack (M. und Verf.). Dieser Fund erinnert an die Entdeckung der Meerstrandsgerste durch Prof. Roeper auf der Ballaststelle bei Warnemünde. Es scheint nach den Untersuchungen Prof. Buchenau's, als wäre sie überhaupt an der deutschen Küste nicht heimisch; vielleicht wird sie aus Südeuropa eingeschleppt. Auch bei Hamburg wurde sie auf Schutt gefunden.

*Elymus arenarius L. Besonders am Meeresstrande zur Befestigung der Sanddünen benutzt. 1894 am alten Hamburger Bahnhof (W.).

*Aegilops cylindrica Host. Südosteuropa. Wurde 1894 bei der Strafanstalt zu Oslebshausen „mit zahlreichen andern Mühleneinwanderern" gefunden. (F.)

Die Algenflora der Filter des bremischen Wasserwerkes.

Von E. Lemmermann.

Kurz nach dem Erscheinen meiner Arbeit über die Algenflora von Bremen*) machte mich Herr Dr. W. O. Focke darauf aufmerksam, dass die Schlammdecke der Filter des städtischen Wasserwerkes eine grosse Menge reizender Algenformen, besonders Bacillariaceen, enthalte. Gern leistete ich daher der freundlichen Aufforderung Folge, diese Organismen einmal zu bestimmen und ihren Entwicklungsgang in den einzelnen Jahreszeiten näher zu verfolgen.

Da mir infolge der Liebenswürdigkeit des Herrn J. Dege, dem ich auch an dieser Stelle meinen besten Dank aussprechen möchte, stets Proben der Schlammdecke reichlich zur Verfügung gestellt wurden, war es mir vergönnt, die Algen während eines Zeitraumes von ungefähr $1^1/_2$ Jahren näher zu beobachten. Es gelang mir, im Ganzen 104 Species aufzufinden, nämlich 1 Phaeophycee, 39 Chlorophyceen, 9 Phycochromaceen und 55 Bacillariaceen.**) Von den beobachteten Algenarten sind 77 für die bremische Flora neu; ich habe sie in dem Verzeichnisse durch einen Stern bezeichnet. Die Zahl der bremischen Algen steigt dadurch von 244***) auf 321.

Ehe ich jedoch daran gehe, die genaue Liste der aufgefundenen Species aufzustellen, empfiehlt es sich wohl, einige allgemeine Be-

---

*) Abhandl. d. naturw. Ver. z. Bremen, Bd. XII, pag. 497—550.
**) Gemeint sind die gewöhnlich als Diatomaceen bezeichneten Algen. Dieser Name muss nach den Gesetzen der Priorität der älteren Bezeichnung Bacillariaceen weichen. Die Gattung Bacillaria wurde schon 1788 aufgestellt, die Gattung Diatoma dagegen erst 1805. Die ganze Klasse nannte Nitzsch im Jahre 1817 Bacillariaceae, und die späteren Forscher behielten diese Bezeichnung bei. Erst 1824 trat daneben auch der Name Diatomaceae auf. In der neuesten Bearbeitung dieser Gruppe durch De Toni (Sylloge Algarum vol. II sect. 1—3) wird die einzig richtige Bezeichnung Bacillariaceae wieder dafür angewandt. Näheres über diese Frage siehe: Schenk, Handbuch der Botanik, Bd. II, pag. 445.
***) l. c. pag. 497.

merkungen vorauszuschicken. Die städtische Wasserleitung entnimmt das Wasser direkt dem Weserstrome und zwar oberhalb der
grossen Weserbrücke. Die eingepumpte Wassermasse wird in eine
Reihe Filter geleitet und durch Sand und Kies filtriert. Im Laufe
des Sommers macht sich in diesen Bassins ein grosser Übelstand
bemerkbar, indem sich nämlich auf der Oberfläche der Sandschicht
in kurzer Zeit eine mehrere Millimeter dicke Schlammschicht absetzt, welche eine weitere Benutzung des betreffenden Filters unmöglich macht. Man ist gezwungen, das Wasser abzulassen und
aus dem Bassin eine circa 5 cm dicke Schicht des zum Filtrieren
benutzten Sandes zu entfernen; erst dann kann das Filter wieder
in Gebrauch genommen werden. Ähnliche Kalamitäten sind auch
von anderen Städten bekannt geworden, genauer untersucht ist die
Schlammdecke allerdings nur in wenigen Fällen, von denen ich
folgende aufzähle. Herr Dr. Rob. Boldt berichtete im Jahre 1887
in der „Societas pro Fauna et Flora fennica" in Helsingfors über eine Algenvegetation aus dem Filtrierapparate der
städtischen Wasserleitung folgendes: „Bei der Entleerung des Filter-
reservoirs hatte die Algenvegetation desselben sich längs dem Boden
und der Wände angelegt, somit eine zusammenhängende, graugrüne,
nach dem Eintrocknen löschpapierähnliche Masse darstellend. Dieser
Überzug war folgendermassen zusammengesetzt:

1) Conferva (wahrscheinlich stagnalis) bildet die Hauptmasse.
2) Oedogonium spec., spärlich.
3) Oedogonium spec., gross und grob.
4) Conferva spec., am häufigsten.
5) Spirogyra spec., zerstreute Individuen.
6) Xanthidium antilopaeum.
7) Cosmarium margaritiferum.
8) Cosmarium Botrytis (ein Exemplar sich Cosm. Turpini
   nähernd).
9) Cosmarium ornatum var. Lithauica Racib.
10) Closterium acerosum.
11) Diatomaceen (3 oder 4 Arten).
12) Palmella-Stadium."*)

Herr Dr. R. Timm hat im Herbst 1892 den Bodensatz der
Wasserkästen in Hamburg auf seinen Algenreichtum hin untersucht und dabei 65 Arten gefunden, nämlich 9 Chlorophyceen,
52 Bacillariaceen und 4 Phycochromaceen.**)

In beiden Fällen war die Zahl der aufgefundenen Species doch
immer nur eine verhältnismässig geringe,***) wenn man bedenkt, dass
für die Filter des bremischen Wasserwerkes von mir im Ganzen

---

*) Bot. Centralbl., Bd. 36, pag. 186.
**) „Über die Flora der Hamburger Wasserkasten vor Betriebs-Eröffnung
der Filtrations-Anlagen." (Ich verdanke diese Schrift der Güte des Herrn
Prof. Dr. F. Buchenau.)
***) Siehe auch: Smith Ely Jelliffe: „A Preliminary List of the Plants
found in the Ridgewood Water Supply of the City of Brooklyn, King's County,
N. Y." Bull. of the Torrey Bot. Club, June 1893, pag. 243—246.

104 verschiedene Arten konstatiert wurden, von welchen allerdings einige nur selten anzutreffen waren, während andere dagegen in grossen Massen auftraten. Ich werde darauf noch gleich wieder zurückkommen, möchte aber zunächst doch die systematische Zusammenstellung der aufgefundenen Arten geben.

Zur Bestimmung habe ich folgende Werke benutzt: 1) Bornet et Flahault: „Revision des Nostocacées hétérocystées." 2) M. Gomont: „Monographie des Oscillariées." (Ann. d. sc. nat. 7. sér. tome 15 und 16). 3) Hansgirg, Prodromnus der Algenflora von Böhmen. Teil I und II. 4) O. Kirchner, Algen von Schlesien. 5) Rabenhorst, Süsswasser-Diatomaceen. 6) Smith, Synopsis of the British Diatomaceae. 7) De Toni, Sylloge Algarum vol. I. sect. 1 und 2, vol. II. sect. 1—3.

Es sei mir vergönnt, allen denjenigen Herren, welche mich bei meinen Untersuchungen mit Rat und That unterstützten, meinen besten Dank auszusprechen. Es sind das die Herren Prof. Dr. F. Buchenau, J. Dege, Dr. W. O. Focke, Dr. H. Klebahn und Direktor Dr. H. Kurth.

I. Klasse Phaeophyceae.

1. Ord. Syngenéticae.

I. Fam. Peridinidae.*)

Gatt. Peridinium Ehrenb.

*1) P. tabulatum Ehrenb.

II. Klasse Chlorophyceae.

1. Ord. Confervoideae.

I. Fam. Oedogoniaceae.

Gatt. Oedogonium Link.

2) Oed. spec.

Diese äusserst winzige Form fand ich mehrere Male in den untersuchten Proben, aber stets in sterilem Zustande, so dass eine genaue Bestimmung der Art nicht auszuführen war.

2. Fam. Ulotrichiaceae.

1. Unterfam. Chaetophoreae.

Gatt. Stigeoclonium Kütz.

3) St. tenue (Ag.) Rabenh.

Selten; meistens sah ich nur kurze, abgerissene Zweigfragmente.

---

*) Über die Vereinigung dieser und anderer Formen mit den Algen habe ich mich an anderer Stelle ausgesprochen. Siehe: „Vorarbeiten zu einer Flora des Plöner Seengebietes" von Dr. H. Klebahn und E. Lemmermann. II. Teil: „Verzeichnis der in der Umgegend von Plön gesammelten Algen" von E. Lemmermann (Bremen). Forschungsberichte der Biol. Stat. z. Plön, III. Teil, pag. 18 ff.

2. Unterfam. Conferveae.

Gatt. Conferva L.

4) C. bombycina (Ag.) Lagerh.

3. Ord. Protococcoideae.

I. Fam. Volvaceae.

Gatt. Eudorina Ehrenb.

5) E. elegans Ehrenb.

Gatt. Pandorina Bory.

6) P. Morum (Müll.?) Bory.

2. Fam, Palmellaceae.

1. Unterfam. Coenobieae.

Gatt. Scenedesmus Meyen.

7) Sc. quadricaudatus (Turp.) Bréb.

Schon in einer früheren Arbeit*) habe ich auf die grosse Variabilität dieser Alge aufmerksam gemacht. Auch in den untersuchten Proben fand ich wiederum eine ganze Reihe verschiedener Formen, welche in Bezug auf die Art und Weise der Bestachelung sehr von einander abwichen. Es würde indessen zu weit führen, wenn ich alle einzelnen Fälle besonders aufzählen wollte. Aus der Fülle der Variationen erlaube ich mir nur eine spezielle Form herauszugreifen, welche mir darum so interessant ist, weil sie einen Übergang zu Sc. Hystrix Lagerh. darzustellen scheint. Das Cönobium war vierzellig; alle Zellen, ausgenommen die eine Randzelle, besassen an jedem Ende einen Stachel; jene war dagegen nur an einem Ende bewehrt und zwar mit zwei Stacheln. Ausserdem trugen die beiden Randzellen in der Mitte noch drei resp. vier Stacheln.

8) Sc. obliquus (Turp.) Kütz.

Gatt. Coelastrum Näg.

9) C. microporum Näg.

Gatt. Pediastrum Meyen.

* 10) P. simplex Meyen.

11) P. Boryanum (Turp.) Menegh.

12) P. duplex Meyen.

13) P. Tetras (Ehrenb.) Ralfs.

---

*) „Versuch einer Algenflora der Umgegend von Bremen." Abhandl. d. naturw. Ver. z. Bremen, Bd. XII, pag. 524.

2. Unterfam. Eremobieae.

Gatt. Raphidium Kütz.

14) R. polymorphum Fresen.

Gatt. Selenastrum Reinsch.

15) S. gracile Reinsch.

Gatt. Actinastrum Lagerh.

*16) A. Hantzschii Lagerh.

Gatt. Teträedron Kütz.

17) T. trigonum (Näg.) Hansg.

*18) T. minimum (A. Br.) Hansg.

*19) T. minimum (A. Br.) Hansg.

var. scrobiculatum Lagerh.

Gatt. Cerastias Reinsch.

20) C. raphidioides Reinsch.

3. Unterfam. Tetrasporeae.

Gatt. Kirchneriella Schmidle.

*21) K. lunata Schmidle.

Soll nach Angabe des Autors mit Raphidium convolutum var. lunäre Kirchner identisch sein.*) Ich habe in den Proben die Zellen stets einzeln gefunden, niemals in einer Gallerthülle liegend.

Gatt. Staurogenia Kütz.

22) St. rectangularis (Näg.) A. Br.

4. Unterfam. Dictyosphaerieae.

Gatt. Dictyosphaerium Näg.**)

23) D. pulchellum Wood.***)

5. Unterfam. Nephrocytieae.

Gatt. Oocystis Näg.

*24) O. solitaria Wittr.

6. Unterfam. Palmelleae.

Gatt. Pleurococcus Menegh.

25) Pl. vulgaris Menegh.

Diese Alge habe ich mehrere Male in wenigen Exemplaren gefunden; doch sind dieselben wohl nur zufällig in die Proben gekommen.

---

*) Ber. d. naturf. Ges. z. Freiburg i. B., Band XII, Heft 1, pag. 15.
**) Über die Entwicklungsgeschichte dieser Gattung vergl. George Massee: „Life History of a Stipitate Freshw. Alga" in Journ. of the Lin. Soc. vol. XXVII, p. 457. — W. Zopf: „Über die eigentümlichen Strukturverhältnisse und den Entwicklungsgang der Dictyosphaerium-Kolonien." Ref. Bot. Zeit 1894, p. 90. — A. Borzi: „Über Dictyosphaerium Näg." in Ber. d. D. bot. Ges., Bd. 12, pag. 248.
***) R. H. Francé vereinigt neuerdings D. globosum Richter und D. pulchellum Wood zu D. Ehrenbergianum Näg. var. globulosum Francé. Siehe dessen Arbeit: „Über einige niedere Algenformen." Öster. bot. Zeitschr. 1893 Nr. 7, 8, 10 und 11.

7. *Unterfam. Euglenidae.*

Gatt. Euglena Ehrenb.

*26) E. viridis (Schrank.) Ehrenb.

3. Ord. Conjugatae.

1. Fam. Zygnemaceae.

1. Unterfam. Mesocarpeae.

Gatt. Moügeotia Ag.

27) M. spec.?

2. *Unterfam. Zygnemeae.*

Gatt. Spirogyra Link.

28) Sp. spec.?

2. Fam. Desmidiaceae.

1. *Unterfam. Eudesmideae.*

Gatt. Sphaerozosma Corda.

29) Sp. pulchellum (Archer) Rabenh.

2. *Unterfam. Didymioideae.*

Gatt. Closterium Nitzsch.

30) Cl. Lunula (Müller) Nitzsch.

31) Cl. acerosum (Schrank) Ehrenb.

*32) Cl. strigosum Bréb.

*33) Cl. Dianae Ehrenb.

*34) Cl. Venus Kütz.

*35) Cl. moniliferum (Bory) Ehrenb.

Gatt. Cosmarium Corda.

*36) C. Naegelianum Bréb.

37) C. margaritiferum (Turp.) Menegh.

38) C. Botrytis (Bory) Menegh.

Gatt. Staurastrum Meyen.

*39) St. punctulatum Bréb.

40) St. gracile Ralfs.

III. Klasse Phycochromaceae.

1. Ord. Coccogoneae.

I. Fam. Chroococcaceae.

Gatt. Aphanothece Näg.

*41) A. microscopica Näg.

Gatt. Merismopedium Meyen.

*42) M. glaucum (Ehrenb.) Näg.

Gatt. Coelosphaerium Näg.

*43) C. Kützingianum Näg.

Gatt. Polycystis Kütz.

*44) P. flos-aquae Wittr.

Gatt. Chroococcus Näg.

*45) Chr. minutus (Kütz.) Näg.

2. Ord. Hormogoneae.

1. Unterord. Homocysteae.

I. Fam. Oscillariaceae.

Gatt. Phormidium Kütz.

*46) Phormidium spec.?

Gatt. Oscillatoria Vauch.*)

*47) O. limosa Ag.

*48) O. subtilissima Kütz.

2. Unterord. Heterocysteae.

I. Fam. Nostocaceae.

Gatt. Anabaena (Bory) Wittr.

49) A. variabilis Kütz.

IV. Klasse Bacillarieae.**)

1. Ord. Raphideae.

I. Fam. Naviculaceae.

Gatt. Navicula Bory.

Sect. 1.   Pinnulariae (Ehrenb.) De Toni.

*50) N. major. Kütz.

*51) N. viridis (Nitsch) Kütz.

*52) N. Tabellaria Kütz.

*53) N. gibbä (Ehrenb.) Kütz.

Sect. 2.   Radiosae Grun.

*54) N. Semen Ehrenb.

*55) N. rhynchocephala Kütz.

*56) N. dicephala·Ehrenb.

Sect. 3.   Crassinerves V. H.

*57) N. cuspidata Kütz.

Sect. 4.   Serianteae V. H.

*58) N. exilis Kütz.

Sect. 5.   Formosae V. H.

*59) N. amphisbaena Bory.

Sect. 6.   Limosae Grun.

*60) N. limosa Kütz.

*61) N. inflata Kütz.

Gatt. Amphipleura Kütz.

*62) A. pellucida (Ehrenb.?) Kütz.

---

*) Dieser Name muss aus Prioritätsrücksichten der früheren Bezeichnung „Oscillaria Bosc." vorgezogen werden. Siehe darüber: M. Gomont „Faut-il dire Oscillatoria ou Oscillaria." Referirt Bot. Centralbl., Bd. 51, pag. 330. In neuester Zeit will H. Zukal bei Oscillatoria, Cylindrospermum, Gomphosphaeria und Gloiotrichia Zoosporenbildungen gesehen haben! Siehe Ber. d. D. bot. Ges., 12. Jahrg., Heft 8, pag. 256 ff.

**) Eine Zusammenstellung der bremischen Bacillariaceen bereite ich vor. Für Zusendung von Material, auch aus der weiteren Umgegend, würde ich daher sehr dankbar sein.

Gatt. Pleurosigma W, Sm.
* 63) Pl. attenuatum (Kütz.) W. Sm.

Fam. Cymbellaceae.
Gatt. Cymbella Ag.
Sect. 1. Eucymbella De Toni.
* 64) C. Ehrenbergii Kütz.
Sect. 2. Cocconema (Ehrenb.) De Toni.
* 65) C. lanceolata (Ehrenb.) Kirchner.
Gatt. Encyonema Kütz.
* 66) E. caespitosum Kütz.
* 67) E. ventricosum (Ag.) Grun.
Gatt. Amphora Ehrenb.
* 68) A. ovalis (Bréb.) Kütz.
* 69) A. ovalis (Bréb.) Kütz.
var. Pediculus (Kütz.) V. H.

3. Fam. Gomphonemaceae.
Gatt. Gomphonema Ag.
* 70) G. olivaceum (Lyngb.) Kütz.
Gatt. Rhoicosphenia Grun.
* 71) Rh. curvata (Kütz.) Grun.

4. Fam. Cocconeidaceae.
Gatt. Cocconeis Ehrenb.
* 72) C. Pediculus Ehrenb.
* 73) C. Placentula Ehrenb.

5. Fam. Achnanthaceae.
Gatt. Achnanthes Bory.
* 74) A. lanceolata (Bréb.) Grun.
* 75) A. exilis Kütz.

2. Ord. Pseudoraphideae.
I. Fam. Nitzschiaceae.
Gatt. Nitzschia Hassall.
Sect. 1. Bilobatae Grun.
* 76) N. parvula W. Sm.
Sect. 2. Sigmoideae Grun.
* 77) N. sigmoidea (Nitzsch) W. Sm.
Sect. 3. Lineares Grun.
* 78) N. linearis (Ag.) W. Sm.
Sect. 4. Nitzschiella (Rabenh.) Grun.
* 79) N. acicularis (Kütz) W. Sm.
Gatt. Hantzschia Grun.
* 80) H. Amphioxys (Ehrenb.) Grun.

2. Fam. Surirellaceae.
Gatt. Suriraya Turp.
* 81) S. biseriata (Ehrenb.) Bréb.

*82) S. splendida (Ehrenb.) Kütz.
*83) S. ovalis Bréb.
  var. ovata (Kütz.) V. H.
*84) S. ovalis Bréb.
  var. minuta (Bréb.) V. H.
*85) S. ovalis Bréb.
  var. pinnata (W. Sm.) V. H.
  Gatt. Cymatopleura (Bréb.) W. Sm.
*86) C.-elliptica (Bréb.) W. Sm.
*87) C. Solea (Bréb.) W. Sm.

3. Fam. Diatomaceae.
Gatt. Diatoma DC.
*88) D. vulgare Bory.
*89) D. elongatum Ag.
*90) D. obtusum (Kütz?) Kirchner.
  Gatt. Odontidium Kütz.
*91) O. mutabile W. Sm.
  Gatt. Meridion Ag.
*92) M. circulare (Grev.) Ag.

4. Fam. Fragilariaceae.
Gatt. Synedra Ehrenb.
*93) S. Ulna (Nitzsch) Ehrenb.
*94) S. radians Kütz.
  Gatt. Fragilaria Lyngb.
*95) Fr. virescens Ralfs.
*96) Fr. capucina Desmaz.
*97) Fr. construens (Ehrenb.) Grun.
*98) Fr. construens (Ehrenb.) Grun.
  var. binodis (Ehrenb.) Grun.

5. Fam. Striatellaceae.
Gatt. Tabellaria Ehrenb.
*99) T. fenestrata (Lyngb.) Kütz.

6. Fam. Eunotiaceae.
Gatt. Cystopleura Bréb.
*100) C. turgida (Ehrenb.) Kunze.
  Gatt. Pseudo-Eunotia Grun.
*101) Ps. lunaris (Ehrenb.) Grun.

3. Ord. Cryptoraphideae.
I. Fam. Melosiraceae.
Gatt. Lysigonium Link.
*102) L. varians (Ag.) De Toni.
  Gatt. Melosira Ag.
*103) M. orichalcea (Mert.) Kütz.
  Gatt. Cyclotella Kütz.
*104) C. Meneghiana Kütz.

Über den Grad der Häufigkeit der einzelnen Species kann ich nur ganz allgemein berichten, da ich genaue Zählungen nicht anstellen konnte. Am verbreitetsten sind jedenfalls von den Chlorophyceen Scenedesmus quadricaudatus (Turp.) Bréb. und Sc. obliquus (Turp.) Kütz. und von den Bacillariaceen Synedra Ulna (Nitzsch) Ehrenb.; Lysigonium varians (Ag.) De Toni und Navicula rhynchocephala Kütz. Die Häufigkeit der übrigen Formen variiert sehr in den einzelnen Monaten. Im Jahre 1894 habe ich im Juli die meisten Arten gefunden, in der Zeit von November bis Februar dagegen nur sehr wenige Species, wie aus der folgenden Zusammenstellung hervorgeht.

I. 7. Juli 1894.

A. Chlorophyceen:

1) Oedogonium spec. 2) Scenedesmus quadricaudatus (Turp.) Bréb. 3) Sc. obliquus (Turp.) Kütz. 4) Coelastrum microporum Näg. 5) Pediastrum simplex Meyen. 6) P. Boryanum (Turp.) Menegh. 7) Raphidium polymorphum Fresen. 8) Tetraëdron trigonum (Näg.) Hansg. 9) T. minimum (A. Br.) Hansg. 10) Cerastias raphidioides Reinsch. 11) Kirchneriella lunata Schmidle. 12) Closterium acerosum (Schrank) Ehrenb. 13) Cl. Dianae Ehrenb. 14) Cosmarium Naegelianum Bréb.

B. Phycochromaceen:

15) Coelosphaerium Kützingianum Näg. 16) Aphanothece microscopica Näg. 17) Oscillatoria spec. 19) O. subtilissima Kütz.

C. Bacillariaceen:

19) Navicula rhynchocephala Kütz. 20) N. cuspidata Kütz. 21) N. exilis Kütz. 22) N. amphisbaena Bory. 23) N. limosa Kütz. 24) N. inflata Kütz. 25) Amphipleura pellucida (Ehrenb.?) Kütz. 26) Cymbella Ehrenbergii Kütz. 27) C. lanceolata (Ehrenb.) Kirchner. 28) Amphora ovalis (Bréb.) Kütz. 29) A. ovalis (Bréb.) Kütz. var. Pediculus (Kütz.) V. H. 30) Gomphonema olivaceum (Lyngb.) Kütz. 31) Cocconeis Pediculus Ehrenb. 32) Achnanthes lanceolata (Bréb.) Grun. 33) Nitzschia sigmoidea (Nitzsch) W. Sm. 34) N. linearis (Ag.) W. Sm. 35) N. acicularis (Kütz.) W. Sm. 36) Suriraya splendida (Ehrenb.) Kütz. 37) S. ovalis Bréb. var. ovata (Kütz.) V. H. 38) S. ovalis Bréb. var. minuta (Bréb.) V. H. 39) Cymatopleura elliptica (Bréb.) W. Sm. 40) C. Solea (Bréb.) W. Sm. 41) Diatoma vulgare Bory. 42) D. obtusum (Kütz.?) Kirchner. 43) Meridion circulare (Grev.) Ag. 44) Synedra Ulna (Nitzsch.) Ehrenb. 45) Fragilaria virescens Ralfs. 46) Fr. capucina Desmaz. 47) Fr. construens (Ehrenb.) Grun. 48) Lysigonium varians (Ag.) De Toni. 49) Cyclotella Meneghiana Kütz.

II. 28. November 1894.

A. Chlorophyceen:

1) Scenedesmus quadricaudatus (Turp.) Bréb. — einzeln — 2) Mougeotia spec. — ein vierzelliger Faden —

B. Phycochromaceen:
3) Merismopedium glaucum (Ehrenb.) Näg. — 1 Kolonie —
C. Bacillariaceen:
4) Navicula viridis (Nitzsch.) Kütz. — 1 leere Schale —
5) N. cuspidata Kütz. — 1 leere Schale — 6) N. rhynchocephala
Kütz. — ziemlich selten — 7) Cymbella lanceoláta (Ehrenb.) Kirchner
— 1 leere Schale — 8) Encyonema ventricosum (Ag.) Grun. — 1
leere Schalenhälfte — 9) Cymatopleura Solea (Bréb.) W. Sm. —
1 leere Schale — 10) Synedra Ulna (Nitzsch.) Ehrenb. — ziemlich
selten — 11) Lysigonium varians (Ag.) De Toni — 1 leere Schale —

III. 8. Februar 1894.

A. Chlorophyceen:
1) Scenedesmus quadricaudatus (Turp.) Bréb. — selten —
B. Bacillariaceen:
2) Cymbella lanceolata (Ehrenb.) Kirchner — 1 leere Schale —
3) Nitzschia acicularis (Kütz.) W. Sm. — selten — 4) Synedra
Ulna (Nitzsch.) Ehrenb. — selten — 5) Lysigonium varians (Ag.)
De Toni — selten — 6) Cyclotella Meneghiana Kütz.' — selten —

Wie aus den oben mitgeteilten Ergebnissen einer möglichst
sorgfältigen Untersuchung zu ersehen ist, enthält die Schlammdecke
in den Wintermonaten fast gar keine Algen, nur einige wenige
Species fristen während dieser Zeit kümmerlich ihr Leben. Aber
schon Ende März oder Anfang April beginnt eine allmähliche
Zunahme der Algenvegetation; am 2. April notierte ich 38, im
Mai sogar 44 verschiedene Arten, von denen einige in bedeutenden
Mengen vorhanden waren.

Interessant ist es auch, das Wachstum der beiden vorherrschenden Algenklassen der Chlorophyceen und der
Bacillariaceen in den einzelnen Monaten näher zu verfolgen.
Untersucht man die Schlammdecke im Februar, so findet man
neben einigen Arten von Bacillariaceen, gewöhnlich auch ein
paar Exemplare der überall verbreiteten Alge Scenedesmus
quadricaudatus (Turp.) Bréb. Allein schon in den fol-
genden Monaten ändert sich das Bild. Zunächst beginnen die
Bacillariaceen bedeutend zuzunehmen, und zwar nicht nur in
Bezug auf die Zahl der Arten, sondern auch in Bezug auf die
Menge der Individuen. Mustert man die Präparate aus dieser Zeit,
so bekommt man fast ausschliesslich Bacillariaceen zu sehen.
Im Jahre 1894 zählte ich
im April 28 Bacillariaceen- und 9 Chlorophyceen-Arten
„ Mai 34 „ „ 11 „ „
„ Juni 35 „ „ 15 „ „
Damit hatten die Bacillariaceen aber auch den höchsten
Punkt ihrer Entwicklung erreicht. Schon begannen sich zu dieser
Zeit die Chlorophyceen, besonders die Protococcoideen,
wie Scenedesmus, Pediastrum, Coelastrum und eine
Reihe anderer Formen mächtig zu entfalten, so dass schon Anfang
Juli die Chlorophyceen die Hauptmasse der vorhandenen

Algenvegetation bildeten. Aber die Herrschaft der Grünalgen war nur von kurzer Dauer. Allmählich fingen auch die Bacillariaceen wieder an, sich reichlich zu vermehren; einzelne Chlorophyceen, wie Pediastrum Boryanum (Turp.) Menegh., Scenedesmus quadricaudatus (Turp.) Bréb. und Sc. obliquus (Turp.) Kütz. hielten sich zwar noch mehrere Monate, aber die Menge der Individuen nahm doch immer mehr und mehr ab, so dass Ende September die Bacillariaceen wieder ihre ursprüngliche unumschränkte Herrschaft erlangt hatten.

Ob dieser höchst interessante Wechsel der beiden erwähnten Algengruppen in jedem Jahre in der geschilderten Weise eintritt, wage ich nicht zu entscheiden, da sich meine Beobachtungen nur über eine verhältnismässig kurze Zeit erstrecken. Dass aber auch schon in früheren Jahren die Bacillariaceen in den Frühlingsmonaten die Hauptmasse der in der Schlammdecke lebenden Algen bildeten, habe ich durch Untersuchung einer Probe vom Mai 1878, welche ich der Liebenswürdigkeit meines verehrten Gönners, des Herrn Prof. Dr. F. Buchenau verdanke, genugsam erfahren. Es waren darin enthalten: 19 Bacillariaceen, 1 Phycochromacee, 1 Phaeophycee und 3 Chlorophyceen. Die genaue Liste ist folgende:

I. Phaeophyceen:
1) Peridinium tabulatum Ehrenb. (nur wenige Exemplare).

II. Chlorophyceen:
1) Stigeoclonium spec. 2) Coelastrum microporum Näg. 3) Closterium spec.

III. Phycochromaceen:
1) Oscillatoria spec.

IV. Bacillariaceen:
1) Navicula cuspidata Kütz. 2) N. rhynchocephala Kütz. 3) Pleurosigma attenuatum (Kütz.) W. Sm. 4) Encyonema ventricosum (Ag.) Grun. 5) Gomphonema olivaceum (Lyngb.) Kütz. 6) Nitzschia sigmoidea (Nitzsch.) W. Sm. 7) N. linearis (Ag.) W. Sm. 8) N. acicularis (Kütz.) W. Sm. 9) Suriraya ovalis Bréb. var. ovata (Kütz.) V. H. 10) Diatoma vulgare Bory. 11) D. elongatum Ag. 12) D. obtusum (Kütz.?) Kirchner. 13) Meridion circulare (Grev.) Ag. 14) Synedra Ulna (Nitzsch.) Ehrenb. 15) S. radians Kütz. 16) Fragilaria virescens Ralfs. 17) Pseudo-Eunotia lunaris (Ehrenb.) Grun. 18) Lysigonium varians (Ag.) De Toni. 19) Cyclotella Meneghiana Kütz.

Nachdem ich bisher nur im allgemeinen meine Beobachtungen über das Auftreten der beiden hauptsächlichsten Algengruppen mitgeteilt habe, möge es mir jetzt vergönnt sein, auf einzelne besonders häufig auftretende Species die Aufmerksamkeit zu lenken. Zunächst möchte ich noch einmal bestimmt hervorheben, dass die sogleich mitzuteilenden Beobachtungen nur für die letzten $1^1/_2$ Jahre volle Gültigkeit haben. Es wäre deshalb unvorsichtig, wenn ich jetzt schon weitgehende Schlüsse daraus ziehen wollte. Ich teile daher

305

nur die einfachen, von mir konstatierten Thatsachen mit, ohne
mich auf weitere Spekulationen dabei einzulassen.
In den ersten Frühlingsmonaten, etwa bis Ende April,
waren die Bacillariaceen Suriraya ovalis Bréb. var. ovata
(Kütz.) V. H. und S. ovalis Bréb. var. minuta (Bréb.) V. H.
auffallend häufig anzutreffen, alle anderen Algen traten in Bezug
auf Zahl der Individuen bedeutend dagegen zurück. Im Mai wurden
die beiden Arten durch die winzige Nitzschia acicularis (Kütz.)
W. Sm. abgelöst, welche zu dieser Zeit in ungeheurer Anzahl zu finden
war. Ein Partikelchen des braunen Schlammüberzuges, dem ein
Tropfen reines Wasser zugesetzt wurde, zeigte unter dem Mikroskope ungezählte Mengen der Alge. Dasselbe war noch im folgenden
Monate der Fall, wenn auch nicht in dem Masse, wie im Mai. Im
Juli konnte ich sie nur spärlich finden; jetzt hatte die bereits
geschilderte Herrschaft der Grünalgen begonnen und Formen,
wie Pediastrum Boryanum (Turp.) Menegh., Scenedesmus
quadricaudatus (Turp.) Bréb. und andere waren in grosser
Zahl vorhanden. Daneben begannen sich aber auch einige Bacillariaceen, besonders Cymatopleura Solea (Bréb.) W. Sm. und
Cyclotella Meneghiana Kütz. stärker zu vermehren. Im
August hatten die Chlorophyceen schon bedeutend abgenommen,
während die Zahl der eben erwähnten Bacillariaceen in stetem
Zunehmen begriffen zu sein schien. Nitzschia acicularis (Kütz.)
W. Sm. war sonderbarerweise immer noch sehr selten. Fast
möchte man glauben, dass diese Art durch die grösseren Formen,
welche sich von jetzt an häufiger einstellten, vollständig überwuchert
wurde. Im September war die Herrschaft der Bacillariaceen
vollkommen gesichert. Neben den beiden Arten Cymatopleura
Solea (Bréb.) W. Sm. und Cyclotella Meneghiana Kütz.
traten auch Cymatopleura elliptica (Bréb.) W. Sm. und
Suriraya splendida (Ehrenb.) Kütz. häufiger auf. Zu ihnen
gesellte sich sodann im Oktober noch Lysigonium varians
(Ag.) De Toni, welche in diesem Monate besonders häufig in der
Schlammschicht anzutreffen war. Von November an begann
hierauf die Zeit der vollständigen Algenarmut, welche bis zum
nächsten Frühjahre dauerte.
Damit glaube ich in kurzen Zügen ein ungefähres Bild des
oft so reichen Algenlebens entrollt zu haben, welches sich im Laufe
eines Jahres in der unscheinbaren Schlammdecke der Filter ganz im
Verborgenen abspielt. Im Anschlusse daran bleibt noch übrig, die
Frage nach der schliesslichen Ursache der Filterverstopfung
soweit zu erörtern, wie es die Resultate der bisherigen Untersuchungen gestatten. Zunächst ist wohl ohne weiteres klar, dass
nur der obere Teil der Sandschicht in Betracht gezogen zu werden
braucht, weil, wie schon erwähnt, nach Abtragung einer circa 5 cm
dicken Schicht das Filter sofort wieder in Gebrauch genommen
werden kann. Zugleich mit dem eingepumpten Weserwasser gelangen auch eine Menge kleiner und kleinster Schlamm-
partikelchen in das Filterbassin, und setzen sich hier sehr bald

in einer dünnen Schicht am Boden ab. . Man könnte deshalb vermuten, dass die Verstopfung des Filters eine ausschliessliche Folge
der Schlammanhäufung sei. Dann wäre aber zu erwarten, dass
gerade in den Monaten sich die Kalamität am meisten fühlbar
machen werde, in welchen die Weser ziemlich viel Schlamm mit
sich führt, nämlich im Frühling und Winter. Das ist jedoch keineswegs der Fall. Gerade in den Frühlings- und Wintermonaten sind
die wenigsten Filterreinigungen erforderlich. Im Jahre 1894 fiel
beispielsweise die Zeit der längsten Betriebsthätigkeit der
Filter in die Monate November und Dezember.*) Filter II war
vom 29. November, morgens 2 Uhr bis zum 31. Dezember,
morgens 6 Uhr (772 Std.) und Filter IV vom 16. November,
morgens 3 Uhr bis zum 19. Dezember, morgens 6 Uhr in
Betrieb (795 Std.).**) Es muss demnach jedenfalls noch ein anderer,
vielleicht noch wichtigerer Faktor dabei in Rechnung gezogen werden.

Mit dem eingepumpten Wasser kommt nämlich auch eine
grössere oder geringere Menge jener in der Weser schwimmenden,
zum Teil planktonischen, zum Teil losgerissenen Algen mit in das
Filterbassin, wo sie zu Boden sinken und sich sehr bald reichlich
zu vermehren beginnen, da ihnen die dünne Schlammschicht die
zum Wachstum nötigen Nährstoffe in genügendem Masse bietet. In
kurzer Zeit ist die Sandschicht mehrere Centimeter tief ganz von
ihnen durchsetzt und die feinen Zwischenräume zwischen den einzelnen
Sandkörnern werden nach und nach infolge der Schlammanhäufung, sowie einer mehr oder weniger starken Gallert-
ausscheidung der Algen verstopft. Dadurch wird die Thätigkeit
des Filters allmählich auf ein Minimum herabgedrückt und hört
schliesslich ganz auf. Die Algenentwicklung scheint jedoch die
grösste Rolle dabei zu spielen, da gerade zur Zeit des Algenreichtums
die meisten Filterreinigungen erforderlich sind. Dass diese einen
bedeutenden Aufwand von Zeit und Geld bedingen, liegt klar auf
der Hand. Es entsteht deshalb naturgemäss die Frage, wie ist
diesem Übelstande abzuhelfen, ohne dass die Kosten erheblich vergrössert werden. Die Verwaltung der Wasserleitung hat geglaubt,
durch Anlage eines grossen Klärungsbassins die Kalamität bedeutend vermindern respektive vielleicht ganz beseitigen zu können.
Das Weserwasser soll zunächst in dies Bassin geleitet werden,
damit die mitgeführten Schlammteile sich dort absetzen können; erst
dann wird es durch zweckentsprechende Vorrichtungen den Filtern
zugeführt. Wie weit die Anlage imstande sein wird, die Filter-
reinigung wenigstens zu beschränken, muss erst die Zukunft
lehren.

Wenn auch in vorstehenden Zeilen der Versuch gemacht wurde,
die unangenehmen Einwirkungen der Algen auf die Thätigkeit der
einzelnen Filter nachzuweisen, so darf andererseits jedoch nicht
vergessen werden, einer sehr schätzenswerten Wirksamkeit dieser
Organismen zu gedenken, welche durch die Forschungen der

---

*) Die kürzeste Betriebsthätigkeit war Ende Juni.
**) Ich verdanke diese Zahlen der Güte des Herrn J. Dege.

jüngsten Zeit in ein eigenartiges Licht gerückt ist. Es ist nämlich
bekannt geworden, dass eine üppige Algenvegetation imstande ist, die Entwicklung der im Wasser lebenden
Bakterien zu hemmen oder gar ganz zu unterdrücken.
Experimente, welche die Richtigkeit dieser Ansicht beweisen, lassen
sich leicht anstellen. Ich benutzte dazu runde Präparatengläser mit
luftdicht aufgeschliffenem Spiegelglasdeckel*) von 3 cm Höhe und
6 cm Durchmesser. Ein erster Versuch sollte zeigen, ob die Algen
überhaupt einen Einfluss auf das Wachstum der Bakterien haben.
Zu diesem Zwecke füllte ich ein solches Glas, das einen Teil der
mir zugesandten Schlammprobe enthielt, mit Wasser, welches ich
einem bei der Munte befindlichen Schmutzgraben entnommen hatte,
und welches nach oberflächlicher Schätzung eine Menge Bakterien-
keime enthielt.**) Es bildete sich zunächst die bekannte Kahmhaut;
zugleich begannen aber auch die Algen ein lebhaftes Wachstum,***) und
nach verhältnismässig kurzer Zeit war die Bakterienentwicklung fast
vollständig unterdrückt.†) Angeregt durch den Erfolg dieser
Versuche, entstand in mir der lebhafte Wunsch, zu erforschen,
welche der bekannten Algengruppen am meisten das Wachstum der
Bakterien zu hemmen imstande sei, oder ob alle Algen in dieser
Beziehung gleiches Verhalten zeigen. Dann musste ich aber notwendigerweise Reinkulturen von Algen der verschiedenen Gruppen
anzulegen versuchen. Solche sind meines Wissens nach zuerst von
M. W. Beyerinck††) hergestellt worden und zwar in Gelatine.
Letztere hat jedoch die unangenehme Eigenschaft, sich leicht zu
verflüssigen und ist deshalb für die Gewinnung von Algen-Rein-
kulturen nicht verwendbar. Ich war also genötigt, mich nach einem
zweckmässigeren Nährboden umzusehen, welcher die störenden Eigenschaften der gewöhnlichen Gelatine nicht besass. Mein Blick fiel
zunächst auf den bekannten Agar-Agar, jenen Stoff, der von den
Bakteriologen schon seit geraumer Zeit benutzt wird. Um ihn für
die Anlage einer Kultur brauchbar zu machen, wurde er mit gewöhnlichem Leitungswasser so lange gekocht, bis das Ganze eine homogene Masse geworden war. Ein Teil wurde sodann in einen vier-
eckigen Glasklotz mit eingepresster Vertiefung†††) gegossen. Hierauf verdünnte ich den Filterschlamm in einem Probiercylinder sehr
stark mit Wasser und schüttelte so lange, bis ich annehmeo konnte,
dass die darin befindlichen Algen ziemlich gleichmässig verteilt
waren. Sobald sich der Agar-Agar in dem Glasklotze etwas abge-

---

*) Bezogen von der Firma W. P. Stender in Leipzig.
**) Der Deckel des Gefässes wurde vorsichtshalber am Rande mit
Vaseline eingestrichen.
***) Das Kulturgefäss stand vor einem nach Osten liegenden Fenster.
†) Ähnliche Resultate berichteten im hiesigen naturwissenschaftlichen
Vereine die Herren Direktor Dr. H. Kurth und Dr. Fr. Seiffert.
††) „Kulturversuche mit Zoochlorellen, Lichenengonidien und anderen
Algen." Bot. Zeit. 1890, pag. 725, 741, 757, 781. — „Bericht über meine
Kulturen niederer Algen auf Nährgelatine." Centralbl. f. Bakteriologie u.
Parasitenkunde." Bd. XIII. Refer. Bot. Centralbl., Bd. 55, pag. 78.
†††) Bezogen von der Firma W. P. Stender in Leipzig.

kühlt hatte, wurden mittels eines Kapillarrohres einige Tropfen der Lösung hineingebracht. Dann wurde die Vertiefung durch einen Glasdeckel, dessen Rand mit Vaseline eingestrichen worden war, geschlossen und das Gefäss vor ein nach Osten liegendes Fenster gestellt. Die Algen wuchsen in dem Agar-Agar vortrefflich und vermehrten sich reichlich, so dass man schon nach ein paar Tagen die Stellen deutlich mit blossem Auge erkennen konnte, an denen sich Algenkolonien entwickelt hatten. Letztere bestanden ausschliesslich aus Bacillariaceen und Chlorophyceen, welche dicht neben- oder hintereinander liegend unter dem Mikroskope einen eigentümlichen Anblick gewährten. Hier waren Individuen der zierlichen Cyclotella Meneghiana Kütz., welche in der freien Natur stets einzeln gefunden werden, zu langen Fäden aneinandergereiht und erinnerten in dieser Anordnung lebhaft an die Formen der Stielglieder mancher Crinoiden. Dort wieder bildete Raphidium polymorphum Fresen. kreisförmige oder halbmondförmige Gruppen, welche dem blossen Auge als kleine grüne Punkte erschienen. Noch andere Algen entwickelten ein ausgebreitetes Lager oder lagen in langer Reihe neben- oder hintereinander. Von Bakterienentwicklung war jedoch wenig oder nichts zu verspüren. Nur in einem Falle zeigten sich in einem Gefässe sehr viele Bakterienkolonien. Die darin wachsende blaugrüne Alge (Coccochloris stagnina Spreng.) stammte aber nicht aus den Filtern, sondern war einem Kulturgefässe entnommen, in welchem ich Algen von der Insel Wangerooge züchte.*) Leider habe ich diese Versuche nicht weiter fortsetzen können, da ich meine ganze freie Zeit zur Bearbeitung der Plöner Algenflora**) verwenden musste, doch hoffe ich, im nächsten Jahre das Versäumte nachholen zu können. So viel aber steht fest, dass Bacillariaceen und Chlorophyceen, und zwar vornehmlich die ersteren, imstande sind, dem Wachstum der Bakterien einen Damm entgegenzusetzen, so dass dieselben schliesslich vollständig unterdrückt werden.

Deshalb wäre von diesem Gesichtspunkte aus die Algenvegetation der Filter nur mit Freuden zu begrüssen, wenn sie nicht auch zugleich die anfangs geschilderte Kalamität hervorriefe. Nach Fertigstellung des Klärungsbassins wäre jedoch geradezu zu wünschen, dass sich darin eine möglichst ausgedehnte Algenflora entwickele. Um dies zu fördern, scheint es ratsam, die in den algenreichen Monaten in den Filtern entstandene Schlammdecke in das Klärungsbassin zu bringen und dafür Sorge zu tragen, dass sich auch grössere Algen, wie Cladophora, darin ansiedeln, was durch Einfügung einiger mit dieser Pflanze besetzten Steine leicht zu erreichen sein würde. Ob eine grössere Ansammlung von blaugrünen Algen dem Wasser nicht geradezu schädlich ist, wage ich vorläufig nicht mit aller Bestimmtheit zu entscheiden; darüber können erst genaue und

---

*) Ich gedenke über diese später eingehender zu berichten.
**) Siehe Forschungsber. aus d. Biol. Stat. zu Plön, III. Teil, pag. 18—67.

sorgfältig wiederholte Versuche Aufschluss geben. Ich möchte nur
auf die vielfach verbreitete Ansicht hinweisen, dass grosse Massen
von Phycochromaceen die Gewässer vergiften sollen. So schreibt
z. B. Josef Kafka in seiner Arbeit: „Die Fauna der böhmischen
Teiche"*) auf Seite 89 folgendes darüber: „Wenn einige von diesen.
Algen, z. B. die Oscillarien, sich im Uebermasse vermehren, so
kann dies von üblen Folgen sein, nachdem es erwiesen ist, dass
diese Algen selbst in gewissem Grade das Wasser vergiften und
für einzelne Tiere verderblich sein können." Wie weit diese Ansicht auf Wahrheit beruht, will ich jetzt nicht weiter erörtern,
vielleicht findet sich später einmal Gelegenheit, näher darauf ein-
zugehen.

Ich möchte nur zum Schlusse einen kurzen Blick auf die
Algenvegetation der Weser werfen, soweit diese mir bis jetzt bekannt geworden ist. Es ist ja besonders in neuerer Zeit so viel
von der durch Prof. M. Pettenkofer**) aufgestellten Ansicht von
der „Selbstreinigung der Flüsse" durch Algen geredet und
geschrieben worden, dass es wohl geboten erscheint, auch einmal
das Algenwachstum der Weser daraufhin genauer anzusehen. Prof.
M. Pettenkofer stützte sich besonders auf die Resultate einiger
Versuche, welche O. Löw und Th. Bokorny***) mit einigen Algen
angestellt haben und welche zeigen sollen, dass leztere imstande
sind, im Wasser gelöste Fäulnisprodukte in sich aufzunehmen und
im Ernährungsprocess zu verarbeiten. Schon im Jahre 1883 wies
Prof. G. Klebs†) durch Versuche nach, dass Euglena viridis.
(Schrank) Ehrenb. sich im Dunkeln lange Zeit in einem mit
organischen Substanzen erfülltem Wasser halten könne. Später
gelang es ihm, einzelne Algen, wie Cladophora;††) Zygnema,
Vaucheria, Hydrodictyon†††) in Zuckerlösung zu kultivieren.
Aus Glycerin bildeten Fäden von Zygnema, welche vorher
ausgehungert waren, reichlich Stärke. In der vorhin erwähnten
Arbeit von Löw und Bokorny wird auf Seite 267 berichtet: „Die
Ansicht, das Algen bei der „Selbstreinigung der Flüsse" mit einen
Anteil haben, indem sie die gelösten Fäulnisprodukte aufnehmen
und im Ernährungsprozess verarbeiten, findet somit in physiologischen
Beobachtungen eine wesentliche Stütze. Unter den Fäulnisprodukten
finden wir ausser Indol, Skatol . . . . . Phenol und anderen
aromatischen Produkten viele Körper aus der Fettreihe. . . . . .
Wichtig sind bekanntlich auch viele Basen, welche bei der Fäulnis

---

*) Archiv d. naturw. Landesdurchforschung von Böhmen, Bd. VIII.
**) Archiv für Hygiene, Bd. XII, pag. 269—274.
***) „Zur Frage der Selbstreinigung der Flüsse." Archiv für Hygiene,
Bd. XII, pag. 261—268. — Th. Bokorny: „Einige Versuche über die Ab-
nahme des Wassers an organischer Substanz durch Algenvegetation." Archiv
für Hygiene, Bd. XIV, pag. 202 ff.
†) „Über die Organisation einiger Flagellatengruppen." Unters. aus
d. bot. Inst. z. Tübingen I, pag. 62.
††) „Beiträge zur Physiologie der Pflanzenzelle." Unters. aus d. bot.
Inst. z. Tübingen, Bd. II.
†††) „Über die Vermehrung von Hydrodictyon utriculatum." Flora 1890.

entstehen. Dass von den überaus zahlreichen Produkten der Fäulnis nicht wenige als Nährstoffe für Algen ebenso wie für Pilze brauchbar sind, . darf aus dem Verhalten gegen · Glycocoll, Leucin, Asparaginsäure, Kreatin und Betain geschlossen werden." Damit stehen auch die Resultate im Einklange, welche M. W. Beyerinck aus seinen Gelatinekulturen gewonnen hat.[*]) Darnach soll Scenedesmus acutus Meyen (= Sc. obliquus (Turp.) Kütz.). imstande sein, die Gelatine zu verflüssigen und sich von organischen Stoffen zu ernähren.[**]) Ich glaube auch, dass vor allen Dingen die Bacillariaceen die Fähigkeit besitzen werden, organische Stoffe weiter zu verarbeiten. Versuche, welche die Richtigkeit dieser Ansicht darlegen sollen, bereite ich vor. In neuerer Zeit hat Dr. H. Schenk[***]) die Bedeutung der Algen für die Selbstreinigung der Flüsse stark in Zweifel gezogen; er verneint die Wirkung der Algenvegetation für den Rhein vollständig, schreibt vielmehr den dort üppig wuchernden Beggiatoen[****]) den Hauptanteil zu. Wie weit diese Verhältnisse für unsere Weser zutreffen, getraue ich mir jetzt noch nicht zu entscheiden, da ich eine genaue und gründliche Untersuchung der Algenflora der Weser noch nicht ausführen konnte. Doch möchte ich mir erlauben, wenigstens auf folgende Thatsachen aufmerksam zu machen:

1) Cladophora glomerata (L.) Kütz. wächst in ziemlicher Menge an den Steinen der Schlengenköpfe oberhalb der Stadt,[†]) sowie an den bei der Kaiser- und Eisenbahnbrücke befindlichen Steinen und Bollwerken.

2) Cl. fracta (Dillw.) Kütz. gedeiht sehr üppig in der Nähe von Arsten, Habenhausen[††]) und Hastedt. Doch werden die Algenrasen im Sommer oft trocken gelegt und bilden dann das sogenannte Wiesen- oder Meteorpapier, von welchem man zuweilen ausgedehnte Watten finden kann. Ich besitze z. B. zwei Stücke, gebildet durch Cl. fracta (Dillw.) Kütz. f. viadrina (Kütz.) Rabenh., von denen das eine 60 cm lang, 55 cm breit und reichlich 1 cm dick ist.

3) An beiden Weserufern oberhalb der Stadt wachsen mehrere Vaucheria-Arten,[†††]) allerdings nicht in grossen Massen.

4) In der Nähe von Oslebshausen finden sich in einem Weserarme grosse schwimmende Wiesen von Enteromorpha intestinalis[††††]) (L.) Link. Übrigens gedeiht diese Alge nach

---

[*]) „Kulturversuche mit Zoochlorellen, Lichenengoniden und anderen niederen Algen." Bot. Zeit., 1890.
[**]) l. c., pag. 729.
[***]) Centralbl. f. allgem. Gesundheitspflege, 1893.
[****]) In der Weser habe ich diese bis jetzt noch nicht gefunden.
[†]) Abhandl. d. naturw. Ver. z. Bremen, Bd. XII, pag. 519.
[††]) l. c., pag. 519.
[†††]) Sommer 1893 fand ich bei Hastedt in der Weser eine wahrscheinlich neue Species aus der Sectio Piloboloideae; ich gedenke demnächst eingehender darüber zu berichten.
[††††]) l. c., pag. 510.

meinen Beobachtungen auch sehr gut in einem ganz mit organischen Stoffen erfüllten Gewässer. Ich fischte sie z. B. 1892 bei Oberneuland in ziemlicher Menge aus einem Graben, welcher fast schwarz gefärbtes Wasser enthielt.

5) Eine zahllose Menge verschiedener Bacillariaceen findet sich im Schlamme, sowie auf den in der Weser liegenden Steinen; auch die ins Wasser ragenden Teile der Uferpflanzen sind reichlich damit bedeckt.

6) Es ist wohl als sicher anzunehmen, dass alle in dem angegebenen Verzeichnisse enthaltenen Algen oder deren Sporen aus der Weser stammen.*)

Das sind im Wesentlichen die Hauptpunkte, auf welche ich zum Schlusse noch einmal ganz kurz hinweisen möchte. Sicherlich bedürfen sie aber noch einer grösseren Vervollständigung und Erweiterung, und es wäre deshalb zu wünschen, dass bald genaue Untersuchungen über die Vegetationsverhältnisse der Weser, insbesondere auch der Algenflora**) derselben angestellt würden. Möge vorliegende Arbeit dazu Anregung geben!

---

*) Nach mündlicher Mitteilung des Herrn Direktor Dr. H. Kurth enthält das Weserwasser in manchen Monaten ungeheure Mengen einer langgestreckten Bacillariacee (ob Synedra?!).
**) Besonders wäre auch eine systematisch fortgesetzte Untersuchung des Planktons der Weser zu erstreben.

Kugelblitz in Bremen 1665.

Bürgermeister Henricus Meyer (1609—76), der bekannte Verfasser der Assertio libertatis Reipublicae Bremensis, schreibt in seinem Diarium*) Seite 307 über einen im Juni 1665 hier beobachteten Kugelblitz Folgendes:

„29. Jun. Nachmittags nach 5 Uhr entstandt alhie ein Unvermuthlich Ungewitter Von Donner, blitz, platzregen Und hagell, sonderlich aber kam ein hartknallender Donnerstreich, dass männiglich Vermeinet, es were in jedwedes Hauss eingeschlagen, jedoch Ist alles ohn einig Verspürtenn Schadens Inn- Und Ansserhalb der Stadt abgangen, wiewoll gar wunderbahrlicher weyss Inn vorbemeltem Donnerknall Inn Meiner Schwestern Herrn Bürgermeister von Line Säligen behausung, nahendt der Stadtwaage Uff der Langen strassen, so dero Zeith Herr Paulus Glandorff Medicinae Doctor bewohnet, Ein feuerkugell Vom himmell Inn der Hausthür (Inn ansehen Verschiedener Frauenspersohnen Im Hauss) eingefallen, Ins Hauss gerollet, daselbst zerschlagen mit vielen aussführendenn feuermt, gleich raggolten, so sich wieder zusahmen gefüeget Inn einen ball oder kugell feuer; so auss der haussthür auff der Langen strassen und folgendts Inn der abgehenden Wilckens strassenn gerollet, Und daselbst abermahlig sich zertheilet und ohn einigenn schadenn Inn die lufft Uffgeflogen."

Mitgeteilt durch Dr. J. Focke.

~~~~~~~~~~~~~~~~~

---

*) Archiv P. 1. h. 6. a.

Beiträge zu einer Lichenenflora des nordwestdeutschen Tieflandes. (Zweiter Nachtrag.)

Von Heinr. Sandstede.

Die Feststellung einer Anzahl für die Flechtenflora des Gebietes neüer Arten und Fundorte veranlasst mich zur Aufstellung eines zweiten Nachtrags, welchen ich, wie frühere Arbeiten, streng dem System und der Anschauungsweise Nylanders angepasst habe. Mehrere durch Seltenheit oder Schönheit ausgezeichnete Formen haben wieder in den Lichenes exsiccati Aufnahme gefunden. Bei den Fundortsangaben sind die Nummern notiert.

Der Aufzählung der Flechten an der Rinde von Ilex aquifolium, Band XII, p. 211 dieser Abhandlungen kann eine seltene Graphidee, die für Deutschland neu ist, hinzugefügt werden: Graphis ramificans Nyl. Ein schöner Fund ist auch Opegrapha demutata Nyl. von Apfelbäumen in Zwischenahn.

Der Übersicht der Flechten auf erratischen Blöcken, p. 213 l. c., geht hinzu Parmelia isidiotyla Nyl., Lecanora vitellina (Ehrh.) Ach. und Endococcus microsticticus (Leight.) (über Lecanora caesiocinerea Nyl.) — Der Vollständigkeit halber seien auch die auf den nordfriesischen Inseln an erratischen Granitblöcken gefundenen Arten, welche in jener Übersicht fehlen, hier angeführt: Lecanora parella Ach. und Arthonia varians (Dav.) Nyl. (über Lecanora glaucoma). Ausserdem von den „Sieben Steinhäusern", Hünengräbern bei Fallingbostel, nach Noeldeke: „Verzeichnis der im Fürstentum Lüneburg beobachteten Laubmoose, Lebermoose und Flechten", p. 79.*): Parmelia fahlunensis Ach. c. lanata = P. lanata (L.) Nyl. Von den Steindenkmälern in Holland, dort „Hunnebedden" genannt, enthält die Flora Belgii septentrionalis etc. Lichenes, elaborovit H. C. van Hall, einige Angaben: Evernia bicolor Ehrh., Parmelia saxatilis L., P. aleurites Hffm., P. physodes Ach., P. stygia Ach., P. conspersa Ach., Patellaria frustulosa Ach., Urceolaria scruposa Fr., Biatora fuliginea Fr.**)

Nach Deichmann Branth, Lavernes Udbredelse i den nordlige Del af Jylland, Bot. Tidsscrift, 1867, kommen ausserdem in Jütland in Betracht: Stereocaulon coralloides Laur., Umbilicaria (Gyrophora)

---

*) Anm. Im Jahreshefte des naturwissenschaftlichen Vereins für das Fürstentum Lüneburg von 1869.

**) Anm. Parmelia aleurites und Biatora fuliginea in heutiger Bedeutung kommen schwerlich auf Granit vor. Nicht zu ermitteln, was van Hall hierunter versteht.

hyperborea Hffm., Lecanora calcarea Smf., Nyl., Lecidea sarcogynoides (Körb.), L. atroalba Flot., Nyl., und L. excentrica Ach., Nyl. In der „Lichenenflora von München", von Dr. F. Arnold, heisst es p. 5, dass auf den Strohdächern der ländlichen Gebäude um München wohl Moose und Algen, aber keine Flechten zu bemerken sind. Anders ist es in hiesiger Gegend! Hier sind Flechten auf Strohdächern und besonders auf Reitdächern (Phragmites und Typha) recht häufig. Auch die· oben genannte Flora Belgii ·enthält mehrere Fundortsangaben von Flechten auf „Rietendaken"; Cladonia pyxidata Fr., C. cornuta L., C. furcata Fr., C. cornucopioides· L..

Unten mögen die Namen der von mir auf derartigen Dächern beobachteten Lichenen folgen. Die Cladonien, Peltigera canina, Cetraria aculeata, Urceolaria bryophila, Lecidea decolorans und L. milliaria bevorzugen alte, bemooste Strohdächer und morsche, ver-: altete Reitdächer, alle anderen haften auf den zwar alten, aber doch noch harten Phragmites- und Typhahalmen: Cladonia alcicornis, C. chloro- phaea, C. fimbriata in verschiedenen Formen, C. pityrea, C gracilis, besonders in der Form aspera Flk., C. sobolifera, C. furcata, C. pungens, C. adspersa, C. glauca, C. squamosa, C. digitata, C. cornu-: copioides, C. bacillaris, C. macilenta, Cladina uncialis, C. sylvatica, Ramalina pollinaria, Usnea hirta, Cetraria aculeata, Platysma ulophyllum, P. glaucum, Evernia prunastri, E. furfuracea, Parmelia caperata, P. Borreri, P. saxatilis, P. sulcata, P. acetabulum, P. exasperatula, P. fuliginosa, P. subaurifera, P. physodes, Peltigera canina, Physcia parietina, Ph. polycarpa, Ph. pulverulenta, Ph. tenella, Ph. obsura var. virella, Lecanora Conradi, L. galactina (Insel Neuwerk), L. varia, L. effusa, Pertusaria amara, Urceolaria bryophila, Lecidea decolorans, L. denigrata, L. milliaria, L. parasema, L. myriocarpa; — Opegrapha atrorimalis und Lepraria candelaris (Insel Föhr).

Zu bemerken ist noch, dass ich Oeders Flora Danica durch- gesehen habe, um festzustellen, ob darin Lichenen aus dem nordwest- deutschen Tieflande und besonders aus dem Herzogtum Oldenburg angeführt und abgebildet sind. Nach dem Titel des Werkes*) könnte man diese Vermutung hegen. Ich gelangte zu der Über- zeugung, dass keine Lichenen aus dieser Gegend darin enthalten sind.

Im März 1894 machte ich einen mehrtägigen Ausflug .in den Sachsenwald. Da die gewaltigen Februarstürme eine grosse Anzahl von Bäumen umgeweht hatten, glaubte ich, eine gute Ernte an Rindenflechten halten zu können; indessen erfüllten sich meine Er- wartungen nicht in befriedigendem Masse. Der Sachsenwald ist nicht so reich an besseren Lichenen, wie z. B. die oldenburgischen Waldungen. Namentlich fiel es mir auf, dass die Graphideen nur recht dürftig vertreten· sind. Das Gelände des Sachsenwaldes ist

*) Abbildungen der Pflanzen, welche in den Königreichen Dänemark und Norwegen, in den Herzogtümern ·Schleswig und Holstein und in den Grafschaften Oldenburg und Delmenhorst wild ·wachsen. Oeder, G. Chr., 1766—70, O. F. Müller 1777—82, M. Vahl 1792—99.

315

leicht hügelig; Buchenhochwald und dichte Nadelholzbestände
herrschen vor, doch sind auch schöne Eichenschläge da und an der
Strasse von Ödendorf nach Schwarzenbeck einige Rieseneichen.
Eschen trifft man nur vereinzelt; Unterholz ist wenig vorhanden
und Ilex immer nur als niederes Gestrüpp ohne Flechten. Eine
moorige Stelle bei Ödendorf hat ziemlich üppigen Cladonienflor; an
mehreren Orten am Waldessaume hat man Steinwälle aus Findlingsblöcken errichtet, die gewöhnlich von Krustenflechten bedeckt sind.
  Der Sachsenwald gehört als östlich von der Elbe liegend nicht
zum nordwestdeutschen Tieflande in der vom naturwissenschaftlichen
Vereine zu Bremen angenommenen Begrenzung; ich werde daher
die dort beobachteten Lichenen als Anhang gesondert angeben.
Zwischenahn 1894.

Nachtrag.

368. Calicium chrysocephalum (Turp.) Ach. (Stellung im
System: vor C. phaeocephalum.)
369. Cladonia pyxidata (L.) Fr. — *lophyra Ach., Coëm. Cl.
Belg. 29, Nyl.
370. C. chlorophaea Flk. — *costata Flk. D. Cl. 38, Nyl.!
371. C. squamosa Hffm. — *fascicularis (Del.) Nyl.! et f.
degenerascens Zw., Nyl.!
372. Platysma saepincola Hffm., Nyl. Syn., p. 308.
373. Parmelia sulcata Taylor., Nyl. Syn., p. 389.
374. P. prolixa (Ach.) — *isidiotyla Nyl. Flora 1875, p. 8.
375. Physcia astroidea (Clemente) Fr., Nyl. Syn., p. 426. (nach
Ph. aipolia).
376. Lecanora teicholyta Ach. Lich. Univ. p. 425; Nyl. Flora
1873, p. 197 (nach L. sympagea).
377. L. laciniosa (Duf.) Nyl., Flora 1881, p. 454.
378. L. reflexa Nyl.! in Bull. Soc. Bot. de France 1866, p. 241.
L. angulosa Ach. f. cinerella (Flk. D. L. 88) Nyl.
379. L. syringea Ach., Nyl. (nach L. dimera).
380. Lecidea parasitica Flk., Nyl.! Prod. Gall. p. 154 — stirps
L. sociellae Nyl. — (nach L. citrinella.)
L. praerimate Nyl. in Flora 1876, p. 231. (Nach Herrn
von Zwackh für L. Stenhammari Fr. in Sandst. Beiträge,
I. Nachtrag, p. 215 u. 233, Abhandl. des naturwissenschaftl.
Vereins zu Bremen, Band XII).
Graphis dendritica Ach. f. Smithii Leight.
381. G. ramificans Nyl.! Flora 1876, p. 575 (nach G. elegans).
382. Opegrapha notha Ach., Nyl., Flora 1873, p. 206.
383. O. demutata Nyl.! Flora 1879, p. 358.

Arthonia decussata Fr. in Sandst. Beiträge, I. Nachtrag,
p. 215 u. 234, Abhandl. des naturw. Vereins zu Bremen,
Band XII, ist nicht sicher und darum wieder zu streichen.
384. Endococcus microsticticus (Leight.) Arnold, in Flora 1863
p. 326, 1874 p. 141, (nach E. gemmifer).

Trachylia stigonella (Ach.) Fr. An einigen Buchen in
Gristede.*)

Calicium phaeocephalum Turn. Scheunenständer in
Langebrügge.

C. chrysocephalum (Turn.) Ach. An einem eichenen Pfahl
am Wege durch das Dorf Rostrup, an Scheunenständern in Ohrwege,
steril an Föhren in den Schweinebrücker Fuhrenkämpen.

C. melanophaeum Ach. An Föhren in den Osenbergen.

Baeomyces rufus (Huds.) DC. Über kleinem Granitgeröll
in Gräben der Schweinebrücker Fuhrenkämpe.

Stereocaulon spissum Nyl. Auf Dachziegeln auf Töpkens
Scheune in Querenstede und Krügers Scheune in Specken, Bertrams
Ziegelei in Edewecht.

Cladonia alcicornis (Lightf.) Nyl. In den Osenbergen,
auf einem Reitdache in Aschhausen.

C. pyxidata (L.) Fr. — *lophyra Ach., Coëm. Clad. Belg. 29.
Selten im Willbrook bei Zwischenahn.

C. chlorophaea Flk., Nyl. In den Schweinebrücker Fuhrenkämpen, an Obstbäumen in Zwischenahn aufsteigend, auf Torfboden
unter Heidekraut in einzelnen kleinen Räschen im Ostermoor bei
Zwischenahn. (Rehm. Cl. 418: „C. chlorophaea Fl., f. prolifera Arn.").

* C. costata Flk., D. Cl. 38, Nyl.! „Zw. L. 950 est exactment
Flk., D. Clad. 38" Nyl. in lit. ad v. Zwackh. — Vergl. Bremer
Abhandlungen, Band X, p. 444: In Rostrup auf mooriger Heidefläche.

C. pityrea (Flk.) Nyl. In den Schweinebrücker Fuhrenkämpen.

C. polybotrya Nyl. Auf Torfboden im Ostermoor bei
Zwischenahn. (Rehm Cl. 420 und 421; Arn. exs. 1544).

C. fimbriata (L.) Hffm. An Obstbäumen in Zwischenahn
aufsteigend; in Deepenforth, Lagerschuppen und kleine becherige
Formen, auf abgefallenen Föhrenzapfen.

— subcornuta Nyl. Reitdach in Rostrup.

C. ochrochlora Flk. In den Schweinebrücker Fuhrenkämpen.

* C. nemoxyna (Ach.) Nyl. Nov. Zel. (1888), p. 18. Selten
in den Osenbergen.

C. cornuta (L.) Fr. Schweinebrücker Fuhrenkämpe.

C. sobolifera (Del.) Nyl. Auf Reitdächern in Aschhausen;
Schweinebrücker Fuhrenkämpe. — Auf Sandboden in der Heidefläche

*) Anm. Alle Fundorte sind, falls nicht besonders bemerkt, im Herzog-
tum Oldenburg belegen.

im Ostermoor bei Zwischenahn, eine kleine Lichtung überziehend.
(Arn. exs. 1543); einen Rasen bildend auf dem Fahrdamm im Ostermoor: (Rehm Cl. 419.)

C. degenerans Flk. — anomaea (Ach.) Nyl.! An sehr
sumpfigen Stellen einer moorigen Heide bei Torsholt. (Zw. L.
1148 a. b. c.)

C. furcata (Hffm.). Häufig auf Reitdächern.

C. pungens Ach. In den Dünen am Strande bei Duhnen
unweit Cuxhaven, auf Reitdächern in Bokel.

C. adspersa (Flk.) Nyl. In den Dünen am Strande bei Duhnen.

C. cenotea (Ach.) Schaer. : Schweinebrücker Fuhrenkämpe.

C. squamosa Hffm. — *rigida (Del.) Nyl. Auf Torfboden
im Ostermoor — (Rehm Cl. 408, Arn. exs. 1542), auf sumpfigem
Moor bei Torsholt, (Rehm Cl. 409).

C. fascicularis (Del.) Nyl.!) Auf Moorboden bei Torsholt.
(Zw. L. 1151, 1152, 1153, 1154).

f. degenerascens Zw., Nyl.! (Zw. L. 1149, 1150 „Thallo
albido-punctata podetiorum sicut in degenerante (haplotea) sed foliolis
tenuibus (gallice „minces") ut in squamosa, unde caute distinguenda.")

C. acuminata (Ach.) Norrl. Im Forste Upjever bei Jever.

C. digitata (L.) Hffm. Auf Reitdächern in Aschhausen.

C. cornucopioides (L.) Fr. Auf Reitdächern daselbst.
f. phyllocoma Flk. Auf dem Reitdach einer Bleicherhütte in
Torsholt.

C. bacillaris (Ach.) Nyl. Häufig auf Reitdächern um
Zwischenahn.

C. macilenta Hffm. Nyl. Moorige Heide bei Rostrup (Zw.
L. 1157), im Willbrook bei Zwischenahn (Zw. L. 1158, A. B. 1159),
auf Torfboden im Willbrook bei Zwischenahn. (Rehm Cl. 426:
„C. macilenta Ehrh. — lateralis Schaer. En., p. 185, 186; Hoffm.
Pl. lich. t. 25, fig. 1, d, dextr. et ramosa Wallr. S. p. 83. 180
— comp. Arn. lich. Fragm. 1891. m. 30 tab. 1, fig. 8"; Arn. exs.
1569: „C. macilenta Ehrh. — comp. Rehm. Clad. exs. 426).

Cladina uncialis (L.) Nyl. Häufig auf Reitdächern; steril.

C. amaurocraea Flk. — *destricta Nyl. Auf Flugsand im
„Oldenburger Sand" hinter den Osenbergen.

C. sylvatica .(Hffm.) Nyl. Auf Reitdächern verbreitet, auf
Rindenschollen alter Föhren in Deepenforth.

Ramalina fastigiata (Pers.) Ach. Über veralteter Telephora
an Pflaumenbäumen in Eyhausen.

R. pollinaria Ach. An der Backsteinwand der Mühle in
Edewecht; der Kirche in Etzel, Landdr. Aurich; Backsteinwand einer
Scheune in Querenstede (Zw. L. 1161).

---

*) Nach Nylander hierher auch Zw. L. 1068, A. B. C., 1069, 1141·

R. farinacea (L.) Ach. — *intermedia Nyl. Über veraltetef Telephora an Pflaumenbäumen in Eyhausen. ·

Usnea hirta (L.) Hffm. Auf Phragmites eines Hausdaches in Aschhausen.

U. ceratina Ach. Kurze Exemplare auf Rindenschollen alter Föhren im Rehagen b. Gristede.

Cetraria aculeata (Schreb.) Fr. Auf Reitdächern häufig; in den Schweinebrücker Fuhrenkämpen auf Larixzweigen, die mit Parmelia physodes überwachsen sind.

Platysma saepincola Hffm. Reichlich fruchtend an dünnen Larixzweigen in den Schweinebrücker Fuhrenkämpen.

P. ulophyllum (Ach.) Nyl. Reitdächer in Aschhausen, namentlich an Phragmiteshalmen; steril.

P. glaucum (L.) Nyl. Selten auf einem Reitdache in Asch-hausen, an Larixzweigen in den Schweinebrücker Fuhrenkämpen; steril.

Evernia prunastri (L.) Ach. Steril auf alter Telephora an Pflaumenbäumen in Torsholt und Eyhausen, auf Larixzweigen in Helle.

E. furfuracea (L.) Fr. Steril an dünnen Larixzweigen in den Schweinebrücker Fuhrenkämpen, an veralteter Telephora an Pflaumenbäumen in Torsholt.

Parmelia conspersa Ach. Viel auf Sandsteinplatten auf dem Kirchhofe in Oldenburg; bedeckt ein Ziegeldach in Torsholt vollständig.

P. revoluta Flk. An mancherlei Obstbäumen in Zwischen-ahn und Torsholt, an Birken in den Schweinebrücker Fuhrenkämpen, an Eschen an der durch Repsholt (Ostfriesland) führenden Chaussee, an mittelgrossen Eichen in einem lichten Gehölz zu Ohrwege. (Arn. exs. 1545 „Imbricaria revoluta Flk.)

P. perlata Ach. An Epheu im Brook bei Garnholz, an Pflaumen- und Apfelbänmen in Torsholt, an Thuja occidentalis und Liriodendron tulp. in Eyhausen.

P. Borreri Turn. In Zwischenahn an Obstbäumen, an Syringa vulgaris und Liriodendron in Eyhausen, an Phragmites und Typha in Rostrup, an Eschen und Eichen in Repsholt (Ostfriesland); an jungen Eichen in einem Gehölz bei Ohrwege, (Arn. exs. 1546: „Imbricaria dubia (Wulf.) = Arn. exs. 876“)); steril.

P. sulcata Taylor. Häufig an Obstbäumen um Zwischenahn, an Chausseebäumen — Eschen und Eichen — bei Repsholt (Ost-friesland); steril.

P. acetabulum (Neck.) Duby. An einer Brunneneinfassung aus Sandstein in Zwischenahn.

P. exasperatula Nyl. Auf einem Bretterdache in Zwischen-ahn, viel an Obstbäumen; steril.

P. prolixa (Ach.) —* isidiotyla Nyl. Auf Dachziegeln in Edewecht und Rostrup und auf dem Kirchdache in Zwischenahn, auf Granit der „Visbecker Braut", an einem Steindenkmal auf der Buschhöhe bei Werpeloh (Landdr. Osnabrück); steril.

P. fuliginosa (Fr.) Nyl. Fruchtend an jungen Eichen in den Ohrweger Büschen bei Zwischenahn, steril auf Typha und Phragmites auf Hausdächern um Zwischenahn.

P. glomellifera Nyl. Auf Sandsteinplatten auf dem Gertrudenkirchhofe in Oldenburg; steril.

P. subaurifera Nyl. Steril auf Nadeln und Zweigen von Abies pectinata in Zwischenahn, über Parmelia physodes an jungen Larixzweigen in den Schweinebrücker Fuhrenkämpen, an Larixzapfen in Helle, über Telephora an Pflaumenbäumen in Eyhausen, viel an Obstbäumen.

P. physodes (L.) Ach. Über Empetrum in den Osenbergen, über Larixzapfen in Helle und den Schweinebrücker Fuhrenkämpen; steril.

— labrosa Ach. Ein fruchtendes Exemplar an Larix in den Schweinebrücker Fuhrenkämpen.

Physcia parietina (L.) DC. An Epheustämmen an der Nordseite der Kirche zu Zwischenahn und an Vitis vinifera, Ampelopsis quinquaefolia und Ribes grossularia in Gärten daselbst, auf Glas eines Dachfensters, auf Dachpappe und auf Lederstreifen zur Befestigung an Spalierbäumen daselbst, an Marmor eines Grabdenkmals auf dem Oldenburger Kirchhofe.

*Ph. polycarpa (Ehrh.) Nyl. Phragmiteshalme einiger Reitdächer in Kaihausen, an Ampelopsis, Stachelbeersträuchern und Weinstöcken, auf Nadeln und Zweigen von Abies pectinata in Zwischenahn.

Ph. lychnea (Ach.) Nyl. An alten Obstbäumen und Robinien in Zwischenahn.

Ph. pulverulenta (Schreb.) Fr. An einer Brunneneinfassung aus Sandstein in Zwischenahn, an Sambucus daselbst, an Liriodendron in Eyhausen, auf Reitdächern in Rostrup, auf Sandstein des Sieltiefs in Elsfleth.

*Ph. pityrea (Ach.) Nyl. Steril an Ulmen und Apfelbäumen in Zwischenahn, Pappeln in Steinhausen, Ulmen an der Mühlenstrasse in Elsfleth und an Sandstein des Sieltiefs daselbst.

Ph. tenella (Scop.) Nyl. Viel an Stachelbeergesträuch in Zwischenahn, an Weinstöcken, auf Sandstein einer Brunneneinfassung, auf Dachpappe daselbst, an Marmor eines Grabdenkmals auf dem Kirchhofe in Oldenburg.

Ph. astroidea (Clemente) Fr. Steril an Birnbäumen in Zwischenahn und Torsholt, an Pflaumenbäumen im Zwischenahnerfeld.

Ph. caesia (Hffm.). Steril an alten Birnbäumen in Zwischenahn, an Ampelopsis am Bahnhofe daselbst, an Cytisus Laburnum,

an einer Föhre in Ohrwege; auf Glas eines Dachfensters in Zwischenahn, c. ap. auf dem Dache des Kirchturms in Zwischenahn.

Ph. obscura (Ehrh.) Fr. An Syringa vulgaris in Zwischenahn, auf Grabdenkmälern aus Marmor auf dem Kirchhofe in Oldenburg.

— virella (Ach.) Nyl. An alten Apfelbäumen, Weiden,
Kirschbäumen, viel an Sambucus in Zwischenahn, über Typha eines
Hausdaches in Rostrup, an Liriodendron in Eyhausen.

Ph. adglutinata (Flk.) Nyl. Fruchtend an einer Robinie
in Röbens Garten in Zwischenahn; an Juglans, Birn- und Apfelbäumen; steril.

Lecanora teicholyta (DC) Nyl. Steril auf Mörtel und
Backsteinen an der Innenseite des Sieltiefs in Elsfleth nach Hammel-
warden zu.

L. incrustans Ach., non DC, Nyl. Selten auf Mörtel in
Zwischenahn, an Mörtel an der Innenseite der Schleuse vor Elsfleth.

L. luteoalba (Turn.) Nyl. Am Fusse einer Rosskastanie
in Wittenheim bei Westerstede, auf der schrundigen Rinde einer
alten Pappel in Gristede.

L. laciniosa (Duf.) Nyl. Steril an Syringa, Obstbäumen,
Stachelbeergesträuch, Cytisus Laburnum, in Gärten zu Zwischenahn,
an Obstbäumen in Elsfleth und Torsholt, an Eschen vor dem Kirchhofe in Repsholt (Landdr. Aurich).

L. reflexa Nyl. Selten an Apfelbäumen in Zwischenahn,
ferner an Obstbäumen in Eyhausen, an einem Birnbaum in Torsholt,
(Zw. L. 1164).

L. vitellina (Ehrh.) Ach. Auf manchen freiliegenden Steindenkmälern.

L. epixantha (Ach.) Nyl. An Backsteinen der Brücken-
mauern in Bagband (Ostfriesland) und Deepenforth, an Kalkbewurf
eines Gebäudes am Kirchofe in Elsfleth, an Mörtel auf Hausdächern
in Zwischenahn.

L. exigua Ach. Auf Marmor eines Grabdenkmals und an
eisernen Gitterstäben auf dem Kirchhofe in Oldenburg, an Lederstreifen zur Befestigung von Spalierbäumen in Zwischenahn.

L. Conradi (Kbr.) Nyl. Auf Typha latifolia eines Hausdaches
in Zwischenahnerfeld. (Arn. exs. 1551 „Rinodina Conradi Kbr.)

L. galactina Ach. Selten auf Marmor einiger Grabdenkmäler
auf dem Kirchhofe in Oldenburg, auf Streifen Wollstoff zur Befestigung von Spalierbäumen und auf eisernen Verankerungen einer
Hauswand in Zwischenahn, in Gärten daselbst an Weinstöcken und
alten Birnbäumen; an eisernen Gitterstäben auf dem Kirchhofe und
an Glycine in Eyhausen.

L. dispersa (Pers.) Flk. Viel auf Marmor eines Grabdenkmals
auf dem Kirchhofe in Oldenburg, auf Dachziegeln in Zwischenahn.

L. campestris (Schaer.) Viel an Sandstein der Schleuse des
Sieltiefes vor Elsfleth.

L. chlarona Ach., Nyl.. Auf Föhrenzapfen bei Torsholt, Larix-zapfen in den Schweinebrücker Fuhrenkämpen.

L. angulosa Ach., f. cinerella (Flk.) Nyl. An Sambucus in Zwischenahn.

L. sulphurea (Hffm.) Ach. Kirche in Elsfleth auf Backsteinen.

L. conizaea (Ach.) An veralteten Föhrenzapfen in Deepenforth, Larixzapfen in den Schweinebrücker Fuhrenkämpen; an Fichten im „Oldehave", Landdr. Aurich (leg. Bielefeld).

L. metaboloides Nyl. An eichenen Pfosten an Wiesen-umzäumungen in Querenstede und Aschhausen.

L. syringea Ach., Nyl. An Apfelbäumen in Zwischenahn.

L. atra (Huds.) Ach. Grabdenkmäler aus Sandstein auf dem Kirchhofe in Oldenburg, Sandsteinplatten der Schleuse des Sieltiefs vor Elsfleth.

L. haematomma Ach. var. leiphaema Ach. Steril an Birnbäumen in Torsholt, Aesculus hypp. in Gristede.

L. tartarea Ach. var. variolosa Fw. An Apfelbäumen in Rostrup, Epheu in den Waldungen um Helle, Buchen im Parke zu Rastede, Buchen im „Rehagen" bei Gristede (Arn. exs. 1524 „Ochrolechia tartarea Ach. f. variolosa Wallr.").

L. parella Ach. Sehr schön auf Dachziegel des Backofen-gebäudes in Schwartings Garten in Torsholt.

Pertusaria communis DC. Selten auf Epheu um Helle.

P. ceuthocarpa (Sm.) Nyl. Steril auf Epheu in den Waldungen um Helle.

P. globulifera (Turn.) Nyl. Steril an Obstbäumen häufig.

P. amara (Ach.) Nyl. An Epheu im Brook bei Garnholz, an Obstbäumen; steril.

P. coronata (Ach.) Th. Fr. Steril an Eschen in der Waldung bei Howiek und Giesselhorst; an einer Rosskastanie in Gristede.

Phlyctis agelaea (Ach.) Wallr. An Pflaumenbäumen in Zwischenahn, Apfelbäumen in Torsholt, Epheu im Brook bei Lins-wege, Liriodendron in Eyhausen.

Ph. argena (Flk.) Wallr. An Buxus in Kaihausen, an Juni-perus im Barneführerholz; an Obstbäumen häufig; meistens steril. An Eschen in einem Gehölz bei Giesselhorst schön fruchtend. (Arn. exs. 1555.)

Thelotrema lepadinum Ach. An alten Eichen in der Waldung Brook zu Garnholz. (Arn. exs. 1553). Der Thallus an diesem Fundorte häufig von Nesolechia Nitschkei Körb. besetzt.

Lecidea fuliginea Ach. An einem entrindeten Apfelbaum in Torsholt.

L. Lightfootii (Sm.) Ach. An den oberen Asten jüngerer Eichen zu Aschhausen, an einem Birnbaum und an Pflaumenbäumen im Zwischenahnerfeld; steril an Föhren in den Schweinebrücker Fuhrenkämpen; an einer Esche in der Deepenriede bei Gristede. (Zw. L. 1166).

L. subduplex Nyl. Reichlich an Eschen, Eichen und über Epheu im „Brook" bei Garnholz.

L. meiocarpa Nyl. An glatten Stellen der Rinde einer alten Eiche im „Brook" bei Garnholz, an Eschen in der Giesselhorster Waldung.

L. tenebricosa (Ach.) Nyl. Zerstreut an Eschen in der Giesselhorster Waldung.

L. prasiniza Nyl. An Eschen daselbst. (Arn. exs. 1472 ist var. prasinoleuca Nyl.)

L. micrococca (Körb.). An Föhren im „Oldehave", Landdr. Aurich (leg. Bielefeld).

L. tricolor With., Nyl. Zerstreut an Eichen im Park zu Rastede; sehr schön im „Urwald" bei Neuenburg; an einer Edeltanne in Gristede.

L. Naegelii (Hepp.). An Epheustämmen, welche eine Esche umschlingen, in Zwischenahn; an einer Balsampappel daselbst.

L. melaena Nyl. Am Wege von Sandkrug nach Hatten an einem Pfahl.

L. chlorotica (Ach.) Nyl. Sehr schön an Ilex im „Urwald".

L. incompta Borr. Am unteren Stammende einer Buche im „Rehagen" bei Gristede.

L. pelidna Ach., Nyl. Dachziegel eines Backofens in Dreibergen, Dachziegel in Ohrwege, Zementsteine an den Mölen in Wilhelmshaven, an Grabdenkmälern aus Sandstein auf dem Kirchhof zu Elsfleth; mit Lecanora vitellina an Brettern an der Weserstrasse daselbst.

L. improvisa Nyl. An einem Scheunenthor in Osterschaps.

L. parasema Ach. An Epheu in den Heller Waldungen, an Lederstreifen zur Befestigung von Spalierbäumen in Zwischenahn.

L. enteroleuca Ach., Nyl. Sandsteinplatten der Brücke über die Schleuse von Elsfleth nach Brake zu.

L. crustulata Ach. Auf Grabplatten aus Sandstein auf dem Oldenburger Kirchhofe, Apothecien concentrisch gereiht.

L. fumosa (Hffm.) Wbg. Sandsteinplatten einer Brücke in Deepenforth.

L. grisella Flk., Nyl. An einem Grabdenkmal aus Sandstein auf dem Kirchhofe in Oldenburg, an Sandstein eines Brückengeländers an der Weser zu Elsfleth.

L. lavata (Ach.) Nyl. Auf dem Kirchhofe zu Oldenburg, an Grabplatten aus Sandstein.

L. alboatra Hffm. An Lederstreifen zur Befestigung von Spalierrosen in Zwischenahn.

var. athroa Nyl. An Sambucus in Aschhausen.

L. canescens (Dcks.) Ach. An der Kirche in Zwischenahn auf Epheu übergegangen, an Apfelbäumen in Gärten zu Zwischenahn.

L. myriocarpa (DC.). Über Heidereiser eines Schafstalles in Ohrwege, Phragmites und Typha der Hausdächer, an Epheu in Deepenforth, an Weinstöcken in Zwischenahn, auf Lederstreifen zur Befestigung von Spalierbäumen in Zwischenahn, auf Taxus in Ohrwege.

L. parasitica Flk., Nyl. Über Pertusaria Wulfenii an Buchen im „Rehagen" bei Gristede.

Graphis dendritica Ach., f. Smithii Leighton. An Ilex· und Crataegus im „Urwald" bei Neuenburg.

G. ramificans Nyl. Sehr selten an Ilex im „Urwald", bei Dänikhorst und im „Schützhof" zu Rostrup.

Opegrapha lyncea (Sm.) Borr. Alte Eichen im Barneführer Holze jenseits der Wiese bei der Jagdhütte.

O. notha Ach., Nyl. An einer Buche im Busche „Stümmel" bei Linswege.

O. pulicaris (Hffm.) Nyl. An Epheu und Sambucus in Zwischenahn, an Thuja occidentalis in Eyhausen.

O. diaphora (Ach.) Nyl. An einer Esche in der Deeperiede bei Gristede. (Zw. L. 1167 „cfr. Zw. L. 988".)

O. atrorimalis Nyl. An Pflaumen-, Apfel- und Birnbäumen in Zwischenahn, auch an Juglans und Robinien, an Epheu an der Klosterruine in Hude, an Liriodendron in Eyhausen.

O. Chevallieri Lght. Viel an der Kirche in Etzel, Landdr. Aurich.

O. demutata Nyl. An einer freistehenden Esche in Gristede, an Apfelbäumen in Torsholt, an einem Apfelbaume eines Gartens in Zwischenahn, an Pflaumenbäumen im Zwischenahnerfeld. (Zw. L. 1168.)

O. hapaleoides Nyl. An mittelstarken Eichen in der Waldung „Brook" bei Garnholz (Arn. exs. 1559); an Äpfel- und Birnbäumen in Zwischenahn, auf Taxus in Ohrwege.

O. cinerea Chev., Nyl. Viel an mittelstarken Eichen in der „Deeperiede" bei Gristede (Zw. L. 1169), an Buchen im „Rehagen" bei Gristede (Arn. exs. 1599), an Eschen im „Neehagen" bei Helle.

O. rufescens Pers. An Epheu zu Helle, Robinien in Zwischenahn.

O. subsiderella Nyl. An Apfelbäumen in Edewecht, Taxus in Ohrwege.

Arthonia cinnabarina (DC.) Wallr. An glattrindigen Eschen im „Neehagen" zu Helle (Arn. exs. 1531: „Coniocarpon gregarium (Weig.)".)

A. spadicea Lght. Am unteren Stammende jüngerer Eichen in einem Gehölz bei Ohrwege (Arn. exs. 1560a.: „Coniangium spadiceum Leight"); am unteren Stammende von 'Ilex aquifolium an gleichem Standorte (Arn. exs. 1560 b.).

A. ruanidea Nyl. Am unteren Stammende junger Eschen bei Ohrwege. (Arn. exs. 1561: „Arthothelium ruanideum Nyl."). An Epheu bei Howiek, Ahorn zu Querenstede.

A. pruinosa Ach. An einer Rosskastanie in Gristede.

Verrucaria. nigrescens Pers. Auf Marmor eines Grabdenkmals auf dem Kirchhofe zu Oldenburg.

V. fuscella Turn., Nyl. Viel an der Kirche in Etzel, Landdr. Aurich.

V. biformis Turn., Borr. In einem Garten Zwischenahns an Pflaumen- und Birnbäumen; an Eichen im „Oldehave", Landdr. Aurich (leg. Bielefeld).

V. acuminans Nyl. Auf Stämmen und Zweigen der Föhren am Bahndamm zwischen Ocholt und Südholz. (Arn. exs. 1535: „Polyblastia acuminans (Nyl.)").

V. micula Fw., Nyl. An Ulmen im Park zu Rastede.

V. quercus (Beltr.) Nyl. An jungen Prunus Padus in Feldhus Busch zu Zwischenahn (= V. paramea Mass., vergl. Arnold: „Zur Lichenenflora von München", p. 121).

Endococcus microsticticus (Leight.) Arn. Auf dem Thallus von Lecanora caesiocinerea (?), Steindenkmal „Visbecker Braut" in Oldenburg.

Leproloma lanuginosum (Ach.) Nyl. An der Innenseite des Brunnens im Pastoreigarten zu Zwischenahn an Sandsteinplatten; an der Brückenmauer in Deepenforth an Mörtelfugen und über Moosen.

Pilze.

Nesolechia Nitschkei Körb. Über Thelotrema lepadinum an Eichen im „Brook" bei Garnholz.

Anhang: Lichenen des Sachsenwaldes.

Calicium hyperellum Ach. An einer Fichte gegenüber dem Schlosse, an der anderen Seite des Bahndammes; an den Rieseneichen bei Oedendorf.

C. roscidum Flk. Rieseneichen.

C. trachelinum Ach. An Eichen.

C. curtum Borr. Wildparkpfosten.

C. pusillum Flk. Desgleichen.

Coniocybe furfuracea (L.) Ach. An Erdwällen vor Friedrichsruh.

Sphaerophoron coralloides Pers. Unter Buchen.

Baeomyces rufus (Huds.) DC. Erdwälle.

B. roseus Pers. Heideplätze.

B. ïcmadophilus (Ehrh.) Nyl. Grabenwand bei Ödendorf.

Stereocaulon condensatum Hffm. Heideplätze.

Cladonia chlorophaea Flk., Nyl. Verbreitet.

C. pityrea (Flk.) Nyl. Auf dem Hirnschnitte eines vermoderten Baumstumpfes am Wildpark.

C. fimbriata (L.) Hffm. In einigen Formen verbreitet.

C. ochrochlora Flk. Namentlich am Fusse der Birken.

C. gracilis Hffm. — chordalis Flk. Heideplätze.

C. furcata (Hffm.). Waldlichtungen, Wegränder.

C. pungens Ach. Am Bahndamme.

C. adspersa (Flk.) Nyl. Forstort Ödendorf.

C. glauca Flk. Forstort Ödendorf.

C. squamosa Hffm. Erdwälle.

C. caespititia (Pers.) Flk. Erdwälle.

C. digitata (L.) Hffm. Baumstümpfe, Erdwälle.

C. deformis L. Hirnschnitt eines modernden Baumstumpfes.

C. cornucopioides (L.) Fr. Heideplätze.

C. macilenta Hffm. Forstort Ödendorf.

C. polydactyla Flk. Forstort Ödendorf.

Cladina sylvatica (Hffm.) Nyl. Verbreitet.

Ramalina fraxinea (L.) Ach. Feldbäume; verbreitet.

R. fastigiata (Pers.) Ach. Desgleichen.

R. farinacea (L.) Ach. — intermedia Nyl. An Bäumen und Pfosten; steril.

Usnea florida (L.) Hffm. Mit Apothecien an Birken und Eichen.

U. hirta (L.) Hffm. Bäume und Holzwerk; steril.

U. dasypoga (Ach.) Nyl. Steril an Eichen und Birken.

U. ceratina Ach. Gleichfalls steril.

Cetraria aculeata (Schreb.) Fr. Heideplätze, auf Holzwerk bei Ödendorf.

Platysma saepincola Hffm., Nyl. Dünne Birkenzweige; reichlich fruchtend.

P. ulophyllum (Ach.) Nyl. Steril am unteren Stammende der Birken, an Föhren, an Wildparkpfosten.

P. glaucum (L.) Nyl. Baumstümpfe, Birken, Holzwerk; steril.

P. pinastri (Scop.) Nyl. Steril und dürftig an Föhren.

Evernia prunastri (L.) Ach. Steril verbreitet.

E. furfuracea (L.) Fr. Birken, Föhren, Schwarzpappeln; steril.

Alectoria jubata (Hffm.) Ach. Steril an Birken, Wildparkpfosten.

Parmelia caperata Ach. Eichen bei Friedrichsruh; steril.
P. conspersa Ach. Steinwälle; Brückenmauer bei Brunsdorf.
P. saxatilis (L.) Ach. Verbeitet.
P. sulcata Taylor, Nyl. Steril an Feldbäumen.
P. acetabulum (Neck.) Duby. Ulmen, Schwarzpappeln.
P. exasperata Nyl. An Birkenzweigen mit Platysma saepincola zusammen.
P. exasperatula Nyl. Ulmen bei Brunsdorf.
P. isidiotyla Nyl. Steinwälle; steril.
P. fuliginosa (Fr.) Nyl. Schwarzpappeln; steril.
P. subaurifera Nyl. Steril an Larix im Park zu Friedrichsruh; an Holzwerk.
P. physodes (L.) Ach. et var. labrosa Ach. Verbreitet; steril.
Lobaria pulmonacea (Ach.) Nyl. C. ap. an Buchen.
Peltigera canina (L.) Ach. Erdwälle, Waldlichtungen.
P. polydactyla (Neck.) Hffm. Wegränder.
Physcia parietina (L.) DC. Ulmen bei Brunsdorf, Feldbäume.
Ph. polycarpa (Ehrh.) Nyl. Birkenzweige.

Ph. ciliaris (L.) DC. Linden in Friedrichsruh.
Ph. pulverulenta (Schreb.) Fr. Ulmen an der Chaussee von Brunsdorf.
*Ph. pityrea (Ach.) Nyl. Linden in Friedrichsruh.
Ph. tenella (Scop.) Nyl. Sambucus in Aumühle, an Gesträuch in Friedrichsruh, Chausseebäume.
Ph. caesia (Hffm.). Steinwälle.
Ph. obscura (Ehrh.) Fr. Ulmen bei Brunsdorf.
— virella (Ach.) Nyl. Sambucus in Aumühle.
Lecanora saxicola (Poll.) Nyl. Steinwälle in Friedrichsruh.

L. citrina (Hffm.) Nyl. Friedrichsruh an Mauern.

L. vitellina (Ehrh.) Ach. Steinwälle.

L. exigua Ach. Sambucus bei Aumühle.

L. galactina Ach. Steinwälle in Friedrichsruh.

L. dispersa (Pers.) Flk. Steinhaufen an der Strasse nach Ödendorf.
L. subfusca (L.) Nyl. Buchen, Schwarzpappeln.
L. chlarona Ach., Nyl. An Zweigen von Larix leptolepis im Park von Friedrichsruh.
L. angulosa Ach. Birken, Schwarzpappeln.

L. glaucoma Ach. Steinwälle.

L. umbrina (Ehrh.) Nyl. Ulmen bei Brunsdorf.

L. varia Ach. Zäune im Forstort Ödendorf; Wildparkpfosten, Brückengeländer.

L. conizaea (Ach.). Föhren; steril an Birken.

L. symmictera Nyl. An Larixzweigen mit L. chlacona.

L. glaucella (Fw.) Nyl. Föhren.

L. polytropa (Ehrh.) Schaer. — campestris Schaer. Einzelner Granitblock im Walde bei Friedrichsruh.

L. Sambuci (Pers.) Sambucus in Aumühle.

L. atra (Huds.) Ach. Steinwälle.

L. haematomma Ach. — leiphaema Ach. Buchen.

L. tartarea Ach. Steinwälle bei Ödendorf.

— variolosa Fw. Eichen, Buchen.

L. coarctata Ach. Steinhaufen.

L. simplex (Dav.) Nyl. Selten an Steinwällen.

Pertusaria communis DC. Eichen, Buchen.

P. multipuncta (Turn.) Nyl. Buchen.

P. globulifera (Turn.) Nyl. Buchen, einmal mit Apothecien.

P. amara (Ach.) Nyl. Eichen.

P. Wulfenii DC. Buchen.

P. lutescens Hffm. Buchen, Populus nigra; steril.

P. coronata (Ach.) Th. Fr. Buchen; steril.

Phlyctis agelaea (Ach.) Wallr. Eichen, Schwarzpappeln.

Ph. argena (Flk.) Wallr. Schwarzpappeln, Linden.

Thelotrema lepadinum Ach. Buchen.

Urceolaria scruposa (L.) Ach. Steinwälle.

Lecidea lucida Ach. Steinwälle; steril.

L. quernea Ach. Rieseneichen; steril.

L. decolorans Flk. Erdwälle, Heideplätze.

L. flexuosa (Fr.) Nyl. Steril an Birken.

L. uliginosa Ach. Moorland bei Ödendorf.

L. fuliginea Ach. Hirnschnitt von Baumstümpfen und Park-zaunpfosten.

L. globulosa Flk. Mittelstarke Eichen.

L. cyrtella Ach., Nyl. Sambucus im Park zu Friedrichsruh und bei Aumühle.

L. rubicola (Crouan) Nyl. Im Park zu Friedrichsruh an Fichtenzweigen und -Nadeln; auch im Walde.
L tricolor With., Nyl. Buchen und Eichen.

L. Naegelii (Hepp.). Ulmen bei Brunsdorf.

L. Norrlini Lamy. Sambucus bei Aumühle.

L. parasema Ach. Schwarzpappeln u. s. w.
L. scabra Tayl., Nyl. Steinwälle.

L. meiospora Nyl. Steinwälle.
L. crustulata Ach. Steinhaufen an der Chaussee vor Ödendorf.
L. sorediza Nyl. Steril daselbst.
L. lithophila Ach. Einzelner Block vor Möhnsen.

L. fumosa (Hffm.) Wbg. Steinwälle.

L. lavata (Ach.) Nyl.. Steinhaufen an der Chaussee vor Ödendorf; Steinwälle.

L. myriocarpa (DC.). Rieseneichen zwischen Forstort Ödendorf und Schwarzenbeck.

L. amylacea (Ehrh.) Nyl. Ebendaselbst.

L. expansa Nyl. Steinhaufen an der Chaussee nach Ödendorf.

L. citrinella Ach. Erdwälle.
Graphis scripta (L.) Ach. Sehr selten an Buchen.
Opegrapha pulicaris (Hffm.) Nyl. Buchen; Weidenstumpf bei Aumühle.
O. atrorimalis Nyl. An einer Buche.
O. hapaleoides Nyl. Eichen.
O. viridis (Pers.) Nyl. Eichen, seltener Buchen.
Arthonia lurida Ach. Eichen.

A. pruinosa Ach. Holzwand und Pfosten eines Stallgebäudes bei der Oberförsterei in Friedrichsruh.

A. dispersa Schrad. Wipfelzweige von Birken.
Verrucaria nitida Schrad. Buchen.

V. punctiformis Ach. Kastanien, junge Ulmen in Aumühle.

Lepraria candelaris (L.) Schaer. Eichen.

Geognostische Notizen.

Von W. O. Focke.

1. Eine Tiefbohrung auf der Geest.

Im Jahre 1888 wurde nördlich von Bremen auf einem in der
Stendorfer Feldmark NNW von Wollah gelegenen Grundstücke eine
Tiefbohrung mittels Wasserspülung ausgeführt. Nach den Aufzeichnungen des Bohrmeisters wurden folgende Schichten durch-
sunken:

Meter

0	— 1,75	abwechselnd gelber Lehm und Sand.
1,75—	20	dunkler Thon mit geringen Kohlenspuren.
20	— 34	abwechselnd Sand und Thon.
34	— 99	Thon mit Sandadern.
99	—128	fester blauer Thon. — Bei 111 m ein fester Gegen-stand, welcher mit in die Tiefe geht.
128	—150	unbestimmbar wegen nachdringenden Sandes.
150	—157	grüner Sand.
157	—180	fester grauer Thon mit festen Einlagerungen.
180	—194	sehr fester Thon.
194	—208	etwas milder Thon.
208	—299	fester dunkler Thon, von 208—210 mit ziemlich viel Sand, von 277—298,25 milder, grünsandig und braun. Von 255—278 Spuren von Petroleum.
299	—304	fester Thon.
304	—321,70	milder, grünsandiger, brauner Thon.

Nach unten hin machte sich ein zunehmender Kochsalzgehalt
bemerkbar, doch liess sich, wegen der durch das Spülwasser bewirkten starken Verdünnung, der Salzgehalt des Tiefenwassers auch
nicht annähernd ermitteln.

Die im Bohrregister bemerkte grüne Färbung des Sandes aus
Tiefen von mehr als 150 m liess sich an kleinen Proben nicht
deutlich erkennen. Glaukonitkörner waren in diesem Sande nicht
vorhanden.

Fossile Tier- oder Pflanzenreste wurden nicht gefunden, so
dass eine Altersbestimmung der durchsunkenen Schichten nicht

möglich ist. Das obere Thonlager (bis 20 m) mag mit jenem schwarzen Thon (Präglacialthon) übereinstimmen, welcher auf unserer Geest so weit verbreitet ist und meist unmittelbar unter gelbem Diluviallehm lagert. Die tieferen Thone und Sande gehören der Tertiärformation (Oligocän?) an, doch fehlt es an genügenden Anhaltspunkten für nähere Bestimmungen. Das Liegende des Tertiärs ist nicht erreicht worden.

2. Bohrungen in der Weser-Niederung.

Auf dem Grundstücke der Strafanstalt zu Oslebshausen wurden folgende Schichten durchbohrt:

Meter

0,00— 5,00	Sand mit Humus und Bauschutt.
5,00— 6,00	grober gelber Sand.
6,00— 8,00	grober weisser Sand.
8,00— 8,75	blaugrauer Schlick.
8,75—10,00	unreiner grauer Sand.
10,00—11,00	heller Sand mit Kieselsteinen.
11,00—13,50	grober hellgrauer Sand.
13,50—14,50	grosse Steine (Granit, Feuerstein u. s. w.).
14,50—16,50	feiner schmutzig grauer Sand.
16,50—18,00	grober grauer Sand.
18,00—19,00	grosse Steine, bis 40 cm Durchmesser.
19,00—34,00	sehr feiner schmutzig grauer Sand.

Der feine Sand unter 19 m scheint mit dem Präglacialsande der Geest übereinzustimmen, die darüber liegenden geschiebeführenden Schichten scheinen durch Umlagerung und Ausschwemmung aus dem Blocklehm hervorgegangen zu sein. — Es muss angenommen werden, dass sich unweit Oslebshausen zur Zeit der letzten Vergletscherung die durch das Wummethal herabfliessenden Schmelzwasserströme mit der Weser vereinigten.

Diese Bohrung ist in der Arbeit des Herrn Director Dr. Kurth über die gesundheitliche Beurteilung der Brunnen im Bremischen Staatsgebiete (Koch und Flügge, Zeitschrift für Hygiene und Infektionskrankheiten, Bd. XIX) besprochen worden. In demselben Aufsatze finden sich auf S. 42—45 auch Mitteilungen über eine Reihe von Bohrungen an andern Punkten. Einige der in geognostischer Hinsicht beachtenswerteren Angaben mögen hier wiederholt werden. Ich bemerke, dass ich durch die Güte des Herrn Dr. Kurth Gelegenheit hatte, die meisten Bodenproben zu sehen.

Zu Hemelingen wurden bei einer Maifeldhöhe von 4,3 m über Normal-Null angetroffen:

	Meter
Gelber grobkörniger Sand	0,0— 2,0
Thon	2,0— 2,5
Moor	2,5— 3,0
Heller Sand	3,0— 5,0

Meter

Gemischter Kies (krystall. Gesteinsbrocken,
Feuersteine, Kalksteine, Kieselschiefer,
Sollingsandstein u. s. w.) . . . . . 5,0— 6,0
Sand mit Einlagerungen von Kies . . . 6,0—10,5
Sand mit Braunkohlenbröcken . . . . . 10,5—14,5
Grosse krystall. Geschiebe mit Kalksteinen 14,5—15,5
Feiner Sand mit Braunkohlenbrocken . . 15,5—23,7

Bemerkenswert ist besonders der gemischte Kies, der neben
Kalksteinen aus dem noch unverwitterten Blocklehm echten Weser-
kies (Kieselschiefer, Sollingsandstein) enthielt. Über frühere
Bohrungen zu Hemelingen ist berichtet in diesen Abhandl. IV, S. 333
(erreichte Tiefe 29 m) und VII, S. 296 (erreichte Tiefe 220 m).

Bei einer Bohrung am Buntenthorssteinwege (Maifeldhöhe
4 m über Normal-Null) wurde gefunden:

In 12,5—14,0 m Tiefe grober Kies, darunter feiner
Sand; in 21,5—22 m Tiefe ein Glaukonitkörner enthaltender
kalkreicher Thon, darunter Feuersteine und dann bis 41 m
ein feiner grauer Sand mit Einlagerungen von gröberem Sand
und kleinkörnigem Kies.

Am Arsterdamm wurde bei einer Maifeldhöhe von 4,3 m
angetroffen:

Meter

Gelber Lehm . . . . 0 — 2,0
Schwarzer Thon . . . . 2,0— 4,0
Hellgelber Sand . . . . 4,0— 6,0
Flusskies . . . . 6,0— 6,5
Feiner Sand . . : . . . . 6,5—10,0

Weiter unten wurde schärfer grauer Sand angetroffen und in
einer Tiefe von 14—15 m stiess man auf grosse Geschiebe.

3. Änderung in unterirdischen Wasserläufen (Grundwasserströmungen).

In der winterlichen Eisdecke des Bremer Stadtgrabens waren
in früheren Jahren — jedenfalls um 1850 und 1860 — regelmässig
einige offene oder doch mit sehr dünnem Eise bedeckte Löcher
zwischen dem Heerdenthore und Ansgariithore unterhalb der Windmühle bei der Blumenschule vorhanden. Selbst bei strenger Kälte
blieben diese Stellen unsicher, so dass sie durch Warnungszeichen
oder durch Umfriedigung den Eisläufern kenntlich gemacht werden
mussten. Diese mir aus meiner Jugend genau bekannten offenen
Stellen habe ich neuerdings nie mehr gesehen.

Beim Zufrieren des Grabens hat das Wasser am Grunde desselben die Temperatur von + 4°, bei welcher das spezifische Gewicht
am höchsten ist. Ein Offenbleiben einzelner Stellen lässt sich nur
dadurch erklären, dass aus dem Grunde des Grabens leichtes
wärmeres Wasser emporsteigt. Es kann dies wohl nur geschehen,

wenn es unter hydrostatischem Drucke zuströmt. Im Stadtgraben war dies von dem höheren Ufer des Walles und der Altstadt her möglich.

Das wärmere Wasser, welches vom Grunde des Stadtgrabens aufstieg, muss somit unterirdisch von den Höhen der Altstadt herabgekommen sein. Jetzt hat dieser Zufluss anscheinend aufgehört. Über die Ursache dieser Änderung kann man nur Vermutungen hegen; möglicherweise hängt sie mit der Kanalisation zusammen, die früher sehr mangelhaft war.

4. Die „Volkweg"-Wasserscheide.

In den Abh. Naturw. Ver. Bremen IV, S. 311, habe ich angegeben, dass ich in einem von einer dünnen Decke diluvialen Kieses überlagerten Sande bei Ristedt, unweit Syke, Nester eines etwas thonhaltigen Sandes gefunden habe, in welchem Glaukonitkörner locker eingelagert waren. Es war klar, dass diese Körner ursprünglich in einem einigermassen festen Gestein eingebettet gewesen sein müssen, weil sie sonst bei jeder Umlagerung vollständig zerstreut worden wären. Erst 15 Jahre später gelang es mir, die vermutete glaukonitführende Gebirgsart aufzufinden, von welcher wahrscheinlich jene Ristedter Nester herzuleiten sind. In Abh. Naturw. Ver. Bremen X, S. 143 habe ich eine kurze Mitteilung über die Quellen von Blenhorst veröffentlicht, in welcher erwähnt wurde, dass beim Erbohren der Hauptquelle ein dunkler glaukonitischer Mergel angetroffen sei. Die dort gemachten Angaben kann ich [durch einige allerdings unvollständige Notizen aus dem Bohrregister ergänzen.

	Meter
Moor	0 — 1,8
Kies und Thon	1,8 — 9,0
Blaugrüner Thon	9,0 —54,0

In demselben bei 24—26 m ein Muschellager, bei 44 m Eisenkies.

Der „blaugrüne Thon", von dem ich noch Proben sah, ist glaukonitreicher Thonmergel.

Herr Dr. Kurth, Direktor des hiesigen Bakteriologischen Instituts, hat ferner Glaukonitkörner in einem Thon aufgefunden, welcher bei einer Brunnenanlage in der Südervorstadt erbohrt worden ist; vergl. oben S. 331.

In der Festschrift von 1890 über die freie Hansestadt Bremen habe ich auf S. 190 auf eine bemerkenswerte ostwestliche Wasserscheide aufmerksam gemacht, welche einer der Weserkette parallel laufenden Bodenfalte zu entsprechen scheint. Ältere Tertiärschichten, möglicherweise selbst Gesteine der Sekundärformationen, sind auf dieser Wasserscheide mutmasslich verhältnismässig nahe der Oberfläche anzutreffen. Der glaukonitische Thonmergel und die Salzquelle von Blenhorst gehören dem östlichen Ende dieser Wasserscheide an.

Herrn C. Beckmann verdanken wir die Kenntnis des Vorkommens von Tertiär-Konchylien in Mergelgruben bei Beckstedt und Kieselhorst westlich von Bassum. Diese Orte liegen nur wenige Kilometer nördlich von der Wasserscheide; der dort vorkommende dunkle Thonmergel stimmt vielleicht mit der entsprechenden Gebirgsart von Bippen (vgl. Freie Hansest. Bremen, S. 196) unweit Quakenbrück überein.

In der Nähe jenes Abschnittes der Wasserscheide, welcher von der Hunte durchbrochen wird, ist das Diluvium ausserordentlich wenig entwickelt. Steine, namentlich auch das kleine Geröll und die Feuersteinsplitter, sieht man dort nur in geringer Menge. Bei dem Dorfe Beckstedt hat der Ackerboden einen durchaus tertiären Charakter; gelber Lehm und Sand, grobe Quarz- und Feldspatkörner, sowie Geröll und Geschiebe sind dort nirgends zu sehen, so dass man den Eindruck erhält, es seien daselbst keine Diluvialablagerungen vorhanden. Ohne Bodenaufschlüsse, die ich bisher noch nicht angetroffen habe, ist eine klare Einsicht freilich nicht zu gewinnen.

Die hier besprochene Wasserscheide bildete ehemals die Grenze der Gaue Derve und Lorgoe, später der Bistümer Minden und Bremen. Der Grenzweg, welcher auf ihr von der Hunte an die Weser führte, hiess der Volkweg (Folcwec), eine Benennung, die sich passend auf die Wasserscheide übertragen lässt.

5. Das Liegende des Blocklehms auf der Vegesack-Scharmbecker Geest.

Die Diluviallandschaft des Schwemmlandes in den Flussgebieten der Weser und Ems zeichnet sich aus durch langgestreckte, breite und flache Heiderücken, in welche ziemlich regelmässig verlaufende seichte Erosionsthäler ausgefurcht sind. Diese ebene Geschiebeablagerung gehört dem älteren Diluvium an; dagegen kann eine regellos wellige Moränenlandschaft, wie sie sich im östlichen Schleswig-Holstein, in Mecklenburg u. s. w. findet, wohl als charakteristisch für die letzte Vergletscherung angesehen werden. Solch ein welliges Gletscherschuttland ist auch auf dem linken Elbufer nachweisbar, reicht aber kaum irgendwo bis in das Flussgebiet der Weser hinein. Es grenzt indessen an die oberen Abschnitte der weiten flachen Thäler der Aller und der Wümme, welche zur Zeit der letzten Vergletscherung grosse Wassermassen aufgenommen zu haben scheinen, die entweder unmittelbare Schmelzwasser oder Abflüsse aufgestauter Seen gewesen sein können. Die eigentliche hohe Geest, welche von derartigen Strömen nicht betroffen wurde, zeigt an der Unterweser Geschiebeablagerungen, die sich bis jetzt nicht mit Wahrscheinlichkeit als unmittelbare Gletscherbildungen deuten lassen. Die von K. Martin (Abh. Naturw. Ver. Bremen V, S. 494, VII, S. 325—331) beschriebene Verteilung jurassischer und sonstiger inländischer Geschiebe über das Oldenburger Land lässt sich durch einfache Gletscherwirkung nicht erklären. Es wird daher darauf ankommen, zu untersuchen, ob irgendwo eine Grenze zwischen Drift- und Gletscherbildungen nachzuweisen ist.

Zu diesem Zwecke eignet sich am besten die Betrachtung einzelner umgrenzter Landabschnitte, weil auf grösseren Strecken die Mannichfaltigkeit der Erscheinungen zu bedeutend ist. Es sei daher hier zunächst der nördlich von Bremen gelegene Vegesack-Scharmbecker Geeststrich besprochen. Grössere Geschiebe führt hier ausschliesslich der Blocklehm, welcher in einer Mächtigkeit von 1—5 m auftritt. Unter demselben trifft man entweder unmittelbar weit verbreitete völlig geschiebeleere Ablagerungen an, oder es finden sich unregelmässige, oft kleine Gerölle führende Zwischenglieder vor.

Es treten auf der Vegesack-Scharmbecker Geeste zwei verschiedene Gebirgsarten als Liegendes des Blocklehms auf, nämlich:

1. Der Präglacialsand; geschichteter feinkörniger (0,1 bis 0,2 mm), hellfarbiger Quarzsand mit eingemengten weissen Glimmerblättchen, magnetischem Titaneisen, Braunkohlenstaub und anderen dunklen mineralischen Körnern.

2. Der Präglacialthon; ein ungeschichteter, wenigstens nach oben zu kalkarmer schwarzer Thon.

Beide Bildungen halte ich für Schlämmungsprodukte aus dem Oligocän, namentlich aus Glimmerthonen und Glimmersanden. Sie sind frei von organischen Einschlüssen (abgesehen von Bernstein), sodass eine Altersbestimmung bisher nicht möglich war.

Die Art und Weise, wie der Blocklehm diese Gebirgsarten überlagert, ist nun sehr ungleich. Es lassen sich verschiedene Typen unterscheiden.

A. Das Liegende ist Präglacialsand.

1. Der Blocklehm liegt unmittelbar auf der ebenen oder nur hie und da seicht ausgefurchten Oberfläche des Präglacialsandes.

Die unterste Lage des Blocklehms ist in diesem Falle meist härter, oft eisenschüssig oder zugleich eisenschüssig und thonig; sie ist etwa 1—20 cm mächtig, fast frei von groben Geröllen und gegen den unterliegenden Sand scharf abgegrenzt, geht aber meist allmählich in den Blocklehm über. Zuweilen finden sich statt der Grenzschicht zahlreiche unregelmässige Brocken und Klümpchen des schwarzen Präglacialthons in die unterste Blocklehmmasse eingebettet.

2. Der Präglacialsand ist von einer söhligen Thonschicht überlagert, welche steinfrei und nach oben wie nach unten scharf gegen Blocklehm und Präglacialsand abgegrenzt ist.

3. Zwischen dem Präglacialsande und dem Blocklehm liegen unregelmässig geschichtete, grobe und feine Sande, oft mit Kiesnestern und vereinzelten kleinen Geröllen.

Die Zwischenglieder, welche Blocklehm und Präglacialsand trennen, sind ausserordentlich unregelmässig. Ein Aufschluss in einer Sandgrube zeigt oft ein völlig anderes Profil, sobald die Abgrabung 1 oder 2 m weiter fortgeschritten ist. Die Sande sind stets geschichtet, aber die Schichten sind nicht immer söhlig, sondern oft ziemlich stark geneigt. Falls man sie weiter verfolgen kann, zeigt sich, dass sie meist wellig verlaufen; bei solcher Anordnung sind manchmal auf den Satteln die Schichtenköpfe wagrecht abgeschnitten und dann discordant von anderen Sanden oder vom Blocklehm überlagert, während die Mulden meistens mit gröberen Sanden oder mit Kies aus krystallinischem Gestein ausgefüllt sind. Mitunter sind die Kieseinlagerungen über 1 m und mehr mächtig, haben aber trotzdem keine grosse Ausdehnung, sondern erscheinen nesterartig.

Der Präglacialsand hat offenbar den grössten Teil des Materials dieser Zwischenschichten geliefert, die manchmal so allmählich in ihn übergehen, dass keine Grenze gefunden werden kann. Ausserdem sind aber grobe Quarzteile und Feldspatbrocken, hin und wieder auch Steinchen und einzelne Gerölle, die Faustgrösse erreichen können, eingemengt. Der Blocklehm pflegt den Zwischenschichten söhlig und scharf abgegrenzt aufzuliegen.

B. Das Liegende ist Präglacialthon.

4. Der schwarze Präglacialthon nimmt nach oben zu allmählich eine braune und dann eine braungelbe Färbung an; zuletzt geht er ohne scharfe Grenze in den gelben Blocklehm über.

Von Schichtung ist in diesem Falle keine Spur zu sehen; die Verfärbung des Thons ist wohl als eine Verwitterungserscheinung zu deuten; oben wird der Thon allmählich sandig und steinig.

5. Zwischen dem schwarzen Thon und dem Blocklehm, die beide ungeschichtet sind, finden sich äusserst unregelmässig gelagerte, meist geschichtete Thonbänke, Lehme und Sande. Sie sind steinfrei oder doch sehr arm an Steinen.

Es giebt nichts Unregelmässigeres als diese Zwischenschichten. Die bald geschichteten, bald ungeschichteten Thonbänke und Thonklumpen sind zuweilen steil aufgerichtet oder anscheinend übergekippt und bedecken dann Sandmassen, die zwischen ihnen und dem normalen Präglacialthon eingelagert sind. An andern Stellen finden sich hellfarbige, bald mehr sandige, bald mehr thonige Lehme als Decke des schwarzen Thons.

Die unter 1, 2 und 4 beschriebenen einfachen Lagerungsverhältnisse würden sich leicht durch die Drifttheorie erklären lassen. In den Fällen unter 3 und 5 muss indessen eine gewaltsame Einwirkung von Eismassen auf die Unterlagen angenommen werden. Die unter 3 geschilderten Erscheinungen würden sich allenfalls auf Schmelzwasser zurückführen lassen; dagegen können die unter 5 beschriebenen Störungen nur durch unmittelbaren Stoss und Druck festliegender oder gestrandeter Eismassen bewirkt sein.

Der Vollständigkeit halber sei hier noch eine fernere Beziehung zwischen Blocklehm und den nächstälteren Gebirgsarten angeführt, nämlich das Vorkommen von Klumpen Präglacialsandes und Präglacialthons als Einschlüsse im Blocklehm.

Die geschilderten Verhältnisse würden sich im allgemeinen recht wohl durch die Drifttheorie erklären lassen; die unregelmässigen Zwischenschichten könnten, wie erwähnt, durch Druck und Schub grosser gestrandeter, von Ebbe und Fluth bewegter Eisfelder hervorgebracht sein. Eine Erklärung dafür, weshalb die gestörten Zwischenschichten zwar einzelne kleine Steine und Gesteinsbrocken sowie ganze Nester groben Kieses, aber keine grössere Blöcke enthalten, ist meines Wissens noch nicht gegeben worden.

An einer einzigen Stelle habe ich auf der Vegesack-Scharmbecker Geest den Blocklehm geschichtet gesehen. Es war dies zu Ihlpohl bei Lesum; nach wenigen Jahren, als die Ausgrabung weiter fortgeschritten war, verschwand die Schichtung, ohne dass sich das Profil sonst geändert hätte.

Die Selbstentzündung des Heues und deren Verhütung.

Von Dr. L. Häpke.

Wenn Heu in feuchtem Zustande eingebracht und in grossen Haufen (Mieten, Schober, Feimen, Diemen oder Heuberge genannt) aufgeschichtet wird, so geht es in eine Art Gährung über, welche von beträchtlicher Wärmeentwickelung begleitet ist, die sich unter gewissen Bedingungen zur Selbstentzündung steigern kann. Diese den Landleuten namentlich in den Marschgegenden wohlbekannte Thatsache wurde lange von gelehrten Herren, selbst Naturforschern bezweifelt. Äusserte sich doch das Medizinalkomité der Universität München auf Anfrage eines Gerichts im Jahre 1872 noch so vorsichtig: „dass eine Selbstentzündung des Heues, wenn auch bis jetzt nicht ganz unzweifelhaft festgestellt, doch vom wissenschaftlichen Standpunkte aus keineswegs unmöglich erscheine."*)

Landgerichtsrat Dr. Medem, Professor der Universität Greifswald, hat sich seit einigen Jahren eingehend mit der Selbstentzündung des Heues beschäftigt, da mehrfach Brände von Heuhaufen oder Scheunen zu Gerichtsverhandlungen führten, wobei zu entscheiden war, ob es sich um Brandstiftung oder Selbstentzündung handelte. Derselbe hat seine aus der Praxis stammenden Erfahrungen kürzlich in dem Jahrbuche der Deutschen Landwirtschafts-Gesellschaft für 1894, Seite 40—60 veröffentlicht und auch einiges aus der Litteratur zusammengestellt. Mehrere Fälle sind durch Zeichnungen erläutert, wobei sachkundige Landwirte mitwirkten. Die von Professor Medem beschriebenen zwölf Fälle ereigneten sich meist östlich von der Elbe, während in der von mir herausgegebenen Monographie**) acht Selbstentzündungen von Heuhaufen verzeichnet sind, die vorzugsweise im Nordwesten Deutschlands stattfanden. Von diesen zwanzig in die Öffentlichkeit gelangten Vorkommnissen, die mit dem Verbrennen des ganzen oder eines Teils des Heuvorrats endeten, lässt sich schliessen, dass ein Verderben oder Unbrauchbarwerden des Heues ziemlich häufig stattfindet, wenn ein Ausbruch des Feuers

---

*) Liebigs Annalen, Band 167, Seite 361.
**) Die Selbstentzündung von Schiffsladungen, Baumwolle, Steinkohlen, Heuhaufen, Taback etc. 2. Aufl. Bremen, C. Ed. Müller 1893.

auch meistens verhütet wird. Mitunter wurde das fermentierte oder angekohlte Heu noch von den Tieren ohne Schaden gefressen, verschiedentlich aber erkrankte auch das Vieh und ging ein, wenn das Heu schon zu sehr verdorben war. Nachstehend skizziere ich aus Medems Abhandlung einige der bedeutendsten Fälle aus den letzten Jahren, um daran die Entstehungsursache zu knüpfen und die Bedingungen zu erörtern, wodurch die spontane Entzündung des Heues vermieden werden kann.

1. Auf dem Gute Cowall im Kreise Grimmen wurden im August 1891 45 Fuder Heu, von dem ein Teil nicht ganz trocken war, in eine Miete zusammengefahren, die im October in Brand geriet und zwar an der Südost-Seite, woher der Wind kam. Die Miete wurde bis auf drei Fuder abgefahren, die ganz mit Erde beworfen wurden. Noch nach drei Wochen brannte dieses Heu unter der Erde und verkohlte gänzlich.

2. Auf dem Gute Dargelin (Kr. Greifswald) wurde eine üppige Wiese am 22. Sept. 1891 gemäht, und 26 Fuder Heu vom 2. bis 7. Oktober eingebracht, die in einem Haufen von 8 m Länge und 8,5 m Höhe in einer Scheune lagerten. Als am 18. November aus dem Haufen dicker, dunkler, brandig riechender Rauch aufstieg, begann man mit dem Abräumen. Das Heu schwitzte äusserlich stark, zeigte Schimmelstellen und sank bis auf seine halbe Höhe zusammen. Bald zeigte sich im Innern Feuerglut, aus der bisweilen fusslange Flammen fuhren. Unter fortwährendem Begiessen wurde das Heu aus der Scheune gebracht, das selbst auf dem Wagen sich noch wieder entzündete.

3. Eine Miete von 25 Fudern Heu (etwa 500 Ctr.) wurde auf dem Gute Dersekow (Kreis Greifswald) gegen Mitte Oktober aufgeschichtet, während die Witterung nass und ungünstig war. Kurz vor Weihnachten stieg bei klarem Frostwetter aus der Miete ein grauer Qualm senkrecht in die Höhe und verbreitete einen eigentümlichen Geruch nach frischem Brode. Als man nach einigen Wochen das Innere untersuchte, fand sich ein Kegel von 30 Fuss Umfang, der vollständig verkohlt war. Man fuhr das ganze Heu, das vermodert schien und einen sehr schlechten Eindruck machte, auf den Dunghof, weil man fürchtete, es könne für das Vieh gesundheitsschädlich sein.

4. Im Heseler Vorwerk bei Aurich wurden im Juli 1889 bei der Heuernte 40—50 Fuder in eine Scheune gebracht, die am 13. August einen brandigen Geruch verbreiteten. Der Besitzer zog den Brandmeister des Orts und später auch den Gemeindevorsteher hinzu, die das Heu mit einer neun Fuss langen Eisenstange untersuchten, indem sie dieselbe zwölfmal an verschiedenen Stellen einführten. Obgleich die Stange heiss war, glaubte man nicht an Brandgefahr, stellte aber eine Wache an. Als diese acht Uhr Abends aufzog, loderte plötzlich in dem Heu das Feuer auf, das sich mit grosser Geschwindigkeit verbreitete und das ganze Gebäude in Asche legte. Als gegen den Besitzer die Untersuchung wegen fahrlässiger Brandstiftung eingeleitet wurde, äusserte sich Prof. Medem

dem Staatsanwalt gegenüber dahin, „dass in diesem Falle die Entzündung lediglich dem Anbohren des Heuhaufens zuzuschreiben sei."

5. Auf der Domäne Poggendorf (Kreis Grimmen) wurden Anfang August 1892 84 vierspännige Fuder Mengkorn (Hafer, Gerste, Erbsen und Wicken) in eine Miete von 40 Fuss Durchmesser zusammengebracht, die am 5. November mittags bei starkem Südwestwinde in Flammen geriet.

6. Im Viehhause zu Purkshof, einem Gute bei Rostock, lagerten im August 1885 120 Fuder Kleeheu und 140 Fuder Wiesenheu. Am 7. August bemerkte man im Kleeheu Glimmfeuer, das bis zum 13. August anhielt, trotzdem zwei Feuerspritzen unter Leitung des Branddirektors Studemund vom 8. August an unausgesetzt thätig waren und die ganze Decke des Stalles unter Wasser hielten. Von den 260 Fudern wurden ungefähr 70 Fuder hinausgeschafft, unter denen 28 verbrannt und verkohlt waren.

Das dunkle Gebiet der Wärmeerzeugung im Heu ist erst durch die Untersuchungen des Professors Ferd. Cohn in Breslau aufgehellt worden, der zuerst im Jahre 1888 über Wärmeerzeugung durch Schimmelpilze und Bakterien schrieb und ferner über dieses Thema am 15. Juni 1890 in der Schlesischen Gesellschaft für vaterländische Kultur einen Vortrag hielt, welcher auch in dem Jahresberichte der genannten Gesellschaft veröffentlicht ist. In einen Apparat, der ausreichenden Gaswechsel gestattete, aber den Wärmeverlust verhinderte, füllte Cohn drei Kilogramm fest gedrücktes Gras, das stark zu schwitzen begann und nach einigen Tagen eine Temperatur von 57^0 annahm. Bei der Beschickung mit Stalldünger stieg die Temperatur sogar auf 71^0, die in beiden Fällen durch Bakterien hervorgerufen wurde. Dieselben vermehrten sich in der feuchten Wärme ungeheuer rasch und erzeugten unter Entwickelung von Ammoniak in ihren Gliedern elliptische Sporen, die am achten Tage jeden Tropfen zu Milliarden erfüllten. Allerdings starben die Heubakterien bei dieser Temperatur bald ab, aber durch ihre Fermentthätigkeit wurde das Zellgewebe des Heues in eine lockere, kohlenstoffreichere Substanz verwandelt, welche pyrophore Eigenschaften annimmt. Sie saugt mit Energie Sauerstoff aus der Luft ein, wobei sich durch Oxydation immer mehr Wärme anhäuft, dass zuletzt ein Glimmen und selbst Aufflammen des Heues erfolgt. Die Temperatur, bei der Heu oder Grummet in Kohle verwandelt wird, liegt nach Ranke*) zwischen 280 und 300^0. Diese Temperatur kann durch fortgesetzte Oxydation aber nur erreicht werden, wenn eine Abkühlung von aussen nicht mehr stattfindet, also bei Heuschobern von mindestens 18 bis 20 Fudern. Dieser Auffassung von Cohn mich anschliessend, weise ich jedoch auf die Lücke hin, die zwischen dem biologischen und chemischen Verhalten des Heues noch besteht. Die Umgestaltung des Grases zu Heu besteht nicht in blossem Austrocknen, sondern es finden auch chemische Umlagerungen statt, die Wärme erzeugen. Über die Veränderungen,

---

*) Liebigs Annalen, Band 167, Seite 365.

22*

welche das Heu nach dem Absterben der Bakterien bis zum 'Aus-
bruche des Brandes erleidet, also von 57° bis 300°, fehlen exakte
Versuche, wie sie von Ranke für eine Temperatur von über 300°
bereits angestellt sind.

Zur Verhütung der Selbstentzündung des Heues ergeben sich
aus der Praxis der vorliegenden Fälle folgende Sätze.

1. Durch keimfähige Bakterien, die überall im feuchten Heu
vorkommen, entsteht unter Zutritt der atmosphärischen Luft ein
pyrophorer Zustand, weshalb bei völlig trockenem Heu nie Selbstentzündung eintritt. Das Trocknen verlangt also die grösste Aufmerksamkeit.

2. Durch Einstreuen von Salz wird den Bakterien die Keimfähigkeit genommen; ebensowenig entzündet sich Pressheu, da die
Heubakterien aerobe sind.

3. Nur das beste Klee- und Marschheu ist in unreifem Zustande zur Selbstentzündung geneigt, weil es der oxydierenden Luft
eine grössere Oberfläche darbietet, als minderwertiges Heu, das mit
sauren Gräsern untermischt ist. Beim Aufstapeln einer vorzüglichen
Heuernte sei man also besonders vorsichtig.

4. Wenn im Innern ein Entzündungskern vorhanden ist, so
bemerkt man an der Aussenfläche keine Temperaturerhöhung, aber
der Schober beginnt zu qualmen, sinkt bis auf $1/_3$ oder gar $1/_4$
seines ursprünglichen Volums zusammen, riecht anfangs aromatisch
nach frischem Brode oder gebackenen Pflaumen und stösst später
brenzliche Dämpfe aus.

5. Die Temperatur im Innern ist mit einer eisernen Stange
zu messen, in deren Höhlung an der Spitze ein kleines Thermometer angebracht ist, wie dies Loennecker schon 1871 in den
landwirtschaftlichen Blättern für Oldenburg vorgeschlagen hat. Zeigt
das Thermometer 50° Celsius, so ist der Heuschober abzustechen.
Ist die Temperatur höher, oder entwickelt sich bereits Rauch, so
hilft nur noch das Ablöschen mit Wasser, wie im Falle von
Purkshof.

6. Eine Innenventilation mittelst enger Röhren ist gefährlich,
und die durch die Probierstange entstehenden Löcher sind wieder
zu verstopfen. Die Dichtigkeit der Lagerung, die Richtung und
Stärke des Windes sind von grossem Einfluss auf den Beginn der
Selbstentzündung. Ein qualmender Heuschober darf bei windigem
Wetter nicht geöffnet werden. —

Von allgemeinem Interesse dürfte noch die Bemerkung Ranke's
am Schlusse der oben angeführten Abhandlung sein, dass derselbe
Prozess, der in den Heuhaufen vor unseren Augen zur Bildung
wirklicher Kohle führt, wohl auch bei der Entstehung der Stein-
kohlenflötze in der Urzeit unseres Planeten mitwirkend gewesen
sein mag.

Nach Abfassung des vorstehenden Berichts erhielt ich die Abhandlung des Professors Medem in erweiterter Form als besondere Broschüre*) zugesandt. .Diese Schrift enthält noch zwei weitere Fälle von spontaner Entzündung des Heues, von denen der eine sich erst im September des vorigen Jahres ereignete, und zur Beurteilung der Entstehung pyrophoren Heues einen interessanten Beitrag liefert. Die Beschreibung rührt vom Oberinspector Loeper her, der früher schon einen dreifachen Mietenbrand beobachtet hatte.

Auf dem Gute Jasedow im Kreise Greifswald war am 3. Sept. 1894 eine Heumiete vom zweiten Schnitt zusammengefahren, die 24 vierspännige Fuder (also ca. 500 Ctr.) enthielt. Als der genannte Herr am 26. Nov. an der Miete vorbeifuhr, bemerkte er einen widerlichen, brenzlichen Geruch und sah drei Minuten später dichten Rauch aufsteigen. Der Haufen brannte in $2/3$ des Umfangs von oben bis unten und das ganze Deckstroh, eine Schicht von ungefähr einem Meter Dicke, stand in hellen Flammen. Das Feuer war im Windschatten ausgebrochen und verbreitete sich von beiden Seiten der Windrichtung entgegen. Da Leute schnell zur Hand waren, so konnte mit einer Feuerspritze das Feuer bald gelöscht werden. Die Oberfläche des Heues war dunkelbraun, der Rand hellbraun, eine runde, exentrisch belegene Stelle war tiefschwarz wie Kohle. An dieser Stelle fand immer wieder Entzündung statt, sowie sich der Wind erhob, indem einige Centimeter unter der Oberfläche sich Funken bildeten, die die darüber liegenden Halme in Flammen setzten. Als das Heu auseinander gefahren wurde, fing es auf dem Wagen und dem Felde immer wieder an zu brennen. Nachdem während der Nacht eine Feuerwache thätig gewesen war, wiederholte sich das spontane Entzünden auch am anderen Tage, bis der Rest auseinander gefahren war. Dabei ergab sich, dass die schwarze, verkohlte Masse in dem gleichen Umfange bis zur Grundfläche reichte. Lebendige Funken zeigten sich immer nur an der Luft zugänglichen Oberfläche, aber niemals im Innern.

Genau dasselbe Verhalten kann man an der rohen Baumwolle wahrnehmen, die sich als völlig abgestorbene organische Substanz zwar niemals von selbst entzündet, aber durch äusseres Feuer, Funkenflug etc. sehr leicht verkohlt. „Bei bewölktem Himmel und stiller Luft scheint alles Feuer gedämpft, sobald aber Sonnenschein bei auffrischendem Winde eintrat, loderte der im Innern des Ballens glimmende Funke von neuem auf.“ (Vergl. meine oben genannte Schrift, Seite 63). Verkohlte Grashalme haben wie verkohlte Baumwollfasern im Innern einen lufterfüllten Raum (Lumen), der beiden Körpern die denkbar grösste Oberfläche zum Angriff des Sauerstoffs der Luft bietet.

---

*) Die Selbstentzündung von Heu und Steinkohlen. 2. vermehrte und verbesserte Auflage. Greifswald 1895. Verlag von Julius Abel.

Naturwissenschaftlich-geographische Litteratur über das nordwestliche Deutschland.

Zusammengestellt von Franz Buchenau.

(Fortsetzung. —, Siehe Band XIII, pag. 75.)

Um Mitteilung der Titel von hier nicht aufgezählten Arbeiten wird freundlichst gebeten.

1891.

Krause, C. Zwei neue Gedichte des Euricius Cordus (1486 bis 1535). In: Hessenland, 1891, p. 114—119.

— Vom Namen des Dichters Euricius Cordus. Daselbst, p. 152—154.

— Neue Untersuchungen über den Namen und über die Schuljahre des Dichters Euricius Cordus. Daselbst, p. 306—309; 1892, p. 2—5. (Über den aus Hessen nach Bremen berufenen Lehrer, Botaniker und Dichter Euricius Cordus — Heinrich Solde aus Simtshausen bei Frankenberg in Hessen — vergl. auch Fr. Buchenau, neuere Forschungen über Euricius und Valerius Cordus; diese Abhandlungen, 1869, II, p. 130—140).

1893.

Dames, E. Über die Gliederung der Flötzformationen Helgolands, In: Sitzungsber. der Kön. Preuss. Akademie der Wissenschaften, 1893, p. 1019 — 1039.

Landois, H. Ein Einbaum aus der Emse. In: 21. Jahresbericht des Westfälischen Provinzial-Vereines für Wissenschaft und Kunst für 1892/93, p. 36 u. 37.

Westhoff, Fr. Noch Einiges über die Stechpalme, Ilex Aquifolium L., und ihre Verbreitung in Westfalen. In: 21. Jahresbericht des Westfälischen Provinzial-Vereines für Wissenschaft und Kunst, 1892/93, p. 55—63.

1894.

Anonym. Die Nordsee-Insel Borkum. Siehe Scherz, C. F.

Bartels, M. Beiträge zum Steinbeil-Aberglauben in Nord-Deutschland. In: Verh. Berl. Ges. für Anthropologie, Ethnologie und Urgeschichte, 1893, p. 558—564.

Beuthin, G. Beiträge zur Fauna und Flora der Niederelbe, No. L: Sechster Beitrag zur Kenntnis der Hymenopteren der Umgegend von Hamburg (zusammengestellt von H. Engels). In: Verhandlungen des Vereins für naturwissenschaftliche Unterhaltung zu Hamburg, 1891—93; 1894, p. 52—56.

Bergholz, P. Meteorologische Station I. Ordnung: Ergebnisse der meteorologischen Beobachtungen. Stündliche Aufzeichnungen der Registrierapparate. Dreimal tägliche Beobachtungen in Bremen und Beobachtungen an vier Regenstationen. Jahrgang VI; 4⁰; VI und 40 Seiten, 8 Tafeln.

Berthold, Gerh. Der Magister Johann Fabricius und die Sonnenflecken. Nebst einem Excurse über David Fabricius. Leipzig. Veit & Comp., 1894, 8⁰, 60 Seiten.

Buchenau, Franz. Naturwissenschaftlich-geographische Litteratur über das nordwestliche Deutschland. In: Abh. Nat. Verein Brem., 1894, XIII, p. 75—80.

— Christian Rutenbergs Ende. In: Abh. Nat. Ver. Brem., 1894, XIII, p. 87—90.

— Flora der nordwestdeutschen Tiefebene. Leipzig. Wilhelm Engelmann; 1894, kl. 8⁰, XV und 550 Seiten.

— Die Verbreitung von Oryza clandestina. In: Botan. Zeitung, 1894, Heft IV, p. 83—96. 2. Abhandlung; daselbst, Heft XI, p. 201—206.

(Die Arbeit geht von dem Vorkommen im nordwestlichen Deutschland aus.)

— Die Wingst. In: Weser-Zeitung, 1894, 6. u. 7. Juli, No. 17098 und 17099.

Cordus, Euricius. S. Krause, C. (1891.)

Ehrenbaum, E. Beiträge zur Naturgeschichte einiger Elbfische. Siehe Meeres-Untersuchungen, p. 35—82; mit Taf. I—IIIa (der Stint, die Finte, der Kaulbarsch, der Stör.)

— Der Helgoländer Hummer. Ein Gegenstand deutscher Fischerei. Daselbst, p. 277—300.

Fick, W. Beiträge zur Fauna und Flora der Niederelbe, No. XXXXIX. Fünfter Beitrag zur Kenntnis der Hymenopteren der Umgegend von Hamburg. In: Verhandlungen des Vereins für naturwissenschaftliche Unterhaltung zu Hamburg, 1891—93; 1894, p. 15—51.

Fleischer, M. Die Besiedelung der nordwestdeutschen Hochmoore. Rede zur Vorfeier des Geburtstages Sr. Maj. des Kaisers und Königs. In: Deutsche landwirtsch. Presse, 1894 (Sep.-Abdr., 24 Seiten).

Foss, R. Das norddeutsche Tiefland. Eine geographische Skizze. Berlin, 1894. E. S. Mittler u. Sohn; 8⁰; IV und 98 Seiten.

Freudenthal, August. Heidefahrten. 3. Band. Ausflüge in die Flussgebiete der oberen Luhe und Oertze und in die Heide des ehemaligen Stifts Verden. Bremen, M. Heinsius Nachf.; 1894; 8⁰, VI und 186 Seiten, mit neun Illustrationen.

— Aus dem Calenberger Lande. Bremen. M. Heinsius Nachf.; 1894; kl. 8⁰, VIII und 120 Seiten, mit 12 Illustrationen nach Photographien.

    I. Himmelfahrt auf der Leine. Eine Bootfahrt von Hannover bis Neustadt am Rübenberge.

    II. Zum Steinhuder Meer und zu den Höhen von Rehburg und Loccum. Ein Himmelfahrtsausflug.

Fritsch, Anton. Der Elbelachs. Eine biologisch-anatomische Studie Prag. 1894. In Commission bei Fr. Rivnac.

    (Eingehendes Referat von Dr. Bruno Hofer siehe: Allgemeine Fischerei-Zeitung; 1895, XX, p. 58—60, 79—82, 100—101).

Griese, C. Siehe Schwindrazheim.

Häpke, L. Über den Salzgehalt des „Nieuwen Waterweg" zwischen Rotterdam und der Nordsee. In: Abh. Nat. Ver. Bremen, 1894, XIII, p. 57, 58.

— Der Entdecker der Sonnenflecke. In: Weser-Zeitung, 24. Juni 1894.

Hartlaub, Cl. Die Coelenteraten Helgolands. Siehe Meeresuntersuchungen, p. 161—206.

Heincke, Fr. Die Biologische Anstalt auf Helgoland und ihre Thätigkeit im Jahre 1893. Siehe Meeresuntersuchungen, p. 1—33, mit 7 Figuren im Texte.

— Beiträge zur Meeresfauna von Helgoland. Vorbemerkungen. Das. p. 96—98.

— Die Fische Helgolands. Das. p. 99—120.

— Die Mollusken Helgolands. Das. p. 121—153.

— Beitr. zur Fauna der südöstlichen und östlichen Nordsee. 1. Teil. Einleitung. Das. p. 303—323, mit 2 Fig. im Texte.

— Die Überfischung der Nordsee und Schutzmassregeln dagegen. In: Mitteilungen der Sektion für Küsten- und Hochsee-Fischerei, 1894, No. 3, 24 Seiten.

Janke, L. Beiträge zur Hydrographie des Bremischen Staatsgebietes.
I. Die öffentlichen Pumpbrunnen der Stadt Bremen vom
chemischen und bakteriologischen Standpunkte im Jahre 1893.
In: Forschungsbericht über Lebensmittel und ihre Beziehungen
zur Hygiene, über forense Medicin und Pharmakognosie, 1894,
I, (Sep.-Abdr., 49 Seiten in 4⁰).

Ihne, Eg. Über den Einfluss der geographischen Länge auf die
Aufblühzeit von Holzpflanzen in Mitteleuropa. In: Verhandlungen der Gesellschaft Deutscher Naturforscher und Ärzte,
Nürnberg, 1893. Sonder-Abdr. 10 Seiten.
(Behandelt u. a. die Beobachtungsstationen Wilhelmshaven und Buxtehude und bespricht besonders die Verspätung
der Vegetation der Nordsee-Küstenstationen gegen östlich gelegene Stationen.) ·

Junge, A. Beiträge zur Fauna und Flora der Niederelbe, No. LI.
Die Ruderal- und Baggerflora hiesiger Gegend. In: Verband-
lungen des Vereins für naturwissenschaftliche Unterhaltung
zu Hamburg, 1891—93; 1894, p. 57—69.

Klebahn, H. Kulturversuche mit heteröcischen Uredineen. II. Bericht
(1893). In: Zeitschrift für Pflanzenkrankheiten, 1894, IV,
p. 7—13, 84—90, 129—139, Taf. III.
(Versuche mit Pilzen aus der Umgegend von Bremen.)

— Einige Wirkungen der Dürre des Frühjahres 1893. Daselbst: p. 262—266.
(Beobachtungen in der Gegend von Bremen, namentlich
über das Auftreten der Schmarotzerpilze und die „Röte" des
Getreides.)

Koenen, A., v. Das norddeutsche Unter-Oligocän und seine Mollusken-
Fauna. Lieferung VII (Nachtrag, Schlussbemerkungen und
Register) 1894, 8⁰, p. 1393—1458, mit 2 Tafeln. Aus den
Abhandlungen zur geologischen Spezialkarte von Preussen und
den Thüringischen Staaten, Bd. X).

Kollmann, Paul. Die Waldungen und der Waldbau des Herzogtums
Oldenburg im Rahmen der volkswirtschaftlichen Entwickelung.
Auf statistischer Grundlage dargestellt. In: Deutsche geo-
graphische Blätter, 1894, XVII, p. 97—144. Mit einer Karte
(Taf. 3.)

Kuckuck, P. Bemerkungen zur marinen Algenvegetation Helgolands.
Siehe Meeresuntersuchungen, p. 223—263, mit 29 Figuren
im Texte.

Kurtz, Fr. Über Pflanzen aus dem norddeutschen Diluvium. In:
Jahrb. der Kön. Preuss. geol. Landesanstalt für 1893. (Pflanzenreste aus dem Süsswasserkalk von Honerdingen bei Walsrode,
ferner: von Neuenförde bei Gross-Linteln*) und von Hützel.)

---

*) In dem Kurtz'schen Aufsatze steht irrtümlich Gross-Rinteln.

Lauterborn, Rich. Die pelagischen Protozoën und Rotatórien Helgolands. Siehe Meeresuntersuchungen, p. 207—214, mit 2 Figuren im Text.

— Beiträge zur Süsswasser-Fauna der Insel Helgoland. Daselbst, p. 215—221.

Lindemann, Dr. M. Die königlich preussische biologische Station auf Helgoland. In: Weserzeitung vom 21. und 30. Aug. 1894.

Lohmann, H. Lentungula fusca nova spec. Eine marine Sarcoptide. Siehe Meeresuntersuchungen, p. 83—91, mit Taf. IV.

Meister, M. und A. Collin. Echinodermen (der südöstlichen und östlichen Nordsee). Siehe Meeresuntersuchungen, p. 329—346, mit 1 Figur im Texte

Meeresuntersuchungen, wissenschaftliche, herausgegeben von der Kommission zur wissenschaftlichen Untersuchung der deutschen Meere in Kiel und der Biologischen Anstalt auf Helgoland. Kiel und Leipzig, Lipsius und Tischer, 1894, 4⁰. Neue Folge, I, 1. Heft, VI und 404 Seiten. Mit 7 Tafeln und 41 Figuren im Texte.

Müller, Fr. Zur Moosflora von Spiekerooge. In: Abh. Nat. Ver. Bremen, 1894, XIII, p. 71—74.

— Nanomitrium tenerum (Bruch) Lindb. Das., p. 107.

Neuman, L. M. Botaniska anteckningar från Norra Tycksland år 1890 och 91. In: Botaniska Notiser, 1894, p. 97—108. (Enthält aus unserem Gebiete nur eine Angabe über: Carex muricata L.* microcarpa L. M. Neuman-von Lesum bei Bremen).

Olbers, W. Siehe Schilling, C.

Olshausen, O. Zur Vorgeschichte von Helgoland. In: Verh. der Berl. Gesellschaft für Anthropologie, Ethnologie und Urgeschichte, 1893, p. 500—528, mit 5 Holzschnitten.

(Helgoland gehört zwar nach der politischen Einteilung nicht zu unserem Gebiete; aber bei dem besonderen Interesse, welches diese Insel bei uns findet, glaube ich diese und andere auf die Insel bezügliche Schriften hier anführen zu sollen).

Ortmann, A. Bryozoen (der südöstlichen und östlichen Nordsee). Siehe Meeresuntersuchungen, p. 347—362.

Prejawa. Die Pontes longi im Aschener Moore und in Mellinghausen. In: Mitteilungen des Vereins für Geschichte und Landeskunde von Osnabrück, 1894, XIX, p. 177—202, Taf. 5. (Wegen der Wichtigkeit dieser Untersuchungen für das Wachstum des Moores hier aufgeführt.)

Sandstede, H. Die Flechten Helgolands. Siehe Meeresuntersuchungen, p. 267—275.

(Scherz, C. F.). Die Nordsee-Insel Borkum. 10. Auflage; klein 8⁰; VIII und 206 Seiten; mit 140 Abbildungen und einem Plane der Insel im Massstab 1 : 15000. Emden und Borkum, Verlag von W. Haynel.

Schilling, C. Wilhelm Olbers, sein Leben und seine Werke. Im Auftrage der Nachkommen herausgegeben. 1. Band. Gesammelte Werke. Berlin, Julius Springer, 1894; 8⁰ und 707 Seiten. Mit dem Bildnisse von Wilhelm Olbers.

— Arthur Breusing. In: Abh. Naturw. Ver. Brem., 1894, XIII, p. 91—105.

Schwindrazheim, O. Schlendertage in Cuxhaven und Ritzebüttel. Zur Feier der 500jährigen Vereinigung Ritzebüttels mit Hamburg herausgegeben von Carl Griese. Hamburg, C. Griese, 1894; Fol., 10 Hefte. (Mit sehr zahlreichen Abbildungen.)

v. Seemen, Otto. Platanthera bifolia Rchb. var. robusta (von Borkum). In: Österreichische botanische Zeitschrift, 1894, XLIV, p. 448.

Seyfert, Friedr. Das Wasser im Flutgebiete der Weser. Eine chemisch-geologische Untersuchung. In: Abh. Naturw. Ver. Brem., 1894, XIII, p. 1—56. (Mit 3 Zinkographien.)

v. Stoltzenberg. Über alte Bronzen aus Hannover. In: Verhandlungen der Berliner Gesellschaft für Anthropologie, Ethnologie und Urgeschichte, 1894, p. 329.

— Die Heisterburg. Daselbst, p. 571—573.

A. v. Strombeck. Über den angeblichen Gault bei Lüneburg. In Zeitschrift der deutschen geologischen Gesellschaft, 1893, XLV, p. 489—497.

Timm, R. Beiträge zur Meeresfauna von Helgoland, III. Die Copepoden und Cladoceren Helgolands. Siehe: Meeresuntersuchungen, p. 155—159.

— Beiträge zur Fauna der südöstlichen und östlichen Nordsee, IV, Copepoden und Cladoceren. Daselbst, p. 363—404 mit Taf. V und VI.

Timm, R. u. Wimmel, Th. Beiträge zur Fauna und Flora der Niederelb-Gegend, No. XXXXVII: Neue und seltene Käfer der Hamburger Gegend. In: Verhandlungen des Vereins für naturwissenschaftliche Unterhaltung zu Hamburg; 1891—93; 1894, p. 1—11.

Timm, R. Daselbst, No. XXXXVIII: Einige bemerkenswerte Käfer Cuxhavens, p. 12—14.

Weltner, W. Spongien (der südöstlichen und östlichen Nordsee). Siehe Meeresuntersuchungen, p. 325—328.

Wiepken, C. F. Zweiter Nachtrag zu dem systematischen Verzeichnis der bis jetzt im Herzogtum Oldenburg gefundenen Käferarten. In: Abh. Naturw. Ver. Brem., 1894, XIII, p. 59—70.

Miscellen.

1. Verzeichnis der Blattwespen von Juist.

In dem 1. Beitrage zur Insektenfauna der Nordsee-Insel Juist[*]) sind von mir auf Seite 122 nur 3 Tenthrediniden aufgeführt; dort ist jedoch die Vermutung ausgesprochen, dass noch eine grössere Reihe von Arten auf der Insel vorkommt. Es freut mich, mitteilen zu können, dass ich von Juist jetzt 20 Arten besitze, eine in anbetracht des spärlichen Auftretens von Sträuchern und Bäumen ansehnliche Zahl. Herr Prof. Dr. O. Schneider, welcher die Insel Borkum seit mehreren Jahren faunistisch durchforscht, hat für diese Insel schon 25 Species nachgewiesen, von denen 8 auch auf Juist gefunden sind, so dass für beide Inseln nunmehr 37 verschiedene Arten zu verzeichnen sind. Die Bestimmung meines Materials verdanke ich der Liebenswürdigkeit unseres bedeutendsten Tenthredinidenꞏ Forschers, des Herrn Pastor F. W. Konow, dem ich auch an dieser Stelle verbindlichst danke. Der systematischen Aufstellung der folgenden Liste ist der „Catalogus Tenthredinarum Europae" von Fr. W. Konow (Dtsch. Ent. Zeitschr. 1890, Hft. II) zu Grunde gelegt.

1. Cladius Ill.

1) 1. Cl. crassicornis Knw. — 1♂ 15. 6. 90. Infolge falscher Bestimmung von mir im ersten Verzeichnis als C. difformis Pz. aufgeführt.

2. Cryptocampus Htg.

2) 1. C. angustus Htg. 4♀, 4♂. 23. 5. 91; 24.—29. Mai 92.

3. Pontana Costa.

3) 1. P. gallarum Htg. — 1♀ 23. 5. 91; Juli 91; 24.—29. Mai 92.
4) 2. P. gallicola Steph. (vallisnierii Htg.) — 1♀ 26. 4. 91; 1♀ 2♂ 23. 5. 91; 1♀ 18. 6. 91. 1♂ 15. 7. 91; 1♂ Mai 92.

4. Amauronematus Knw.

5) 1. A. vittatus Lep. — 3♀ 23. 5. 91; 2♀ Mai 92.
6) 2. A. viduatus Zett. (vagus Zadd.) — 3♀ 5♂ 26. 4. 91.
7) 3. A. mundus Knw. spec. nov. — 1♀ 1♂ 23. 5. 91. Diese Art wird von Herrn Pastor Konow beschrieben werden.

---

[*]) Abh. d. nat. Ver. in Bremen, Bd. XII, 1891.

5. **Pachynematus** Knw.

8) 1. P. umbripennis Ev. — 1♂ 7. 8. 91. Am Wattstrande gestreift.

9) 2. P. brachyotus Först. — 1♂ 4. 6. 92. Bei der Bill.

10) 3. P. rumicis Fall. — 2♀ 18. 6. 91; 1♀ 7. 8. 91. Auf Juncus am Wattstrande.

11) 4. P. obductus Htg. — 1♀ 18. 6. 91.

6. **Pristiphora** Latr.

12) 1. P. fulvipes Fall. — 1♀ Mai 92; 1♀ Sept. 92.

7. **Athalia** Leach.

13) 1. A. glabricollis Ths. — 1♀ 4. 6. 92 Bill.; 1♀ 4♂ Juli 92; 2 Ex. 11. 8. 92 Hallohm's Glopp.; 3 Ex. 24. 8. 92 Hallohm's Glopp. — 1♀ 1♂ 13. 8. 92 Memmert.

14) 2. A. rosae L. var. cordata Lep. — 3♀ 13. 8. 92. Memmert.

15) 3. A. spinarum L. — 1♀ 15. 6. 90; 3 Ex. 24. 8. 92. Hallohm's Glopp.

8. **Selandria** Klg.

16) 1. S. serva F. — 1♂ Mai 92; 1♀ Juni 92.

9. **Taxonus** Htg.

17) 1. T. glabratus Fall. — 1♀ 15. 7. 91.

10. **Dolerus** Jur.

18) 1. D. haematodes Schrk. — 1♀ 28. 5. 92. Auf Potentilla anserina.

19) 2. D. taeniatus Zadd. — 2♀ 2♂ 23. 5. 91. Nach einer Mitteilung von Konow ist diese Art auf die Strandfauna beschränkt.

11. **Tenthredo** L.

20) 1. T. atra L. — Sehr häufig. 15. 6. 90; 18. 6. 91.

Diedrich Alfken.

---

2. Über einige für die Fauna von Norderney neue Coleopteren.

1. **Pria Dulcamarae** Scop. (Tier geflügelt.) Häufig unter Genist auf Sumpfwiesen im Osten der Insel. Bisher weder in Ostfriesland noch auf einer der Inseln gefunden.

2. **Ocypus aeneocephalus** Dej. (= cupreus Rossi.) Die Larven fand ich häufig auf Sumpfwiesen unter Pflanzenresten und erzog aus den Nymphen der am 11. 6. 91 gesammelten Larven am 12. 7. 91 die Imagines. Die Larven sind äusserst lebhaft und rennen zwischen Calathus errato-ambiguus Verh. umher.

3. **Cantharis fusca** L. 3 Ex. am 16. 6. 91. 3 p. m. auf Anthriscus silvestris Hoffm. gesammelt. Wiesen an der Windmühle.

4. **Dasytes plumbeus** Müll. Ist im Kunstwalde hinter dem Badehause häufig: 21. 6. 91 auf Geum urbanum L., 18. 6. und 21. 6. auf Anthriscus silvestris.

5. Anaspis flava L. · Eben dort nicht selten. 18. 6. und 21. 6. 91 auf Anthriscus silvestris.

6. Athous haemorrhoidalis F. 21. 6. 91. Ein Ex. auf Anthriscus silv. im Kunstwalde.

7. Limonius aeruginosus Oliv. Im Innern der Insel nicht selten. 23. 5. und 3. 6. 91 fand ich das Tier pollenfressend an Salix repens auf ♂ Kätzchen.

8. Coenocara bovistae Hoffm. Larven, Nymphen und Imagines fand ich im Juni 91 in einem grossen Becherbovisten.

9. Mycetoporus splendidus Grav. 1 Ex. dieses seltenen Staphyliniden barg der Magen einer Bufo calamita. Auf dem Festlande hat ihn weder Brüggemann noch Wessel beobachtet. Ich selbst habe ihn in Westfalen (Mark) und Rheinland (b. Bonn) aufgefunden. No. 1, 2, 7, 8 sind Ureinwohner der Insel, No. 3, 4, 5, 6 Neulinge, weil sie von Bedingungen abhängig sind (Kunstwald etc.), welche der Mensch geschaffen hat oder ausschliesslich an Lokalitäten vorkommen, welche erst in den letzten Dezennien zu dem wurden, was sie heute sind.

Bonn, 2. Mai 1893. Dr. C. Verhoeff.

3. Mittwinterflora.
(Ende Dezember 1893 und 1894.)

Die Witterung war sowohl im Spätherbst 1893 als im gleichen Zeitraume 1894 milde. In beiden Wintern trat erst im Januar (1894 und 1895) wirklich strenger Frost ein. Die milde Witterung gestattete den Herbstpflanzen noch lange, mehr oder minder zahlreiche Blüten zu erschliessen, und förderte zugleich die Entwickelung mehrerer Frühlingspflanzen, welche wenig Wärme bedürfen.

Es dürfte von einigem Interesse sein, die Pflanzenarten aufzuführen, welche ich in den beiden Jahren zwischen Weihnachten und Silvester in Blüte gesehen habe. Die Unterschiede rühren vorzüglich daher, dass ich 1893 mich etwas mehr im Freien, ausserhalb der Stadt, umsehen konnte. Indessen hatte 1893 auch mehr warme Tage, welche die Blütenerschliessung begünstigten, während der Herbst 1894 weniger Frost brachte. Die Arten, bei welchen keine Jahreszahl angegeben ist, sah ich in beiden Jahren.

1. Gartenpflanzen.

Helleborus niger.
— purpurascens, 1894.
— cupreus, 93.
Cheiranthus cheiri.
Viola (Altaica × tricolor), 94.
Dianthus Chinensis var., 94.
Potentilla micrantha, 94.
— fragariastrum.
— alba × fragariastrum, 93.
— alba, 93.

Rosa Chinensis var., insbesondere Monatsrosen, auch Theerosen, hybride Remontanten u. s. w.; in beiden Jahren, doch 1894 zahlreicher.

Cydonia Japonica, einzelne Blüten.

Calendula officinalis, 94.

Forsythia viridissima, 93 eine einzelne Blüte seit Anfang Dezember.

Çobaea scandens, 94 an Mauern vollständig grün geblieben, hatte noch vereinzelte grünliche Blumen.
Primula Kashmirica, 93.
— acaulis var. cult., 93.
— (acaulis×officinalis)hortensis.
— (auricula) pubescens, 93.
Daphne mezereum, 94.

2. Unkräuter.
Erysimum cheiranthoides, 93.
Capsella bursa pastoris.
Raphanus raphanistrum, 93.
Viola arvensis Murr., 93.
Stellaria media.
Erodium cicutarium, 93.
Matricaria suaveolens (discoidea), 94.
Senecio vulgaris.

Lamium album.
— purpureum, 93.
Urtica urens.
Euphorbia peplus, 94.
Poa annua.

3. Wildwachsende Pflanzen.
Draba verna, 1894 zuerst am 13. Dezbr. mit halboffenen Blumen, gegen Ende des Monats häufiger.
Ulex Europaeus, 93 (1894 nicht gesehen). (In Gegenden, wo Potentilla fragariastrum wild wächst, bin ich weder im Dezember 1893, noch 1894 gekommen.)
Bellis perennis.
(Taraxacum vulgare, nicht ganz offen gesehen, 94).
Armeria elongata, 93.

In wirklich freudigem Gedeihen befanden sich allerdings wenige dieser Pflanzen; nur den Helleborus-Arten, Bellis, Senecio vulgaris und Poa annua merkte man es nicht an, dass sie unter dem Mangel von Licht und Wärme litten. Die Potentillen sahen frisch aus, hatten aber nur vereinzelte Blüten; an Ulex, Cydonia Japonica und Daphne waren ebenfalls nur wenige Blüten erschlossen. Hin und wieder sah man die Garten-Stiefmütterchen (Viola Altaica × tricolor) zahlreich in guter Blüte. Rosen waren zwar häufig, öffneten sich aber, ebenso wie die Blumen von Draba, nur unvollkommen. Draba und die Garten-Stiefmütterchen kamen im März unbeschädigt aus dem Schnee hervor und blühten ungestört weiter. Hamamelis babe ich in beiden Jahren nicht im Dezember beobachtet, kann daher nicht angeben, in welchem Zustande die Blüten gewesen sein mögen.   W. O. Focke.

---

4. Änderung der Flora durch Kalk.

Im Jahre 1855 erwarb mein Vater den ursprünglich von Dr. med. Hirschfeld angelegten, später jedoch verwilderten Landsitz zu Oslebshausen, welcher unmittelbar hinter der alten Gröpelinger Mühle gelegen ist. Um den dürren Dünensandboden fruchtbarer zu machen, liess er daselbst grosse Mengen Kalk ausstreuen, welcher als Abfallprodukt in einer Seifenfabrik gewonnen wurde. Der Einfluss dieser Kalkung zeigte sich alsbald in einer Änderung der Vegetation des Rasens. Insbesondere traten in den nächsten Jahren zwischen dem Grase folgende Pflanzen auf, welche vorher nicht dort vorgekommen waren und welche sich auch nirgends in der Nachbarschaft finden: Turritis glabra, Silene nutans, S. inflata, Dianthus deltoides, Trifolium striatum, Sanguisorba minor, Sherardia arvensis, Campanula persicifolia, C. glomerata, Ajuga Genevensis, Plantago media, Briza media. Einige dieser Arten (wie Turritis glabra, Silene nutans, Sanguisorba minor, Campanula persicifolia) verschwanden schon nach wenigen Jahren wieder, andere (wie Dianthus deltoides, Campanula glomerata, Plantago media) vermehrten sich auffallend und waren während längerer Zeit sehr häufig. Trifolium striatum und Ajuga Genevensis hielten sich während mehrerer Jahrzehnte auf der nämlichen Stelle, ohne sich weiter auszubreiten. Nach und nach haben sich jedoch alle diese Gewächse vollständig wieder verloren; der künstlich zugeführte Kalk ist im Laufe von etwa 30 Jahren aus dem äusserst durchlässigen Boden ausgelaugt worden.

Von den Samen der genannten Pflanzen sind wahrscheinlich die meisten mit fremdem Grassamen eingeführt worden. Manche Arten (wie Turritis glabra, Silene nutans, Campanula persicifolia, Ajuga Genevensis) traten anfangs nur an den Stellen auf, welche den Überschwemmungen der Weser ausgesetzt waren, so dass deren Samen sehr wohl durch das Flusswasser zugeführt sein können. Dianthus deltoides habe ich unabsichtlich eingeschleppt; 1853, etwa 4 oder 5 Jahre vor der Kalkung, hatte ich aus meiner Botanisierkapsel die Reste der Ausbeute ausgestreut, welche ein August-Ausflug nach Ebbensiek an der Wumme geliefert hatte, darunter auch Dianthus mit reifen Früchten. Erst viel später, lange nach der Kalkung, zeigte sich an jener Stelle Dianthus in Blüte und breitete sich in den folgenden Jahrzehnten sehr aus.

Keine der genannten Pflanzen ging in die später angelegten, nicht gekalkten Teile des Gartens über. Dianthus habe ich wiederholt in reichlicher Menge in dem ungekalkten Rasen ausgesäet, aber ohne jeden Erfolg. Eine genaue 40 jährige Beobachtung hat den Zusammenhang zwischen der Kalkung und dem Auftreten, so wie späteren Wiederverschwinden der genannten Pflanzen vollständig klargestellt.

W. O. Focke.

MAX NÖSSLER'S BUCHDRUCKEREI, BREMEN.

Beitrag zur Flora Ostfrieslands.

Von Rudolf Bielefeld auf Norderney.

In den letzten beiden Dezennien wurde die Flora der ostfriesischen Inseln von verschiedenen Forschern, so namentlich von
den Herren Professor Dr. Buchenau, Dr. W. O. Focke, Nöldeke,
Bertram und Andern einer gründlichen und ausserordentlich erfolg-
reichen Untersuchung gewürdigt, so dass deren Kenntnis jetzt fast
ganz lückenlos vorliegt. Leider wurde der Flora des ostfriesischen
Festlandes in den letzten Jahrzehnten nicht solche aufmerksame und
planmässige Ausforschung zu teil. Das bei weitem Meiste, was uns
über die Verhältnisse der ostfriesischen Festlandsflora bekannt ist,
verdanken wir den von grosser Sachkenntnis zeugenden Forschungen
eines wackeren ostfriesischen Gelehrten, des Professors Dr. Skato
Lantzius-Beninga, welcher die Ergebnisse der gegen Ende der
ersten Hälfte dieses Jahrhunderts vorgenommenen Untersuchungen in
seinen „Beiträgen zur Kenntnis der Flora Ostfrieslands. Göttingen, 1849"
niedergelegt hat. Seit jener Zeit sind von forschenden Naturfreunden,
so namentlich von den Herren Fr. Sundermann in Norden und
Wessel in Aurich, welcher auch auf Grund der Lantzius'schen
Angaben eine „Flora Ostfrieslands" erscheinen liess, in Zeitschriften
die Resultate ihrer Beobachtungen veröffentlicht worden, welche
unsre Kenntnis der Flora einiger Gegenden Ostfrieslands wesentlich
erweiterten. Wenn auf diesem Wege rüstig fortgearbeitet wird, muss
noch manches Interessante zu Tage gefördert werden. Ich habe es
deshalb wohl der Mühe wert gehalten, die Flora einer von meinem
früheren Wohnort nicht weit entfernten interessanten Gegend im
Sommer 1894 eingehender Beobachtung zu unterziehen; die nachfolgenden Zeilen mögen als Ergebnis derselben einen durchaus anspruchs-
losen und geringen Beitrag zur Kenntnis der festländischen ostfriesischen Flora liefern, aber dennoch vielleicht nicht ohne einiges Interesse sein.

Eine der beiden Örtlichkeiten, welchen ich meine Aufmerksamkeit widmete, ist

1. Der Forstort Oldehafe.

Das Gehölz Oldehafe, unmittelbar an der Südgrenze des Kreises
Aurich gelegen, besteht zum grösseren Teile aus Nadelholz, Fichten
und Kiefern, besitzt daneben aber prächtige Laubholzschläge; es ist
eins der kleineren ostfriesischen Gehölze — vielleicht 150 ha gross

— die diese waldarme Gegend an einigen Stellen aufs angenehmste unterbrechen. Oldehafe ist auf der Vorgeest angelegt, welche gleich westlich und südlich vom Gehölz in das Gebiet der natürlichen Wiesen, von welchen unten des weiteren die Rede ist, übergeht, nach Norden und Osten hin dagegen allmählich sich in die sog. h o h e G e e s t verliert, auf welcher schon das Dorf Strackholt liegt. Bei einer Wanderung durch Ostfriesland fällt uns nicht allein die Waldarmut dieses ganzen Regierungsbesirks auf, sondern namentlich auch der geringe Flächenraum, den jedes der Gehölze einnimmt. Dem genauen Beobachter wird es nicht entgangen sein, dass man die ostfriesischen Wälder in Hinsicht auf die Formation des von ihnen bedeckten Bodens sowohl, als auch auf die dadurch bedingte Flora in drei scharf zu trennende Hauptgruppen gliedern muss. In der Mitte Ostfrieslands, um Aurich, finden wir namentlich die erste Gruppe vertreten; es sind d i e G e h ö l z e d e r h o h e n G e e s t, zu welchen wir Eikebusch, die Westhälfte des Egelser Waldes, alle kleineren Gehölze um Aurich, sowie das Logabirumer Gehölz (bei Leer) zu rechnen haben. Sie bilden sowohl in landschaftlicher als auch botanischer Beziehung die interessanteste Gruppe; ihnen ziemlich nahestehend ist die andere Abteilung, welche wir als d i e G e h ö l z e d e r V o r g e e s t bezeichnen, z. B. die Gehölze Ihlow, Stiekelkamp und Oldehafe. Diese sind floristisch schon auffallend ärmer als die vorher Genannten; in der Physiognomie des Ganzen weichen sie jedoch von den vorigen nicht wesentlich ab. Diese beiden Gruppen, welche auch die so mannigfaltige Flora des Unterholzes beherbergen, die der dritten Gruppe fehlt, bilden den ältesten Teil des ostfriesischen Waldbestandes und bergen herrliche Exemplare wuchtiger Eichen und prächtiger Buchen, die unser Auge erfreuen und uns durch ihr stattliches Alter „an die Väter gemahnen". — Zur dritten Abteilung gehören ausnahmslos die jungen Gehölze und Aufforstungen, welche zur Urbarmachung steriler Flächen angelegt wurden. Es sind die Wälder des sauren und schärfsandigen Heidebodens, welche fast nur aus Kiefern bestehen, die nun den Boden bedecken, der vor noch wenigen Jahrzehnten von Heidschnucken abgeweidet wurde. Zu dieser dritten Gruppe, den G e h ö l z e n des u n f r u c h t b a r e n H e i d e b o d e n s, rechnen wir den weitgedehnten Wittmunder Wald, Tannenkamp bei Meerhusen, die östliche Hälfte des Egelser Waldes, den Wald des früheren Klosters Barthe, Hollsand bei Neufirrel u. a. Sie sind ausserordentlich arm an Pflanzenarten und machen, da sie ja fast reine Kiefernbestände bilden, auf den Beschauer einen düsteren und schwermütigen Eindruck.

Oldehafe (oder richtiger „Oldehof") gehört also zu den Gehölzen der Vorgeest. Ursprünglich war Oldehof ein Vorwerk des eine Stunde südöstlich gelegenen Prämonstratenserklosters Barthe, das im alten Amte Stickhausen östlich vom Kirchdorfe Hesel angelegt worden war. Dem Namen nach bezeichnet es einen alten Hof und nach andern auf „Hof" oder „Hafe" endenden historischen Ortsnamen Ostfrieslands zu schliessen, einen alten Kirchhof; doch ist nicht bekannt, ob ein solcher noch in den beiden letzten Jahrhunderten ersichtlich gewesen ist. Jetzt sieht man noch die alte Klosterstelle (südlich von der Pflanzung) in der Südhälfte des Gehölzes, mit etwa 30 jährigen, jungen Eichen bestanden. Die Einfriedigungsgräben des alten Klostergartens sind noch vorhanden und lassen erkennen, dass der Garten sich genau gegen Süden erstreckte, bis an die umliegenden natürlichen Wiesen oder Meeden. Da Barthe ein Nonnenkloster war und im Jahre 1228 bereits 140 Bewohner zählte, auch bis zur Reformation intakt blieb, so ist wohl anzunehmen, dass auch auf dem Vorwerk Oldehof eine Kapelle nebst Friedhof bestanden habe; doch lässt sich unbedingt sicheres darüber nicht nachweisen.

Fr. Ahrends, der taubstumme aber durchaus gründliche und zuverlässige Topograph Ostfrieslands, schildert in seiner „Erdbeschreibung des Fürstentums Ostfriesland und des Harlingerlandes" (Emden 1824) p. 181 den Ort folgendermassen: „Oldehafe, $^3/_4$ Stunden östlich von Stiekelkamp, ans Auricher Amt nordseits grenzend, ein königliches Gebüsch von 265 Morgen oder 122$^1/_2$ Diemath, wovon nur die Hälfte beholzt ist,*) meist mit Eichen. Es soll darin das Kloster gleichen Namens gestanden haben, von dem nur noch die Stelle vorhanden am südlichen Rand des Gehölzes. Durch dichtes Gesträuch muss man sich winden und gelangt dann auf einen offenen Rasenplatz, worauf Bäume und Gesträuch einzeln oder in Gruppen vereint, sich erheben. Ein Anblick zum Malen! Rundum mit einer Vertiefung, dem alten fast verwachsenen Graben, bekränzt mit einer Reihe schön gewachsener Eichen, die drei Seiten des Hofes einschliessen, der im Süden offen ist, wo eine grosse Wiese anfängt. Die Stätte heisst die Hausstelle (Husstä); dem Könige steht davon eine Stimme bei der Predigerwahl in Hesel zu".

Suur erwähnt in seiner „Geschichte der ehemaligen Klöster in der Provinz Ostfriesland" (Emden 1838) p. 103 nur den Namen des Vorwerks; das „Ostfriesische Urkundenbuch" bringt auch nicht einmal diesen.

Mit dem Kloster Barthe wurde auch dessen Vorwerk Oldehof vom Grafen Enno II., dem Herrscher von Ostfriesland, im 4. Jahrzehnt des 16. Jahrhunderts säkularisiert. Ein alter Waldarbeiter teilte mir eine Sage mit, welche in der dortigen Gegend erzählt würde. Bei der Besitzergreifung des Vorwerks durch den Grafen hätten die Nonnen gebeten, der Graf möge ihnen noch so viel Zeit gönnen, dass sie noch einmal die Aussaat bestellen und von dieser die Ernte heimbringen könnten. Nach Gewährung dieses Wunsches hätten die Nonnen das weite Feld um das Vorwerk mit Eicheln besät. Doch über diese List erbost, soll der Graf noch selbigen Jahres Oldehafe in Besitz genommen haben. Die Eichen aber liess man wachsen; ein Teil derselben, jetzt an der Schwelle des Greisenalters stehend, hat sich bis zu unsern Tagen erhalten.

Da, wie erwähnt, Oldehafe zu den Gehölzen der Vorgeest zu rechnen ist, kann es hinsichtlich des Reichtums und der Viel-

---

*) Seit den fünfziger Jahren ist alles bewaldet, auch ist umliegendes Wiesenland hinzugezogen und beforstet, so dass die ganze Waldfläche jetzt einen bedeutend grösseren Raum einnimmt.

gestaltigkeit der Flora nicht mit den Wäldern der hohen Geest konkurrieren. Bei Betrachtung der Waldflora Oldehafes will ich über die angepflanzten Hölzer nur erwähnen, dass sich in der Mitte des Gehölzes noch ein geschlossener Bestand alter, herrlicher Eichen findet, unzweifelhaft der Rest der ursprünglichen Anpflanzungen, der leider nach 10 bis 20 Jahren wohl völlig beseitigt sein wird. Im geschlossenen Bestande findet sich als merkwürdiges Vorkommnis im westlichen Teile Fraxinus excelsior und Acer pseudo-platanus, am Westrande auch vielfach die in Ostfriesland sonst seltene Alnus incana angepflanzt. Wegen der durch die relativ niedrige Lage des Gehölzes sehr vermehrten Bodenfeuchtigkeit zeigt schon die Flora des Unterholzes eine bemerkenswerte Armut. Prunus Padus, Rhamnus cathartica, Sarothamnus und die im östlichen Ostfriesland vorkommende Ilex Aquifolium fehlen hier ganz. Ribes nigrum, Rosa canina und Rubus caesius treten auffallend spärlich auf; ebenso finden sich Sorbus aucuparia, Viburnum opulus, Frangula Alnus und Evonymus europaea stets seltener als in höher gelegenen Wäldern Ostfrieslands. Die Lianen der deutschen Wälder, Hedera Helix, Lonicera Periclymenum und Humulus Lupulus, treten hier auch keineswegs häufig auf.

Von den gras- und krautartigen Waldpflanzen finden wir überall Luzula campestris in drei charakteristischen Varietäten, während ihr Gattungsverwandter, L. pilosa, hier völlig fehlt. Gerade das Fehlen dieser ausgesprochenen Waldpflanze, die bei Aurich sogar in jedem kleinen Gehölze häufig vorkommt, befremdete mich ausserordentlich; aber auch andere Waldpflanzen fehlen hier ganz, z. B. Milium effusum, Fragaria vesca, Circaea lutetiana und Stachys silvatica. Dagegen finden wir überall: Majanthemum bifolium, Moehringia trinervia, Corydalis claviculata, Melampyrum pratense, Oxalis Acetosella, Vaccinium Myrtillus, V. vitis Idaea und Hieracium Pilosella. In auffallend geringer Zahl der Individuen treten auf: Polypodium vulgare, Blechnum Spicant, Aera flexuosa, Carex leporina, Ranunculus auricomus, Geum rivale, Epilobium angustifolium, Angelica silvestris, Thysselinum palustre und Solidago virga aurea. Daneben beherbergt Oldehafe wiederum zwei echte Waldpflanzen, welche sonst für Ostfriesland bis jetzt nirgends nachgewiesen wurden; es sind Paris quadrifolia und Rubus saxatilis. Beide bewohnen nur den westlichen und nordwestlichen Teil des Gehölzes und halten sich nahe am Waldrande. Paris wächst dort in mehreren Trupps, welche je 50—80 Exemplare zählten; Rubus saxatilis ist bedeutend zahlreicher vertreten, bedeckt hin und wieder den ganzen Grenzwall des Gehölzes; er blühte im Mai und Juni vielfach, setzte aber äusserst wenige Früchte an. Im Herbste 1893 sandte ich lebende Exemplare an Herrn Dr. W. O. Focke ein, welcher antwortete, dass diese Pflanze im Oldenburgischen Ammerlande gar nicht so selten sei. Darum erscheint mir die Annahme berechtigt, dass sie von dort durch Vögel nach Oldehafe verschleppt und so eingebürgert wurde. In Egels, Ihlow und andern ostfriesischen Wäldern habe ich sie stets vergeblich gesucht.

Beide Pflanzen sind übrigens schon von Lantzius für Oldehafe aufgeführt; doch hat meines Wissens kein ostfriesischer Botaniker später diese Standorte besucht.

Das nachstehende Verzeichnis, sowie das weiter unten folgende Verzeichnis der Flora der „Meeden" bei Oldehafe, schliesst sich hinsichtlich der systematischen Anordnung und Nomenklatur der Arten der vorzüglichen „Flora der nordwestdeutschen Tiefebene von Professor Dr. Fr. Buchenau" an.

Flora des Forstortes Oldehafe.

Angepflanzt sind:

Pinus silvestris L. bildet den Hauptbestandteil des Gehölzes mit Picea excelsa Lk.

Pinus Strobus L. wurde hier noch nicht angepflanzt.

Abies alba Mill. zerstreut.

Picea excelsa Lk.

Larix decidua Mill. im westl. Teile.

Populus nigra L. am Westrande.

Corylus tubulosa Willd. im östl. Teile des Gehölzes ein 3 m hohes Exemplar im September mit Früchten.

Alnus glutinosa Gaertn. im westl. Teile häufig.

Alnus incana DC. am Westrande mehrfach angeflanzt.

Betula verrucosa Ehrh. im südl. Teile häufig.

Betula pubescens Ehrh. zerstreut.

Betula pubescens × verrucosa, auf dem nördl. Grenzwall ein kräftiges Exemplar.

Fagus silvatica L. Im südwestl. Teil ein geschlossener Bestand junger Bäume.

Quercus pedunculata Ehrh. häufig; sie bildet auch die alten Anpflanzungen.

Quercus sessiliflora Smith. nicht gesehen.

Acer pseudo-platanus L. Junge Stämme im Unterholz; wohl mit Pflanzmaterial eingeführt.

Fraxinus exelsior L. im westl. Teile zwischen Ellern u. Kiefern vielfach.

Polypodium vulgare L. nicht häufig, wohl wegen des feuchten Bodens.

Pteridium aquilinum Kuhn. im westl. Teile häufig.

Blechnum Spicant Roth. am Graben neben der Pflanzung.

Polystichum filix mas Swartz. häufig.

Polystichum spinulosum DC. von allen Farnen am häufigsten.

Osmunda regalis L. Neben der Pflanzung ein einziges, aber gut entwickeltes, fructif. Exemplar.

Equisetum silvaticum L. am Grabenrande in der Nähe des alten Klosterplatzes in nur wenigen Exemplaren.

Lycopodium Selago L. in der Nähe des östl. Ausganges an einer Stelle üppig.

Alisma Plantago L. im Graben des alten Klostergartens.

Phalaris arundinacea L. am Westrande einzeln.

Anthoxanthum odoratum L. in den Waldwegen.

> Anthoxanthum Puelii Lecoq et Lamotte ist hier noch nicht eingedrungen, wie zahlreiche Untersuchungen der angetroffenen Pflanzen bewiesen.

Agrostis vulgaris L. in den Pfaden.

Agrostis spica venti L. ebenda.

Calamagrostis lanceolata Roth. an einem Graben in der Mitte des Gehölzes; sonst fehlend.

C. Epigeos Roth. im östl. Teil an einer Stelle. Milium effusum L. fehlt.

Phragmites communis Trin. var. nanus Meyer am westl. Grenzgraben spärlich.

Aera caespitosa L. gemein.

Aera flexuosa L. in lichten Schlägen.

Holcus lanatus L. an sonnigen Wegen.

Holcus mollis L. an der Pflanzung häufig. Dieses Gras ist auf der ostfries. Geest weit verbreitet, namentlich an Hecken und Gebüschrändern häufig.

Avena praecox Pal. de Beauv. in der Pflanzung.

Sieglingia decumbens Bernh. sehr vereinzelt.

Poa annua L. an der Wagenspur der Waldwege.

Poa nemoralis L. nicht häufig.

Poa trivialis L. viel häufiger als die vorige, mit Anthoxanthum oft allein den Rasen bildend.

Poa pratensis L. Hauptform; nicht häufig.

Molinia coerulea Moench. häufig.

Cynosurus cristatus L. einzeln.

Festuca ovina L. var. vulgaris Koch.

    „   „ var. capillata Lam. Beide Varietäten nebeneinander; die erstere scheint häufiger zu sein.

Festuca rubra L. var. fallax Hackel. mehrfach in den Waldwegen.

Bromus mollis L. häufig.

Agropyrum repens Pal. de Beauv. in der Pflanzung.

Carex leporina L. am westl. Grenzwall spärlich.

Carex acuta L. var. prolixa Fries. an der Südseite vom Bache aus ins Gehölz eindringend, dann aber unfruchtbar.

Juncus Leersii Marsson an feuchten Stellen der Waldwege vereinzelt.

Luzula campestris DC.*) var. vulgaris Gaud. häufig u. gesellig.

    „   „ var. multiflora Celak. hänfig in üppigen Exemplaren.

---

*) L. pilosa Willd., welche bei Aurich in jedem Gehölze vorkommt, fehlt hier ganz; trotzdem ich eifrig auf sie gefahndet, habe ich sie nirgends aufgefunden.

Luzula campestris var. congesta Buchenau nicht so häufig als die beiden vorigen.

Majanthemum bifolium Schmidt gemein.

Polygonatum multiflorum All. häufig.

Convallaria majalis L. hie und da. Grossblütige Form.

Paris quadrifolia L. Nördlich vom Hauptwege, im westlichen Teile des Gehölzes einige Trupps an solchen Stellen, an denen der Laubholzschlag den Nadelholzbestand berührt. Der einzige aus Ostfriesland bekannte Standort.

Iris pseudacorus L. in einigen Gräben.

Orchis latifolia L. am Westrande spärlich.

O. maculata L. Hauptform. Am Standort der Paris und sonst hie und da.

Listera ovata R. Br. selten; am Südrande und Nordwestrande nur wenige Exemplare.

Myrica Gale L. an Grabenrändern; nicht häufig.

Salix Capraea L. einzeln.

Salix aurita L. einige kräftige Büsche.

Salix repens L. auffallend selten.

Populus tremula L. namentlich am Waldrande; doch nicht häufig.

Corylus Avellana L. häufig.

Humulus Lupulus L. im südl. Teile, manchmal wahre Prachtexemplare.

Urtica dioeca L. an wenigen Stellen in Menge.

Rumex Acetosa L. hie und da.

Rumex Acetosella L. einzeln.

Rumex obtusifolius L. am Südrande.

Polygonum Convolvulus L. in der Pflanzung.

Montia minor Gmel. an der Aussenseite des nördlichen Grenzwalles an einer Stelle spärlich.

Illecebrum verticillatum L. einzeln in der Pflanzung; auf den Wegen in Fiebing (östl. von Oldehafe) stellenweise gemein.

Spergula arvensis L. in der Pflanzung.

Spergularia rubra Presl. in der Pflanzung.

Cerastium triviale Link. im westl. Teile an Pfaden.

Moehringia trinervia Clairville häufig.

Stellaria media L. am westl. Ausgange.

St. Holostea L. an Grabenrändern.

St. graminea L. hie und da.

St. uliginosa L. am Nordrande an einer Stelle unter Gebüsch.

Coronaria flos cuculi Al. Br. unter den Erlen im westl. Teile.

Anemone nemorosa L. gemein.

Ranunculus Flammula L. Gräben des nördl. Teiles.

R. auricomus L. nur einzeln im westl. Teile.

R. repens L. mehrfach.

R. Ficaria L. an Grabenrändern hie und da.

Caltha palustris L. var. laeta Schott. am westl. Ausgange.

Corydalis claviculata DC. häufig; in lichten Schlägen ganze Flächen überziehend. Corydalis cava Schweigger et Körte kommt in dem eine Stunde von Oldehafe gelegenen Gehölz „Hollsand" vor (mit Trientalis europaea L. vergesellschaftet); von 1891—94 beobachtete ich am Hauptwege von Neufirrel nach Oldendorf mehrere prächtig blühende Trupps.

Teesdalea nudicaulis R. Br. einzeln in der Pflanzung.

Stenophragma Thalianum Celak. auf dem Grenzwall hie und da.

Ribes nigrum L. im westl. Teile in der Nähe des Standortes der Paris an wenigen Stellen und spärlich.

Sorbus aucuparia L. einzeln durchs ganze Gehölz zerstreut.

Ulmaria palustris Moench. nicht häufig.

Potentilla palustris Scop. am nördl. Grenzwall einzeln u. üppig.

P. Tormentilla Necker. häufig.

Geum rivale L. am westl. Ausgange.

Rosa canina L. sehr vereinzelt.

Rubus saxatilis L. an dem West- und Nordwestrande des Gehölzes in dem Laubholzbestande, zuweilen ganze Flächen überziehend.

Rubus Idaeus L. gemein.

Rubus caesius L. hier bei weitem nicht so häufig als in andern ostfr. Wäldern.

Lotus uliginosus Schkuhr. einzeln.

Trifolium pratense L. einzeln in den Waldpfaden.

Tr. minus Relhan. wie das vorige.

Lathyrus pratensis L. am nördl. Grenzwall ein einziges Exemplar; ist überhaupt im südl. Teil des Kreises Aurich auffallend selten.

Geranium Robertianum L. namentlich im westlichen Teile.

Oxalis Acetosella L. gemein.

Evonymus europaea L. hie und da.

Ilex Aquifolium L. fehlt hier ganz; die Westgrenze des Verbreitungsgebietes wird bezeichnet durch die Linie Wittmund-Wiesede-Remels, welche wohl nur durch einen vorgeschobenen Posten bei Steenfelde überschritten wird.

Frangula Alnus Miller zerstreut im Gehölz.

Hypericum perforatum L. am südl. Grenzwall.

Hypericum tetrapterum Fries. am Standorte der Paris zwei Exemplare.

Viola canina L. häufig.

Epilobium angustifolium L. nicht häufig.

Hedera Helix L. mehrfach, auch mit Früchten.

Aegopodium Podagraria L. an der alten Klosterstelle in Menge.

Oenanthe aquatica Lam. im nördl. Teile in Gräben.

Angelica silvestris L. hie und da an Wegen.

Thysselinum palustre Hoffm. einzeln.

Calluna vulgaris Salisb. an Weg- und Grabenrändern.

Erica tetralix L. an lichten Stellen.

Vaccinium vitis Idaea L. gemein.

V. Myrtillus L. noch häufiger als vor.
Lysimachia vulgaris L. im abgeholzten Eichenschlage.
Lysimachia nummularia L. am Westrande häufig in prächtigen
Exemplaren.
Mentha arvensis L. am nördl. Grenzwall.
Glechoma hederacea L. spärlich.
Galeopsis Tetrahit L. am nördl. Grenzwall.
Brunella vulgaris L. feuchte Stellen der Waldwege.
Ajuga reptans L. an feuchten Stellen der Waldwege; die seltene,
im Egelser Walde bei Aurich vorkommende Ajuga pyramidalis
L. fehlt hier.
Scrophularia nodosa L. spärlich im alten Klostergarten.
Veronica Chamaedrys L. nicht häufig; die var. lamiifolia
Hayne am Wege bei der westl. Ausgangspforte.
V. officinalis L. in den Pfaden.
Melampyrum pratense L. gemein.
Pedicularis silvatica L. in einem begrasten Pfade.
Plantago major L. spärlich an Wegen.
P. lanceolata L. nicht häufig; mittlere Formen.
Galium Aparine L. hie und da.
G. palustre L. an Gräben.
G. saxatile L. häufig.
Viburnum Opulus L. einzeln.
Lonicera Periclymenum L. nicht häufig; meistens im mittleren
Teile.
Valeriana officinalis L. an den Grenzgräben.
Succisa pratensis L. häufig.
Phyteuma spicatum L. häufig in den Waldpfaden, stets mit tief-
blauen Blüten; nur an besonders schattigen Stellen fand ich
zwei weissblühende Exemplare.
Eupatorium cannabinum L. am westl. Rande und im südl.
Teile des Gehölzes je ein Trupp.
Solidago virga aurea L. im westl. Teil, doch nicht häufig.
Bellis perennis L. nicht häufig.
Tanacetum vulgare L. an einer Stelle des nördl. Teils.
Achillea Millefolium L. sehr vereinzelt.
A. Ptarmica L. in der Pflanzung spärlich.
Senecio silvaticus L. in den abgeholzten Schlägen häufig.
Gnaphalium silvaticum L. in allen Pfaden.
Filago minima L. in der Pflanzung häufig.
Cirsium palustre Scop. im südl. Teil einzeln an einem Wege.
Arnoseris minima L. einzeln in der Pflanzung.
Hypochoeris radicata L. begraste Waldpfade; häufig. — Sehr
variabel in der Form der Laubblätter; oft sind diese tief buchtig,
manchmal fast ganzrandig.
Leontodon autumnalis L. spärlich.
Taraxacum officinale Weber in den Waldpfaden, doch nicht
häufig; selten blühend. Variiert, wie Hypochoeris radicata,
ausserordentlich in der Zähnung der Laubblätter.

Crepis paludosa Moench, im westlichen Teile des Gehölzes häufig.
Hieracium Pilosella L. gemein.
Hieracium murorum var. angustatum Asch. an Wegen, besonders am Hauptwege; diese Varietät ist auf der benachbarten.Vorgeest weit verbreitet.
H. umbellatum L. an Wegen; aber nur selten blühend.

Wegen der niedrigen Lage des Gehölzes und der dadurch bedingten grossen Bodenfeuchtigkeit glaubte ich eine interessante Laubmoosflora anzutreffen; doch zeigte sich die abgeschlossene Lage des Wäldchens in dieser Beziehung als ein viel wichtigerer Faktor. Verhältnismässig wenige Arten waren allgemein verbreitet, z. B. Dicranum scoparium, Atrichum undulatum, Plagiothecium undulatum, Hypnum squarrosum und Hypnum cupressiforme var. ericetorum. Manche Arten jedoch, die in der Auricher Gegend geradezu gemein sind, treten hier einzeln und sehr zerstreut auf, so besonders Dicranella heteromalla Schpr. und Ceratodon purpureus Brid., deren geringe Verbreitung mir sehr auffiel, auf die ich darum auch besonders achtete. Da das Verzeichnis der notierten Arten vielleicht nicht ohne Interesse ist, trotzdem es keineswegs auf Vollständigkeit Anspruch erhebt, mag es hier folgen.
Dicranoweisia cirrhata Lindb. an der Pforte des östl. Ausganges.
Dicranella heteromalla Schpr. nur an zwei Stellen an Grabenwänden spärlich.
Dicranum scoparium Hedw. gemein.
Dicranum majus Turn. an einer Stelle im östlichen Teil.
Leucobryum glaucum Schpr. in den Fichtenschlägen in der Mitte des Gehölzes in prachtvollen Rasen — doch überall steril.
Ceratodon purpureus Brid. auffallend wenig verbreitet; in der Pflanzung und am Saum der Nadelholzschläge hie und da.
Ulota Bruchii Hornsch. im Gebiet der alten Eichen häufig.
Orthotrichum affine L.
O. fastigiatum Bruch.
O. Lyellii Hook. Alle drei Arten an den Pappeln am Westrande des Gehölzes.
Funaria hygrometrica Hedw. an solchen Stellen der Waldwege, wo Kinder Osterfeuer abgebrannt hatten, üppig und in Menge; sonst nirgends beobachtet.
Mnium hornum L. an Grabenwänden und Baumwurzeln vielfach.
Bartramia pomiformis Hedw. am nördlichen Grenzwall unter Gebüsch an einer Stelle.
Atrichum undulatum Schpr. gemein.
Pogonatum nanum Pal. de Beauv. bei der Pflanzung.
Polytrichum formosum Hedw. hie und da.
P. juniperinum Willd. bei der Pflanzung.
Thuidium tamariscinum Br. et. Schpr. auf feuchtem Waldboden häufig; doch überall steril.
Antitrichia curtipendula Brid. im Gebiet der alten Eichen, auch mit schönen Früchten.

Climacium dendroides W. et M. von den umliegenden Wiesen, auf denen sie sehr gemein ist, an den Saum des Gehölzes tretend; allenthalben steril.

Isothecium myurum Brid. an alten Stämmen häufig.

Plagiothecium undulatum B. S. gemein in den Nadelholzschlägen.

Plagiothecium denticulatum B. S. an einer Grabenwand im westlichen Teile.

Camptothecium lutescens - Br. et. Schpr. an den Grenzwällen vielfach.

Brachythecium rutabulum Br. et. Schpr. an feuchten Waldstellen; hier nicht so häufig als in den Wäldern der hohen Geest.

Hypnum squarrosum L. auf feuchten Wegen gemein; auf den umliegenden Wiesen in ausserordentlicher Menge, mit Climacium dendroides vergesellschäftet.

Hypnum triquetrum L. verbreitet; doch immer auffallend spärlich in der Zahl der Individuen.

Hypnum cupressiforme L. var. ericetorum häufig. var. filiforme mehrfach an alten Stämmen.

Hypnum Schreberi Willd. häufig; auch auf dem östl. Grenzwall.

Hypnum purum L. häufig.

Hypnum splendens B. S. hie und da in prachtvollen Rasen.

II. Die natürlichen Wiesen oder „Meeden" Ostfrieslands.

Die natürlichen Wiesen oder „Meeden" Ostfrieslands bilden eine charakteristische Landschaft dieses Gebietes, welche für den Naturfreund viel des Interessanten bietet. Diese „Meeden" — wie der ostfriesische Volksmund sie nennt*) — nehmen eine ziemlich bedeutende Fläche ein und bilden in ihrem Hauptbestandteile die Übergangszone zwischen Geest und Marsch des westlichen Teiles Ostfrieslands; überall begleiten sie auch die aus dem Moore zur Küste herabströmenden Bäche und Bächlein in Streifen oder Armen, welche als merkliche Depression der zwischen diesen Armen sich ausbreitenden älteren Geest erscheinen. In ihrer Vereinigung bilden sie grosse Flächen, welche manchmal meilenweit nach allen Seiten sich ausdehnen. Untersuchen wir den Boden dieser Wiesen genauer, so finden wir, dass die oberste Schicht aus lauter Pflanzenüberresten besteht, welche dem sich hier flach muldenförmig senkenden Diluvium, das in der hohen Geest frei zu Tage tritt, aufgelagert sind. Die Geschichte der Entstehung dieser Meeden ähnelt in mehrfacher Beziehung ausserordentlich derjenigen der Bildung unserer Hochmoore, wenngleich die Pflanzenablagerungen der Meeden nicht nur an Mächtigkeit und Art der Zusammensetzung von denjenigen unsrer

---

*) Meeden abgeleitet vom niedersächsisch-plattdeutschen Verb „meih'n" -- mähen, weshalb man also richtiger „Mähden" schreiben müsste; doch ist diese Form in Aussprache und Schrift durchaus ungebräuchlich.

Hochmoore wesentlich abweichen, sondern auch offenbar geologisch bedeutend jünger sind. Das Hochmoor bildet ja mehrere Meter mächtige, kompakte Ablagerungsmassen, während die sogenannte „Dargschicht" der Meeden nur eine Höhe von mehreren Dezimetern erreicht; ausserdem sind die obersten Schichten des Moores wegen ihrer höheren Lage bedeutend trockner als der Grund der Meeden, welcher sich auch im Gegensatz zur Torfschicht*) namentlich aus den Resten der noch jetzt dort an Arten- und Individuenzahl einzig vorherrschenden Cyperaceen und Gramineen sowie einiger weniger Laubmoose (Climacium dendroides, Hypnum squarrosum, cuspidatum und fluitans) gebildet hat. Gerade diese letzteren, welehe wir als die Urbewohner dieser Flächen ansehen müssen — ganz analog der Thatsache, dass die erste Besiedlung des Moor-untergrundes durch die Sphagnum-Arten in Angriff genommen wurde — konnten in dem stets feuchten und in jedem Winter, oft sogar in nassen Sommern, überschwemmten Boden vorzüglich fort-kommen und schufen ein für die Besiedelung mit Gräsern und Halb-gräsern sehr geeignetes Substrat.

Diese jährlichen Überschemmungen, welche sich noch in unsern Tagen Winter für Winter wiederholen, haben darin ihre Ursache, dass der Rand Ostfrieslands, die Marsch, um ein Geringes höher gelagert ist als die Meeden, weswegen also das aus dem Moor herab-fliessende herbstliche Regenwasser nicht zur Nordsee und der Ems abzuströmen vermag und sich in diesen äusserst flachen Mulden ansammelt. Diese Behinderung regelrechter Abwässerung hatte auch die Bildung zahlreicher kleinerer und einzelner grösserer Landseeen zur Folge, welche im Gegensatz zu den auf den Moorflächen liegen-den Seeen auch in heissen und andauernd dürren Sommern nie austrocknen und daher an ihren Ufern oft von Rohrwäldern (Phrag-mites communis, Scirpus lacustris, Typha latifolia) um-säumt sind, welche zahlreiche Sumpf- und Wasservögel beherbergen, denen sie Wohn- und Nistplatz gewähren. Das grösste dieser „Meere", wie sie in Ostfriesland allgemein genannt werden, ist das „grosse Meer", welches sich an der tiefsten Stelle des Forlitzer Beckens in der Meede zwischen Aurich und Emden gebildet hat.

Der schwammige Boden der Meeden, sowie die vielen sie durch-ziehenden Bäche und Wasserläufe und die eingestreuten Sümpfe und Seeen setzen einer planmässigen und eingehenden botanischen Unter-suchung dieser Gebiete ganz bedeutende Hindernisse entgegen, welche neben grossen körperlichen Anstrengungen auch die Aufwendung pekuniärer Opfer erheischen. Wer z. B. nur das in botanischer Hinsicht so interessante Forlitzer Becken einer genaueren Unter-suchung unterziehen will, bedarf dazu wenigstens der steten Be-gleitung eines in der Gegend genau bekannten Führers, zum Über-

*) Vergleiche über die Flora der Torfschicht die gründlichen Unter-suchungen des Professors G r i s e b a c h, welche er niedergelegt hat in dem wertvollen Werkchen: A. G r i s e b a c h, Über die Bildung des Torfs in den Emsmooren aus deren unveräuderter Pflanzendecke. Göttingen. Vandenhoeck & Ruprecht. 1846.

springen der Wasserzüge und Bäche eines sogenannten „Pulsstockes",
an manchen Stellen eines Bootes oder einer Jolle. Ich betrat nur
einmal, im Sommer 1886, als Schüler diese so interessante Wiesen-
und Sumpflandschaft, welche ich damals leider wegen der vielen
sich mir entgegenstellenden Hindernisse nur zum kleinsten Teile
flüchtig zu durchstreifen vermochte; späterhin verbot mir die entfernte Lage meines Wohnortes eine planmässige und Erfolg ver-
sprechende Untersuchung jenes merkwürdigen Gebiets.

Wie der Boden der Meeden hinsichtlich seiner geologischen
Geschichte in mehrfacher Beziehung mit dem Hochmoore in Parallele
gesetzt werden kann, so zeigt auch die Physiognomie beider Gebiete
einen wesentlichen gemeinsamen Zug. Beide bieten manchmal meilen-
weite Flächen dem Auge dar, auf welchen kein Baum oder Strauch
die monotone Landschaft angenehm belebt. In jeder andern Beziehung aber zeigt die Meede ein ganz anderes Bild als das Moor.
Dort die braune Calluna, nur hie und da von Eriophorum, einzelnen
Binsen und noch mehr verstreuten Carexarten oder der niedlichen
Andromeda angenehm unterbrochen, stundenweit alles überziehend,
was das Auge innerhalb des Horizontes wahrzunehmen vermag —
hier in den Meeden aber ein einziges, weitgedehntes Grasmeer, das
sich auch oft an die Grenze unsers Gesichtsfeldes auszudehnen scheint.
Betreten wir diese Landschaft zu Ende des Monats Mai, so nimmt
sie unsere Sinne gefangen, ganz ähnlich wie die herrliche Pflanzenwelt unsrer ostfriesischen Inseln, wenn wir sie zum erstenmale in
voller Flor erblicken. Weit die freudig grüne Fläche überschauend,
ruht das Auge auf eingestreuten roten und gelben Inselchen, welche
sich bei Annährung als kleine und grössere Trupps von Caltha
palustris und Coronaria flos cuculi erweisen, die den grünen
Teppich mit bunten Stickereien zu schmücken scheinen. Auch an
den höheren und trocknen Rändern finden wir schön goldig schimmernde
Flächen, die dort von dem vom Landmanne so ungern gesehenen
Alectorolophus major hervorgerufen werden. Sehen wir uns
nun die Pflanzenwelt der Meeden genauer an, so fällt uns das unbe-
dingte Vorherrschen zweier, einander sehr nahestehender Familien,
derjenigen der Süss- und Sauergräser auf, welche in einem solchen
Masse sich dieser Gebiete bemächtigt haben, dass sie andere Pflanzen
nur als Gäste zwischen sich dulden und höchstens den im Kampfe ums
Dasein Bevorzugteren nach hartem Ringen einzelne kleine Gebiete
einräumen. Da finden wir aus den beiden, verwandtschaftlich einander so nahestehenden und auch diese Flächen brüderlich nebeneinander bewohnenden Familien zahlreiche und meistens weit verbreitete Arten: Phragmites communis, welcher an den Seeen und
Niederungen ganze Wälder bildet, die im Herbste abgemäht werden
und gesuchtes Material zum Dach- und Mühlendecken liefern,
Glyceria fluitans und hin und wieder aquatica, Poa trivialis
und Poa pratensis var. latifolia, Festuca ovina var. vulgaris und var. capillata, Festuca rubra var. genuina; an
Ufern finden sich hin und wieder Festuca elatior und Phalaris
arundinacea; zerstreut hie und da: Sieglingia decumbens,

Bromus mollis, Holcus lanatus, Alopecurus geniculatus und Anthoxanthum odoratum; auf höheren Stellen Aera caespitosa und Nardus stricta, welch letztere an unfruchtbaren Stellen oft weit und breit den Boden mit ihren starren, dürren Borstenbüscheln bedeckt. Aus der Familie der Cyperaceen finden wir da namentlich Carex Goodenoughii, pilulifera, panicea, echinata und stricta, sowie Eriophorum angustifolium zuweilen herdenweise; an Ufern und in den Gräben wachsen: Scirpus paluster und lacustris, am grossen Meer auch pauciflorus und uniglumis; an vielen Stellen auch Carex acuta, acutiformis und rostrata. An Kryptogamen finden wir in fast allen Gräben Equisetum palustre und limosum, ferner Hypnum cuspidatum und fluitans allgemein verbreitet.

Aus den andern, höher organisierten Familien finden wir auf den Flächen der Meeden vor allem vielfach die Caltha palustris var. laeta, welche oft grosse Strecken der sumpfigen Wiesen gesellig bewohnt, während auf trocknen Meeden Alectorolophus major sich ganze Flächen erstritten hat und mit Zähigkeit behauptet; Coronaria flos cuculi ist überall vertreten; doch nimmt sie keine so geschlossenen Bestände ein wie die vorigen. Ausserdem treten auf diesen Flächen auf: Juncus squarrosus an trocknen, filiformis an feuchten Orten, Luzula campestris in mehreren scharf ausgeprägten Varietäten, Orchis maculata und latifolia, Rumex Acetosa und Acetosella, Sagina nodosa und procumbens, Ranunculus Flammula, acer und repens, Cochlearia officinalis; Cardamine pratensis äusserst häufig, ebenso Potentilla palustris; ferner Trifolium pratense und repens, Hydrocotyle vulgaris, Menyanthes trifoliata truppweise, Myosotis palustris, Pedicularis silvatica an trockneren, palustris an feuchten Stellen, Plantago lanceolata var. sphaerostachya, Senecio aquaticus vielfach, Cirsium palustre (bei Barstede auch anglicum), Hypochoeris radicata und Leontodon autumnalis. An Grabenrändern treten auf: Triglochin palustris und maritima (im Forlitzer Becken), Juncus bufonius und lampocarpus, Rumex obtusifolius, Ranunculus sceleratus, Ulmaria palustris, Lotus uliginosus, Lythrum Salicaria vielfach, Lysimachia thyrsiflora und nummularia, Myosotis palustris, Mentha aquatica, mehrere Galiumarten, sowie Valeriana officinalis.

Ein besonders beachtenswertes Bild bieten die Bäche, Wasserzüge und Seeen mit ihrer ausgeprägten Sumpf- und Wasserflora. Da finden wir: Typha latifolia und angustifolia, Sparganium minimum, Potamogeton crispa, natans und mehrere Gattungsverwandten, Sagittaria sagittifolia, Alisma Plantago und Echinodorus ranunculoides (am grossen Meer), Stratiotes aloides in fast allen Wassergräben, Lemna spec., Iris pseudacorus, Polygonum Hydropiper und amphibium var. natans, Nymphaea lutea in wahren Prachtexemplaren, Batrachium aquatile, Ranunculus Lingua, Nasturtium officinale und amphibium, Cicuta virosa (am grossen Meer), Oenanthe aquatica und Berula angustifolia, Hottonia palustris, Veronica Anagallis und Beccapunga, Utricularia vulgaris, Bidens tripartitus und hin und wieder auch cernuus.

Jene weitgedehnten Flächen des Gebietes der natürlichen Wiesen werden jährlich nur einmal gemäht; die Zeit des Grasschnitts beginnt an einzelnen Stellen in der letzten Juniwoche, meistens aber Anfang Juli und dauert bis Mitte August. Streift man in der Mitte des Monats Juli durch die Meeden, so bieten diese einen ebenso merkwürdigen als interessanten Anblick dar. Überall sieht man aus dem Grasmeere die schön weissen Zelte der Mäher hervorlugen, welche ihren Besitzern in der Sonnenhitze des Mittags ein schattiges, kühles Ruheplätzchen gewähren und während der nächtlichen Stunden eine allerdings äusserst primitive Schlafstätte darbieten. Ist nun das Heu glücklich heimgebracht, so ist damit auch diese im Junimonat so interessante Landschaft zu einer tristen, trostlosen Einöde geworden, auf welcher kein Blümchen sich zeigt. Doch der Graswuchs sprosst wieder hervor, und Ende August treibt der Landwirt, wenn er nicht zu weit von seinen Meedländereien entfernt wohnt, seine Rinder auf diese Weiden, um das „Ettgrön" (den neuen jungen Graswuchs) durch dieselben abweiden zu lassen, wobei die Weidetiere die Grasnarbe des durch längeren Regen oft schwammig und schwellend feucht gewordenen Bodens im September manchmal arg zertreten.

Der Botaniker, welcher diese Flächen erfolgreich ausforschen möchte, muss schon zu Ende des Juni, höchstens Anfang Juli seine dahin gehenden Untersuchungen abgeschlossen haben, weil dann ja die Sensenmänner erscheinen und alles unbarmherzig niederlegen; nur die Seeen und deren Uferränder bleiben vorläufig verschont und können daher noch später mit Erfolg besucht werden.

Im Folgenden gebe ich ein Verzeichnis der in der Meede bei Oldehafe vorkommenden Phanerogamen und Gefässkryptogamen. Da diese Meeden bei Oldehafe das äusserste Ende eines sich weit in die Geest hineinerstreckenden Armes bilden, so ist ihre Flora wegen der höheren Lage schon bedeutend ärmer als die Pflanzenwelt der der Küste mehr benachbarten Teile; darum fehlen hier schon manche der für die mittleren und tieferen Meeden charakteristischen Sumpfpflanzen oder kommen doch an Individuenzahl schon auffallend spärlich vor. Weil nun diese Wiesen schon in die Vorgeest übergehen, zeigen sich hier an der Übergangszone verschiedene fremde Gäste. Im wesentlichen jedoch bieten diese Flächen in floristischer Beziehung ein echtes Bild der natürlichen Wiesen Ostfrieslands. Die bei Oldehafe gelegenen Meeden begleiten ein im Moore hinter Neufirrel entspringendes Bächlein, die „Sicbter", bis in die Vorgeest hinein. Die „Sicbter", wie der Volksmund den Bach nennt, fliesst in einer Strecke von etwa 1 Kilometer unmittelbar am Wäldchen Oldehafe entlang, schlängelt sich dann durch die Meeden nach Bagband und ergiesst sich unterhalb Timmel in das sogenannte „Fehntjer Tief", einen Nebenfluss der Ems, welcher in seinem ganzen

Laufe, bis zum Flecken Oldersum, von unabsehbar weit gedehnten
Meeden begleitet wird. Wenngleich jener Bach der Oldehafer Meeden,
die „Sichter", in manchen Sommern bei anhaltender Dürre fast
ganz austrocknet, war er im regenreichen Sommer 1894 stets bis
an den Rand gefüllt; ja, selbst die Wiesen waren trotz ihrer
verhältnismässig hohen Lage so feucht, dass ein Durchschreiten
an manchen Stellen kaum möglich war. Doch darf ich hoffen, auf
Grund der auf zahlreichen Streifereien gesammelten Notizen ein
ziemlich vollständiges Verzeichnis jener Meedenflora zusammenstellen
zu können.

Flora der natürlichen Wiesen oder „Meeden" bei Oldehafe.

Equisetum arvense L. hie und da.

Equisetum palustre L. gemein.

Equisetum limosum L. häufig in den Gräben; hin und wieder
auf die Wiese übergehend und dann steril.

Typha latifolia L. fehlt wegen zu geringer Feuchtigkeit
dieser Wiesen.

Sparganium minimum Fr. in den Gräben der Meeden bis nach
Bagband hin, doch nicht häufig.

Potamogeton crispa L. in der „Sichter" mit der folgenden Art.

Potamogeton natans L. in der „Sichter" und den tieferen Gräben.

Triglochin palustris L. in den Gräben westl. von Oldehafe häufig.

Tr. maritima L., die ich beim sog. „grossen Meer" bei Forlitz
vielfach sah, fehlt hier ganz.

Sagittaria sagittifolia L. in der „Sichter".

Alisma Plantago L. in den Gräben und der „Sichter".

Echinodorus ranunculoides Engelm. beim „grossen Meer" an
manchen Stellen, fehlt hier auch wegen zu grosser Trockenheit,
ebenso Stratiotes aloides L.

> Elodea canadensis Rich. in Michaux schon seit Jahren im be-
> nachbarten Oldenburgischen bei Westerstede, hat sich dieses Gebiet
> noch nicht erobert.

Phalaris arundinacea L. am Bachufer, nicht häufig.

Anthoxanthum odoratum L. nur vereinzelt und nicht in solchen
Rasen als auf angelegten Wiesen.

Alopecurus geniculatus L. an den Gräben, nicht häufig.

Agrostis spica venti L. häufig.

Agrostis vulgaris With. häufig.

Agrostis alba L. var. pratensis Buchenau an trockneren,
sandigen Stellen hie und da, nicht häufig.

Agrostis canina L. feuchtere Stellen bewohnend; häufiger als
vorige.

Phragmites communis Trin. nicht besonders häufig; hier schon
wegen der höheren Lage fast ganz zurücktretend; im Forlitzer
Becken ganze Wälder bildend.

Aera caespitosa L. an trocknen Stellen.

Holcus lanatus L. an höheren Stellen gemein.

Sieglingia decumbens Pal de Beauv. einzeln, nicht häufig.
Poa trivialis L. an den Grabenrändern gemein.
Poa pratensis L. var. latifolia Koch an Graben- und Bachrändern,
gern auf ausgeworfener Erde. — Die Varietäteneigentüm-
lichkeit — bläulich-grün, niedrig, Laubblätter flach, kürzer als
bei der Hauptform — sehr ausgeprägt; die Länge der Blatt-
fläche betrug manchmal nur ¹/₅ bis ¹/₄ der Scheidenlänge.
Glyceria fluitans R. Br. häufig in den Gräben, auch an feuchten
Stellen auf den Wiesen.
Glyceria aquatica Wahlberg in den Gräben hie und da.
Cynosurus cristatus L. vereinzelt, nur an nicht zu feuchten
Stellen häufiger.
Festuca ovina L. var. vulgaris Koch hin und wieder, selten
mit hellgrünen Ährchen variierend. var. capillata Lam. von
gleicher Häufigkeit wie die var. vulgaris.
Festuca rubra L. var. genuina subvar. vulgaris Hackel häufig;
bildet zuweilen niedliche Zwergformen von 20—30 cm Höhe.
Festuca elatior L. Hauptform. Weit seltener als rubra; hin
und wieder an Ufern
Bromus mollis L. an Gräben.
Nardus stricta L. an den trockensten und unfruchtbarsten Stellen
gemein, oft nicht blühend und dürr (ostfr. „Kiesbort“ oder
„Swinbössels“ genannt).
Eriophorum angustifolium L. hin und wieder heerdenweise.
Scirpus paluster L. in den Gräben in hohen und sehr niedrigen Formen.
Scirpus lacustris L. Wenige kümmerliche Exemplare in der
„Sichter“; fehlt sonst in der ganzen Gegend.
Carex pulicaris L. an den sumpfigen Stellen herdenweise.
Carex leporina L. vereinzelt; überhaupt in der ganzen Gegend
auffallend selten; bei Aurich eine der gemeinsten Carexarten.
Carex echinata Murray. gemein.
Carex canescens L. an mehreren Stellen, aber spärlich; meistens
sich der var. subloliacea Anderson sehr nähernd.
Carex stricta Goodn. an sumpfigen Stellen vielfach.
Carex Goodenoughii Gay var. melaena Wimm. gemein; meisten-
teils klein, doch zuweilen grössere Formen bis 50 cm Höhe.
Carex acuta L. var. prolixa Fr. am Ufer der „Sichter“ bei
Oldehafe, an nur wenigen Stellen mit Früchten.
Carex pilulifera L. an niedrigen Stellen gemein und gesellig.
Carex panicea L. (ostfr. „Blaugras“) gemein, oft nicht blühend;
manchmal mit C. echinata allein den Rasen bildend.
Carex rostrata With. häufig in den Gräben der Meeden. Eine
ebenso interessante als schöne Form (var. androgyna) findet
sich in den Gräben südlich und nördlich von Oldehafe; bei
dieser sind sämtliche Ähren mit Ausnahme der untersten
männlich; diese männlichen Ähren sind wiederum in der Mitte
weiblich.
Carex acutiformis Ehrh. am Bachufer hin und wieder scharen-
weise; Hauptform.

Lemna minor L.
Lemna trisulca L. Beide nicht häufig.
Juncus Leersii Marsson hin und wieder häufig.
Juncus filiformis L. fehlt.
Juncus squarrosus L. an den höheren Stellen.
Juncus bufonius L. an den Gräben; lockerblütige Form.
Juncus lampocarpus Ehrh. an einem Graben.
Luzula campestris DC. var. vulgaris Gaud. häufig.
   „   „   var. multiflora Celak. nicht so häufig.
   „   „   var. congesta Buchenau, vereinzelt.
Iris pseudacorus L. in den Gräben.
Orchis latifolia L. zerstreut.
Orchis maculata L.*) Hauptform; nicht häufig.
Platanthera bifolia Reichenb. Auf den Wiesen ein einziges
    Exemplar.
Myrica Gale L. spärlich an den Grabenrändern.
Salix aurita L. an Grabenrändern spärlich und kümmerlich.
Salix repens L. oft zwergig und selten blühend.
Rumex Acetosa L. gemein.
Rumex Acetosella L. weit weniger häufig als die vorige.
Rumex obtusifolius L. am Bachufer.
Polygonum Hydropiper L. häufig.
Sagina procumbens L. häufig; überall nur die Hauptform.
Sagina nodosa Fenzl. stellenweise häufig; nicht variierend.
Cerastium semidecandrum L. hin und wieder.
Cerastium triviale Lk. zerstreut.
Stellaria graminea L. häufig.
Melandryum album Garcke. am Wegrande an einer Stelle.

---

*) Die interessante var. elodes Grisebach, welche Lantzius-Beninga
in seinen sehr wertvollen „Beiträgen zur Kenntnis der Flora Ostfrieslands"
für Beningafehn anführt, fehlt hier ganz. Ich fand sie 1887 auf einer Heide
nördlich vom Wittmunder Walde, auch auf dem Hochmoore zwischen dem
sogenannten „ewigen Meere" und Münkeboe; offenbar ist sie auf den Moor-
und Heideflächen Ostfrieslands weiter verbreitet. Grisebach beschreibt sie
in seiner Schrift „Über die Bildung des Torfs in den Emsmooren aus deren
unveränderter Pflanzendecke" (Göttingen 1846) auf Seite 25 (Anm.) wie folgt:
„Orchis elodes nov. sp. tuberibus geminis palmatifidis,
foliis (4—5) lanceolatis, acuminatis sursum decrescentibus,
bracteis nervosis ovarium superantibus, floribus incarnatis
pictis, perigonii segmentis semilanceolatis, exterioribus
patentibus, labello trilobo, calcare descendente filiformi
acuminato ovarium dimidium aequante. — Calcar basi
½''' diam., tenuissimum, versus apicem obtusiusculum attenuatum, rectum, pendens. Perigoniifoliolaexteriorainterioribus
conformia et ejusdem longitudinis. Labellum longitudine lati-
tudinem aequante, lobo medio exterioribus paullo breviori.
Statura spithamea O. latifoliae. — Dignoscitur ab O. maculata L.
quacum calcare attenuato, caule solido foliisque supremis
a̗ spica remotiusculis decrescentibus convenit: 1. foliis inferio-
ribus lanceolatis (neque oblongis), omnibusque suprema
2. numero foliorum plus duplo minori; 3. bracteis omnibus ovarium superantibus (neque mediis ovarium subaequantibus); 4. peri-

Coronaria flos cuculi Al. Br. gemein.
Nymphaea lutea L. in einigen Gräben; geradezu massenhaft in
der „Sichter".
Thalictrum flavum L. fehlt hier, eine Stunde westlicher schon
anzutreffen.
Anemone nemorosa L. auf den höheren Stellen, wo die Meede
in die Vorgeest übergeht; vom Gehölz aus eingewandert; fehlt
allen andern Meeden.
Ranunculus Flammula L. häufig.
R. Lingua L. fehlt hier wegen zu grosser Trockenheit; schon eine
Stunde westlicher (bei Stiekelkamp) mehrfach; im Forlitzer
Becken häufig.
Ranunculus acer L. häufig.
R. repens L. häufig, oft nicht blühend.
R. sceleratus L. vereinzelt in den Gräben.
Batrachium aquatile E. Meyer, gemein, in verschiedenen, nicht zu
trennenden Formen.
Caltha palustris L. var. laeta Schott. häufig und oft üppig.
Teesdalea nudicaulis R. Br. an Grabenrändern.
Cochlearia officinalis L. an Grabenrändern und auf den Wiesen
bis nach Bagband hin; dort an den Einfriedigungswällen sich
bis Timmel ausbreitend, weiterhin aber ganz fehlend.
Nasturtium amphibium R. Br. an und in Gräben nicht selten.
Cardamine pratensis L. gemein; einige Spätlinge blühten noch
am 20. Juni.
Capsella bursa pastoris L. auf ausgeworfener Erde an Gräben.
Stenophragma Thalianum Celak. auf dem aus den Gräben aus-
geworfenen Sande, doch vereinzelt wie die vorige.
Parnassia palustris L. Auf der „Firreler Weide" einige kümmer-
liche Exemplare, die jetzt mit der Kultivierung derselben sicher
ausgerottet sind; in den ostfries. Mooren vielfach.
Ulmaria palustris Moench. an Grabenrändern und Bachufern
häufig.
Potentilla palustris Scop. gemein; oft zwergig und dann nicht
blühend.
Potentilla Tormentilla Necker. an trockneren Stellen.
Potentilla anserina L einzeln. Die var. concolor Sering nur
spärlich an zwei Stellen an Grabenrändern.
Lotus uliginosus Schkul. an Grabenrändern.
Trifolium pratense L. zerstreut, nicht gesellig; nur niedrige
Formen.
Tr. repens L. am Bache, spärlich.

gonii segmentis angustioribus; 5. calare multo tenuiorii filiformi,
medio linea dimidia angustiori; 6. praecipue vero brevitate calcaris ovarium dimidium aequantis (nec superantis). — Habitat
in ericetis turfosis totius paludis Bourtangensis sparsim. Fl. m.
Majo et Junio (O. maculata multo praecocius).—"
Diese interessante Abart möge der Aufmerksamkeit der ostfriesischen
Botaniker weiterhin empfohlen sein:

Trifolium minus Relhan. nicht häufig.

Vicia angustifolia L. in der Nähe der Gräben hie und da einzeln.

Hypericum tetrapterum Fries vereinzelt an Gräben.

Viola palustris L. nicht häufig.

Lythrum Salicaria L. an Ufern gemein.

Peplis Portula L. in und an Gräben mehrfach.

Epilobium parviflorum L. an Grabenrändern; nicht häufig.

Hydrocotyle vulgaris L. gemein.

Oenanthe aquatica Lam. einzeln.

Calluna vulgaris Salisb. hie und da spärlich und kümmerlich.

Erica tetralix L. einzeln.

Lysimachia thyrsiflora L. an einem Graben südlich von Oldehafe ein einziges, blühendes Exemplar; in feuchteren Meeden gar
nicht so selten.

Lysimachia nummularia L. hie und da; stellenweise häufig.

Hottonia palustris L. häufig.

Menyanthes trifoliata L. an nur wenigen Stellen geringe Trupps,
auffallend selten; in feuchteren Meeden weit häufiger; in den
Pfingstferien 1894 sah ich in der Meede bei Filsum viele,
prächtig blühende Exemplare.

Gentiana Pneumonanthe L. häufig dort, wo die Meede in die
Vorgeest übergeht.

Myosotis palustris Roth. gemein; oft von ausserordentlicher Höhe.

Myosotis versicolor Smith. nicht häufig.

Mentha aquatica L. an Gräben und sumpfigen Stellen; hin und
wieder gesellig.

Scutellaria galericulata L. einzeln.

Brunella vulgaris L. häufig.

Ajuga reptans L. häufig.

Veronica Anagallis L. in wenigen Gräben in der Nähe der
„Sichter". Als ich späterhin Exemplare sammeln wollte,
waren die Gräben (wegen des anhaltenden Regens) gereinigt
und sämtliches Material beseitigt; diese Art, wie die folgende,
sind in der Gegend sehr gering vertreten.

Veronica Beccabunga L. mit der vorigen.

Veronica serpyllifolia L. Grabenränder, nicht häufig; Hauptform.

Veronica Chamaedrys L. vereinzelt.

Veronica officinalis L. einzeln hie und da.

Veronica scutellata L. an einem Grabenrande ein einziges
Exemplar.

Alectorolophus major Reichenb. sehr gemein; oft Flächen von
mehreren Ar überziehend und dann nur Holcus lanatus
Agrostis spica venti und Coronaria flos cuculi noch
aufkommen lassend.

Alectorolophus minor Wimm et Grab. auf den trockneren Stellen
doch weit seltener als voriger.

Melampyrum pratense L. vom Gehölz aus eingewandert; an
höheren Stellen in der Nähe von Oldehafe; in allen andern,
Meeden fehlend.

Pedicularis silvatica L. an tróckneren Stellen.
Euphrasia officinalis L. hie und da; grossblütige Form.
Pedicularis palustris L. die niedrigeren Stellen bewohnend.
Euphrasia Odontites L. Wo die Meede in die Vorgeest über-
geht, fanden sich einige Exemplare.
Plantago lanceolata L. Die var. sphaerostachya Mertens et Koch
in ausgeprägter Form an feuchteren Stellen gemein; daneben
hie und da mittlere Formen mit stets sehr kurzen Blütenähren.
Galium palustre L. häufig.
Galium uliginosum L. weit seltener als vorige.
Galium saxatile L. hin und wieder.
Valeriana officinalis L. häufig.
Succisa pratensis Moench. häufig; an einer Stelle (südl. von
Oldehafe) die Form floribus albis.
Phyteuma spicatum L. tritt von Oldehafe in die Meede über,
zerstreut, bis an die von Strackholt nach Bagband führende
Chaussee; Blüten hell- und dunkelblau, nie weiss.
Bellis perennis L. einzeln hin und wieder.
Achillea Millefolium L. nur einzeln. Garcke giebt in seiner
„Flora von Deutschland" eine var. alpestre Wimm. et Grab.
an, „Blättchen des Hüllkelchs mit schwarzem Rande". Auf
diese Angabe hin habe ich seit 8 Jahren Hunderte von
Exemplaren in den verschiedensten Orten Ostfrieslands ange-
sehen — allüberall alpestre W. et Gr., so auch hier in der
Meede. Nur 1891 sah ich auf Spetzerfehn ein Exemplar,
dessen Kelchblätter nicht schwarz berandet waren.
Bidens tripartitus L. nicht häufig.
Bidens cernuus L. in der „Sichter" und den derselben benachbarten Gräben häufig; zieht sich bis Firrel hin.
Senecio aquaticus Hudson. überall verbreitet; oft nicht blühend
und dann nur dichte Blattrosetten bildend.*)
Cirsium palustre Scop. häufig. In der Meede zwischen Barstede
und Forlitz fand ich im Juli 1886 das seltene Cirsium angli-
cum DC., das im Forlitzer Becken und sonst in den ostfriesischen
Meeden sicherlich weiter verbreitet ist.

---

*) Schon vor längerer Zeit war mir der Widerspruch aufgefallen, der
sich in den Angaben Lantzius-Beningas und Wessels über die Verbreitung
des Senecio aquaticus zeigte. Lantzius schreibt in seinen „Beiträgen zur
Flora Ostfrieslands" (Göttingen 1849): „S. aquaticus Huds. in den Meeden
äusserst häufig. S. Jacobaea L. trockne grasige Orte der Geest; sehr selten;
bei Stiekelkamp." Wessel (Flora Ostfrieslands. 3. Aufl. Leer 1879.) giebt
jedoch an: S. Jacobaea L. häufig; S. aquaticus Huds. Seltener als vorige."
Als ich diese einander widersprechenden Angaben auch in Buchenaus „Flora
der nordwestdeutschen Tiefebene" (Seite 500) erwähnt fand, sammelte
ich auf einer grossen Fläche der Meede bei Oldehafe Ende Juni 1894 viele
teils blühende, teils fruchtende Exemplare des dort vorkommenden Senecio
und sandte diese lebend an Herrn Prof. Buchenau mit der Bitte um
gütige Aufklärung. Meinem Wunsche wurde in liebenswürdigster Weise entsprochen. Am 2. Juli wurde mir die Antwort: „Lantzius hat wieder einmal
Recht; die Pflanze ist zweifellos S. aquaticus." — Damit ist für Ostfriesland
die Sache aufgeklärt.

Hypochoeris radicata L. hie und da.
Leontodon autumnalis L. verbreitet.
Crepis paludosa Moench. Vom südlichen Saume des Gehölzes auf
den Rand der Wiese übergehend; sonst fehlend.

In seinen mehrfach erwähnten „Beiträgen zur Kenntnis der
Flora Ostfrieslands" sagt Lantzius (Seite 4): „Das endlos ein=
förmige Gebiet der ostfriesischen Flora, welches äusserlich durchaus
keine sicheren Anhaltspunkte darbietet, macht die Erforschung derselben in ganz eigentümlicher Weise schwierig; es macht den mehr
oder minder glücklichen Erfolg in noch höherem Grade, als dies in
andern Gebieten der Fall ist, vom Zufall abhängig. Da mir aber
ausserdem im Sommer 1847 teils Witterungsverhältnisse (eine seit
mehreren Jahren anhaltende Dürre), teils andere hier nicht näher
zu erörternde ungünstige Umstände hindernd in den Weg traten, so
bin ich umsomehr überzeugt, ferneren Forschungen noch ein
nicht unergiebiges Feld übrig gelassen zu haben".
    Möge darum die Flora unsers engeren Vaterlandes von ost-
friesischen Naturfreunden fortan aufmerksamer Beobachtung und
eingehender Untersuchung gewürdigt werden! —

Beiträge zur Moosflora der ostfriesischen Inseln Baltrum und Langeoog.

Von Fr. Müller in Varel.

Zu Anfang Juni d. J. habe ich Herrn Professor Dr. Buchenau auf einem botanischen Ausfluge nach Baltrum und Langeoog, und im September wiederum nach Baltrum begleitet. Handelte es sich auch in erster Linie darum die Flora dieser Inseln in Bezug auf Phanerogamen und gefässführende Sporenpflanzen festzustellen, so liess ich mir die Gelegenheit nicht entgehen, auch den dort vorkommenden Moosen Aufmerksamkeit zu schenken. Auf Langeoog allerdings wollte und konnte ich mich um diese Pflanzen nicht ganz viel kümmern; denn einmal ist die Insel zu ausgedehnt, um in der mir zur Verfügung stehenden Zeit auch nur einigermassen ausreichend abgesucht zu werden, und dann ist sie auch schon wiederholt von anderen Botanikern nach Moosen durchforscht worden. Was dagegen Baltrum anbetrifft, so habe ich diese verhältnismässig nur kleine Insel in zweimal zwei Tagen gründlich durchsucht; es ist daher anzunehmen, dass die Insel ausser den weiter unten aufgezählten Moosen nicht viel andere mehr enthalten wird.

War Baltrum den übrigen ostfriesischen Inseln gegenüber in Bezug auf die Erforschung der höheren Pflanzen bisher vernachlässigt, so war es diese Insel in bryologischer Beziehung erst recht. Alles was ich an Nachrichten über Moose von Baltrum habe auffinden können, beschränkt sich darauf, dass Buchenau*) Bryum cernuum (=pendulum) und Br. inclinatum dort gelegentlich aufgenommen hat, und dass Eiben**) für die Insel bei einem sechsstündigen Aufenthalte dortselbst notiert: Ceratodon purpureus, Barbula muralis, B. subulata, B. ruralis, Grimmia pulvinata, Racomitrium canescens, Bryum argenteum, Camptothecium lutescens, Brachythecium rutabulum, B. albicans, Hypnum cupressiforme, Hylocomium squarrosum und H. triquetrum. Bis auf Racomitrium canescens und Hylocomium triquetrum

---

*) Diese Abhdl. 4. Bd, 3. Heft, pag. 244 Anmerk.
**) Diese Abhdl. 9. Bd., 4. Heft, pag 425 u. f.

habe ich diese Arten dort auch angetroffen; es hat mir aber trotz besonders eifrigen Suchens — auch Professor Buchenau und H. Sandstede haben dort auf Racomitrium geachtet — nicht gelingen wollen, letztere beiden aufzufinden. Es ist daher möglich, dass Eiben, der in seiner Aufzählung der ostfriesischen Laubmoose für diese beiden Arten angiebt „alle Inseln", aus dem häufigen Vorkommen derselben auf andern Inseln geschlossen hat, dass sie auf Baltrum ebenfalls sein würden. Ich muss nach den gemachten Erfahrungen die jetzige Anwesenheit dieser beiden Moose auf Baltrum bezweifeln. Jedenfalls aber kommt Racomitrium dort nicht in der Menge vor, wie man es auf anderen Inseln anzutreffen pflegt. Auf Langeoog war es übrigens auch nicht so häufig wie z. B. auf Wangeroog, und auf Spiekeroog habe ich es vor zwei Jahren nicht auffinden können.

Da Buchenau nur nebenbei ein paar auffallende Moose auf Baltrum aufgenommen hat und Eiben nur so kurze Zeit zu bryologischen Beobachtungen auf dieser Insel hat verwenden können, so ist es nicht zu verwundern, dass ich die Zahl der dort vorkommenden Arten habe wesentlich vermehren können. Eiben führt in Band III, Heft 1 dieser Abhandlungen, Seite 214 und 215, von der Nachbarinsel Norderney 33 Arten auf, die in dem Verzeichnisse der ostfriesischen Laubmoose im Jahre 1887 mit den Funden von Focke und Nöldeke auf 42 Arten angewachsen sind. Demgegenüber steht Baltrum, die bei weitem der kleinsten der ostfriesischen Inseln, wo ich 40 Arten habe aufnehmen können, als verhältnismässig reich an Moosen da.

Als neu für die Inselflora sind von Baltrum zu erwähnen: **Archidium phascoides, Tortula papillosa, Orthotrichum Lyellii und Amblystegium serpens.** Ferner sind in das Verzeichnis der ostfriesischen Moose, die von Koch für die Inseln bereits angegebenen, von Eiben aber nicht mit aufgeführten Arten: Dicranoweisia cirrhata, Polytrichum commune und Pylaisia polyantha mit aufzunehmen. Das von Focke für Norderney zuerst nachgewiesene Climacium dendroides kommt auch auf Baltrum und Langeoog vor. Auf letzterer Insel babe ich für die Inselflora als neu aufgefunden; **Polytrichum gracile, Tortella inclinat** und **Thuidium Blandowii.** Die lezten beiden Arten sind bisher weder in Ostfriesland noch in der oldenburgisch-bremischen Flora angetroffen worden.

Bei einem Vergleich von Baltrum mit der etwas grösseren Insel Spiekeroog ergiebt sich, dass Baltrum eine verhältnismässig grosse Anzahl feuchter Dünenthäler enthält, die ja die meiste botanische Ausbeute liefern. In vielen dieser Thäler und Thälchen sind Gärtchen, wenn man die kleinen tiefliegenden und wohl meist von den Insulanern ausgehobenen Flecken Landes so nennen will, eingerichtet, in denen besonders Kartoffeln gebaut werden, die sich mit Recht eines guten Rufes erfreuen. In einigen grösseren feuchten Thälern befinden sich angelegte Wiesen, an deren Gräben sich besonders Bryum-Arten und einige Lebermoose angesiedelt haben. Es fehlen auf Baltrum aber solch mächtig ausgedehnte, mit hohem Gras und Cyperaceen bewachsene Dünenflächen, wie man sie sich namentlich im Osten von Spiekeroog oberhalb des Friederikenthals ausdehnen sieht, wo Hylocomium splendens und triquetrum, Hypnum purum und Dicranum scoparium mit Gräsern und Seggen Rasen bilden. Auch jene für Spiekeroog so cherakteristischen aus Plaggen der Wattweiden hergestellten Erdwälle, die massenhaft mit Barbula subulata besetzt sind und auf denen auch Cochlearia danica gut gedeiht, enthält Baltrum nicht. Statt der Erdwälle benutzt man dort das angetriebene Holzwerk um die einzelnen Parzellen abzugrenzen. An diesem alten Holzwerk haben sich in den Dörfern die Orthotrichen, Grimmia und besonders viel und reichlich fruchtend Dicranoweisia angesiedelt.

Die höheren Dünen mit lockerem Sande sind hauptsächlich von Ceratodon purpureus, Barbula ruralis und Brachythecium albicans besetzt, in den feuchteren Dünenthälern herrschen die Bryum-Arten und an manchen Stellen auch Hypnum polygamum und H. cuspidatum vor. Im Rasen der Insel sind Hypnum cupressiforme und Hylocomium squarrosum weit verbreitet. Wie erklärt sich das Fehlen von Dicranum scoparium, Hylocomium splendens und triquetrum, die auf allen andern ostfriesischen Inseln vorkommen? Die Örtlichkeiten, welche diese Arten für ihr Gedeihen lieben, sind ohne Frage auch auf Baltrum zu finden, und es ist daher nicht ausgeschlossen, dass sie sich über kurz oder lang dort ansiedeln.

Die Moosflora von Langeoog ist zwar schon mehrfach von verschiedenen Botanikern beim Sammeln berücksichtigt worden; aber es ist mir nicht zweifelhaft, dass eine genauere Durchforschung dieser Insel, zumal wenn sie im ersten Frühjahre und zu Anfang des Winters vorgenommen würde, noch mancherlei Ergebnisse haben würde, trotzdem schon über 50 Arten von dort bekannt sind.

Das Blumenthal im Westen der Insel enthält ausgedehnte sumpfige Stellen, welche an die schwammigen Sumpfwiesen des Festlandes erinnern. Hier machen sich ausser einigen Hypnaceen namentlich Bryum pseudotriquetrum und Mnium hornum breit, Die grossen Polster des letzteren Mooses sind fast alle dort von geräumigen, labyrinthartigen Gängen durchsetzt, die von einer Ameise herrühren, welche die Polster als Wohnung benutzt. Das Fehlen von Sphagnum in den Wassertümpeln des Blumenthales findet wohl seinen Grund darin, dass die Tümpel im Winter gelegentlich von den Fluten mit salzigem Wasser bespült werden. Bislang sind von den Inseln nur von Borkum zwei Sphagnumarten bekannt. Das grosse nördliche Dünenthal der Westinsel ist weit weniger feucht, als das Blumenthal; hier trifft man besonders die Polytrichen, oft reichlich fruchtend an. Botanisch am meisten merkwürdig sind die Melkhörn und das Ostende von Langeoog, wo bekanntlich die Nester von Seevögeln grosse Brutkolonien bilden. Es ist keine Frage, dass jene Vögel aus fern gelegenen Gegenden bei ihren Besuchen, die sie namentlich bei stürmischen Wetter auch dem Binnenlande abstatten, Pflanzen auf die Insel übertragen. Denn wie wäre es sonst zu erklären, dass in den ziemlich hoch und wenig feucht gelegenen Dünenthäleru des Ostendes, namentlich im Thal von Drebargen, Salices, Carexvesicaria, Mniumundulatum, Amblystegium serpens, A. riparium sowie Thuidium Blandowii, die doch alle recht viel Feuchtigkeit beanspruchen, angetroffen werden. Ein mit Musse vorgenommenes Absuchen dieser Gegenden würde gewiss noch manches Auffallende zu Tage fördern.

Werden die im Eiben'schen Verzeichnis der Laubmoose Ostfrieslands (1887) als auf den Inseln vorkommend aufgeführten Arten durch die anderweit bekannt gewordenen und die in. den unten folgenden Verzeichnissen aufgegeben vermehrt, so stellt sich die Zahl der bislang auf den Inseln gesammelten Laubmoose auf 95 Arten. Davon bewohnen Borkum 54, Juist 14, Norderney 43, Baltrum 40, Langeoog 54, Spiekeroog 50 und Wangeroog 27.

Dass von Juist gewiss noch nicht die Hälfte der dort wachsenden Arten bekannt ist, und dass auch die Zahl der Wangerooger Moose noch bei weiteren Untersuchungen erhöht werden kann, ist wohl als sicher anzunehmen. Diese beiden Inseln sind daher für bryologische Excursionen zwecks Erweiterung der Kenntnis der Inselflora in erster Linie für die Zukunft ins Auge zu fassen.

Die Lebermoose der ostfriesischen Inseln haben bislang eine weit geringere Beachtung erfahren, als die Laubmoose. Es erklärt sich das daraus, dass die Zeit, während welcher die Inseln meist besucht zu werden pflegen, zum Sammeln dieser Moose wenig günstig, und dass die Zahl der dort vorkommenden Arten auch nur gering ist. Die von Eiben im oben angeführten Aufsatz mitgeteilten Funde — 6 Arten — beschränken sich auf die Inseln Borkum, Norderney und Langeoog und sind fast alle auf Dr. W. O. Focke zürückzuführen. Auf Baltrum habe ich mich auch eifrig nach Lebermoosen umgesehen, auf Langeoog aber nur beiläufig ihnen einige Aufmerksamkeit geschenkt. Das kleine Verzeichnis, welches ich unten folgen lasse, kann zwar durchaus keinen Anspruch auf Vollständigkeit machen, aber es unterliegt keinen Zweifel, dass die Zahl der Lebermoose von Baltrum auch durch spätere Nachforschungen nicht bedeutend mehr erhöht werden wird. Immerhin ist es bemerkenswert, dass Baltrum auch ein Lebermoos, Preissia commutata, beherbergt, das bislang in der Flora des nordwestdeutschen Tieflandes noch nicht aufgefunden ist.

Auf dem lockeren Sande der hohen Dünen trifft man natürlich kein einziges Lebermoos an; ebenso fehlen sie in den Niederungen und auf den Wattweiden, welche häufig vom Meerwasser überflutet werden. Dagegen ist der feste Boden der feuchten Dünenthäler meist mit Aneura, Pellia, Jungermannien und vielfach auch mit Blasia pusilla bedeckt. An Grabenwänden und am Rande der Wattweideu haben sich Jungermannien und hin wieder Scapania irrigua angesiedelt; letztere Art ist im Blumenthal auf Langeoog in üppigen, ausgedehnten Rasen entwickelt.

Nach Eiben kommt Marchantia polymorpha auf Borkum Norderney und Langeoog vor; ich habe sie auf den Inseln noch nicht auffinden können. Pellia epiphylla, die ich auf Spiekeroog 1893 aufgenommen zu haben glaubte, ist doch wohl mit P. calycina verwechselt.

Bei der Bestimmung der Inselmoose haben mich die Herren R. Ruthe (Laubmoose) und C. Warnstorf (Lebermoose) wesentlich unterstützt.

Verzeichnis der im Juni und September 1895 auf Baltrum gesammelten Laubmoose.

1. Archidium bryoidis Brid. An wenig begrasten Stellen der Wattweide vor dem Friedhofe.
2. Dicranoweisia cirrhata Lindb. An altem Holzwerke im West- und Ostdorfe; c. fr.
3. Pottia Heimii Bryol. eur. Auf den Wattweiden; c. fr.
4. Tortula muralis Hedw. An Mauerwerk der Häuser des Westdorfes und auf Dächern des Ostdorfes; c. fr.
5. Tortula papillosa Wils. Spärlich an altem Holzwerk im Westdorfe zwischen Orthotrichum diaphanum.
6. Tortula ruralis Ehrh. Auf Dächern und im Sande der Dünen.
7. Tortula subulata Hedw. Nicht so sehr verbreitet als auf andern Inseln; c. fr.
8. Ceratodon purpureus Brid. Sehr häufig; c. fr.
9. Grimmia pulvinata Smith. Auf Dächern in den Dörfern; c. fr.
10. Ulota phyllantha Brid. An einem Prunus Exemplar in einem Garten des Ostdorfes.
11. Orthotrichum affine Schrad. Häufig an Sambucus im Ostdorf, einzeln an Zäunen im Westdorfe; c. fr.
12. Orthotrichum diaphanum Schrad. Verbreitet an altem Holzwerk des Westdorfes und an Sambucus im Ostdorfe; c. fr.
13. Orthotrichum Lyellii Hook. et Tayl, Sehr spärlich an altem Holzwerk des Westdorfes und zwischen Friedhof und Ostdorf mit ganz ungewöhnlich viel entwickelten Brutkörpern.
14. Funaria hygrometrica Sibth. Im Westdorfe; c. fr.
15. Wehera nutans Schimper. Nicht häufig; c. fr.

16. **Bryum argenteum** L. Auf Dächern des Ostdorfes und auf der Erde im Westdorfe.

17. **Bryum calophyllum** R. Brown. An tiefen Stellen der flachen Dünenthäler im Osten der Insel; c. fr.

18. **Bryum capillare** L. Auf Dünen im Ostdorfe; c. fr.

19. „ **inclinatum** Bryol eur. In Dünenthälern; c. fr.

20. „ **lacustre** Bland. Wenig frische Exemplare auf der Wattweide in der Nähe des Friedhofes; c. fr.

21. **Bryum pallens** Sw. Häufig in Dünenthälern; c. fr.

22. „ **pallescens** Schleich. Am Rande der Wiesen und an Gräben beim Ostdorfe; c. fr.

23. **Bryum pendulum** Schimp. Häufig in Dünenthälern; c. fr.

24. „ **pseudotriquetrum** Schwgr. Nicht häufig und stark versandet in einzelnen Dünenthälern.

25. **Aulacomnium palustre** Schwgr. In wenigen Dünenthälern; mit Pseudopodien.

26. **Polytrichum commune** L. Im Dünenthal nördlich vom Rettungsbootschuppen.

27. **Polytrichum juniperinum** Willd. Ebendaselbst.

28. **Pylaisia polyantha** Schimp. Auf Dächern des Ostdorfes.

29. **Climacium dendroides** W. et M. Vereinzelt in den Dünenthälern.

30. **Camptothecium lutescens** Bryol eur. In den Dünen verbreitet.

31. **Brachythecium albicans** Bryol eur. In den Dünen; Früchte nicht häufig.

32. **Brachythecium rutabulum** Bryol eur. Nicht häufig; c. fr.

33. **Amblystegium riparium** Bryol eur. An Gräben.

34. „ **serpens** Bryol eur. Auf den Wattweiden.

35. **Hypnum cupressiforme** L. Überall verbreitet.

36. „ **cuspidatum** L. An Gräben und in Niederungen.

37. „ **fluitans** L. Dünenthäler im Osten der Insel.

38. „ **Kneiffii** Schimp. An nassen Stellen der Dünenthäler.

39. **Hypnum polygamum** Schimp. Häufig in den Dünenthälern; c. fr.

40. **Hylocomium squarrosum** Bryol eur. Überall im Rasen.

Verzeichnis der auf Langeoog Anfang Juni 1895 gesammelten Laubmoose.*)

1. Dicranum scoparium Hedw. Blumenthal, Melkhörn c. fr.
2.* Tortella inclinata Hedw. fil. Nördliches Dünenthal unter Bryum pendulum.
3. Racomitrium canescens Brid. Nördliches Dünenthal.
4. Bryum bimum Schreb. Blumenthal, Ostende; c. fr.
5.* „ inclinata Briol. eur. Melkhörn; c. fr.
6. „ pendulum Schimp. In den Dünenthälern; c. fr.
7.* „ pseudotriquetrum Schwgr. Blumenthal; c. fr.
8.* Mnium hornum L. Blumenthal, Melkhörn; c. fr.
9.* „ undulatum Weis. In einem Dünenthal der Vogelkolonie des Ostendes.
10. Aulacomnium palustre Schwägr. Ostende, Melkhörn; mit Pseudopodien.
11.* Politrichum gracile Dicks. Auf Erdhaufen, die im nördlichen Dünenthal bei der Aushebung von Wasserlöchern aufgeworfen sind; c. fr.
12.* Polytrichum juniperinum Willd. Nördliches Dünenthal, Ostende, c. fr.
13. Polytrichum piliferum Schreb. Nördliches Dünenthal, c. fr.
14.* Thuidium Blandowii Bryol eur. In einem hochgelegenen Thälchen in der Nähe des Vogelwärterhauses auf dem Ostende; c. fr.
15.* Climacium dendroides W. et M. Ostende, Melkhörn.
16. Camptothecium lutescens Bryol eur. Ostende.
17. Brachythecium rutabulum Bryol eur. Ostende.
18. Amblystegium riparium Rryol eur. An Weidenstämmen im Thal von Drebargen auf dem Ostende.
19.* Amblystegium serpens Bryol eur. Ebendort.
20. Eurhynchium Stockesii Bryol. eur. Blumenthal.
21. Hypnum cupressiforme L. Robuste Inselform, Blumenthal.
22. „ cuspidatum L. Sumpfige Stellen des Blumenthales.
23. „ polygamum Schimp. In den Dünenthälern, c. fr.
24. Hylocomium squarrosum Bryl eur. Verbreitet.
25. „ triquetrum Bryol eur. Ostende.

Verzeichnis der Lebermoose von Baltrum und Langeoog.

1. Scapania irrigua N. v. E. Ba. am Rande der Wattweide beim Friedhof. L. Blumenthal.

*) Die für Langeoog bislang nicht bekannten Arten sind mit einem * versehen.

2. Scapania undulatum N. v. E. L. Blumenthal.
3. Jungermannia bicuspidata L. L.
4.   „   caespiticia Lindb. L.
5.   „   crenulata Sm. Ba. an feuchten Stellen der Dünentbäler. L.
6. Jungermannia divaricata N. v. E. Ba. am Rande der Wattweide beim Friedhofe; L. nördl. Dünenthal.
7. Lophocolea bidentata N. v. E. L. in der Vogelkolonie des Ostendes.
8. Frullania dilatata N. v. E. Ba. an altem Holzwerk im Westdorfe.
9. Pellia calycina N. v. P. Ba. an feuchten Stellen der Dünenthäler verbreitet, ebenso auf L.
10. Blasia pusilla L. Ba. an feuchten Stellen der Dünenthäler.
11. Aneura multifida Dmrt. Ba. sehr verbreitet in den Dünenthälern; L. Blumenthal.
12. Preissia commutata N. v. E. Ba. in einer Niederung nördlich vom Ostdorfe; auch unter Hippophae.

Ende September 1895.

Der Blütenbau von Tropaeolum.

Von Franz Buchenau.

(Mit einer Figur im Texte).

Abkürzungen: Bl. = Blatt; Bl.stl. = Blattstiel; Lb.bl. = Laubblatt;
K. = Kelch; K.bl. = Kelchblatt; Kr. = Krone; Kr.bl. = Kronblatt; Stb.bl. =
Staubblatt; Stb.f. = Staubfaden; Stb.b. = Staubbeutel; Fr. = Frucht; Fr.kn.
= Fruchtknoten; Gr. = Griffel; N. = Narbe; Tr. = Tropaeolum.

Vergleiche: Fr. Buchenau, über Einheitlichkeit der botanischen Kunstausdrücke und Abkürzungen. Bremen, 1894.

I. Einleitung.

Vor etwa achtzehn Jahren habe ich in diesen Abhandlungen
(1878, V, p. 599—641, . Taf. XIV unter dem Titel: „Bildungsabweichungen der Blüte von Tropaeolum majus" eingehende Beobachtungen über Störung des Blütenbaues von 157 während der
Jahre 1875—1877 planmässig gesammelten .Blüten der grossen
Kapuzinerkresse veröffentlicht. Diese Beobachtungen ergaben wichtige
Resultate für die Phylogenie von Tr. majus; sie wiesen namentlich
nach, dass die Blüte von Tr. aus einer aktinomorphen, horizontal
ausgebreiteten Blüte mit senkrechter Stellung der Achse durch Annahme der horizontalen Stellung der Blütenachse, sowie Annahme der
Zygomorphie unter Anpassung an Insektenbefruchtung entstanden ist.

Ich habe mich damals völlig auf die Wiedergabe meiner Beobachtungen und der Schlüsse, welche sich aus denselben unmittelbar
für Tr. majus ergaben, beschränkt. Es lag aber nahe, dieselben
an den anderen Arten dieser merkwürdigen Gattung zu prüfen.
Hieraus entwickelte sich bei mir ein lebhaftes Interesse für sie,
welches zu einer wesentlich geographisch-systematischen Arbeit
führte: Beiträge zur Kenntnis der Gattung Tropaeolum (Engler,
botan. Jahrbücher, 1892, XV, p. 180—259). Diese Arbeit bezeichnete
ich selbst nur als den Vorläufer einer Monographie. Letztere kann,
da die meisten Arten von Tr. in den dem Frost ausgesetzten Klimaten
nur schlecht gedeihen, und das Herbariums-Material meist unbefriedigend

ist und über sehr wichtige Punkte (Knollenbildung! Bau der Frucht!) keine Auskunft erteilt — nur in einem Lande, welchem die Tropaeolen angepasst sind, etwa in Chile, bearbeitet werden.

Da die meisten nach Europa importierten Arten sich längst wieder aus der Kultur verloren haben, so gelang es mir in den abgelaufenen 18 Jahren nur, folgende Arten lebend zu beobachten: Tr. majus, minus, peltophorum, peregrinum, pentaphyllum, tricolor, azureum (?, vermutlich ein azureum × violaeflorum). Überdies konnte ich die meisten Arten nur in einzelnen Exemplaren untersuchen und unter Umständen, welche die Opferung zahlreicherer Blüten und Knospen ausschlossen.

Die drei ersten Arten bilden eine so natürliche Gruppe, dass sie von einigen Botanikern als Varietäten einer Art betrachtet werden; sie und jede einzelne der anderen Arten zeigen einen ganz verschiedenen Bau; trotzdem aber erschöpfen sie die vorhandenen Verschiedenheiten bei weitem noch nicht. Tr. tuberosum, Smithii und Moritzianum werden in einzelnen Garten-Katalogen aufgeführt, waren dann aber bei Nachfrage nicht vorhanden oder ihre gelieferten Fruchtteile gaben keine Keimpflanzen. — Ich beabsichtige nun, auf den folgenden Blättern die Ergebnisse über den Blütenbau, welche das Studium der Literatur, sowie die Untersuchung zahlreicher Herbariumsexemplare und der lebenden Pflanzen mir geliefert hat, mitzuteilen. Es wird dabei zweckmässig sein, mit den Literatur-Nachweisen zu beginnen.

II. Der Blütenbau von Tropaeolum in der botanischen Literatur.

1793. Christian Conrad Sprengel, das entdeckte Geheimnis der Natur im Bau und in der Befruchtung der Blume; 4⁰, Berlin, 1793; Sp. 213—217, Tab. VII, Fig. 14—16, 20—23, 26, 32, 35.

In diesem bewundernswerten, lange aber fast vergessenen und erst durch Darwin wieder zu Ehren gebrachten Werke giebt der Verfasser die biologische Bedeutung der Proterandrie, der ungleichzeitigen Verstäubung der Antheren, der Bewegung der Stb.f. und der erst nach beendigter Verstäubung erfolgenden Verlängerung und Aufwärtsbewegung des Gr. nebst Ausbreitung der Narben von Tr. majus ganz richtig an. Er erklärt folgende Verstäubungsfolge für die gewöhnlichste:

$$
\begin{array}{cc}
4\quad 8 & \\
1\qquad 2 & \\
& ; \quad \text{aber auch folgende käme einzeln vor:} \\
7\qquad 6 & \\
5\quad 3 &
\end{array}
\qquad
\begin{array}{cc}
8\quad 5 \\
2\qquad 1 \\
6\qquad 7 \\
3\quad 4
\end{array}
$$

Wie man sieht, ist die erste Verstäubungsfolge diejenige einer normalen rechtswendigen Blüte; die zweite Folge aber ist die einer linkswendigen Blüte, bei welcher aber Stb.bl. 4 und 5 ihre Reihenfolge vertauscht haben. — Sprengel nennt bereits Tr. einen männlich-weiblichen Dichogamisten.

1819. Th. Fr. Nees von Esenbeck, Monströse Blüten von Tr. majus und Reseda Phyteuma, in: Jahrbuch der Preussischen Rhein-Universität, 1819 (1820?) I, p. 271 ff. (wieder abgedruckt in: Nova Acta Acad. Leop. Car., 1826, XIII, p. 814—816.)

Recht mangelhafte Beschreibung verschiedener Stufen von Vergrünung, Verkümmerung und Umbildung von Blüten.

1822. Rob. Brown, an account of a new genus of plants, named Rafflesia, in: Linnean Transactions, 1822, XIII, P. I, p. 212 not. Vermischte botanische Schriften, 1826, II, p. 625 not.

Gelegentliche Erwähnung, dass die Bildung der Samenanlagen auf den Rändern der Fruchtblätter durch Bildungsabweichung bewiesen sei.

1826. G. Jaeger, de Metamorphosi partium floris Tr. majoris in folia, in: Nova Acta Acad. Leop. Car., 1826, XIII, p. 809—814, Tab. 41.

Vergrünte spornlose Pelorien. „Calcaris nectarii defectus." K. bl. mehr oder weniger spatelförmig geworden; Kr. bl. annähernd von der Form der normalen unteren Kr. bl., aber ohne Fransen; Stb. bl. und Pistille zuletzt in Lb. bl. umgewandelt.

1830. Joh. Roeper, de floribus et affinitatibus Balsaminearum, 1830; 69 Seiten.

Mit dieser vortrefflichen Schrift beginnt die eigentliche morphologische Literatur über Tr. Die Arbeit ist für Tr. fast ebenso lesenswert wie für Balsamina. — Die verwandtschaftlichen Beziehungen der Tropaeolaceen werden auf das sorgfältigste erörtert. R. kommt zu dem Resultate, dass die Linaceen, Oxalidaceen, Geraniaceen und Tropaeolaceen in eine Klasse zu stellen seien; er weist aber auch sehr eingehend (p. 40 ff.) auf die nahen Beziehungen der letzteren zu den Sapindaceen hin. — Roeper betrachtet (p. 41) den Sporn als ein Anhängsel des obersten und der beiden seitlichen K. bl., spricht aber doch auf pag. 8 von dem einen „sepalum calcaratum". Das Andröceum ist (p. 42) aus einem zehnmännigen durch Fehlschlagen der beiden medianen Staubbl. entstanden. R. hat beobachtet, dass die 4 zuerst aufspringenden Stb. bl. vor den (4) ungespornten K. bl., die 4 später aufspringenden vor den (4) oberen Kr. bl. stehen; dies ist aber (s. das oben unter „Sprengel" Gesagte) nur ein seltenerer Fall.

1831. v. Voith, Besprechung zweier monströsen Blüten von Tr. majus in der Königl. botan. Gesellschaft zu Regensburg, in: Flora, 1831, II, p. 717—719.

Blüte in K. und Kr. hexamer; K. bl. schmaler als gewöhnlich Kr. bl. mit längerem Stiele und kleinerer Platte, 4 von ihnen mit Fransen versehen; 9 Stb. bl., das überzählige median vorne. „An der Stelle des Spornes ist ein eiförmiges, früher allem Anscheine nach von einer zarten Membran verschlossenes Loch mit aufwärts gekehrter Spitze und weisslicher narbiger Einfassung, welche an 4 Punkten unregelmässig geborsten ist und sich mit der Spitze tiefer in den Kelch verläuft. — An der 2. Bte. war der Sporn um $^3/_4$ verkürzt; von der einen Seite ein grösserer freier Raum zwischen einem seitlichen K. bl. uud einem seitlichen gefransten Kr. bl. Stb. bl. fast alle verkümmert.

1835. Alex. Braun, Dr. K. Schimper's Vorträge über die Möglichkeit eines wissenschaftlichen Verständnisses der Blattstellung, u. s. w. in: Flora, 1835, I, pag. 145—160, 161—176, 177—191.

pag. 173: $\frac{1+2}{5+5} = \frac{3}{10}$ ist bei Tr. die Prosenthese beim Übergange

vom $\frac{3}{5}$ Cyklus der Kr.bl. zum $\frac{3}{8}$ Cyklus der Stb.bl.

1837. D. F. L. v. Schlechtendal, Pflanzenmissbildungen, in: Linnaea, 1837, XI, pag. 128.

3 abweichende Btn.; wichtig eine spornlose Pelorie mit 6 K.bl., 6 Kr.bl. (vom Baue der normalen unteren Kr.bl.), 11 Stb.bl., 4 Fr.bl.

1848. Th. Irmisch,. über den Blütenbau von Aesculus Hippocastanum, in: Botanische Zeitung, 1848, VI, Sp. 713—725.

Knospenlage der Kr.bl. — Bei Tr. pentaphyllum schwindet wie bei Aesculus das mittlere Kr.bl. zuerst, dann die seitlichen. — Die Stellung der Stb.bl. sei ganz wie bei Polygala (die beiden medianen fehlen); das manchmal auftretende neunte Stb.bl. stehe vor dem unpaaren K.bl. — Die Öffnungsfolge der Stb.bl. wird nicht ganz deutlich und auch nur für 7 Stb.bl. angegeben.

In der Note zu Spalte 724 berichtigt Irmisch den zuerst in Endlicher, Genera plantarum, aufgetretenen,· später vielfach, z. B. von Morren und Klatt, nachgedruckten Fehler, dass der K. nach $\frac{2}{3}$; die Kr. nach $\frac{3}{2}$ gebaut sei.

1849. Ch. Morren, Sur la cératomanie en général et plus particulièrement sur les cornets anormaux du périanthe, in: Bull. Acad. R. Belgique, 1849, XVI, II, p. 373—378; mit einer Tafel (hornähnliche Zapfen auf dem Perigon einer Tulpe darstellend).

Eine Blüte von Tr. Moritzianum*) besass: 3 sépales du calice, le supérieur et les deux latéraux, pourvues le premier d'un long éperon, les deux autres d'organes semblables plus petits .... ces 3 éperons naissaient chacun du milieu de la division du calice (sépales) qui lui appartenait. — Der neue Ausdruck „cératomanie" wird für diese und die ganz heterogene Erscheinung bei der Tulpe geschaffen.

1851. H. Wydler, Fragmente zur Kenntnis der Verstäubungsfolge der Antheren, in: Flora, 1851, p. 258.

Stb.bl. in zwei fünfgliedrigen Kreisen, die beiden medianen fehlschlagend (ganz wie bei Polygala), nicht selten aber das eine oder andere, am häufigsten das vordere, ausgebildet. Die einzelnen Stb.bl. etwas, zur besseren Ausnutzung des Raumes, aus ihrer Normalstellung verschoben.

$$\times$$
$$4 \quad 3$$
Verstäubungsfolge einer rechtsläufigen ·1   2
Blüte von: Tr. peltophorum:
$$\iota \quad \hat{6}$$
$$5 \quad 3$$

(bei Tr. majus und minus zeige sie häufig Abweichungen).

---

*) Ch. Morren, Fuchsia, ou Recueil d'observations botaniques, 1849, pag. 153 (zitiert von Edm. v. Freyhold, 1876, in Nova Acta,· p. 4) behandelt dieselbe Blüte.

1853. Al. Braun, das Individuum der Pflanze, in: Abh. Akad.
Berlin, 1853, pag. 50, nota.
Sehr kleine pfriemliche Vorbl. etwa in der Mitte des Blütenstieles
einigemal bei Tr. majus beobachtet; Btn.bau dadurch in keiner Weise
gestört. Hinweis auf ihr normales Vorkommen bei Tr. ciliatum.

1856. Ad. Chatin, Mémoire sur la famille des Tropaeolées, in:
Ann. des sc. nat., 4e sér., 1856, V, p. 283—322, Tab. 19, 20, 21.
Eine sehr eingehende Arbeit, in welcher namentlich bewiesen
wird, dass die Tr. nicht so sehr in die Nähe der Geraniaceen, als in
den Kreis der Malpighinées gehören. — p. 285: „Le calice éperonné".
p. 287: Die geschwundenen Stamina seien Kr.stb.bl., das eine vor
dem einen oberen Kr.bl.. das andere vor dem unteren Kr.bl. stehende.
p. 298: Entstehungsfolge der St.bl. (teilweise im Widerspruche gegen Payer):

Chatin betrachtet das eine obere (in der vorstehenden Figur mit No. 5
bezeichnete) Stb.bl. als das ursprünglich vor K.bl. 2 (also auch vor dem
Sporne) stehende K.st.bl.; nach seiner Auffassung fehlen die Kr.stb.bl.
vor Kr.bl. 1 und Kr.bl. 4*). Die drei vorhandenen Kr.stb.bl. stehen
ausserhalb der K.st.bl. — p. 302: Das Pistill sei aus 5 vor den Kr.bl.
stehenden Fr.bl. reduziert. — p. 304: Eine Blüte hatte nur 4 Stb.bl. (1, 2,
3, 4 des vorstehenden Diagrammes). Ziemlich zahlreiche 9 männige
Blüten; fünf Stb.bl. einen vollständigen, 5 gliedrigen, episepalen (inneren)
Wirtel bildend, die vier anderen vor den beiden oberen und den beiden
seitlichen Kr.bl. stehend, so dass nur der Raum vor dem unteren
(medianen) Kr.bl. frei bleibt. Chatin betrachtet als hinzugekommen
das Stb.bl. vor Kr.bl. 2; es sei auch regelmässig das schwächste. —
p. 307: Eine Blüte von Tr. tuberosum hatte 5 vor den Kr.bl. stehende
Fr.bl. ohne sonstige Störung des Baues. — Chatin spricht wiederholt
von Cavanilles' Magallana. ohne zu bemerken, dass diese „Gattung"
nichts als ein Artefakt ist.

1857. J. B. Payer, Organogénie de la fleur, 4°, 1857, p. 77, Taf. XVI.
Der Sporn wird als eine Aushöhlung der „coupe du calice" betrachtet.
Andröceum: 3 Stb.bl. (vor den beiden seitlichen und dem einen vorderen
K.bl.) erscheinen gleichzeitig, so dass ihre genetische Folge nicht

---

*) Chatin, welcher sich sehr eingehend mit dem Baue des Andröceums
der Phanerogamen beschäftigt hat, kommt noch mehrfach in Mitteilungen an
die Pariser Akademie auf Tr. zu sprechen und vertritt die hier dargelegte
Ansicht. Ich mache aufmerksam auf Comptes rendus, 1855, XL, p. 1050 und
1053: Recherches des lois ou rapports entre l'ordre de naissance et l'ordre de
déhiscence des Androcées; p. 1288—1290: Recherches des lois ou rapports qui
lient l'avortement des étamines ä leur naissance et à leur maturation: loi d'in-
version; ferner: 1874, LXXVII!, p. 817—821, 887—890, 1028—1032: De quel-
ques faits généraux qui se dégagent de l'androgénie comparée; p. 1281—1284:
Organogénie comparée de l'androcée dans ses rapports avec les affinités naturelles
(classe des Polygalinées et des Aesculinées). — In der letztgenannten Arbeit
stellt Chatin die Tr. in die Mitte zwischen die Polygalaceen, Hippocastanaceen
und Sapindaceen. Ihr Andröceum sei (wie auch das der Geraniaceen) obdi-
plostemon: während aber bei den Polygalaceen die beiden medianen Stb.bl.
ablastierten, schlügen bei Tr. wie auch oben im Text angegeben, das unterst
und eins der beiden oberen epipetalen Stb.bl. fehl. — Chatin's ausführliche
Arbeiten, aus denen jene Mitteilungen Auszüge bilden, scheinen niemals publizier
worden zu sein.

festgestellt werden kann, dann dasjenige vor sep. 1, sodann eins der oberen, sodann nach einander (in welcher Folge ist nicht gesagt) die beiden seitlichen Kronstamina, zuletzt das andere obere. Demnach ergäbe sich folgendes Bild:

$$8 \quad 5$$
$$1 \qquad 1$$
$$7 \quad 6$$
$$4 \quad 1$$

Payer wirft dann die Frage auf, ob das oberste Stb.bl. (vor K.bl. 2 und dem Sporne) ablastiert und die beiden obersten Kr.stb.bl. (8 und 5) zusammengeschoben seien, oder ob umgekehrt die beiden obersten Kronstamina ablastirt und 8 und 5 durch Dedoublement des K.st.bl. vor K.bl. 2 entstanden seien? — Die ganze Darstellung ist leider unklar und wenig befriedigend.

1865. Ph. van Tieghem, Note sur une monstruosité de la fleur du Tr. majus, propre à éclairer la structure de l'ovaire, l'origine des ovules et la nature des placentas, in: Bull. Soc. Bot. France, 1865, XII, p. 411.—415.

Vergrünte, spornlose Pelorien. Der Fr.kn. blieb geschlossen; er wurde von den Stielen der Fr.bl. gebildet, welche an der Spitze eine deutliche Lamina hatten. Die Placenten waren in Zweiganlagen umgewandelt, die Ovula in Bl.

1866. Alexander Dickson, in: Bot. Society Edinburgh, 1866, 13. Dez. (wieder abgedruckt in: Seemann, Journal of botany, 1867, V, p. 59; ausführlich wiedergegeben in M. T. Masters, Teratologie, 1869, p. 232—233).

Legt eine zweispornige Blüte von Tr. majus vor und zieht aus ihr den völlig richtigen Schluss, dass der Sporn dem Receptaculum, nicht dem K. angehöre. Vor dem Sporn steht innerhalb der Kr.; der accessorische Sporn steht nicht vor einem K.bl., sondern genau vor dem Einschnitte zwischen einem seitlichen und einem vorderen K.bl.

1867. W. Hofmeister, Handbuch der physiologischen Botanik, 1867, I, p. 439, 440, 466, 469, 470, 471; Holzschnitte: Fig. 64, 97 (identisch; sie stellen je zwei junge Blütenknospen von Tr. Moritzianum dar, die erste mit 5, die zweite mit 7 Stb.bl.)

$$3 \quad 6$$
$$5 \qquad 1$$
$$7 \qquad 8$$
$$2 \quad 4$$

Gelegentliche Angaben über die Blüten-Entwickelung von Tr. Moritzianum und majus. — Sowohl der K. als die Kr. und das Andröceum bilden unechte Wirtel. Die Carpelle erscheinen bereits nach Bildung der fünf äusseren Stb.bl. „Die 5 Kr.bl. alternieren mit den K.bl., die zuerst auftretenden 5 Stb.bl. mit den Kr.bl.; die zuletzt sich bildenden 3 Stb.bl. entstehen vor dreien (nicht immer den nämlichen) der Kr.bl. Weitere Glieder dieses Wirtels bilden sich nicht aus. — Über die mancherlei Unklarheiten und Widersprüche dieser Angaben vergleiche Rohrbach in: Bot. Zeitung, 1869.

1868. Ph. van Tieghem, Recherches sur la structure du Pistil et sur l'Anatomie comparée de la fleur, in: Mém. divers savants,

.1868,*) XXI, p. 1—261, Tab. I—XVI; Tropéolées, p. 186—189, Tab. XII, Fig. 410.

Anatomisches Studium der Gefässbündel. Es seien zehn Staminalbündel vorhanden, alle alternierend mit den Bündeln der K.bl. und Kr.bl.; das eine seitlich vordere sei meist schwach, das andere seitlich vordere sei stets schwach und fehle oft gänzlich; die 8 vorhandenen verschieben sich zur gleichmässigen Ausnutzung des Raumes. 5 Fr.bl.-Bündel, zwei von ihnen schwach und früh schwindend, zuweilen aber in entwickelte Fr.bl. aufsteigend. „Le sépale éperroné." - Widerspruch gegen die Richtigkeit dieser Beobachtung erhebt schon Eichler in den Blüten-Diagrammen.

1869. P. Rohrbach, über den Blütenbau von Tropaeolum, in: Botan. Zeitung, 1869, XXVII, Sp. 833—839, 849—859, Taf. XII.
Reich an eigenen Beobachtungen und an kritischen Bemerkungen über die Arbeiten von Al. Braun, Chatin, Payer und Hofmeister. — Btn. mit Vorbl. Die K.bl. erscheinen successive, die Kr.bl. wahrscheinlich auch, wenn auch in sehr rascher Folge. — Die Entstehungsfolge der Stb.bl. sei beeinflusst durch ihre Verstäubungsfolge.

Nach eingehender Diskussion neigt Rohrbach am meisten zu folgender Auffassung der Genesis der Stb.bl.:

$$
\begin{array}{ccc}
 & \overset{o}{5} & \\
\chi & 10 & \overset{o}{8} \\
o2 & & 3o \\
 & o7_{\,9}\,6o & \\
 & 4\;\chi\;1 & \\
 & o\quad o &
\end{array}
$$

Hiernach sind also 9 und 10 (die beiden letzten Kr.stb.bl.) verschwunden und 5 (das letzte K.stb.bl.) ist aus der Mediane nach Stb.bl. 2 hin verschoben; diese Ansicht ist also in Übereinstimmung mit der von Chatin ausgesprochenen. — Rohrbach stellt fest, dass das hintere Fr.bl. meist nicht genau median steht, sondern um $\frac{1}{50}$ (in linkswendigen Blüten nach links, in rechtswendigen nach rechts!) abweicht; er nimmt deshalb den vorhandenen Carpellarkreis als den inneren an und konstruirt sich einen ablastierten äusseren, mit jenem alternierenden Karpellarkreis hinzu, dessen 3. Blatt dann genau vor K.bl. 4 fällt. — Über die Natur des Spornes enthält die Arbeit keine Angabe.

1869. M. T. Masters, Vegetable Teratology, 1869, p. 222, 232—233.
Auf p. 222 werden Schlechtendal's Beobachtungen von 1837 erwähnt und hinzugefügt, dass „in the double varieties, now commonly grown in greenhouses, the condition of parts is precisely the same as in the double violet before alluded to (nämlich spornlos mit strahligsymmetrischem K. und sehr zahlreichen, strahlig-symmetrischen, nach innen kleiner werdenden Kr.bl.). — p. 232 siehe oben: Alexander Dickson (1866).

1872. Edmund v. Freyhold, über Pelorienbildung bei Tr. aduncum Smith, in: Botan. Zeitung, 1872, XXX, Sp. 725—729, Taf. IX.

_____

*) Die Arbeit wurde im Jahre 1868 von der Pariser Akademie preisgekrönt und in die „Mémoires savants étrangers" aufgenommen. Der erste Abschnitt aus ihr wurde abgedruckt in den Ann. des sc. natur., 1868. Über den Druck der ganzen Arbeit und die Herstellung der Tafeln dürfte jedenfalls ein längerer Zeitraum verstrichen sein. In welchem Jahre sie ausgegeben wurde, habe ich nicht ermitteln können. In dem bis zum Jahre 1873 reichenden Bande des Royal Catalogue of scientific papers fehlt sie auffälligerweise.

Etwa 40 Blüten mit einem laubigen, 2 mit zwei Vorbl. Eine sonst normale Blüte, aber statt des (abgefressenen?) Spornes ein kleiner Höcker. — Drei ächte Pelorien: spornlos, mit gleichgrossen K.bl., ganz gleichen (nach dem Typus der unteren Kr.bl. gebauten!) Kr.bl. und ganz geraden St.bl.; kleine Abweichungen in den Zahlenverhältnissen.

1874. H. Baillon, histoire des plantes, 1874, V, p. 14—17: Geraniacées, Série des Capucines.

Erklärt den Sporn richtig für eine Aushöhlung des Blütenbodens (receptaculum). Andröceum aus zwei fünfgliedrigen Kreisen gebildet, von denen die medianen ·Glieder ablastiert sind.

1874. Ad. Chatin (s. oben pag. 387).

1875. Edm. v. Freyhold, Beiträge zur Pelorienkunde, 1875, p. 47—58: Tr. aduncum Sm.

Tochterexemplare derjenigen Pflanzen, welche 1871 Pelorien trugen, (s. oben 1872) bildeten 1872 ähnliche Pelorien und manche andere Bildungsabweichungen, eine Blüte auch einen umgestülpten Sporn. — Freyhold rechnet den Sporn zum Kelch. Das Andröceum sei aus zwei fünfgliedrigen Kreisen gebildet; ob die beiden medianen St.bl. oder zwei Kr.st.bl. fehlen, lässt Fr. unentschieden. — p. 57. Blüte vom Tr. majus mit 9 St.bl. (das hinzugekommene vor dem Sporn).

1876. Edm. v. Freyhold, über Blütenbau und Verstäubungsfolge bei Tr. pentaphyllum in: Nova Acta Acad. Leop. Car., 1876, XXXIX, No. 1, p. 1—32, Tab. 1.

pag. 3. „An der Spornbildung beteiligen sich ausser dem obersten K.bl. auch die beiden diesem benachbarten mittleren, — letztere aber nur mit ihrer oberen Hälfte“. Fr. kennt die Ansicht von Dickson (1866) in betreff der Achsennatur des Spornes, hält aber an seiner Zugehörigkeit zum Kelche fest. — Tr. pentaphyllum hat meist nur die beiden oberen Kr.bl., doch treten auch nicht selten 1 oder 2 seitliche, am seltensten ausser ihnen oder mit ihnen zusammen das untere (vordere) Kr.bl. auf. — Die Reihenfolge der Dehiscenz der Stb.b. wird

sehr genau studiert und als die häufigste festgestellt:

$$\begin{matrix} & 4 & & 8 \\ 1 & & & 2 \\ 7 & & & 6 \\ & 5 & 3 & \end{matrix}$$

Jedoch finden sich mancherlei Abweichungen im Einzelnen. — Freyhold ist der Überzeugung, dass nach dieser Reihenfolge auch das Hervortreten der Stb.bl.-Anlagen an der Blütenachse stattfindet (gleichfalls getrübt durch einzelne individuelle Abweichungen) und kommt zu der Ansicht, dass diese Folge nicht der genetischen Reihenfolge entspricht, letztere vielmehr durch spätere Einflüsse getrübt (verhüllt) ist. In betreff der genetischen Auffassung des Andröceums neigt er jetzt (entgegen seiner früheren Ansicht) dahin, einen wirklichen $\frac{3}{8}$-Cyklus anzunehmen. — p. 24. Umstülpung des Spornes beobachtet; p. 25 monströse durchwachsene Blüte; die hervorgesprosste Blüte war eine spornlose Blüte (Knospe) ohne Kr.bl., mit 6 Stb.bl.

Anhang, p. 27—30. Tr. majus; 2 vornumläufige Blüten (also K.bl. 2 nach vorn liegend), 2 ungleichlange Sporne in der oberen Hälfte der Blüte (also vor K.bl. 1 und K.bl. 2); die 3 bei den Spornen stehenden Kr.bl. mit Saftmalen, die 2 unteren mit Fransen; 8 Stbl.bl., deren Dehiscenzfolge eine totale Vertauschung von oben und unten zeigt; Pistill umgekehrt gestellt wie in der normalen Blüte. Freyhold

bezeichnet diese Umkehrung mit dem Namen der Heterotaxie.
— Eine 3. Blüte von Tr. majus besass neben dem normalen Sporn
einen kleineren accessorischen; 4 Kr.bl. besassen Saftmale und nur
das unterste Fransen; 9 Stb.bl. (das accessorische unten vorn — in
einer anderen im übrigen normalen Blüte das accessorische oben
hinten). — Auch nach diesen Beobachtungen verharrt Freyhold bei
seiner Auffassung der „Kelchsporne".

1876. Al. Dickson, on the occurence of supernumerary recep-
tacular spurs in Tr. speciosum, p. 232—233, Plate XVI,
Fig. 25 (Appendix to: Al. Dickson, on the Embryogeny
of Tr. peregrinum L. and Tr. speciosum Endl. et Poeppig in:
Transactions Royal Society of Edinburgh, 1876, XXVII,
p. 223—235, Plates XIV—XVI).

Überzählige Sporne; in einer Blüte war derselbe etwas kleiner als
der Hauptsporn (der Verlauf der Gefässbündel wird beschrieben); in
5 anderen Blüten war der Nebensporn umgestülpt und ragte in Form
eines gewundenen Hornes aus der Blüte hervor. In der 7. Blüte
waren sogar zwei umgestülpte Sporne. — Dickson hebt von neuem
hervor, dass der Sporn nicht zum Kelche, sondern zur Blütenachse
gehöre.

1878. A. W. Eichler, Blütendiagramme, 1878, II, p. 296.

„K.bl. 2 gegen die Achse, auf der Rückseite, in einen Hohlsporn
verlängert, an welchem sich indess ausser K.bl. 2 auch die beiden
benachbarten K.bl. 4 und 5 beteiligen" (dies sei schon von Röper
angedeutet, von Freyhold dann bestimmter erwiesen). — Eichler wendet
sich namentlich gegen die Ansicht von v. Tieghem (s. ob. 1868), welche
er als auf irrtümlicher Beobachtung fussend erklärt. Er fasst das
Androeceum als aus 2 fünfgliedrigen Kreisen zusammengesetzt auf,
von welchen die beiden medianen geschwunden sind. (Eichler kennt
Trop. pentaphyllum mit Unterdrückung der unteren Kr.bl., aber nicht
Tr. umbellatum mit Verkümmerung der oberen).

1878. Fr. Buchenau, Bildungsabweichungen der Blüte von Tr.
majus, in: Abh. Nat. Ver. Bremen, 1878, V, p. 599—641,
Taf. XIV*).

157 abnorm gebaute, planmässig gesammelte Blüten wurden morpho-
logisch untersucht, durch Diagramme fixiert und in Probecylindern
kultiviert, um die Dehiscenzfolge der St.b. fest zu stellen. Die reiche
Belehrung, welche dieses Material darbot, wird am leichtesten ersichtlich
werden, wenn ich die am Schlusse des Aufsatzes gegebene: „Übersicht
des Inhaltes" hier wiedergebe:

Einleitung.
a) Spornlose Blüten.
b) Einspornige Blüten mit seitlicher Auftreibung des Kelches.
c) Blüten mit 2 Spornen.
d) Dreispornige Blüten.
e) Ohrbildung.

---

*) In Fig. 1 sind durch ein von mir nicht bemerktes Versehen des
Lithographen die Nummern in den kleinen Kreisen, welche die Stb.bl. darstellen, unrichtig angeordnet. Man wolle sie so korrigieren:

$$8 \quad 5$$
$$3 \qquad 2$$
$$6 \qquad 7$$
$$1 \quad 4$$

In Fig 3 sind die Nummern 4 und 3 der Kr.bl. zu vertauschen, so dass
No. 3 rechts unten, No. 4 links unten steht. — p. 618, Z. 10 v. o. lies
obersten statt untersten.

f) Sechsgliedrige Blüte mit 2 Spornen.
g) Zweispornige Blüte mit 5 Stb.bl.
h) Einspornige, tetramere Blüten.
i) Bildungsabweichungen am Sporn.
k) Abnormitäten in den Stb.bl.
l) Blüten mit viergliedrigem Pistill.
m) Umgekehrte Stellung der Blüten.
n) Über die Natur des Spornes.
o) Phylogenetische Bemerkungen.
  Obwohl ich mich bei dieser Arbeit ausschliesslich auf das vorliegende
Material (ohne Vergleichung mit den andern Arten von Tr.) und ohne
Berücksichtigung der älteren Deutungen der Blütenteile beschränkt
hatte, so drängten sich mir doch ganz von selbst eine Anzahl von
Erkenntnissen auf, von denen ich einige der wichtigsten hier anführe.
    1. Der Sporn hat nichts mit dem Kelch zu thun; er ist eine
Ausbildung des Blütenbodens, ein gleichsam negativer Discus.
    2. Die Blüte von Tr. majus zeigt zwei Gruppen von Anpassungen,
welche unabhängig von einander entwickelt worden sind:
        a) Die Bildung des Spornes und die Form der oberen
            Kr.bl. nebst Ausbildung der Saftmale auf ihnen;
        b) die eigentümliche Form der unteren Kr.bl. und die
            Bewegungen der Stb.bl.
    Jede Vermehrung der Sporne infiziert gleichsam die benachbarten
Kr.bl., so dass sie (öfters halbseitig!) die Form der oberen Kr.bl. annehmen und Saftmale ausbilden. (Umgestülpte Sporne bewirken aber diese
Veränderung nicht oder doch in viel geringerem Masse.) Schwindet
der Sporn, so verwandelt sich die Blüte in eine aktinomorphe Pelorie,
deren Kr.bl. sämtlich die Form der unteren Kr.bl. haben.
    Ein wichtiges neues Merkmal zur Bestimmung der Richtung der
Blütenspirale vermittelst Beachtung der ungleichseitig gebauten Spitze
von K.bl.3 wird mitgeteilt.
    Stärkere Bildungsabweichungen finden sich vorzugsweise bei extra-
axillären Blüten. Ihnen fehlt die feste Orientierung, welche die
Bildung in der Achsel eines Lb bl. offenbar gewährt. Die Symmetrale
fällt mit der senkrechten Ebene nicht mehr zusammen; die verschiedene
Anpassung der oberen und der unteren Blütenhälfte bemächtigt sich
der gleichsam in das Schwanken geratenen Blüte und bringt die
wunderlichen Formen hervor, welche in den beschriebenen 157 abnormen
Blüten in so reicher Fülle vorlagen.

1878. Ph. van Tieghem, Anatomie de la rose et en général caractères
anatomiques des axes invaginés, in: Bull. Soc. bot. France,
1878, XXV, p. 309—314.

    p. 310 „Le mode d'accroissement étant précisément, mutatis mutandis,
celui qui produit les éperons foliaires (sépales des Tropaeolum etc.)
on pourrait exprimer le phénomène en disant que la tige est éperonnée
au noeud. Si l'on réfléchit d'autre part que les choses se passent
comme dans un doigt de gant replié en lui-même, on dira que la tige
est invaginée au noeud."
    Es erscheint mir sehr auffallend, dass van Tieghem hier noch von
„éperons foliaires" bei Tropaeolum spricht, wo doch die Erkenntnis
für ihn so überaus nahe lag, dass der Sporn bei dieser Pflanze nicht
zu den K.bl. gehört, sondern eine Ausstülpung der Blütenachse ist!

1878. E. Junger, Notizen aus alten botanischen Büchern, in:
Botanische Zeitung, 1878, Sp. 441—442.

    Tr. majus flore pleno (durch Ableger leicht zu erhalten; Blüte
spornlos, einer Anemone ähnlich) sei zuerst von Dumont-Courset
beschrieben worden: Le botaniste cultivateur, 1802, III, p. 31. —
Dagegen wird (nach Just Jahresbericht) in Gardener's Chronicle, 1879,
I, p. 665, Fig. 96 bei Beschreibung und Abbildung der gefüllten

Form mitgeteilt, dass sie .Ph.. Miller schon vor etwa ,100 Jahren (ca. .1778) bekannt gewesen sei. Daselbst wird auch gefülltes Tr. minus beschrieben.

1880. Gardener's Chronicle, 1880, I, p. 594 (nach Just, bot. Jahresbericht für 1880, I, p. 224). „Tr. Cooperi" (wohl eine Gartenform von Tr. majus).

„Eine eingesendete Blüte war vollständig regelmässig, ungespornt; Sepalen, Petalen und Staubgefässe in normaler Anzahl, Pist. fehlend; statt derselben eine 1½ Zoll lange Sprossung, an welcher sich 2—3 kleine sonst gut ausgebildete Lb.bl. vorfanden."

1881. Jul. Ziegler, vergrünte Blüten von Tr. majus, in: Ber. Senckenberg. naturf. Ges., 1881, p. 128, 129' Taf. I, II.

Fr.kn. sehr vergrössert und gestielt; dann Vergrünung der Kr.bl., Schwinden des Spornes; Auflösung des Pistills. Die Stb.bl. behielten hartnäckig ihre Form bei und vergrünten erst ganz zuletzt.

1883. Derselbe, vergrünte Blüten von Tr. majus; daselbst, p. 294.

1 Exemplar mit ausschliesslich spornlosen Blüten, deren dünn- und langgestielte Kr.bl. von eigentümlich viereckiger Gestalt (also den normalen unteren Kr.bl. ähnlich!) waren.

1884. Rob. Holland, Abnormal flowers of Tropaeolum, in: Britten, Journ. of botany, 1884, XXII, p. 348.

Viele Blüten (alle aus Ablegern eines Exemplares stammend) mit verschieden stark umgestülpten Spornen; in der Mehrzahl der Fälle ist die Spitze des Spornes zweiteilig, ja sogar dreiteilig.

1884. O. Penzig, Miscellanea teratologica, in: Mem. R. Istit. Lomb. di scienze e lettere, 1884, XV, (mir nur aus Just, bot. Jahresbericht bekannt).

„Blüten-Asymmetrie bei Tr. majus."

1886. K. Goebel, Beitr. zur Kenntnis gefüllter Blüten, in: Pringsheim, Jahrb. für wiss. Botanik, 1886, XVII, p. 207—296, Taf. XI—XV.

p. 244. Anm. „Gefüllte Blüten von Tr. nanum*), die ich nur in älteren Stufen untersuchte, waren petaloman ohne erkennbare Anordnung der Anlagen."

1884. Ch. Fermond, Essai de phytomorphie; Paris; 1884, II, p. 340. Mehrspornige Blüten.

Mir nur bekannt durch das Citat bei Penzig, Pflanzen-Teratologie, 1890, I, p. 329.

1890. K. Reiche, Tropaeolaceae, in: Engler und Prantl, natürliche Pflanzenfamilien, 1890, III, 4, p. 23—27.

Fasst das Andröceum wie Eichler (1878) auf. — p. 25. „An der Bildung des Spornes beteiligt sich ausser dem nach hinten fallenden K.bl. 2 und den benachbarten K.bl. 4 und 5 auch die Achse; er ist als eine Aussackung des einseitig vergrösserten Blütenbodens anzusehen und der entsprechenden Bildung von Pelargonium zu vergleichen (Buchenau, a. a. O.)." Der erste dieser Sätze ist notwendig zu streichen, da er im Widerspruch steht mit dem zweiten. Der Kelch beteiligt sich nicht an der Bildung des Spornes.

1890. O. Penzig, Pflanzen-Teratologie, 1890, I, p. 327—331.

Spricht noch (p. 328) von „Kelchsporn" und (p. 329) davon, dass „Spornpelorien, mit fünf gespornten Kelchblättern" noch niemals gefunden worden seien, obwohl er die in Beziehung auf die Achsennatur des Spornes entscheidenden Arbeiten von Dickson und mir kennt und citiert.

---

*) Wohl eine der bekannten niedrigen Gartenformen von Tr. majus.

1890. K. Schumann, neue Untersuchungen über den Blüten-Anschluss, 1890, p. 345—357: die Blüten der Gattung Tropaeolum.

Schumann untersucht die Entwickelung der Blüten von Tr. majus und peregrinum und sucht festzustellen, welche Einwirkung die beste Ausnutzung des Raumes und Druckverhältnisse auf ihre Gestaltung haben. Sch. erkennt keinen zwingenden Grund für die Ergänzung von Vorblättern der Blüte (s. auch p. 505). Er glaubt (entgegen allen anderen Beobachtern) wahrgenommen zu haben, dass die Kr.bl. erst nach den St.bl. entstehen. Die Stbbl. entstehen der Reihe nach vor sep_5, sep_4, sep_3, sep_2, sep_1, dann noch je ein weiteres vor sep_3, sep_1 und sep_2, so dass vor diesen drei Kelchbl. „Staubgefässpaare" angelegt · werden. Ueber die Auffassung des Andröceums will Schumann keine Ansicht aussprechen. „Ueber den Kreis der Erfahrungen hinauszugehen, halte ich für gefährlich; wir können nur konstatieren, dass das Andröceum von Tr. erst in spiraliger absteigender Folge angelegt wird, und dass sich in die durch Veränderung des Blütenbodens entstandenen Lücken dort neue Bildungen einschalten, wo Platz ist. Von einem Abort gewisser Glieder und einer gleich-mässigen Verteilung der restierenden in den gegebenen Raum kann die strenge Forschung keinen Nachweis liefern." — p. 349 spricht Schumann von dem „hinteren Kelchsporn." — Ich muss übrigens gestehen, dass manche Einzelheiten der Darstellung mir nicht recht verständlich sind.

1892. Fr. Buchenau, Beiträge zur Kenntnis der Gattung Tr., in Engler, botanische Jahrbücher, 1892, p. 180—259; mit 9 Holzschnitten.

Der Aufsatz behandelt zwar nicht direkt morphologische Fragen, sondern ist vorliegend geschichtlichen, geographischen und syste-matischen Inhaltes — aber er macht den ersten Versuch einer natur-gemässen, morphologischen Anordnung der Arten und benutzt zu derselben als eins der wichtigsten Merkmale den Bau der Kr.bl. Für 9 (meist seltenere Arten) giebt er auch Abbildungen dieser überaus merkwürdig und charakteristisch geformten Organe.

1893. P. Vuillemin, Modifications de l'épéron chez les Tr. et les Pelargonium, in: Journal de Botanique, 1893, VII, p. 377—382, 409—416, Tab. IV.

Tetramere und pentamere, spornlose Pelorien mit gefransten Kr.bl, Umstülpung des Spornes. Zweispornige Blüten werden (unter Polemik gegen Freyhold; — Vuillemin kennt die übrige Literatur offenbar nur aus Penzig) durch Dedoublement von K.bl. 2 erklärt. Auch der épéron adhérent von Pelargonium wird als eine Bildung von K.bl. 2 aufgefasst. — Da auch die in K. und Kr. pentameren Pelorien acht-männig geblieben waren, so schliesst V., daraus, dass das Schwinden der beiden medianen Stb.bl. schon sehr frühzeitig geschehen sei. — Die Arbeit steht leider nicht in allen Punkten auf der Höhe der Wissenschaft; V. hat aber ganz richtig erkannt, dass der umgestülpte Sporn von Tr. ganz analog den Nektarien der Sapindaceen und Capparidaceen ist.

1895. Fr. Buchenau, Beiträge zur Kenntnis der Gattung Tr., in Engler, botanischen Jahrbüchern, 1895, XXII, p. 157—182.

Fortsezung der oben angeführten Arbeit aus dem Jahre 1892. Zwei neue Abschnitte behandeln den Sporn und die Kr.bl.

III. Neue Beobachtungen über Blütenbau, Anthese und Dehiscenz.

1) Tr. majus L. — Seit dem Jahre 1878 fanden meine Kinder und ich immer wieder in unserem Gärtchen einzelne zwei- spornige Blüten (ohne planmässig danach gesucht zu haben). Meist waren im vorigen Herbste Samen gesammelt worden; ein paar Mal aber war dies unterblieben, und die ganze Kultur daher durch An- kauf frischer Samen erneuert worden. Ich bin daher der Ueber- zeugung, dass solche Bildungsabweichungen mit einiger Aufmerksam- keit überall zu finden sein werden. Ebenso haben meine Erfahrungen aus den Jahren 1875—77 mir die Ueberzeugung gegeben, dass bei Kultur der Pflanze in einem botanischen Garten und planmässiger Auslese der von abnormen Blüten gelieferten Samen es möglich sein wird, die Bildungsabweichungen zu fixieren, ähnlich wie dies de Vries in neuerer Zeit mit Verbänderungen, Zwangsdrehungen und Verwachsungen gelungen ist.

Es wird nicht nötig sein, die inzwischen gefundenen Bildungs- abweichungen einzeln zu beschreiben, da sie im Wesentlichen mit den vor 18 Jahren geschilderten übereinstimmen. Fast alle ab- normen Blüten, bei denen sich die Insertion noch feststellen liess, waren ohne Tragblatt seitlich an einer Achse entstanden. Ich habe bereits früher (diese Abhandlungen, V, p. 608 und 631—633) darauf hingewiesen, dass der Blütenbau von Tr. durch das Zusammenfallen der Mediane mit der Symmetrale bedingt ist. Achselständige Blüten stehen in dieser Beziehung offenbar unter dem Einflusse ihres Trag- blattes. Mediane und Symmetrale der Blüte fallen mit der Mediane des Tragblattes zusammen, und damit wird die Blüte dem vererbten Bildungsgesetze unterworfen. Fehlt aber das Tragblatt, ist die Blüte entweder terminal oder extraaxillär-lateral, so fallen oft Mediane und Symmetrale nicht mehr zusammen, und die Blüte wird abnorm. Im oberen Teile der Blüte (nicht notwendig in der Mediane) bildet sich ein Sporn, einerlei, ob dort K.bl. 2 liegt oder ein anderes; der Hauptsporn bleibt vor K.bl. 2 liegen oder wird auf sehr ver- schiedene Weise verschoben. Auch zwei Nebensporne können sich bilden. — Durch die Vermehrung der Sporne werden die be- nachbarten Kr.bl. beeinflusst (gleichsam inficiert); sie nehmen Bau und Färbung der normalen oberen Kr.bl. (breite, meist ungefleckte, ungefranste, mit Saftmalen versehene Stiele) an.

Eine höchst merkwürdige deckblattlose Blüte möchte ich aber doch erwähnen. Sie war durchgängig dimer mit alternierenden Quirlen. Zwei halbkreisförmige vorn und hinten stehende 10 mm lange K.bl. liefen je in einen hakenförmigen Schnabel aus und ge- währten der Blüte nur einen geringen Oeffnungsraum. Zwei lateral stehende Kr.bl. waren völlig nach dem Typus der normalen oberen gebaut. Von den beiden medianen Stb.bl. zeigte das untere in seinem Beutel deutlich, dass es aus zwei Stb.bl. durch Ver- schmelzung (negatives Dedoublement) entstanden war. Ein Pistill, aus zwei lateral gestellten Fruchtblättern gebildet, schloss die Blüte ab. — Aus dem oberen Teile der Blütenachse (also unterhalb des oberen K.bl.) entsprangen zwei nicht ganz 1 cm lange, um etwa 50° divergierende völlig gleiche Sporne, von denen man nicht entscheiden konnte, welcher von ihnen etwa als der normale (Haupt-) Sporn betrachtet werden könnte.

Von den gefüllten, spornlosen Tr.-Blüten (vergl. diese Abhandlungen, V, p. 604) lernte ich inzwischen zwei ganz unfruchtbare Formen kennen, welche nur durch Stecklinge erhalten oder vermehrt werden können. Der Kelch ist bei ihnen aktinomorph, die Kr.bl. durch Teilung und durch Hinzunahme der Geschlechtsblätter sehr vermehrt. Bei einer in Bremen kultivierten Form hatten die Kr.bl. der äussersten Reihen, bei einer Form aus England nur die der ersten Reihe noch die charakteristischen Unterschiede von oberen und unteren Kr.bl.; in den inneren Cyclen waren die Bl. gleich gebaut, im Ganzen den oberen ähnlich, jedoch ohne Saftmale.

Ungefüllte spornlose Blüten sind in der Kr. stets aktinomorph mit 5 Kr.bl., welche den Bau der normalen unteren Kr.bl. besitzen. (Abgebildet für Tr. majus von Vuillemin, 1893, s. oben p. 394, für Tr. peregrinum von Freyhold, 1872, s. oben p. 389.)

2) Tr. minus L. — Die in der Kultur selten gewordene reine Art (Hybride sind sehr häufig in den Gärten) steht dem Tr. majus sehr nahe, unterscheidet sich aber durch kreisnierenförmige, stachelspitzige Lb.bl., stachelspitzige Kr.bl., haarspitzige Wimpern der unteren Kr.bl. und je einen besonders ausgeprägten dunkeln Fleck auf jedem der unteren Kr.bl. sicher von ihm. In der Dehiscenz der Stb.b. scheint sie ganz mit ihm überein zu stimmen. — Das von mir bei Tr. majus aufgefundene Merkmal zur Bestimmung der Blütenspirale vermittelst des verschiedenen Baues der Spitzen von K.bl. 1, K.bl. 2 und K.bl. 3 ist bei dieser Art etwas undeutlicher ausgebildet, aber bei einiger Aufmerksamkeit doch noch gut verwertbar.

3) Tr. speciosum Poeppig et Endlicher. — Von dieser herrlichen Pflanze sah ich einige offene Blüten im Juli 1888 im Königl. Garten zu Kew. Sie stammt aus dem südlichen Chile, einschliesslich Chiloë und verlangt die lange frostfreie, reichlich feuchte Vegetationsperiode dieser Gegenden. Im südlichen England gedeiht sie nicht mehr gut, dagegen überzieht sie in Wales und im nördlichen Schottland vielfach die Cottages mit einem Netze von Zweigen und einem Schleier aus ihren scharlachroten Blüten. In Bremen ist es mir nicht gelungen, sie zur Blüte zu bringen, obwohl ich kräftige Rhizome von meinem Freunde, dem Orchidaceen-Importeur und Züchter Friedrich Sander zu St. Albans in England erhielt. (S. die Beschreibung derselben in Engler, Jahrb., 1892, XV, p. 252, 253.)

Die K.bl. besitzen klappige Knospenlage und sind an der Spitze durch kurze Drüsenhaare miteinander verklebt. Die Blüte öffnet sich durch einen Querspalt, welcher die oberen von den unteren K.bl. trennt. Die drei oberen K.bl. bleiben sehr lange verklebt und bilden auf diese Weise einen die Richtung der Oberseite des Spornes fortsetzenden, gerade vorgestreckten Schnabel, welcher die beiden oberen

Kr.bl. nach vorn drückt, wodurch der Eingang in die Blüte verengt wird. Erst gegen Ende der Blütezeit trennen sich die oberen (oft auch dann erst die unteren) K.bl. und entfernen sich von einander, und die Blüte öffnet sich weit. — Die oberen Kr.bl. besitzen keine Saftmale, die unteren keine Fransen; jene sind keilig geformt und oben herzförmig ausgerandet, diese sind gerundet-quadratisch, oben buchtig ausgerandet, unten aber mit einem sehr dünnen Stiele versehen, welcher beinahe so lang ist als die Fläche. — Die Stb.bl. springen ungleichzeitig auf und machen ebenso starke Bewegungen wie diejenigen von Tr. majus. Ob sie aber dieselbe Dehiscenzfolge innehalten, habe ich an den wenigen mir zur Verfügung stehenden Blüten nicht feststellen können. — In Schottland hat sich bereits eine spornlose, völlig gefüllte Form dieser Art gebildet, von welcher ich im Jahre 1889 eine (freilich nicht gut erhaltene) Blüte erhielt. Die Kr.bl. derselben sehen den normalen unteren Kr.bl. ähnlich, haben aber breite Stiele.

4) Tr. peregrinum L. (Tr. aduncum Smith, Tr. canariense hort.) — Diese Art wird bekanntlich in Deutschland vielfach als einjährige Sommerpflanze zur Bekleidung von Lauben und Hecken gezogen. Sie ist dazu wegen der Schönheit ihres Laubes und ihrer Blüten, sowie wegen der grossen Zahl und langen Dauer ihrer Blüten sehr geeignet. Oft zählte ich an einem Zweige 8, ja selbst 10 gleichzeitig geöffnete Blüten. Diese Blüten stehen (auf unregelmässige*) Weise untermischt mit Zweigen) in den Achseln der auf einander folgenden Lb.bl. Ein solcher Blütenzweig stellt eine reichgeschmückte Guirlande dar.

In der Knospenlage sind die K.bl. deutlich nach der genetischen Folge dachziegelig deckend. Die K.bl. sind untereinander ähnlich; namentlich sind ihre deckenden und gedeckten Hälften nicht so deutlich verschieden wie bei Tr. majus; infolge davon ist das von mir (diese Abhandlungen, V, p. 601) für Tr. majus nachgewiesene Merkmal des verschiedenen Baues der Spitzen von sep_1, sep_2 und sep_3 für die Bestimmung der Richtung der Blattspirale hier nicht anwendbar. — Die Blüte öffnet sich durch einen Querspalt, welcher die drei oberen K.bl. von den beiden unteren trennt. Aus diesem Spalte treten zunächst die grossen, in der Knospe nach unten übergekrümmten und die übrigen Blütenteile umhüllenden, Kr.bl. hervor. Sie strecken sich gerade, richten sich dann senkrecht auf und werden durch den sehr erweiterten Eingang des Spornes**) weit von den Stb.bl. entfernt. Die acht Stb.bl. bilden, eng aneinandergeschlossen, ein gerades dichtes Bündel, welchem die (drei) schmalen unteren

---

*) So regelmässig, wie Alex. Braun, Betrachtungen über die Erscheinung der Verjüngung in der Natur, 1851, p. 42, es angiebt, dass je nach drei Blüten immer ein Laubspross folgt, fand ich die Sprossfolge nur beim Beginne der Blütezeit, später wurden die Laubsprosse seltener.

**) An der Bildung des Spornes „beteiligen sich" nach der älteren Ausdrucksweise die drei oberen Kr.bl. ganz. Der Sporn würde also anders gebildet sein, als bei den Arten der majus-Gruppe, da bei ihnen sich nur „das obere K.bl. ganz, die beiden seitlichen mit ihren oberen Hälften beteiligen."

Kr.bl. innig anliegen. Sobald dieses Bündel durch eigene Verlängerung und durch das Zurückweichen der (zwei) unteren K.bl. freien Raum gewinnt, entfalten sich die langen Fransen (Wimpern) der unteren Kr.bl., stehen frei ab und bilden nun einen Schutz gegen anfliegende Insekten, welche den Pollen aus den noch geschlossenen Beuteln rauben möchten. — Die Blüte ist proterandrisch; sie tritt nun (etwa einen halben Tag nach dem Beginne der Anthese) in das männliche Stadium ein*). Die geschlossenen Beutel biegen sich etwas nach unten, die aufspringenden dagegen erheben sich (durch Krümmung der Spitze des Filamentes) bis in die Höhe des Sporneinganges. Die Reihenfolge des Aufspringens ist bei rechtsläufigen Blüten in der Regel folgende·

$$
\begin{matrix}
& 4 & 8 & \\
1 & & & 2 \\
& & & \text{(bei linksläufigen natürlich umgekehrt.)} \\
7 & & & 6 \\
& 5 & 3 &
\end{matrix}
$$

Einzelne Abweichungen entstehen durch Vertauschung von 2 mit 3; 4 mit 5, 5 mit 6 (selten), 7 mit 8 (sehr selten); selten sind tiefergreifende Abänderungen, welche sich auf 3 Stb.bl. erstrecken. Am hartnäckigsten bewahren 1 und 8 ihre Stellung in der Reihenfolge.

Tr. peregrinum stimmt also in der überwiegend häufigen (und daher wohl als typisch zu bezeichnenden!) Dehiscenz ganz mit Tr. majus, minus und pentaphyllum überein. Das eben besprochene männliche Stadium dauert im Hochsommer zwei bis drei Tage, dehnt sich aber im Herbst auf 4, $4^1/_2$ oder selbst 5 Tage aus. Es folgt dann ein weibliches oder (wenn der Blütenstaub nicht völlig aus den Antheren entfernt ist) zwitteriges Stadium von noch längerer, aber nicht sicher zu bestimmender Dauer. — Der Gr. ist nämlich beim Aufblühen der Blüte um etwa $1/_3$ kürzer als die Filamente und liegt inmitten derselben, von ihnen verdeckt. Erst, wenn etwa die Hälfte aller Stb.bl. aufgesprungen ist, beginnt er ein starkes Längenwachstum, und die bis dahin ganz kleinen Narben vergrössern sich, werden papillös und spreizen etwas auseinander; zugleich hebt sich die Spitze des Gr. so, dass sie in das Niveau der verschrumpften Antheren zu liegen kommt (die Antheren bleiben entweder in der Höhe des Sporn-Einganges liegen oder biegen sich nach unten). Die Dauer des zweiten (weiblichen oder event. zwitterigen) Stadiums ist deshalb unsicher, weil die Kr.bl. am Ende der Blütezeit nicht abfallen, sondern sitzen bleiben und verwelken; der Beginn des Welkens ist aber nur schwierig und unsicher zu erkennen. Im Ganzen dauert die Blüte im Hochsommer

---

*) Die Beobachtung der Dehiscenzfolge ist bei dieser Art wegen der Kleinheit der Organe und der Dichtigkeit ihrer Stellung weit schwieriger, als bei Tr. majus und minus. Zahlreiche Beobachtungsreihen wurden dadurch wertlos, dass erst während ihres Verlaufes erkannt wurde, dass ein Stb.b. verkrüppelt war, oder dadurch, dass ein Beutel von einer Hummel angefressen wurde. — Als beste Methode der Beobachtung erwies sich die, jeden Beutel sogleich nach seinem Aufspringen auf sehr vorsichtige Weise (unter thunlichster Vermeidung jeder Erschütterung oder Verletzung der Blüte) zu entfernen.

$4^1/_2$ bis 5, im Herbste dagegen 5 bis 8 Tage. Zur Verlängerung ihrer Dauer trägt auch gewiss der Umstand bei, dass die Blüten bei uns nur wenig von Insekten besucht werden und daher meist unbefruchtet bleiben. Die unteren Kr.bl. bilden nur einen schlechten Landungsplatz. In London sah ich im August 1888 die Blüten von Fliegen mit langem, schmalen Leib besucht. Sie liessen sich auf den Blüten in umgekehrter Stellung nieder: die Beine auf den Filamenten, den Hinterleib auf den beiden oberen Kr.bl. ruhend, leckten sie den Pollen ab. Die Hummeln, welche in meinem Gärtchen die Blüten häufig besuchten, schaden wohl mehr durch Abbeissen der Antheren, als sie nützen. — Die lange Blütendauer trägt natürlich zur Erhöhung der Schönheit der Pflanze sehr bei.

Da der Sporn nicht nur hakenförmig gekrümmt, sondern zugleich meistens ein wenig zur Seite gebogen (gleichsam verbogen!) ist, so lag die Frage nahe, ob diese Biegung im Zusammenhang stehe mit der Spiralwendung der Blüte. Ich suchte daher mehrere Tage lang möglichst viele Blüten auf, in welchen durch das Aufspringen eines Beutels ein Anhalt für die Spiralwendung gegeben war, fand aber keinen Zusammenhang zwischen ihr und der Biegung des Spornes. Ebenso wenig ergab sich eine solche bei Untersuchung zahlreicher Knospen, an welchen bereits die Lage von K.bl. 1 und die Biegung des Spornes deutlich erkennbar waren. Letztere ist offenbar unregelmässig, fehlte auch in einzelnen Fällen ganz und ist daher auf sekundäre Gewebe-Spannungen zurückzuführen.

Die oberen Kr.bl. sind nicht eigentlich unregelmässig gelappt, sondern meist sieben-, seltener sechs- oder fünflappig; die äusseren Lappen sind ungeteilt, die folgenden meist zweiteilig (mit kleinerem, äusserem Zipfel), der mittlere dreiteilig (zuweilen noch mit einer Kerbe im Mittelzipfel).

Der Gefässgürtel, welcher den Grund der Blüte umzieht und im Sporne so sehr erweitert ist, ist bei dieser Art ganz besonders leicht zu verfolgen. Der Sporn erhält vier Gruppen von Gefässbündeln: eine obere mediane, eine untere mediane (welche sich mit jener in der Spitze des Spornes vereinigt) und zwei seitliche. Nur die erste Gruppe entspringt direkt aus dem Blütenstiele, die anderen aus dem Gefässgürtel und zwar die obere aus seiner Mitte, die seitlichen aus dem Gefässbündelgeflecht beim Ursprunge der oberen Kr.bl.

5) Tr. azureum Miers (oder wahrscheinlicher Tr. azureum × violaeflorum). — Von dieser Pflanze hatte ich im Jahre 1883 ein blühendes Exemplar aus den Treibhäusern meines jetzt (1895) schon verewigten Freundes, des Herrn Heinrich Melchers, für zwei Tage zur Verfügung. Sie ist ein Repräsentant der überaus merkwürdigen Gruppe mit blauen Kr.bl. und ganz kurzem, kegelförmigem Sporne.

Die Achse der Blüte liegt, wie bei allen Tr.-Arten während der Anthese horizontal, die Kr.bl. aber sind in eine Ebene (welche zur Blütenachse senkrecht steht) ausgebreitet, ja bei weiterem Fortschreiten sogar etwas zurückgekrümmt. Sie bieten auf diese Weise den anliegenden Insekten nur sehr wenig Halt dar. Die Knospenlage des K. ist klappig. Dabei liegen aber die Ränder der K.bl. nicht einfach aneinander, wie bei Tr. tricolor, sondern sie sind nach aussen gekrümmt, so dass der Querschnitt des K. einen zierlichen Stern bildet, bei dem jeder Strahl von den aneinander liegenden Rändern zweier benachbarten K.bl. gebildet wird. Jedes Kr.bl. ist in der Knospe wie eine zweiklappige Muschel gestaltet, so dass also ein Querschnitt durch K. und Kr. folgende zierliche Figur zeigt:

Die K.bl. sind fast gleich gross, nur die unteren ein wenig schmaler. Die ausgebreitete Kr. hat einen Durchmesser von 18 mm; sie erscheint in der Vorderansicht sehr wenig zygomorph. Die Kr.bl. sind umgekehrt ei-keilförmig, oben herzförmig aus- gerandet, im Übrigen aber ganzrandig; ihre obere Partie ist blau- violett, die mittlere weiss, die untere (am Eingang in den Schlund) grünlich gelb. Die sehr geringe Zygomorphie hängt natürlich mit der Kleinheit und Enge des Spornes zusammen. Die nähere Be- trachtung zeigt nun allerdings grössere Verschiedenheiten. Die beiden oberen Kr.bl. sind am Grunde flach und allmählich ver- schmälert; jedes untere Kr.bl. aber ist nach unten hin rinnenförmig und besitzt einen wirklichen, schmalen, nahezu cylindrischen Stiel. Saftmale und Fransen fehlen.

Der Eingang in die Genitalhöhle (und von da in den Sporn) ist ungemein eng, so dass man von vorn gewöhnlich nur die Spitze eines der zitronengelben Beutel erblickt.

Von der Blüteneinrichtung habe ich durch Vergleich ver- schiedener Blüten folgende Vorstellung erworben, welche ich weiterer Prüfung an reicherem Materiale empfehle. Die Blüte ist protero- gynisch (in der Gattung Tr. gewiss ein sehr merkwürdiger Fall!). Beim Aufblühen ist der Eingang in den Blütentrichter bezw. in den Sporn relativ weit; die Blüte sieht dann fast ganz aktinomorph aus. Der Gr. ist dann schon nach oben gebogen, die drei Narben sind bereits kegelförmig und papillös; die Stb.bl. stehen noch etwas auseinander und die Beutel sind noch nicht geöffnet. In diesem Zustande dürfte Bestäubung durch fremden Pollen leicht möglich sein. — Je länger nun die Blütezeit dauert, desto mehr verschliesst sich der Eingang in die Blüte; dies geschieht vorzugsweise dadurch, dass die Stiele der drei unteren Kr.bl. sich oben zusammen- neigen. Nun bilden eigentlich nur noch die drei Rinnen der unteren Kr.bl. den Zugang zu dem Blütentrichter; der Gr. hat sich stärker zurückgebogen; die Antheren sind geöffnet und dick mit Pollen belegt. Fremdbestäubung erscheint allerdings noch

möglich, aber Selbstbestäubung ist bei der Enge des Raumes fast
unvermeidlich. — Die Dehiscenzfolge wird sich nur bei sehr
genauer Bezeichnung der Blüten und Opferung eines reichen Materiales
bestimmen lassen. Von aussen her ist in dieser Beziehung gar
nichts zu konstatieren, und jede einzelne Blüte muss für die Beobachtung zerstört werden.

Wegen der Schwierigkeit des Landens auf den glatten, senkrecht
stehenden (oder selbst rückwärts gebogenen) Kr.bl., wegen des
Mangels der Saftmale und wegen der nicht geringen Kraft, welche
für das Eindringen eines fremden Körpers in den Blütentrichter
erforderlich ist, möchte ich glauben, dass diese Pflanze der Befruchtung
durch Kolibri's angepasst ist. — Der Bau des Blütengrundes und des
Spornes ist in Beziehung auf den Gefässbündelverlauf ähnlich wie
bei Tr. majus. Um die Spitze des Blütenstieles herum breitet sich
die Blütenachse in einen kleinen fünfeckigen Napf aus (in welchen
die Einschnitte zwischen den K.bl. natürlich nicht hineinreichen).
Er besitzt am oberen Rande einen auf- und absteigenden Gefäss-
bündelkranz; die höchsten Stellen entsprechen den Einschnitten
zwischen den K.bl., also den Ursprungsstellen der Kr.bl., die tiefsten
den Mitten der K.bl. In diese napfförmige Stengelpartie ist der
Sporn eingesenkt. Er entwickelt sich (wie bei allen Arten) erst
spät, und an Blüten mit fast 1 cm langem Stiel zeigt sich oft kaum
die erste Vorwölbung. — Bei völliger Entwickelung der Blüte ist
der Sporn ganz gefüllt mit dem für Tr. charakteristischen, kresse-
artig und doch süss schmeckenden Safte.

6) Tr. tricolor Sweet. — Eine äusserst zierliche Topf-
Kletterpflanze des Treibhauses, welche sorgsame Behandlung sehr
gut lohnt, welche sich aber infolge der heutigen Richtung der
Handelsgärtnerei fast ganz aus der Kultur verloren hat. Blüten
auch bei dieser Art horizontal gestellt; Kelch in der Knospenlage
klappig, zur Blütezeit mit der erweiterten Blütenachse einen grossen
fünfkantigen Hohlraum bildend; Sporn nach hinten sich rasch ver-
jüngend. K.bl. blauviolett, Hohlraum feuerrot, Sporn violettrot gefährt
(dies gilt jedoch nur von der häufigsten Form; es giebt auch blassere
Formen, wie denn auch die Grösse der Blüten ungemein variiert);
Innenseite gelb gefärbt. Die Spitzen der K.bl. entfernen sich zur
Blütezeit nur wenig von einander, so dass der Eingang in die Blüte
eng ist. Aus dieser engen Öffnung treten nur die Spitzen der kleinen,
einfach gestalteten und bescheidener gefärbten Kr.bl. (schwefelgelb
mit einem Stich ins Grünliche) hervor. Von diesen sind die oberen
6 mm lang, linealisch-spatelförmig gestaltet und oben geschweift-
ausgerandet, die unteren dagegen 5 mm lang mit rundlicher Fläche
und schmal-linealischem, gegen die Fläche abgesetztem Stiele. Saftmale fehlen auf den Kr.bl., ebenso wie Fransen an ihren Rändern. —
Offenbar spielen die Kr.bl. bei der Anlockung der Insekten (oder
Kolibri's?) eine sehr geringe Rolle. Als Schauapparat funktionieren
vielmehr K.bl., Blütengrund und Sporn. Leider ist es mir nicht
möglich gewesen, die Dehiscenz der Antheren zu verfolgen. Nur
soviel habe ich gesehen, dass die Stb.bl. zuerst abwärts gebogen

sind und sich dann (in absteigender Reihenfolge??) aufrichten. — Da die Stb.b. durch den engen Blüten-Eingang hindurch nur wenig oder gar nicht zu sehen sind, so müssen die Blüten bei jeder Beobachtung geöffnet und damit in der Regel geopfert werden. Man wird die einzelne Blüte mit dem Datum ihres Aufblühens versehen und dann zahlreiche Blüten am 1., 2., 3. u. s. w. Tage der Anthese öffnen und opfern müssen. Hierzu hatte ich aber bis jetzt nicht die Möglichkeit.

Eine höchst auffallende Veränderung tritt aber am Ende der Anthese ein, indem dann alle Blüten sich senkrecht: Blüten-Eingang unten, Spornspitze oben, stellen. Zugleich neigen sich die Kr.bl. im Innern des Hohlraumes zu einer flachen fünfseitigen Pyramide zusammen, unter welcher die Genitalien geschützt liegen (etwa analog den fünf Schlundschuppen von Symphytum). Der K. hat sich nun bemerklich weiter geöffnet als während der Blütezeit, aber dem Eindringen von Insekten ist jetzt durch die Kr.bl. ein Hindernis entgegengestellt, welches nur durch Anwendung von Gewalt zu überwinden sein würde. — Die Pflanze scheint übrigens bei Autogamie fruchtbarer zu sein als verwandte Arten; denn sie setzt, wenn ich recht berichtet bin, ohne weiteres Zuthun im Gewächshause nicht selten Früchte an (oder findet Befruchtung durch Insekten statt?).

Der Gefässgürtel, welcher den Grund des Spornes umfasst, ist bei dieser Art ausserordentlich schön entwickelt und sehr leicht zu erkennen.

7) Tr. pentaphyllum Lamarck. — Über Blütenbau und Verstäubungsfolge vergl. die oben p. 390 zitierte Arbeit von Edmund von Freyhold. — Tr. pentaphyllum ist in der Kr. noch weiter reduziert, als Tr. tricolor, da meist die drei unteren Kr.bl., seltener nur das unterste oder das unterste und ein seitliches fehlen; als äusserste Fälle der Variation finden sich Blüten mit fünf Kr.bl. oder (ich beobachtete eine solche) ohne alle Kr.bl. Die Funktion des Schauapparates ist völlig auf die K.bl. und den verhältnismässig sehr grossen und weiten Sporn übergegangen. Der Sporn ist nämlich hellpurpurn gefärbt, seine Spitze grün; die Innenwandung hell eigelb. Die K.bl. sind grün, die oberen aussen mit mattrotem Anfluge, innen (alle fünf!) mit purpurroten Saftmalen. Die oberen Kr.bl. sind kleine, etwa 5 mm lange*), umgekehrt-eiförmige, nicht in einen abgesetzten Stiel verschmälerte Blätter von hellpurpurroter Farbe ohne Zeichnung. Die unteren Kr.bl. beschreibt v. Freyhold (p. 5) als „genagelt, mit fast herzförmiger stumpfer Platte." Ich fand sie 5—6 mm lang, kurzgestielt, mit fast kreisrunder Fläche, in welcher drei Nerven mit einzelnen Bogenverbindungen verlaufen.

Die Knospenlage des K. ist klappig. Auch hier öffnet sich die Blüte durch einen Querspalt zwischen den K.bl. Die beiden unteren K.bl. bilden eine Zeit lang eine Art Trog, in welchem die

---

*) Bei der von mir beschriebenen var. megapetalum, von Santa Cruz in Bolivien, sind die Kr.bl. bis 13 mm lang, wovon etwa 5 mm auf den langen Stiel kommen.

anfangs geraden Stb.bl. und der Gr. liegen. Dann krümmen sich die beiden obersten, hierauf die beiden untersten und die beiden seitlich-unteren Stb.bl. nach unten und heben sich erst beim Aufspringen wieder. Die Dehiscenzfolge ist in den meisten Fällen übereinstimmend mit derjenigen von Tr. majus (s. oben), jedoch mit nicht seltener Vertauschung einzelner Glieder, seltener mit tieferen Störungen. — Auch bei dieser Art krümmt sich der Gr. nach dem Verstäuben der Stb.b. so, dass die nun entwickelten Narben in die Höhe der stäubenden Beutel (vor den Eingang des Spornes) zu liegen kommen. Nach der Blütezeit verlieren Sporn und K.bl. ihre lebhaft rote Farbe und werden missfarbig grün; die Kr.bl. verwelken; die entleerten Stb.bl. biegen sich ganz nach unten und zwischen den K.bl. durch nach aussen. Der Öffnungswinkel der Blüte verändert sich, nachdem sie einmal aufgegangen ist, nicht wesentlich (während bei den mit grossen Kr.bl. versehenen Arten die Blüte sich nach dem Verstäuben der Beutel weit öffnet).

IV. Das Androeceum von Tropaeolum.

Durch die Beobachtungen von Dickson und mir ist die Natur des Spornes als eines einseitigen, negativen (d. i. eingesenkten), extraaxillären Discus festgestellt worden. Ferner wurde ein Einblick gewonnen, wie die Blüte von Tr. aus einer horizontal ausgebreiteten, aktinomorphen Blüte (mit senkrechter Achse) durch Horizontalstellung der Achse, Zygomorphie und Entwickelung des Spornes behufs Anpassung an Tierbefruchtung entstanden ist. Es bleibt noch der Bau des Androeceums und des Gynoeceums aufzuklären übrig.

Mit Beziehung auf das Androeceum sind verschiedene Ansichten geäussert worden:

a) Die St.bl. bilden einen $\frac{3}{8}$ oder nach dem langen Wege $\frac{5}{8}$ Cyclus, welcher sich mit dem Übergangsschritt $\frac{3-\frac{1}{5}}{8}$ an das letzte Kr.bl. anschliesst (s. darüber Al. Braun, 1835, oben p. 385 und Rohrbach, 1869, oben p. 389.).

b) Das Androeceum ist aus zwei alternierenden fünfgliedrigen Wirteln hervorgegangen, von denen die beiden medianen Glieder ablastiert sind (Roeper, Irmisch u. a.).

c) Von den zwei alternierenden Wirteln ist der äussere (die Kelchstamina) vollständig fünfgliedrig; von dem inneren (Kronstamina) sind aber die beiden letzten Glieder ablastiert, nämlich das median vordere Stb.bl. 9 und das vor Krbl. 2 stehende obere (hintere) Stb.bl. 10; in dem vor Krbl. 2 entstandenen leeren Raum ist das ursprünglich vor K.bl. 2 und dem Sporne stehende Stb.bl. 5 des äusseren Kreises behufs gleichmässiger Ausnutzung des Raumes eingerückt (besonders vertreten von Chatin).

    d) Die Stb.bl. bilden einen einzigen 10gliedrigen Kreis, welcher mit K. und Kr. zugleich alterniert (was ergeben würde, dass je zwei Glieder nach vorn und hinten, je drei nach rechts und links fallen); von diesen 10 Stb.bl. sind diejenigen unterdrückt, welche dem median vorderen Paare rechts und links angrenzen (van Tieghem, s. oben p. 388).

    Ich habe dazu Folgendes zu bemerken. Die Auffassung (a) als ursprünglichen $\frac{3}{8}$ Cyclus ist eine rein mathematische Konstruktion; sie führt die Stellung nicht auf eine ältere, einfachere zurück, worauf kein denkender Morpholog wird verzichten wollen.

    Der Erklärung van Tieghems (d) hat schon Eichler (Blütendiagramme, 1878, II, p. 299) widersprochen, indem er den von van Tieghem gegebenenen Querschnitt des Blütengrundes für irrtümlich beobachtet erklärt. Ich habe die Sache bei Tr. majus, minus und peregrinum nachuntersucht und muss mich dem Widerspruche von Eichler durchaus anschliessen. Niemals sah ich einen Querschnitt, welcher der van Tieghem'schen Figur 410 entsprochen hätte. Im Blütenstiel von Tr. majus verlaufen gewöhnlich sechs Gefässbündelstränge. Schon das widerstreitet der Anordnung nach Fünfer-Cyclen. Die Blütenorgane erhalten z. T. Gefässbündel aus verschiedenen Strängen. Vor Allem aber hat van Tieghem den von mir bereits 1878 geschilderten Ursprung der Gefässbündel der K.bl. und Kr.bl. aus · dem Gefässbündelkranze übersehen (vergl. die den oberen Teil dieses Kranzes darstellende Fig. 22 auf Taf. XIV, Band 5 dieser Abhandlungen). Bei Tr. peregrinum sind im Blütenstiele fünf starke Gefässbündel vorhanden, von denen das oberste sich vor dem Eintritt in die Blüte spaltet.

    Es fallen also die Deutungen a und d weg. Für die Entscheidung zwischen b und c will ich zunächst bemerken, dass die Entwicklungsgeschichte uns hier keinen Anhalt gewährt. — Nach den Darstellungen von Payer, Rohrbach u. A., mit denen das von mir Gesehene übereinstimmt, treten die Anlagen der Stb.bl. ziemlich genau in der Reihenfolge der späteren Dehiscenz der Beutel aus der Blütenachse hervor, jedoch gewöhnlich mit Vertauschung von 4 und 5. Diese Reihenfolge entspricht keiner der Erklärungen b und c. Die Blüte ist eben offenbar durch ihre Umformung und die ungleichzeitige Entwickelung der Stb.bl. so sehr beeinflusst, dass dadurch auch das ɩHervortreten der Stb.bl.anlagen (welches ja übrigens keineswegs gleichbedeutend ist mit der ersten Anlage) verändert worden ist. Wenn Schumann in seinem wichtigen Werke: Neue Untersuchungen über den Blüten-Anschluss, 1890, p. 352, über diese Auffassung sehr abfällige Bemerkungen macht, so halte ich dieselben doch nicht für berechtigt. Dass die Ontogenese in vielen solchen Fällen nicht zu definitiven Resultaten über die früheren Zustände führt, ist bei den tiefgreifenden Veränderungen, welche die Blüten im Laufe der Generationen erfahren haben, begreiflich genug. Aber dies ist doch kein Grund, die Bedeutung der Ontogenese für die Erkenntnis der früheren Zustände in der überwiegenden Mehrzahl der Fälle zu verkennen. Die von Schumann besonders betonten, noch jetzt' wirksamen Verhältnisse, namentlich Raumausnutzung und Druck anderer Anlagen, haben gewiss ihre grosse Bedeutung, aber kein Morpholog, welcher die Erscheinungen genetisch zu verbinden und zu erklären bestrebt ist, wird sich bei ihnen beruhigen wollen.

Was nun die Auffassungen b und c betrifft, so scheint b: also das Schwinden der beiden medianen Stb.bl., zunächst sehr viel für sich zu haben. Ist ja doch Zygomorphie sehr häufig mit dem Schwinden der medianen Stb.bl. verbunden; ich erinnere nur an die Labiaten, an Polygala, Melianthus und Aesculus. Trotzdem möchte ich mich aus den von Rohrbach entwickelten Gründen eher für c, also für die Chatin'sche Ansicht aussprechen. Wären beide mediane Stb.bl. geschwunden, so sollte man deren gemeinsames Wiederauftreten (also die Bildung zehnmänniger Blüten) öfters erwarten. Diese sind aber äusserst selten*). Bei den nicht ganz seltenen neunmännigen Blüten fand ich, übereinstimmend mit den meisten anderen Beobachtern, dass das hinzugekommene Stb.bl. das untere mediane (also No. 9 nach Chatin) war. Wenn Chatin angiebt, dass er meist das obere mediane entwickelt gefunden habe, so ist das so ungewöhnlich, dass ich fast einen Fehler in der Niederschrift vermuten möchte.

Vielleicht wird auf die Frage nach dem Baue des Androeceums ein neues Licht fallen, wenn es möglich sein wird, die Blüten der Tr.-Arten mit kleinen Spornen und geringer Zygomorphie entwickelungsgeschichtlich zu studieren. Ich denke dabei namentlich an die Gruppen des Tr. brachyceras und azureum; ferner auch an tricolor und das durch Verkümmerung der oberen Kr.bl. ausgezeichnete umbellatum. — Eine solche Untersuchung wird aber wohl nur in Chile durchgeführt werden können. — Erst nach richtiger Lösung dieser Frage wird man an die Aufklärung der eigentümlichen Stellung des Pistilles herantreten können.

V. Phylogenetische Bemerkungen.

In meinen früheren phylogenetischen Bemerkungen (diese Abhandlungen, 1878, V, p. 631—633) habe ich mich ganz auf die bei Tr. majus unmittelbar beobachteten Thatsachen und deren Deutung beschränkt. Ich hob damals hervor, dass in der Blüte von Tr. majus zwei Gruppen von Anpassungen vorkommen:

---

*) Die von mir beobachtete zehnmännige Blüte (Abh. V, p. 636, Taf. XIV, Fig. 13) besass in der Mediane keine Stb.bl. Aber sie war ausser der Vermehrung der Stb.bl. auch noch durch eine einseitige Verbreiterung der Blütenbasis gestört, so dass auf sie keine bindende Schlüsse begründet werden können.

a) die Spornbildung*) mit der Form und den Saftmalen .der oberen Kr.bl.;

b) die Fransenbildung der unteren Kr.bl. und die Bewegung der Stb.bl. Das Auftreten von Nebenspornen hat sofort die Vermehrung der mit Saftmalen versehenen Kr.bl. (und ihre Zusammenschliessung zu einer Art Oberlippe) zur Folge, das ̓Schwinden des Spornes die Vermehrung der gestielten und gefransten Kr.bl. (welche sich strahlig ausbreiten).

Es liegt nun jetzt nach vieljähriger Durchmusterung der Gattung Tr. nahe, die Frage aufzuwerfen, ob diese Anpassungen allen Arten gemeinsam sind. Da zeigt sich denn sofort, dass nur die durch die horizontale Stellung der Blütenachse bedingte Zygomorphie nebst der Ausbildung des Spornes allen Arten gemein sind. Die Saftmale fehlen u. A. ganz bei Tr. violaeflorum; sie sind bei Tr. pentaphyllum den Kr.bl. verloren .gegangen und ganz auf den Kelch übergegangen. Die Fransen am Stiele der unteren Kr.bl. finden sich nur bei der Gruppe von Tr. majus und bei Tr. Moritzianum. Zahlreiche Arten haben haarspitzig-gezähnte oder haarspitzig-gelappte Kr.bl., deren Spitzen wohl auch (wie jene Fransen) die Bedeutung der Abwehr ̓ unberufener Insekten haben. Als Beispiele nenne ich Tr. Smithii, die — sämtlich dunkelblütigen — Verwandten des Tr.. pubescens und die Gruppe des Haynianum und peregrinum, aus der ich eine ganze Reihe merkwürdiger Formen von ̓ Kr.bl. auf p. 218—226 meines ersten Aufsatzes in Englers Jahrbüchern**) abgebildet habe..

Ob die Stb.bl. wesentliche Bewegungen ausführen, erscheint bei dem engen Raume des Blüteninnern von Tr. violaeflorum zweifelhaft, ebenso aber auch bei den Arten der brachyceras-Gruppe mit ihren so wenig verschiedenen Kr.bl. und bei umbellatum, bei welchem sie gerade vorgestreckt zu sein scheinen. Aber auch sonst zeigt sich eine grosse Variabilität in den Blüten. Die Farbe der Kr.bl. variiert von blassem Gelb durch das leuchtendste Rot bis zum tiefsatten Blau, die Farbe des K. und des Spornes von Grün durch Gelb bis Rot. — Die Kr.bl., bei den meisten Arten so hoch entwickelte und differenzierte Schauapparate werden auf sehr verschiedene Weise reduziert. Alle sind sehr klein und von geringer Bedeutung als Anlockungsmittel bei tricolor; die unteren schwinden bei dipetalum und pentaphyllum, die oberen verkrüppeln bei umbellatum.

So sehen wir also, dass die Stammform von Tr. (nach ihrer Entstehung aus einer Pflanze mit aktinomorphen Blüten) .zygomorphe Blüten mit horizontaler Stellung der Blütenachse, einen Sporn,

---

*) Das Material zur Vergleichung der Spornbildungen im Gewächsreiche ist mir unter den Fingern so sehr angewachsen, dass ich dasselbe für eine besondere Arbeit zurücklegen muss.

**) In meinem zweiten, im Dezember 1895 erschienenen Aufsatze habe ich eine besondere Zusammenstellung der Formen der Kr.bl. der Gattung Tr. gegeben.

fünf K.- und fünf Kr.bl., acht Stb.bl. und ein dreigliedriges Pistill gehabt hat. Ueber die Form der Kr.bl. können wir nichts aussagen; nur können sie weder den reduzierten Formen (dipetalum, pentaphyllum, umbellatum) noch den hoch differenzierten Formen (Gruppen des majus und des peregrinum) entsprochen haben. Da auch die Bildung der terminalen haarspitzigen Zähne (pubescens und Verwandte) eine besondere Anpassung darstellt, so dürften wohl die Kr.bl. von einfachen Umrissen (Gruppe des tuberosum!) den ältesten Formen am nächsten kommen. — Jene Stammform hat dann sehr bedeutend variiert, um die heutige Mannigfaltigkeit der Formen (in Lb.bl., Blüten und Früchten!) zu entwickeln.

Nachträge aus der Geschichte von Tropaeolum.

1) Der Sporn wird zuerst erwähnt in der jetzt seltenen Schrift von G. R. Boehmerus, de Nectariis florum, 1758, p. XIX, wo es heisst: No. 50. Acriviola. Nectarium. calix terminatur calcarer ecto, longo, mellifero. — Ich verdanke die Einsicht in diese seltene Schrift der Güte der Königlichen Univers. Bibl. zu Göttingen.

2) Den Bemühungen des Herrn B. Daydon Jackson zu London ist es endlich gelungen, Klarheit über die Zeit des Erscheinens der einzelnen Teile von Rees Cyclopaedia zu erlangen. Es stellt sich dabei heraus, dass Heft 71, welches den Artikel Tropaeolum enthält, im August 1817 publiziert wurde. Dies ist wichtig zu wissen namentlich für Tr. Smithii DC und aduncum Smith (s. Engler, l. c., 1892, p. 211, 223).

Ein Fall von Saison-Dimorphismus in der Gattung Triglochin.

Von Franz Buchenau.

In einem sehr beachtenswerten Aufsatze: Der Saison-Dimorphismus als Ausgangspunkt für die Bildung neuer Arten im Pflanzenreiche (Berichte der deutschen botanischen Gesellschaft, 1895, XIII, p. 303—313, mit Tafel XXIV und einer Abbildung im Texte) weist R. v. Wettstein darauf hin, dass zunächst in den Gattungen Gentiana (Sect. Endotricha), Euphrasia, Alectorolophus, Chlora und Odontites, eine ganze Reihe von einander paarweise nahestehenden Parallelarten vorkommen, welche ausser durch bestimmte Verschiedenheiten im Bau namentlich auch durch den Umstand verschieden sind, dass die eine Art früh im Jahre, die andere dagegen spät blüht. — Mit dem Ausdruck Saison-Dimorphismus bezeichnete man bekanntlich zuerst die Erscheinung, dass ein und dieselbe Tierspezies in verschiedenen Jahreszeiten zwei oder selbst mehrere („Saison-Polymorphismus") verschiedene (und zuweilen sehr stark verschiedene!) Rassen bildet. Durch das Experiment ist es gelungen, diese Rassen künstlich zu erziehen und nachzuweisen, dass namentlich die Einwirkung verschiedener Wärmegrade für ihre Bildung massgebend ist. — Der Nachweis des Saison-Dimorphismus als Ausgangspunkt neuer Arten im Pflanzenreiche bildet eine entschiedene Erweiterung unserer Anschauungen.

Das Auftreten des Saison-Dimorphismus bei den Pflanzen beginnt mit der Variation einzelner Individuen einer Pflanzenart in Beziehung auf die Blütezeit. Es traten also bei einer spätblühenden Art einzelne Individuen auf, welche im Frühling oder Sommer blühten, oder umgekehrt entwickelten sich Spätlinge bei einer frühe blühenden Art. Diese Erscheinung der zeitlichen Absonderung einzelner Individuen hat A. v. Kerner schon vor mehr als 21 Jahren

Asyngamie (zusammengezogen aus Asynchronogamie) genannt*)
und darauf hingewiesen, dass diese Asyngamie bei Wanderungen
der Pflanzen oder Klima-Änderungen (z. B. Verlängerung oder
Verkürzung der Vegetationszeit) den betreffenden Arten von grossem
Nutzen sein kann, und dass sie, wenn sie mit Änderungen im
Baue der Gewächse verbunden ist, sehr leicht zur Bildung neuer
Formen und zuletzt gut abgegrenzter Arten führen wird. Wettstein
hebt nun hervor, dass die oben erwähnten Parallelarten sämtlich
Wiesenpflanzen sind, und dass für ihre Ausbildung die regelmässig
um dieselbe Jahreszeit stattfindende Mahd der Wiesen massgebend
gewesen ist. Durch planmässige Kultur auf Rasenplätzen und Beseitigung des die Exemplare von Euphrasia Rostkoviana umgebenden
Rasens konnte er die letzteren zum früheren oder späteren Blühen
antreiben. Wettstein fasst das Ergebnis seiner Betrachtungen in
folgenden Satz zusammen:

„Nach dem Gesagten erscheint die Entstehung saisondimorpher
Formen einer Art und weiterhin die Fixierung dieser Formen
zu neuen Arten als ein eklatantes Beispiel der Neubildung
von Arten durch Zuchtwahl im Sinne Darwin's. Der Angriffs-
punkt für die Selektion liegt hier in individuellen, weder durch
Hybridisation noch durch äussere Einflüsse bedingten, Variationen.
Es handelt sich mithin um eine Artbildung ganz in der
Weise, wie sie Darwin annahm, um eine der wenigen Formen
der Artbildung, auf die gegenwärtig noch dessen Annahmen
uneingeschränkt zutreffen." —

Bei der Lektüre von Wettstein's Arbeit trat mir sofort ein
Fall einer ähnlichen Entwickelung vor die Seele, welcher mir durch
meine vieljährigen Studien über die Butomaceen, Alismaceen und
Juncaginaceen bekannt geworden ist. Ich meine die Beziehung
von Triglochin laxiflora Gussone zu Tr. bulbosa L.

Einige einleitende Worte über den morphologischen Aufbau
dieser Pflanzen werden die Sache klären.

Zwiebelbildung kommt in der Gattung Triglochin vor bei
Tr. palustris, Tr. bulbosa und Tr. laxiflora**). Bei Tr. palustris
hat sie einen ganz transitorischen Charakter. Wie überhaupt für
diese Art die mehrfache Neubildung von Laubblättern und Blütenstengeln im Laufe einer Vegetationsperiode und das rasche Absterben der zuerst gebildeten Laubblätter charakteristisch ist, so
haben auch die Zwiebeln nur eine sehr kurze Dauer. Im Spätsommer bilden sich nämlich aus den Achseln der unteren Laubblätter sehr zarte, weisse, brüchige, mit Niederblättern besetzte Aus-

---

*) A. v. Kerner, vorläufige Mitteilung über die Bedeutung der Asyngamie
für die Entstehung neuer Arten (Bericht des naturwissenschaftlich-medizinischen
Vereins in Innsbruck, 1874, 10 Seiten).
**) Vergleiche darüber meine Arbeit: Beiträge zur Kenntnis der Buto-
maceen, Alismaceen und Juncaginaceen in Engler's botanischen Jahrbüchern,
1882, II, p. 466—510, namentlich p. 499 ff. — In Zeile 10 v. u. auf p. 501
wolle man „noch" an Stelle des letzten Wortes: „bereits" setzen.

läufer, welche meist einfach bleiben, zuweilen aber sich verzweigen. Ihre Endknospen schwellen meist direkt zu Zwiebeln an, indem ein Niederblatt zum fleischigen, von Eiweiss und Stärkemehl strotzenden Nährblatte wird (seltener wird noch ein zweites Blatt fleischig). Manchmal bildet aber die Endknospe des Ausläufers noch in demselben Sommer einen schwachen Laubtrieb, der dann am Ende der Vegetationsperiode entweder abstirbt oder durch Fleischigwerden der Basis des obersten Laubblattes gleichfalls eine Zwiebel liefert. Im Innern der kleinen Zwiebel findet man die Anlagen der ersten Laubblätter des nächstjährigen Triebes. — Im Herbste sterben alle heurigen Pflanzenteile (Laubblätter, Blüten-stengel, Ausläufer und Wurzeln) ab, und nur die Zwiebeln über-wintern und setzen im nächsten Jahre das Exemplar fort*).

Anders Tr. bulbosa L. und laxiflora Gussone. Die Ausläufer-bildung fällt bei ihnen ganz aus; auch besitzen sie weder die reiche Sprossungskraft, noch die Hinfälligkeit der Organe von Tr. palustris. Jede aus der Erde gehobene Pflanze besitzt am Grunde eine ge-schlossene, aber meist zusammengesetzte Zwiebel. Sowohl die mittlere, scheinbar terminale**), als die 1 bis 2 seitenständigen Zwiebeln werden aussen von derben Fasern, den Resten der Gefäss-bündel vertrockneter Blätter, umhüllt; sie enthalten meistens zwei Nährblätter, welche während der winterlichen Ruheperiode die An-lagen der nächstjährigen Laubblätter umschliessen. Die heurigen Laubblätter sterben bei Tr. bulbosa im Herbste völlig ab; wie sich in dieser Beziehung Tr. laxiflora verhält, ist mir nicht bekannt.

Tr. bulbosa wurde zuerst von Jac. Barrelier, Plantae per Galliam, Hispaniam et Italiam observatae, 1714, p. 55, No. 563, Icon 271, beschrieben und ziemlich charakteristisch unter dem Namen: Juncus bulbosus maritimi floridus siliquosus abgebildet. Es ist unbegreiflich, dass Linné diese Pflanze nicht als besondere Art erkannte, sondern sie in Spec. plant. ed. II, 1762, I, p. 483 als var. B. zu seiner Triglochin palustris zog. Ebenso auffallend ist es, dass ihm die Pflanze nicht aus Süd-Europa zugeschickt wurde. Er erhielt sie erst durch C. P. Thunberg vom Cap der guten Hoffnung und beschrieb diese Cappflanze unter dem Namen Tr. bulbosa (Mantissa plantarum altera, 1771, p. 226). Im Jahre 1807 beschrieb dann Loiseleur in der ersten Auflage seiner Flora gallica, p. 725, die mediterrane Pflanze unter dem Namen: Tr. Barrelieri. Die völlige Identität beider Pflanzen, der capenser und der mediterranen Pflanze ist aber nicht zu bezweifeln***), und sie wird auch in der Mono-

---

*) Dieser sehr eigentümliche Bau von Trigl. palustris findet in den descriptiven Schriften noch immer nicht genügende Beachtung. Er zeigt in vieler Beziehung Parallelismus zur Bildung der merkwürdigen Winterknospen mit nagelförmigen Nebenwurzeln bei Glaux, welche ich im Jahre 1865 in den Verhandlungen des Brandenburgischen botanischen Vereines, VI, schilderte und durch Abbildungen erläuterte.

**) Wirklich terminal ist jedesmal der Blütenstengel.

**) Vergleiche darüber: Fr. Buchenau, Index criticus Juncaginacearum hucusque descriptarum, in diesen Abhandlungen, 1867, I, p. 218 und Fr. Buchenau, Index criticus Butomacearum, Alismacearum Juncaginacearumque hucusque descriptarum, Bremen, 1868, p. 54, 55.

graphie der Familie von M. Micheli (Monographiae Phanerogamarum, 1881, III, p. 99) anerkannt.

Nun beschrieb aber Joh. Gussone im Jahre 1825 in: Index seminum anni 1825 quae ab horto regio in Boccadifalco pro mutua commutatione exhibentur, die im Herbste (Tr. bulbosa blüht im Frühjahre) blühende Tr. laxiflora. Dieser Samen-Katalog liegt mir nicht vor; dagegen sagt Gussone in: Florae Siculae synopsis, 1842, I, p. 439 von seiner Pflanze:

„Tr. radice bulbosa, scapis adscendentibus gracilibus subflexuosis, foliis utrinque planis patenti-distortis, capsulis remotis striatis superne attenuatis."

und weiterhin:

„Habitus Tr. bulbosae et scapi quamvis basi graciles, tamen saepe pedales, sed bulbis ovatis, saepius solitariis, florendi tempore!; fol. supra planis et varie flexis; caps. scapo adpressis; stigmatibus magis recurvis; pedunculis brevioribus et plerumque arcuatis non rectis; floribus paucioribus, minoribus ac remotioribus cito distinguitur, nec cultura mutatur."

„Species haec cum Tr. bulbosa a nonnullis immerito confusa, ab illa luce clarius distincta, etiam culta, simul comparatur."

Die Tr. laxiflora wurde dann noch vielerwärts nachgewiesen, so dass M. Micheli (l. c. p. 101) ihre Verbreitung folgendermassen angiebt:

„In regione maris Mediterranei, in Italia meridionali a Napoli, Sicilia, Corsica, Algeria ad Constantinopolim; specimina nulla vidi ex Hispania*) vel ex Gallia meridionali."

Tr. bulbosa dagegen ist (abgesehen von dem Vorkommen in Angola und dem Capland) durch ganz Süd-Europa von Bordeaux an bis Kleinasien und durch Nordafrika**) verbreitet.

Prüft man nun diese Pflanze ohne die begreifliche Voreingenommenheit des Autors, so findet man, dass alle angegebenen Unterschiede von Tr. bulbosa hinfällig sind, mit Ausnahme folgender:

Tr. bulbosa.	Tr. laxiflora.
Blütezeit: Frühjahr.	Blütezeit: Herbst.
Fruchtstiele 3—6 mm lang, bogig, so dass die Früchte aufrecht-abstehend sind.	Fruchtstiele 2—3 mm lang, kurzbogig, so dass die Früchte der Traubenspindel angedrückt sind.
Frucht oben wenig verdünnt.	Frucht oben deutlich verdünnt.

Hiernach ist zweifellos Tr. laxiflora eine petite espèce, welche sich durch die veränderte Blütezeit von Tr. bulbosa abgesondert hat. Welcher Faktor des Klimas das Anliegen der Früchte bewirkt hat, ist uns freilich nicht bekannt und wird auch vielleicht weder durch Beobachtung, noch durch das Experiment jemals ermittelt werden; aber nur Vorurteil könnte die verschiedene Blütezeit als einen Beweis für die Artverschiedenheit beider Pflanzen anführen.

---

*) Willkomm und Lange, Prodr. florae Hispaniae, 1861, I, p. 157 erwähnen aber bei der Aufführung von Tr. Barrelieri als Blütezeit: „vere et auct." Hiernach dürfte wohl Tr. laxiflora auch in Spanien vorkommen.
**) Aus Ägypten geben aber Ascherson und Schweinfurth überhaupt keine Triglochin-Art an.

Ich habe geglaubt, dieses deutliche Beispiel von Saison-Dimorphismus etwas eingehender darlegen zu dürfen, weil gerade die mediterrane Flora eine ganze Anzahl ähnlicher Fälle darbieten dürfte. Ich mache nur auf manche Parallelarten in den Gattungen Crocus, Bulbocodium und Narcissus aufmerksam. Vielleicht verdienen auch Spiranthes autumnalis und aestivalis von diesem Gesichtspunkte aus eine vergleichende Prüfung. Hier ist ein reiches Feld für die Thätigkeit eines botanisch-biologischen Gartens.

Einen sehr beachtenswerten anderen Fall einer klimatischen Anpassung schildert W. O. Focke in seinem Aufsatze: Zwei klimatische Parallel-Arten: Isatis tinctoria und Is. canescens (diese Abhandlungen, 1889, X, p. 436, 437). Is. canescens gleicht in der Tracht den Laubblättern und Blüten der Is. tinctoria vollständig; ihre Früchte sind jedoch dicht kurzhaarig. Is. tinctoria ist den kalten Wintern und feuchten Sommern Mitteleuropas angepasst. Sie schliesst das erste Lebensjahr mit der Bildung der frostbeständigen Blattrosette ab und blüht und fruchtet im zweiten Jahre. Is. canescens treibt bei uns im Herbst einen beblätterten, 5—20 cm hohen Stengel, welcher regelmässig unserm Winter erliegt; sie keimt in ihrem Vaterlande (den mediterranen Gegenden) wahrscheinlich im Herbste und trägt bereits im nächsten Vorsommer Früchte. Die Behaarung der Früchte wird biologisch die Bedeutung haben, das Wasser der ersten Herbstregen festzuhalten und so die für die Keimung erforderliche längere Durchfeuchtung der Frucht herbeizuführen.

Über die fossile Flora von Honerdingen und das nordwestdeutsche Diluvium.

(Mit zwei Abbildungen.)

Von Dr. C. A. Weber..

Die diluviale Fundstätte, an die sich die folgenden Erörterungen knüpfen, findet sich am westlichen Rande jenes Höhengebietes, das unter dem Namen der Lüneburger Heide bekannt ist und den Abschnitt des norddeutschen Tieflandes zwischen der untern Elbe, der Aller und der untern Weser zum grossen Teile ausfüllt. Die Stätte liegt an dem linken Ufer der Böhme, eines von Nordosten kommenden Zuflusses der Aller, gegenüber der Mündung des Warnaubaches, kaum zwei Kilometer nordöstlich vom Bahnhofe Walsrode in der Feldmark der Gemeinde Honerdingen.

Folgt man der Landstrasse von Walsrode nach Fallingbostel, so trifft man kurz vor dem Dorfe Honerdingen auf ein flaches Thal, das sich nach Norden zur Böhme senkt. An seinem untern Ende bezeichnet eine durch das Zurückweichen der Höhen teilweise deutlich erkennbare Depression des Ostrandes die Stelle, wo man in einer Tiefe von ungefähr zehn Metern ein Lager von Süsswasserkalk getroffen hatte, das viele Jahre hindurch zur Gewinnung von Mergel durch einen Tagebau aufgeschlossen war.

Die Oberfläche der Depression hat eine Höhe von 40—45 Metern über Normal-Null, während der Spiegel der Böhme an dieser Stelle im Mittel bei 31,5 Metern liegt*). Die Ablagerung selbst nimmt die Fläche eines unregelmässigen Kreises ein, dessen Durchmesser ungefähr 200 Meter beträgt. Sie hat im allgemeinen die Gestalt einer konkav-konvexen Linse, deren konkave Seite nach oben sieht.

Die Mergelgrube ist schon vor mir von mehreren Forschern untersucht worden, über deren Ergebnisse ich zunächst zu berichten habe, soweit sie mir bekannt geworden sind.

---

*) Diese Zahlen wurden bei den Vermessungen für den Bau der Bahn von Walsrode nach Soltau, die diese Mergelgrube durchschneidet, erhalten. Herr Baumeister Merkel in Fallingbostel hatte die Güte, sie mir mitzuteilen.

I. Ältere Beobachtungen.

Zuerst erwähnt wird das Vorkommen bei Honerdingen von H. Steinvorth zu Lüneburg in einem Aufsatze über die geologischen Verhältnisse des Fürstentums Lüneburg bei der Besprechung der tertiären Bildungen mit den Worten: „die Mergel von Honerdingen bei Walsrode sind nur unsicher hierherzurechnen. Die Sammlungen des hiesigen naturwissenschaftlichen Vereins besitzen von dort viele gut erhaltene Reste von Wirbeltieren. Die bemerkenswertesten vom Auerochsen, Biber, Reh und einer unbestimmten platthörnigen Hirschart. Ausserdem finden sich darin reichlich Haselnüsse, Eicheln und Holzstücke*).“

Über die geognostischen Verhältnisse der Stätte hat bald darauf Hunaeus kurz berichtet, der den Süsswasserkalk für miocän, die unmittelbar darüber liegenden torfigen Schichten für unterdiluvial hielt. Er sagt darüber in seiner kurzen Darstellung der geognostischen Verhältnisse des Königreichs Hannover**): „die oberste, nur 1 Fuss mächtige Lage der Ablagerung besteht aus einem feinen, kalkfreien, braun gefärbten Sand mit Glimmerblättchen und Sumpfpflanzenresten. Darauf folgt eine etwa 6 Fuss mächtige unterdiluviale Torfschicht mit glimmerreichem Sand auf den Absonderungsflächen. Unter dieser Torfschicht findet sich das eigentliche Mergellager, welches an einigen Stellen 22 Fuss Mächtigkeit zeigt und reich an Conchylienfragmenten, Braunkohlenstückchen und Nüssen, wahrscheinlich einem Corylus angehörig, ist. Ausserdem haben sich Schuppen von Fischen und Schildkrötenschilder gefunden. Der Kalkerdegehalt dieser Schicht, der nach unten hin wächst, steigt von 40 bis auf 60 Prozent. Unter dieser Schicht findet sich eine noch nicht ganz durchteufte Schicht eines kalkarmen Mergels von etwa 30 Prozent Kalkgehalt, der Süsswasserconchylien enthält.“

Demnächst hat sich E. Laufer sehr eingehend mit derselben Ablagerung beschäftigt und mehrfach darüber im Zusammenhange mit andern, für die Landwirtschaft verwertbaren Kalk- und Mergellagern im Nordosten der Provinz Hannover berichtet. Zuerst geschah dies in der hannoverschen Land- und forstwirtschaftlichen Zeitung vom 31. Oktober 1883***). Er giebt an, dass der Kalkmergel als linsenförmige Beckenausfüllung auftritt. Nach drei von verschiedenen Untersuchern angestellten Analysen schwanke der Gehalt an kohlensaurem Kalke zwischen 60 und 74 Prozent. Häufig finde sich Vivianit. Der Kalk sei fein geschichtet, vorwiegend graublau, doch in einzelnen Lagen sehr hell bis weiss gefärbt. „Der Kalkmergel“,

---

*) Heinr. Steinvorth. Zur wissenschaftlichen Bodenkunde des Fürstentums Lüneburg. Aus dem Programm des Johanneums abgedruckt. Lüneburg 1864. S. 29.

**) In der Festschrift zur Säkularfeier der Königl. Landwirtschafts-Gesellschaft zu Celle am 4. Juni 1864. Zweite Abtlg., 1 Bd., S. 101 u. 105.

***) Dr. E. Laufer. Mitteilung üb. d. Kalkmergellager von Honerdingen nahe Walsrode. Hann. Land- u. Forstw. Ztg. 1883, No. 44, S. 779—781.

fährt er fort, „welcher zur Zeit nur 2,5 Meter tief blossgelegt ist, wird von einer, mit wenig Sand vermengten diluvialen Braunkohle direkt überlagert. Dieses schwache Flötz erreicht eine Mächtigkeit von 0,3 — 0,6 Metern und enthält eine Kohle, welche an Ort und Stelle zur Heizung einer Entwässerungsmaschine Verwendung findet. Über der entschieden diluvialen Kohle folgt zunächst eine, nur einige Centimeter starke Schicht eines vertorften Mooses, und hierüber liegen humose und kohlige, feinere und gröbere Sandschichten von etwa 3 Meter Mächtigkeit, dazwischen treten auch thonige Sandbänkchen auf. Diese Bildungen werden von deutlich geschichtetem, die Linsenstruktur des ganzen Absatzes vorzüglich bezeichnenden Diluvialsand bedeckt. Dieser untere Diluvialsand besitzt in Maximo eine Mächtigkeit von 5 Metern und wird ferner von einer 1,2 — 1,5 Meter betragenden Decke obern Diluvialsandes (Geschiebesandes) überlagert. Besonders durch die Einlagerung von schwachen Grandbänkchen wird im untern Diluvialsande die Beckenbildung ausgezeichnet wiedergegeben. In Folge dieser Lagerung sehen wir an der Grubenwand, welche ziemlich genau von Süden nach Norden verläuft, die Schichten nach beiden Richtungen stark aufgerichtet. Weniger deutlich war zur Zeit die Wiederkehr der Aufrichtung des Mergels nach Süden bemerkbar."

„Es bleibt noch zu erwähnen, dass als Liegendes des Kalkmergels eine Muschel- oder Schneckenschicht folgen soll; ich habe dieselbe aber nicht selbst in Augenschein genommen."

In ähnlicher Weise äussert sich Laufer in einem Aufsatze über das Diluvium und seine Süsswasserbecken im nordöstlichen Teile der Provinz Hannover, der im Jahrbuche der königlichen preussischen geologischen Landesanstalt für 1893 (S. 310 u. f.) enthalten ist. Hier werden von ihm unter den organischen Einschlüssen die Reste folgender Tiere aufgezählt:

Valvata piscinalis.	Cyprinus Carpio.
Perca fluviatilis.	Cervus elaphus.
Abramis Brama.	Unbestimmbare Käfer.

Die Pflanzenreste, von denen die Phanerogamen durch F. Kurtz bestimmt wurden, gehören zu:

Alnus glutinosa.	Fagus silvatica.
Corylus Avellana.	Carpinus Betulus.
Fraxinus excelsior.	Juglans regia.
Acer campestre.	Hypnum trifarium? (bestimmt
Quercus Robur var. sessiliflora.	durch Früh) oder
Equisetum palustre.	H. aduncum? (bestimmt durch
Ceratophyllum demersum	C. Müller.)

Ferner werden breitgedrückte Eicheln, Erlenfrüchte, Lindensamen, Kiefernzapfen und mit Vivianit überzogene Holzstückchen erwähnt.

Laufer betrachtete den Süsswasserkalk und die darüber liegenden kohligen und torfigen Schichten als präglacial. Er stellte sie in Parallele mit den Kalkablagerungen von Ülzen, Westerweihe, Rosche, sowie mit den Infusorienerden von Nedderohe, Oberohe und Suderburg und hob die Ähnlichkeit zwischen allen diesen Ablagerungen hervor, die sich auf die Art des Absatzes — sie sind sämtlich in kleinen Becken entstanden — auf die organischen Einschlüsse und auf die Lagerungsverhältnisse erstrecke.

Später erwähnte Laufer die in den vorigen beiden Arbeiten ausführlicher geschilderten geognostischen Verhältnisse noch einmal kurz in einem Vortrage, ˙den er in einer Sitzung des Centralausschusses der königlichen Landwirtschaftsgesellschaft zu Celle über Auffindung, Untersuchung und Verwendung des Mergels in der Provinz Hannover hielt*). Er teilte bei dieser Gelegenheit mit, dass die von ihm für Braunkohle gehaltene Masse dies nicht sein könne, da sie sich zum grössten Teile in Natronlauge löse. Doch sollen sich innerhalb der betreffenden Schicht kleinere Braunkohlenstücke befinden. Er bezeichnet die Masse als „komprimierte moorige Substanz." Ferner ist dem Vortrage eine in der Wiedergabe leider sehr mangelhaft ausgefallene geognostische Abbildung des „Süsswasserkalklagers von Honerdingen" beigegeben.

Ebenso ·wie Laufer hielt Struckmann die fossilienführenden Schichten von Honerdingen für unterdiluvial und gleichalterig mit dem Glindower Thone**). — Derselbe Forscher nennt in· einer Zusammenstellung der quartären Säugetiere aus der Provinz Hannover von Honerdingen: Cervus elaphus L., C. Capreolus L. und Bos primigenius· Boj.***)

Vor einem Jahre hat F. Kurtz, jetzt zu Cordoba in Argentinien, eine Liste der von Laufer bei Honerdingen gesammelten Pflanzenreste zusammen mit denen aus andern diluvialen Vorkommen veröffentlicht†). Er stellte von dieser Fundstätte fest:

Equisetum palustre.	Corylus Avellana.
Pinus silvestris.	Fagus silvatica.
Phragmites communis.	Juglans regia.
Ceratophyllum demersum.	Platanus sp.
Populus tremula.	Fraxinus excelsior.
Alnus glutinosa.	Acer platanoides.

Man hat diese Liste ·wohl teilweise als eine Berichtigung der in der zweiten Lauferschen Veröffentlichung mitgeteilten Bestimmungen zu betrachten, die vermutlich nur vorläufig waren und deren Veröffentlichung Kurtz selbst unbekannt geblieben zu sein scheint.

---

*) Protokolle d. Sitzungen d. Central-Ausschusses d. Kgl. Landw.-Gesellsch. zu Celle v. 20.—23. Nov. 1883 (56. Heft S. 135—150).

**) Überblick über die Bodenverhältnisse der Prov. Hannover. In: Festschr. z. 50jähr. Jubelfeier d. land- und forstwirtsch. Hauptvereins für d. Reg.-Bez. Hannover.

***) Über die bisher in der Provinz Hannover aufgefundenen fossilen und subfossilen Reste quartärer Säugetiere. Separatabdruck aus d. 33. u. 34. Jahresber. d. Naturhist. Gesellsch. in Hannover, 1884.

†) Über Pflanzen aus d. norddeutschen Diluvium. Jahrb. d. Kgl. Preuss. Geol. Landesanstalt für 1893. S. 13—16.

II. Neuere geognostische Beobachtungen.

Ich habe es für richtig gehalten, über die Ergebnisse früherer Beobachter ausführlich zu berichten, teils weil einige an schwer zugängigen Stellen veröffentlicht sind, teils weil sie unter günstigern Verhältnissen gewonnen wurden, als die waren, unter denen ich selber beobachtet habe.

Nämlich wenige Jahre, nachdem Laufer die Mergelgrube von Honerdingen besucht hatte, musste der Betrieb dort eingestellt werden, weil die Pumpmaschine durch Brand zerstört worden war, und die Grube füllte sich mit Wasser. Da die Gewinnung des Süsswasserkalkes als Mergel wegen der, in der Abbaurichtung stärker werdenden Deckschichten immer kostspieliger wurde, so stellte man keine neue Maschine wieder auf, sondern versuchte dem Wasser Abfluss zu verschaffen, indem man die, infolge von Erosion sehr steil zur Böhme abfallende, schmale Anhöhe durchgrub, die den Tagebau im Norden von dem Flusse trennt und die Gruben-sohle um etwa 15 Meter überragt. (Vergl. Fig. 1 auf Seite 424.) Allein die Kosten überstiegen den Voranschlag dermassen, dass die Besitzer von diesem Vorhaben abstanden, bevor der Graben hin-reichend vertieft war. Bald darauf zeigte sich, dass die von Walsrode nach Soltau geplante Bahn quer über die Mergelgrube geführt werden musste, so dass der Betrieb dort doch hätte aufgegeben werden müssen. Man verzichtete daher auf alle weitern Bemühungen das Wasser loszuwerden. Es ist sehr zu beklagen, dass damit jede Aussicht darauf verschwindet, die mittlern Teile der Mulde je wieder zu erblicken; denn zur Herstellung des Bahndammes wird der grösste und tiefstreichende Teil des ehemaligen Aufschlusses in kurzer Zeit gänzlich zugeschüttet werden.

Bei meinen Besuchen im Sommer 1894 und 1895 befanden sich nur die äussersten Ränder der Mulde, die die Ablagerung er-füllt, über dem Wasserspiegel. Sehr gut fand ich den nördlichen Rand durch den eben erwähnten tiefen Graben aufgeschlossen, den südlichen legte ich näher dem Mittelpunkte durch zwei Schürfungen bloss, die aber wegen des eindringenden Wassers nur bis zu 2 und 3 Meter Tiefe unter der gegenwärtigen Grubensohle an dieser Stelle geführt werden konnten. Dagegen waren die beiden obersten von Laufer erwähnten Sandschichten, von denen die fossilienführenden bis zu Tage überlagert werden, in der ungefähr von Norden nach Süden gehenden, steilen, östlichen Grubenwand fast noch in ihrer ganzen Länge sichtbar und zwar im Sommer 1894 noch so unversehrt, dass ich mich über den innern Bau durch senkrechte Abgrabungen leicht zu unterrichten vermochte*).

---

*) Im Sommer 1895 haben die Besitzer des Kalklagers ein Anzahl von Spülbohrungen vornehmen lassen, um dadurch Anhaltspunkte für ihre, an die Bahn zu stellenden Entschädigungsforderungen zu gewinnen. Ich erfubr leider erst davon, als die Arbeit nahezu beendet war und meine Zeit mir nicht mehr gestattete, dem Schlusse beizuwohnen. Da der Bohrmeister gar keine geognostischen Kenntnisse hatte und Bohrproben nicht aufbewahrt

Endlich. war es mir für die Kenntnis der Ablagerung in mehrfacher Hinsicht wertvoll, dass Herr Dr. Struckmann die grosse Gefälligkeit hatte, mir eine kleine Zahl von Handstücken, die er im März 1886 in der Grube von Honerdingen gesammelt hatte, zur Ansicht zu übersenden. Es war mir dadurch möglich, eine darunter befindliche Probe aus den tiefern Lagen des Süsswasserkalkes, die mir verschlossen geblieben waren, wenigstens mikroskopisch zu untersuchen.

Ich teile hier die an den verschiedenen Stellen beobachteten Profile mit, wobei ich auch das von Laufer beobachtete einschalte.

Zuvörderst aber dürfte es angebracht sein zu zeigen, wie diese recht verschieden aussehenden Profile miteinander verknüpft werden müssen.

Bei meinen Untersuchungen über die diluvialen Torflager im Bette des Nordostsee-Kanales bei Grünenthal hatte ich an den zuweilen· in einer Länge von einigen hundert Metern in senkrechter Wand prachtvoll aufgeschlossenen, oft 10—15 Meter hohen Profilen und ebenso bei Klinge bemerkt, dass dieselbe Schicht gegen den Rand des Beckens gewöhnlich ihren Charakter ändert, was· sich daraus erklärt, dass da die Vegetation anders war, und auch die Ablagerung selbst durch Einschwemmungen von den Ufern mehr oder weniger stark beeinflusst wurde. Hat man· nun keine Übersicht über ein solches Lager und kann dieselbe Schicht nicht, wie dort, von der Mitte bis zu den Rändern Schritt für Schritt verfolgen, sondern hat, wie es mir bei Honerdingen ging, nur eine Anzahl von Einzelprofilen vor sich, so ist· es überaus schwer, ja vielleicht unmöglich zu sagen, welche Teile der Randbildungen gleichen Alters mit denen der Mitte des Beckens sind und wie man die Einzelprofile miteinander zu einem richtigen Gesamtbilde verbinden soll.

Bei Honerdingen war ich nun in der Lage, diese Schwierigkeit dadurch zu überwinden, dass es mir während der Untersuchung gelang, ein Leitfossil zu finden. Es ist dies die Tanne (Abies pectinata DC.), die in einer bestimmten tiefern Lage erscheint und ebenso in einer bestimmten höhern wieder verschwindet. Es haben sich von diesem Baume das Holz, die Samen, die Zapfenschuppen, die Nadeln und die Pollenkörner gefunden. Wie bei· allen Koniferen, so werden auch bei der Tanne die Blütenstaubkörner in grosser Menge erzeugt und durch den Wind verbreitet; sie können sich in namhafter Entfernung ablagern. Ihre Auffindung verrät daher das Vorkommen dieser Pflanze, selbst wenn sie nur noch spärlich und enfernt gewachsen ist. Ich habe deshalb nicht blos bei der Felduntersuchung auf die mit blossem Auge erkennbaren

waren, so ist es mir nicht möglich gewesen, die ganz willkürlichen Bezeichnungen der Bohrprotokolle, bei denen es sich nur darum handelte, die Ausdehnung und die Mächtigkeit des Kalkes festzustellen, wissenschaftlich zu verwerten. Die Bohrungen wurden nur bis zur Unterkante des Süsswasserkalkes geführt. Sie bestätigten wenigstens seine beckenförmige Lagerung.

Reste der Tanne besonders geachtet, sondern auch auf die mikroskopischen bei der eingehenden Untersuchung im Laboratorium.

In den nachfolgenden Profilen habe ich daher die oberste und die unterste Grenze angegeben, in der es mir gelungen war, noch ein Pollenkorn der genannten Art aufzufinden.

Als zweite Richtschnur benutzte ich eine in dem Lager erscheinende, bereits von Laufer erwähnte Moostorfbank, die allerdings nicht überall deutlich entwickelt ist, aber in den genauer untersuchten Profilen wenigstens als moosreiche Lage wiedererkannt wurde.

I. Profil des Nordrandes der Mulde.

a) Oberer Geschiebesand 0,5—0,8 m.

b) Diskordant geschichteter Quarzsand 2—3 m.

c) Faseriger Wurzelntorf } 0,1—0,2 m.
Moosreiche Lage }

d) Sand mit vielen vertorften Pflanzenresten, Feuerstein- und granitischen Geschiebebrocken. Hin und wieder ziemlich reichlich winzige Glimmerblättchen enthaltend. Deutlich geschichtet. 1,25 m

Horizont der Abies pectinata, von der Oberkante der Schicht d bis 0,35 m darunter reichend*).

e) Bänke von feinem, grünlichgrauem, etwas Thon und Glimmer haltendem Sande wechseln mit torfigen und grandigen Bänken. Unten sehr viel Holz. 0,65 m

f) Weisser, stellenweise etwas thoniger Quarzsand mit kleinen Feuersteinen und granitischen Geschiebetrümmern. Ohne organische Einschlüsse. Ungeschichtet. 0,2 m

g) Unterer Geschiebesand, bis 1,35 m tief aufgeschlossen.

Die Bezeichnungen unterer und oberer Geschiebesand sollen in diesem und den folgenden Profilen nichts weiter als die gegenseitige Lage der beiden Geschiebesandschichten bezeichnen. Ich brauche sie nicht in dem Sinne, dass dadurch irgend eine Altersbestimmung ausgedrückt werden soll. Eine solche wird späterhin zu erörtern sein.

Die Schichten c bis e waren auf einer Strecke von etwa 10 Metern in der Richtung von Ostnordost nach Südsüdwest gut

---

*) Vergl. die Fussnote zu Profil III.

aufgeschlossen. Nach Südsüdwest fallen sie unter Winkeln von 4—5⁰ und werden ein wenig mächtiger. Da der Durchschnitt, wie man sieht, nicht radial zu der kreisförmig gedachten Mulde ist, so dürfte der wirkliche Fallwinkel etwas grösser sein als der gemessene und etwa 6—7⁰ betragen. Nach Norden, gegen die Peripherie der Mulde, nimmt das Flöz an Mächtigkeit ab. Die Schichten c und d brechen hier plötzlich ab und werden von dem geschichteten Quarzsande b diskordant überlagert. Die gebankte Region e liess sich dagegen noch mehrere Meter weiter nach Norden verfolgen. (Vergl. Fig. 1 zwischen A und B.)

Nach derselben Richtung schwillt die Schicht f beträchtlich an und nimmt die Beschaffenheit eines schluffigen Quarzsandes an.

Der Geschiebesand im Liegenden (g) wurde durch Nachgraben freigelegt. In der Tiefe von 1,35 Meter wurde der Wasserandrang so beträchtlich, dass mit dem Graben aufgehört werden musste. Die Grundmasse dieses Sandes hat die Beschaffenheit eines gelblichen Kieses. Er enthält zahlreiche Blöcke mit meist schwach gerundeten Kanten. Sie bestehen aus nordischen Graniten unbestimmter Herkunft. Ein Stück erwies sich als Hälleflinta*). Ihr Durchmesser wurde z. T. zu 4 dm und mehr gemessen. Zerbrochene Feuersteine sind in Menge vorhanden. Glimmer fand sich nur sehr sparsam. Die Oberkante der Schicht war an der aufgeschlossenen Stelle durch Eisenoxydhydrat zu einer sandsteinartigen Masse verkittet. Durch Nachbohren konnte ich den Geschiebesand überall unter dem Profile nachweisen. Nach Norden zu scheint er weniger reich an Geschieben zu sein.

II. Laufers Profil aus der Mitte der Mulde.

a) Oberer Geschiebesand („Decksand" oder „oberer Diluvialsand"). 1,2—1,5 m

b) Diskordant geschichteter Quarzsand („unterer Diluvialsand"). 5 m

c) Sandiger Torf („humose und thonige Sande"). 3 m

d) Moostorfbank („Moosschicht") 0,01 m.

e) Lebertorf

f) Leberartiger Torf

{ („komprimierte moorige Substanz") 0,6 m.

Obere Grenze des Abies-Horizontes.

g) Süsswasserkalk 7— 8 m.

*) Herr Dr. J. Martin in Oldenburg i. Gr. hatte die Güte, die von mir gesammelten Geschiebe durchzusehen und, so weit es möglich war, zu bestimmen.

Die von Laufer gewählten Bezeichnungen „Decksand oder oberer Diluvialsand", „unterer Diluvialsand" und „Moosschicht" habe ich mit den von mir in den andern Profilen benutzten Bezeichnungen vertauscht, um die Übereinstimmung deutlicher zu machen; überdies umschliessen die beiden ersten Benennungen Altersbestimmungen, die ich für falsch halte.

Laufers „komprimierte moorige Substanz", von den Besitzern nach wie vor als „Braunkohle" bezeichnet, wurde früher, wie auch Laufer erwähnt, zum Heizen der Entwässerungsmaschine benutzt und daher auf besondern Halden aufgestapelt, von denen sich bei meinem Besuche noch namhafte Reste vorfanden.

Es zeigte sich, dass dieser Brennstoff, der auch jetzt noch einen schwachen, an Bitumen erinnernden Geruch hat, aus zwei verschiedenen Materialien besteht, die sich schon beim Aufnehmen durch ihr verschiedenes spezifisches Gewicht unterscheiden. Die schwereren Stücke sind aussen licht sepiabraun. Sie sondern sich in grosse, eckige Stücke, die sich von selbst schieferartig spalten. Im wasserdurchtränkten Zustande sind die Lamellen fast lederartig weich, im trocknen aber ungemein hart und fest, so dass man sie nur schwer zerbrechen kann. Die ziemlich glatten Bruchflächen haben eine tief-schwarzbraune Farbe und zuweilen einen schwachen Glanz. Manche Stücke enthalten ganz feinen Quarzsand mit kleinen Glimmerblättchen durch die ganze Masse verteilt; andere dagegen sind ganz sandfrei. Beim Erhitzen verbrennt dieser Torf mit andauernder, leuchtender Flamme und hinterlässt eine beträchtliche Menge fester Asche von meist rostroter Farbe. Es ist sehr viel Eisenoxyd in dem Torfe enthalten, aber kein Schwefel. Mit verdünnter Kalilauge quillt er auf. Absoluter Alkohol färbt sich bei der Vermengung mit dem trockenen, feingepulverten Torfe dunkel weingelb und fluoresciert blutrot.

Es unterliegt darnach keinem Zweifel, dass man hier echten Lebertorf vor sich hat, der seinen ursprünglichen Gehalt an Schwefeleisen, worauf das Eisenoxydhydrat weist, durch die langjährige Oxydation und Auslaugung auf der Halde eingebüsst hat. — In zahlreich durchsuchten Stücken fand ich keine Spur der Edeltanne. Die leichtern Stücke zeigen im Innern dieselbe lichtbraune Farbe wie aussen. Sie lassen sich leicht zerbrechen, sind weicher und zerklüften sich gleichfalls in eckige Stücke, die aber sehr selten schieferige Struktur aufweisen, und der alkoholische Auszug fluoresciert nicht rot. Man findet in ihnen meistens einzelne Pollenkörner der Edeltanne, in manchen Stücken allerdings erst nach langem Suchen. Aus dem letzterwähnten Umstande ergiebt sich, dass dieses leberartige Material einer tiefern Lage angehört als der eigentliche Lebertorf.

Laufer giebt an: „Die diluviale Braunkohle zerfällt in faustgrosse Stücke, welche beim Trocknen blätterige Sprünge erhalten"*). Daraus könnte man schliessen, dass sich seine Angaben über dieses

*) Jahrb. d. Königl. Preuss. Geolog. Landesanst. f. 1883. S. 325.

Material nur auf den eigentlichen Lebertorf beziehen. Doch vermute ich, dass er beide Materialien nicht streng unterschieden hat, da er sagt, dass die Kohle unmittelbar den Kalk überlagere.

Nach dem Gesagten läuft die obere Grenze des Abies-Horizontes in der Mitte der Mulde ungefähr längs der Grenze des Lebertorfs und der leberartigen Bank. Was ihre untere Grenze betrifft, so konnte ich nur an dem von Struckmann erhaltenen Stücke aus der tiefern Lage des Süsswasserkalkes feststellen, dass in dieser Abies pectinata DC. nicht vorkommt.

Über das mutmasslich Liegende des Süsswasserkalkes werde ich mich bei der eingehenden Besprechung der einzelnen Schichten äussern. Laufer giebt an, dass dieser Kalk von einer Muschel- und Schneckenschicht unterlagert werde. Das wurde mir allerdings von den Leuten bestätigt; allein diese Schicht, die offenbar nur eine kalkärmere Lage des Süsswasserkalks darstellt, ist in die 7—8 Meter Mächtigkeit eingerechnet. Laufers abweichende Angabe scheint auf einem Missverständnis zu beruhen, zu dem ihn die Angabe von Hunaeus verleitet haben mag.

III. Profil in der südwestlichen Grubenecke.

a) Oberer Geschiebesand 0,7 m.

b) Diskordant geschichteter Quarzsand 2,8 m.

c) Stark zersetzter torfiger Mull, in Wechsellagerung mit dünnen Sandbänken.   0,5 m.

d) Sandiger Torf, die obersten 0,35 m sehr zersetzt.
                                                0,45 m.

e) Moostorfbank, sandhaltig, 0,01 m.

f) Schwarzer, bröckeliger, wenig sandiger Torf, unten ziemlich scharf abgegrenzt.   0,75 m.

Obere Grenze 0,25 m über der Unterkante von f*).

Horizont der Abies pectinata 0,85 m.

g) Graugrüner Süsswasserkalk, ziemlich sandig, mit Grandbänken von verschiedener Stärke. Bis 0,75 m aufgeschlossen.

Untere Grenze 0,6 m unter der Oberkante von g*).

*) Die Grenzbestimmung ist nicht absolut genau, sie bedeutet, dass ich in der 20 cm oberhalb der obern Grenze und in der 20 cm unterhalb der untern Grenze genommenen Probe des Profiles Spuren der Tanne nicht mehr gefunden habe. Es ist wahrscheinlich, dass der Horizont sich nach oben und nach unten in den Profilen III und IV um etwa 10 cm weiter erstreckt. — In Profil I ist die Bestimmung der obern Grenze nahezu absolut genau, da hier weit enger aneinanderliegende Proben untersucht wurden. Die untere Grenze liegt dagegen möglichenfalls 15—20 cm tiefer, als angegeben ist.

IV. Profil 15 Schritte ostnordöstlich von dem vorigen.

a) Oberer Geschiebesand 0,5—0,8 m.

b) Diskordant geschichteter Quarzsand 3 m.

c) Schwarzer Torf 1,25 m. — Im obern Teile, besonders 0,4 m unter der Oberkante, sehr sandig und die organische Substanz sehr zersetzt. In 0,7 m unter der Oberkante sehr viel Moosreste. Nach unten wird der Sandgehalt geringer, die untersten 0,2 m sind fast reiner Torf, worin nur spärlich Sandkörner auftreten.	Obere Grenze 0,10 m über der Oberkante von d*).
d) Grünlichgrauer, feinsandiger Süsswasserkalk. . Die obern 0,75 m durch Auslaugung fast kalkleer, die untern mit zunehmendem Kalkgehalte. Von zahlreichen, verschieden starken Grandbänken durchzogen. Bis 2 m tief aufgeschlossen, die letzten 0,5 m mit Hilfe eines Bohrers.	Horizont der Abies pectinata 0,6 m. Untere Grenze 0,5 m un er den Oberkante von d*).

Diese beiden Profile sind etwa 50—60 Meter von dem Süd-rande des Beckens entfernt, das dritte dem tiefern Teile der Mulde etwas näher als das vierte. Trotzdem sie ziemlich nahe bei einander liegen, zeigen sie doch nicht völlige Übereinstimmung, obwohl die Ähnlichkeit nicht zu verkennen ist. Alle sandigen Teile der Schichten c bis g enthalten etwas fein verteilten Glimmer nebst zahlreichen winzigen Bruchstücken nordischer Granite und zahlreichen Feuer-steinsplittern. In den kalkreichen Lagen der untersten Schicht beider Profile finden sich, zumal in den Grandbänken, oft zahlreiche Trümmer von Kreidebryozoen neben den Resten quartärer Pflanzen, Land- und Wasserkonchylien. ·Nach den Angaben der ehemaligen Mergelarbeiter würden wir hier das Liegende des Süsswasserkalkes in einer Tiefe von 3—4 Metern unter seiner Oberkante erreicht haben, wenn nicht das Wasser und der Mangel eines hinreichend langen Bohrers uns daran gehindert hätte. Wie man mir sagte, wäre der Abbau des Mergels nach dieser Seite nicht verfolgt worden, weil die Kalk-schicht zu wenig mächtig und ihr Kalkgehalt selbst zu gering war. In der That zeigten sich in der am tiefsten gewonnenen Probe des Profils IV bei einer in dem chemischen Laboratorium der Moorversuchs-station vorgenommenen Bestimmung nur 11,18 % Calciumkarbonat.

III. Die einzelnen Schichten.

Der Betrachtung der einzelnen Schichten muss das von Laufer beobachtete, berichtigte Profilschema zu Grunde gelegt werden, da nach dem vorhin Gesagten in der Mitte des Lagers das Profil am reinsten zur Ausbildung kommt, während es sich in der Nähe der Ränder mehr oder weniger verwischt. Zu ergänzen ist das Laufersche Profil durch den das Liegende bildenden untern Geschiebesand.

Von da ausgehend werden wir die, auf die angegebene Weise als gleichalterig erkannten Teile der Randprofile in die Betrachtung zu ziehen haben.

*) Vergl. die Fussnote zu Profil III.

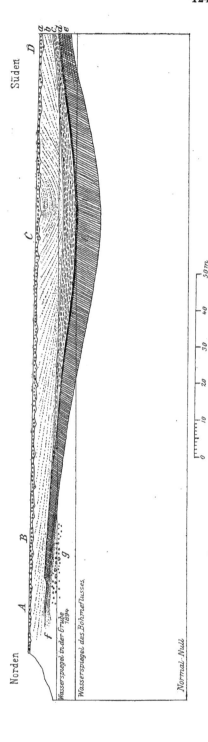

Fig. 1. **Das Profil von Honerdingen.**

a. Der obere Geschiebesand.
b. Der diskordant geschichtete Quarzsand.
c. Der sandige Torf.
d. Der Lebertorf und seine Äquivalente mit der darüber liegenden Moostorfbank.

e. Der Süsswasserkalk; an seinen Rändern sind die eingelagerten Grandbänke angedeutet.
f. Ungeschichteter weisser Quarzsand.
g. Der untere Geschiebesand.
Links das Gehänge des Erosionsthales der Böhme.

Die Randteile und die über dem Wasserspiegel in der Grube liegenden mittlern Teile des Profils sind auf Grund eigener, das übrige ist auf Grund der Beobachtungen Laufers entworfen. Die Höhenmasse sind einer mir von Herrn Baumeister Merkel in Fallingbostel übergebenen Nivellementskarte entnommnen. — Massstab der Höhen derselbe wie der der Längen.

Von A bis B Profil I; bei C Profil II; bei D Profil III und IV.

Die fossilienführenden Schichten wurden von mir botanisch-stratigraphisch in der Weise untersucht, wie es bei meinen frühern Untersuchungen recenter und diluvialer Torflager geschah. Im Felde wurden die Schichten von oben nach unten allmählich abgetragen und die einzelnen Beobachtungen vermerkt. Die dabei gewonnenen Funde wurden mit genauer Bezeichnung versehen in geeigneter Weise aufbewahrt, um zu Hause genauer untersucht zu werden. Ferner wurden aufeinanderfolgende, 0,2—1 cdm grosse Proben in Höhenabständen von 10—50 cm, meist von 20 cm, aus den Profilen mitgenommen und im Laboratorium in folgender Weise untersucht. Jede Probe wurde zuerst mit einer Pinzette auseinandergenommen, um die grösseren Einschlüsse herauszunehmen. Der zerkleinerte Rückstand wurde dann, nachdem er lufttrocken geworden war, durch einen Satz von Bodensieben gerüttelt und das auf jedem Siebe angesammelte Material abermals verlesen. Endlich wurden sorgfältig hergestellte Mischproben mikroskopisch durchgesehen, nachdem sie durch Behandlung mit Salpetersäure aufgehellt waren. — Im ganzen habe ich 44 Profilproben aus den fossilienführenden Schichten in dieser Weise untersucht.

Ich bespreche die einzelnen Schichten in der Reihenfolge von unten nach oben.

I. Der untere Geschiebesand.

Der untere Geschiebesand, dessen petrographische Verhältnisse bei Profil I erörtert wurden, ist zwar nur unter dem Nordflügel der Mulde in einer verhältnismässig kurzen Strecke nachgewiesen worden. Ich bin aber überzeugt, dass dieser Sand sich unter das ganze Lager erstreckt. Darauf weist zunächst hin, dass mir überall in dem torfigen Sande und in den Randteilen des Süsswasserkalkes Brocken ähnlicher Geschiebe, wie dort gefunden wurden, begegnet sind. Sie können nur durch Abschwemmung von den ehemaligen, aus diesem Geschiebesande gebildeten Ufern dahinein geraten sein. Zweitens weist darauf die Wahrnehmung der Arbeiter, dass, sobald die unterste, etwa „$^1/_4$ Zoll" starke, harte und dichte Lage des Süsswasserkalkes durchbrochen wurde, fast jedesmal das Wasser mit Gewalt von unten emporstieg. Das setzt durchlässige Schichten voraus, die das Liegende bilden, und es ist demnach die Annahme gerechtfertigt, dass die fossilienführenden Schichten in einer beckenartigen Mulde des untern Geschiebesandes entstanden sind.

Als dies geschah, muss der untere Geschiebesand reichlich Bryozoentrümmer enthalten haben. Denn wenn diese in dem Aufschlusse unter dem Nordflügel auch nicht wahrgenommen wurden, ja in der ganzen Umgebung des Lagers nicht mehr zu finden sind, so weisen darauf doch die bryozoenreichen Lagen hin, die ich in der kalkreichen Schicht des Südflügels gefunden habe. Man darf als sicher annehmen, dass die Bryozoen aus dem durchlässigen Geschiebesande in dem langen Zeitenlaufe völlig ausgelaugt worden sind, während sie durch die Umhüllung mit dem thonhaltigen Süsswasserkalke davor geschützt blieben. Ja das Auftreten von Grandbänken, die aus nordischen Geschieben bestehen und mit Trümmern von Kreidebryozoen, quartären Pflanzenresten und Süsswasser-konchylien durchsetzt sind und gelegentlich auch Landschnecken enthalten, scheint anzudeuten, dass die Ufergehänge der Mulde ziemlich steil gewesen sind, so dass das Regenwasser mit beträchtlicher Geschwindigkeit hineinschoss.

Wenn nun der untere Geschiebesand sicher ehedem kalkreich gewesen ist, so weist doch der reiche Glimmergehalt der fossilien-führenden Schichten nicht ohne weiteres darauf hin, dass der Sand der ehemaligen Gehänge an diesem Minerale reicher gewesen sein muss. Denn die Glimmerblättchen konnten wohl durch das Wasser leichter und aus weiterer Umgebung herbeigeführt werden und sich in ähnlicher Weise in dem Becken anhäufen, wie der Thon, den der Süsswasserkalk, zumal in den tiefern Lagen, und die von Laufer be-merkten Thonbänke der torfigen Sande enthalten. Jedoch scheint der untere Geschiebesand auch jetzt noch stellenweise sehr thonreich zu sein; wenigstens deutet darauf hin, dass die Arbeiter in der tiefsten Region der Mulde unter dem Süsswasserkalke einen bläulichen Thon getroffen haben wollen, wofern hier nicht etwa ein glacialer Süsswasserthon vorliegen sollte, da sie keine Steine darin bemerkt haben. Vielleicht ist der Sand f, der in Profil I den untern Ge-schiebesand überlagert, ein Analogon des diskordant geschichteten Quarzsandes im Hangenden der fossilienführenden Schichten. Ich war nicht in der Lage, dies zu entscheiden.

2. Der Süsswasserkalk.

Die fossilienführenden Schichten haben die grösste Mächtigkeit in der Mitte der Mulde, nach den Rändern verflachen sie sich. Diese Ränder liegen selbst höher als die höchsten Teile in der Mitte; der höchste Punkt des Nordflügels liegt schätzungsweise etwa 4—5 Meter höher, wogegen der Südflügel nach Laufer minder steil anzusteigen scheint.

Der Süsswasserkalk ist die unterste, sicher nachweisbare der sedimentären Schichten. Seine tiefsten Teile sollen thonreich und minder kalkreich sein als die mittlern. Man versicherte mir, dass in der tiefsten Lage viele Schnecken und Muscheln angetroffen wurden, besonders waren den Arbeitern Muscheln von Handlänge und darüber aufgefallen, die möglicherweise Anodonta cygnea gewesen sind.

Die mittlere Region ist nach Hunaeus und Laufer sehr kalkreich, feingeschichtet und graublau bis weiss gefärbt. Die Oberkante des Süsswasserkalkes fällt in der Mitte des Beckens ungefähr mit der obern Grenze des Abies-Horizontes zusammen, oder läuft wenige Decimeter unter dieser Grenze. Man wird daher auch die an den Randteilen unterhalb dieser Grenze vorkommenden Schichten als gleichalterig anzusehen haben und sie als metamorphosierten Süss-wasserkalk betrachten dürfen.

Daraus ergiebt sich, dass die Schichten e und d des Profiles I dem Süsswasserkalke zugerechnet werden müssen, und dass dessen

Oberkante in den Profilen III und IV weit höher hinauf liegt, als es nach dem Aussehen und dem jetzigen chemischen Verhalten des Schichtmaterials zu erwarten war.

Es unterliegt nämlich keinem Zweifel, dass die Schicht in der Nähe der Oberkante ihren ursprünglich überhaupt wohl geringern Kalkgehalt vielfach durch Auslaugung eingebüsst hat. Im nördlichen Muldenflügel, wo sich die Schicht bereits stark verjüngt, ist der Kalk vollständig verschwunden. In den Profilen III und IV geht die Auslaugung 0,85 und 0,75 Meter tief, während Laufer in der Mitte den Kalk bis an die leberartige Bank reichen sah, wenn man nicht diese selbst, was mir richtiger zu sein scheint, als ausgelaugte Region der untern Schicht betrachten will. Offenbar hängt die verschiedene Tiefe, bis zu der die Auslaugung vor sich gegangen ist, davon ab, dass die auslaugenden Gewässer nicht überall gleich stark einzudringen vermochten. Noch wahrscheinlicher ist der verschiedene Sandgehalt der Schicht es gewesen, der ein verschiedenes Verhalten ihrer Teile gegen diese Gewässer bedingte. Denn während der Kalk in der Mitte der Grube fast nur mit Thon und organischer Substanz gemengt ist und nach Laufer nur 1,84 % Sand aufweist, ist er an den Rändern sehr sandig und selbst von zahlreichen Grandbänken durchzogen, und gerade hier haben wir die stärkste Auslaugung festgestellt. Auch die verschieden grosse Einlagerung organischer Substanz muss auf die Verminderung des Kalkgehaltes von Einfluss gewesen sein und diese Einlagerung ist zweifellos an den Rändern viel stärker als in der Mitte. Gleichzeitig hat die organische Substanz auch die Bildung von Schwefelkies veranlasst, der stellenweise in dieser Region so bedeutend ist, dass die Substanz beim Glühen einen sehr starken Geruch nach Schwefeldioxyd wahrnehmen lässt*).

Der Süsswasserkalk ist reich an erkennbaren organischen Einschlüssen. So zählte ich in einer 200 ccm enthaltenden Probe 99 Samen und Früchte, ausserdem mehrere Holzstücke, Rhizombruchstücke und Blattreste, die zusammen zu 22 verschiedenen Arten gehörten.

Aus der tiefern kalkreichen Region dieser Schicht lag mir nur das von Herrn Struckmann erhaltene Handstück vor. Es war deutlich geschichtet, seine Farbe im trockenen Zustande weiss mit graugelbem Tone. Auf der einen Seite lag ein gut erhaltenes Stück des Rhizomes von Nuphar luteum Sm., auf der andern ein ziemlich gut erhaltenes Blatt von Alnus glutinosa Gaertn. Für die mikroskopische Untersuchung schabte ich eine hinreichende Menge des Stoffes von den Seiten des Stückes. Darin fanden sich die Pollenkörner von Pinus silvestris L. in Menge, noch zahlreicher die einer Birke, demnächst die der Erle, während die der Linde, Hasel, Eiche, Eibe und Fichte (Picea excelsa Lk.) nur spärlich

---

*) Die Proben aus den tiefern Lagen der schwefelkiesreichen Region enthielten noch namhafte Mengen von kohlensaurem Kalk, wenn man sie frisch untersuchte. Nach längerm Liegen an der Luft war dieser in schwefelsauren Kalk umgewandelt.

erschienen. In zwei mikroskopischen Präparaten zählte ich 145 Pollenkörner der Kiefer und nur 4 der Fichte*). Von der Tanne (Abies
pectinata DC.) konnte ich in einer grossen Zahl von Präparaten
keine Spur finden. Einmal sah ich eins der weiter unten näher
beschriebenen Stachelhaare, und einen der sternförmigen Idioblasten
einer Seerose, einige Male auch Pollen von Gramineen. Von einem
Farne (vermutlich Polystichum Thelypteris Rth.) begegneten
mir hin und wieder die Sporen, ebenso die eines Torfmooses
(Sphagnum sp.), von dem ich auch einmal einen Blattrest sah. Überraschend ist der Reichtum an Bacillariaceen (Diatomeen), den die
Probe enthält. Ganz besonders zahlreich sind die Individuen mehrerer
Cyclotella-Arten; ihnen zunächst kommen Arten der Gattungen
Cystopleura, Cymbella und Synedra. Es ist mir nur erst
möglich gewesen, einen kleinen Teil dieser Bacillariaceen zu be-
stimmen. Es sind:

    Navicula oblonga Kütz.
       ,,   Semen Kütz.
    Pleurosigma attenuatum (Kütz) W. Sm.
    Cymbella Ehrenbergii Kütz.
       ,,   cuspidata Kütz.
  ·   ,,   lanceolata Kütz.
    Cocconema Arcus Ehr.
    Gomphonema constrictum Ehr.
    Cymatopleura cf. elliptica (Bréb.) W. Sm.
       ,,   Solea (Bréb.) W. Sm.
    Synedra Ulna (Nitzsch) Ehr.
       ,,   ,,   var. obtusa (W. Sm.) v. H.
       ,,   capitata Ehr.
    Cystopleura turgida (Ehr.) O. K.
       ,,   ,,   var? zebrina (Ehr.) Rbh.
       ,,   gibba (Ehr.) O. K.
       ,,   Argus (Ehr.) O. K.
    Cyclotella operculata Kütz.
       ,,   Kützingiana Thw.

    Von tierischen Resten fanden sich ungemein reichlich die
Kieselnadeln von Spongilla lacustris.
    Die von mir in den Profilen 1, III und IV in situ studierten
Lagen des Süsswasserkalkes gehören sämtlich dem jüngern Teile

---

*) Für derartige Zählungen benutze ich einen Objektträger, auf den ein
rechteckiges Liniennetz geätzt ist. Die Linien sind in der Längsrichtung des
Objektträgers 2 mm, in der Querrichtung 1 mm weit von einander entfernt.
Die Grösse des Deckgläschens betrug bei den Messungen dieser Untersuchung
stets 21×26 mm. Für jede derartige Zählung wurde aus der betreffenden
Profilprobe eine Mischprobe besonders hergestellt und einige Stunden hindurch
bei gewöhnlicher Temperatur mit mässig starker Salpetersäure behandelt, um
sie aufzuhellen. Der wahrscheinliche Fehler der einzelnen Zählung desselben
Objektes, den ich wiederholt ermittelt habe, betrug 5—8 Prozent. Nur in
einem Falle, wo die kleinen Pollenkörner der Föhre in sehr geringer Menge
vorhanden waren, ergab sich für deren einzelne Auszählung ein wahrscheinlicher
Fehler von 12 Prozent.

an. Man könnte vielleicht überrascht sein, dass dies auch im Profil I
der Fall war, wo doch die Schicht von Grund auf vor mir lag.
Man muss jedoch. im Auge behalten, dass in einem abflusslosen
Becken, dass während einer gewissen Periode ein konstantes Wasser-
volumen enthält, durch die Ausfüllung des Beckens mit Sedimenten
der Wasserspiegel beständig höher gedrängt werden muss, so dass
am Rande die jüngern Absätze nicht auf den ältern sondern unmittelbar auf dem die Bildung unterlagernden und die Ufer bildenden
Materiale zu ruhen kommen.

Unter den Resten höherer Pflanzen wiegen im allgemeinen die
von Wasser- und Sumpfpflanzen vor, besonders von Seerosen, Laich-
und Nixkräutern, Seggen etc., und sie beweisen samt den gefundenen
Konchylien (und den genannten Diatomeen), dass die Ablagerung
in der That in süssem Wasser entstanden ist und zwar, wie sich
zugleich auch aus dem Erhaltungszustande der Reste ergiebt, in
einem stehenden Gewässer.

Zu diesen an Ort und Stelle gewachsenen Pflanzen gesellen
sich solche, die ehedem an den Ufern wuchsen und deren Reste
durch Wind und Regengüsse in das Wasser gerieten, insbesondere
die Reste von Bäumen und Sträuchern, stellenweise in recht beträchtlicher Menge.

Aber während die Sumpfgewächse durch die von mir untersuchten Lagen dieser Schicht gleichmässig verteilt sind, zeigen die
Holzgewächse ein abweichendes Verhalten.

Während nämlich in der Region, der die vorhin beschriebene
Probe entstammt, die Föhre als Waldbaum unzweifelhaft vorherrscht
und daneben eine Birke, fand sich in dem tiefsten Teile der von
mir untersuchten jüngern Region des Süsswasserkalkes überwiegend
die Fichte, daneben besonders die Eiche (Quercus cf. sessiliflora
Sm.), die Hainbuche (Carpinus Betulus L.) und die Erle (Alnus
glutinosa Gaertn.). Die holzreiche Lage am Grunde dieser Schicht
in Profil I bestand überwiegend aus Resten der Fichte, Eiche und
Erle. Die Birke muss dagegen um diese Zeit hier sehr spärlich
gewachsen sein, denn es fanden sich nur sehr selten Spuren von ihr.

Weiterhin zeigten sich in diesem Niveau der Hülsenbusch
(Ilex Aquifolium L.), die klein- und die breitblättrige Linde
samt ihrer Zwischenform (Tilia parvifolia Ehrh., T. platyphyllos
Scop.,T.intermedia DC.), der Spitzahorn (Acer Pseudoplatanus L.),
die Eibe (Taxus baccata L.) und einige andere Holzpflanzen.

Erst weiter nach oben gesellt sich dazu auch die Tanne
(Abies pectinata DC.) in dem nach ihr benannten Horizonte.

Noch weiter nach oben aber macht sich eine Verarmung der
Waldvegetation bemerklich. Den Hülsenbusch habe ich oberhalb
einer Grenze, die noch etwas unterhalb des Abies-Horizontes liegt,
nicht mehr gefunden. Die letzten Spuren der Linden fanden sich
ungefähr in der Mitte des Abies-Horizontes. Die Eibe und Eiche
liessen sich dagegen in stark verminderter Zahl bis an seine obere
Grenze und selbst darüber hinaus verfolgen, die Hainbuche nur bis
zu dem Niveau etwas unterhalb dieser Grenze.

Sehr beachtenswert ist das Verhalten der Fichte und der Föhre. In den tiefsten Lagen, die ich in den von mir studierten Profilen untersucht habe, war die Föhre nur durch ihre Blütenstaubkörner vertreten, und zwar verhielt sich ihre Zahl zu der Zahl der Fichtenpollen in zahlreichen Bestimmungen wie 1 : 100. Ganz allmählich vermehrt sich ihre Menge nach oben. Etwas oberhalb der Mitte des Abies-Horizontes stehen sich Föhren- und Fichtenpollen an Zahl gleich und an der Oberkante der Schicht überwiegen die Föhrenpollen deutlich die der Fichte; hier fand ich auch einzelne Samen und Rindenschuppen dieses Baumes.

Endlich sind noch die meist sehr winzigen Stücke und Splitter feuerverkohlten Koniferenholzes zu erwähnen, die in den tiefern von mir untersuchten Lagen nur spärlich auftreten, häufiger aber in dem Abies-Horizonte und besonders an seiner Oberkante.

a) Die Pflanzen des Süsswasserkalkes.

Die nachfolgende Liste enthält die in dieser Schicht gefundenen Pflanzen, soweit ich sie zu identifizieren vermochte. Ich füge auch die von F. Kurtz a. a. O. bestimmten Pflanzen ein, von denen leider nicht angegeben ist, aus welchem Niveau sie herrühren. Etwaige Vermutungen, die ich darüber hege, werde ich bei den einzelnen Pflanzen bemerken. In einigen Fällen hatte Herr Dr. Potonié in Berlin die Gefälligkeit, einige der Kurtzischen Bestimmungen zu revidieren.

Die eigenen Bestimmungen führte ich in der Weise aus, dass ich die fossilen Reste mit den entsprechenden Teilen jetzt lebender Pflanzen sorgfältig verglich, wobei ich durch die Verhältnisse gegenötigt war, mich wesentlich auf die mitteleuropäischen Arten zu beschränken. Als Vergleichsmaterial diente hauptsächlich meine eigene Sammlung. Für einige Fälle, wo diese nicht ausreichte, besonders für die Potamogeton- und Carex-Arten, stand mir die Sammlung des bremischen Museums in liberalster Weise, wie ich dankbar anerkenne, zur Verfügung*). Einige andere namentlich die in Europa lebenden Abies-Arten und aussereuropäische Taxus-Arten, betreffende Vergleichsobjekte verdanke ich durch die Freundlichkeit des Herrn Geheimrats Prof. Engler dem botanischen Museum in Berlin. Endlich hatte Herr Dr. Gunnar Andersson in Stockholm die Güte, mir sein Urteil über einen meiner Funde zu äussern, ebenso Herr Prof. Magnus in Berlin.

Eingehende und zahlreiche Untersuchungen diluvialer Lagerstätten werden dazu nötig sein, um zu erkennen, ob alle identifizierten fossilen Arten wirklich vollständig mit denen der Gegenwart übereinstimmen. Denn für die vollkommene Identifizierung müssten sämtliche Teile der betreffenden Pflanze vorliegen, was in Wahrheit nicht der Fall war. Doch haftet die sich daraus ergebende Un-

*) Es ist mir besonders ein Bedürfnis, Herrn C. Messer, an dieser Stelle meinen herzlichen Dank für die mannigfachen Unterstützungen auszusprechen, die er mir hat angedeihen lassen.

sicherheit allen paläontologischen Bestimmungen in mehr oder minder hohem Masse an. Man kann sagen, dass sie bei den quartären Organismen das allergeringste Mass hat, derart, dass man höchstens an abweichende Formen oder Varietäten, nicht aber an ganz verschiedene Arten zu denken hat. Wo mir selber über dieses allgemeine Bedenken hinausgehende Zweifel begegnet sind, habe ich ihnen im folgenden Ausdruck gegeben.

Thalictrum flavum L. 2 Früchte, die eine an der Oberkante des Abies-Horizontes, die andere in der Ilex-Region.

Ranunculus Lingua L. 1 Fruchthälfte, an der untern Grenze des Abies-Horizontes.

Nuphar luteum Sm. Samen, Blattreste, Rhizomreste, sternförmige Idioblasten aus dem lakunösen Stengelparenchym. In allen Lagen sehr häufig.

Nymphaea alba L. Samen, ziemlich häufig, in den verschiedensten Lagen.

Nymphaea alba f. microsperma ? auffallend kleine Samen, nicht häufig, in den verschiedensten Lagen. — Es ist möglich, dass diese auffallend kleinen Samen einer abweichenden Form der weissen Seerose angehören, da ich sie an einigen diluvialen Fundstätten ausschliesslich gesehen habe. Bei Honerdingen liegt allerdings kein zwingender Grund zu einer solchen Annahme vor, da sie neben den gewöhnlichen Samen erscheinen, und da man in jeder Kapsel von Nymphaea alba neben den normalen Samen stets einige so kleine findet.

Tilia platyphyllos Scop. Kapseln mehrfach, unterhalb des Abies-Horizontes.

„ parvifolia Ehrh. Kapseln, minder zahlreich als die vorige. Ebenda.

„ intermedia DC. Einige wenige Kapseln, ebenda.

„ sp. Pollen mit den vorigen zusammen. Bis etwa zur Mitte des Abies-Horizontes, darüber hinaus gänzlich fehlend. Auch in dem Struckmannschen Stücke bemerkt.

Acer platanoides L. Früchte, meist mit stark beschädigtem Flügel, der aber in einigen Fällen die Identificierung zu sichern gestattete. Auch von F. Kurtz festgestellt. In der Region der Linden.

„ sp. Einige Samen, ebenda.

Frangula Alnus Mill. Samen, mehrfach in der Region der Linden.

Rubus Idaeus L. Einige Kerne in verschiedenen Niveauen.

Rubi sp. variae. Steinkerne in verschiedenen Niveauen. Herr Dr. Focke hat es übernommen, eine Identifizierung der Arten zu versuchen.

Cornus sanguinea L. Ein Steinkern. In der Region des Hülsenbusches.

Ilex Aquifolium L. Einige Steinkerne und ziemlich häufig Reste der Blätter, in der tiefsten Lage von Profil I.

Fraxinus excelsior L. Von F. Kurtz bestimmt. Aus seiner Mitteilung ist nicht ersichtlich, ob sich die Bestimmung bei Honerdingen auf den Fund eines Blattrestes oder einer Frucht gründet. Herr Dr. Potonié hatte die Güte, auf meine Bitte die Sammlung der geologischen Landesanstalt durchzusehen und mir zu schreiben, dass sich da finden „drei zusammenhangende Blättchen der Blattspitze von Fraxinus excelsior von Honerdingen, ein Rest, der richtig bestimmt sein dürfte."

Menyanthes trifoliata L. Zwei Samen, im Abies-Horizonte.

Boraginee? Grosse einzellige Stachelhaare, mit dicker Wandung, oft noch in Verbindung mit Epidermisfetzen, mit ihrer Basis in eine kleine sich über die Epidermis erhebende, aus grossen gestreckten Zellen gebildete Wucherung eingesenkt, bald einzeln, bald zu zweien neben einander stehend, gehören vielleicht einer Pflanze dieser Familie an. Sie finden sich in allen Lagen dieser Schicht überaus häufig.

Ceratophyllum submersum L. Einige Früchte in der Region der Linden.

„   demersum L. Einige Früchte, ebendaher. F. Kurtz beobachtete Blattzweige, „die der Form C. platyacanthum am nächsten stehen." Die von mir gefundenen Früchte gehören dieser Form nicht an.

Platanus sp. F. Kurtz giebt an: „Zwei Blattstücke, die sehr gut mit Platanus orientalis L. übereinstimmen." Von mir nicht gefunden*). Eine Revision der Bestimmung, um die ich Herrn Dr. Potonié bat, war leider nicht möglich, da sich die Objekte in der Sammlung der geologischen Landesanstalt zu Berlin nicht gefunden haben. Die Pflanze kann meines Erachtens nur in der Ilex-Region vorgekommen sein.

Juglans (regia L.?) Ein Blättchen nach F. Kurtz von J. regia L. Von mir nicht gefunden. Nach Herrn Potoniés brieflicher Mitteilung findet sich in der Sammlung der geologischen Landesanstalt zu Berlin ein Blättchen von Honerdingen, das unverkennbare Ähnlichkeit mit einer Juglandeenfieder ·hat, und dessen Grösse, Gestalt und Nervatur zwar für J. regia L. spricht, aber ein wenig deutlicher als bei dieser gezähnelt ist. Herr Potonié hält daher die Identificierung mit J. regia nicht für sicher. — Doch scheint mir immerhin eine dieser Art sehr nahestehende Form vorzuliegen. Auch sie kann nur in der Ilex-Region vorgekommen sein.

Fagus silvatica L. — F. Kurtz: „Ein gut erhaltenes Blatt mit etwas welligem Rande." Von mir nicht gefunden. Wahrscheinlich aus der Ilex-Region.

---

*) Der starke Sand- und Grandgehalt, der von mir ausführlich untersuchten Regionen des Süsswasserkalkes ist der Erhaltung von Blättern anscheinend nicht günstig gewesen. Stark zersetzte, flach ausgebreitete, aber nicht bestimmbare Reste von solchen sind mir mehrfach begegnet.

Quercus Robur var. sessiliflora (Sm.) A. u. C. — F. Kurtz sagt
darüber: „Blätter und eine vielleicht hier hergehörige Eichel
ohne Napf. Sehr zahlreiche Reste." Ich selbst fand zwar
mehrfach Blattreste der Eiche, die aber nicht so gut erhalten waren, um zu entscheiden, ob Q. pedunculata Ehrh.
oder Q. sessiliflora Sm. vorlag. Ich habe indes keinen
Grund, die Richtigkeit der Bestimmung von F. Kurtz zu
bezweifeln.

Quercus sp. Holzreste, Pollen, Knospenschuppen, sehr zahlreich.
Vermutlich der vorigen Art angehörig. Am zahlreichsten
in der Ilex-Region, nach oben abnehmend.

Corylus Avellana L. — F. Kurtz: „Blätter (sehr gross) und
Nüsse." Ich selbst fand mehrere ziemlich lange und grosse
Nüsse, Pollen und Zweigreste in der Region der Linden.
Darüber hinaus habe ich sie nicht bemerkt. Eine der Nüsse
ist von einem Eichhörnchen oder einer Haselmaus ausgenagt.
— Bereits von Steinvorth und von Hunaeus beobachtet.

Carpinus Betulus L. Nüsse und Pollen in dem Lindenniveau in
sehr grosser Menge. In dem Struckmannschen Stücke
aber nicht bemerkt. Verschwindet dicht unter der obern
Grenze des Abies-Horizontes. — Diese Art wird von Laufer
erwähnt, ist aber in der Liste von F. Kurtz nicht enthalten.

Betula pubescens Ehrh. Eine Fruchtschuppe in der Nähe der
Oberkante des Abies-Horizontes.

„ sp. Pollen, nicht häufig. Holz spärlich in der Nähe der
Oberkante.

Alnus glutinosa Gaertn. F. Kurtz haben „sehr gut erhaltene
typische Blätter und Zapfen" vorgelegen. Ich selbst fand
die Borke, das Holz, die Fruchtzapfen, Zapfenspindeln, Nüsse
und Pollen häufig. In dem Struckmann'schen Stücke lag
mir ein ziemlich gut erhaltenes Blatt. vor. Die Art erscheint am zahlreichsten in dem Lindenniveau, darüber
hinaus ist sie spärlicher zu finden.

Salix sp. Einmal ein Stück Holz, das von gut erhaltenen ge-
gliederten Mycelfäden eines Pilzes durchzogen war, in der
Nähe der Oberkante des Abies-Horizontes gefunden.

Populus tremula L. F. Kurtz: „Nicht sehr gut erhaltene Blätter
und Blattreste." Mir selbst sind nur einige Pollenkörner
begegnet, die vielleicht dieser Art zuzurechnen sind.

Potamogeton natans L. Steinkerne, nicht häufig.

„ cf. polygonifolia Pourr. Steinkerne, mehrfach.

„ rufescens Schrad. Wohlerhaltene Früchtchen und
Steinkerne, in manchen Lagen ziemlich reichlich.

, cf. colorata Hornem. Wenige Steinkerne.

„ graminea L. Einige Male gut identifizierbare
Steinkerne.

„ perfoliata L. Steinkerne, seltener noch mit der
äussern Fruchtwand versehen, sehr häufig.

„ pusilla L. Mehrere Kerne und Früchtchen.

Potamogeton rutila Wolfg. Kerne stellenweise in ziemlicher Menge.

„ cf. trichoides Cham. et Schldl. Kerne, spärlich.

„ sp. Kerne, die sich nur sehr spärlich oder vereinzelt fanden und anscheinend drei andern, nicht mit den vorgenannten übereinstimmenden Arten angehören.

Najas major All. Sehr grosse Samen, überaus häufig in der Lindenregion, darüber hinaus spärlicher.

„ flexilis Rostk. et Schm. Samen, überaus häufig und oft in grosser Menge, in allen Lagen der Schicht. Herr Prof. Magnus in Berlin, dem ich einige Samen übersandte, hatte die Güte mir zu bestätigen, dass diese und nicht etwa eine andere nahestehende Art vorliegt.

Typha sp. Vorzüglich erhaltene Pollentetraden, sehr spärlich.

Sparganium minimum Fr. Drei Steinkerne, an verschiedenen Stellen der Linden-Region.

„ sp. Zwei Steinkerne, anscheinend, wie auch Herr Dr. Andersson glaubt, dieser Gattung angehörig, mit keiner der jetzt lebenden europäischen Arten übereinstimmend. Kleiner als die von S. ramosum. In der Ilex-Region.

Scirpus lacustris L. Nüsschen, mehrfach, aber nicht zahlreich.

Carex sp. Kleine, linsenförmige Nüsse, etwas kleiner als bei Carex acuta L., einige Male noch mit Resten des Balges.

„ cf. acutiformis Ehrh. Die mehrfach gefundenen Früchte stimmen in der Gestalt und Grösse sehr gut mit C. acutiformis Ehrh. überein, doch sind die Stachelzähne am Grunde des Schnabels und am Rande des Balges viel kürzer als bei meinem recenten Vergleichsmateriale und scheinen manchmal zu fehlen. Ferner ist das dreikantige Nüsschen etwas schlanker als das der verglichenen recenten Früchte und erinnert mehr an Carex rostrata With.

Carex sp. altera. Dreikantige Nüsse, die entweder zu der vorigen oder zu C. rostrata With. gehören. Manchmal sehr zahlreich.

Phragmites communis Trin. Hin und wieder Stücke der Rhizome in verschiedenen Niveauen. Nicht zahlreich. F. Kurtz giebt an: „Sehr gut erhaltene Blattstücke, die durch die Gruppierung ihrer Nerven — je drei dünnere werden in zwei dickere eingeschlossen — von den Blättern von Typha sich unterscheiden." Dieses Merkmal trifft aber auch für die Blätter von Phalaris arundinacea L. zu, abgesehen von andern Gräsern, die hier nicht in Betracht kommen dürften. Es ist daher nicht sicher, welche Pflanze Kurtz eigentlich vorgelegen hat.

Taxus baccata L. Samen häufig, Holz einige Male, Pollen sehr zahlreich. Besonders in der Region der Linden, nach oben sich stark verringernd. In der Struckmannschen Probe einige Pollen bemerkt.

Taxus sp.? Ein Same, dessen oberer Teil sich mehr keilförmig zuschärft als bei T. baccata und auf dem Rande zu beiden

Seiten der mikopylaren Spitze je einen sehr kleinen Höcker
trägt, wodurch er an T. tardiva Laws. erinnert. Ich lasse
es dahingestellt, ob ein abnormer Same von T. baccata vorliegt, oder ein Same einer andern diluvialen Art. Von
Wettstein*) hat aus der diluvialen Breccie von Höttingen
eine neue Art beschrieben (T. Höttingensis v. W.);
doch gründet sich diese auf Eigentümlichkeiten des Laubes,
von dem ich bei Honerdingen nichts gefunden habe, so dass
eine Vergleichung mit der höttingischen Art, die übrigens
nicht mit T. tardiva Laws. übereinstimmt, unmöglich ist.
Juniperus communis L. Ein fingerdickes Stammstück, an der
Unterkante von Profil I gefunden. Pollen scheinen in allen
Lagen (auch der andern Profile) häufiger vorzukommen.
Pinus silvestris L. Pollen in allen Lagen, am sparsamsten in
der Ilex-Region, nach oben zunehmend. Zahlreich in dem
Struckmannschen Stücke. Samen, Peridermschuppen an

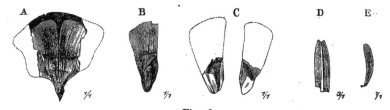

Fig. 2.

Abies pectinata DC. von Honerdingen. A eine Schuppe aus dem
obern Teile eines Zapfens. B ein Same mit anhaftendem Flügel, von der
Rückenseite gesehen. C zwei Samen, von dem untern Teile des Flügels
umschlossen, während dessen oberer Teil zerstört ist. Beide von der Bauchseite gesehen. D eine vergrösserte Nadelspitze, von der Unterseite gesehen.
E eine kleine, gebogene Nadel.

der Oberkante des Abies-Horizontes. — Ob die von F. Kurtz
erwähnten Zapfen aus dieser Schicht oder einer der nächst
höhern stammen, ist ungewiss. — Holz in dieser Schicht
nicht gefunden.
Abies pectinata DC. Wenige Nadeln, ziemlich zahlreich grosse
Samen mit oft schön erhaltenem Fügel, vereinzelt Frucht-
zapfenschuppen, sehr zahlreich Pollen, wenig Holzreste
(Fig. 2). Das Material reichte aus, um ganz sicher festzustellen, dass nur diese Art vorliegt (nicht etwa z. B.
A. sibirica Ledeb. oder A. cephalonica (Endl.) Loud.,
um nur einige der verglichenen Arten zu nennen). Die
Pflanze findet sich nur in dem darnach benannten Horizonte
des Süsswasserkalkes.
Picea excelsa Lk. Nadeln, Samenflügel, Samen, Pollen, Holz
und Rindenteile. In den Lagen unterhalb des Abies-
Horizontes, besonders in der Ilex-Region, in sehr grosser

*) Die fossile Flora der Höttinger Breccie. Sonder-Abdruck aus dem
LIX. Bde. d. Denkschr. d. mathem.-naturw. Cl. d. Kaiserl. Akad. d. Wissensch.
Wien 1892. Seite 29.

Menge. Nach der Oberkante der Schicht hin die Zahl der Pollen stark abnehmend, ebenso auch nach unten, wie das Struckmannsche Stück zeigt. — Die Nadeln entsprechen vollkommen der gewöhnlichen, in Mitteleuropa einheimischen Form. Dagegen sind die Samen und die. Samenflügel kleiner und die letztgenannten verhältnismässig breiter als bei unserer jetzigen Art.

Equisetum palustre L. F. Kurtz: „Stücke der Hauptachsen, an denen die Knoten, von denen die Zweige ausgehen, noch vollkommen sichtbar sind." Von mir nicht gefunden. Niveau unbekannt.

Polystichum cf. Thelypteris Rth. Sporen und Sporangien mehrfach in allen Lagen der Schicht.

    „   sp.? Riesige Sporen, deren Zugehörigkeit ich noch nicht ermittelt habe, sind mir einige Male in verschiedenen Niveauen begegnet. Die Gestalt und die Beschaffenheit des Epispors scheinen auf die genannte Gattung zu deuten.

Hypnum cf. reptile P. d. B. oder pallescens Michx. Ein kleiner, grösstenteils entblätterter Spross, ohne Paraphyllien — Blätter länglich lanzettlich, ihre Spitze nicht erhalten, ungerippt, am ganzen Rande fein gezähnelt, mit kleinen Flügelzellen — gehört wahrscheinlich einer dieser Arten an.

    „   sp. Unbestimmbare Blattreste, in allen Lagen sehr zerstreut.

Cenococcum cf. geophilum Fr. Schwarze, hohle Körner, von kugeliger oder unregelmässig kugeliger Gestalt und wechselnder Grösse. In der Lindenregion mehrfach gefunden.

Hieran reihen sich die bereits aufgezählten Bacillariaceen, deren Menge sich in den obern Lagen aber sehr stark verringert.

b) Die Tiere des Süsswasserkalks.

Von tierischen Resten sind mir selbst in dem Süsswasserkalke nur mehrere Konchylien, einige schlecht erhaltene Fischschuppen und die Schlundzähne eines Cyprinoiden begegnet. In grosser Menge sah ich überall bei der mikroskopischen Durchsicht die Kieselnadeln eines Süsswasserschwammes, und eine ausgenagte Haselnuss verriet die Gegenwart eines Eichhörnchens oder einer Haselmaus. Die Identifizierung der Konchylien verdanke ich der Freundlichkeit des Herrn Borcherding in Vegesack. Mehrere Reste von Käfern aus dieser Schicht (wie aus den folgenden) sind noch nicht bestimmt. C. Struckmann erwähnt in seiner Arbeit über die quartären Säugetiere der Provinz Hannover einige Funde, die von Honerdingen stammen. Derselbe hatte die Gefälligkeit, mir eine Liste der übrigen in seiner Sammlung befindlichen Tierreste von dieser Fundstätte mitzuteilen.

Eine Sammlung von Säugetierknochen aus Honerdingen, die in dem naturhistorischen Museum zu Lüneburg aufbewahrt wird, hat mir dessen Vorsteher Herr M. Stümke mit anerkennenswerter Bereitwilligkeit übersandt. Einige Stücke davon waren bereits durch H. Steinvorth bestimmt. Herr Professor A. Nehring in Berlin hat sich der Mühe unterzogen, diese Bestimmungen zu revidieren und zu vervollständigen*).

Indem ich den genannten Herren meinen Dank für ihre bereitwillige Hilfe ausspreche, lasse ich hier die Funde in systematischer Reihe folgen, indem ich jeder Bestimmung deren Autor beifüge. Die Aufbewahrungsorte der von Hunaeus und von Laufer erwähnten Funde sind mir unbekannt.

Spongilla lacustris Lbk. (Weber), Spiculae, sehr zahlreich. Andere Spongillen sind mir nicht begegnet.

Succinea Pfeifferi Rossm. (Borcherding), ein beschädigtes Gehäuse.

Carychium minimum Müll. (Borcherding), ein gut erhaltenes Gehäuse.

Limnaea sp. (Borcherding), Bruchstücke von Gehäusen.

Paludina sp. ? (Borcherding), desgl.

Bithynia (tentaculata L. ?) (Borcherding), Gehäusetrümmer und zahlreiche Opercula.

   „   tentaculata L. (Struckmann), Gehäuse.

Valvata piscinalis Müll. (Laufer, Struckmann), Gehäuse, sehr häufig.

   „   antiqua Sow. ? (Borcherding), beschädigte Gehäuse, mehrfach.

   „   depressa Pfeiff. (Borcherding), Gehäuse, mehrfach.

   „   „   var. minima Müll. (Borcherding), 18 Gehäuse.

   „   cristata Müll. (Struckmann), sehr häufig; (Borcherding), ein Gehäuse.

Anodonta cygnea L. ? (Weber), Schalen, in den tiefsten Lagen vermutet.

Cyclas cornea Lam. (Struckmann), Schalen sehr häufig.

Perca fluviatilis L. (Laufer), Schuppen.

Cyprinus Carpio L. (Laufer), Schuppen.

Abramis Brama Flem. (Laufer), ein Skelett ohne Kopf.

Esox lucius L. (Struckmann), Zähne und Skeletteile.

cf. Emys lutraria Bp. (Hunaeus), Schilder.

cf. Sciurus sp. oder Myoxus sp. (Weber), durch eine ausgenagte Haselnuss aus der Ilex-Region nachgewiesen.

---

*) Wie notwendig eine kritische Sichtung dieser Sammlung von sachverständiger Seite war, beweist der Umstand, dass sich darunter ein Schädelteil vom Hausrinde vorfand, der offenbar aus einem recenten Torfmoore (vielleicht aus der angrenzenden Böhmeniederung) stammt, und ferner ein recentes Fuchsbecken, das vielleicht an der Tagesoberfläche gelegen hatte und beim Abbau in die Grube gerollt war. — Dasselbe ist möglicherweise auch der Fall mit einer metallenen Lanzenspitze, die laut Etikette sogar neben den Biberknochen gefunden sein soll, wenn nicht gar deren Erwerber durch den Finder betrogen ist. — Die übrigen Knochen beweisen durch die aussen und bei beschädigten auch innen noch in geringer Menge anhaftende Erdart, dass sie mit Ausnahme des Stirnzapfens vom Urstiere, der vielleicht in der sandigen Randregion lag, aus dem zentralen Teile des Kalklagers stammen. Die Einbettung in dem thonhaltigen Süsswasserkalke erklärt auch den merkwürdig guten und festen Erhaltungszustand der meisten dieser Knochen.

Castor fiber L. „2 Unterkiefer, 1 Oberkiefer, einzelne Zähne und Schädelfragmente." (Nehring.) Bereits von Steinvorth erwähnt. Lüneburger Museum.

Cervus elaphus L. „Vertreten durch 2 Geweihreste und durch 1 Stirnbein mit Rosenstock." (Nehring.) Bereits von Steinvort erwähnt. Lüneburger Museum.

    „   Capreolus L. „Vertreten durch 2 Unterkiefer, eine Wirbelsäule (fast vollständig), 1 Schulterblatt, 2 Oberarme, 1 Unterarm, 2 Beckenfragmente, 2 Oberschenkel, 2 Metacarpi, 2 Metatarsi; alles von einem starken Bock!" (Nehring.) Das Vorkommen dieser Art schon von Steinvorth erwähnt. Lüneburger Museum. — Nach Struckmann (a. a. O. Seite 22) werden mehrere Reste vom Reh, die aus dem diluvialen Süsswasserkalke von Honerdingen stammen, im geologischen Museum zu Göttingen aufbewahrt.

Megaceros sp. „Vertreten durch 2 Brust- und einen Lendenwirbel, eine Beckenhälfte, 2 zusammengehörige, lädierte Unterarmknochen (Radius und Ulna), 1 Tibia (unteres Ende), 1 Phalanx II. Sehr starkes Exemplar." (Nehring). Lüneburger Museum.

Bos primigenius Boj. „♂. Starker Hornzapfen mit angrenzenden Teilen der Stirn." (Nehring.) Auch von Steinvorth bereits genannt. Lüneburger Museum.

Bison priscus Boj. Nach einer gefälligen brieflichen Mitteilung des Herrn Direktor Reimers befinden sich in dem Provinzialmuseum zu Hannover aus Honerdingen verschiedene Skelettreste dieser Art, darunter Extremitätenknochen und besonders das Hinterhaupt samt den Hornzapfen eines sehr grossen Exemplars. Ob sie im Süsswasserkalke oder in den darüber lagernden torfigen Schichten gefunden sind, ist unentschieden.

Ich ermangele nicht hervorzuheben, dass alle diese Funde, zumal die der Säugetierreste nur von gelegentlichen Besuchern erworben sind. Sie stellen gewiss nur einen kleinen Teil der vorhandenen Tierwelt dar. Ehemalige Mergelarbeiter versicherten mir, dass sie in dem Süsswasserkalk häufig Knochen gefunden, sie aber achtlos fortgeworfen hätten, wenn nicht zufällig jemand dagewesen wäre, der sich dafür interessiert hätte.

3. Der Lebertorf.

Über das chemische und physikalische Verhalten des Materiales der Schicht, die über dem Süsswasserkalke folgt, ist das Wesentliche bereits bei Profil II gesagt worden. Der Lebertorf findet sich nach den Angaben der Besitzer und Arbeiter nur in dem mittlern Teile des Beckens. Die grösste Mächtigkeit der Schicht, die er bildet, ist mit 0,6 m wohl eher etwas zu gross als zu gering angegeben*). Sie keilt sich frühzeitig aus, so dass die Aufschlüsse an den Rändern

---

*) Wenn man nämlich die leberartige Schicht abrechnet.

sie nicht mehr getroffen haben. Doch ist im Profil III und IV - der 0,35—0,50 m mächtige Abschnitt zwischen dem Horizonte [der Abies pectinata und der Mooslage als gleichen Alters mit dem Lebertorfe anzusehen. In Profil I fehlt auch eine derartige Zwischenlage.

Der eigentliche, von der Halde gesammelte Lebertorf ist ein sehr homogener Stoff. Mit blossem Auge erkennbare Reste wurden auch in frischgespaltenen, grossen Stücken nicht angetroffen, obwohl ich deren eine grosse Zahl untersucht habe. Unter dem Mikroskope zeigte sich, dass dieser Torf aus so stark zerkleinerten und so gleichmässig durcheinander gemischten Pflanzenteilen besteht, dass über seine komprogene Herkunft kein Zweifel obwalten kann. Die gefundenen Reste sind:

Nuphar luteum Sm. Pollenkörner und die sternförmigen Idioblasten aus den Stengellakunen, ziemlich häufig.

Betula sp. Pollenkörner, ziemlich häufig.

Typha sp. Pollenkörner, mehrfach.

Pinus silvestris L. Pollen, sehr zahlreich; in vier Präparaten aus einer Mischprobe zählte ich 620 Stück.

Picea excelsa Lk. Pollen, spärlich; in denselben Präparaten, worin die Pinus-Pollen gezählt wurden, traf ich 26 Stück.

Hypnum sp. Blattreste, mehrfach.

Sphagnum sp. Blattreste und Sporen, besonders die Sporen sehr zahlreich.

Boraginee? Stachelhaare, häufig. Dieselben wie im Süsswasserkalk..

Algensporenhüllen von elliptischer Gestalt, 0,13 mm lang, mehrfach, aber nicht allzu häufig.

(Spongilla lacustris Lbk. zahlreiche Kieselnadeln.)

In der mit dem Lebertorfe gleich alten Region der Profile III und IV fand ich:

Nuphar luteum Sm. Zahlreiche Samen, Rhizomteile, sternförmige Idioblasten und Blattfragmente.

Nymphaea alba L. 1 Samen.

Menyanthes trifoliata L. 1 Samen.

Betula cf. alba. zahlreiche Holzbrocken.

Quercus sp. ein Zweigstück.

Carex cf. acutiformis Ehrh. Zahlreiche Früchte zum Teil mit den Bälgen und zahlreiche Radicellen mit papillöser Epidermis, die dieser Art eigentümlich sind. Vergl. S. 443.

Potamogeton natans L. Früchtchen und Steinkerne ziemlich zahlreich.

    „   rufescens Schrad. Ebenso, aber nur wenig.

    „   cf. praelonga Wulf. 1 Steinkern.

          perfoliata L. Steinkerne, zahlreich.

    „   cf. compressa L. Früchtchen und Steinkerne mehrfach.

    „   cf. marina L. 1 Steinkern.

Najas flexilis Rostk. et Schm. Wenige Samen.

Pinus silvestris L. Sehr zahlreiche Pollen, 3 Samen, ein Stück eines dünnen Zweiges.

Taxus baccata L. ? Vereinzelte Pollenkörner an der untern Grenze
dieser Region.
Kleine Splitter und Brocken feuerverkohlten Koniferenholzes.
Hypnum cf. fluitans Hedw. Blattfragmente in ziemlicher Menge.
„ cf. stramineum Dicks. desgl.
(Spongilla lacustris Lbk. Sehr zahlreiche Kieselnadeln).
Ausserdem fanden sich eine Käferdecke und mehrere unbestimmte
Pflanzenreste. In fünf Präparaten zählte ich auf 117 Föhrenpollen
5 der Fichte, ein Verhältnis, das mit dem in dem Lebertorf
gefundenen gut übereinstimmt. Die absoluten Werte sind allerdings
nicht mit einander vergleichbar, weil die Präparate wegen des Sand-
gehaltes der Randregion nicht ebensoviel organische Substanz wie
die aus dem eigentlichen Lebertorfe enthielten.

4. Die Moostorfbank.

Die Moostorfbank folgt nach dem Berichte Laufers, womit die
am Orte eingezogenen Erkundigungen übereinstimmen, in der Mitte
des Lagers unmittelbar über dem Lebertorf, eine Erscheinung, die
an Fahrenkrug*) erinnert, wo ebenfalls über der leberartigen
Schicht unmittelbar eine schwache Hypnumlage folgte. Diese ist
höchstens 1 cm stark.

Nach Früh, der die von Laufer gesammelten Proben aus dieser
Bank untersucht hat**), lässt sie eine mittlere braune Lage erkennen,
die oben und unten von dunklen Lagen eingeschlossen wird. Die
mittlere Lage werde von fast reinem Sphagnumtorf gebildet, der mit
Resten von Cyperaceen und Gramineen, Pollen einer Konifere und
Amentacee gemengt sei. Die Grenzlagen aber bestehen nach Früh's
Angabe überwiegend aus Hypneen, unter denen Hypnum trifarium
Web. et M. vorzuherrschen scheine. Ferner seien darin „Blattreste von
Cyperaceen oder Gramineen, einige Reste von Sphagnum, Pollenkörner
einer Konifere, vielleicht auch Myrica Gale" enthalten. C. Müller
in Halle glaubte dagegen, dass nicht Hypnum trifarium sondern
H. aduncum Schimp. vorliege. Ich vermute, dass beiden Forschern
nicht dasselbe Moos vorgelegen hat, beide aber richtig bestimmt
haben, weil ich selber, noch bevor ich die Arbeiten Laufers kennen
gelernt hatte, die erste Pflanze mit einem cf., die zweite als sicher
erkannt hatte.

Ich selbst traf die Bank in Profil III gut entwickelt, aber mit
ziemlich schlecht erhaltenen Moosen an. Im Profil IV ist sie durch
eine Region der Schicht c angedeutet, wo sich zahllose macerierte
Moosreste fanden. Ähnlich ist es der Fall in Profil I, wo unmittelbar
über dem Abies-Horizonte eine geringmächtige, moosreiche Lage
folgt, die nach oben und unten nicht scharf abgegrenzt ist.

Material, das dieser Bank und der Mitte des Lagers entstammt,
fand ich in reicher Fülle auf den alten Köhlenhalden, freilich wegen

*) Über die diluviale Flora von Fahrenkrug in Holstein. Beiblatt zu
Englers Botan. Jahrbüchern Bd. XVIII. Heft 1.
**) Mitgeteilt von Laufer im Jahrb. d. Geol. Landesanst. f. 1883, S. 324.

der langjährigen Einwirkung der Atmosphärilien mehr oder minder verwittert. Ferner lagen mir aus derselben Region einige Stücke in bester Erhaltung vor, die Struckmann gesammelt hatte. Die Farbe dieses Materials ist blassbraun bis dunkelbraun, in den verwitterten Stücken etwas heller. Es besteht aus zahlreichen, rungemein stark gepressten, papierdünnen Lagen, die sich bei frischem Materiale wie Häute abziehen lassen. Sand war in den Proben aus der Lagermitte nicht enthalten. Die von Früh beobachteten Lagen habe ich an den Stücken, die mir vorlagen, nicht wahrgenommen, vielleicht weil sie unvollständig waren. Das Material aus der Mitte des Lagers besteht vorwaltend aus Hypnum-Arten, wozu sich oft in überwiegender Menge Sphagna aus der Cuspidatum-Reihe gesellen. Zusammen mit den Moosen zeigte sich hier eine sehr charakteristische Vegetation. Ich fand nämlich

Hypnum aduncum Schimp. meist überwiegend.
„ cf. trifarium Web. et M. Einzelne Blätter.
Eurhynchium sp. Einzelne Blätter.
Sphagnum cuspidatum cf. recurvum Palis. Hin und wieder überwiegend.
Sphagnum cuspidatum cf. laxifolium C. Müll. weniger zahlreich.
„ cymbifolium Ehrh. Hin und wieder zahlreich. Gemeint ist cymbifolium in dem ältern, weitern Sinne. Ob nicht vielleicht S. medium Limpr. vorliegt, habe ich nicht untersucht.
Polytrichum juniperinum Willd. Ganze wohlerhaltene Stämmchen, zuweilen sehr zahlreich. Man hätte vielleicht eher P. strictum Menz. erwartet. Allein der Mangel des Wurzelfilzes, der sich trefflich zu erhalten pflegt, spricht für P. juniperinum.
Gymnocybe palustris Fr. Stämmchenteile und Blätter, ziemlich selten.
Sphagnoecetis cf. communis N. ab E. In den sphagnumreichen Stücken durch zahlreiche Blattreste vertreten.
Carex rostrata With. Zahlreiche, zuweilen sehr gut erhaltene Bälge, die eine sichere Identifizierung erlaubten, und balglose Nüsse.
Eriophorum sp. Epidermisreste (vermutlich E. vaginatum L.)
Typha sp. Vereinzelte Pollentetraden.
Betula cf. pubescens Ehrh. Pollen in sehr grosser Menge und dünne Wurzeln.
Empetrum nigrum L. Pollen, nicht selten.
Pinus silvestris L. Pollen, ziemlich zahlreich.
Picea excelsa Lk. Pollen, sehr spärlich. — Das Zahlenverhältnis der Föhren- zu den Fichtenpollen fand ich in mehreren Zählungen wie 100 : 4.

In Profil III stellte ich in der Moostorfbank, die hier viel glimmerhaltigen Sand führt, nur Hypnumarten fest, nämlich überwiegend H. falcatum Brid. mit reichlicher Beimengung von H. stramineum Dicks. Die Seggenfrüchte, die ich hier häufig antraf, gehören zu der bereits im Süsswasserkalk bemerkten Carex cf. acutiformis Ehrh. Weiterhin fand ich ein dünnes Zweigstück der Föhre und ein Stück einer Fichtenwurzel.

In Profil IV herrscht in der moosreichen Lage Hypnum giganteum Schimp. vor, woneben sich Polytrichum juniperinum Willd. zeigte, etwas höher hinauf auch Hypnum capillifolium Warnst. und Gymnocybe palustris Fr., ausserdem die nicht sichere Spur der Espe (Populus tremula L.) in Gestalt ziemlich zahlreicher Pollenkörner.

In Profil I waren in der moosreichen Bank neben Hypnum aduncum Schimp. und H. cf. giganteum Schimp. (der schlechte Erhaltungszustand macht die Identifizierung etwas unsicher) wieder Sphagnum-Arten hervorragend vertreten, namentlich Sphagnum cuspidatum cf. obtusum*), dazwischen die Bälge, Nüsse, Wurzeln und Rhizomreste von Carex cf. acutiformis Ehrh.

An den beiden letzterwähnten Stellen traten neben den Moosen aber auch Wasserpflanzen in namhafter Zahl hervor, namentlich Potamogetonarten. In Profil III fand ich nur einen einzigen Steinkern von Potamogeton perfoliata L., dagegen zeigten sich im Profil I und IV Spuren folgender Pflanzen:
Nupbar luteum Sm. Pollen und Reste der Rhizome.
Hippuris vulgaris L. 1 Früchtchen.
Potamogeton cf. polygonifolia Pourr. 10 Steinkerne.
        „   cf. graminea L. 2 Steinkerne.
             rufescens Schrad. 7 Früchtchen und Steinkerne.
             perfoliata L. 17 Steinkerne.
        „   cf. crispa L. 1 Früchtchen.
        „   cf. pusilla L. 7 Steinkerne.
        „   cf. trichoides Cham. et Schldl. 9 Steinkerne.
In Profil IV. fand ich in dieser Region mehrfach, aber nicht sehr häufig die Kieselnadeln von Spongilla lacustris Lbk. In Profil I habe ich sie hier nicht bemerkt.

5. Der sandige Torf.

Mit dem Namen sandiger Torf**) bezeichne ich den Teil der fossilienführenden Schichten, der sich oberhalb der Moostorfbank und ihrer Äquivalente bis zu dem geschichteten Quarzsande erstreckt. In den Profilen I und II gehört dazu die Schicht c, im Profil III sind die Schichten c und d (0,95 m) und im Profil IV die obern 0,7 m der Schicht c dahin zu rechnen. Der sandige Torf entspricht keineswegs überall seinem Namen. Nach Laufer finden sich darin thonige Bänke, und ich selbst fand die Schicht stellenweise in fast reinen Torf übergehend. Auch Hunaeus hat vielleicht bei seinem Besuche reinern Torf in grösserer Mächtigkeit wahrgenommen, wogegen sein kalkfreier, braungefärbter Sand mit Sumpfpflanzenresten,

---

*) Die einige Male beobachteten Stengelblätter weisen auf diese Art hin.
**) In einer vorläufigen Mitteilung bezeichnete ich ihn als sandigen Sumpftorf.

der „die oberste nur 1 Fuss mächtige Lage der Ablagerung bildet" zweifellos nur einen sandreichern Abschnitt dieser Schicht darstellt.

In Profil I fand ich diese Schicht nur durch eine 10—20 cm starke Lage vertreten, die aus fast reinem, sandfreiem Torfe mit nur 13 % Asche bestand und gegen den überlagernden Sand scharf abgesetzt war.

Dieser Torf sieht im trocknen Zustande sepiabraun aus; er ist kurzfaserig und lässt sich in dünne Lamellen spalten, wodurch er an den Moostorf erinnert. Er besteht aber überwiegend aus Wurzelfasern, deren Oberhaut durch kleine Ausstülpungen der Zellen papillös erscheint, wie man solches z. B. bei Carex acutiformis Ehrh. und einigen ihrer Verwandten findet.*) Ob diese Art wirklich vorliegt, habe ich trotz vieler Bemühungen nicht völlig sicher zu stellen vermocht; doch ist es möglich, da sie unmittelbar unter diesem Niveau (als C. cf. acutiformis Ehrh.) erkannt wurde und dieselben papillösen Wurzeln auch an andern Stellen erscheinen, wo die Früchte dieser Art vorkommen. Man findet häufig Rhizomreste und Epidermisfetzen von Blättern zwischen den Wurzeln, die offenbar derselben Pflanze angehören. Andere Reste sind verhältnismässig wenig dazwischen, Moos fehlt gänzlich**). Auffallenderweise fehlen auch die Früchtchen der Carex, zu der die Wurzeln, Rhizome und Blattreste gehören sollen, und ebensowenig sah ich Cyperaceen-pollen. Dafür erscheinen aber die einer Graminee, so dass vielleicht einer solchen die genannten vegetativen Teile zuzurechnen sind.

Die beobachteten Einschlüsse sind:

Nymphaea alba L. Ein Same (vielleicht bei einer Überschwemmung hierhergelangt).

Rubus sp. Bruchstück eines Steinkerns.

Betula sp. Ein Holzstückchen, Pollen ziemlich häufig.

Quercus sp. Vereinzelte Pollenkörner.

Empetrum nigrum L. Pollen, sehr spärlich.

Myrica Gale L. (?) Pollen mehrfach.

Najas flexilis Rostk. et Schm. Ein Same (vielleicht ebenso wie der Nymphaeasame hierhergelangt).

Gramineen-Pollen mehrfach.

Pinus silvestris L. Pollen, ziemlich zahlreich.

Picea excelsa Lk. Pollen, ziemlich spärlich.

Sphagnum sp. Sehr wenige, kleine Sporen, die durch Wind herbeigeführt sein mögen.

Die Nadeln der Spongilla habe ich nicht gesehen.

---

*) Die Grösse, Gestalt und Menge der Papillen deuten meines Erachtens entweder auf Carex acutiformis Ehrh. oder C. riparia Curt.

**) Die Unterdrückung der Moose könnte für Carex acutiformis Ehrh. sprechen. Diese Art bildet gegenwärtig in Mitteleuropa an den Ufern von Waldteichen und in feuchten Mulden der Erlenbrüche ausgedehnte Bestände, die, wenn sie nicht gemäht werden, durch ihren starken Blattabfall alles Moos unterdrücken und einen dichten Wurzelfilz bilden, der dem oben geschilderten in hohem Masse ähnlich ist.

Auf den Schichtflächen sah ich häufig winzige, feuerverkohlte Trümmer von Koniferenholz, zuweilen von einer Areole versengten oder verbrannten Torfes umgeben. Augenscheinlich sind sie als Flugfeuerfunken hierher geraten. In Profil III und IV zeigte sich über der Moostorfbank oder über der moosreichen Lage ein unregelmässiger Wechsel von torfarmen und torfreichen Sandlagen, die in den überlagernden geschichteten Quarzsand ohne scharfe Grenze übergehen. Die Mächtigkeit der Schicht betrug in Profil III 0,95, in Profil IV 0,70 m. Die darin gefundenen Reste stammen von Sumpf- und Wassergewächsen. Auch Moosreste sind nicht selten, aber doch weitaus spärlicher als in der darunter liegenden Schicht und meist sehr schlecht erhalten, wie sich überhaupt der Erhaltungszustand aller pflanzlichen Reste nach oben sehr rasch verschlechtert. Die meisten Funde, die ich hier zusammenstelle, entstammen der tiefern Lage. Je weiter nach oben, um so weniger wurden gefunden, was aber nicht auf die schlechtere Erhaltung, sondern auf eine zunehmende Verarmung der Vegetation zurückzuführen ist, da mir schlecht erhaltene Reste doch nicht entgangen wären.

Es sind:

Nuphar luteum Sm. Mehrere Samen, Rhizomreste und sternförmige Idioblasten hie und da zahlreich.

Quercus sp. Pollen, ganz vereinzelt.

Betula sp. Pollen, ziemlich sparsam, Bruchstücke schwacher Reiser.

Empetrum nigrum L. Pollenkörner, sehr spärlich.

Sparganium simplex Huds. 1 Frucht und 1 Steinkern.

Potamogeton natans L. Mehrere Steinkerne.

„ cf. polygonifolia Pourr. 3 Steinkerne.

cf. rufescens Schrad. 1 Steinkern

cf. perfoliata L. 1 Steinkern.

cf. crispa L. 3 Steinkerne.

cf. compressa L. 3 Steinkerne.

„ cf. obtusifolia M. et K. 1 Steinkern.

„ cf. pusilla L. 6 Steinkerne.

Najas flexilis Rostk. et Sch. 1 Same.

Carex cf. acutiformis Ehrh. Zahlreiche Bälge und Nüsse.

Cyperaceen-Pollen, stellenweise reichlich.

Papillöse Radicellen, vermutlich zu Carex cf. acutiformis Ehrh. gehörend.

Pinus silvestris L. Einige Samen und ziemlich zahlreiche Pollen.

Picea excelsa Lk. Pollen, ziemlich spärlich. Durch mehre Ermitteilungen ergab sich das Zahlenverhältnis der Föhren- und Fichtenpollen in Profil III wie 100 : 9, in Profil IV wie 100 : 23.

Taxus bacata L. ? Pollen, ganz vereinzelt.

Einige nicht näher bestimmte kleine Stücke von Koniferenholz.

Gymnocybe palustris Fr. Nur ganz unten, wenig.

Polytrichum juniperinum Willd. Ebenda, ziemlich reichlich.

Hypnum aduncum Schimp. Spärliche Reste.

„ cf. fluitans Hedw. Blätter, stellenweise zahlreich.

Hypnum capillifolium Warnst. Nur ganz unten, sehr wenig.
„ cf. trifarium Web. et M. Einzelne Blätter, ebenda.
Sphagnum cf. acutifolium Ehr. Vereinzelte Blätter.
„ cymbifolium collect. Spärliche Blätter.
„ cuspidatum collect. Vereinzelte Blätter.
„ sp. variae. Verschiedene Sporen.
(Spongilla lacustris Lbk. Zahlreiche Kieselnadeln.)

Auch hier finden sich namentlich in der tiefern Lage oft ziemlich reichlich kleine Stücke feuerverkohlten Koniferenholzes. Das Verhältnis der Föhren- und Fichtenpollen hat sich zu Gunsten der zweiten Art verändert, eine Erscheinung, die sich vielleicht daraus erklärt, dass gerade in der Nähe dieser Stelle einige Fichten standen. Übrigens liegt auch die Möglichkeit vor, dass durch Waldbrände Ungleichförmigkeiten in dem Rückzuge der Fichte bewirkt wurden, etwa in der Art, dass sich nach einem solchen Brande zunächst die Föhre stärker ausbreitete und erst dann die Fichte folgte.

Über die Beschaffenheit dieser Schicht in der Mitte des Lagers sind wir auf die Berichte von Hunaeus und von Laufer angewiesen. Sie ist darnach anscheinend nicht wesentlich von dem Teile verschieden, den ich in Profil III und IV vor mir hatte. Doch ist die Mächtigkeit beträchtlicher. Hunaeus giebt sie zu 6 Fuss (2, m), Laufer zu 3 m an. Bei einer im Sommer 1895 ausgeführten Bohrung schien sie sogar 4 m zu haben. Leider ist über die organischen Einschlüsse selbst so gut wie nichts bekannt. Nur einige von hier stammende Knochen des Bos primigenius Boj., darunter das Bruchstück eines sehr grossen Schädels mit den beiden Hornzapfen und zwei ebendaher stammende sehr schöne Geweihstangen des Edelhirsches (Cervus elaphus L.), werden in dem Provinzialmuseum zu Hannover aufbewahrt und stellen die einzigen sicher bekannten Funde aus dem centralen Teile des sandigen Torfes dar.[*] Näheres über das Niveau dieser Schicht, in dem sie lagen, ist nicht bekannt.

6. Der diskordant geschichtete Quarzsand.

Während ich die bisher besprochenen honerdingischen Schichten nur an einzelnen Stellen kennen lernte, war der diskordant geschichtete Quarzsand samt dem obern Geschiebesande im Sommer 1894 fast noch in seiner ganzen Länge zu beobachten.

Ich fand die von Laufer gegebene Beschreibung ganz zutreffend Der Sand ist ziemlich deutlich geschichtet, von weisser Farbe, die Schichten sind durch schmälere oder breitere Einlagerungen von Eisenoxydhydrat sehr häufig stärker hervorgehoben. In der Mitte sind sie muldenartig gelagert. Unter den Flügeln dieser Mulde weichen aber die Schichten fächerförmig auseinander, derart dass die unmittelbar unter der (ungefähr ein Fünftel des ganzen Profiles einnehmenden) Mulde liegenden am steilsten aufgerichtet sind, die darunter folgenden fortgesetzt weniger steil werden, bis die

---

[*] Struckmann, Quartäre Säugetiere (1884) unter No. 40. 1. b und No. 47.

untersten mit dem sandigen Torfe nahezu gleich laufen (vergl. in
Fig. 1 die mit b bezeichnete Schicht). In einer 15 m weit senkrecht abgestochenen Wand unter dem nördlichen Flügel der Sand-
mulde fand ich, dass die Neigungswinkel der aufeinander folgenden
und nach Süden einfallenden Schichten ganz allmählich von 30^0 auf
20^0 abnahmen, und unmittelbar über dem fossilienführenden Flöze
im Profil I waren sie auf 4—6^0 gesunken. Ähnliches zeigte sich
im Südteile des Lagers, wo die steilsten Schichten eine Neigung
von 35^0 hatten.

Laufer giebt an, dass durch die Einlagerung schwacher Grandbänkchen die Beckenbildung in der Mitte der Mulde ausgezeichnet
wiedergegeben werde. Ich habe von derartigen Grandbänkchen keine
Spur mehr finden können, so dass ihr Vorkommen wohl nur sehr
beschränkt gewesen ist. Ja ich habe nirgends in diesem Sande ein
noch so kleines Geschiebeteilchen ausser vereinzelten, winzigen
Feuersteinsplittern gefunden, vielmehr besteht er, wenn man von
diesen sehr selten erscheinenden Splittern absieht, ausschliesslich
aus Quarzkörnern mit sehr sparsam eingestreuten Glimmerblättchen.
Durch Absieben zweier Mischproben stellte ich folgendes über die
Korngrösse in Gewichtsprocenten der ganzen untersuchten luft-
trockenen Probe fest;

				I	II
Über	5	mm.	. .	0,00%	0,00%
„	2	„	. . .	—	0,00 „
„	1,5	„	. . .	0,04 „	0,03 „
„	1	„	. . .	0,55 „	0,14 „
„	0,5	„	. . .	8,63 „	6,70 „
„	0,25	„	. . .	78,17 „	90,61 „
Unter	0,25	„	. . .	12,61 „	2,52 „
				100,00%	100,00%

Die Mehrzahl der Körner ist mehr oder weniger gerundet und
mit matter Oberfläche versehen; nur die unter 0,25 mm sind zum
grössern Teile scharfkantig und haben eine glatte Oberfläche.

Die Oberkante dieser Schicht verläuft nicht geradlinig, sondern
sie ist eigentümlich stumpf gezackt, manchmal mit Aussackungen
bis zu 1 m Tiefe versehen. Man sieht hier die Schichtlagen verwischt
oder ihre Köpfe abgeschnitten, oder sie sind zickzackartig verbogen.
Bei senkrechten Abstechungen erscheint die Wand hier häufig durch
Schlieren von Eisenoxydhydrat geflammt oder marmoriert.

Die grösste Mächtigkeit dieses Sandes wurde bei einigen
Bohrungen im Sommer 1895 zu 6,5 m gefunden.

7. Der obere Geschiebesand.

Die eben erwähnten Umstände machen es an vielen Stellen
schwierig, eine scharfe Grenze zwischen dem diskordant geschichteten
Quarzsande und dem ihn überlagernden obern Geschiebesande zu
ziehen. Dennoch unterscheidet sich die obere der beiden Schichten
sehr deutlich durch die zahlreich darin enthaltenen Geschiebe von
der darunter liegenden.

Die Geschiebe sind unregelmässig verteilt, hier nur sparsam vorhanden, dort zu förmlichen Packungen vereinigt und zuweilen in den Aussackungen der darunter liegenden Schicht durch kieselige Ausscheidungen oder durch Eisenoxydhydrat zu festen Massen verkittet. Sie kommen von der geringsten Grösse bis zu Blöcken von über 1 m im Durchmesser vor. Einige der grössten ragen über die Oberfläche empor. Die Mehrzahl ist eckig, die Kanten sind ein wenig gerundet, selten trifft man ein stärker gerundetes Stück. Einige Male, aber nicht häufig, bemerkte ich deutlich geschrammte Steine, einmal auch einen granitischen Dreikanter, der aber aus der Wand herausgefallen war, so dass ich nicht sagen kann, in welchem Niveau der Schicht er gesessen hatte. Feuersteintrümmer und zuweilen auch ziemlich grosse, nur wenig versehrte Feuersteine, meist von dunkler Farbe, sind in Menge vorhanden. Herr Dr. J. Martin in Oldenburg stellte unter den andern von mir aus dieser Schicht gesammelten Geschieben mehrere nordische Granite unbestimmter Herkunft fest, ferner ein kleines Stück Bredvadporphyr, zwei Stücke kambrischen Sandsteins (sogenannten Dalasandsteins) und mehrere Stücke Hälleflinta, darunter ein grösseres mit Gletscherschrammen.

Die Mächtigkeit des obern Geschiebesandes wechselt von 0,5 bis 1,2 m und selbst bis 1,5 m (Laufer). Eine Schichtung ist nirgends sichtbar. Die oberste Lage ist hin und wieder durch den Einfluss der darüber entstandenen humosen Heideerde in Ortstein verwandelt.

IV. Zusammenfassung und Folgerungen.

Aus unserer Darstellung ergiebt sich, dass die fossilienführenden Schichten von Honerdingen in einer Mulde des untern Geschiebesandes, der damals noch reich an Kalk und an Bryozoentrümmern war, abgelagert wurden. Die Mulde war während des grössten Teiles des betreffenden Zeitalters mit Wasser gefüllt, ihre Ränder wahrscheinlich stellenweise ziemlich steil. Die Regengüsse schwemmten an den Rändern beständig feinen, glimmerreichen Sand und selbst zeitweilig Grand ein, während die thonigen Einschwemmungen in der Mitte des Beckens zugleich mit dem aus der Lösung niedergeschlagenen kohlensauren Kalke zum Absatze kamen.

Der untere Geschiebesand muss, wie wir sehen werden, als der Rückstand einer voraufgegangenen Glacialzeit aufgefasst werden. Es ist demnach zu erwarten, dass die Vegetation in ihrer frühesten Entwickelung ein dem anfangs rauhen Klima entsprechendes Aussehen zeigte. Doch können wir nichts darüber aussagen, da uns die tiefsten Schichten verschlossen geblieben sind.

Wir lernten die Vegetation erst von dem Zeitpunkte an ausführlicher kennen, wo sie bereits ihre höchste Entwickelung erlangt hatte.

Damals wuchs in dem kleinen See eine Menge von Wasserpflanzen, weisse und gelbe Seerosen, zahlreiche Laichkräuter, Nixkräuter, Hornblattarten u. s. w. An den Rändern hatten sich

Simsen, Igelkolben, Schilfrohr und hochwüchsige Seggen hordenweise angesiedelt, Farnkraut, Rohrkolben, Bitterklee, Wiesenraute und grossblumiger Hahnenfuss waren dazwischen eingestreut. Aber ein breiter, geschlossener Schilfgürtel scheint den See zu keiner Zeit umgeben haben, weil sich sonst Reste der Schilfrohrpflanze reichlicher gefunden hätten. Vermutlich war das Gewässer schon in der Nähe des Ufers meistenteils recht tief und wurde überdies hier von überhangenden Bäumen beschattet.

Bevölkert wurde der See von zahllosen Süsswasserschwämmen, von Schnecken und Muscheln, von Sumpfschildkröten und von Fischen, unter denen der Karpfen hervorzuheben ist. Auch Biber waren vorhanden, und andere grössere Tiere liessen sich gelegentlich an den Ufern blicken, unter diesen der Urstier, der Wisent, der Riesenhirsch, der Edelhirsch und besonders häufig das Reh.

Die Ufer bedeckte um diese Zeit ein dichter Wald, dessen Oberholz sich vornehmlich aus Fichten, Eichen, Erlen und Hainbuchen zusammensetzte. Drei Lindenarten waren darin eingesprengt, ferner der Spitzahorn, die Esche, die Buche, nach F. Kurtz auch die Platane und endlich eine Wallnuss, von der sich aber nicht mit Sicherheit behaupten lässt, dass sie der Art Juglans regia L. angehört. Im Unterholze machte sich besonders die Eibe bemerklich, daneben der Hülsenbusch, die Hasel, der Faulbaum der Hartriegel und vereinzelte Weiden, ferner Himbeeren und verschiedene Brombeeren. Höher hinauf an den Gehängen bestand der Wald vermutlich um diese Zeit vorwaltend aus Nadelholz, nämlich aus Fichten mit eingesprengten Föhren und Wacholdern. Später gesellte sich die Tanne dazu.

Seit der Ansiedelung der Tanne verminderte sich aber allmählich die Mannichfaltigkeit in der Zusammensetzung des Waldes an den Seeufern. Der Hülsenbusch war, wie es scheint, schon etwas früher verschwunden. Nunmehr verschwanden auch die Linden; die Eiche, die Eibe und die Hainbuche gingen beständig zurück; auch die Fichten wurden mehr und mehr verdrängt. Es liegt nahe, diese Erscheinungen mit dem Auftreten der Tanne selbst in ursächlichen Zusammenhang zu bringen. Nämlich durch ihren hervorragenden Längenwuchs vermag diese Art die andern Waldbäme zu überflügeln und erschwert durch ihren dunkeln Schatten die Verjüngung dieser mehr lichtbedürftigen Holzarten. Vielleicht würde infolgedessen die Vegetation allmählich ganz einförmig geworden sein, wenn nicht um diese Zeit wiederholte Brände den Wald heimgesucht und für andere Arten Lücken in dem Fichten- und Tannenbestande gerissen hätten*). Die Neubesiedelung solcher Stellen erfolgte geradeso wie

*) Bei diesen Bränden ist nicht notwendig an die Gegenwart von Menschen zu denken, da in Nadelwäldern Brände durch Blitzschläge hervorgerufen werden können, worüber glaubwürdige Berichte vorliegen. Vergl. Nilson und Nording: Skogs undersökningar i Norrland och Dalarne. Sommaren 1894. Bihang till Domänstyrelsens Underdånige Berättelse. Stockholm. Seite 8. — Nach H. Conwentz (Monogr. d. baltischen Bernsteinbäume. Danzig 1890. Seite 109) scheinen derartige Brände bereits die tertiären Nadelwälder heimgesucht zu haben.

noch heutigen Tages, vorwiegend durch Birken und Föhren, deren
weit fliegender, die Blössen rasch überstreuender Same, und deren
schneller, vom Froste ungefährdeter Jugendwuchs der ersten Generation
wenigstens zum Siege über die Fichte und Tanne verhalfen. In
der Folgezeit aber haben offenbar auch klimatische Veränderungen
die Föhre weiter begünstigt, so dass die Fichte immer mehr gegen
sie zurücktrat, die Tanne aber völlig verschwand, bis endlich Birken
und Föhren fast ausschliesslich das Feld behaupteten.

Inzwischen hatte sich der Kalkgehalt der Umgebung ver-
mindert, die Kalkablagerung in dem Becken nahm infolgedessen ab,
und es kam zum Absatze des Lebertorfs. Ein reiches Leben niederer
Wassertiere, aus deren Kot diese Torfart vornehmlich hervorgegangen
ist, muss sich damals in dem Gewässer entfaltet haben. Unmittelbar
darauf verschwand der Wasserspiegel bis auf kleine Tümpel, und
die Fläche überzog sich mit einer seggenreichen Mooswiese, die überwiegend aus Hypnumarten bestand, also ein Cariceto-Hypnetum
darstellte. Bald ging diese Pflanzengesellschaft in der Mitte des
Sumpfes in ein Cariceto-Sphagnetum über, an dem Nordrande aber
in eine reine Seggen- oder Graswiese*).

Indessen währte dieser Zustand nicht lange. Über den Rückständen der Mooswiese erschienen wieder Wasserpflanzen**), und
zugleich fanden stärkere Sandeinschwemmungen statt, die bis in die
Mitte des Beckens vordrangen und dessen Einebnung beschleunigten.
Man kann diesen Wechsel auf zweierlei Weise erklären, erstens
nämlich durch die Annahme, dass eine trocknere Zeit eingetreten
war, der wieder eine niederschlagsreiche folgte. Zweitens ist es
aber auch möglich, dass das Gewässer, dessen Spiegel durch die
Ausfüllung mit Sedimenten immer höher gedrängt war, endlich
einen Abfluss erreicht hatte, der sich durch Erosion tiefer einschnitt
und dadurch das Becken zunächst entwässerte, in der Folge aber
wieder verstopft wurde, sei es durch Ufereinstürze oder durch
Biberbauten. Welche dieser beiden Erklärungen die richtigere sein
mag, lasse ich dahingestellt, obwohl mir die zweite als die näher-
liegende erscheint.

Über die Vegetation, die gegen den Schluss der Periode herrschte,
haben wir nichts erfahren können, da uns die mittlern Teile der
Ablagerung, wo ihre Reste gesucht werden mussten, nicht zugängig
waren.

Die Randteile der Ablagerung aber sind mitsamt der in ihnen
eingeschlossenen Vegetation zerstört worden, wie besonders in Profil I,

*) Das ist ganz dasselbe Bild, dass öfters kleine Hochmoore in den
Thälern zwischen waldbedeckten Hügeln, zumal im nordöstlichen Deutschland,
gegenwärtig zeigen: in der Mitte ein Cariceto-Sphagnetum oder ein Eriophoreto-
Sphagnetum, an den Rändern sumpfige Stellen, die mit Cariceten, Eriophoreten,
Calamagrostideten oder Molinieten bedeckt sind, und kleine wassergefüllte
Lachen mit Sumpf- und Wasserpflanzen.
**) Nach der angegebenen Beobachtung von Früh scheint der neue
Zustand dadurch eingeleitet zu sein, dass sich das Cariceto-Sphagnetum zunächst
wieder in ein Cariceto-Hypnetum verwandelte.

in dem Nordrande des Lagers, während des Sommers 1894 deutlich an dem plötzlichen Abbrechen der Schichten c und d zu sehen war. An eine Einwirkung von Gletschern ist hier sicher nicht zu denken, sondern eher an die erodierende Wirkung von Wasser oder von Wind. Man bemerkt oft auf den (bei uns gegenwärtig immer durch menschlichen Einfluss) trocken gewordenen recenten Torfmooren an Stellen, wo die Vegetationsdecke durch irgend welche Umstände zerstört wurde, dass der im Winter durch den Frost stark aufgelockerte, nackte Torfboden, durch die Frühlingstürme rasch ausgetrocknet und dann fortgeweht wird. Da sich eine neue Vegetation auf einem solchen Boden sehr schwer ansiedelt, so wiederholt sich die Mullwehe Jahr für Jahr, bis eine namhafte, dauernd feuchte Bodenvertiefung entstanden ist. Im arktischen Klima ist diese Erscheinung nach Kihlmann*) etwas Gewöhnliches, und es ist nicht unmöglich, dass die obern, trockner gewordenen Teile der moorigen Beckenausfüllung bei Honerdingen auf ähnliche Weise zerstört worden sind.

Dies würde allerdings ein dem arktischen ähnliches Klima voraussetzen. Freilich, zu der Zeit, als bei Honerdingen die breitblättrige Linde, der Hülsenbusch und die Buche wuchsen, war das Klima mindestens so milde wie gegenwärtig. Aber das Verschwinden dieser Pflanzen wurde jedenfalls dadurch begünstigt, dass das Klima rauher und rauher wurde. Dass das Klima schliesslich in das einer neuen Gletscherzeit überging, darauf weisen aber die beiden Sandschichten hin, die das Hangende bis zu Tage bilden. Der diskordant geschichtete Quarzsand, der nach der Beschaffenheit der Körner zu urteilen abwechselnd durch Wasser und durch Wind befördert wurde, hat seinen Ursprung zweifelsohne in dem weiten Sandfelde genommen, das sich ähnlich wie die „Sandr" vor den isländischen Gletschern, so auch vor den langsam anrückenden Landeismassen in der norddeutschen Tiefebene ausgebreitet hatte**). Später rückte dann das Landeis selber heran und hinterliess, als es sich wieder zurückgezogen hatte, als seine Spur den obern Geschiebesand.

Daher sind die fossilienführenden Schichten von Honerdingen als interglacial anzusehen, und es muss der Nordwesten Deutschlands mindestens bis zum Westrande der Lüneburger Heide zwei Vereisungen erfahren haben, wie bereits Wahnschaffe***) behauptet hat, allerdings aus Gründen, die man seit Zeises Untersuchungen kaum noch als stichhaltig betrachten konnte†).

---

*) Pflanzenbiolog. Studien aus Russ. Lappland. Acta Societat. pro fauna et flora f-nnica 1889—90.
**) Keilhack: Vergleichende Beobachtungen an isländischen Gletscherund norddeutschen Diluvial-Ablagerungen. Jahrb. d. Kgl. preuss. geol. Landesanst. f. 1883, S. 159 ff.
***·) F. Wahnschaffe: Beitrag zur Kenntnis des oberen Diluvialsandes. Jahrb. der Pr. Geol. Landesanst. f. 1860.
†) O. Zeise: Beitrag zur Kenntnis der Ausbreitung sowie besonders der Bewegungsrichtung des nordeuropäischen Inlandeises in diluvialer Zeit. Königsberg 1889. — J. Martin (Diluvialstudien I. Alter und Gliederung des Diluviums im Herzogtum Oldenburg. Sep.-Abdr. aus dem IX. Jahresber. d.

Man wird mir hier vielleicht entgegenhalten, dass das ein viel
zu weitgehender Schluss sei, und dass man weit richtiger verführe
anzunehmen, die fossilienführenden Schichten bei Honerdingen seien
in einer Interoscillationszeit derselben Glacialepoche entstanden,
d. h. in einer Zeit, während der sich der Rand desselben Landeises
vorübergehend bis etwa an die Ostsee zurückgezogen hatte.

Dem gegenüber ist es vielleicht nützlich, wenigstens mit
einigen Worten zu zeigen, dass man eine derartige Anschauung
ein für allemal aufgeben muss.

Zunächst ist hervorzuheben, dass die fossilienführenden Schichten
eine grösste Mächtigkeit von 11—12 Metern haben, woraus — wenn
man das Material berücksichtigt, aus dem sie entstanden sind und
die Verhältnisse, unter denen es geschah — hervorgeht, dass sie
eine überaus lange Zeit zu ihrer Bildung gebraucht haben und dass
von einer kurzen Interoscillationszeit keine Rede sein kann.

Dann verweise ich nur auf das Vorkommen des Hülsenbusches
(Ilex Aquifolium L.) in dieser Ablagerung. Als diese Pflanze
dort wuchs, muss die mittlere Jahrestemperatur mindestens etwa
$7^1/_2^0$ C. und die mittlere Temperatur des kältesten Wintermonats
ungefähr 0^0 C. oder doch nur wenig darunter*) betragen haben.
Es müssen niederschlagsreiche Sommer mit langer Vegetationsperiode**) und milde Winter, wie sie dem Küstenklima eigen sind,
geherrscht haben, und die Windrichtung muss überwiegend westlich
gewesen sein, weil nur dadurch eine so hohe relative Feuchtigkeit
der Luft des Flachlandes erzeugt werden kann, wie sie dieser
Pflanze anscheinend zusagt***). Vor allen Dingen aber dürfen im
Winter trockene Ostwinde bei sehr niedrigen Temperaturen, die
dem Hülsenbusche ganz besonders verderblich sind, nicht häufiger
und anhaltender gewesen sein, als gegenwärtig in dem Gebiete, wo
diese Pflanze gedeiht und ihre Samen reift†).

Naturw. Vereins zu Osnabrück 1893. Seite 21) findet auch gelegentlich in
der beträchtlichen Höhe, in der die Decksande abgelagert sind, einen Grund
dagegen, sie als ein Äquivalent des Geschiebemergels der jüngsten Eiszeit,
wie Wahnschaffe wollte, anzusehen. Sie liegen z. B. in den Dammer Bergen
reichlich 100 Meter über dem Niveau, bis zu dem sich in Schonen die Spuren
des (für Norddeutschland) letzten Landeises verfolgen lassen.

*) Vergl. Köppen, Geograph. Vorbereitung der Holzgewächse des
europäischen Russland. Bd. I, S. 566.

**) Bei Hohenwestedt im westlichen Holstein braucht Ilex Aquifolium
vom Beginne der Blüte bis zum Reifen der Samen ungefähr 120 Tage mit einer
mittlern Temperatur von + 14° bis 15° C., die nicht dauernd unter 10° sinkt.

***) Auf das Bedürfnis einer hohen relativen Feuchtigkeit der Luft
scheint auch der von Ernst H. L. Krause (Pflanzengeographische Bemerkung
über Ilex Aquifolium, Botan. Centralbl. Bd. LX, No. 10) hervorgehobene
Umstand zu weisen, dass der Hülsen im Süden nur in Gebirgslagen wächst,
deren Höhe ein dem nordeuropäisch-atlantischen ähnliches Klima bedingt.

†) Ich hatte bei Hohenwestedt einige Male Gelegenheit zu bemerken,
dass die Blätter, hier und da auch die jüngern Zweige des Hülsen auf der
Luvseite erfroren, wenn die Temperatur bei heftigem Ostwinde auf — 8° bis
— 15° C. sank. Bei ruhiger Luft wurden noch niedrigere Temperaturen, die
dort aber nur sehr kurze Zeit währten, von dieser Pflanze anscheinend ohne
Schaden ertragen. Ähnliches hat Herr Dr. Focke, wie er mir freundlichst
mitteilte, auch in Bremen wahrgenommen.

452

Nun erwäge man, wie sich ein derartiges mildes Klima mit dem Vorhandensein grösserer Landeismassen an der Ostsee in unserm Flachlande vereinigen lassen soll.

Abgesehen von dem Umstande, dass die Eiszeiten auf der ganzen nördlichen Hemisphäre gleichzeitig aufgetreten und demgemäss überall, auch in den zunächst noch nicht von dem Eise bedeckten Gegenden, von einer Depression der Temperatur begleitet gewesen sind, so ist zu bedenken, dass sich über dem ungeheuren Eisfelde im Gebiete der Ostsee und in Skandinavien beständig ein barometrisches Maximum befunden haben muss, wodurch damals zweifelsohne über Nordwest-Deutschland überwiegende Ost- und Nordostwinde erzeugt wurden, die die kalte und durch Kondensierung ihrer Dämpfe auf dem Eise trocken gewordene, während des Herabwehens relativ noch trockener werdende Luft der vereisten Gefilde in diese Gegenden führten. In Verbindung mit dem heitern Himmel, der diese Winde begleitet, müssen sie im Winter tiefe und langanhaltende Kälte verursacht haben. Zwar ist die Möglichkeit zuzugeben, dass zeitweilig Winde, ähnlich wie der grönländische Föhn, aufgetreten sind; aber sie können auf die allgemeine Erwärmung keinen wesentliche Einfluss gehabt haben. Dafür werden gerade in der warmen Jahreszeit kalte, boraartige Fallwinde nicht selten gewesen sein.

Die Wirkung dieser ungünstigen Windverhältnisse muss aber noch wesentlich durch das Eindringen grosser Mengen eiskalter Schmelzwässer in unser Gebiet verstärkt sein. Besonders wird dadurch der Beginn des Frühjahrs verzögert, die Vegetationsperiode verkürzt und die Sommertemperatur verringert worden sein, zumal da bei dem Vorherrschen der trockenen östlichen Winde die Zufuhr wärmerer, aus dem Süden kommender Gewässer wahrscheinlich geringer gewesen ist als heute, wo die vorherrschenden Westwinde ihre ozeanische Feuchtigkeit an den deutschen Mittel-Gebirgen verdichten*).

Alles in allem lässt sich leicht einsehen, dass unter solchen Verhältnissen ein Klima, wie es der Hülsenbusch zu seinem Gedeihen verlangt, völlig ausgeschlossen ist. Auch die Buche, Eiche, Hainbuche, die Linden, besonders Tilia platyphyllos, und die Tanne nebst manchen andern der honerdingischen Pflanzen können unter solchen Verhältnissen schwerlich bei uns gelebt haben, ebensowenig unter den Tieren der Karpfen. Ja man wird nicht zu weit fehl gehen, wenn man sich zu der Zeit, als der Rand des Landeises im südlichen Ostseebecken lag, das Klima Nordwestdeutschlands und Brandenburgs ungefähr wie das von Lappland gegenwärtig, und mit einer ähnlichen Vegetation vorstellt, vielleicht noch etwas extremer.

Damit fällt aber auch ein anderer Einwurf, den man mir machen könnte. Bekanntlich hat Keilhack das Verdienst, vor einer

*) Diese Ansicht steht keineswegs im Widerspruche mit der von Brückner vertretenen, dass jede Gletscherperiode durch eine Vermehrung der Niederschläge ausgezeichnet war. Eine solche Vermehrung fand wohl sicher statt und zwar zu Beginn wahrscheinlich überall. Es kann aber recht wohl später durch die sekundäre Wirkung der grossen Landeisgebiete in deren Umgebung das Gegenteil hervorgerufen sein.

Reihe von Jahren eine Reihe ähnlicher Ablagerungen, wie die hier beschriebene, an verschiedenen Orten Brandenburgs und der Lüneburger Heide nachgewiesen zu haben*). Sie werden von „echtem Diluvialsand oder Thon" unterlagert. Keilhack hat sie als präglacial betrachtet „d. h. als in eine Zeit abgelagert, in welcher das skandinavische Inlandeis noch bei weitem nicht bis zu so südlicher Gegend vorgedrungen war, sondern erst durch seine, von Norden nach Süden fliessenden Schmelzwässer, die grosse Quantitäten ausgewaschenen nordischen Materiales mit sich führten, gewissermassen sich ankündigte**)." Während nun das Eis im Norden (oder Nord-Osten) des Tieflandes lag, hatte sich also nach der Ansicht des genannten Forschers über dem aufgehäuften Schutte seiner Schmelzwässer in und an kleinen Seen und Tümpeln eine Vegetation angesiedelt, die — soweit die aufgezählten Funde schliessen lassen — mit der von Honerdingen im allgemeinen übereinstimmt***).

Es bedarf nach dem eben Gesagten keines weitern Wortes darüber, dass unter solchen Verhältnissen eine solche Vegetation ganz undenkbar ist.· Als sie lebte, muss sich das Landeis bis in die fernsten skandinavischen Hochthäler zurückgezogen haben, wenn es nicht gar gänzlich verschwunden war, und es bleibt keine andere Möglichkeit, als die von Keilhack und von Laufer beschriebenen Ablagerungen sämtlich, soweit in ihrem Liegenden Glacialbildungen erkannt sind, als interglacial anzusehen, wie dies von James Geikie†) bereits vermutet ist. Die darunter liegenden Bildungen mögen immerhin Produkte der Schmelzwässer sein, aber nicht eines vorrückenden oder pausierenden Landeises der kommenden, sondern eines zurückweichenden der voraufgegangenen Glacialepoche. Erst lange nach seinem gänzlichen Rückgange können die Pflanzen des mildern Klimas eingezogen sein.

Endlich ist auch der Gedanke abzulehnen, dass alle hier gefundenen Pflanzen mildern Klimas durch irgend einen hypothetischen Flusslauf aus dem milden, fernen Süden eingeschwemmt seien. Denn abgesehen von dem Umstande, dass man dementsprechende Gerölle hätte finden müssen, so tragen alle diese Lager den Charakter lakustriner und nicht fluviatiler Bildungen, und bei Honerdingen im besondern beweisen die Tiere und Pflanzen, dass von einer Be-

---

*) Über präglaciale Süsswasserbildungen im Diluvium Norddeutschlands. Jahrb. d. Königl. Preuss. Geol. Landesanstalt für 1882, S. 133 u. f.

**) A. a. O. S. 166.

***) Man vergleiche die von Keilhack (die norddeutsche Diluvialflora) im Botan. Centralblatt, Bd. XXVI, S. 53—55, aus diesen Ablagerungeu mitgeteilten Pflanzenlisten, die in einigen Punkten von v. Fischer-Benzon und F. Kurtz berichtigt sind.

†) The Great Ice Age. 3. Aufl., S. 445. — Jedoch stellt Geikie (l. c. S. 614) diese Ablagerungen auf die Stufe zwischen den frühesten, von Nathorst und Andern vermuteten baltischen Gletscher, und das erste norddeutsche Landeis, d. h. zwischen das Scanian und das Saxonian, wie er später (Classification of European Glacial Deposits Journ. of Geol. III. 1895) diese beiden Vereisungsepochen bezeichnet hat, wogegen dieselben Ablagerungen in der zweiten Abhandlung überhaupt nicht erwähnt werden.

förderung durch weithergeflossenes Wasser keine Rede sein kann. Überdies können auch in den mittlern und südlichen Teilen Deutschlands keine solche Pflanzen gewachsen sein, während das Ostseebecken von Gletschern erfüllt war*).

Ist demnach unsere Schlussfolgerung durchaus berechtigt, so fragt es sich nun, ob es nicht weitere Erscheinungen giebt, die auf eine zweimalige Eisbedeckung Nordwestdeutschlands deuten können. In der That glaube ich, dass solche vorhanden sind.

Erst kürzlich hat J. Martin den Nachweis erbracht, dass die Geschiebe, die er in diesem Gebiete bis zu den Grenzen der ehemaligen Eisbedeckung in Holland beobachtet hat, nordöstlicher Herkunft sind, also einen Eisstrom anzeigen, der aus dieser Richtung gekommen sein muss, und dass ferner die Richtung der von ihm als Asar und als Endmoränen gedeuteten Höhenzüge des Gebietes wohl mit dieser Annahme im Einklang steht**).

Nun aber soll das Eis in der ältesten Vereisung, von der man bisher glaubte, dass sie es war, die Nordwestdeutschland mit glacialem Materiale überschüttete, hier eine ungefähr nordsüdliche Richtung gehabt haben und man kann auf Grund der von J. Martin beobachteten Thatsachen entweder annehmen, dass der ältere, also präsumptiv nordsüdliche Eisstrom Nordwestdeutschland nicht berührt hat, oder aber dass sein Moränenmaterial sich mit den für ihn kennzeichnenden Christianiageschieben in der Tiefe befindet und später durch das des nordöstlichen Stromes überlagert und verdeckt worden ist.

Die zweite Annahme lässt sich mit der von mir bei Honerdingen beobachteten Erscheinung vereinigen, ich betrachte sie daher als die, die vorläufig die meiste Wahrscheinlichkeit für sich hat, obschon die Gesteine, die der geringe Aufschluss des untern Geschiebesandes an dem genannten Orte ergeben hat, in dieser Hinsicht keine Entscheidung geliefert haben***).

Daran knüpft sich aber sofort die weitere Frage: ist der zweite Eisstrom Nordwestdeutschlands derselbe, der die baltische Endmoräne

---

*) Völlig unhaltbar ist der Gedanke, alle diese Bildungen als riesige präglaciale Geschiebe aufzufassen. Man mag dem Landeise alles Mögliche zutrauen, aber schwerlich, dass es ganze ausgedehnte Schichtenkomplexe aus losem Materiale, ohne sie wesentlich zu beschädigen, fortzubewegen und wunderbarer Weise immer gerade in solche Bodenaushöhlungen niederzusetzen vermag, in die sie ganz genau passen!

**) Dr. J. Martin. Diluvialstudien II. Das Haupteis ein baltischer Strom. Sep.-Abdr. a. d. X. Jahresber. d. Naturw. Vereins zu Osnabrück 1894.

***) Ich möchte freilich nicht damit behaupten, dass der älteste norddeusche Eisstrom in dieser Gegend durchaus eine nordsüdliche Richtung gehabt hat — das müssen weitere Untersuchungen entscheiden — sondern ich möchte nur zeigen, wie sich die ältere Annahme eines nordsüdlichen mit der von J. Martin vertretenen eines nordöstlichen Stromes vorläufig miteinander vereinigen lässt. Im Grunde bleibt ja noch die dritte Möglichkeit bestehen, dass auch der älteste Strom aus Nordosten zu uns gelangt ist.

erzeugt hat, deren Verlauf von einer Reihe namhafter Quartärgeologen durch das östlichste Schleswig-Holstein bis zur Neustädter Bucht und von da durch Mecklenburg, die Uckermark, die Neumark und das südliche Pommern verfolgt worden ist? Die Antwort auf diese Frage hängt zunächst von der Ansicht ab, die man darüber hegt, ob der baltische Gletscher diese Endmoräne jemals bis über Honerdingen hinaus überschritten hat — dieser Ort liegt ungefähr 150 km von der baltischen Endmoräne an der Neustädter Bucht entfernt — oder ob sie ungefähr die Grenze seiner grössten Ausbreitung bezeichnet. Giebt man das letztere zu, so muss der zweite Eisstrom, der das nordwestliche Deutschland überschritt und den obern Geschiebesand bei Honerdingen lieferte, älter sein als der baltische Gletscher, und Norddeutschland muss drei Eiszeiten erlebt haben! Dieser Schluss würde recht gut mit dem Ergebnisse übereinstimmen, zu dem Penck über die Vergletscherung der Alpen gelangt ist, sowie mit der Ansicht, die sich eine Reihe von Forschern auf Grund eines Analogieschlusses über die Eiszeit in Norddeutschland gebildet hat.

Ganz in derselben Weise, wie ich hier geschlossen habe, ist dies bereits von James Geikie geschehen, indem er darauf hinwies, dass die interglacialen Ablagerungen in Holstein und aus der Gegend von Kotbus ausserhalb der Endmoräne des jüngsten baltischen Landeises liegen.*) Indessen lässt sich nicht verkennen, dass dieser Schluss so lange keine kategorische Gewissheit beanspruchen kann, als die Ansichten über das Verhalten des letzten norddeutschen Landeises nicht völlig geklärt sind.

Nun aber hat er meiner Meinung nach gerade durch J. Martin's Untersuchungen eine weitere Stütze gewonnen, indem dieser Forscher den Nachweis erbrachte, dass der nordöstliche Eistrom — den er naturgemäss für den ersten und einzigen ansehen musste, der die von ihm untersuchten Teile Nordwestdeutschlands berührt hat — nicht mit dem letzten baltischen Gletscher identisch sein kann, denn der nordöstliche Strom hat in diesen Gegenden so beträchtliche Asar hinterlassen, wie der jüngste Strom nirgends in seinen Randgebieten erzeugt haben kann, und ferner hat er hierher „massenhaft" schonischen Basalt geführt, während doch nach de Geer der letzte baltische Gletscher den Teil Schonens, wo gerade die Hauptmasse dieses Basaltes ansteht, nicht berührt hat.**)

Es ist daher nach alledem sehr wahrscheinlich, dass Norddeutschland dreimal vereist war, dass die honerdingische Interglacialzeit zwischen die erste und zweite norddeutsche Gletscherzeit, also in die helvetische Quartärstufe Geikies***) fällt, und dass endlich die

---

*) a. a. O. Cap. XXX.
**) J. Martin, Diluvialstudien I: Alter und Gliederung des Diluviums im Herzogtum Oldenburg. Sep.-Abdr. aus d. IX. Jahresber. des Naturw. Vereins zu Osnabrück 1893. S. 12—16 und S. 33—36.
***) Die helvetische Quatärstufe ist nach Geikie durch das Vorkommen von Elephas antiquus charakterisiert. Dass dieser Elefant nicht bei Honerdingen gefunden worden ist, kann mich aber nicht an der Altersbestimmung irre machen. Es ist schon auf Seite 438 darauf aufmerksam gemacht, dass an

beiden hangenden Sandschichten bei Honerdingen der zweiten, der untere Geschiebesand aber der ersten Gletscherzeit angehören, während die Eismassen der dritten Gletscherzeit Nordwest-Deutschland nicht erreicht haben.*)

V. Floristische Vergleichungen.

I. Zusammenstellung der Pflanzenfunde.

Um eine Vergleichung der Flora von Honerdingen mit andern Floren zu ermöglichen, wird es zwekmässig sein, die Namen der identificierten Pflanzenreste hier in systematischer Reihenfolge, ohne Rücksicht auf das Niveau, worin sie gefunden sind, zusammenzustellen.

A. Dikotyle Angiospermen.

1. Thalictrum flavum L.
2. Ranunculus Lingua L.
3. Nuphar luteum Sm.
4. Nymphaea alba L.
5.   „   „   f, microsperma. ?
6. Tilia platyphyllos Scop.
7.   „   parvifolia Ehrh.
8.   „   intermedia D. C.
9.   „   sp.
10. Acer platanoides L.
11.   „   sp.

dieser Stätte, solange als es noch möglich war, niemals andauernd und systematisch nach Tierresten gesucht ist. Aber wenn auch dieser Elefant wirklich garnicht bei Honerdingen vorhanden sein sollte, so kann man aus seinem Fehlen doch nichts schliessen; denn es ist von vornherein unwahrscheinlich, dass in jedem Teiche jener Epoche auch die sie charakterisierenden Tiere verunglückt sind. Überhaupt bieten die hier gemachten Säugetierfunde nur einen sehr allgemeinen Anhalt für die Altersbestimmung der Ablagerung. Herr Professor Nehring äusserte sich mir darüber brieflich in folgender Weise: „Über das geologische Alter der mir vorliegenden Objekte lässt sich vom zoologisch-paläontologischen Standpunkte nur sagen, dass der Riesenhirsch auf diluviales Alter schliessen lässt, und dass innerhalb des Diluviums das Reh bei uns in Norddeutschland nur in ältern diluvialen Ablagerungen vorzukommen scheint".

*) In einer vorläufigen Mitteilung „Über das Diluvium von Honerdingen bei Walsrode" (Neues Jahrb. f. Min. etc. 1895 Bd. II) habe ich gesagt, dass das dritte Landeis vielleicht den an der untern Elbe gelegenen Teil des Gebietes vorübergehend erreicht hat. Diese Vermutung stützt sich auf ein von W. O Focke bei Stade beschriebenes Profil (Abhandl. d. Naturw. Vereins zu Bremen 1882 Bd. VII. S. 291 u. f.), wonach es den Anschein hatte, als ob dort drei, verschiedenen Epochen angehörige Geschiebemergel übereinander liegen. Seitdem ich die Stelle im Sommer 1895 selbst gesehen habe, bin ich nicht mehr darüber im Zweifel, dass hier nur eine mehrmalige Faltung desselben, eine interglaciale Austernbank enthaltenden Schichtenkomplexes vorliegt, und dass meine Vermutung hinfällig ist. Die Austernbank, in der Focke Mytilus edulis, Cardium edule, Tellina baltica, Mactra subtruncata Mya truncata (?), Pholas crispata, Buccinum undatum und Balanus sp. festgestellt hat, gehört wahrscheinlich derselben Stufe wie die honerdingischen Interglacialschichten an. Die Faltung ist durch einen Erdfall verursacht.

12. Frangula Alnus Mill.
13. Rubi sp. var.
14. Rubus Idaeus L
15. Cornus sanguinea L.
16. Hippuris vulgaris L.
17. Ilex Aquifolium L.
18. Fraxinus excelsior L.
19. Menyanthes trifoliata L.
20. Boraginee ?
21. Ceratophyllum submersum L.
22.   „   demersum L.
23. Empetrum nigrum L.
24. Platanus sp.
25. Juglans sp. (regia L. ?)
26. Fagus silvatica L.
27. Quercus sessiliflora Sm.
28.   „   sp.
29. Corylus Avellana L.
30. Carpinus Betulus L.
31. Betula pubescens Ehrh.
32.   „   sp. (alba L.)
33. Alnus glutinosa Gaertn.
34. Salix sp.
35. Populus tremula L.
36. Myrica Gale L. ?

B. Monokotyle Angiospermen.

37. Potomogeton natans L.
38.   „   cf. polygonifolia Pourr.
39.   „   rufescens Schrad.
40.   „   cf. rufescens Schrad.
41.   cf. colorata Hornem.
42.   „   graminea L.
43.   „   cf. praelonga Wulf.
44.   perfoliata L.
45.   cf. perfoliata L.
46.   „   cf. crispa L.
47.   cf. compressa L.
48.   cf. obtusifolia M. et K.
49.   pusilla L.
50.   rutila Wolfg.
51.   cf. trichoides Cham. et Schld.
52.   „   cf. marina L.
53.   „   sp. var.
54. Najas major All.
55.   „   flexilis Rostk. et Schm.
56. Typha sp.
57. Sparganium minimum Fr.
58.   „   simplex Huds.

59. Spargarnium sp.
60. Scirpus lacustris L.
61. Carex sp. (acuta ? L.)
62.   „ cf. acutiformis Ehrh.
63.   „ rostrata With.
64.   „ cf. rostrata With.
65.   „ sp. altera.
66. Eriophorum sp. (cf. vaginatum L.)
67. Cyperaceenpollen.
68. Phragmites communis Trin.
69. Gramineenpollen.

C. Gymnospermen.

70. Taxus baccata L.
71.   „ sp. ?
72. Juniperus communis L.
73. Pinus silvestris L.
74. Abies pectinata D. C.
75. Picea excelsa Sk.

D. Gefässkryptogamen.

76. Equisetum palustre L.
77. Polystichum cf. Thelypteris Rth.
78.   „ sp. ?

E. Zellenkryptogamen.

79. Sphagnoecetis cf. communis N. ab E.
80. Gymnocybe palustris Fr.
81. Polytrichum juniperinum Willd.
82. Eurhynchium sp.
83. Hypnum aduncum Schimp.
84.   „ cf. aduncum Schimp.
85.   „ capillifolium Warnst.
86.   „ cf. fluitans Hedw.
87.   „ falcatum Brid.
88.   „ aut reptile P. d. B. aut pallescens Michx. (?)
89.   „ giganteum Schimp.
90.   „ stramineum Dicks.
91.   „ cf. stramineum Dicks.
92.   „ cf. trifarium Web. et M.
93.   „ sp.
94. Sphagnum cf. acutifolium Ehrh.
95.   „ cuspidatum collect.
96.   „ cf. recurvum Palis.
97.   „ cf. obtusum Warnst.
98.   „ cf. laxifolium C. Müll.
99.   „ cymbifolium collect.
100.   „ sp.

101. Cenococcum cf. geophilum Fr.
102. Pilzmycel in dem Weidenholze.
103. Navicula oblonga Kütz.
104.   „   Semen Kütz.
105. Pleurosigma attenuatum (Kütz.) W. Sm.
106. Cymbella Ehrenbergii Kütz.
107.   „   cuspidata Kütz.
108.   „   lanceolata Kütz.
109. Cocconema Arcus Ehr.
110. Gomphonema constrictum Ehr.
111. Cymatopleura cf. elliptica (Bréb.) W. Sm.
112.   „   Solea (Bréb) W. Sm.
113. Synedra Ulna (Nitzsch) Ehr.
114.   „   „   var. obtusa (W. Sm.) v. H.
115.   „   capitata Ehr.
116. Cystopleura turgida (Ehr.)
117.   „   „   var. ? zebrina (Ehr.) Rbh.
118.   „   gibba (Ehr.) O. K.
119.   „   Argus (Ehr.) O. K.
120. Cyclotella operculata Kütz.
121.   „   Kützingiana Thw.
122. Algensporenhüllen.

2. Vergleichung mit der gegenwärtigen Flora.

Vergleichen wir nun diese Liste mit der gegenwärtigen Flora des nordwestdeutschen Tieflandes, wie sie von Buchenau in seiner Flora dieses Gebietes dargestellt ist, so fällt zunächst die grosse Armut der honerdingischen Vegetation auf. Das darf indessen nicht überraschen, ja es wäre wunderbar, wenn die Sache sich anders verhielte. Es finden sich auch heute nicht sämtliche, in einem grössern Gebiete vorkommende Pflanzenarten an jedem Orte vertreten. Von vornherein müssen wir auf alle die Pflanzen an unserer Fundstätte verzichten, die nur an trockenen Standorten wachsen, und auf alle, die den Waldesschatten meiden. Dazu kommt, dass die gefundenen Reste sicher nicht alle Pflanzen angeben, die in dieser frühen Quartärzeit bei Honerdingen gelebt haben, da nicht von allen Reste in das Wasser gerieten und dort so erhalten blieben, dass man sie richtig zu deuten vermag. Es ist schliesslich nicht zu vergessen, wie unendlich wenig des in einem so grossen Lager aufgespeicherten Pflanzenmateriales ein einzelner Beobachter zu untersuchen vermag, selbst wenn weit bessere Aufschlüsse vorliegen, zumal wenn man bedenkt, wie mühselig und zeitraubend oft die Bestimmung auch nur eines einzigen Restes ist, und dass fernerhin ein grosser Teil der an und in demselben Gewässer vorkommenden Pflanzen sehr ungleichmässig verteilt in ihm oder an seinen Rändern wächst. Es war daher von vornherein nicht zu erwarten, dass die Liste uns ein vollständiges Bild der Flora geben würde, sondern nur ein recht lückenhaftes.

Aber es treten trotzdem einige charakteristische Züge bei der Vergleichung mit der Vegetation der Neuzeit in unserm Gebiete hervor. In erster Linie das starke Vorherrschen des Nadelholzes, insbesondere das Auftreten der Fichte, der Tanne und der Eibe. Alle drei betrachtet man in Nordwestdeutschland als Bäume der Mittelgebirge, ja man hat sich sogar mit der Ansicht vertraut gemacht, dass der ganze Nordwesten während des Mittelalters kein Nadelholz ausser dem Wacholder (Juniperus communis L.) gekannt hat *)

Indessen müssen diese Anschauungen wenigstens eingeschränkt werden. Fichten und Kiefern wuchsen zu allen Zeiten in der südlichen Hälfte der Lüneburger Heide, seitdem sie nach der letzten norddeutschen Eiszeit eingewandert waren, wie ich durch die Untersuchung eines der grössten recenten Moore dieses Gebietes schon seit 1893 erkannt habe. Zu derselben Zeit, als ich das honerdingische Diluvium zu untersuchen begann, lernte ich in dem Krelinger Bruche, einige Stunden südlich von Walsrode, einen alten Föhren- und Fichtenbestand kennen, bei dem mehrere Umstände dafür sprechen, dass man es hier mit einem Walde zu thun hat, an dem die pflegende Menschenhand erst seit allerjüngster Zeit beschäftigt ist, also wahrscheinlich mit einem alten Restwalde**). Darauf weist ganz besonders

*) Allerdings finden sich in den tiefsten Schichten sehr vieler Moore Norddeutschlands, einschliesslich des Westens bis zur Nordseeküste, die Reste gewaltiger Föhrenwälder. Aber diese gehören, wie ich anderweit darlegen werde, einer ganz andern Stufe der jüngern Quartärzeit an, die von der Gegenwart wohl zu unterscheiden ist.

**) Der Krelinger Bruch ist früher in bäuerlichem Besitze gewesen und der jetzige Bestand noch unter den frühern Besitzern durch natürliche Verjüngung eines ältern entstanden. Um mich darüber zu unterrichten, ob nicht noch mehr solcher Bestände im nordwestdeutschen Tieflande vorkommen, wandte ich mich im Herbste 1894 mit einer Anfrage an sämtliche königliche Oberförstereien dieses Gebietes, die mir samt einigen andern Fragen auf das bereitwilligste beantwortet wurden, wofür ich den betreffenden Herren meinen aufrichtigen Dank schulde. Dadurch erfuhr ich, dass in folgenden, rechts von der Weser liegenden Oberförstereibezirken über 100 Jahre alte (in der einen sogar an 200 Jahre alte), von Föhren und Fichten gebildete Bestände, die sicher oder sehr wahrscheinlich durch natürliche Verjüngung älterer Bestände entstanden sind, vorkommen: Hannover, Fuhrberg (N. von Hannover), Walsrode, Wardböhmen (Ö. von Walsrode), Helmerkamp (SSÖ. von Celle), Sprakensehl (NÖ. von Celle), Langeloh bei Tostedt (SW. von Harburg). Nur aus Föhren gebildete ebensolche Bestände finden sich links von der Weser in den Oberförstereibezirken von Harpstedt (SW. von Bremen) und von Binnen (SW. von Nienburg). — Es gewinnt dadurch, unter Berücksichtigung des oben erwähnten Befundes in dem grossen Gifhorner Moore, die Ansicht an Wahrscheinlichkeit, nach der die Föhre in dem Gebiete südlich von der Linie von Harburg nach Meppen auch in der Neuzeit einheimisch ist, wenn ich selber auch glaube, dass die Hauptgrenze in der Lüneburger Heide etwas mehr südlich liegt. Man wird wohl diese Annahme auch auf die Fichte für den rechts von der Weser liegenden Teil des Tieflandes etwa bis zu dieser Linie ausdehnen dürfen, wie dies schon früher von Focke geschehen ist (diese Abh. Bd. II. Seite 426). Dafür scheint auch der Umstand zu sprechen, dass ich einen, im Bremer Museum aufbewahrten, schlank gewachsenen Stamm, den man in dem Moore gefunden hat, das von den jüngern Marschalluvionen der Weser im Norden Bremens bedeckt ist, als Picea exelsa erkannt habe. Dagegen habe ich westlich von der Weser in denjenigen Bohlwegen des Aschener Moores bei

unter anderm der Umstand, dass hier noch eine kleine Gruppe lebender Eiben vorhanden ist, deren grösster Stamm wahrscheinlich älter ist, als der jetzige Nadelholzbestand*).

Es unterliegt nach alledem keinem Zweifel, dass Föhre, Fichte und Eibe auch in dem gegenwärtigen Zeitalter wenigstens in diesem Teile des nordwestdeutschen Tieflandes seit alter Zeit heimisch sind. Von der Tanne (Abies pectinata DC.) vermag ich das aber nicht zu behaupten. Die in den letzten Jahrzehnten an verschiedenen Stellen der im Flachlande liegenden Teile der Provinz Hannover gemachten Anpflanzungen dieses Baumes sind zwar gut gediehen, haben stellenweise reichlich jungen Anflug erzeugt und beweisen, dass das Klima der Tanne hier noch keine Grenze setzt oder doch höchstens in dem nördlichsten Teile der Provinz**). Aber nichtsdestoweniger hat die Untersuchung recenter Moore aus dem Süden der Provinz Hannover bisher keinen sichern Anhaltspunkt dafür geliefert, dass die Tanne jemals in der jüngern Quartärzeit bis in diese Gegend von selbst vorgedrungen sei.

Wenn die Pflanze in der Gegenwart das nordwestliche Tiefland nicht erreicht hat, so mag dies seinen Grund darin haben, dass sie sich während der vorletzten oder der letzten norddeutschen Eiszeit viel weiter nach Süden zurückgezogen hatte, als die andern erwähnten Nadelhölzer, daher auch mehr Zeit brauchte, um wieder so weit nach Norden vorzudringen, ferner darin, dass diese Wanderung bei dem grössern Gewichte der Samen langsamer statthaben musste, und dass sie endlich durch gewisse klimatische Schwankungen der

Diepholz, die man den Römern zuschreibt (vergl. Prejawa die Pontes longi etc. Mitt. d. hist. Ver. zu Osnabrück 1894. Bd. XIX S. 177), im Sommer 1894 nur Föhrenholz gefunden, das die Erbauer besonders zu den Subkonstruktionen der Bohlwege verwendet haben, obwohl Prejawa auch das Vorkommen von Fichtenholz angiebt.

Eine eingehende Darstellung und Begründung meiner Ansichten über die Geschichte der Nadelhölzer in Nordwest-Deutschland ist hier nicht am Platze, sondern wird erst nach dem Abschlusse der Untersuchungen der jüngern Moore dieses Gebietes angebracht sein.

*) Samen der Eibe habe ich im Juli 1894 zusammen mit einer zweifelhaften Spur der Fichte in einem Moore südwestlich von Oldenburg gefunden.

**) Auch über die Tanne verdanke ich den königlichen Oberförstereien der Provinz Hannover eingehende Nachrichten. Darnach liegen die nördlichsten Stellen, an denen man bemerkt hat, dass eine Selbstaussaat dieses Baumes statthat und gesunde Nachkommenschaft erzeugt, in den Bezirken der Oberförstereien Osnabrück, Diepholz, Rotenburg, der Revierförsterei Burg Sittensen (im W. des Kreises Zeven) und der Oberförsterei Medingen südöstl. von Lüneburg. Die Erzeugung reifer Samen wurde noch weiter nördlich, in den Oberförstereibezirken von Aurich, Friedeburg (ö. von Aurich) und von Langeloh bei Tostedt, beobachtet. In den Oberförstereibezirken des Gebietes zwischen der Unterweser und der Unterelbe sind die angepflanzten Tannen noch zu jung um Samen zu tragen. Sicher ist aber die Nordgrenze der Samenerzeugung bei meinem frühern Wohnorte Hohenwestedt im westlichen Holstein bereits überschritten. Dort blühten und fruchten mehrere Tannen zwar alljährlich, aber während 9 Jahre, wo ich sie beobachtet habe, brachten sie auch in sehr günstigen Sommern stets sehr kleine und völlig unausgebildete Samen. Übrigens scheint es nach den mir gewordenen Mitteilungen, dass auch an den erwähnten hannoverschen Standorten die Samen nicht in jedem Jahre reif werden.

jüngern Quartärzeit sowie durch die Kultur — solange sich diese ihrer nicht selber bemächtigte — erschwert wurde. — Übrigens weist das späte Erscheinen der Tanne in Honerdingen darauf hin, dass auch ohne die hindernden Einflüsse die Wanderung dieses Baumes langsamer vor sich geht als die der Föhre, Fichte und Eibe.

Von andern Arten, die in unserer Liste auffallen, sind die Linden, der Spitzahorn, und die beiden Nixkräuter hervorzuheben. Buchenau bezweifelt das Indigenat der beiden erstgenannten für das nordwestdeutsche Tiefland, Prahl das des Ahorns auch für Schleswig-Holstein.

Was die Linde anbetrifft, so haben mich Funde in jüngern Mooren darüber belehrt, dass eine Art derselben, die noch nicht näher bestimmt werden konnte, wenigstens in einem grossen Teile dieser beiden Gebiete sicher seit langem einheimisch ist. Überdies teilte mir Herr Forstmeister Lodemann zu Medingen mit, dass Tilia parvifolia Ehrh. in den Wäldern der Umgegend von Bevensen (im nordöstlichen Teile der Lüneburger Heide) so zahlreich wächst, dass sie sicher da als wild angesehen werden muss. Tilia platyphyllos kommt dagegen nach Willkomm, dem Verfasser der forstlichen Flora, nur bis Thüringen wild vor. Sie wird zwar auch in unserm Gebiete angepflanzt, aber ist meines Wissens nirgends verwildert. Acer platanoides L. habe ich in den ungepflegten Bauernwäldern des westlichen Holsteins so zahlreich und unter solchen Umständen gefunden, dass es mir gerechtfertigt scheint, ihn dort als wild zu betrachten; er wird sich daher in den angrenzenden Teilen Hannovers wohl auch nicht anders verhalten.

Die beiden Nixkräuter, Najas major All. und N. flexilis Rostk et Schm., fehlen gegenwärtig im nordwestdeutschen Tieflande vollständig. Die erstgenannte Art findet sich zwar in den Nachbarländern*), aber wie bei manchen andern Pflanzen, so umläuft auch

*) Najas major All. findet sich sehr zerstreut im Brackwasser der deutschen zumal westlichen Ostseeküste und in dem seenreichen Gebiete des nordöstlichen Deutschlands, ferner im Gebiete der mittlern Elbe und in dem des Rheines. Die vereinzelten Vorkommen im Maingebiete und in Thüringen stellen eine Verbindung zwischen dem östlichen und dem westlichen Verbreitungsgebiete in Deutschland her, die in Oberschlesien und an der March verbinden das nordostdeutsche mit dem ungrischen. Letzteres steht über Kroatien, ebenso das rheinische durch die Schweiz mit Norditalien in Verbindung, wo die Pflanze gegenwärtig am häufigsten in ganz Europa vorkommt. In Dänemark ist sie nur von Susaaen auf Seeland bekannt, im westlichen Norwegen von drei Stellen, von zweien auf Gotland. In Schweden geht sie sehr zerstreut wachsend, an der Westküste bis Hudiksvall, wo sie ihren nördlichsten Standort hat. Sie kam nach Gunnar Andersson (Om Najas marinas tidigare utbredning under kvartärtiden. Bot. Notiser 1891) früher in diesem Lande etwas häufiger vor. Folgende Standorte bezeichnen die Grenzpunkte des nordwestdeutschen Gebietes, wo die Pflanze jetzt gänzlich fehlt: Flensburg, Missunde, Gruber See, Schlutup an der Travemündung (Prahl, Kritische Flora v. Schl.-Holstein), Neumühler See bei Schwerin (Krause, Mecklenburg. Fl.), Gülzer See bei Rhinow, Kühnauer See bei Dessau (Ascherson, Fl. v. Brandenburg), salziger See bei Rollsdorf unweit von Halle. (Hampe, Fl. hercynica), Mühlhausen (dort neuerlich nicht wieder gefunden, Ilse, Fl. v. Mittelthüringen), Odernheim bei Alzey (Dosch u. Scriba Fl. d. Grossh. Hessen), Trier (Rossbach, Fl. v. Trier) und

ihre Vegetationsgrenze unser Gebiet in einem weiten Bogen. Die in den nördlichen Vereinigten Staaten Nordamerikas gemeine Najas flexilis ist in Europa bisher nur an wenigen und entfernten Orten von Finnland bis Irland gefunden worden, mehrfach in dem seenreichen Gebiete des nordostdeutschen Flachlandes.

Das Fehlen dieser beiden Arten in der Gegenwart — es haben sich bisher auch keine Anhaltspunkte dafür ergeben, dass sie je in einem frühern Abschnitte der jüngern Quartärzeit hier gewachsen sind — scheint mir hauptsächlich auf die grosse Seenarmut unseres Landes zurückzuführen zu sein. Sicher war es in der honerdingischen Interglacialzeit daran viel reicher. Erst durch die nachfolgenden geologischen Ereignisse sind die Seen verschüttet worden.

Zeigt nun auch die Gegenwart der Tanne, der breitblättrigen Linde und der beiden Nixkräuter, dass wir es hier mit einer ganz andern Stufe der Quartärzeit zu thun haben, so spricht doch keine einzige der genannten Pflanzen gegen die Ansicht, dass das Klima damals, wenigstens zur Zeit der höchsten Entwickelung der Flora, von dem der Gegenwart wesentlich abwich, zumal wenn man bedenkt, dass — worauf schon einmal hingewiesen wurde — damals der Hülsenbusch, dieser für das entschieden maritime Klima Nordwestdeutschlands so kennzeichnende Strauch, dort ebenso wie heute wuchs und seine Früchte reifte. Allerdings könnte man aus dem Vorkommen der breitblättrigen Linde auf etwas grössere Wärme schliessen, doch nicht auf grössere, als wie sie · heutigen Tages in Thüringen herrscht. Selbst als der Höhepunkt des Klimas überschritten war, können die Unterschiede zwischen damals und heute zunächst noch nicht sehr bedeutend gewesen sein, obschon der Hülsenbusch und die breitblättrige Linde zur Zeit der Einwanderung der Tanne dem Anscheine nach bereits verschwunden waren.*)

Meppel östlich vom Zuider See (Prodromus Fl. Batavae). Ob die Pflanze am Rheine von Koblenz bis zur holländischen Grenze vorkommt, habe ich nicht erfahren können.

An der einzigen von G. F. W. Meyer (Chloris hanov. und Fl. hanoverana excurs.) in Hannover erwähnten Fundstelle bei Bentwisch an der Oste ist die Pflanze nicht wieder gefunden (Buchenau, Fl d. nordwestd. Tiefebene). Die Unbeständigkeit, die Nejas major mehrfach zeigt, hängt vielleicht damit zusammen, dass sie in Norddeutschland, wo sie sich bereits nahe der Nordgrenze ihrer Verbreitung befindet, an manchen Orten zeitweilig zu Grunde geht und gänzlich verschwindet, wenn sie nicht durch wandernde Wasservögel wieder eingeschleppt wird, wie denn überhaupt die geographische Verbreitung dieser Art in Mittel- und Nordeuropa den Gedanken nahe legt, dass sie durch derartige Vögel veranlasst sei.

An den bisher bekannt gewordenen interglacialen Fundorten dieser Pflanze in Norddeutschland ist sie dem Anscheine nach sehr beständig gewesen und in ähnlicher Menge und Üppigkeit gewachsen, wie heutigen Tages in Norditalien, ein Umstand, der vielleicht auf die damaligen günstigern klimatischen Verhältnisse Norddeutschlands zurückzuführen ist.

*) Es ist nicht unmöglich, dass das Klima in diesem Zeitabschnitte ähnlich so beschaffen war, wie in dem bergigen Landstriche nördlich von dem sächsischen Erzgebirge und dem Lausitzer Gebirge, in dem heutigen Tages die Tanne wild wächst, nicht aber der Hülsenbusch, dass es also etwas kältere Winter erhalten hatte, als es während des Höhepunktes der Epoche besessen hatte.

Anders läge die Sache aber, wenn das Vorkommen der gemeinen Walnuss und der orientalischen Platane in Honerdingen durchaus sicher wäre. Beide Baumarten werden zwar gegenwärtig hier angepflanzt, und wenigstens die erstgenannte bringt ihre Samen alljährlich zur Reife; aber niemals breitet sie sich, soviel ich erfahren konnte, durch diese von selbst aus.*) Walnuss wie Platane würden also ohne beständiges Eingreifen des Menschen sehr bald aus dem Gebiete wieder verschwinden.

Wenn sie wirklich in der honerdingischen Interglacialzeit, wo von derartigen menschlichen Eingriffen schwerlich die Rede sein kann, bis hierhergelangt sind, so muss das Klima damals dem ihres heutigen Heimatgebietes in Vorderasien und in Südeuropa wenigstens ähnlich gewesen sein. Denn Juglans regia findet sich nach von Heldreich**) wild in den Gebirgswäldern von Phthiotis, Aetolien und Eurytanien; verwildert bildet sie an der untern Donau (in Slavonien, dem Banate, der Dobrudscha) kleine Bestände, während Platanus orientalis sich von selbst in Sicilien, Kalabrien, Lukanien, Griechenland, Macedonien, Thracien, Kreta und Rhodos ausbreitet.***)

Die übrige Vegetation scheint nun freilich der Annahme eines ganz so milden Klimas bei Honerdingen auch auf dem Höhepunkte der Epoche nicht zu entsprechen. Allein da es aus andern Gründen wahrscheinlich ist, dass das Klima der Interglacialzeit, in der die fossilienführenden Schichten von Honerdingen entstanden sind, auf seinem Höhepunkte in ganz Europa etwas milder war, als jemals in einem Abschnitte der jüngern Quartärperiode, so hat wahrscheinlich auch die Nordgrenze (oder Nordostgrenze) der Platane und der Walnuss weiter nach Norden (oder Nordosten) gelegen als jetzt, und man hätte es vielleicht bei Honerdingen mit einem isolierten und geschützten Standorte weniger Individuen zu thun, die über die eigentliche Vegetationsgrenze mögen vorpostenartig hinausgeschoben gewesen sein.

Ich möchte mit dieser Erwägung nur darthun, dass man keine Ursache hat, aus floristischen Gründen das Vorkommen der beiden Pflanzen bei Honerdingen während des Höhepunktes der Interglazialzeit völlig zu bezweifeln. Es sei daran erinnert, dass O. Heer†) eine Wallnuss in dem für interglacial gehaltenen Tuffe von Kannstadt beobachtet hat, die Ähnlichkeit mit gewissen nordamerikanischen Arten zu haben scheint, dass von Fliche††) in dem Quartär Nordfrankreichs, bei Nogent-sur-Seine, Juglans regia L. gefunden

---

*) Nach Fliche] wird die Walnuss in der Champagne und in Niederburgund häufig von Vögeln in die Wälder verschleppt, wo sie einige Jahre hindurch wohl gedeiht, dann aber durch die einheimische Vegetation unterdrückt wird.
**) Beiträge zur Kenntnis des Vaterlandes und der geographischen Verbreitung der Rosskastanie, des Nussbaumes und der Buche. Verhandl. d. Botan. Vereins d. Prov. Brandenburg 1879. Seite 139 u. f. Philippson (Naturw. Wochenschr. 1894 No. 35) bezweifelt freilich die Spontaneität der Walnuss in diesen Gegenden.
***) Nach Nyman, Couspectus florae europaeae.
†) Urwelt der Schweiz. I. Aufl., S. 536.
††) Étude paléontologique sur les tufs quaternaires de Resson. Bull. de la soc. géol. de France 3 ème Ser. t. XII Seite 6 u. f. — Sollte nicht der im

wurde, und dass endlich durch C. Schröter in den Schichten mit Elephas antiquus von Taubach bei Weimar das Vorkommen einer Walnuss (Juglans sp.) festgestellt ist.*)

Man wird allerdings die Möglichkeit im Auge behalten müssen, dass bei Honerdingen eine Walnuss vorliegt, die ähnlich wie Juglans cinerea L.**) mit einer geringern mittlern Jahrestemperatur vorlieb zu nehmen vermochte. Für Platanus ist es bedenklich, dass diese Gattung bisher meines Wissens noch nicht aus quartären Ablagerungen Mittel- oder Westeuropas bekannt geworden ist.

3. Vergleichung mit andern interglacialen Floren.

Wenn man den eben genannten quartären Lagerstätten die von La Celle, von Meyrargues, von Aygalades, von Mörschweil, Uznach, Dürnten, Wetzikon und von andern, in Norddeutschland, in England und in Russland gelegenen Orten anreihen will, so eröffnet sich ein weiter und überraschender Ausblick auf die europäische Vegetation jener Epoche der Quartärperiode, der wohl zu dem Versuche reizen könnte, diese Vegetation übersichtlich darzustellen, ihre Entwicklungsgeschichte zu verfolgen, ihre Beziehungen zu ältern und gegenwärtigen Floren aufzusuchen und die Gründe für ihre eigentümliche und von der Gegenwart oft so auffallend abweichende Verteilung aufzudecken. Der Zeitpunkt zu einem solchen Versuche wird indessen erst dann gekommen sein, wenn erneute Untersuchungen die Frage nach dem Alter mehrerer dieser Bildungen endgültig entschieden haben werden.***) Ich begnüge mich daher mit einem kurzen, vergleichenden Blick auf die Vorkommen im norddeutschen Tieflande, insbesondere auf die von Grünenthal, von Fahrenkrug, von Lauenburg und von Klinge.

Liegenden dieser Tuffe von Tournouër beobachtete Sand als Hochterrassenbildung der Seine zu betrachten sein und einer ältern als der Primigenius-Stufe angehören? vielleicht gar einer ältern als der Antiquus-Stufe? Es ist zu wünschen, dass diese Frage durch eine eingehende Untersuchung entschieden werde.

*) Hans Pohlig, Vorläufige Mitteilungen über das Plistocaen, insbesondere Thüringens. Zeitschr. f. Naturwissensch., Halle 1885., Bd. LVIII, Seite 267.

**) Diese Art überschreitet nach Berghaus Physik. Atl. Bl. 31 und 50 in den östlichen Vereinigten Staaten und in Kanada stellenweise nordwärts die Jahresisotherme von + 6⁰ C. und die Januarisotherme von — 10⁰ C.

***) Es scheint auch, dass an manchen dieser Stätten die Pflanzen viel zu wenig berücksichtigt sind. Vor allem misslich ist aber das Fehlen einer botanisch-stratigraphischen Untersuchung. Hätte eine solche von vornherein stattgefunden, so würde das scheinbare Durcheinander z. B. von nördlichen und von südlichen Formen, das manchen Forschern geradezu als ein besonderes Kennzeichen der ältern und mittlern Quartärzeit gilt, zweifelsohne in einem ganz andern Lichte erscheinen. Dasselbe gilt auch vermutlich von dem scheinbaren Zusammenleben kontinentaler und atlantischer Organismen zu gelten, das gelegentlich einem Forscher als rätselhafte Erscheinung entgegengetreten ist.

Hier fällt zunächst der übereinstimmende Charakter in die Augen, den diese interglacialen Lokalfloren im Allgemeinen zeigen: zuerst erscheinen überall, wo eine botanisch-stratigraphische Untersuchung die Verhältnisse klargelegt hat, Birken- und Föhrenwälder, die dann durch dichte Fichtenwälder zurückgedrängt werden, in der Umgebung der Gewässer vorherrschend Laubholz, hauptsächlich aus Eichen, Hainbuchen und Erlen gebildet, dazwischen Linden, Ahornarten, Hülsen, Eiben, gelegentlich Buchen in hervorragender Zahl u. s. w. Dann wieder ein langsames Vordringen der Föhre und eine allmähliche Verödung der Pflanzenwelt, die bis zu dem mehrfach beobachteten Auftreten von arktischen Pflanzen fortschreitet.

Weiterhin finden sich bei Honerdingen in dieser Periode mit wenigen Ausnahmen dieselben Pflanzen wieder, die an jenen andern Stätten bemerkt worden sind. Als einziger neuer Fund von Wichtigkeit ist, wenn man von Juglans und Platanus absehen will, Abies pectinata DC. zu nennen. Ihr Vorkommen ist bereits von O. Heer[*]) in den wahrscheinlich interglacialen Tuffen von Kannstadt beobachtet worden. M. Staub[**]) hat eine Zapfenschuppe dieses Baumes in dem Kalktuffe von Gánócz, am Südostrande des Tatragebirges, festgestellt; die Altersbestimmung des Fundes ist aber unsicher. L. Wehrli entdeckte vor kurzem in dem Kalktuffe von Flurlingen bei Schaffhausen[***]), den er glaubt in die zweite Interglacialzeit stellen zu müssen, den Abdruck eines geflügelten Samens und der Nadeln dieser Pflanze. Ihr Fehlen in den weiter östlich gelegenen interglacialen Ablagerungen Norddeutschlands, zumal in der von Klinge[†]), die dem heutigen Verbreitungsgebiete der Tanne doch sehr nahe liegt, weist entweder darauf hin, dass die klingische Ablagerung mit der honerdingischen nicht gleichalterig ist, oder dass das Verbreitungsgebiet dieses Baumes in jener Zeit wesentlich anders war als heute[††]).

Andererseits fehlt unserer Liste eine kleine Zahl von Pflanzen, die sich allerdings auch nicht in allen bisher bekannt gewordenen interglacialen Fundorten Norddeutschlands gezeigt haben. Besonders sind zu erwähnen Brasenia sp. (= Cratopleura, sp. var.), Trapa natans L., Calluna vulgaris Salisb., Betula nana L., Salix aurita L., S. cinerea L., Folliculites carinatus (Nehring) Potonié, Cladium Mariscus R. Br. etc. Es ist

---

*) Urwelt der Schweiz, I. Aufl., Seite 536.

**) Flora des Kalktuffs von Gánócz. Sep.-Abdr. aus dem Földtani Közlöny, XXIII. Bd., Seite 6.

***) Vierteljahrsschr. d. Naturf.-Gesellsch., Zürich 1894.

†) Obwohl ich seit meiner ersten Veröffentlichung über Klinge dieser Stätte zweimal einen Besuch abgestattet habe, so ist mir doch nicht die geringste Spur der Tanne da begegnet.

††) Die Angabe, dass in jüngern Torflagern der Shetlandsinseln Abies pectinata DC. vorkomme, ist sehr unwahrscheinlich.

möglich, dass man diese oder jene in manchen Lagerstätten, wo sie fehlt, noch gefunden · hätte, wenn der Aufschluss besser oder länger zugängig gewesen wäre, und dieselbe Mutmassung lässt sich auch auf Honerdingen anwenden. Von der Betula nana L. ist in der Regel nur zu erwarten, dass man ihr in den ältesten oder in den jüngsten Schichten begegnet; gerade die ältesten sind aber bei diesen Lagern meist am schwersten zugängig, und die jüngsten sind oft, ja vielleicht meist, zerstört.

Aber wenn diese Pflanzen auch wirklich in einem bestimmten Falle gar nicht vorhanden sein sollten, so würde doch daraus nicht ·ohne Weiteres ein zureichender Grund gegen die Annahme abgeleitet werden können, dass sie derselben Stufe der Quartärzeit angehören. Man würde höchstens auf die damalige geographische Verbreitung der betreffenden Pflanzen einen Schluss wagen dürfen.

Fraglich bleibt es jedoch, ob man bei der Annahme zweier Interglacialzeiten aus der völligen Übereinstimmung der Floren zweier Fundstätten schliessen darf, dass sie derselben Interglacialzeit angehören.

Dazu wäre meines Erachtens zunächst erforderlich, dass von Lagerstätten, die reichlich Pflanzen führen und die sicher der zweiten Interglacialstufe angehören, eine hinreichende Anzahl sorgfältig botanisch untersucht würde, damit man sagen könnte, ob wesentliche Unterschiede in der Vegetation beider Stufen vorhanden seien, und worin sie etwa bestehen. Soweit sind wir allerdings noch nicht. Die botanisch-stratigraphische Untersuchung kann daher zu der Entscheidung der Frage, ob alle bisher bekannt gewordenen interglacialen Ablagerungen derselben oder etwa verschiedenen Stufen des mittlern Qartärsystemes angehören, vorläufig nichts Sicheres beitragen, obgleich sie wohl im Stande ist, zu entscheiden, ob eine Vegetation interglacial oder nach dem endgültigen Zurückweichen des Landeises entstanden ist. Ebenso wenig ist sie vorläufig im Stande, präglaciale Bildungen von interglacialen zu unterscheiden, nachdem sich herausgestellt hat, dass wahrscheinlich alle in Norddeutschland als präglacial angesehene Ablagerungen interglacialen Alters sind.

Es sei mir gestattet, zum Schlusse hervorzuheben, dass ich die vorliegenden Untersuchungen, ebenso wie die bereits veröffentlichte über die diluviale Flora von Fahrenkrug in Holstein, mit Hilfe einer Unterstützung ausgeführt habe, die mir die Königliche

Akademie der Wissenschaften zu Berlin für diese und ähnliche Arbeiten im Jahre 1893 gewährt hat. Ich fühle mich verpflichtet, der Königlichen Akademie an dieser Stelle dafür meinen ehrerbietigsten Dank auszusprechen.

Bremen, Botanisches Laboratorium der preussischen Moor-Versuchs-Station, im Oktober 1895.

Nachtrag.

Mit Bezug auf die Fussnote über Abies pectinata DC. auf Seite 461 teilt mir Herr Oberförster Kühl zu Friedrichsholz bei Itzehoe nachträglich mit, dass sowohl die bei Breitenburg wie die bei Heiligenstedten in den gräflich Rantzauschen Forsten angepflanzten, sehr alten Tannen ab und zu reifen Samen bringen, dessen Anflug sogar mehrfach jungen Nachwuchs erzeugt hat. Die genannten Orte liegen 21 km südlich von Hohenwestedt am Rande der Elbmarsch. Sie sind gegen Norden durch die ziemlich steil abfallenden Ränder der westholsteinischen Geest-Hochfläche, in deren Mittelpunkt Hohenwestedt liegt, geschützt.

Über Rubus melanolasius und andere Unterarten des Rubus Idaeus.

Von W. O. Focke.

Herr Dr. G. Dieck in Zöschen hat aus nordwestamerikanischen und sibirischen Früchten eine eigentümliche wohl charakterisierte Himbeerform erzogen, für welche ich ihm schon vor einigen Jahren den Namen Rubus melanolasius vorschlug. · Die Pflanze ist nicht unbemerkt geblieben, ist auch (Dieck Catal.) abgebildet, aber meines Wissens noch niemals genauer beschrieben worden. Es würde leicht sein, die wesentlichsten Eigenschaften des R. melanolasius durch eine kurze „Diagnose" „lege artis" anzugeben und damit den neuen Namen „rite" in die Wissenschaft einzuführen. Die Abneigung gegen die orthodoxe Nomenclatur-Botanik, welche in ihrer Verehrung für Namen und Prioritäten das Verständnis der wirklichen Natur mehr und mehr verliert, hielt mich bisher ab, eine Beschreibung oder Diagnose dieses R. melanolasius nach der üblichen Schablone zu veröffentlichen. Das herkömmliche Verfahren der Systematiker ist für die vorläufige Orientierung unter den Pflanzengestalten zweck-mässig und nicht zu entbehren, aber man sollte niemals vergessen, dass es naturwidrig und daher unwissenschaftlich ist. Die genauere Kenntnis vieler organischer Formenkreise führt zu einer Beseitigung unzähliger künstlicher Schranken und Abgrenzungen, zu einer Ein-sicht in die Flüssigkeit der Arten und in die Wandelbarkeit ihrer Merkmale. Es sei mir daher gestattet, nicht allein die Eigenschaften und Kennzeichen des R. melanolasius anzugeben, sondern auch das Verhältnis dieser Himbeerform zu andern Unterarten des R. Idaeus näher zu betrachten.

Rubus Idaeus L., unsere gewöhnliche Himbeere, ist eine Circumpolarpflanze, welche durch die Waldgegenden Europas, Nord-asiens und des gemässigten Nordamerika ziemlich allgemein ver-breitet ist. Innerhalb dieses weiten Wohngebietes tritt sie in einer Anzahl verschiedener Unterarten auf, welche zum Teil beträchtlich von einander abweichen. Eine scharfe spezifische Trennung wird indessen durch verbindende Zwischenglieder unmöglich gemacht, während die Gesamtart R. Idaeus, so weit bekannt, durch keine Übergänge mit andern Arten verbunden ist.

Einige Abänderungen des europäischen R. Idaeus sind ungemein auffallend. Dahin gehören:

1. var. viridis A. Br.: mit beiderseits grünen (nicht unterseits weissfilzigen) Blättern;
2. var. obtusifolius Willd. (spec.), (R. Idaeus anomalus Arrhen., R. Leesii Babgt.): Blätter der Blütenzweige einfach, nierenförmig; die der Schösslinge teils einfach, teils dreizählig, mit sehr kurz gestieltem Mittelblättchen.

Eine noch auffallendere, aber durchaus monströse Abweichung ist die Forma strobilacea, bei welcher der Blütenstand in sehr verzweigte Hochblattsprosse mit kätzchenartigen Endästchen aufgelöst ist. Wildwachsend gefunden süddeutsche, norddeutsche und schwedische Exemplare dieser Missbildung gleichen einander vollständig, während mir bis jetzt noch keine Übergänge zwischen ihr und der normalen Pflanze vorgekommen sind.

Die erwähnten abweichenden Formen finden sich nur in vereinzelten Stöcken, wenn auch an verschiedenen, oft weit von einander entfernten Orten, so dass die einzelnen Exemplare völlig unabhängig von einander, aber unter der Einwirkung gleicher Ursachen entstanden sein müssen.

Auch abgesehen von diesen auffallenden Abweichungen ist R. Idaeus eine in wesentlichen Eigenschaften veränderliche Art. Ausser den gewöhnlichen 3zähligen und gefiedert-5zähligen Blättern kommen gefingert-5zählige, gefiedert-7zählige und gefingert-gefiedert-7zählige vor. Die Gestalt der Fiederblättchen ist bald eiförmig oder breitelliptisch, bald schmal eilanzettig bis lanzettig. Die Serratur ist bald gleichmässig und fein, bald ungleich und mehr oder minder tief eingeschnitten; die Blattoberfläche ist bald kahl, bald ziemlich dicht sternhaarig und striegelhaarig. Der Blütenstand ist sehr verschieden, je nach Kräftigkeit der Stöcke und dem höheren oder tieferen Ursprunge der Blütenzweige. Dazu kommen noch Unterschiede in der Behaarung der Blütenstiele und anderer Teile, in der Färbung der Stacheln und Früchte u. s. w.

Obgleich verschiedene Kombinationen dieser Eigenschaften mancherlei individuelle oder lokale Abänderungen ermöglichen, haben sich doch keine gut charakterisierten Unterarten gebildet, welche sich durch die erwähnten Merkmale erkennen lassen. Es sind vorzugsweise die Stacheln, Borsten und Stieldrüsen so wie einige Besonderheiten der Blüten, welche sich für die Unterscheidung der Unterarten verwerten lassen.

Als Typus des Rubus Idaeus gilt die gewöhnliche europäische Form: R. Id. vulgatus Arrhen. Rub. Suec. Monogr. p. 12. Die Keimpflanzen derselben tragen an Blattstielen und Stengeln zahlreiche lange dünne rote Borsten. An den Trieben (Schösslingen) der älteren blühreifen Stöcke finden sich Borsten oder borstliche

Nadelstacheln nur unten am Grunde, sind hier aber ziemlich gedräng.
Weiter oberhalb treten statt der Borsten zerstreute kurze kegel^{l}ge
Stachelchen auf, die in der Mitte oft vollständig fehlen, an der Spitze
jedoch im Spätherbste wieder zahlreicher erscheinen. Je üppiger
die Pflanzen gedeihen, um so spärlicher sind die Stacheln in der
Mitte der Triebe. Die Stöcke senden weithin kriechende Wurzeln
aus, welche häufig Adventivknospen bilden, aus denen zunächst wieder
beblätterte Triebe hervorgehen, die, gleich den jugendlichen Pflanzen,
dicht mit langen Borsten besetzt zu sein pflegen. An den Blüten-
zweigen des R. Id. vulgatus, insbesondere an den Blütenstielen, finden
sich kleine sichelige Stacheln, aber keine dünnen Borsten; Stieldrüsen fehlen vollständig.

Dies ist das gewöhnliche Verhalten des R. Id. vulgatus, doch
kommen hie und da Abweichungen vor. Die Schösslinge führen
mitunter auch im mittleren Teile kurze Stacheln oder auch Nadelstacheln in erheblicher Zahl. Ich fand z. B. solche Formen, die
sich scheinbar etwas dem nordischen R. Id. maritimus nähern, am
Aetna in Sizilien.

Nicht genügend bekannt ist mir die japanische Form des
R. Idaeus. Sie weicht in der Tracht auffallend ab, hat breitere
Blättchen und breitere Kronblätter; die Blüten scheinen gedrängter
zu stehen. Ich nenne diese Form, die in der Bestachelung dem
R. Id. vulgatus ähnlich zu sein scheint, R. Idaeus Nipponicus.

. Durch gedrängte Nadelborsten an den blühreifen Schösslingen
zeichnet sich R. Id. maritimus Arrhen. Rub. Suec. Monogr. p. 13
aus. Die typische Form dieser Pflanze hat ausserdem einwärts
geneigte, den Griffeln anliegende Staubblätter und Blumenblätter.
Bei der offenen Blüte von R. Id. vulgatus sieht man zwischen
Staubblättern und Griffeln einen Teil des Drüsenpolsters (Discus),
während bei dem typischen R. Id. maritimus die einwärts geneigten
Staubblätter das Drüsenpolster völlig verdecken. Die Blumenblätter
sind bei R. Id. vulgatus zuletzt abstehend, bei R. Id. maritimus
bleiben sie bis zum Abfallen aufrecht. Arrhenius giebt an, dass er
in Gärten schwarzfrüchtige Formen von R. Idaeus maritimus
gesehen habe; es fragt sich, ob nicht etwa der hybride R occidentalis × strigosus damit verwechselt ist.

Arrhenius hat den R. Id. maritimus an der schwedischen
Ostküste im Bezirke (Län) Calmar gefunden. Formen mit dicht nadel-
borstigen blühreifen Schösslingen sind an den Küsten des südlichen
Schweden ziemlich weit verbreitet und kommen auch in andern
Gegenden, z. B. in Deutschland an der samländischen Küste vor. In
wie weit sie auch in den Blüten mit Arrhenius' Pflanze übereinstimmen,
lässt sich aus getrockneten Exemplaren nicht erkennen. Anscheinend
sind sie zum Teil etwas verschieden.

Im östlichen Nordamerika kommt R. Idaeus in einer merklich
abweichenden Form vor, die von Michaux den Namen R. strigosus
erhalten hat. Ihre Blütenstiele führen, statt der sicheligen Stacheln
des R. Id. vulgatus, lange dünne Borsten sowie lange oder kurze
Stieldrüsen. Ebenso sind Blütenzweige, Blattstiele und Kelchblätter

mit Borsten, meist auch mit Stieldrüsen besetzt; die blühreifen Schösslinge sind mehr oder minder dicht borstig und nadelstachelig. In der Tracht ist R. strigosus nicht auffallend von vulgatus verschieden.

Im nordwestlichen Amerika wächst eine Himbeerform, welche gleichsam einen stärker ausgeprägten R. strigosus darstellt, dem sie in den Merkmalen nahe steht. Es ist dies die eingangs erwähnte, von Herrn Dr. Dieck gezogene Pflanze. Es schien mir nicht richtig, den Namen R. strigosus, der der nordostamerikanischen Form zukommt, auf sie zu übertragen; ich habe sie, wie erwähnt, R. melanolasius genannt. Im östlichen Sibirien wächst dieselbe Himbeerform. In Herbarien sah ich sie als var. aculeatissimus C. A. Mey. Ich weiss nicht, ob diese Benennung veröffentlicht ist, aber sie ist jedenfalls ungeeignet, da man richtiger „setosissimus" sagen würde; auch giebt es einen R. aculeatissimus Kaltnb. Ich denke daher, dass der Name aculeatissimus C. A. Mey., selbst wenn er wirklich für die vorliegende Pflanze bestimmt war, als ungeeignet zu verwerfen ist.

Beschreibung des R. melanolasius: Die jungen, wie die blühreifen Schösslinge, Blütenzweige, Blütenstiele, Kelche, Blattstiele, meist auch die Nerven der Blattunterflächen dicht borstig bis nadelstachelig. (Die Nadelstacheln sind starke, wenig biegsame Borsten). Zwischen den Borsten mehr oder minder zahlreiche Stieldrüsen eingestreut, namentlich an Blütenstielen und Blattstielen, oft auch an den Schösslingen. Färbung der Borsten und Nadelstacheln meistens schwarzrot. Schösslinge kahl oder seltener kurzhaarig. Die Belaubung ist heller und lebhafter grün als bei R. Id. vulgatus, die Blattoberflächen sind, bis auf vereinzelte Sternhärchen, kahl und oft etwas glänzend. Blattgestalt veränderlich, doch herrschen bei R. melanolasius Formen vor, die in eine allmählich verschmälerte Spitze auslaufen. Blütenzweige durchschnittlich länger und lockerer als bei R. Id. vulgatus. Blumenblätter und Staubblätter aufrecht, nach innen geneigt, den Griffeln anliegend, so dass anfangs nur die mittleren Griffel aus der Blume hervorragen. Früchte rot, scharf sauer.

Man könnte versucht sein, R. melanolasius zu R. strigosus zu stellen und beide Formen durch die Borsten und Stieldrüsen der Blütenstiele von dem eigentlichen R. Idaeus spezifisch zu unterscheiden. Nun findet sich aber zwischen den aus Nordwestamerika stammenden Sämlingen des Herrn Dr. Dieck eine drüsenlose Form, welche ich R. Id. melanotrachys nennen will. Bei ihr sind die Borsten zwar ebenso gedrängt wie bei R. melanolasius, aber viel kürzer; auf den Blütenstielen gehen sie in kleine Stacheln über. Die Achsen des R. melanotrachys, sowohl die Schösslinge, wie die Blütenzweige und Blütenstiele, sind dicht filzig-kurzhaarig. In Blüten und Tracht dem R. melanolasius ähnlich.

Dieser R. melanotrachys steht in seinen Merkmalen dem R. Id. maritimus sehr nahe. Andrerseits lässt seine grosse Ähnlichkeit mit R. melanolasius es unnatürlich erscheinen, ihn von diesem spezifisch zu trennen.

Übersicht über die Unterarten des R. Idaeus.

	Schösslinge	Blütenstiele	Drüsen-polster
vulgatus	in der Mitte fast wehrlos od. zei streut kurzstach.	klein sichelstachelig	sichtbar.
Nipponicus	desgl.	kurz sichelstachelig, filzig	sichtbar??
maritimus	dicht nadelborstig.	klein sichelstachelig, filzig	bedeckt.
melanotrachys	dicht kurzborstig	kleinstachelig, filzig	bedeckt.
strigosus	locker oder dicht nadelborstig	langborstig und stieldrüsig	sichtbar? ob immer?
melanolasius	gedrängt nadelborstig meist auch stieldrüsig	desgl.	bedeckt.

Bei vulgatus sind ferner die Früchte milde und süss, bei strigosus säuerlich, bei melanotrachys und melanolasius scharf -sauer. Bei R. Id. maritimus sollen sie mangelhaft entwickelt und trocken sein, doch fragt es sich, ob dies nicht Folge des Standorts ist. Über den Geschmack der Früchte von R. Nipponicus, die sich gut ausbilden, ist mir nichts bekannt.

Die Heimat von R. Id. vulgatus ist Europa und das nordwestliche Asien, von maritimus die Ostseeküsten, von melanotrachys das nordwestliche Amerika, von Nipponicus Japan, von strigosus dass östliche Nordamerika, von melanolasius Ostsibirien und das nordwestliche Amerika.

Nach den zerstreut und isoliert auftretenden Varietäten (viridis, obtusifolius) und den geographischen Unterarten (vulgatus, maritimus, Nipponicus, melanotrachys, melanolasius, strigosus) des R. Idaeus mögen hier kurz auch die Bastardformen erwähnt werden. In Europa sind Hybride von vulgatus mit R. caesius L. häufig; man will auch Kreuzungen mit andern schwarzfrüchtigen Brombeeren erkannt haben, doch sind dieselben noch nicht mit genügender Sicherheit nachgewiesen. Im Osten von Nordamerika sind Hybride von strigosus mit R. occidentalis L. nicht gerade selten und als R. neglectus Peck beschrieben worden. Absichtlich durch künstliche Bestäubung gewonnen habe ich Kreuzungen von vulgatus mit den beiden genannten Arten: R. caesius und R. occidentalis. Der Gärtner E. de Vos erzeugte ferner einen merkwürdigen Bastard von R. vulgatus mit R. odoratus L., derselbe ist als R. nobilis Regel beschrieben worden. Im südwestlichen England ist zufällig ein Bastard von R. Idaeus (ohne Zweifel: vulgatus) mit R. spectabilis Pursh entstanden (vergl. Abh. Nat. Ver. Bremen XII. S. 96).

Schliesslich mögen hier noch einige Bemerkungen über den genealogischen Wert der Kennzeichen, die an den Idaeus-Formen auftreten, einen Platz finden. Eine Gruppe ostasiatischer Himbeeren, zu der namentlich R. triphyllus Thunbg., R. phoenicolasius Maxmw. und R. foliolosus Don gehören, zeichnet sich durch einwärts geneigte Staubblätter und Blumenblätter aus, die nur die Narben hervorstehen lassen. Diesen Blüten sind die Blüten der Unterarten maritimus, melanotrachys und melanolasius ähnlich. Die Drüsenborsten bei R. strigosus und melanolasius erinnern ebenfalls an R. phoenicolasius. Da Borsten, allerdings drüsenlose, auch an den Jugendzuständen von R. Id. vulgatus auftreten, so ist anzunehmen, dass dieser sich ursprünglich aus Formen, die dem R. melanolasius ähnlich waren, entwickelt hat. Die Borsten haben vermutlich verschiedene physiologische und biologische Aufgaben zu erfüllen; eine derselben ist der Schutz gegen kriechende gefrässige Tiere, insbesondere Schnecken und Raupen. R. Id. vulgatus hindert durch seine bewehrte Stengelbasis das Aufkriechen vom Grunde aus, aber freilich nicht von Nachbarpflanzen her. Die Blumen des R. Id. vulgatus sind weniger der Fremdbestäubung angepasst, als die des R. melanolasius. Durch die süssen Früchte dürfte R. Id. vulgatus dagegen einen wesentlichen Vorzug für die Verbreitung erlangt haben.

Über die Larve von Antherophagus nigricornis Fahr.

Von Dr. med. Röben in Augustfehn.

Da die Larven der Gattung Antherophagus weder in dem Catalogue des larves von Chapuis und Candèze, noch in der sonstigen mir zugängigen Literatur beschrieben sind, so scheint es mir von Interesse, die Beschreibung der Larve von A. nigricornis Fahr. hier zu bringen:

Kopf wagerecht vorgestreckt, etwas schmäler als der Brustabschnitt, abgerundet, oben gewölbt, unten flach, gelblich, pergamentartig, mit feinen Börstchen nicht dicht besetzt; grössere Borsten an den Seiten des Kopfes; Ocellen fehlen. Fühler dreigliedrig gleich über den Mandibeln eingelenkt, erstes Glied gross, sehr kurz und flach, zweites walzenförmig $1/2$ mal so lang als dick, oben schwach, schräg abgestutzt, drittes Glied nur halb so dick, auch viel kürzer und in einer kurzen Borste endigend; Kopfschild pergamentartig, schmal trapezförmig; Oberlippe an den Seiten abgerundet, vorne gerade abgestutzt und mit Börstchen besetzt, die Spitze der Oberkiefer freilassend; Oberkiefer kräftig, aus breiter Basis plötzlich verschmälert, in der Mitte der Krümmung ein gerade nach innen gerichteter langer Dornfortsatz, Spitze zweizähnig rostrot, vor der Spitze rechts vier, links drei kleine Zähne; Unterkiefer deutlich zweilappig, lang, schmal, etwas gekrümmt, innerer Lappen stumpf zugespitzt, häutig, äusserer Lappen an der Spitze in einen schwach gekrümmten, an der Wurzel von Borsten umgebenen rostfarbigen Dorn auslaufend; Kiefertaster dreigliedrig, Glieder kurz, allmählich verschmälert, letztes Glied am längsten, abgestumpft kegelförmig; Kinn hornig, rostfarben, vorne ausgerandet und in zwei nach vorne gerichtete Fortsätze ausgezogen; Unterlippe häutig und ebenso, wie die Zunge vorne zugerundet, jederseits mit einer längern Borste besetzt; Lippentaster sehr kurz, zweigliedrig. Der fleischige weisse aus 12 Segmenten zusammengesetzte Körper ist oben gewölbt, unten abgeplattet. Die ersten zwei Stigmaten finden sich in der Hautfalte zwischen Pro-meso- und Meso-metathorax, die übrigen sieben an der Seite der Segmente. Je drei längere Borsten an jeder Seite der Segmente finden sich am Übergange zur untern Körperfläche. Das Segment des Prothorax ist länger und zeigt auf der Scheibe jederseits eine flache runde Vertiefung, deren Oberfläche durch schwache rundliche Erhabenheiten und Eindrücke matt ist; eben solche Eindrücke, aber kleiner und von ovaler Form, finden sich über den Stigmaten zu jeder Seite der einzelnen Segmente. Letztes Segment nach hinten zugerundet, nach oben mit zwei nach vorne gekrümmten hornigen Spitzen: After vortretend mit zur Fortbewegung dienend; Hüfte deutlich, wulstartig vortretend; Trochanteren kurz. Beine kräftig, in einer einfachen rostfarbigen Klaue endigend. Die Larve ist 11 mm lang, in der Mitte 2 mm breit, nach vorne weniger als nach hinten verschmälert, sie ist sehr lebhaft und bewegt sich rasch. Sie findet sich im September in den Nestern der Erdhummel, zuweilen in grösserer Anzahl. Die Verwandlung erfolgt im Frühling, der Käfer erscheint Anfang bis Mitte Juli.

Die Lachsfischerei in der Weser.

Von Dr. L. Häpke.

Die Erhaltung und Förderung des Fischbestandes in den Gewässern der Unterweser ist eine Aufgabe, die sich leider nur geringer Teilnahme erfreut, obgleich durch die Aussetzung künstlich gezüchteter Lachsbrut der Lachsfang in der Weser eine hervorragende wirtschaftliche Bedeutung erlangt hat. Auf die Wichtigkeit dieser künstlichen Zucht sowie auf den dadurch hervorgerufenen heutigen Stand der Fischerei wollen die folgenden Zeilen unter Herbeiziehung einiger Vergleiche mit Rhein und Elbe hinweisen.

Die Weser ist nach dem Rhein der vorzüglichste Lachsfluss Deutschlands und übertrifft die Elbe und Oder an Reichtum und Schönheit der Lachse. Im Gegensatz zum Rhein und zur Elbe ist die Weser ein rein deutscher Fluss, in dem der Lachsfang seit uralter Zeit bis zu den letzten Jahrzehnten fast allein vom Bremischen Fischeramt und vor den Wehren der Stadt Hameln betrieben wurde. Da der Lachs bei seinen Wanderungen nach den Quellflüssen und schnellströmenden Gebirgsbächen nichts verzehrt, so ist er ein Geschenk des Meeres an das Binnenland. Um die Zahl der vom Meere her einwandernden Lachse auf die grösste Höhe zu bringen und das Wesergebiet für die Lachszucht auszunutzen, müssen die anliegenden Staaten und die Fischereiinteressenten die Ausgaben für die Aussetzung der Brut tragen und Opfer bringen, die sie nach einigen Jahren mit reichen Zinsen zurückerhalten. Zur Förderung der Lachsfischerei in der Weser seitens der Stadt Bremen hatte der Senat am 21. Mai 1895 in einer Mitteilung an die Bürgerschaft einen Beitrag von 300 Mark jährlich beantragt. Um denselben zu erhöhen verfasste ich nach Beratung mit Herrn Professor Buchenau, Vorsitzer des Naturw. Vereins, ein Gesuch an die Bürgerschaft, das auch die übrigen Mitglieder vom Vorstande des genannten Vereins unterzeichneten. Das Gesuch, welches zur Beurteilung der Sachlage authentisches Material enthält, teile ich nachstehend mit.

„Der unterzeichnete Vorstand des Naturwissenschaftlichen Vereins, der seit langen Jahren der Kenntnis der Fische und Verbesserung der Fischzucht in der Weser seine Aufmerksamkeit zugewandt hat, gestattet sich im Interesse einer ausreichenden Bestockung unseres Flusses mit Lachsbrut Nachstehendes vorzutragen.

Die Klagen der Bremischen Fischer über den immer mehr abnehmenden Ertrag der Fischerei sind schon sehr alt und lassen sich aktenmässig nachweisen. Wir erinnern hier nur an das fast völlige Ausbleiben der Störe und Maifische, die noch vor 30 Jahren ein billiges und gesundes Volksnahrungsmittel bildeten. Nur allein der Lachsfang hat einen Aufschwung genommen, seitdem im Jahre 1857 mit der künstlichen Ausbrütung der Lachse bei Hameln der Anfang gemacht wurde. Während bis dahin der Fang im ganzen Wesergebiete in günstigen Jahren sich höchstens auf 800 bis 1000 Lachse belief, hob sich derselbe 1862 allein vor den Wehren zu Hameln auf 2600 Stück und stieg 1875 auf 7300 Stück. Wenn nun in der Folge diese Erträge auch erheblich schwankten und wieder abnahmen, so ist zu berücksichtigen, dass unterhalb Hamelns bis Elsfleth sich ungefähr ein Dutzend weitere Lachsfänge mit Erfolg etabliert haben. Nach der mit Unterstützung der Behörden von Professor Metzger in Münden aufgestellten Lachsfang-Statistik sind im Jahre 1894 in der Weser rund 10 000 Lachse im Gesamtgewicht von 135 000 Pfund gefangen worden, die bei einem Durchschnittspreise von 1,50 Mk. für das Pfund einen Geldertrag von 202 000 Mk. ergaben.

Zur Vermehrung des Lachses durch künstliche Brutaussetzung, die nur in Anstalten an den Zuflüssen und Bächen des Oberlandes erfolgen kann, hat das Bremische Fischeramt in den Jahren 1884 bis 1887 1600 Mk. beigetragen. Als die preussische Regierung die Anlage der holländischen Lachsfischerei-Gesellschaft bei Elsfleth gestattete, verpflichtete sich dies Konsortium, alljährlich zwei Millionen Lachseier für die Weser erbrüten zu lassen, die von 1889 bis 1894 jährlich über 12 000 Mk. kosteten. Da aber das sehr kostspielige Unternehmen bei weitem nicht die Unkosten des Fanges deckte, so wurde der Betrieb, aber auch das Einsetzen von Lachsbrut im Herbst 1894 eingestellt. Durch die Bemühungen des Vorsitzers vom Westdeutschen Fischerei-Verbande, Amtsgerichtsrat Adickes, sind bislang für Lachsbrutausetzung in der Weser an jährlichen Beiträgen gesichert:

vom deutschen Fischerei-Verein . . . . 1600 Mk.
vom preussischen Staat . . . . 1000 „
von der Provinz Hannover . . . . 1000 „
von der Provinz Westfalen (die ausserdem für das
Emsgebiet 700 Mk. beisteuert) . . . . 300 „
von den preussischen Lachsfischern . . . . 600 „

zusammen . . . . 4500 Mk.

Um eine Million Lachsbrut der Weser jährlich zuzuführen, sind bei dem niedrigsten Preise von 6 Mk. per 1000 Stück 6000 Mk. erforderlich. Da die Hoffnung gänzlich ausgeschlossen ist, dass die Lachsfischerei Hohenzollern oder eine andere Gesellschaft den Betrieb bei Elsfleth wieder aufnimmt, so hat sich der genannte Verbands-Vorsitzer an den hohen Senat gewandt und um einen Jahresbeitrag von 1000 Mk. gebeten. Nach dem Vertrag des Bremischen Staats mit dem Fischeramte fällt die Ausübung der Fischerei vom Jahre 1905 ab dem Staate zu. Die bessere Bestockung mit Lachsbrut würde nach 10 Jahren auch der Staatskasse höhere Pachterträge sichern. Der sogenannte Hude Lachsfang bei Hameln erzielte bei der Verpachtung auf 6 Jahre im März 1895 das Höchstgebot von jährlich 9150 Mk., während der Kämmerei-Lachsfang daselbst mitunter noch höhere Erträge brachte, und z. B. für die im vorigen Jahre abgelaufene Pachtzeit 11 000 Mk. jährlich lieferte. Da das Bremische Fischergewerbe durch die Weserkorrektion, welche die Uferverhältnisse durch Schlengenbauten und Parallelwerke veränderte und die natürlichen Laichplätze der andern Fischarten verminderte, ferner durch die stark auftretende Ebbe und Flut und den lebhaften Schiffsverkehr ausserordentlich geschädigt ist, so hat das Fischeramt für das laufende Jahr nur einen Beitrag von 50 Mk. zur Verfügung gestellt.

Demnach erlaubt sich der unterzeichnete Vorstand der hochverehrlichen Bürgerschaft die Bitte vorzutragen:

zur Bestockung der Weser mit Lachsbrut jährlich doch mindestens die Hälfte der erbetenen Summe, nämlich 500 Mk., für die nächsten 5 Jahre bewilligen zu wollen.

Bremen, den 12. Juni 1895.

(Folgen die Unterschriften.)"

Trotz warmer Befürwortung des Gesuchs seitens der Herren Dr. Adami und Tiele war die Mehrheit der Bürgerschaft doch nur für Bewilligung des vom Senate beantragten Beitrags.

Nach Angabe des Herrn Professor Metzger, der längere Zeit als kommissarischer Oberfischmeister der Provinz Hannover fungierte, hat die Weser von Münden bis zum Einfluss der Ochtum bei Vegesack eine Länge von 379 km, die für die Binnenfischerei eine Wasserfläche von etwa 4000 Hektaren ergeben. Rechnet man für den Hektar Wasserfläche ohne Lachse einen Ertrag von 80 Pfund Fischen jährlich, die per Pfund mit 40 Pfennig anzusetzen sind, so erhält man 128 000 Mark. Wenn nun, wie oben nachgewiesen, der Ertrag aus dem Lachsfange 202 000 Mark beträgt, so ergiebt sich aus der Fischerei ein Gesamtbetrag von 330 000 Mk. Der Ertrag des Lachsfanges verhält sich zu demjenigen der übrigen Fischerei wie 202 : 128, oder nahezu wie 3 : 2, ein Verhältnis, das in lachsarmen Jahren sich der Einheit nähert. Nach der am 26. Februar 1894 mit den Interessenten zu Hannover getroffenen Vereinbarung über die Statistik des Lachsfanges haben 15 Betriebe von Elsfleth bis Hameln ihre Ergebnisse eingesandt. Ein Dispens von drei bis fünf Tagen während der Frühjahrsschonzeit wird von der Behörde nur dann erteilt werden, wenn die Fischer zu Einsendung einer Fangstatistik bereit sind. Die üblichen Dispensgelder werden wie bisher zur Hebung des Fischbestandes in der Weser verwandt. Der Fang dauert von Januar bis Mitte August bezw. September, wo die staffelförmige Schonzeit beginnt und der Fang mit Zug- und Treibnetzen ruht. Der Fang des Jahres 1894 setzte sich nach Metzgers Bericht in der allgemeinen Fischereizeitung aus folgenden Altersklassen zusammen:

I. Jakobslachse von 3—10 Pfund, die vom Juli bis September auftreten . . . . 2548 Stück = 25,5 %.
II. Sommerlachse, 10—16 Pfund schwer, 3980 Stück = 39,8 %.
III. u. IV. Grosse Sommer- u. Winterlachse
16—24 Pfund schwer . . . . . . 3476 Stück = 34,7 %.

Die erste Altersklasse der Jakobslachse soll aller Wahrscheinlichkeit nach im dritten Lebensjahre stehen, jede der folgenden Klassen aber um ein Jahr älter sein. Nach. den Angaben der bremischen Fischer bin ich jedoch geneigt für jede Altersklasse ein, um ein bis zwei Jahre höheres Alter anzunehmen. Danach wären die Jakobslachse 4—5 Jahre, die Sommerlachse 5—6 Jahre etc. alt. Zwei von den durch Professor Virchow 1872 in Hameln gezeichneten einjährigen Lachsen wurden 1884 in Bremen wieder gefangen und wogen über 30 Pfund, waren also 13 Jahre alt. Der Gesamtertrag der Lachsfischerei im Wesergebiete für 1895 scheint gegen das Jahr 1894 etwas zurückgeblieben zu sein, da die holländische Fischerei „Hohenzollern" bei Elsfleth eingegangen ist; aber das Durchschnittsgewicht war grösser. In Hameln konnten 3 Millionen Eier befruchtet und an die verschiedenen Brutanstalten verteilt werden, während dort in den Vorjahren nur eine Million Eier zur Verfügung stand.

Auf der 235 km langen Strecke von Bremen bis Hameln sind 13 Lachsfangbetriebe, die fast sämtlich mit Zugnetzen fischen. In Bremen wird der Fang am Osterdeich mit Zugnetzen, bei Lankenau mit Treibnetzen betrieben. Bis Hameln sind 73 Fischereiberechtigte*) vorhanden, darunter 54 Gemeinden, die erst 1874 durch das Fischereigesetz die Berechtigung des Lachsfangs erhielten. Dem Fiscus stehen fünf Berechtigungen zu, die mit den anderen Berechtigungen in Händen von 25 Pächtern sind, von denen 13 den Lachsfang als Hauptfischerei betreiben. In dem hier nicht in Betracht gezogenen Teil des Flussgebietes von Elsfleth abwärts bis zur Mündung findet ein Fang von Lachsen nur vereinzelt und gelegentlich statt. Ebenso dürfte das Ergebnis oberhalb Hamelns bis zur Fulda und Eder in den letzten Jahren gering gewesen sein und höchstens 2 bis 3 Prozent des Gesamtfangs betragen haben.

. Nach den „Mitteilungen des deutschen Fischerei-Vereins" III. Jahrgang 1895, wurden in diesem Jahre seitens des Vereins 481 580 Stück Lachsbrut dem Wesergebiet übergeben. Davon waren 376 380 Stück von Hameln, 100 000 Stück in der Anstalt des Herrn Steinmeister zu Bünde und der Rest in Bienenbüttel und Cleysingen ausgebrütet. Die weiteren Aussetzungen von Lachsbrut in dieser Campagne von den Anstalten zu Kassel, Münden, Münchhausen, Bettenhausen, Untermassfeld an der Werra etc. sind mir bislang nicht zur Kunde gekommen.

Ein grosses Hindernis für den Aufstieg des Lachses bilden die zahlreichen Wehre in den grösseren und kleineren Flüssen, die nur bei gewissen Wasserständen von den Fischen übersprungen

---

*) Protokoll der ersten Generalversammlung des Fischereivereins für das Wesergebiet zu Hameln am 22. Aug. 1885.

werden können. Um den Zugang zu den natürlichen Laichplätzen,
die sich ins-hessische Oberland bis nach Frankenberg an der Eder
erstrecken, · zu ermöglichen, hat die preussische Regierung mit
schweren Kosten eine Anzahl sog. Lachstreppen oder Fischpässe
anlegen lassen. Nachdem der 1878 vor dem Wehr am linken
Weserufer zu Hameln erbaute erste Fischpass niemals Lachse aufsteigen liess, legte man beim Neubau des Wehres 1887 und 1888
mitten im Strom einen neuen Pass an. Um festzustellen, in welchem
Masse dieser von aufsteigenden Lachsen benutzt wurde, brachte
man an der·oberen Öffnung eine Drahtreuse an, so dass jeder Fisch
beim Eintritt in das Oberwasser gefangen werden musste. Von
April bis 10. November 1893 wurden nach der Feststellung des
Oberfischmeisters Recken 109 Lachse, eine Meerforelle und 139
Sommerlaicher gefangen, am 17. Oktober allein 16 Lachse. Die
gefangenen Salmoniden wurden sofort ins Oberwasser gesetzt, wobei
20 der grössten Exemplare durch eine Marke von Zinkblech gezeichnet wurden. Auffällig ist es, dass von den markierten Lachsen
bislang keiner wiedergefangen ist. Vielleicht war die Blechmarke
an der Fettflosse den Tieren hinderlich und sie scheuerten dieselbe ab.
Die verhältnismässig geringe Zahl der Lachse erklärt sich durch
die ungünstigen Wasserstände des ausserordentlich trockenen Sommers,
infolge dessen die Krone des Wehrs längere Zeit trocken lag.
Eine Verlängerung des Passes um zwei Kammern würde auch den
Lachsen ein bequemeres Aufsteigen gestatten. In gleicher Weise
wurden im Fischpasse der Werra bei Oeynhausen·vom·17. Oktober
bis Ende November 1894 63 Lachse in der Reuse gefangen; wonach
auch dieser Pass gut funktioniert. Ausserdem wurden zu Zucht-
zwecken noch 32 Lachse auf dem Wehrboden mit dem Hamen gefangen, zusammen also 95 Stück, von denen 57 Männchen und 38
Weibchen waren. Nach einer Zuschrift des Kgl. Meliorations-Bauamts
zu Münster i. W. von Mitte Februar d. J. sind im Laufe des vorigen
Herbstes 26 von den am Wehre zu Oeynhausen gefangenen Lachsen
unabgestrichen in das Oberwasser des Wehres gesetzt worden,
nachdem sie an der Fettflosse mit einer kleinen silbernen Klammer
versehen worden waren. Auf der Klammer ist der Name Oeynhausen und eine der Zahlen 1 bis 26 eingraviert. Bei dem hohen
ichthyologischen Interesse, das eine Beantwortung der Frage nach
dem weiteren Verbleib der gezeichneten Lachse besitzt, ist es er-
wünscht, von dem Fange eines solchen Fisches unter Angabe des
Fangtages, Fangorts, Gewichts und Nummer der Klammer Nachricht
zu erhalten, und werden daher alle Fischer und sich für Fischzucht
interessierende Personen ersucht, dem genannten Bauamt Mitteilung
zu machen. — Von den Fischfeinden sind in den Preussischen Staats-
forsten während des Fiskaljahrs 1894/95 in den Regierungsbezirken
des Wesergebietes Hannover, Hildesheim, Lüneburg und Stade nicht
weniger als 772 Fischreiher und 10 Fischottern erlegt, und
187 Reiherhorste zerstört worden. Im Regierungsbezirk Kassel
wurden 20 Reiher und 29 Fischottern, im Bezirk Minden nur
7 Reiher getötet.

Zum Vergleich mit den Erträgen des Lachsfangs in den Rhein-mündungen dienen die Angaben des Herrn Dr. Hoek in Helder, Adviseur der Holländischen Fischereikommission.*) Im Durchschnitt von 22 Jahren wurden während der zehnmonatlichen Fischzeit rund 56 000 Lachse jährlich gefangen. Im August und September ist die Zeegenfischerei in Holland geschlossen. Der Hauptmarkt be-findet sich in Kralingen bei Rotterdam, wo 1885 die grösste Anfuhr 104 422 Stück Lachse betrug, und 1871 die geringste Zahl von 23 209 Stück verkauft wurden. Im Jahre 1893 kamen zum Ver-kauf am Fischmarkte zu Kralingen . . . . . 75 175 Lachse.

Hardinxveld	9 370 „
Amerstol	7 537 „
Woudrichem	3 799 „
Dortrecht	3 040 „
Gorinchem	1 980 „
Zusammen	100 901 Lachse.

Auf deutschem Gebiete ist der Lachsfang zu Wesel, wo er von zwei Firmen nach holländischer Art betrieben wird, noch einiger-massen bedeutend, dagegen hat er an allen mittel- und oberrheinischen Fangplätzen ausserordentlich abgenommen. Die schon seit Jahr-hunderten bestehenden fiskalischen Fischereien bei St. Goarshausen sind so zurückgegangen, dass das Geschäft kaum noch lohnenswert ist. Im zehnjährigen Durchschnitt der Jahre 1870—80 wurden dort 800 Stück Lachse jährlich gefangen. Seit dieser Zeit ergaben die Fänge nicht mehr die Hälfte dieser Zahl. In gleicher Weise fiel der Ertrag an dem Oberrhein, wie dies aus den stetig sinkenden Pachtsummen hervorgeht. In Gross-Lauffenburg betrug der Pachtzins für 1878—83 noch 18 045 frs. jährlich, der immer niedriger wurde und für die Jahre 1890—95 auf 10 200 frs. fiel. Für die nun folgende Periode bot der Fischhändler Glaser zu Basel nur 5800 frs. und blieb der einzige Reflektant.

Die Ermittelungen über den Lachsfang an der Elbe sind sehr dürftig und beschränken sich für das untere Flussgebiet auf die Angaben des Herrn Dr. Vogt in Hamburg und für die böhmischen Gewässer auf die Berichte des Herrn Professor Fritsch in Prag. An der Unterelbe gilt die Fangstelle am Köhlbrand bei Hamburg als der beste Lachsfang. Dort betrug der Fang:

1883 117 Lachse und 42 Störe   1885 447 Lachse und 60 Störe
1884 44   „   „ —   „   1886 275   „   „ 30   „

Es wird angenommen, dass dieser Platz etwa den zehnten Teil des Fangs in der ganzen übrigen Elbe liefert. Wie verschieden aber die Ergiebigkeit in den einzelnen Jahrgängen vor Beginn der künstlichen Fischzucht ausfiel, ersieht man aus den Aufzeichnungen des Fangs von Kirchwärder im vorigen Jahrhundert, wo 1776 die grösste Zahl von 688 Lachsen gefangen wurde; 1778 wurden dort 37 Lachse, 1789 nur 4 Lachse, 1792 125 Stück, dagegen 1796 und 1799 wurde nicht gefangen.

---

*) Verslag van den Staat der Nederlandsche Zeevisscherijen over 1893. 'S Gravenhage, 1894.

Zur Kritik interglacialer Pflanzenablagerungen.

Von Dr. C. A. Weber.

Es unterliegt keinem Zweifel, dass die Frage, ob es interglaciale Pflanzenablagerungen giebt oder nicht, für die Glacialtheorie von einschneidender Bedeutung ist. In neuerer Zeit sind in Norddeutschland mehrere Ablagerungen bekannt geworden, deren interglaciale Natur von der einen Seite auf das bestimmteste behauptet wird, während ihr von der andern Seite mindestens mit starken Zweifeln begegnet wird. Ich selbst habe zuerst im Jahre 1891 zwei Torflager beschrieben, die bei den Ausschachtungsarbeiten im Nordostsee-Kanale unweit von Grünenthal im westlichen Holstein zum Vorschein gekommen waren und die ich glaubte als interglacial ansehen zu müssen.*) Herr Professor Geinitz in Rostock hat nunmehr meine damalige Darstellung dieser Lager einer Kritik unterzogen, deren Ergebnis ist, dass es bis jetzt keine sicher interglacialen Torfablagerungen in Norddeutschland gebe.**)

Geinitz und mit ihm viele Geologen glauben eine fossilienführende Ablagerung nur dann mit Sicherheit als interglacial erklären zu dürfen, wenn sie im Liegenden und im Hangenden von unzweifelhaften Grundmoränen eingeschlossen ist. Das ist nun bei den für interglacial angesprochenen Ablagerungen von Beldorf und Grossen-Bornholt so wenig der Fall wie bei denen von Lauenburg und von Klinge, weshalb Geinitz sich zu dem genannten, allgemein verneinenden Schlusse berechtigt fühlt.

Dabei hat er ganz übersehen, dass ich im Jahre 1893 die Beschreibung eines Torflagers veröffentlicht habe***), das sich bei Fahrenkrug, unweit von Segeberg in Holstein findet. Dieses Lager ruht auf einer diluvialen Kuppe und erstreckt sich über viele Hektare. Es wird nicht nur von einer Grundmoräne unmittelbar unterteuft, sondern auch von einer 4,5—6 m mächtigen Grundmoräne überlagert,

---

*) Über zwei Torflager im Bette des Nordostsee-Kanales bei Grünenthal. Neues Jahrb. f. Mineral., Geolog. u. Palaeontol., Jahrg. 1891, Bd. II, S. 62. — Über das Diluvium bei Grünenthal in Holstein. Ebenda, S. 228. — Vorläufige Mitteilung über neue Beobachtungen an den interglacialen Torflagern des westlichen Holsteins. Ebenda, 1893, Bd. I, S. 95. **) Kritik der Frage der interglacialen Torflager Norddeutschlands. Arch. d. Ver. d. Fr. d. Naturgesch. in Mecklenb. 50. 1896, S. 11. ***) Über die diluviale Flora von Fahrenkrug in Holstein. Englers botan. Jahrb. 1893, Bd. XVIII. Beibl. H. 1 und 2.

und das unter Verhältnissen, die den Gedanken völlig ausschliessen, dass die obere Schicht nachträglich seitlich auf das Torflager hinabgestürzt sei. Die in dem Torfe gefundenen Pflanzen, unter denen sich Folliculites carinatus und Cratopleura sp. finden, weisen auf ein Klima, das zeitweilig mindestens ebenso milde war wie heute in Holstein.

Hier hat man doch eine interglaciale Ablagerung im allerengsten Sinne des Wortes vor sich, und noch dazu eine, die ausserhalb des Zuges der baltischen Endmoräne liegt! Sie allein genügt schon, um „den Nachweis von unzweifelhaften interglacialen Pflanzenablagerungen in Norddeutschland als sicher erbracht" anzusehen und rechtfertigt, „dass daraufhin weitergehende Spekulationen gebaut werden."

Es fragt sich aber, ob die enge Fassung des Begriffes interglacial, wie Geinitz sie vertritt, heute überhaupt noch berechtigt ist.

Sie war und ist es ganz gewiss, solange als man noch der Ansicht huldigt, dass die Pflanzen eines milden Klimas wie Ilex Aquifolium, Tilia platyphyllos, Quercus sessiliflora, Abies pectinata u. a. m. unmittelbar am Rande eines über Tausende von Quadratmeilen ausgedehnten, einige hundert Meter dicken Landeises oder doch in dem Bereiche seiner Schmelzwässer gedeihen können. Dass dies aber unmöglich ist, habe ich bei der Erörterung der fossilen Flora von Honerdingen stärker hervorgehoben, als ich vorher Veranlassung hatte.*) Man darf eben nicht aus dem Auge lassen, dass die Wirkung eines grossen Landeisgebietes auf seine Umgebung weitaus stärker und z. T. auch anders sein muss als die eines doch verhältnismässig nur kleinen Gletschers von heute in der gemässigten Zone und sich in Europa, wenigstens zeitweise, bis tief in das Mittelmeergebiet erstreckt haben muss — ganz abgesehen davon, dass die Landeisbildung nur durch allgemeinere klimatische Depressionen erklärt werden kann.

Dadurch rechtfertigt sich aber die von mir vertretene weitere Fassung des fraglichen Begriffes.

Ich betrachte eine pflanzenführende Ablagerung als interglacial, wenn sie im Hangenden und im Liegenden von irgend welchen Glacialbildungen begrenzt wird, gleichgültig, ob dies Grundmoränen, Endmoränen, fluvioglaciale Bildungen oder dergl. sind, vorausgesetzt, dass die eingeschlossenen Pflanzen selbst (wenigstens ausserhalb der Centren der Vereisungsgebiete**)) ein nicht ständig glaciales Klima anzeigen und am Orte oder doch in der Nähe gewachsen sind, und vorausgesetzt ferner, dass die hangenden Glacialbildungen nicht erst in späterer Zeit sekundär (z. B. durch seitlichen Absturz, durch

---

*) Über die fossile Flora von Honerdingen und das nordwestdeutsche Diluvium. Dieser Band, S. 413.

**) Z. B. dürfte man in den skandinavischen Hochlanden auch eine zwischen Glacialbildungen eingeschlossene Schicht mit einer arktischen Vegetation als interglacial gelten lassen, wenn die Möglichkeit ausgeschlossen ist, dass ein noch vorhandener Gletscher die Überschüttung ausgeführt hat.

Abspülung oder dergl.) über die pflanzenführenden Schichten geraten sind.*)

Ich halte es weiterhin für richtig, von den Interglacial-zeiten die Interoscillationszeiten zu unterscheiden. Jene stellen ein längeres Intervall dar, in dem eine wesentliche Änderung des Klimas eintrat, diese dagegen ein kürzeres Intervall ohne wesentliche Klimaänderung, sondern nur durch Schwankungen desselben glacialen Klimas bedingt, die innerhalb sehr enger Grenzen stattfanden.

Aus meiner Definition ergiebt sich, dass ich auch die fossilienführenden Ablagerungen von Grossen-Bornholt, Lütjen-Bornholt, von Lauenburg und von Honerdingen als interglacial zu betrachten berechtigt bin. Ebenso sind die Schichten des klingischen Lagers, die Fossilien auf primärer Lagerstätte enthalten, interglacial, da in ihrem Liegenden durch Credner glacialer Schotter erkannt ist, während der sie überlagernde Thon zweifellos ein glaciales Schmelzwassererzeugnis darstellt, dem stellenweise zerstörte Reste der obersten Abteilung des eigentlichen Torfflözes beigemengt sind.**)

Bei Beldorf sind die mit einzelnen Geröll- und Thonbänken sowie mit Torfschollen durchsetzten Moorstreifensande, die den noch auf seiner ursprünglichen Bildungsstätte ruhenden Teil des Lagers überdecken, nicht auf den ersten Blick sicher glacialen Ursprungs. Ich musste sie aber dennoch dafür ansehen, da mir das Lager unzweifelhaft gestaucht erschien.

Meine damaligen Bedenken drehten sich nur um die Frage: hat die Stauchung ein Schmelzwasserstrom des noch im Osten Schleswig-Holsteins lagernden Landeises, oder hat sie dieses Landeis selbst vollzogen? — Die gewaltigen Dimensionen der Stauchung, deren Grossartigkeit bei den spätern Aufschlüssen noch weit stärker hervortrat, und der Umstand, dass die Stauchung sich auch auf die unterteufenden Schichten erstreckt, ist aber, wie ich auch heute noch überzeugt bin, nur durch eine unmittelbare Gletscherwirkung erklärbar. Zugleich sei hier erwähnt, dass das obere Stockwerk des Lagers bei spätern Aufschlüssen ein noch viel ärgeres Durcheinander von über- und durcheinander geschobenen riesigen Torfschollen zeigte, als ich vordem je erblickt hatte. Diese Erscheinung macht es ganz unmöglich, sie durch ein einfaches Hinabrutschen des Lagers von einer Höhe zu erklären, wie Geinitz für möglich

---

*) Dass auch die eingeschlossenen tierischen Reste, soweit als sie einen sichern Anhalt für die Beurteilung des Klimas gewähren, in ähnlicher Weise wie die Pflanzen zur Entscheidung der Frage beitragen können, ob eine Ablagerung interglacial sei, bedarf kaum eines Hinweises. Bei meerischen Ablagerungen ist man überdies genötigt, sich allein an die eingeschlossenen Konchylien zu halten.

**) Über die diluviale Vegetation von Klinge in Brandenburg und über ihre Herkunft. Englers botan. Jahrb. 1893, Bd. XVII, Beibl. H. 1 un l 2. — Seitdem ich die Ablagerung selbst gesehen habe, zweifle ich nicht mehr daran, dass der dem obern Thone beigemengte torfige Detritus aus zerstörten und durcheinander gemengten Teilen des eigentlichen Torfflözes besteht, zumal aus dessen höher liegenden Randregionen. Vergl. auch Nehring, Das geologische Alter des unteren Torflagers von Klinge bei Kottbus. Bot. Centralbl. 1895, LXIII S. 99.

hält. Dagegen spricht auch der Umstand, dass die Stauchungsfalten nicht mit der Richtung des Gieselauthales übereinstimmen, das zwischen der westholsteinischen und der ditmarsischen Geesthochfläche nordöstlich verläuft, sondern dass sie vielmehr westöstlich streichen.*) Oder sollte man annehmen, dass das Lager und die es unterteufenden Schichten von dem kleinen, ungefähr 600 m entfernten und ungefähr 9 m höhern Hügel, an den sich sein Südrand lehnt, herabgeglitten sein sollten? Ich halte das für undenkbar, zumal da auch der innere Aufbau des Hügels, der vom Kanale durchschnitten wurde, keinerlei Anhaltspunkte für eine derartige Annahme bot.

Geinitz irrt, wenn er glaubt, dass es die Bohrprofile sind, die „die einzige Stütze" meiner „weitgehenden Annahme" sind. Nein, die gewaltige, nur durch Gletscherschub und nicht durch irgend welche rein örtliche Ereignisse erklärbare Stauchung, von der ich bei den spätern Beobachtungen noch lebhafter überzeugt wurde als ich beim Niederschreiben meiner ersten Wahrnehmungen war, sie ist es, die diese Stütze bildet. Damit fällt auch jede Veranlassung fort, die ebenfalls von Geinitz angedeutete Möglichkeit zu erörtern, dass die Zerstörung des Beldorfer Lagers durch die Wellen und das Eis desselben Sees erklärt werden könne, in dem es entstanden war.

Aus der Gletscherstauchung des beldorfschen Lagers folgt aber, dass die es unmittelbar überdeckende Bildung aus der Grundmoräne des stauchenden Gletschers hervorgegangen ist, indem sie nach dessen Rückgange durch einen, die heutige Eiderniederung durchfliessenden Schmelzwasserstrom umgearbeitet und mit dem von dem Strome herbeigeführten Sande vermengt wurde, dass sie mit andern Worten glacialen Ursprungs ist. Es folgt daraus weiter, dass auch das beldorfsche Lager meiner Definition entspricht und interglacial ist.**) Allerdings ist es für Geinitz schwer erklärlich, dass die Grundmoräne in den Thalsenkungen nicht erhalten geblieben sei, während das doch auf der Höhe des Grünenthaler Rückens geschehen sein soll. Meiner Meinung nach wäre das Gegenteil erstaunlich, da es doch natürlich ist, dass die die Zerstörung vollbringenden Schmelzwasserströme die Höhen umfliessen und die sie bedeckenden Bildungen verschonen.

In dem Punkte möchte ich Geinitz allerdings jetzt beipflichten, dass die Lehmbank, die ich auf der Höhe des Grünenthaler Rückens in der Nähe der heutigen Bahnüberführung für „obern Geschiebemergel" d. h. für die Grundmoräne des baltischen Gletschers ansah, mit der sie zwar sehr grosse petrographische Ähnlichkeit zeigte, dies doch nicht ist, sondern dass sie möglichenfalls der vorher-

---

*) Aus diesem westöstlichen Streichen der Falten und ihrer nach Norden wachsenden Höhe schloss ich auf einen an dieser Stelle aus Norden gekommenen Schub.
**) Die breitgedrückten, pflaumenkerngrossen Kapselfrüchte, die ich in der den Torf unterlagernden Süsswasserbildung gefunden habe, gehören zu Tilia platyphyllos Scop., was hier nur erwähnt sei, um auf das milde Klima hinzudeuten, das die Pflanzenwelt in dem beldorfschen Lager verkündigt.

gegangenen Eisbedeckung angehört, die ich als die zweite norddeutsche betrachte, nämlich sofern man annehmen will, dass das vorausgesetzte dritte Landeis in Holstein die baltische Endmoräne niemals bis nach Grünenthal überschritten habe.*)

Dagegen sehe ich eine Bestätigung meiner Ansicht, dass die Lehmbank ein Rest der Grundmoräne desselben Gletschers ist, der wenigstens die bornholtischen Torflager gestaucht hat, darin, dass dieser Lehm am Ostufer des Kanales, wenige Meter südlich von der alten Albersdorfer Chaussee, rasch in denselben Geschiebesand übergeht, der von da ab südwärts in ziemlich gleichmässiger, wenig mächtiger Schicht alle Höhen und Mulden am Kanale überzieht und die weiter südlich beobachteten diluvialen Torflager von Grossen-Bornholt und von Lütjen-Bornholt überdeckt. Dieser Zusammenhang ist mir allerdings bei meinen ersten Veröffentlichungen noch nicht klar gewesen, sondern ergab sich erst auf Grund späterer Beobachtungen.

Bei dieser Gelegenheit sei ein anderes Bedenken, das Geinitz hinsichtlich des gross-bornholtischen Lagers äussert, auf Grund nachträglicher Beobachtungen zerstreut. Er glaubt nämlich, dass auch bei diesem Lager die Schichtenstörung durch die Gewässer und Eismassen eines grössern Sees bewirkt sein möchte. Es hat sich jedoch herausgestellt, dass das betreffende Lager in einem kaum 400 m Durchmesser haltenden, flachen Becken entstanden ist, das noch dazu, als die Zerstörung eintrat, durch Torfbildungen gänzlich oder grösstenteils verlandet war, so dass die von Geinitz als möglich angesehene Erklärung nicht anwendbar ist.

Auch Gleitungserscheinungen, die Geinitz für möglich hält, sind meines Erachtens aus orographischen Gründen ausgeschlossen, aus gleichen Gründen die Ansicht, dass der bedeckende Geschiebesand sekundären Ursprungs sei, wogegen auch der Umstand spricht, dass er stellenweise mit Torfbrocken und selbst mit kleinen Torfschollen vermengt ist.

Die Beweise für die Interglacialität dieses Lagers sind demnach in folgenden Punkten zu suchen: 1) es ist von Geschiebethon unterlagert, 2) es ist von Geschiebesand auf primärer Lagerstätte überdeckt, 3) es enthält am Orte gewachsene Pflanzen eines milden Klimas, 4) es ist überdies durch Eisschub gestaucht.

Ich behalte mir vor, bei der ausführlichen Veröffentlichung meiner spätern Beobachtungen an den interglacialen Torflagern im Bette des Nordostsee-Kanales, die wegen unaufschiebbarer anderer Arbeiten bisher unterblieben ist, auf weitere Einzelheiten zurückzukommen. Dagegen sei mir gestattet, hier noch den Wert der botanischen Untersuchung mit einigen Worten klar zu legen.

Es geht schon aus meiner Definition hervor, dass die botanische Untersuchung bei pflanzenführenden Ablagerungen unerlässlich ist,

---

*) Die vier untern Moränen mit den sie trennenden Bryozoensanden betrachte ich ebenso wie Geinitz als Oscillationserscheinungen des ersten Landeises, da ich auf Grund meiner Definition die Bryozoensande nicht mehr als interglacial bezeichnen kann.

um ein Urteil über deren interglacialen Charakter zu gewinnen. Würde man z. B. in einer von Glacialbildungen oben und unten eingeschlossenen Ablagerung nur eine arktisch-alpine Vegetation statt der eines zeitweilig mildern Klimas finden, so würde in Norddeutschland sofort daraus folgen, dass wir nicht das Erzeugnis einer Interglacialzeit, sondern das einer Interoscillationszeit vor uns hätten.

Weitere Kriterien giebt aber die botanisch-stratigraphische Untersuchung an die Hand, bei der es sich darum handelt, den Entwickelungsgang der Vegetation vom Beginne bis zum Ende der Ablagerung kennen zu lernen.

Dies wird klarer werden, wenn wir uns die Veränderungen der Vegetation Europas während zweier aufeinander folgenden, durch eine Interglacialzeit getrennten Eiszeiten vergegenwärtigen.

Wir wählen als Ausgangspunkt dafür die Zeit der grössten Ausdehnung des Landeises, als dessen Rand am Fusse des mitteldeutschen Berglandes, in Holland und in Südengland lag, während die Alpengletscher bis in die Gegend von München reichten.

Damals lebte nach Nathorst in dem eisfreien Teile Deutschlands eine arktisch-alpine Vegetation*). Auch im nördlichen und im mittlern Frankreich kann die Vegetation um diese Zeit keinen andern Charakter gezeigt haben als den einer hier und da mit Föhrenarten und mit Birken bewaldeten Tundra**). Kaum im äussersten Süden dieses Landes dürfte die Pflanzenwelt im günstigsten Falle ein ähnliches Bild gezeigt haben wie die ursprüngliche der südlichsten Teile Skandinaviens heutigen Tages, während sich einzelne Vertreter der Mediterranflora nur in den südlichsten Teilen Europas und in den südlichen Küstenländern des Mittelmeeres, die damals noch mit Europa durch Inselzüge oder Landbrücken enger verbunden gewesen sein mögen als jetzt, zu halten vermochten.

Als nun aber eine Interglacialzeit eintrat und der Eisrand sich langsam zurückzog, folgten ihm die verschiedenen Vegetationsgürtel in angemessenen Abständen nach; und als das Eis endlich bis auf einzelne Gletscher in den skandinavischen Gebirgen zusammengeschmolzen war, müssen alle Vegetationsgürtel ähnlich weit nach Norden verschoben und geographisch verteilt gewesen sein wie heute***).

Genau die entgegengesetzte Verschiebung musste aber erfolgen, sobald eine neue Eiszeit eintrat. Sämtliche Pflanzen mussten um

---

*) Frågan om istidens växtlighet i mellersta Europa. Ymer, tidskriftet utgifven af svenska sällskapet för antropologi og geografi, årg. 1895 H. 1. o. 2. Seite 40.

**) Es ist nicht ausgeschlossen; dass sich zunächst südlich von dieser Region unter dem Einflusse der vorherrschenden kontinentalen Winde, die das grosse Landeis veranlasst haben muss, und unter dem Einflusse der hier etwas grössern Sommerwärme eine steppenähnliche Vegetation entwickelt hatte.

***) Die vermutete steppenähnliche Vegetation dürfte ihre grösste Ausbreitung erlangt haben, als der Eisrand im südlichen Teile des Ostseebeckens lag. Nachdem aber das Landeis bis zu einem gewissen Grade zusammengeschmolzen war, so dass kein einflussreiches barometrisches Maximum über ihm mehr bestand, musste diese Vegetation verschwinden.

so weiter nach Süden gedrängt werden, je weiter der Eisrand selbst nach Süden, Südosten und Südwesten fortschritt. In den Pflanzenablagerungen, die während einer solchen Epoche entstanden waren, muss sich zweifellos auch diese zweifache Wanderung der Pflanzenwelt abspiegeln, wenn auch nicht an jeder Stelle in allen Einzelheiten, so doch wenigstens in grossen Zügen. Man darf z. B. selbst das Auftreten von Glacialpflanzen nicht unbedingt überall in den ältesten und in den jüngsten Teilen dieser Ablagerungen erwarten, da es keineswegs notwendig ist, dass sie in geschlossener Masse den Eisrand umsäumten. Es ist daran zu erinnern, dass sich unmittelbar vor dem Eisrande die fluvioglacialen Gefilde befanden, weite Sandfelder, wechselnd mit Geröllstrecken, durchflossen von den, in dem losen Schutte beständig ihren Lauf ändernden Schmelzwasserströmen, und hier und da tote Flussarme, Seen und Lachen, die das ruhigere Wasser mit thonigen Sedimenten erfüllte. Auf diesem, noch dazu von Sand- und Staubstürmen heimgesuchten Gelände werden die Glacialpflanzen aller Wahrscheinlichkeit nach nur in zerstreuten Kolonien gewachsen sein. Man darf sich daher nicht wundern, dass sie nicht überall in den Ablagerungen aus dieser Zeit gefunden werden*).

Was wir aber in einer interglacialen Ablagerung erwarten müssen, dass ist eine deutliche, langsam von statten gegangene Bereicherung der Vegetation mit südlichern oder mit atlantischen Typen, bis der Höhepunkt der Epoche erreicht war und von da ab wieder ein allmähliches Verschwinden dieser Typen aus der Vegetation. Natürlich wird sich dies nur da vollständig erkennen lassen, wo in dem Aufschlusse die Ablagerung selbst noch vollständig und unversehrt vorliegt. Bei Fahrenkrug bricht das Torfflöz noch während des Herrschens der Typen des. mildern Klimas ab, offenbar infolge einer nachträglichen Zerstörung der obern Teile des Lagers, ebenso scheint es bei Beldorf der Fall gewesen zu sein. Dagegen liess sich bei Houerdingen oberhalb des Abieshorizontes noch eine Strecke weit aufwärts eine beständig zunehmende Verödung der Vegetation nachweisen und dasselbe war bei Klinge der Fall. Hier fanden sich an der Oberkante des eigentlichen Torfflözes (in Nehrings 5ter Schicht) auch die Spuren der Zwergbirke zugleich mit denen des Renntieres und lieferten den sichern Beweis dafür, dass die Torfbildung in einem glacialen Klima endete, nachdem vorher da ein gemässigteres als heutigen Tages geherrscht hatte. Auch an der Oberkante des Lagers von Lütjen-Bornholt fanden sich die wohlerhaltenen Reste der Zwergbirke an einer Stelle in Menge.

Der Wert der entwickelungs-geschichtlichen Untersuchung der in einer Ablagerung enthaltenen Vegetation besteht demnach darin, das diese Untersuchung die Änderungen des Klimas mit Sicherheit zu erkennen gestattet, dass sie daher auch die aus den allgemeinen Lagerungsverhältnissen abgeleiteten Schlüsse prüfen und unter Um-

---

*) Aus naheliegenden Gründen wird man auch Reste typischer Steppenpflanzen nicht in den aus Wasser entstandenen Ablagerungen mit einiger Sicherheit erwarten dürfen. Eher dürfte man durch fleissiges Schlämmen ihre Spuren im Lösse finden.

ständen zu ergänzen erlaubt. Es lässt sich ferner leicht einsehen, dass man mit ihrer Hilfe im stande sein wird an pflanzenführenden Ablagerungen, die ausserhalb der Vereisungsgebiete und der Schmelzwassergebiete liegen, zu erkennen, ob man Grund hat sie als gleichen Alters mit einer Interglacialepoche zu betrachten oder nicht.

Es ist vielleicht nicht überflüssig, darauf aufmerksam zu machen, dass die in Norddeutschland als Vertreter eines milden Klimas erkannten Arten nicht in allen andern Ländern Europas in derartigen Ablagerungen unbedingt zu erwarten sind. Es ist z. B. nicht ohne Weiteres anzunehmen, dass in etwaigen interglacialen Ablagerungen Nordeuropas die breitblätterige Linde oder die Tanne wie in Norddeutschland auftreten, und es wäre ungerechtfertigt, wollte man aus deren Fehlen den interglacialen Charakter der betreffenden Ablagerung in Zweifel ziehen, sofern nur durch andere Pflanzen der Nachweis erbracht werden kann, dass das Klima in dem mittlern Teile des Zeitalters, in dem die Ablagerung entstand, wesentlich wärmer als zu Anfang und zu Ende war. Andererseits werden weiter im Süden und Südwesten Europas z. B. im mittlern und im südlichen Frankreich andere Arten, etwa der Lorbeer oder die Feige erscheinen, während der Hülsen, der in wärmern Gegenden die Ebene meidet, dort in Ablagerungen, die in der Ebene entstanden, wenigstens auf dem Höhepunkte einer interglacialen Epoche nicht zu erwarten ist.

Diese Betrachtung gewährt zugleich ein Urteil über sogenannte Leitpflanzen der quartären Periode. Es ist ganz klar, dass auch in einem interglacialen Abschnitte dieses Zeitalters dieselbe Pflanze nicht überall in Europa gewachsen sein kann, sondern nur, wie heute, innerhalb einer bestimmten Region, wo sie ihre Lebensbedingungen erfüllt fand. Es kann daher gar kein allgemein giltiges pflanzliches Leitfossil für die interglacialen Bildungen geben, sondern eine Pflanze könnte nur innerhalb einer ganz bestimmten Region eine derartige Bedeutung haben. Es ist möglich, dass ganz Norddeutschland in einer gewissen Interglacialzeit einer Region angehörte, in der die Cratopleura gedieh. Auch in solchem Falle würde nur das Vorkommen etwas beweisen nicht das völlige Fehlen, da eine Pflanze selbst innerhalb ihres Verbreitungsgebietes nicht an allen ihr zusagenden Standorten zu wachsen braucht.

Freilich weiss man noch nicht, wann die Pflanze, von der die Cratopleura-Samen stammen, und ebenso wenig, wann die Pflanze, deren Samen als Folliculites carinatus beschrieben sind, und die man auch als Leitfossil innerhalb beschränkter Grenzen gelten lassen könnte, in Europa ausgestorben ist. Wie mir Herr Dr. Gunnar Andersson in Stockholm mitgeteilt hat, sind die Cratopleura-Samen nach seiner Untersuchung durchaus identisch mit denen von Brasenia purpurea Michx.*), einer Pflanze, die sich gegenwärtig mit Ausnahme von Europa in allen Welteilen, allerdings auf ziemlich

---

*) Herr Dr. Andersson hat darüber kürzlich eine ausführliche Abhandlung der Akademie der Wissenschaften zu Stockholm überreicht, die demnächst im Drucke erscheinen wird.

beschränkten und weit auseinander liegenden Arealen findet. Nun könnte diese Pflanze recht wohl auch jetzt noch in Europa gedeihen. Es müssen daher Ursachen vorliegen, denen zufolge sie gänzlich aus diesem Weltteile verschwand, und Ursachen, die ihr Wiedererscheinen verhinderten. Man könnte sich vorstellen, dass sie sich während der stärksten Ausbreitung des Landeises bis nach Nordafrika zurückgezogen hätte, und dass vielleicht während dessen die letzten Reste der Landverbindungen zwischen den südlichen und nördlichen Ländern dieses Gebietes verschwanden, so dass die Pflanze nicht wieder zurückzuwandern vermochte. Wenn diese Annahme richtig wäre, so müsste sich aber Brasenia purpurea noch jetzt im südlichen Mediterrangebiete finden, was nicht der Fall ist.

Nehring nimmt an, dass die Brasenia und Folliculities während der stärksten Ausbreitung des Landeises in Europa vollständig zu Grunde gegangen wären*). Dabei bleibt es aber eben rätselhaft, warum sie nicht, wie so viele andere Arten, sich während der genannten Epoche bis in die Mittelmeerländer zurückgezogen und dort erhalten haben, zumal ja doch Wasserpflanzen leicht verbreitet werden**).

Man wird daher gut thun, die Altersbestimmung einer Ablagerung in der eine dieser beiden Pflanzen vorkommt, vorläufig auf andere Weise zu versuchen, um nicht auf einen Circulus vitiosus zu geraten, bis sich mehr Licht über die Zeit verbreitet hat, in der Brasenia und Folliculites in Europa erloschen sind, und über die Ursachen, wodurch es geschah.

---

*) A. Nehring. Über Wirbeltierreste von Klinge. Neues Jahrb. f. Mineral. etc. 1895. Bd. I. Seite 201.

**) Es sei dazu bemerkt, dass ich gelegentlich gefunden habe, dass die Samen von Brasenia purpurea Michx. beim Austrocknen ihre Keimfähigkeit länger bewahren als die von Nymphaea alba und von Nuphar luteum, was aus dem verschiedenen Bau der Samenschalen leicht zu erklären ist. Um so weitern Transport sollten aber die Brasenia-Samen auch ertragen.

Naturwissenschaftlich-geographische Literatur über das nordwestliche Deutschland.

Zusammengestellt von Franz Buchenau.

(Fortsetzung. — Siehe Band XIII, pag. 342.)
Um Mitteilung der Titel von hier nicht aufgezählten Arbeiten wird
freundlichst gebeten.

1886.

Ramann, E. Der Ortstein und ähnliche Sekundärbildungen in den
Alluvial- und Diluvialsanden. In: Jahrbuch der Kön. Preuss.
geolog. Landesanstalt für 1885; 1886, p. 1—57.

1888.

Wessel, A. W. Flora Ostfrieslands. 4. Auflage. Leer, 1888;
W. Deichmann, XVIII und 266 Seiten.
(Diese Auflage ist mir erst im Oktober 1895 bekannt
geworden.)

1891.

Müller, F. B. Führer durch das Nordseebad Langeoog. Esens;
Verlag von J. Biermann, 1891. 56 Seiten und ein Ortsplan.

1894.

v. Balten, Ottomar. Die Ost- und Nordsee-Bäder. Ein Führer
und Ratgeber. Wien und Leipzig, Wilhelm Braumüller, 1894,
kl. 8⁰; IV und 226 Seiten; mit 2 Karten-Beilagen.

Buchenau, Franz. Flora von Bremen und Oldenburg. 4. Auflage.
Bremen; M. Heinsius Nachfolger, 1894; kl. 8⁰; VIII und
328 Seiten; mit 102 in den Text gedruckten Abbildungen.

Günther, Siegmnnd. Adam von Bremen, der erste deutsche Geograph.
In: Sitzungsberichte Kön. Böhm. Gesellschaft der Wissenschaften,
philologisch-historische Klasse, 1894, No. II, p. 1—68.

1895.

A(chelis), T(homas). Hermann Post †. In: Deutsche geographische
Blätter, 1895, XVIII, p. 290—292.

Ahlenstiel. Der Februarsturm im Jahre 1894. In: Jahresh. Nat.
Ver. Lüneburg, 1895, XIII, p. 135—148.

Alfken, D. Current Notes. In: The Entomologist's Record and Journal of Variation. Vol. VI, No. 5, March 15th., 1895. (1. Ein Ausflug nach den Badener Bergen bei Achim. Liste von Frühlingsbienen. 2. Neubenennung von Bombus cognatus = B. visurgiae Alfken).

—. Verzeichnis der Blattwespen von Juist. In: Abh. Nat. Ver. Brem., 1895, XIII, p. 348—349.

v. Alten, Friedrich. Blick auf Moor und Heide zwischen Weser und Ems. In: Ber. über die Thätigkeit des Oldenburger Landesvereins für Altertumskunde und Landesgeschichte, 1895, VIII, p. 28—52.

Bergholz, P. Ergebnisse der meteorologischen Beobachtungen. Stündliche Aufzeichnungen der Registrierapparate. Dreimal tägliche Beobachtungen in Bremen und Beobachtungen an vier Regenstationen, 1895, V, 4⁰, 42 Seiten, mit 8 Tafeln.

— Das meteorologische Observatorium in Bremen, in: Deutsche geogr. Blätter, 1895, XVIII, p. 405—422.

Bitter, G. Beiträge zur Adventivflora Bremens. In: Abh. Nat. Ver. Brem., 1895, XIII, p. 269—292.

Buchenau, Fr. Verzeichnis der in den öffentlichen Bibliotheken der Stadt Bremen im Jahre 1894 gehaltenen mathematischen, geographischen und naturwissenschaftlichen Zeitschriften. In: Abh. Nat. Ver. Brem., 1895, XIII, p. 245—252.

— Naturwissenschaftlich-geographische Litteratur über das nordwestliche Deutschland, daselbst, p. 342—347.

— Die Lune-Plate im August 1875. In: Abh. Nat. Ver. Brem., 1895, XV, p. 17—24.

— Westerstede; daselbst, p. 72—79.

— Atlas zum Gebrauche beim ersten geographischen Unterrichte, sowie zur Ergänzung der gewöhnlichen Schulatlanten für die Schulen Bremens und der Umgegend. 10. Auflage. G. Hunkel, 1892. (7 Karten).

— Schulwandkarte des Gebietes der freien Hansestadt Bremen; Massstab: 1 : 20 000; 3. Auflage. Bremen. G. Hunkel, 1895.

(Die beiden vorstehend genannten Karten-Unternehmungen werden hier aufgeführt, weil sie nicht etwa nur das vorhandene Vermessungsmaterial dem Unterricht zugänglich machen, sondern auch viele eigene Beobachtungen enthalten. Mehrere Blätter, so namentlich die grosse Wandkarte, die Handkarte des Bremer Gebietes, sowie die Pläne von Bremen und von Bremerhaven-Geestemünde finden auch zu ausserunterrichtlichen Zwecken vielfach Verwendung).

Bucholtz, Friedrich. Zum Gedächtnis Friedrich von Altens. In: Ber. über die Thätigkeit des Oldenburger Landesvereins für Altertumskunde und Landesgeschichte, 1895, VIII, p. 1—27, mit Portrait.

Conwentz, H. Untergegangener Eibenhorst im Steller Moor bei Hannover. In: Berichte der deutschen botanischen Gesellschaft, 1895, XIII, p. 402—409 (darin auch eine Schilderung des von Herrn Dr. C. Weber aufgefundenen Eibenbestandes im Krelinger Bruche unfern von Walsrode).

E......, F. Aus einer Inselchronik. In: Weser-Zeitung, 1895, 7. August, No. 17492. (Auszüge aus den Kirchenbüchern von Wangerooge).

F(lügel). Der Bau des neuen städtischen Museums für Naturgeschichte und Völkerkunde in Bremen. In: Deutsche geogr. Blätter, 1895, XVIII, p. 14—18 (mit Abbildung und zwei Plänen).

Focke, J. Kugelblitz in Bremen 1665. In: Abh. Nat. Ver. Brem., 1895, XIII, p. 312.

Focke, W. O. Über einige polymorphe Formenkreise: 1. Nordwestdeutsche Callitrichen. 2. Die nordwestdeutschen Taraxacum-Arten. (3. Über sicilianische Spergularien). In Abh. Nat. Ver. Brem., 1895, XIII, p. 239—244.

— Pflanzenbiologische Skizzen; Beiträge zum Verständnis des heimischen Pflanzenlebens; VI. Die Heide. Das., p. 253—268.

— Geognostische Notizen.
I. Eine Tiefbohrung auf der Geest.
II. Bohrungen in der Weserniederung.
III. Änderung in unterirdischen Wasserläufen (Grundwasserströmungen).
IV. Die „Volkweg"-Wasserscheide.
V. Das Liegende des Blocklehms auf der Vegesack-Scharmbecker Geest. In: Abh. Nat. Ver. Brem., 1895, XIII, p. 329—336.

— Mittwinterflora. Das., p. 350, 351.

— Änderung der Flora durch Kalk. Das., p. 351, 352.

— Weitere Nachrichten über die Familie Olbers. In: Abh. Nat. Ver. Brem., 1895, XV, p. 14—16.

— Einige Stammwörter niederdeutscher Ortsnamen. Das., p. 43—59.

— Untergegangene Ortschaften an der deutschen Nordseeküste. Das., p. 60—71.

— Der alte Wilhadibrunnen. Das., p. 80.

Franzius, L. (unter Mitwirkung von H. Bücking). Die Korrektion der Unterweser. Leipzig, W. Engelmann, 1895; 4⁰, Vorwort und 5 (besonders paginierte) Abschnitte, mit Atlas von 7 Karten und 24 Abbildungen.

Freudenthal, Fr. Der Kleckerwald. In: Niedersachsen, 1895, I, p. 36, 37.

— Der Urwald bei Neuenburg. Das., p. 8—10.

Graebner, Paul. Studien über die norddeutsche Heide. Versuch einer Formationsgliederung. In: Engler, botan. Jahrbücher, 1895, XX, p. 500—654, Taf. IX, X.

Hahn, F. G. Topographischer Führer durch das nordwestliche Deutschland. Ein Wanderbuch für Heimats- und Landeskunde, Leipzig, 1895; Veit & Cie; kl. 8⁰, XII und 324 Seiten. Mit Routenkarten.

Häpke, L. Der Entdecker der Sonnenflecke. In: Abh. Nat. Ver. Brem., 1895, XV, p. 33—38.

— Gezeichnete Lachse. Daselbst, p. 39—42.

— Lachsfischerei und Lachszucht im Wesergebiete. Allgemeine Fischerei-Zeitung, 1895, XX, p. 236—238 (aus der Weser-Zeitung vom 14. Juni 1895).

Hoek, P. P. C. Statistische und biologische Untersuchungen an den in den Niederlanden gefangenen Lachsen. In: Zeitschrift für Fischerei, 1895, III, p. 1—57.

Jacobi, Franz. Quellen zur Geschichte der Chauken und Friesen in der Römerzeit, chronologisch geordnet und übersetzt. In: Jahresbericht des Kön. Wilhelms-Gymnasium zu Emden, 1895, 4⁰; p. 1—9.

Klebahn, H. Kulturversuche mit heteröcischen Rostpilzen; III. Bericht. (1894). In: Sorauer, Zeitschrift für Pflanzenkrankheiten, 1895, V, p. 13—18, 69—79, 149—156, 257—268, 327—333.

Könike, F. Die Hydrachniden-Fauna von Juist, nebst Beschreibung einer neuen Hydrachna-Species von Borkum und Norderney. In: Abh. Nat. Ver. Brem., 1895, XIII, p. 227—235 (mit 10 Abbildungen im Texte).

Kohlrausch. Mittelwerte der 40jährigen meteorologischen Beobachtungen zu Lüneburg, 1855—1894 und die Windverhältnisse von Lüneburg. In: Jahresh. Nat. Ver. Lüneburg, 1895, XIII, p. 123—133.

— Meteorologische Übersicht der Jahre 1892, 93, 94. Daselbst, p. 149—151.

Kurth, H. Über die gesundheitliche Beurteilung der Brunnenwässer im Bremischen Staatsgebiet, mit besonderer Berücksichtigung des Vorkommens von Ammoniumverbindungen und deren Umwandlungen. In: Zeitschrift für Hygiene und Infektionskrankheiten, 1895, XIX, p. 1—60, mit 3 Tafeln.

— Die Thätigkeit der Filteranlage des Wasserwerks zu Bremen vom Juni 1893 bis August 1894, mit besonderer Berücksichtigung der Hochwasserzeiten. In: Arbeiten aus dem Kaiserlichen Gesundheitsamte, 1895, XI, p. 427—449, Taf. XVIII, XIX.

Lemmermann, E. Die Algenflora der Filter des bremischen Wasserwerkes. In: Abh. Nat. Ver. Brem., 1895, XIII, p. 293—311.

Lienenklaus, E. Professor Dr. W. Bölsche. In: 10. Jahresbericht des naturwissenschaftlichen Vereines zu Osnabrück, 1895, p. 241—246.

Lindeman, M. Der XI. deutsche Geographentag in Bremen in der Osterwoche 1895. In: Deutsche geographische Blätter, 1895, XVIII, p. 171—208.

(siehe auch Oppel, A.)

— 25 Lebensjahre der geographischen Gesellschaft in Bremen. In: Deutsche geographische Blätter, 1895, XVIII, p. 5—11.

Löns, Herm. Die Mollusken-Fauna Westfalens. In: 22. Jahresbericht des westfälischen Provinzialvereins für Wissenschaft und Kunst 1893/4; 1895, p. 81—98.

(Greift vielfach auf unser Gebiet über).

Martin, J. Diluvialstudien.

II. Das Haupteis, ein baltischer Strom. In: 10. Jahresbericht des naturwissenschaftlichen Vereius zu Osnabrück, 1895, p. 1—70, Taf. I, II.

III. Vergleichende Untersuchungen über das Diluvium im Westen der Weser. 1. Heimat der Geschiebe. Daselbst, p. 185—240.

Mathies. Ergebnisse der meteorologischen Beobachtungen in Emden im Jahre 1894. In: 79. Jahresbericht der naturforschenden Gesellschaft zu Emden, 1895, p. 36.

Metzger. Lachsfangstatistik im Wesergebiete. In: Allgemeine Fischerei-Zeitung, 1895, XX, p. 341—344.

— Über Irrtümer, Missverständnisse, Namensverwechselungen, Fischerlatein und ähnliche Dinge auf dem Gebiete der Fischkunde und des Fischereiwesens. In: Abhandlungen und Bericht XXXX des Vereines für Naturkunde zu Kassel, 1895, p. 80—97.

- (Enthält viele auf unser Gebiet bezügliche Angaben.)

Müller-Brauel, Hans. Die Besiedelung der Gegend zwischen Elbe und Weser in vorgeschichtlicher Zeit. In: Bremer Nachrichten, 1895, 20. April.

Olbers, Wilhelm. Nachrichten über die Familie Olbers. In: Abh. Nat. Ver. Brem., 1895, XV, p. 1—13.

(siehe auch Focke, W. O.)

Oppel, A. Die Ausstellung (auf dem XI. deutschen Geographentage) In: Deutsche geographische Blätter, 1895, XVIII, p. 208—218.

(siehe auch Lindeman, M.)

Reeker, H. Über die europäischen Ratten. In: 22. Jahresbericht des westfälischen Provinzialvereins für Wissenschaft und Kunst für 1893/4, 1895, p. 69—76, mit 4 Abbildungen von Schädeln.

(Vergl. Poppe, über das Vorkommen von Mus alexandrinus in Vegesack, diese Abh., XIII, p. 79).

Sandstede. H. Beiträge zu einer Lichenenflora des nordwestdeutschen Tieflandes (2. Nachtrag). In: Abh. Nat. Ver. Brem., 1895, XIII, p. 313—328.

Schumacher, H. A. Mechanikus Treviranus. In: Abh. Nat. Ver. Brem., 1895, XV, p. 25—32.

Schurtz, H. Die sieben Steinhäuser bei Fallingbostel. In: Deutsche geographische Blätter, 1895, XVIII, p. 282—290.

Sello, G. Die oldenburgische Kartographie bis zum Ende des 18. Jahrhunderts, I, in: Deutsche geogr. Blätter, 1895, XVIII, p. 350—372.

Sprung. Die 7. allgemeine Versammlung der deutschen meteorologischen Gesellschaft in Bremen am 17—19. April 1895. In: Deutsche geographische Blätter, 1895, XVIII, . p. 219—225.

Steinvorth, H. Beiträge zur Frage nach den Irrlichtern. In: Jahresh. Nat. Ver. Lüneburg, 1895, XIII, p. 1—84.
(Darin viele Mitteilungen aus dem nordwestl. Deutschland.)

Strombeck, A. v. Über den angeblichen Gault bei Lüneburg, In: Jahresh. Nat. Ver. Lüneburg, 1895, XIII, p. 85—95.

Stümcke, M. Zur Bodenkunde der Umgebung Lüneburgs. In: Jahresh. Nat. Ver. Lüneburg, 1895, XIII, p. 97—122; mit 2 Abbild.

Treviranus, L. Georg. Siehe Schumacher, H. A.

Verhoeff, C. Zur Kenntnis der Blattwespenfauna der ostfriesischen Inseln. In: Abh. Nat. Ver. Brem., 1895, XIII, p. 236—238.

— Über einige für die Fauna von Norderney neue Coleopteren. Daselbst, p. 349, 350.

Voss, G. Mitteilungen über Erdbohrungen in der Stadt Emden und deren Umgegend. In: 79. Jahresbericht der naturforschenden Gesellschaft in Emden, 1895, p. 37—42, mit 2 Tafeln.

Weber, C. Über das Diluvium von Honerdingen bei Walsrode. In: Neues Jahrbuch für Mineralogie, Geologie und Paläontologie, 1895, II, p. 151—152.

Wenke, G. Meteorologische Beobachtungen. In: 10. Jahresber d. naturw. Vereines zu Osnabrück, 1895, Taf. IV, V.

W(olkenhauer), W. Zeittafel zur Geschichte der Pflege und Förderung der Geographie in Bremen. In: Deutsche geographische Blätter, 1895, XVIII, p. 12, 13.

— Beziehungen Gerh. Merkators zu Bremen. Das., p. 128, 129.

Max Nössler's Buchdruckerei, Bremen.

Neunundzwanzigster Jahresbericht

des

Naturwissenschaftlichen Vereines

zu

BREMEN.

Für des Gesellschaftsjahr vom April 1893
bis Ende März 1894.

BREMEN.
C. Ed. Müller.
1894.

Hochgeehrte Herren!

Das abgelaufene Gesellschaftsjahr hat uns im Kreise unseres Vereins zahlreiche geistig anregende Stunden gewährt. Von auswärtigen Freunden hielten Vorträge: am 20. November Herr Professor Dr. Richard Meyer aus Braunschweig, über die künstliche Darstellung organischer Verbindungen (zugleich für Damen), am 4. Dezember Herr Friedrich Borcherding aus Vegesack: über die Reblaus, am 15. und 16. Januar Herr Dr. Wilhelm Meyer, Direktor der Urania in Berlin: über seine Reise vom atlantischen zum stillen Ozean (auch für die Damen der Mitglieder), am 5. März Herr Professor Dr. Friedrich Klockmann aus Clausthal über die Entstehung der deutschen Gebirgslandschaft (ein Kapitel aus der prähistorischen Geographie), ferner von den hiesigen Mitgliedern die Herren: Dr. P. Bergholz, Dr. Ulr. Hausmann, Buchenau, Dr. H. Klebahn, Prof. Dr. W. Müller-Erzbach, Dr. G. Schneider, Dr. R. Kifsling, Dr. O. Hergt, Direktor Dr. H. Kurth, Direktor Dr. W. Tacke, E. Lemmermann, Dr. Friedr. Seiffert, Dr. W. O. Focke. Durch das besonders freundliche Entgegenkommen des Herrn Sophus Tromholt wurde unseren Mitgliedern und ihren Damen der Besuch seiner astronomischen Vorlesungen am 3., 5., 6. und 8. November zum halben Eintrittspreise ermöglicht. — Ferner besuchten wir am 24. April unter gütiger Führung des Herrn Lloyd-Direktor Bremermann die grossartige Waschanstalt des Norddeutschen Lloyd, am 28. Juni unter Führung des Herrn Direktor Tacke die Versuchsfelder und die Molkerei zu Wörpedorf, sowie die Pflanzungen des Herrn Hellemann zu Moorende, am 16. Oktober unter Führung des Herrn Oberingenieurs Jordan die Zentrale des städtischen Elektrizitätswerkes.

Wenn uns so Gelegenheit gegeben war, den Fortschritt auf zahlreichen Gebieten des naturwissenschaftlichen Wissens zu verfolgen, so war doch der schwache Besuch mancher unserer Abende zu bedauern. Wohl ist derselbe durch die ausserordentlich hohe Zahl von Vereinen in unserer Stadt, welche Zeit und Kraft der Bewohner beanspruchen, durch die übermässig grosse Menge von Vorträgen und Konzerten, erklärlich, und er kehrt bei manchen verwandten Vereinen in noch weit höherem Mafse wieder — trotzdem aber ist zu beklagen, dafs ein so hohes Mafs von Wissen und geistiger Arbeit nicht einen gröfseren Kreis Empfangender findet. Wir bitten aber namentlich unsere vortragenden Freunde, in ihrem Wohlwollen nicht zu ermüden.

Auf wiederholte Anregung hin glauben wir, Ihnen vorschlagen zu sollen, den Beginn unserer Versammlungen künftig auf 7$\frac{1}{2}$ Uhr festzusetzen. In den 29 Jahren des Bestehens unseres Vereins haben sich unverkennbar die Lebensgewohnheiten etwas verschoben, und diese Verspätung ist durch die Einführung der mitteleuropäischen Zeit (am 1. April 1893) ganz besonders in das öffentliche Bewusstsein gebracht und gleichsam bestätigt worden. — Der etwas spätere Beginn unserer Versammlungen (die dann in der Regel bis 9 oder 9$\frac{1}{4}$ Uhr dauern werden) wird hoffentlich manchem Freunde, der noch bis 7 Uhr durch die Arbeit gefesselt ist, den Besuch derselben ermöglichen.

Über aufsergewöhnliche Ereignisse haben wir diesmal nicht zu berichten. Durch besondere Zuwendungen zum Vereinsvermögen sind wir im abgelaufenen Jahre nicht erfreut worden. Dagegen haben wir einem Ersuchen der Behörde für das Museum für Natur-, Handels- und Völkerkunde entsprechen zu sollen geglaubt, diesem Institute aus Veranlassung seiner bevorstehenden Eröffnung ein gröfseres Geschenk zu machen. Wir haben zu diesem Zwecke der Direktion des Museums einen Betrag bis zu 4000 $\mathscr{M}$. zur Erwerbung eines grofsen Walfisch-Skelettes zur Verfügung gestellt. Da diese Summe durch den Ankauf des Walskelettes nicht ganz in Anspruch genommen wurde, so hat der Vorstand in seiner letzten Sitzung zu dem Rest- bestande noch weitere 400 $\mathscr{M}$. aus den Zinsen der Frühlingstiftung zum Ankauf des Skelettes eines Riesenhirsches bewilligt. Beide Objekte bilden eine wesentliche Bereicherung der Sammlung und werden dauernd als Geschenk unseres Vereins bezeichnet werden. — Die 4000 $\mathscr{M}$. haben wir aus unserem Vereinsvermögen hergegeben, so jedoch, dafs 2000 $\mathscr{M}$. definitiv dem Vereinsvermögen entnommen worden sind, während der Rest dem Vereine in 4 Jahresraten von je 500 $\mathscr{M}$. aus den Zinsen der Rutenbergstiftung ersetzt werden soll. — Der Eröffnung des Museums darf voraussichtlich im nächsten Jahre entgegengesehen werden. Infolge der Neuorganisation der Museums- Verwaltung haben unsere seit langen Jahren geleisteten Zuschüsse (Gehalt des botanischen Assistenten und halbes Gehalt des ento- mologischen Assistenten) mit dem 1. Oktober ihr Ende erreicht.

Unsere anderen Bestrebungen, also namentlich die finanzielle Verwaltung der Moor-Versuchsstation, die Beobachtungen auf dem Leuchtschiffe Weser, der Schriftentausch, die Weiterführung der natur- wissenschaftlichen Abteilung der Stadtbibliothek, die Versendung der Sitzungsberichte an die auswärtigen Mitglieder, die Herausgabe der Abhandlungen, sind rüstig gefördert worden. — Neu mit uns in Tauschverbindung ist getreten:

die Société des sciences naturelles de l'ouest de la France, Nantes.

Auch im abgelaufenen Jahre wurden wir durch zahlreiche
Geschenke an Büchern und Naturalien erfreut, welche vorzugsweise
den von uns gepflegten städtischen Instituten zu gute gekommen sind.
Mehrere Mitglieder haben uns durch Rückgabe älterer und
neuerer Hefte der »Abhandlungen« erfreut. Wir bitten, auch ferner
damit fortfahren und unserer in dieser Beziehung namentlich auch
bei Auflösung von Haushalten eingedenk bleiben zu wollen.

Die Zahl der Mitglieder — der hiesigen sowohl als auswärtigen — ist nahezu konstant geblieben.

Von den Abhandlungen können wir Ihnen schon heute ein
neues Heft, das erste des 13. Bandes, vorlegen. Dasselbe wird
durch eine wichtige Arbeit des Herrn Dr. Fr. Seifert, Assistenten
der Moorversuchsstation: »Das Wasser im Flutgebiete der Weser«
eröffnet; diese Arbeit steht in inniger Beziehung zur Weser-Korrektion.
Andere Beiträge zur Naturgeschichte des deutschen Nordwestens
wurden von den Herren Direktor Wiepken in Oldenburg und Oberlehrer
Dr. Fr. Müller zu Varel beigesteuert; die Kenntnis der nordfriesischen
Inseln wird durch 2 Aufsätze der Herren Bäckermeister H. Sandstede
zu Zwischenahn und Seminarlehrer Ferd. Alpers zu Hannover gefördert. Herrn Dr. C. Schilling verdanken wir seine Biographie von
Arthur Breusing, Herrn Dr. W. O. Focke zwei in theoretischer und
systematischer Beziehung wichtige botanische Aufsätze.

Mit diesem Hefte wird gleichzeitig als Extra-Beilage
zum 13. Bande eine Arbeit von Franz Buchenau, über Einheitlichkeit der botanischen Kunstausdrücke und Abkürzungen, ausgegeben und an alle mit uns in Schriftentausch stehenden Vereine
und Gesellschaften verschickt werden. An die auswärtigen Mitglieder,
bei denen ein lebhafteres Interesse für den Gegenstand vorausgesetzt
werden kann, wurde sie bereits versandt und steht nun ebenfalls den
hiesigen Mitgliedern, welche sie zu erhalten wünschen, zur Verfügung.

Aus dem Vorstande scheiden diesmal die Herren Georg Wolde
und Fr. Buchenau aus. Herr Wolde hat leider eine Wiederwahl
abgelehnt. Wir sehen ihn nur sehr ungern aus unserm Kreise
scheiden, sind aber überzeugt, dafs er dem Vereine sein grofses
Wohlwollen bewahren wird. Wir bitten Sie, die im Vorstande entstandenen Lücken durch Neuwahlen zu ergänzen und sodann zwei
Revisoren der Jahresrechnung zu ernennen, welche Herr Consul Dreier
Ihnen im Auszuge vorlegen wird.

Der Vorstand des naturwissenschaftlichen Vereins.

Prof. Dr. **Buchenau.**

6.

Vorstand:

(nach der Anciennetät geordnet).

Prof. Dr. Fr. Buchenau, erster Vorsitzender, Contrescarpe 174.
Dr. phil. L. Häpke, Mendestrasse 24.
Dr. phil. O. Hergt, Steinhäuserstrasse 7.
Prof. Dr. W. Müller-Erzbach, korresp. Schriftführer, Herderstrasse 14.
Konsul C. H. Dreier, Rechnungsführer, Dechanatstrasse 1 b.
Direktor Dr. H. Schauinsland, Humboldtstrasse 62 f.
Dr. U. Hausmann, Rembertistrasse 15.
Dr. med. W. O. Focke, zweiter Vorsitzender, Beim stein. Kreuz 2 a.
H. Toelken, Bleicherstrasse 30.

Komitee für die Bibliothek:

Prof. Dr. Buchenau.

Komitee für die Sammlungen:

Prof. Dr. Buchenau.

Redaktionskomitee:

Dr. W. O. Focke, geschäftsf. Redakteur. Dr. L. Häpke.

Komitee für die Vorträge:

Dr. O. Hergt. Dr. L. Häpke. Prof. Dr. W. Müller-Erzbach.

Finanzkomitee:

Prof. Dr. Buchenau. C. H. Dreier, Rechnungsführer. H. Toelken.

Verwaltung der Moor-Versuchsstation:

C. W. Debbe, Vorsitzender. K. von Lingen, Rechnungsführer. Ferd. Corssen.
Dr. U. Hausmann. Konsul C. H. Dreier. J. Depken (v. Landwirtsch. Verein
kommittiert).

Anthropologische Kommission:

Mitglieder, gewählt vom Naturw. Verein: Prof. Dr. Buchenau, Dr. G. Hartlaub,
Dr. W. O. Focke, Dr. H. Schauinsland;
gewählt von der Historischen Gesellschaft: Dr. W. v. Bippen, Senator
Dr. D. Ehmck, A. Poppe.

Verzeichnis der Mitglieder

am 1. April 1894.

I. Ehren-Mitglieder:

1) Geh. Rat Prof. Dr. Adolf Bastian in Berlin, gewählt am 10. September 1867.
2) Kaiserl. Generalkonsul Gerhard Rohlfs in Godesberg, gewählt am 10 September 1867.
3) Admiralitätsrat Carl Koldewey in Hamburg,
4) Kapitän Paul Friedr. Aug. Hegemann in Hamburg,
5) Dr. R. Copeland, Edinburgh (Royal Terrace 15)   gewählt am
6) Prof. Dr. C. N. J. Börgen, Vorsteher des Observatoriums 17. September
   zu Wilhelmshaven,   1870.
7) Hauptmann a. D. Julius Payer in Wien,
8) Prof. Dr. Gustav Laube in Prag,
9) Direktor C. F. Wiepken in Oldenburg, gewählt am 18. April 1887.
10) Ober-Appell.-Gerichtsrat Dr. C. Nöldeke in Celle, gewählt am
    5. Dezember 1887.

11) Prof. Dr. P. Ascherson in Berlin, W., Bülowstr. 51.
12) Geheimrat Prof. Dr. K. Kraut in Hannover,
13) Prof. Dr. J. Urban in Friedenau bei Berlin,
14) Geh. Regierungsrat Prof. Dr. E. Ehlers in Göttingen,　　gewählt am
15) Geh. Hofrat Prof. Dr. F. Nobbe in Tharand,　　　　　　16. November
16) Geh. Admiralitätsrat Prof. Dr. G. Neumayer in Hamburg,　　1889.
17) Baron Ferd. von Mueller in Melbourne,
18) Konsul a. D. Dr. K. Ochsenius in Marburg,
19) Geheimrat Prof. Dr. K. Möbius in Berlin, Zoolog. Institut.
20) Prof. Dr. M. Fleischer in Berlin N. W., Helgolander Ufer 1, gewählt am
　　30. November 1891.
21) Prof. Dr. Th. K. Bail in Danzig, ⎫ gewählt am 12. Dezember 1892.
22) Prof. Dr. H. Conwentz in Danzig, ⎭

II. Korrespondierende Mitglieder:

1) Seminarlehrer Eiben in Aurich .... gewählt am　1. Novbr. 1869.
2) Prof. Dr. Chr. Luerssen in Königsberg ....　　,,　　,,　24. Jan.　1881.
3) Prof. Dr. Hub. Ludwig in Bonn ....　　　,,　　,,　　4. April　1881.
4) Prof. Dr. J. W. Spengel in Giessen........　　,,　　,,　18. April　1887.
5) Apotheker C. Beckmann in Hannover ....····· ⎫ gewählt am
6) Direktor Dr. Fr. Heincke in Helgoland .... ⎬ 16. November
7) Realschullehrer Dr. Fr. Müller in Varel .... ⎪ 1889.
8) Oberforstmeister Feye in Detmold .... ⎭

III. Hiesige Mitglieder:

a. lebenslängliche.

1) Achelis, Friedr., Kaufmann.
2) Achelis, J. C., Senator.
3) Adami, A., Konsul, Kaufmann.
4) Barkhausen, Dr. H. F., Arzt.
5) Buchenau, Prof. Dr. Fr., Direktor.
6) Corssen, F., Kaufmann.
7) Debbe, C. W., Direktor.
8) Deetjen, H., Kaufmann.
9) Dreier, Corn., Konsul, Kaufmann.
10) Dreier, Dr. J. C. H., Arzt.
11) Engelbrecht, H., Glasermeister.
12) Fehrmann, Carl, Kaufmann.
13) Finke, D. H., Kaufmann.
14) Fischer, J. Th., Kaufmann.*)
15) Fischer, W. Th., Kaufmann.
16) Focke, Dr. Eb., Arzt.*)
17) Focke, Dr. W. O., Arzt.
18) Gildemeister, Matth., Senator.
19) Gristede, S. F., Kaufmann.
20) Hildebrand, Jul., Kaufmann.
21) Hoffmann, M. H., Kaufmann.
22) Hollmann, J. F., Kaufmann.*)
23) Huck, O., Kaufmann.
24) Hütterott, Theod., Kaufmann.
25) Iken, Frdr., Kaufmann.
26) Isenberg, P., Kaufmann.
27) Kapff, L. v., Kaufmann.
28) Keysser, C. B., Privatmann.*)
29) Kindt, Chr., Kaufmann.*)
30) Kottmeier, Dr. J. F., Arzt.
31) Lahusen, M. Chr. L., Kaufmann.

32) Lauts, Fr., Kaufmann.
33) Leisewitz, Lamb., Kaufmann.
34) Lindemeyer, M. C., Privatmann.*)
35) Lürman, Dr. A., Bürgermeister.
36) Melchers, C. Th., Konsul, Kaufm.
37) Melchers, Gust. C., Kaufmann.
38) Melchers, Herm., Kaufmann.
39) Menke, Julius, Kaufmann.
40) Merkel, C., Konsul, Kaufmann.
41) Mohr, Alb., Kaufmann.*)
42) Plate, Emil, Kaufmann.
43) Plate, G., Kaufmann.
44) Pletzer, Dr. E. F. G. H., Arzt.
45) Rolfs, A., Kaufmann.
46) Rothe, Dr. med. E., Arzt.
47) Ruyter, C., Kaufmann.
48) Salzenberg, H. A. L., Direktor.
49) Schäfer, Dr. Th., Lehrer.
50) Schütte, C., Kaufmann.
51) Sengstack, A. F. J., Kaufmann.
52) Siedenburg, G. R., Kaufmann.
53) Stadler, Dr. L., Arzt.
54) Strube, C. H. L., Kaufmann.
55) Upmann, H. D., Kaufmann.
56) Vietor, F. M., Kaufmann.
57) de Voss, E. W., Konsul, Kaufm.
58) Wendt, J., Kaufmann.
59) Wolde, G., Kaufmann.
60) Wolde, H. A., Kaufmann.
61) Zimmermann, C., Dr. phil.*)

*) wohnt z. Z. auswärts.

8

b. derzeitige.

62) Achelis, Johs. jun., Kaufmann.
63) Achelis, Justus, Kaufmann.
64) Albers, W., Kaufmann.
65) Alberti, H. Fr., Kaufmann.
66) Albrand, Dr. med. E., Arzt.
67) Albrecht, G., Kaufmann.
68) Alfken, D., Lehrer.
69) Athenstaedt, J., Apotheker.
70) Barkhausen, Dr. C., Senator.
71) Bau, Arm., Chemiker.
72) Bautz, C. B., Kaufmann.
73) Behr, F., Reallehrer.
74) Bergholz, Dr. P. E. B., Gymnasiall.
75) Biermann, F. L., Kaufmann.
76) Bischoff, L., Bankdirektor.
77) Böttjer, Ferd., Kaufmann.
78) Bremermann, J. F., Lloyddir.
79) Clausen, H. A., Konsul.
80) Claussen, H., Kaufmann.
81) Collenbusch, Rich., Kaufmann.
82) Damköhler, Dr., Apotheker.
83) Davin, Jos., Strassenbaumeister.
84) Deetjen, Gustav, Privatmann.
85) Degener, Dr. med. L. J., Arzt.
86) Delius, F. W., Generalkonsul.
87) Depken, Joh., Landwirt.
88) Dierksen, N., Kistenfabrikant.
89) Dolder, A., Tapezierer.
90) Dróste, F. F., Konsul.
91) Dubbers, Ed., Kaufmann.
92) Dubbers, F., Kaufmann.
93) Duckwitz, A., Kaufmann.
94) Duckwitz, F., Kaufmann.
95) Duensing, E. F. W., Kaufmann.
96) Duncker, J. C., Kaufmann.
97) Dyes, L. G., Gen.-Kons., Kaufm.
98) Ebbeke, F. A., Konsul.
99) Ehlers, H. G., Kaufmann.
100) Ehmck, Aug., Kaufmann.
101) Ellinghausen, C. F. H., Kaufmann.
102) Engelken, Dr. H., Arzt.
103) Engelken, Joh., Kaufmann.
104) Everding, H., Bildhauer.
105) Feilner, J. B., Photograph.
106) Feldmann, Dr. A., Fabrikant.
107) Felsing, E., Uhrmacher.
108) Fick, J. H., Lehrer.
109) Finke, Detmar, Kaufmann.
110) Focke, Dr. Joh., Regierungssekret.
111) Focke, Wilh., Kaufmann.
112) Frahm, Wilh., Kaufmann.
113) Franzius, L., Oberbaudirektor.
114) Fricke, Dr. C., Lehrer a. d. Hdlsch.
115) Frister, D. A. A., Kaufmann.
116) Fritze, Dr. jur., Kaufmann.
117) Funck, J., General-Agent.
118) Gämlich, A., Kaufmann.
119) Gämlich, W., Kaufmann.
120) Gerdes, S., Konsul, Kaufmann.

121) Geveke, H., Kaufmann.
122) Geyer, C., Kaufmann.
123) Giehler, Ad., Apotheker.
124) Gildemeister, D., Kaufmann.
125) Gildemeister, H., Kaufmann.
126) Gildemeister, H Aug., Kaufmann.
127) Gloystein, Frdr., Kaufmann.
128) Göring, Dr. G. W., Arzt.
129) le Goullon, F., Kaufmann.
130) Graefe, E. F. J., Oberingenieur.
131) Graue, H. Kaufmann.
132) Grienwaldt, L. O., Photograph.
133) Grimmenstein, J., Kaufmann.
134) Groenewold, H. B., Maler.
135) Gröning, Dr. Herm., Senator.
136) Grosse, C. L., Kaufmann.
137) Grosse, Dr. W., Lehrer a. d. Hdlsch.
138) Gruner, Th., Kaufmann.
139) Gruner, E. C., Kaufmann.
140) Haake, H. W., Bierbrauer.
141) Haas, W., Kaufmann.
142) Hagen, C., Kaufmann.
143) Hagens, Ad., Kaufmann.
144) Halem, G. A. v., Buchhändler.
145) Hampe, G., Buchhändler.
146) Häpke, Dr. L., Reallehrer.
147) Hartlaub, Dr. C. J. G., Arzt.
148) Hartmann, J. W., Kaufmann.
149) Hasse, Otto, Kaufmann.
150) Haupt, Hilmar, Kaufmann.
151) Hausmann, Dr. U., Apotheker.
152) Hegeler, Herm., Kaufmann.
153) Heineken, H. F., Wasserbau-Insp.
154) Heinemann, E. F., Kaufmann.
155) Heinzelmann, G., Kaufmann.
156) Hellemann, H. C. A., Kunstgärtn.
157) Henoch, J. C. G., Kaufmann.
158) Henschen, Fr., Kaufmann.
159) Hergt, Dr. O., Reallehrer.
160) Hirschfeld, Th. G., Kaufmann.
161) Hollmann, W. B., Buchhändler.
162) Holscher, Fr., Holzhändler.
163) Horn, Dr. W., Arzt.
164) Huck, Dr. M., Arzt.
165) Hurm, Dr. med., Arzt.
166) Jacobs, Joh., Kaufmann.
167) Janke, Dr. L., Direktor.
168) Jordan, F., Ingenieur.
169) Jungk, H., Kaufmann.
170) Kahrweg, G. W., Kaufmann.
171) Kahrweg, H., Kaufmann.
172) Kasten, Prof. Dr. H., Direktor.
173) Kellner, F. W., Kaufmann.
174) Kellner, H., Kaufmann.
175) Kindervater, Dr., Oberzolldirekt.
176) Kifsling, Dr. Rich., Chemiker.
177) Klatte, B., Privatmann.
178) Klebahn, Dr. H., Seminarlehrer.
179) Klevenhusen, F., Amtsfischer.

180) Knoop, Johs., Kaufmann.
181) Kobelt, Herm., Kaufmann.
182) Koch, Dr. F., Lehrer a. d. Hdlsch.
183) Könike, F., Lehrer.
184) Korff, W. A., Kaufmann.
185) Köster, J. C., Schulvorsteher.
186) Kroning, W., Privatmann.
187) Kulenkampff, C. G., Kaufmann.
188) Kulenkampff, H. J., Kaufmann.
189) Kulenkampff, H. W., Kaufmann.
190) Kurth, Dr. med. H., Direktor.
191) Küster, George, Kaufmann.
192) Kusch, G., Apotheker.
193) Lackmann, H. A., Kaufmann.
194) Lahmann, A., H. Sohn, Reepschl.
195) Lahmann, A., Fr. Sohn, Kaufm.
196) Lahusen, W., Apotheker.
197) Lampe, Dr. H., Jurist.
198) Lang, Dr. L., Chemiker.
199) Lemmermann, E., Lehrer.
200) Leonhardt, K. F., Kaufmann.
201) Lerbs, J. D., Kaufmann.
202) Leupold, Herm., Konsul.
203) Lindner, R., Verlagsbuchhdlr.
204) Lingen, K. von, Kaufmann.
205) Linne, H., Kaufmann.
206) Lodtmann, Karl, Kaufmann.
207) Logemann, J. H., Kaufmann.
208) Loose, Dr. A., Arzt.
209) Loose, Bernh., Kaufmann.
210) Loose, C., Kaufmann.
211) Luce, Dr. C. L., Arzt.
212) Luce, G., Makler.
213) Ludolph, W., Mechanikus.
214) Lürman, J. H., Kaufmann.
215) Lürman, F. Th., Kaufmann.
216) Marcus, Dr., Senator.
217) Marsars-Camarès, E. v., Buchhdl.
218) Mecke, Dr. med. J., Augenarzt.
219) Meinken, H., Aufseher.
220) Melchers, A. F. Karl, Kaufm.
221) Melchers, B., Kaufmann.
222) Melchers, Georg, Kaufmann.
223) Menke, H., Kaufmann.
224) Messer, C., Reallehrer.
225) Meyer, Engelbert, Kaufmann.
226) Meyer, Dr. G., Reallehrer.
227) Meyer, Max J., Kaufmann.
228) Meyer, J. Fr., Geldmakler.
229) Michaelis, F. L., Konsul, Kaufm.
230) Michaelsen, E. F. G., Kaufmann.
231) Migault, Jul., Kaufmann.
232) Möller, Friedr., Kaufmann.
233) Müller, C. Ed., Buchhändler.
234) Müller, Dr. G., Advokat.
235) Müller, Ludw., Kaufmann.
236) Müller, Prof. Dr. W., Gymnasiall.
237) Nagel, Dr. med. G., Arzt.
238) Neuberger, H., Kaufmann.
239) Neuendorff, Dr. med. J., Arzt.

240) Neuhaus, Fr. H., Privatmann.
241) Neukirch, F., Civil-Ingenieur.
242) Nielsen, J., Kaufmann.
243) Nielsen, W., Senator.
244) Nobbe, G., Kaufmann.
245) Noessler, Max, Verlagsbuchhdlr.
246) Nolze, H. A., Direktor.
247) Oelrichs, Dr. J., Senator.
248) Overbeck, W., Direktor.
249) Osten, Carl, Kaufmann.
250) Pagenstecher, Gust., Kaufmann.
251) Paulmann, Emil, Juwelier.
252) Peters, F., Schulvorsteher.
253) Pflüger, J. C., Kaufmann.
254) Poppe, J. G., Architekt.
255) Post, Dr. H. A. von, Richter.
256) Pundsack, J. R., Mechaniker.
257) Precht, E., Kaufmann.
258) Rabba, Chr., Reallehrer.
259) Reck, F., Kaufmann.
260) Reif, J. W., Apotheker.
261) Remmer, W., Bierbrauer.
262) Rickmers, A., Kaufmann.
263) Rienits, Günther, Kaufmann.
264) Riensch, Heinr., Makler.
265) Ritter, F. E., Kaufmann.
266) Rohtbar, H. H., Privatmann.
267) Rost, W. A., Kaufm.
268) Rowohlt, H., Kaufmann.
269) Romberg, Dr. H., Direktor.
270) Rosenkranz, G. H., Segelmacher.
271) Ruete, A. F., Kaufmann.
272) Ruhl, J. P., Kaufmann.
273) Runge, Dr. Fr. G., Arzt.
274) Rutenberg, J. H., Konsul, Kaufm.
275) Sander, G., Kaufmann.
276) Schäffer, Dr. Max, Arzt.
277) Schauinsland, Dr. H., Direktor.
278) Schellhafs, Konsul, Kaufmann.
279) Schellhafs, Otto, Kaufmann.
280) Schenkel, B., Pastor.
281) Schierenbeck, J., Landwirt.
282) Schierloh, H., Schulvorsteher.
283) Schilling, Dr. D., Navigationslehr.
284) Schlenker, M. W., Buchhändler
285) Schmidt, Ferd., Kaufmann.
286) Schneider, Dr. G. L., Reallehrer.
287) Schrader, W., Konsul.
288) Schrage, J. L, Kaufmann.
289) Schreiber, Ad., Kaufmann.
290) Schröder, G. J., Kaufmann.
291) Schröder, J. P. H., Kaufmann.
292) Schröder, W., Kaufmann.
293) Schröder, W. A. H., Kaufmann.
294) Schünemann, Carl Ed., Verleger.
295) Schütte, Franz, Kaufmann.
296) Schütte, Gust., Kaufmann.
297) Schwabe, Ad., Kaufmann.
298) Schwally, C., Drechsler.
299) Schweers, G. J., Privatmann.

300) Seeger, Dr. med. J., Zahnarzt.
301) Segnitz, F. A., Kaufmann.
302) Segnitz, Herm., Kaufmann.
303) Seyfert, Dr. Fr., Chemiker.
304) Silomon, H. W., Buchhändler.
305) Smidt, Dr. Joh., Richter.
306) Smidt, John, Kaufmann.
307) Smidt, Jul., Konsul, Kaufmann.
308) Sparkuhle, Ph. J., Kaufmann.
309) Spitta, Dr. A., Arzt.
310) Strafsburg, Dr. med. G., Arzt.
311) Strauch, D. F.. Kaufmann.
312) Stute, J. A. Chr., Kaufmann.
313) Stüsser, Dr. J., Apotheker.
314) Südel, B., Kaufmann.
315) Tacke, Dr. B., Direktor.
316) Tellmann, F.,Lehrer a. d.Hdlssch.
317) Tern, W., Reallehrer.
318) Tetens, Dr., Senator, Jurist.
319) Thorspecken, Dr. C., Arzt.
320) Toel, H., Apotheker.
321) Töllner, K., Kaufmann.
322) Toelken, H., Kaufmann.
323) Traub, C., Kaufmann.
324) Ulex, E. H. O., Richter.
325) Ulrich, S., Direktor.
326) Ulrichs, E., Konsul.
327) Vassmer, H. W. D., Makler.

328) Vietsch, G. F. H., Konsul, Kaufm.
329) Vinnen, Chr., Kaufmann.
330) Vocke, Ch., Kaufmann.
331) Volkmann, J. H., Kaufmann.
332) Von der Heyde. E., Konsul.
333) Waetjen, Ed., Kaufmann.
334) Weber, Dr. C., Chemiker.
335) Weinlig, F., Kaufmann.
336) Wellmann, Dr. H., Gymn.-Lehrer.
337) Wenner, G., Aichmeister.
338) Werner, E., Kaufmann.
339) Wessels, J. F., Senator.
340) Westphal, Jul.,Lehr.a.d.Hdlssch.
341) Weyhausen, Aug., Bankier.
342) Wiesenhavern, F., Apotheker.
343) Wiesenhavern, W., Privatmann.
344) Wieting, G. E., Kaufmann.
345) Wilde, F., Lehrer. a. d. Hdlssch.
346) Wilkens, H., Silberwarenfabrkt.
347) Willich, J. L. F., Apotheker.
348) Wilmans, R., Kaufmann.
349) Witte, Herm., Kaufmann.
350) Wolffram, A. A E., Photograph.
351) Wolfrum, L., Chemiker.
352) Wolters, J. H. F., Lehrer.
353) Woltjen, Herm., Privatmann.
354) Wortmann, Gust., Kaufmann.
355) Zinne, H. F. L. A., Photograph.

Nach Schlufs der Liste eingetreten:

356) Sosna, F. A., Polizeitierarzt.

Durch den Tod verlor der Verein die Herren:

Below, W., Baumeister.
Hoffmann, Th. G., Kaufmann.
Koch, J. D., Kaufmann.

Ihren Austritt zeigten an die Herren:

Brinker, H., Photograph.
Clüver, H., Makler.
Gärtner, G. W., Kaufmann.
Grote, A., Professor.
Meier, H. W., Musikalienhändler.
Meyer, J., Lehrer.

Modersohn, R., Kaufmann.
Oldenburg, Th., Privatmann.
Pellenz, K., Ingenieur.
Rotmann, J. H., Kaufmann.
Schweers, H., Lehrer.
Walte, Herm., Kaufmann.

Es verliefsen Bremen und schieden deshalb aus unserm Kreise
die Herren:

Knoòp, G. W. D., Kaufmann.
Pfaffendorf, A., Mechaniker.

Voigt, Dr. A., Assistent.
Walder, Dr. F., Chemiker.

IV. Auswärtige Mitglieder.

Ein dem Namen beigefügtes (L.) bedeutet: lebenslängliches Mitglied;
ein vorgesetzter * zeigt an, dafs das betr. Mitglied seinen Beitrag durch einen hiesigen
Korrespondenten bezahlen läfst.

a) Gebiet und Hafenstädte.

1) Borgfeld: Mentzel, Lehrer.
2) Bremerhaven: Gill, Dr. J., Direktor.

3) Gröplingen: Menkens, H., Lehrer.
4) Hastedt: Reichstein, H., Lehrer.
5) Horn: Meyer, Lehrer.
6) Osterholz (Bremen): Gerke, Lehrer.
7) „ Essen, H., Lehrer.
8) „ Meier, J., Lehrer.
9) Sebaldsbrück: Plate, Lehrer.
10) St. Magnus: Piderit, Leo, Administrator.
11) Vegesack: Bischoff, H., Kaufmann.
12) „. Borcherding, Fr., Lehrer.
13) „ Coesfeld, Dr. phil. R., Apotheker.
14) „ Herrmann,. Dr. R. R. G., Realgymnasiallehrer.
15) „ Kohlmann, R., Realgymnasiallehrer.
16) „ Landwehr, Th., Kaufmann.
17) „ Lofmeyer, O., stud. rer. nat.
18) „ Poppe, S. A., Privatgelehrter.
19) „ Rohdenburg, Diedr. jun., Apotheker.
20) „. Schild, Bankdirektor.
21) „ Stümcke, C., Apotheker.
22) „ Wehmann, Dr. med., Arzt.
23) „ Weidemann, stud. med. H.
24) „ Wilmans, Dr. med., Arzt.
25) „ (Schönebeck): Wedepohl, B., Forst- u. Gutsverwalter.
26) Walle: Hüttmann, J., Lehrer.
27) Wasserhorst: Schlöndorff, J., Oberlehrer.
28) Woltmershausen: Heuer, G., Apotheker.

b) Im Herzogtum Oldenburg.

29) Augustfehn: Röben, Dr. med., Arzt.
30) Delmenhorst: Katenkamp, Dr. med., Arzt. (L.)
31) „ Henning, A., Rektor.
32) Elsfleth: Schütte, H., Lehrer.
33) Idafehn bei Augustfehn: Küchler, W., Lehrer.
34) Oldenburg: Bosse, A., Bankbeamter.
35) „ Droste, Dr. K., Oberrealschullehrer.
36) „ Fricke, Fr., Oberrealschullehrer.
37) „ Greve, Dr., Obertierarzt.
38) „ Ohrt, Garteninspektor.
39) „ Struve, C., Assessor.
40) „. Wegener, Seminarlehrer.
41) Sillenstede bei Jever: Roggemann, Lehrer.
42) Varel: Böckeler, Otto, Privatmann.
43) „ Minden, M. von, stud. phil.
44) Westerstede: Brakenhoff, Rektor.
45) Zwischenahn: Hullmann, A., Lehrer.
46) „ Sandstede, H., Bäckermeister.

c) Provinz Hannover.

47) Bassum: Ebermaier, F., Apotheker.
48) Borkum: Bakker, W., Apotheker.
49) Clausthal: Klockmann, Dr. F., Prof. der Mineralogie und Geologie.
50) Detern: van Dieken, Lehrer.
51) Emden: Martini, S., Lehrer.
52) Fallingbostel: Kahler, L., Apotheker.
53) Geestemünde: Eilker, Dr. G., Professor.
54) „ Hartwig, Dr. med., Sanitätsrat.
55) Gross-Ringmar bei Bassum: Iburg, H., Lehrer.
56) Hannover: Alpers, F., Seminarlehrer.
57) „ Andrée, A., Apotheker.

58) Hannover: Brandes, Apotheker.
59)   „   Hess, Dr. W., Professor.
60) Hemelingen: Böse, J., Oberlehrer.
61)   „   Harms, J., Lehrer.
62)   „   Wilkens, W., Teilhaber der Firma Wilkens & Söhne (L.)
63) Hildesheim: Laubert, Dr. E., Professor.
64) Iburg: Sickmann, F., Rektor.
65) Juist: Leege, O., Lehrer.
66)   „   Arends. Dr. med. E., Arzt.
67) Langeoog: Müller, F. B., Lehrer.
68) Lehe: Kothe, Lehrer.
69) Lesum: Cuntz, G., Candidat.
70) Lingen: Salfeld, Dr. A., Kulturtechniker.
71) Meppen: Borgas, L., Gymnasiallehrer.
72)   „   Wenker, H., Gymnasialoberlehrer.
73) Münden: Metzger, Dr., Professor.
74) Neuhaus a. d. Oste: Ruge, W. H., Apotheker. (L.)
75) Norden: Eggers, Dr., Gymnasiallehrer. (L.)
76) Oberndorf a. d. Oste: Oltmanns, Apotheker.
77) Ottersberg: Behrens, W., Mandator.
78) Papenburg: Hupe, Dr. C., Reallehrer.
79) Quakenbrück: Möllmann, G., Apotheker.
80) Rechtenfleth: Allmers, Herm., Landwirt. (L.)
81) Rotenburg a. d. Wumme: Wattenberg, Fr., Landtagsabgeordneter.
82)   „   „   „   „   Polemann, Apotheker.
83) Spiekerooge: Wurts, Dierk, Lehrer.
84) Stade: Brandt, Professor.
85)   „   Eichstädt, Fr., Apotheker.
86)   „   Holtermann, Senator.
87)   „   Streuer, Fr. W., Seminarlehrer.
88)   „   Tiedemann, Dr. med. E., Arzt.
89)   „   Wynecken, Joh., Rechtsanwalt.
90) Verden: Holtermann, Apotheker.
91) Wangerooge: Glander, H., Lehrer.
92) Warstade b. Basbeck: Wilshusen, K., Lehrer.
93) Wörpedorf b. Grasberg: Böschen, J., Landwirt.
94) Zwischenbergen b. Strackholt (Ostfr.): Bielefeld, R., Lehrer.

d. Im übrigen Deutschland.

95) *Altona: Herbst, Jul., Apotheker.
96) Arnstadt: Leimbach, Dr. G., Professor.
97) *Berlin, Bruckmeyer, F., stud. med.
98)   „   W., Blumeshof 15: Magnus, Dr. P., Professor.
99)   „   S., Urbanstr. 107 II. r.: Hollmann, M., Apotheker.
100) Braunschweig: Bertram, W., Superintendent.
101)   „   Blasius, Dr. R., Stabsarzt a. D.
102)   „   Blasius, Dr. W., Professor.
103)   „   v. Koch, Victor, Okonom.
104)   „   Werner, F. A., Partikulier.
105) Coblenz: Walte, Dr., Lehrer an der Gewerbeschule.
106) *Dresden: Sanders, W., Reallehrer.
107) Flottbeck bei Altona: Booth, John, Kunstgärtner. (L.)
108) Freiburg i. Br.: Fritze, Dr. A., Privatdozent.
109) *   „   Klugkist, C., stud. med.
110) Görlitz: Mensching, Dr. J., Chemiker.
111) Hamburg: Rothe, Walter, Kaufmann. (L.)
112) Insterburg: Kühn, Max, Apotheker.
113) Kiel: Knuth, Dr. H., Realschullehrer.
114) Kiel: von Fischer-Benzon, Dr., Professor.
115) Laubach in Hessen: Solms-Laubach, Fr., Graf zu. (L.)

116) Magdeburg: Fitschen, J., Lehrer.
117) *München: Bitter, G., stud. rer. nat.
118) Münster i. W.: Precht, Dr. Jul., Ass. am phys. Institut.
119) Poppelsdorf b. Bonn: Verhoeff, L., stud. rer. nat.
120) Rappoltsweiler i. Els.: Graul, Dr. J., Realschullehrer.
121) Rostock: Prahl, Dr. med., Oberstabsarzt.
122) Schlettstadt (Elsass): Krause, Dr. med. E. H. L., Stabs- u. Bataillonsarzt.
123) Steinbeck in Lippe-Detmold: von Lengerke, Dr. H., Gutsbesitzer. (L.)
124) Waren in Mecklenburg: Horn, P., Apotheker.
125) Weimar: Haufsknecht, C., Professor. (L.)
126) *Wien: Rickmers, W., stud. phil.

e. Im aufserdeutschen Europa.

127) Blackhill (Durham): Storey, J. Thomas, Rev. (L.)
128) Huelva (Spanien): Lorent, Fr. C., Kaufmann. (L.)
129) *Liverpool: Oelrichs, W., Kaufmann.
130) Petersburg: Grommé, G. W., Kaufmann. (L.)
131) St. Albans: Sander, F., Kunstgärtner. (L.)

f. In fremden Weltteilen.
Amerika.

132) Bahia: Meyer, L. G., Kaufmann. (L.)
133) Baltimore: Lingen, G. v., Kaufmann. (L.)
134) Cordoba: Kurtz, Dr. F., Professor. (L.)
135) *Durango: Buchenau, Siegfr., Kaufmann.
136) *Mercedes (Republik Uruguay): Osten, Corn., Kaufmann.
137) New-York: Koop, Joh., Kaufmann. (L.)

Asien.

138) *Batavia: Hallmann, F., Kaufmann.
139) *Calcutta: Smidt, G., Kaufmann.
140) Shanghai: Koch, W. L., Kaufmann. (L.)

Australien.

141) Honolulu: Schmidt, H. W., Konsul. (L.)

Verzeichnis von Vereinsmitgliedern, welche ein naturwissenschaftliches Spezialstudium betreiben.

Alfken, D., Entomologie.
Alpers, F., Hannover, Botanik.
Ascherson, Prof. Dr. P., Berlin, Botanik.
Beckmann, C., Hannover, Botanik, (Flora von Europa, Moose).
Bergholz, Dr. P. E. B., Meteorologie.
Bertram, W., Braunschweig, Botanik (Flora von Braunschweig, Moose).
Blasius, Prof. Dr. W., Braunschweig, Zoologie.
Böckeler, O., Varel, Cyperaceen.
Borcherding, F., Vegesack, Malakologie.
Buchenau, Prof. Dr. F., Botanik; bremische Geographie und Topographie.
Eilker, Prof. Dr. G., Geestemünde, Botanik.
Felsing, E., Coleopteren.
Fick, J. H., Ornithologie.
Fitschen, J., Magdeburg, Botanik.
Fleischer, Prof. Dr. M., Berlin, Agrikulturchemie.
Focke, Dr. W. O., Botanik (Rubus, Hybride, Flora Europas), Flachland-
    Geognosie.
Fricke, Dr. C., Paläontologie.
Häpke, Dr. L., Landeskunde des nordwestlichen Deutschlands; Weserfische;
    Gewitter.

Hartlaub, Dr. G., Ornithologie, Ethnologie.
Hausmann, Dr. Ü., Pflanzenchemie und Droguenkunde.
Haufsknecht, Prof. C., Weimar, Botanik (Floristik).
Hergt, Dr. O., Chemie.
Hefs, Prof. Dr. W., Hannover, Zoologie.
Hollmann, M., Berlin, Entomologie.
Janke, Direktor Dr. L., Chemie.
Katenkamp, Dr., Delmenhorst, Botanik und Altertumskunde.
Kifsling, Dr. R., Chemie.
Klebahn, Dr. H., Mikroskopische Botanik.
Könike, F., Acarina (Hydrachniden).
Kohlmann, R., Vegesack, Recente Meeresconchylien, Hymenomyceten.
Kraut, Geheimrat Prof. Dr., Hannover, Chemie.
Kurtz, Dr. F., Cordoba, Botanik.
Lahmann, A., H's. Sohn, Lepidopteren.
Leimbach, Prof. Dr. G., Arnstadt, Botanik (Orchidaceen).
Lemmermann, E., Botanik (Algen).
Magnus, Prof. Dr. P., Berlin, Botanik (Pilze).
Menkens, H., Gröpelingen, Arachniden.
Messer, C., Botanik.
Meyer, J., Entomologie.
Müller-Erzbach, Prof. Dr. W., Physik.
Müller, Dr. Fr., Varel, Botanik.
Nöldeke, Dr. C., Ober-Appell.-Gerichtsrat, Celle, Botanik.
Osten, C., Mercedes (Rep. Uruguay), Botanik.
Poppe, S. A., Vegesack, Copepoden, Cladoceren, Ectoparasiten, Ethnologie.
Sandstede, H., Zwischenahn, Flechten.
Schneider, Dr. G., Physik.
Sickmann, F., Iburg, Hymenopteren.
Wiepken, Direktor C. F., Oldenburg, Deutsche Ornithologie, Coleopteren, Gerölle.
Willich, J. L. F., Chemie.

Die geehrten Mitglieder, welche wünschen, in dieses Verzeichnis aufgenommen zu werden, wollen sich deshalb gefälligst an den Vorstand wenden.

Verzeichnis der gehaltenen Vorträge.
1893.

April 10. Hr. Dr. Bergholz: Über den täglichen Gang des Luftdruckes, der Temperatur, der relativen Feuchtigkeit, des Niederschlages und der Sonnenscheindauer in Bremen im Jahre 1891.

April 24. Hr. Lloyddirektor Bremermann: Besichtigung und Demonstration der Einrichtungen und des Betriebes der Waschanstalt des Norddeutschen Lloyd.

Mai 8. Hr. Dr. H. Klebahn: Über oligodynamische Erscheinungen an lebenden Zellen.

Hr. Prof. Dr. Müller-Erzbach: Ueber unterirdische Wasseransammlungen.

Juni 19. Hr. Prof. Dr. Buchenau: Mitteilungen über einen botanischen Frühlingsausflug nach Wangeroog und Spiekeroog.

Juni 28. Hr. Direktor Dr. Tacke: Besuch der Versuchsfelder und Molkerei zu Wörpedorf.

Hr. Kunstgärtner Hellemann: Demonstration seiner Coniferenpflanzungen in Moorende.

Sept. 11. Hr. Dr. Gust. Schneider: Über die Gletscher.

Sept. 25. Hr. Dr. R. Kissling: Über Benzinbrände in chemischen Wäschereien.

Hr. Prof. Buchenau: Demonstration von Kieselguhrproben aus der Gegend von Ülzen.

Hr. Dr. W. O. Focke: Eine neue Rückschlagserscheinung an einem Mischling von der gewöhnlichen und weidenblättrigen Birne.

Hr. Dr. Häpke: Über die Kruppsche Ausstellung in Chicago.

Oktb. 16. Hr. Oberingenieur Jordan: Demonstration der Anlagen des städtischen Elektrizitätswerkes.

November 13. Hr. Prof. Dr. Müller-Erzbach: Das Leuchten des Phosphors.

Hr. Prof. Dr. Buchenau: Über die Pilzgärten der tropischen Ameisen.

November 20. Hr. Prof. Dr. Rich. Meyer aus Braunschweig: Über die künstliche Darstellung organischer Verbindungen und ihre Bedeutung für die Wissenschaft und das Leben. (Damenabend.)

Dezbr. 4. Hr. Fr. Borcherding: Über die Reblaus.

Hr. Prof. Dr. Müller-Erzbach: Über eine neue Methode zur Bestimmung der Parallaxe der Fixsterne.

Hr. Dr. Hergt: Demonstration eines selbstkonstruierten Schwefelwasserstoffentwickelungsapparates.

Dezbr. 18. Hr. Direktor Dr. H. Kurth: Über die jetzigen Hülfsmittel zur Unterschidung der Bakterien.

1894.

Januar 8. Hr. Direktor Dr. Tacke: Bericht über die Thätigkeit der Moorversuchsstation im Jahre 1893 und über den Kreislauf des Stickstoffes in der Natur.

Januar 15. Hr. Prof. Dr. M. Wilh. Meyer, Direktor der „Urania" in Berlin: I. Durch den Yellow-Stone-Park bis zum grofsen Ozean. (Zugleich für Damen.)

Januar 16. Hr. Prof. Dr. M. Wilh. Meyer: II. Durch die Sierra zum Felsengebirge. (Zugleich für Damen.)

Januar 29. Hr. Dr. H. Klebahn: Über die botanischen Ergebnisse der Planktonexpedition.

Februar 19. Hr. E. Lemmermann: Der Einfluſs des Sonnenlichtes auf die Blütenbildung.

   Hr. Prof. Dr. Müller-Erzbach: Über die Barrewirkungen.

   Hr. Prof. Dr. Buchenau: Die Blutbuche bei Buch am Irchel.

März 5. Hr. Prof. Dr. Klockmann aus Klausthal: Über den Bau der mitteldeutschen Gebirge.

März 19. Hr. Dr. Fr. Seiffert: Das Wasser im Flutgebiete der Weser.

   Hr. Dr. W. O. Focke: Die Flora des Unterwesergebietes.

Geschenke für die Bibliothek.

Sr. Excellenz der Preuss. Minister der landwirtschaftlichen Angelegenheiten: Landwirtschaftliche Jahrbücher XXII (1893), XXIII. 1. (1894); Ergänzungsband XXI, II; XXII 1, 3.

Hr. Geh. Hofrat Prof. Dr. Nobbe in Tharand: Landwirtschaftliche Versuchsstationen Band XLII, 1—6; XLIII, 1—5.

Hr. Prof. Buchenau: Atti 1892 del Congresso botanico internationale di Genova.

Hr. Georg W. Krüger in New York: Silliman, The American Journal of Science 1893.

Hr. F. Könike (als Verf.): Noch eine neue Hydrachnide aus dem Rhätikon. — Hydrachniden des Hamburger naturhistor. Museums.

Hr. F. Borcherding: Schulze u. Borcherding, Fauna saxonica. Amphibia et Reptilia.

Hr. Ingenieur Hugo Seelhoff: Richter, Über elektrische Einzelantriebe.

Hr. G. Spohn (als Verf.): Zur Kenntnis des Färbevorganges.

Hr. Prof. Michele Stossich in Triest (als Verf.): 1) Note elmintologiche; 2) Il genere Angiostomum Dujardin.

Hr. Prof Dr. G. Leimbach: Deutsche botan. Monatsschrift. Jahrg. XI, 1—11.

Hr. Prof. Dr. H. Conwentz in Danzig: Klinggraeff, Die Leber- und Laubmoose West- u. Ostpreussens.

Hr. Dr. Jul. Precht in Münster (als Verf.): Absolute Messungen über das Ausströmen der Elektrizität aus Spitzen.
Hr. Konsul Dr. Ochsenius in Marburg (als Verf.): Eine Anzahl wissenschaftl. Arbeiten.
Hr. Dr. R. Kissling (als Verf.): Der Tabak im Lichte der neuesten naturwissenschaftl. Forschungen.
Hr. Prof. Dr. Fr. Klockmann in Klausthal: Terby, Areographische Fragmente (Archéographie ou étude comparative des observations faites sur l'aspect physique de la Planète Mars), sowie mehrere selbstverfasste Arbeiten.
Hr. Dr. A. Voigt (als Verf.): Über quantitative botanische Wiesenanalyse (Separatabdruck).
Provinzialkommission zur Verwaltung der westpreussischen Provinzialmuseen in Danzig: Schütte, R., Die Tucheler Haide, vornehmlich in forstlicher Beziehung.
Ministerial-Kommission zur wissensch. Untersuchung der deutschen Meere in Kiel: Ergebnisse 1887, 4—6; 1892, 1—12 u. VI. Bericht.
Phytologisches Museum in Melbourne: Nordstedt, O., Australian Characeae Part I.
Kaiserl. Universitäts- u. Landesbibliothek zu Strassburg: Dissertationen naturwiss. Inhaltes
Hr. A. Poppe: Über das Vorkommen von Mus alexandrinus Geoffr. in Vegesack. (Naturw. Wochenschrift VIII, 46).
Hr. Oberforstmeister Feye in Detmold; Statistische Beobachtungen in den Lippeschen Forsten.
Hr. J. E. Meyer in Port Townsend: Karte von Port Townsend.
Central-Moorkommission in Berlin: Protokoll der 29. u. 30. Sitzung (1893).
Editorial Comittee of the Norwegian North-Atlantic Expedition zu Christiania: James A. Grieg, XXII. Ophiuroidea.
Hr. Dr. Erwin Schulze in Quedlinburg: Fauna Saxonica.
Hr. Geheimrat Prof. Dr. Möbius in Berlin (als Verf.): 1) Über ein Orangutang-Nest. 2) Der japanische Walfischfang und seine Ausbeute.
Hr. Prof. Dr. Laube in Prag (als Verf.): Über das Alter der Erde.
Hr. Dr. C. Verhoeff in Bonn (als Verf.): Blumen und Insekten (Sonderabdruck aus der Leopoldina).
Hr. Prof. Blasius in Braunschweig (als Verf.): Das japan. und russ. Jagdgesetz vom Standpunkte des Vogelschutzes.
Hr. Dr. Häpke: Jahresbericht der Versammlung des westdeutschen Fischereivereins zu Hannover.
Hr. Prof. Dr. Lürssen in Königsberg: 26 Dissertationen naturw. u. mediz. Inhaltes.
Die Abhandlungen des Vereins wurden zu anderweitiger Verwendung zurückgegeben von
Herrn Senator J. Achelis
und Frau H. Schaffert.

Geschenke für die Sammlungen.

Hr. B o r c h e r d i n g: Eine Erlenzweigverbänderung.
Hr. Oberförster O t t o in Oldenburg: Meteor- oder Wiesenpapier,
(Geflecht aus Cladophora fracta Kütz. forma viadrina Rbh.)
aus den Seitengräben der Hunte im Barneführer Holze.
Hr. K o h l m a n n in Vegesack: 1 Ex. des Igelpilzes, Hydnum Erinaceus.
Hr. Dr. H. K l e b a h n: 2 Durchwachsungen an Rosen.
Hr. Lehrer M e n t z e l in Borgfeld: 16teilige Roggenähre und eine
Kohlrabipflanze mit Sprofsbildung.
Hr. H. L e k v e in Ülzen: 2 Standortskarten.
Hr. Prof. Dr. B u c h e n a u: Ast einer Korkeiche (Spazierstockform);
Blütenzweig von Poinsettia pulcherrima Grah.
Hr. Dan. K n o o p in Johannesburg (Südafrika): Säge vom Sägehai;
Kalabasse (als Wassergefäfs); Sechellennufs (Lodoicea
Sechellarum Labill.) und einige andere Gegenstände.
Hr. Carl N o l t e n i u s in der Vahr: Ein mit Kieselsäure imprägnirtes
Stück von einem Walknochen und ein Stück vom Stirn-
zapfen eines Rinderhornes aus der Weser bei Vegesack.
Firma S c h ü t t e, G i e s e k e n & C i e.: Stammstück von Kieselholz
aus Baranquilla.
Hr. Max M e y e r: Eine Anzahl Haifischzähne (von Lamna) aus den
Bohrlöchern zu Oelheim.

Aufwendungen, beziehungsweise Anschaffungen für das städtische Museum.

Gehalt des botanischen Assistenten.
Zuschufs zum Gehalt des entomologischen Assistenten.
Callier, Flora silesiaca exsiccata; Editio 1893.
Wallfisch-Skelett.
Skelett des Riesenhirsches.

Anschaffungen für die Stadtbibliothek.
im Vereinsjahre 1893/94.

a) Aus den eigenen Mitteln des Vereins.

Zirkulare des deutschen Fischereivereins, 1893.
K o e h n e, botanischer Jahresbericht, 1890, II; 1891, I, 1—2, II, 1.
S c h i m p e r, botanische Mitteilungen aus den Tropen V (S c h e n c k,
Beiträge zur Anatomie der Lianen, 2).
T r o s c h e l, Gebifs der Schnecken II, 8 (Schlufslieferung).
B e c k, Flora von Niederösterreich I, II.
B r o n n, Klassen und Ordnungen des Tierreiches VI, IV, 42—49, V,
II, 35—40, IV, 28—32, VI, V, 40—41, III, 3—9, Supplement 1.
H. v. K l i n g g r a e f f, die Leber- und Laubmoose West- und Ost-
Preufsens.

M. Schulze, Orchidaceen Deutschlands, 4—10.

van den Bosch, Prodromus florae batavae, I, II.

Trimen, Handbook to the Flora of Ceylon mit Atlas, 1.

Lacaze-Duthiers, Archives de Zoologie expérimentale et générale, 2e sér., X.

Archiv der naturwissenschaftlichen Landesdurchforschung von Böhmen, VIII, No. 4, (Hansgirg, Prodromus der Alpenflora von Böhmen, 2. Teil), VIII, No. 6, (Untersuchungen über die Fauna der Gewässer Böhmens), VII, No. 1, (J. Novak, die Flechten der Umgebung von Deutschbrod), No. 5, (L. Celakovsky, die Myxomyceten Böhmens).

Koch-Wolfarth, Synopsis der deutschen und schweizer Flora, 8.

Goebel, Pflanzenbiologische Schilderungen, II, 2.

Martius, Flora brasiliensis; Lieferung 113, 114, 115.

Annales des sciences naturelles; Zoologie et botanique.

E. Koehne, deutsche Dendrologie.

L. Beissner, Handbuch der Nadelholzkunde (Systematik, Beschreibung, Verwendung und Kultur der Freiland-Coniferen).

Leop. Dippel, Handbuch der Laubholzkunde, I, II, III.

Bulletin de la société botanique de France, Vol. XXXIX. (1892).

Nouvelles Archives du Museum d' histoire naturelle, 3e série, V.

Rossmässler's Iconographie der europäischen Land- und Süfswasser-Mollusken, VI, 3—6.

Rabenhorst, die Süfswasser-Diatomaceen Deutschlands.

Smith, British Diatomaceae, 2 Bde. mit 69 Kupfertafeln.

Cosson, Illustrationes Florae atlanticae, VI.

J, Sachs, gesammelte Abhandlungen über Pflanzen-Physiologie, 2 Bde.

Hooker, Flora of british India, part 19.

Cohn, Kryptogamen-Flora von Schlesien, 3. Bd., Pilze: 2. Hälfte, 1. und 2. Lieferung.

Linné, Genera plantarum, ed. 8.

R. Chaudat, Monographia Polygalacearum, II.

Fauna und Flora des Golfes von Neapel, 18. Monographie; J. W. Spengel, Enteropneusten; 20. Monogr.; Antonio della Valle, Gammarini del Golfo di Napoli.

G. Rouy et J. Foucaud, Flore de France, I.

E. H. L. Krause, Mecklenburgische Flora.

Zacharias, Forschungsberichte aus der Biologischen Station zu Plön, 1. II.

K. Beckhaus, Flora von Westfalen.

G. Haberlandt, Eine botanische Tropenreise.

Gemeinsam mit der Stadtbibliothek:

Transactions of the Linnean Society.

Philosophical Transactions of the Royal Society of London.

Mémoires de l'Académie de St. Pètersbourg.

Annales de chimie et de physique.

Annals and magazine of natural history.

Comptes rendus de l'académie de Paris.
Denkschriften der Wiener Akademie.
Abhandlungen der bayrischen Akademie.
Berichte der sächsischen Gesellschaft der Wissenschaften zu Leipzig.

b) Aus den Mitteln der Kindstiftung:

Verhandlungen der physikalischen Gesellschaft zu Berlin, 1890/91.
Fehling, neues Handwörterbuch der Chemie, 73, 74, 75.
Fortschritte der Physik im Jahre 1886, 42. Jahrg., 2. u. 3. Abt.,
    1887, 43. Jahrgang, 1., 2. u. 3. Abt., 1888, 44. Jahrg.,
    1. Abt.
Fittica, Jahresbericht über die Fortschritte der Chemie, 1888, 7;
    1889, 1—4.
Berichte der deutschen chemischen Gesellschaft, 1890/91.
Wilhelm Webers Werke, 4. Band: Galvanismus und Elektro-
    dynamik, II; 5. Band: Wellenlehre; 6. Band: Mechanik der
    menschlichen Gehwerkzeuge.
Richard Meyer, Jahrbuch der Chemie I, II.
Krüss, Zeitschrift für anorganische Chemie, I—V (wird fortgesetzt).

c) Aus den Mitteln der Frühlingstiftung:

Martini und Chemnitz, Konchylien-Kabinet, Lief. 392—404.

d) Aus den Mitteln der Rutenbergstiftung:

Biologia centrali-americana, Zoology, 107—114.
Hansen, Ergebnisse der Plankton-Fxpedition der Humboldtstiftung:
    Fr. Dahl, die Halobatiden; H. Lohmann, die Halacarinen;
    O. Krümmel, geophysikalische Beobachtungen; M. Traut-
    stedt, die Thaliacea (A. Systematik); Arn. Ortmann,
    Dekapoden und Schizopoden; Otto Maas, die craspedoten
    Medusen.

Verzeichnis der im verflossenen Vereinsjahre eingelaufenen Gesellschaftsschriften.

Bemerkung. Es sind hier alle Vereine aufgeführt, welche mit uns in Schriftenaustausch stehen, von Schriften sind aber nur diejenigen genannt, welche in dem Zeitraume vom 1. April 1893 bis 31. März 1894 in unsere Hände gelangten. Diejenigen Vereine, von denen wir im abgelaufenen Jahre nichts erhielten, sind also auch nur mit ihrem Namen und dem Namen des Ortes aufgeführt. — Diejenigen Gesellschaften, welche im Laufe des letzten Jahres mit uns in Verbindung getreten sind, wurden durch einen vorgesetzten * bezeichnet.

Aarau, Aargauische naturforschende Gesellschaft.
Abbeville, Société d'émulation.
Aberdeen (Schottland), University: Annals 1892, Nr. 6—9.
Altenburg, Naturforschende Gesellschaft des Osterlandes.
Amiens, Société Linnéenne du Nord de la France.
Amsterdam, Koninklijke Akademie van Wetenschappen: Verslagen
    en Mededeelingen IX mit Register; Verhandelingen
    1. Sectie Dl. I, 1—8; 2. Sectie Dl. I, 1—10; II, 1;
    Zittingsverslagen 1892/93.

Amsterdam, Koninklijk zoologisch Genootschap „Natura artis magistra".

Annaberg, Annaberg-Buchholzer Verein für Naturkunde.

Angers, Société académique de Maine et Loire.

Angers, Société d'études scientifiques: Bulletin XXI (1891).

Arezzo, R. Accademia Petrarca di scienze, lettere e arti.

Augsburg, Naturwissenschaftlicher Verein für Schwaben und Neuburg (a. V.).

Bamberg, Naturforschende Gesellschaft: XVI. Bericht.

Basel, Naturforschende Gesellschaft: Verh. X, 1.

Basel, Schweizerische botanische Gesellschaft: Berichte Heft 3.

Batavia, Kon. natuurkundige Vereeniging in Nederlandsch Indië: Nat. Tijdschrift. Deel LII, 1.

Batavia, Magnetical and meteorolog. Observatory: Observations Vol. XIV; Regenwaarnemingen 1891.

Belfast, Natur. history and philosophic. society.

Bergen, Museum: Aarsberetning for 1892.

Berlin, Königl. preufs. Akademie.der Wissenschaften: Sitzungsberichte 1893.

Berlin, Botan. Verein der Provinz Brandenburg.

Berlin, Gesellschaft für Erdkunde: Zeitschrift, Bd. XXVII, Nr. 6; XXVIII, 1—4; Verh. XX, 2—10; XXI, 1.

Berlin, Gesellschaft naturforsch. Freunde: Sitzungsber. 1892.

Berlin, Deutsche geologische Gesellschaft: Zeitschrift XLIV, 4 u. 5; XLV, 1—3.

Berlin, Polytechnische Gesellschaft: Polytechn. Centralblatt V, 3—24; 55. Jahrg. 1—11.

Berlin, Königl. preufs. meteorologisches Institut: Ergebnisse der meteorol. Beobachtungen 1890, Heft III; 1892, Heft II. Ergebnisse der Beob. im Reichslande Elsafs-Lothringen 1891. Niederschlagsbeob. 1891; Bericht über die Thätigkeit 1891 u. 1892; Ergebnisse d. Beob. an den Stationen II. u. III. Ordnung, Heft I.

Berlin, Gesellschaft für Anthropologie, Ethnologie u. Urgeschichte: Verhdlgn., 1893.

Bern, Naturforsch. Gesellschaft: Mitteilungen: No. 1279—1304; Neue Denkschriften XXXIII, Abth. 1; Verhandl. der 75. Jahresversammlung.

Besançon, Société d'émulation du Doubs.

Bologna, R. Accademia delle scienze: Memorie, Serie V, Tomo II.

Bonn, Naturhistorischer Verein der preufsischen Rheinlande, Westfalens und des Reg.-Bezirks Osnabrück: Verhandlungen 49, 2; 50, 1.

Bordeaux, Société Linnéenne de Bordeaux.

Bordeaux, Société des sciences physiques et naturelles: Mémoires I, 4; III, 4 (1er cahier) et Appendice au tome III.

Boston, Society of natural history: Proceed. XXVI, 1; Memoirs IV, XI; Occasional Papers, IV.

Boston, American Academy of arts and sciences: Proceedings, XIX.
Braunschweig, Verein für Naturwissenschaft: 7. Jahresbericht.
Bremen, Geographische Gesellschaft: Geographische Blätter, XVI, 2—3.
Breslau, Schlesische Gesellschaft für vaterländische Kultur: 70.
    Jahresbericht; Litteratur der Landes- und Volkskunde 2.
Breslau, Verein für schlesische Insektenkunde: Zeitschrift für
    Entomologie XVIII.
Brünn, K. K. mähr.-schles. Gesellschaft zur Beförderung des Ackerbaues,
    der Natur- und Landeskunde: Centralblatt 72. Jahr-
    gang und Notizenblatt 1892.
Brünn, Naturforschender Verein: Verh. XXXI; XI. Bericht der
    meteor. Kommission.
Brüssel, Académie royale des sciences, des lettres et des beaux-
    arts de Belgique: Bull. 3e série, Tomes 22, 23 und 24;
    Annuaires 1892 und 1893.
Brüssel, Société royale de botanique de Belgique.
Brüssel, Société entomologique de Belgique.
Brüssel, Société royale malacologique de Belgique.
Brüssel, Société royale belge de Géographie: Bulletin XVII.
Budapest, K. ungarische naturwissenschaftl. Gesellschaft.
Buenos-Aires, Museo nacional.
Buenos-Aires, Sociedad Cientifica Argentina: Añales XXXIV,
    5 und 6; XXXV, 1.
Buenos-Aires, Instituto Geografico Argentino: Boletin XIII, 7—12.
Buffalo, Buff. Society of natural sciences.
Buitenzorg, Jardin botanique: Annales XI, 2, XII, 1; 'S Lands
    Plantentuin te Buitenzorg 1892.
Caen, Société Linnéenne de Normandie: Bull. 4. Sér. 6. Vol.
Catania, Accademia gioenia di scienze naturali: Atti LXIX u. LXX,
    Bullettino mensile Fasc. XXX—XXXV.
Chambéry, Académie des sciences, belles-lettres et arts de Savoie:
    Mém. 4e sér. IV.
Chapel Hill, North Carolina, Elisha Mitchell scientific society:
    Journal Vol. IX, 2.
Chemnitz, Naturwissenschaftliche Gesellschaft.
Chemnitz, Königl. sächs. meteorologisches Institut: Bericht
    II. Hälfte der III. Abtlg. (1891); Jahrbuch X (1892).
Cherbourg, Société nationale des sciences naturelles et mathé-
    matiques.
Christiania, Kong. Universität: Kjerule, En Raekke norske Berg-
    arter; Meteorol. Beobachtungen 1892—1893.
Christiania, Norwegische Kommission der europäischen Gradmessung:
    Vandstandsobservationer V.
Christiania, Videnskabs-Selskabet: Forhandlinger 1891, No. 1—12;
    1892, No. 1—18.
Chur, Naturforsch. Gesellschaft Graubündens: Jahresbericht XXXVI.
Cincinnati, Society of natural history: Journal Vol. XV, 3 u. 4;
    XVI, 1.

Colmar, Naturhistorische Gesellschaft.
Cordoba, Academia nacional de ciencias de la Republica Argentina.
Courrensan (Gers), Société française de botanique.
Danzig, Naturforschende Gesellschaft.
Darmstadt, Verein für Erdkunde und mittelrhein.-geolog Verein:
Notizblatt IV. Folge, 13. Heft.
Davenport, Iowa, Davenport Academy of natural sciences.
Dijon, Académie des sciences, arts et belles-lettres.
Donaueschingen, Verein für Geschichte u. Naturgeschichte der
Baar und der angrenzenden Landesteile: Schriften,
VIII. Heft.
Dorpat, Naturforscher-Gesellschaft bei der Universität: Sitzungs-
bericht X, 1.
Dresden, Naturwissenschaftliche Gesellchaft Isis: Sitzungsberichte u.
Abhandlungen 1892, Jan.—Decbr; 1893, Jan.—Juni.
Dresden, Gesellschaft für Natur- und Heilkunde: Jahresbericht,
Sept. 1892 bis April 1893.
Dublin, Royal Dublin Society.
Dublin, Royal Irish Academy: Proceed. 3. Ser. II, 3 und 4, III, 1;
»Cunningham« Memoirs VII; Transact. Vol. XXX,
Part 5—10.
Dürkheim a./d. H., Pollichia, Naturwissensch. Verein der Pfalz:
Mitteil. XLIX—L, No. 5 u. 6.
Düsseldorf, Naturwissenschaftlicher Verein: Mitteilungen 1. u. 2. Heft.
Edinburg, Botanical society.
Edinburg, Geological Society: Trans. Vol. IV. Part V.
Edinburg, Royal Physical Society.
Elberfeld, Naturwissenschaftlicher Verein.
Emden, Naturforschende Gesellschaft: 77. Jahresbericht.
Erfurt, Kön. Akademie gemeinnütziger Wissenschaften: Jahr-
bücher XIX.
Erlangen, Physikalisch-medizinische Societät.
Florenz, R. Istituto di studi superiori pratici e di perfezionamento:
Luciani, Fisiologia del Digiuno; Roster, L'Acido
Carbonico, C. de Stefani, Le Pieghe delle Alpi
Apuanae; Fasola, Clinica ostetrica e ginecologica
1883—85.
Florenz, Società botanica Italiana.
Frankfurt a./M., Physikalischer Verein.
Frankfurt a./M., Senckenbergische naturforschende Gesellschaft:
Abhandl. XVIII, 1 u. 2.
Frankfurt a./O., Naturwissenschaftlicher Verein: Helios X, 11—12;
XI, 1—9; Societatum litterae 1893, 1—12.
Frauenfeld, Thurgauische naturforschende Gesellschaft.
Freiburg i. B., Naturforschende Gesellschaft: Berichte VII, 1 u. 2; VIII.
St. Gallen, Naturwissenschaftl. Gesellschaft: Berichte 1891—1892.
Genf, Allgem. schweizerische Gesellschaft für die gesamten Natur-
wissenschaften.

Gent, Kruidkundig Genotschap „Dodonaea".
Genua, Museo civico di storia naturale: Annali XIII.
Genua, Societa di letture e conversazioni scientifiche: Bollettino XV,
Juli—Dezember.
Gera, Gesellschaft von Freunden der Naturwissenschaften.
Giefsen, Oberhessische Gesellschaft für Natur- und Heilkunde:·
29. Bericht.
Glasgow, Natural history society: Proc. and Transact. Vol. III, Part III.
Görlitz, Naturforschende Gesellschaft: Abhandlungen 20. Band.
Görlitz, Oberlaus. Gesellschaft der Wissenschaften: Neues Lausitz.
Magazin, Band 69, 1 u. 2.
Göteborg, K. Vetenkaps och Vitterhets Samhälles.
Göttingen, Kön. Gesellschaft der Wissenschaften und der Georg-
August-Universität: Nachrichten 1892 u. 1893, 1—14.
Granville, Ohio, Scientific Laboratories of Denison University:
Bull. VII.
Graz, Naturwissenschaftlicher Verein für Steiermark: Mitteilungen
24., 25. u. 29. Heft (1892).
Graz, Verein der Ärzte in Steiermark: Mitteilungen XXVIII u. XXIX.
Greifswald, Geographische Gesellschaft: V. Jahresbericht.
Greifswald, Naturwissenschaftlicher Verein für Neu-Vorpommern
und Rügen: Mitteilungen XXIV u. XXV.
Harlem, Hollandsche Maatschappij der Wetenschapen: Archives
néerlandaises XXVII, 1; Chr. Huygens, Oeuvres, V.
Harlem, Musée Teyler: Archives 2. Série Vol. IV, 1.
Halifax, Nova Scotian Institute of Science.
Halle, Naturwissensch. Verein für Sachsen u. Thüringen: Zeitschrift,
Fünfte Folge, Bd. III, 6; Bd. IV.
Halle, Naturforschende Gesellschaft.
Halle, Verein für Erdkunde: Mitteilungen 1893.
Halle, Leopoldina: Jahrgang 1893.
Hamburg, Naturw. Verein.
Hamburg, Deutsche Seewarte: Monatsbericht 1891, 7—12; Archiv XV;
Ergebnisse XIV u. XV.
Hamburg, Naturhistorisches Museum: Jahrbuch X, 1 u 2; Beiheft X, 1.
Hamburg, Verein für naturw. Unterhaltung.
Hamburg, Gesellschaft für Botanik.
Hamilton, Canada, Hamilton Association: Journal and Proceed.
Part IX.
Hanau, Wetterauische Gesellschaft: Bericht 1889—1892.
Hannover, Naturhistorische Gesellschaft: 40. u. 41. Jahresbericht.
Hannover, Geographische Gesellschaft: 9. Jahresbericht.
Habana, Real academia de ciencias medicas, fisicas y naturales:
Anales 342—347.
Heidelberg, Naturhistorisch-medizinischer Verein: Verhandlungen
V, 1, 2.
Helsingfors, Societas pro fauna et flora fennica: Acta V, 1 und 2;
VIII; Meddel. 17 und 18.

Helsingfors, Société des sciences de Finlande: Öfversigt XXXIV; Bidrag 51; Observations méteorologiques 1884—86; 1890 und 1891.

Hermannstadt, Siebenbürg. Verein für Naturwissenschaften: Verhandlungen I und II; Archiv 25, 1; Jahresber: 1892/93.

Jekatherinenburg, Société Ouralienne d'amateurs des sciences naturelles: XXI. Jahresbericht.

Jena, Geogr. Gesellschaft für Thüringen: Mitt. XII, 1 und 2.

Innsbruck, Ferdinandeum: Zeitschrift, III. Folge, 37. Heft.

Innsbruck, Naturwissenschaftlich-medizinischer Verein: Berichte XX. Jahrgang (1891/92).

Kansas, Kansas Academy of science: Transact. XIII.

Karlsruhe, Naturwissenschaftlicher Verein.

Kassel, Verein für Naturkunde.

Kew, The Royal Gardens: Hooker's Icones Plantarum, Vol. III, Part IV.

Kiel, Naturw. Verein in Schleswig-Holstein: Schriften X, 1.

Kiew, Naturw. Verein: Publikationen XII.

Klagenfurt, Naturhist. Landesmuseum für Kärnten: Jahrbuch 22 u. Seeland, Diagr. der magnet u. meteor. Beob. 1892/93.

Königsberg, Physikal.-ökonomische Gesellschaft: Schriften 33.

Kopenhagen, Kong. danske Videnskabernes Selskab: Oversigt over det Forhandlingar 1892, 3 u. 1893, 1 u. 2:

Kopenhagen, Botaniske Forening: Tidskrift XVIII, 2—4.

Kopenhagen, Naturhistorisk Forening: Videnskabelige Meddelelser 1892.

Landshut in Bayern, Botanischer Verein.

La Plata. Museo de La Plata.

Lausanne, Société Vaudoise des sciences naturelles: 3. sér. XXIX (110—113).

Leiden, Nederlandsche Dierkundige Vereeniging: Tydschrift 2. Serie IV. Afl. 1.

Leipa (Böhmen), Nordböhmischer Exkursions-Klub: Mitteil. XVI.

Leipzig, Verein für Erdkunde: Mitteil. 1892.

Leipzig, Naturforschende Gesellschaft.

Leutschau, Ungar. Karpathen-Verein: Jahrbuch XX (1893).

Linz, Verein für Naturkunde in Österreich ob der Enns: 21. und 22. Jahresbericht.

Linz, Museum Francisco-Carolinum: 51. Bericht.

Lissabon, Sociedade de Geographia: Boletim 11. Serie, No. 6—12; 12. Serie, No. 1—10. Indices e Catalogos I.

Lissabon, Academia real das sciencias de Lisboa.

London, Linnean Society: Journ. Botany: 203—204. Zoology: 152—154.

London, Royal society: Proceed. 320—331.

St. Louis, Academy of science.

St. Louis, Missouri Botanical Garden: Annual Report 1893.

Lucca, R. Accademia Lucchese di scienze, lettere ed arti: Atti XXVI.

Lübeck, Geographische Gesellschaft und Naturhistorisches Museum.
Lüneburg, Naturwissenschaftlicher Verein: Jahreshefte XII (1890—92).
Lüttich, Société géologique de Belgique: Annales XX.
Lund, Universität: Acta XXVII u. Bot. Notiser 1893.
Luxemburg, Institut royal grandducal: Publications XXII.
Luxemburg, Société botanique.
Luxemburg. Société des Naturalistes Luxembourgeois; Fauna Année 1893, No. 1.
Lyon, Académie des sciences, belles-lettres et arts: Mém. XXXI; 3. ser. I.
Lyon, Société botanique: Bull. trimestriel, 1892, No. 4; 1893 No. 1; Annales XVI u. XVII.
Madison, Wisc., Wisconsin Academy of Sciences, Arts and Letters.
Magdeburg, Naturwissenschaftlicher Verein: Jahresber. u. Abhandlungen 1892..
Mailand, Reale Istituto lombardo di scienze e lettere: Rendiconti XXIV.
Manchester, Literary and philosophical society: Memoirs and Proceed. Vol. VI, 1; Vol. VII, 1—3; Vol. VIII, 1.
Mannheim, Verein für Naturkunde.
Marburg, Gesellschaft zur Beförderung der gesamten Naturwiss.: Sitzungsberichte 1892; Schriften Bd. 12, 5.
Melbourne, Royal Society of Victoria: Proceed. Vol. IV, 2; V.
Meriden, Connect., Meriden Scientific Association.
Metz, Metzer Akademie: Mém. 2. Pér., 3. Sér., XVIII. u. XX. Année.
Metz, Société d'histoire naturelle de Metz: Bull. 18. Cah. (2e Sér. VI).
Mexiko, Observatorio meteorologico-magnetico central: Anuario XIV.
Middelburg, Zeeuwsch genootschap der wetenschappen: Archief VII, 3; Nagtglas, F., Levensberichten IV.
Milwaukee, Wisconsin Natural history Society.
Minneapolis, Minnesota Academy of Natural Sciences: Bull. 7 u. 8; Annual Report 1891.
Montpellier, Académie des sciences et lettres.
Montreal, Royal Society of Canada.
Moskau, Société impériale des naturalistes: Bulletin 1892, 4; 1893, 1—3.
München, Bayerische botanische Gesellschaft zur Erforschung der heimischen Flora: Berichte, Bd. II (1892).
München, Königl. bayr. Akademie der Wissenschaften: Sitzungsberichte 1893, I—III.
München, Geographische Gesellschaft.
Münster, Westfälischer Provinzial-Verein für Wissenschaft und Kunst.
Nancy, Académie de Stanislas.
*Nantes, Société des sciences naturelles de l'ouest de la France: Bull. Tome 3. No. 1.
Neapel, Accademia della scienze fisiche e matematiche: Atti Vol. V. Rendiconto Ser. 2, Vol. VII, 3.

Neapel, Zoologische Station: Mitteilungen, 10. Band.
Neifse, Philomathie.
Neufchâtel, Société des sciences naturelles: Bull. XVII—XX.
New-Haven, Connecticut, Academy of arts and sciences: Trans. VIII, 2; IX, 1.
Newyork, New York Academy of sciences: Annals Vol. VII, 1—5; Transactions X, 7 und 8; XI, 1—2. -
Newyork, Zoological Garden.
Nijmegen, Nederlandsche Botan. Vereeniging: Verslagen en Mededeelingen 2. Serie 6, 2; Prodromus Florae Batavae I, 1.
Northfield, Minn., Goodsell Observatory.
Nürnberg, Naturhistorische Gesellschaft: Abh. X, 1.
Odessa, Société des naturalistes de la Nouvelle-Russie: Mém. XVII, · 2 und 3.
Offenbach, Verein für Naturkunde.
Osnabrück, Naturwissenschaftlicher Verein: 9. Jahresbericht.
Ottawa, Geological and natural history survey of Canada: Contrib. to Canadian Palaeontology Vol. 1. Annual Report V, Proc. and Transact. Vol. X; Catalogue of Section one of the Museum; Catalogue of Canadian Rocks prep. for the Worlds Columbian Exposition Chicago.
Palermo, Reale Academia di scienze, lettere e belle arti.
Paris, Ecole polytechnique:
Paris, Société zoologique de France: Bull. XVIII, 1—6.
Passau, Naturhistorischer Verein.
Petersburg, Kaiserliche Akademie der Wissenschaften.
Petersburg, Comité géologique: Mém. X, 2; XI, 2; XII, 2; Bull. XI, 5—10 et Suppl. au T. XI, XII, 1 und 2.
Petersburg, Kais. russische entomol. Gesellschaft: Horae XXVII.
Petersburg, Jardin impérial de botanique: Acta XII, 2; XIII.
Philadelphia, Academy of Natural sciences: Proceed. 1892 Part III; 1893 Part I.
Philadelphia, Americ. philos. Society: Proceed. 139.
Philadelphia, Wagner free institute of science: Transact. Vol. 3, Part II.
Prag, K. böhm. Gesellschaft der Wissenschaften: Jahresbericht und · Sitzungsberichte 1892.
Prag, Naturwiss. Verein Lotos: Jahrbücher XIV.
Prefsburg, Verein für Natur- und Heilkunde.
Regensburg, Naturwiss. Verein.
Reichenberg i. Böhmen, Verein der Naturfreunde: Mitteilungen, 24. Jahrgang.
Riga, Naturforscher-Verein: Korrespondenzblatt XXXVI.
Reichenbach i. V., Voigtländischer Verein für allgemeine und spezielle Naturkunde.
Rio de Janeiro, Museu National.
Rio de Janeiro, Observatorio: Annuario VIII; Cruls, O Clima do Rio de Janeiro.

La Rochelle, Académie: Annales de 1891 No. 28.
Rochester, Rochester Academy of Science: Proc. Broch. I u. II of Vol. II.
Rom, R. Comitato geologico d'Italia: Boll. XXIII. (1892).
Rom, R. Accademia dei Lincei: Rendiconti, 1. Sem. Vol. II,
    5—12. 2. Sem. Vol. III, 1—3.
Rom, Scienze geologiche in Italia.
Rostock i. Meckl., Verein der Freunde der Naturwissenschaft in
    Mecklenburg: Archiv 46. Jahrg. I. u. II. Abtheilung.
Rouen, Société des amis des sciences naturelles: Bull. XXVII, 3.
Salem, Mass.; Peabody Academy.
Salem, Mass., American Association for the advancement of science:
    Proceed. XLI. (1892).
Salem, Mass., Essex Institute: Bulletin Vol. 23; 24 u. 25, 1—3.
San Francisco, California Academy of Sciences: Occasional
    Papers III.
Santiago de Chile, Deutscher wissenschaftlicher Verein: Ver-
    handlgn. II, 5 u. 6.
Santiago de Chile, Société scientifique: Actes II, 3; III, 1 u. 2.
San José (Republica de Costa Rica), Museo nacional.
Schaffhausen, Schweiz. entomol. Gesellsch.: Mitt. IX, 1 u. 2.
Schneeberg, Wissenschaftlicher Verein: Mitteilungen 3. Heft.
Sidney, Royal Society of New-South-Wales: Journal and Proceed.
    XXVI.
Sidney, Linnean Society of New-South-Wales: Proceed. Vol. VI,
    1—4; VIII.
Sidney, Australasian Association for the Advancement of Science:
    Report Vol. IV, (1892).
Sion, Société Murithienne.
Solothurn, Schweizerische naturforschende Gesellschaft.
Stavanger, Museum: Aarsberetning 1892.
Stettin, Verein für Erdkunde.
Stockholm, Kongl. Svenska Vetenskaps Akademiens: Handlingar
    22—24; Bihäng Vol. 14—18 (1888—1893); Öfversigt
    46—49; Lefnadsteckningar Bd. 3, 1; Meteorolog.
    Jakttagelser 27—30; Accessions-Katalog Vol. 1—7.
Stockholm, Entomologiska Föreningen: Entomol. Tidskrift Arg. 14,
    1—4 (1893).
Strafsburg, Société des sciences, agriculture et arts de la Basse-
    Alsace: Bull. mensuel XXVII, 3—10; XXVIII, 1.
Stuttgart, Württembergischer Verein für Handelsgeographie.
Stuttgart, Verein für vaterländische Naturkunde in Württemberg:
    Jahreshefte 17—25 und 49.
Thorn, Coppernicusverein für Wissenschaft und Kunst: Mit-
    teilungen VIII.
Tokio, Deutsche Gesellschaft für Natur- und Völkerkunde Ost-
    asiens: Mitteilungen 51. und 52. Heft.
Toronto, Canadian Institute; Transactions Vol. III, Part 2. III,
    Part 1. — Annual Report 1892—1893.

Trencsin, Naturwiss. Verein des Trencsiner Comitates: 1892/93. Jahresbericht.
Trenton, New Jersey, Trenton natural history society.
Triest, Societa Adriatica di Scienze naturali: Bolletino XIV u. XV.
Triest, Museo civico di storia naturale.
Tromsö, Museum: Aarshefter 15. (1893); Aarsberetning 1890 u. 1891.
Turin, Museo di Zoologia ed Anatomia comparata della R. Universita.
Ulm, Verein für Mathematik u. Naturwissenschaften: Jahreshefte VI.
Upsala, Société royale des sciences: Nova Acta XV, 1.
Utrecht, Provinzialgesellschaft für Kunst und Wissenschaft: Verslag 1892; Aanteekeningen 1892.
Utrecht, Kon. Nederl. Meteorolog. Institut: Jaarboek voor 1892.
Venedig, R. Istituto veneto di science, lettere ed arti.
Verona, Accademia d'agricoltura, arti e commercio: Memorie LXVIII u. LXIX, 1.
Washington, Smithsonian Institution: Annual Report 1890; Proceed. XIV; Bull. No. 40; U. S. National Museum Report 1890.
Washington, National Academy of sciences.
Washington, U. S. Geological survey: Mineral Resources 1891; Bulletins 82—86, 90—96; Monographs XVII, XVIII, XX and Atlas. Annual Report.
Weimar, Botan. Verein für Gesamt-Thüringen (s. geogr. Ges. zu Jena).
Wellington, New Zealand Institute: Transactions and Proceed. XXV.
Wernigerode, Naturwissenschaftlicher Verein des Harzes.
Wien, K. K. geol. Reichsanstalt: Jahrbuch XLII, 3 u. 4; XLIII, 1 u. 2. Verh. 1893, 2—18.
Wien, K. K. naturhistorisches Hofmuseum: Annalen VIII.
Wien, K. K. zool. bot. Gesellschaft: Verhandlungen XLIII.
Wien, K. K. geographische Gesellschaft: Mitteilungen XXV (1892).
Wien, Verein für Landeskunde von Niederösterreich: Blätter XXVI; Topogr. III, II, 11—13 (Bogen 81—104).
Wien, K. K. Akademie der Wissenschaften: Sitzungsberichte 1892: I, 7—10; II a, 6—10; II b, 6—10; III, 6—10; Register XIII (nachgel. Reg. V u. VII).
Wien, Verein zur Verbreitung naturwissenschaftlicher Kenntnisse: Schriften XXXII u. XXXIII.
Wien, Wiener entomologischer Verein: III. Jahresbericht.
Wiesbaden, Verein für Naturkunde in Nassau: Jahrbücher 46.
Würzburg, Physikalisch-medizinische Gesellschaft: Verhandlgn. XXVI u. Sitzgsber. 1892.
Zürich, Naturforschende Gesellschaft: Vierteljahrsschrift XXXVII, 3 u. 4; XXXVIII, 1—4; Neujahrsblatt 1893 u. 1894.
Zwickau, Verein für Naturkunde.
Ferner erhielten wir im Tausch aus:
    Klausenburg, Ungar. bot. Zeitschrift XIII.
    Bistritz, Gewerbeschule: XVII. Jahresbericht.
    Toulouse, Revue mycologique: No. 58, 59.

und versandten die Abhandlungen an:
Laboratoire de zoologie in Villefranche-sur-mer, die
Universität. Strafsburg, die Lese- und Redehalle der
deutschen Studenten in Prag und die zoologische
Station auf Helgoland.

Aufserdem erhielten die Abhandlungen auf Grund des *Si l*-
schlusses vom 12. Sept. 1887 folgende höhere Schulen Nordwestdeutschlands:

Aurich, Gymnasium.
    » Lehrerseminar.
Bederkesa, Lehrerseminar.
Brake, Höhere Bürgerschule.
Bremerhaven, Gymnasium.
Bremervörde: Ackerbauschule.
Bückeburg, Gymnasium.
Buxtehude, Realprogymnasium.
Celle, Realgymnasium.
Cuxhaven, Realschule.
Diepholz, Präparandenanstalt.
Elsfleth, Höhere Bürgerschule.
Emden, Gymnasium.
Geestemünde, HöhereBürgerschule.
Harburg a. E., Realgymnasium.
Leer, Gymnasium.
Lingen, Gymnasium.
Lüneburg, Lehrerseminar.

Meppen, Gymnasium.
Nienburg, Realprogymnasium.
Norden, Gymnasium.
Oldenburg, Gymnasium.
    » Oberrealschule.
    » Lehrerseminar.
    » Stadtknabenschule.
Otterndorf, Realgropymnasium.
Papenburg, Realprogymnasium.
Quakenbrück, Realgymnasium.
Stade, Gymnasium.
    » Lehrerseminar.
Varel, Realprogymnasium.
Vechta, Lehrerseminar.
Vegesack, Oberrealschule.
Verden, Gymnasium.
    » Lehrerseminar.
Wilhelmshaven, Gymnasium.

Auszug aus der Jahresrechnung des Vereines.

1. Naturwissenschaftlicher Verein,

gegründet 1864.

Einnahmen.

˘ 285 hiesige Mitglieder	....	ℳ. 2 850,—	
17 neue hiesige Mitglieder	....	„ 160,—	
H. ˘214 auswärtige Mitglieder	.... ℳ. 341,95		
7 neue auswärtige Mitglieder	..... „ 21,—	„ 362,95	
		ℳ.	3 372,95
III. Zinsen aus dem Vereinsvermögen	....		„ 1 876,30
IV. Verkauf von Schriften	....		„ 13,50
V. Ausserordentliche Einnahmen (sind ausgefallen)	....		„ —,—

VI. Aus den Stiftungen überwiesene Beträge:
a) Kindt-Stiftung: für die Stadtbibliothek ℳ. 292,70
b) Frühling-Stiftung:
für Städt. Museum .... ℳ. 100,—
für die Stadtbibliothek....... „ 65,65
„ 165,65
c) Rutenberg-Stiftung:
für Städtisches Museum; Walfisch-Skelett .... ℳ. 500,—
für die Stadtbibliothek....... ℳ. 236,80
„ 736,80
„ 1 195,15
ℳ. 6 457,90

Ausgaben.

Für:
I. Städtisches Museum:
Anschaffungen .... ℳ. 26,20
*Geschenk an das
Städtische Museum:
Walfisch - Skelett,
bis dato bezahlt.. ℳ. 2 617,30
ab: Beitrag der
Rutenberg-Stiftung „ 500,—
„ 2 117,30
(aus der Frühling-Stiftung) .. „ 100,—
(aus der Rutenberg-Stiftung):
Walfisch-Skelett .... „ 500,—
ℳ. 2 743,50
H. Die Stadtbibliothek............ ℳ. 1 973,52
(aus der Kindt-Stiftung) ..... „ 292,70
(„ „ Frühling-Stiftung) ... „ 65,65
(„ „ Rutenberg-Stiftung). „ 236,80
„ 2 568,67
III. Abhandlungen, andere Schriften und Jahres-
bericht .... ℳ. 2 341,89
IV. Andere ˙.issenschaftliche Zwecke .... „ 806,70
V. Verschiedenes:
Miete des Conventsaales ..... ℳ. 400,—
Inserate, Porti u. Diverses ... „ 1 006,17
„ 1 406,17
ℳ. 9 866,93
Mehrausgabe ab. Einnahme (Verminderung des
Kapitals um)........................ „ —,— „ 3 409,03
ℳ. 9 866,93 ℳ. 9 866,93

* Von den, für das Geschenk an das Städtische Museum bewilligten
ℳ. 4000,— sind bis dato ℳ. 2617,30 verausgabt.

Kapital am 31. März 1893 . . . . *M.* 47 288,59
Kapital am 31. März 1894 . . . . *M.* 43 879,56

II. Kindt-Stiftung,
gegründet am 28. März 1872 durch Herrn A. von Kapff.

Einnahmen.
Zinsen . . . . *M.* 452,50

Ausgaben.
Dem Naturwiss. Verein überwiesen für:
H. die Stadtbibliothek . . . . " 292,70

Überschufs . . . . *M.* 159,80
Kapital am 31. März 1893 . . . . " 12 927,30
Kapital am 31. März 1894 . . . . *M.* 13 087,10

III. Frühling-Stiftung,
gegründet am 2. Dezember 1872 durch Frau Charlotte Frühling, geb. Göschen.

Einnahmen.
Zinsen . . . . *M.* 966,45

Ausgaben.
Dem Naturwiss. Verein überwiesen für:
I. Städtisches Museum: Entomolog. Assistent . . . . *M.* 100,—
H. Die Stadtbibliothek: Conchylien-Cabinet . . . . . . " 65,65
" 165,65

Überschufs . . . . *M.* 800,80
Kapital am 31. März 1893 . . . . " 26 951,05
Kapital am 31. März 1894 . . . . *M.* 27 751,85

IV. Christian Rutenberg-Stiftung,
gegründet am 8. Februar 1886 durch Herrn L. Rutenberg.

Einnahmen.
Zinsen . . . . *M.* 2 140,—

Ausgaben.
Vom Stifter bestimmte Verwendung . . . . *M.* 800,80
Dem Naturwiss. Verein überwiesen für:
I. Städtisches Museum: Beitrag für
das Walfisch-Skelett . . . . *M.* 500,—
H. Die Stadtbibliothek: Bücher . . . . " 236,80
" 736,80
" 1 537,60

Überschufs . . . . . *M.* 602,40
Kapital am 31. März 1893 . . . . " 53 951,11
Kapital am 31. März 1894 . . . . *M.* 54 553,51

Der Rechnungsführer:

C. H. Dreier.

Druck von Carl Schünemann. Bremen.

Dreissigster Jahresbericht

des

Naturwissenschaftlichen Vereines

zu

BREMEN.

Für das Gesellschaftsjahr vom April 1894
bis Ende März 1895.

BREMEN.

C. Ed. Müller.

1895.

Hochgeehrte Herren!

Das 30. Lebensjahr unseres Vereins war eine Zeit ruhiger, stetiger Arbeit auf allen Gebieten des Vereinslebens. Gröfsere Ereignisse, auch freudige, traten nicht ein. Demgemäfs mufs denn auch der Charakter dieses Jahresberichtes ein einfacher, überwiegend resumierender, sein.

Der Verein hielt im verflossenen Jahre 19 Versammlungen (die 536. bis 554.) ab. An der ersten derselben, am 16. April, der Besichtigung der Rickmers'schen Reismühlen unter Führung der Herren Director Reverty und Ingenieur Hinsch, nahmen auch zahlreiche Damen der Mitglieder teil. Für die ausnahmsweise Gestattung jener Besichtigung sind wir Herrn Andreas Rickmers zu besonderem Danke verpflichtet. Auch zu dem Vortrage, welchen unser bewährter Freund, Herr Professor Dr. Fr. Klockmann aus Clausthal am 11. Februar über die südafrikanischen Gold- und Diamantgruben hielt, hatte sich eine gröfsere Anzahl von Damen eingefunden. — Am 20. Juni besuchten wir unter Führung des Herrn Direktor Dr. Tacke, sowie mehrerer Mitglieder des Vorstandes der Kolonie Friedrich-Wilhelmsdorf diese für Moorkolonien in so vieler Beziehung vorbildliche Anstalt. Unsere übrigen Versammlungen bewegten sich in den hergebrachten bewährten Formen; der Besuch derselben war freilich meist nur ein sehr mäfsiger.

Am 11. Dezember folgten zahlreiche Mitglieder der Einladung der Bremer Gesellschaft von Freunden der Photographie zu einem Vortrage des Herrn Professor Dr. H. Vogel aus Berlin über Perspektive in der Photographie und über Farbenphotographie. Dem genannten Vereine sei für sein freundliches Entgegenkommen auch hier der herzlichste Dank gesagt. Es sei mir gestattet, an dieser Stelle noch einer Thätigkeit zu gedenken, welche freilich fast niemals an die Öffentlichkeit tritt, welche aber darum sicher nicht von geringerer Bedeutung ist: ich meine die Thätigkeit des Vereinsvorstandes. Ich erwähne sie gerade diesmal aus dem Grunde, weil der Vorstand am 20. Oktober die 100. Versammlung hielt. Eine Jubelfeier war mit derselben freilich nicht verbunden.

Unseren Ehrenmitgliedern, den Herren Professoren Ascherson und Möbius zu Berlin, haben wir aus Veranlassung der bei Erreichung wichtiger Lebensabschnitte stattfindenden Festfeiern herzliche Glückwünsche ausgesprochen.

In dem städtischen Museum sind jetzt die von unserem Vereine geschenkten Skelette eines sehr grofsen Bartenwales und eines irländischen Riesenhirsches aufgestellt worden. Wir haben ferner (abgesehen von kleineren Zuwendungen) für das Museum auf eine

Sammlung kleinasiatischer Pflanzen subskribiert, welche sehr wertvoll zu werden verspricht. Wir sehen der für den 1. Oktober zu erhoffenden Eröffnung des Museums mit grofsem Interesse entgegen. Die Stadtbibliothek hat auch diesmal eine Reihe höchst wertvoller Zuwendungen von uns erhalten, über welche die Anlagen zu diesem Berichte alles Nähere bringen. — Wir halten uns für verpflichtet, unsern Mitgliedern in der Anlage eine Korrespondenz des Vorstandes der Stadtbibliothek mit unserm Vorsitzenden mitzuteilen. Wir haben derselben nichts hinzuzufügen. Unsere Mitglieder ersehen aber aus ihr, wie aufserordentlich gering noch die Dotierung der Stadtbibliothek ist, und welchen Schwierigkeiten wir bei unserem Bestreben, der Wissenschaft eine gesicherte Stätte in Bremen zu bereiten, noch immer begegnen.

Die Moorversuchsstation entwickelt nach wie vor eine sehr erfreuliche und fruchtbringende Thätigkeit. Wir hatten die Freude, dafs die Königl. Preufsische Staatsregierung die Thätigkeit unseres Ausschusses für die Station durch Verleihung von Ordensauszeichnungen an den Vorsitzenden und den Rechnungsführer derselben, die Herren C. W. Debbe und K. v. Lingen, anerkannte.

Die Beobachtungen auf dem Leuchtschiffe „Weser" sind durch Herrn Kapitän Maurer in sorgfältiger Weise weiter geführt worden.

Von unsern Abhandlungen gelangte das 1. Heft des 13. Bandes im Mai v. J. zur Ausgabe. Es enthält Arbeiten der Herren Dr. Seyfert, Dr. Hâpke, Dir. Wiepken, Dr. Fr. Müller, Prof. Buchenau, Dr. W. O. Focke, Dr. Schilling, H. Sandstede und F. Alpers. Die Ausgabe des 2. Heftes steht Mitte April bevor. Wir lenken Ihre Aufmerksamkeit besonders auf das in dem selben enthaltene, mit Beihülfe der hiesigen Bibliotheksvorstände zusammengestellte Verzeichnis der in den öffentlichen Bibliotheken gehaltenen naturwissenschaftlichen, geographischen und mathematischen Zeitschriften, welches sich als ein wichtiges Hülfsmittel für das naturwissenschaftliche Studium erweisen dürfte.

Ferner ist das 1. Heft des 15. Bandes in Vorbereitung. Dasselbe eröffnet einen landeskundlichen Teil der „Abhandlungen", in welchem namentlich Aufsätze und Schilderungen über den deutschen Nordwesten Platz finden sollen.

Unser Schriftentausch mit auswärtigen Gesellschaften, Akademien und Bibliotheken ist stetig fortgeführt worden.

Unsere Mitgliederzahl (351 hiesige und 152 auswärtige) ist nahezu unverändert geblieben. Wir müfsten aber eine bedeutende Erhöhung derselben um so mehr wünschen, als die verfügbaren Mittel unserer Stiftungen durch das Sinken des Zinsfufses beständig abnehmen.

Aus dem Vorstande scheiden diesmal nach der Anciennetät die Herren Dr. L. Häpke und Dr. O. Hergt aus. Wir bitten Sie, für diese Herren Neuwahlen vorzunehmen und sodann diejenigen Herren zu bezeichnen, welche Sie um die Revision der von Herrn C. H. Deier geführten Jahresrechnung ersuchen wollen.

Zum Schlusse erlauben wir uns, Sie auf den in der Osterwoche in Bremen zusammentretenden 11. deutschen Geographentag aufmerksam zu machen und um recht zahlreiche Beteiligung an demselben zu bitten.

Der Vorstand des Naturwissenschaftlichen Vereines.

Prof. Dr. Buchenau.

Anlage zum Jahresberichte des Naturwissenschaftlichen Vereins.

Bremen, Mai 1894.

Herrn Prof. Dr. Buchenau.

Hochgeehrter Herr Professor!

Angesichts der Thatsache, daſs die notwendigen oder doch dringend wünschenswerten Neuanschaffungen von Büchern für die Stadtbibliothek durch die erheblichen ·Aufwendungen für das Binden der von hiesigen Vereinen der Bibliothek überwiesenen Bücher unverhältniſsmässig geschmälert werden, und daſs insbesondere die Bindekosten für die vom Naturwissenschaftlichen Verein an die Stadtbibliothek gelangenden Bücher ca. $^1/_3$ des Betrages der Buchbinderrechnungen der Stadtbibliothek ausmachen, habe ich auf Veranlassung des Inspektors der Bibliothek, Herrn Senator Dr. Ehmck, an den Vorstand des Naturwissenschaftlichen Vereins die ergebene Bitte zu richten, uns, wie es der Ärztliche Verein thut, seine Werke künftighin gütigst gebunden zu überweisen.

Hochachtungsvollst

Heinr. Bulthaupt.

Bremen, 22. Mai 1894.

Herrn Stadtbibliothekar Prof. Dr. Bulthaupt.

Hochgeehrter Herr Professor!

Ihre gefälligen Zeilen vom 20. d. M., betr. die von dem Naturwissenschaftlichen Vereine an die Stadtbibliothek geschenkten Bücher, habe ich erhalten. Ich kann Ihnen allerdings mein schmerzliches Erstaunen über dieses Ersuchen an einen Verein, welcher seit so langen Jahren in uneigennütziger Weise und mit äuſserster Anspannung

seiner Kräfte, lediglich im Interesse des geistigen Lebens unserer
Stadt und völlig freiwillig für die Stadtbibliothek thätig ist, nicht
verhehlen.

Ehe ich aber Ihren Brief dem Vorstande unseres Vereins zur
Erwägung und Beschlufsfassung vorlege, möchte ich ganz ergebenst
um Mitteilung des ungefähren Betrages bitten, um welchen es sich
(vielleicht nach dem Durchschnitte der letzten 3 Jahre) bei dem Binden
der von uns geschenkten Bücher handelt.

In aufrichtiger Hochachtung
Ihr ergebener
F r. B u c h e n a u,
als Vorsitzender des Naturwissenschaftlichen Vereins.

Bremen, 22. Mai 1894.

Herrn Prof. Dr. B u c h e n a u.

Hochgeehrter· Herr Professor!

Die Summe, welche die Stadtbibliothek für den Einband der
Bücher des Naturwissenschaftlichen Vereins verausgabt hat, beträgt,
im Durchschnitt der letzten drei Jahre gerechnet, Mark 582 jährlich.

Hochachtungsvoll
für Prof. Dr. H. B u l t h a u p t
Hubert Wania.

Bremen, 2. Juni 1894.

Herrn Stadtbibliothekar Prof. Dr. H. B u l t h a u p t.

Hochgeehrter Herr Professor!

Ihre gefälligen Zeilen vom 20. v. M. habe ich dem Vorstande
des Naturwissenschaftlichen Vereins vorgelegt und erlaube mir nun,
im Namen desselben folgendes ganz ergebenst zu erwidern.

Als im Jahre 1876 die Gesellschaft Museum den gröfsten
(naturwissenschaftlichen) Teil ihrer Bibliothek an die Stadtbibliothek
abtrat, hat die damalige Verwaltung der letzteren bekanntlich leider
unterlassen, sich Mittel zur Fortführung dieser heutzutage so wichtigen und für eine Stadt wie Bremen geradezu unentbehrlichen Abteilung zu sichern. In diese Bresche ist der Naturwissenschaftliche

Verein aus freiem Entschlusse und ohne jede Verpflichtung eingetreten. Er hat seit jener Zeit auf direkte Anschaffungen für die
Stadtbibliothek die Summe von ℳ. 45 602,88 verwendet. Hierzu
kommen dann noch die oft sehr wertvollen Geschenke an Büchern,
sowie die durch den Schriftentausch erworbenen Gesellschaftsschriften.
Zur Unterhaltung des letzteren haben wir seit 1876 auf die Herausgabe von Schriften etwa ℳ. 52 300 verwendet, von welcher Summe
mithin ein beträchtlicher Anteil als indirekt der Stadtbibliothek zu
gute kommend angesehen werden muſs. In den letzten Jahren haben
(vergl. unsern anliegenden Jahresbericht) die direkten Anschaffungen
ℳ. 2000—3000 und darüber p. a. erfordert; trotzdem aber konnten
wir nicht alle Anforderungen erfüllen, welche das rasch zunehmende
wissenschaftliche Leben unserer Stadt an uns stellt, muſsten vielmehr wiederholt zu unserm Schmerze durchaus berechtigte Wünsche
aus Mangel an Mitteln unerfüllt lassen. Die Zahl der von uns der
Stadt Bremen geschenkten Bände (darunter viele der herrlichsten
Kupferwerke) hat zwischen $^1/_5$ und $^1/_4$ der sämtlichen Erwerbungen
der Stadtbibliothek betragen.

Alle diese Schriften hat der Verein der Stadt Bremen als völlig
freies Eigentum und sogar unter Verzicht auf jedes Vorbenutzungs-
recht seiner Mitglieder übergeben (was im Kreise der letzteren oft
sehr lebhaft beklagt worden ist). Der Verein hat damit der Stadt
Bremen nicht allein ein sehr bedeutendes Geschenk gemacht, sondern
ihr auch eine groſse Ausgabe erspart. Ohne die Opferwilligkeit des
Vereins würde das heutzutage zweifellos vorhandene Bedürfnis nach
naturwissenschaftlicher Litteratur sich bald so sehr geltend gemacht
haben, daſs unserer Stadt dadurch bedeutende Ausgaben erwachsen
wären. Durch die Thätigkeit des Vereins ist die Stadt Bremen unter
Aufwendung sehr geringer Kosten in den Besitz einer naturwissenschaftlichen Bibliothek gelangt, welche jedem Bürger die Fortbildung auf
diesem wichtigen Wissensgebiete möglich macht und dem Manne der
Wissenschaft selbständiges Arbeiten gestattet.

Als Gegengabe hat der Verein (der überdies bekanntlich nicht
die geringste Subvention seitens der Stadt oder des Staates Bremen
genieſst, wie wohl die allermeisten auswärtigen Vereine) bis jetzt
lediglich erhalten, daſs die Bücher gebunden und durch die Organisation der Stadtbibliothek dem Publikum zugängig gemacht worden
sind. Wenn nun nach Ihrer gefälligen Mitteilung die Dotierung der
Stadtbibliothek eine so geringe ist, daſs ihr Budget durch das Ein-
binden der ihr von uns und andern Vereinen zugewandten Werke
unverhältnismäſsig beschränkt wird, so beklagen wir dies auf das
tiefste. Der Verein kann aber in dieser Beziehung keine Verpflichtung
übernehmen, wie er sich denn ja auch bisher niemals gebunden hat
(nur die Fortführung von Liebig's Annalen der Chemie und — jeder-
zeit kündbar — den halben Anschaffungspreis einiger Schriften groſser
Akademien haben wir zugesagt).

Da nach Ihrer Darlegung die Mittel der Stadtbibliothek auf
eine so überaus kärgliche und dem vorhandenen Bedürfnisse durchaus

nicht entsprechende Weise bemessen sind, so wird gewifs eine offene
Darlegung dieser Verhältnisse bei den Hohen Behörden unserer Stadt
genügen, um Abhülfe zu erlangen. Hierzu auf jede Weise, welche
uns gestattet werden würde, mitzuwirken, erklären wir uns freudig
bereit.

In aufrichtiger Hochachtung

Ihr

ergebener

F r. B u c h e n a u,
Vorsitzender des Naturwissenschaftlichen Vereins.

Bremen, 20. Juni 1894.

Herrn Prof. Dr. F r. B u c h e n a u, Vorsitzender des Naturw. Vereins.

Hochgeehrter Herr Professor!

Ihr gefälliges Schreiben vom 2. Juni habe ich erhalten und
seinen Inhalt Herrn Senator Ehmck, als dem Inspektor der Stadtbibliothek, mitgeteilt. Sie kennen meine Auffassung der Sachlage
und werden vorausgesetzt haben, dafs ich dieselbe auch Herrn
Senator Ehmck gegenüber geltend gemacht. Ich bitte Sie jedoch
gütigst nicht zu verkennen, dafs der Naturwissenschaftliche Verein
seine Anschaffungen in erster Linie und begreiflicherweise doch im
Interesse s e i n e r M i t g l i e d e r trifft, die sie an der Stadtbibliothek
denn auch ausschliefslich, und keineswegs in grofser Zahl, benutzen;
dafs es Werke streng fachwissenschaftlichen Charakters sind, die
sich zur Verbreitung in „weiteren Kreisen“ nicht eignen, vor allem
aber, dafs der Naturwissenschaftliche Verein für seine dankenswerten
Überweisungen von der Stadtbibliothek als Äquivalent doch auch das
Lokal, die Verwaltung u. s. w. erhält und damit nicht unerhebliche
Vorteile, die ebensoviel Ersparnisse für den Naturwissenschaftlichen
Verein bedeuten. Im übrigen wissen Sie, wie sehr ich selbst eine
Erhöhung des Budgets der Stadtbibliothek wünsche und beantrage,
und da dieselbe mit der Vollendung des Baues in sicherer Aussicht
seht, können wir das Ersuchen, das ich pflichtgemäfs an Sie
richtete, einstweilen auf sich beruhen lassen, wenn Sie mir freundlichst die Bereitwilligkeit des Naturwissenschaftlichen Vereins aussprechen wollen, der Stadtbibliothek nach Möglichkeit entgegen zu
kommen und, soweit thunlich, seine Anschaffungen der Bibliothek
gebunden zu übergeben.

In bekannter Hochachtung Ihr

H e i n r. B u l t h a u p t.

Bremen, 30. Juni 1894.

Herrn Stadtbibliothekar Prof. Dr. H. Bulthaupt!

Hochgeehrter Herr Professor!

Ihr gefälliges Schreiben vom 20. d. M. habe ich erhalten und danke Ihnen herzlich für die freundliche Würdigung der von dem Vorstande des Naturwissenschaftlichen Vereins in seinem Schreiben vom 2. d. M. geltend gemachten Gesichtspunkte.

Sie wollen mir nur noch die eine sachliche Bemerkung gestatten, dafs in einer Wissensgruppe, welche so innig mit den grofsen Fortschritten der Neuzeit verflochten ist wie die Naturwissenschaften, der Übergang von Werken allgemeinen Inhaltes und zusammenfassenden Charakters, welche jeden Gebildeten interessieren, bis hin zu den Monographien, welche nur in die Hände des Technikers oder Fachgelehrten gelangen, ein ganz allmählicher ist, wie sich dies ja auch in unseren Erwerbungen für die Stadtbibliothek ausspricht.

Auch jetzt bin ich nicht in der Lage, ein den Verein bindendes Versprechen abzugeben, aber ich werde selbstverständlich, solange ich die Anschaffungen zu besorgen habe, jede Rücksicht auf die so überaus kargen finanziellen Verhältnisse der Stadtbibliothek nehmen, wie Sie mir denn gewifs das Zeugnis erteilen werden, dafs 'ich auch schon bisher jedem mir von seiten der Stadtbibliothek geäufserten Wunsche auf Anschaffungen nach Möglichkeit entsprochen habe. Über einige Spezialfragen erbitte ich mir für die nächste Zeit eine freundliche Unterredung.

Hochachtungsvoll und ergebenst

Prof. Dr. Buchenau,

als Vorsitzender des Naturwissenschaftlichen Vereins.

Vorstand:

(nach der Anciennetät geordnet).

Dr. phil. L. Häpke, Mendestrasse 24.
Dr. phil. O. Hergt, Steinhäuserstrasse 7.
Prof. Dr. W. Müller-Erzbach, korresp. Schriftführer, Herderstrasse 14.
Konsul C. H. Dreier, Rechnungsführer, Dechanatstrasse 1 b.
Direktor Dr. H. Schauinsland, Humboldtstrasse 62 f.
Dr. U. Hausmann, Rembertistrasse 15.
Dr. med. W. O. Focke, zweiter Vorsitzender, Beim stein. Kreuz 2 a.
H. Toelken, Bleicherstrasse 30.
Prof. Dr. Fr. Buchenau, erster Vorsitzender, Contrescarpe 174.

Komitee für die Bibliothek:

Prof. Dr. Buchenau.

Komitee für die Sammlungen:

Prof. Dr. Buchenau.

Redaktionskomitee:

Dr. W. O. Focke, geschäftsf. Redakteur. Dr. L. Häpke.

Komitee für die Vorträge:

Dr. O. Hergt. Dr. L. Häpke. Prof. Dr. W. Müller-Erzbach.

Finanzkomitee:

Prof. Dr. Buchenau. C. H. Dreier, Rechnungsführer. H. Toelken.

Verwaltung der Moor-Versuchsstation:

C. W. Debbe, Vorsitzender. K. von Lingen, Rechnungsführer. Ferd. Corssen.
Dr. U. Hausmann. Konsul C. H. Dreier. J. Depken (v. Landwirtsch. Verein
kommittiert).

Anthropologische Kommission:

Mitglieder, gewählt vom Naturw. Verein: Prof. Dr. Buchenau, Dr. G. Hartlaub,
Dr. W. O. Focke, Dr. H. Schauinsland;
gewählt von der Historischen Gesellschaft: Dr. W. v. Bippen, Senator
Dr. D. Ehmck, A. Poppe.

Verzeichnis der Mitglieder

am 1. April 1895.

I. Ehren-Mitglieder:

1) Geh. Rat Prof. Dr. Adolf Bastian in Berlin, gewählt am 10. September 1867.
2) Kaiserl. Generalkonsul Gerhard Rohlfs in Godesberg, gewählt am 10
September 1867.
3) Admiralitätsrat Carl Koldewey in Hamburg,
4) Kapitän Paul Friedr. Aug. Hegemann in Hamburg,
5) Dr. R. Copeland, Edinburgh (Royal Terrace 15)
6) Prof. Dr. C. N. J. Börgen, Vorsteher des Observatoriums
zu Wilhelmshaven,
7) Hauptmann a. D. Julius Payer in Wien,
8) Prof. Dr. Gustav Laube in Prag,
gewählt am 17. September 1870.
9) Direktor C. F. Wiepken in Oldenburg, gewählt am 18. April 1887.
10) Ober-Appell.-Gerichtsrat Dr. C. Nöldeke in Celle, gewählt am
5. Dezember 1887,

11) Prof. Dr. P. Ascherson in Berlin, W., Bülowstr. 51.
12) Geheimrat Prof. Dr. K. Kraut in Hannover,
13) Prof. Dr. J. Urban in Friedenau bei Berlin,
14) Geh. Regierungsrat Prof. Dr. E. Ehlers in Göttingen,
15) Geh. Hofrat Prof. Dr. F. Nobbe in Tharand,
16) Geh. Admiralitätsrat Prof. Dr. G. Neumayer in Hamburg,
17) Baron Ferd. von Mueller in Melbourne,
18) Konsul a. D. Dr. K. Ochsenius in Marburg,
19) Geheimrat Prof. Dr. K. Möbius in Berlin, Zoolog. Institut.
⎱ gewählt am 16. November 1889.

20) Prof. Dr. M. Fleischer in Berlin N. W., Helgolander Ufer 1, gewählt am 30. November 1891.
21) Prof. Dr. Th. K. Bail in Danzig,
22) Prof. Dr. H. Conwentz in Danzig, ⎱ gewählt am 12. Dezember 1892.

II. Korrespondierende Mitglieder:

1) Seminarlehrer Eiben in Aurich .... gewählt am 1. Novbr. 1869.
2) Prof. Dr. Chr. Luerssen in Königsberg ....   „   „ 24. Jan. 1881.
3) Prof. Dr. Hub. Ludwig in Bonn ....   „   „ 4. April 1881.
4) Prof. Dr. J. W. Spengel in Giessen........   „   „ 18. April 1887.
5) Apotheker C. Beckmann in Hannover ....·
6) Direktor Dr. Fr. Heincke in Helgoland ....
7) Realschullehrer Dr. Fr. Müller in Varel ....
8) Oberforstmeister Feye in Detmold ....
⎱ gewählt am 16. November 1889.

III. Hiesige Mitglieder:

a. lebenslängliche.

1) Achelis, Friedr., Kaufmann.
2) Achelis, J. C., Senator.
3) Adami, A., Konsul, Kaufmann.
4) Albrecht, G., Kaufmann.
5) Barkhausen, Dr. H. F., Arzt.
6) Buchenau, Prof. Dr. Fr., Direktor.
7) Corssen, F., Kaufmann.
8) Debbe, C. W., Direktor.
9) Deetjen, H., Kaufmann.
10) Dreier, Corn., Konsul, Kaufmann.
11) Dreier, Dr. J. C. H., Arzt.
12) Engelbrecht, H., Glasermeister.
13) Fehrmann, Carl, Kaufmann.
14) Finke, D. H., Kaufmann.
15) Fischer, W. Th., Kaufmann.
16) Focke, Dr. Eb., Arzt.*)
17) Focke, Dr. W. O., Arzt.
18) Gildemeister, Matth., Senator.
19) Gristede, S. F., Kaufmann.
20) Hildebrand, Jul., Kaufmann.
21) Hoffmann, M. H., Kaufmann.
22) Hollmann, J. F., Kaufmann.*)
23) Huck, O., Kaufmann.
24) Iken, Frdr., Kaufmann.
25) Isenberg, P., Kaufmann.
26) Kapff, L. v., Kaufmann.
27) Keysser, C. B., Privatmann.*)
28) Kindt, Chr., Kaufmann.*)
29) Kottmeier, Dr. J. F., Arzt.

30) Lahusen, M. Chr. L., Kaufmann.
31) Lauts, Fr., Kaufmann.
32) Leisewitz, Lamb., Kaufmann.
33) Lindemeyer, M. C., Privatmann.*)
34) Lürman, Dr. A., Bürgermeister.
35) Melchers, C. Th., Konsul, Kaufm.
36) Melchers, Gust. C., Kaufmann.
37) Melchers, Herm., Kaufmann.
38) Merkel, C., Konsul, Kaufmann.
39) Mohr, Alb., Kaufmann.*)
40) Plate, Emil, Kaufmann.
41) Plate, G., Kaufmann.
42) Pletzer, Dr. E. F. G. H., Arzt.
43) Rolfs, A., Kaufmann.
44) Rothe, Dr. med. E., Arzt.
45) Ruyter, C., Kaufmann.
46) Schäfer, Dr. Th., Direktor.
47) Schäfer, Dr. Th., Lehrer.
48) Schütte, C., Kaufmann.
49) Sengstack, A. F. J., Kaufmann.
50) Siedenburg, G. R., Kaufmann.
51) Stadler, Dr. L., Arzt.
52) Strube, C. H. L., Kaufmann.
53) Upmann, H. D., Kaufmann.
54) Vietor, F. M., Kaufmann.
55) Wendt, J., Kaufmann.
56) Wolde, G., Kaufmann.
57) Wolde, H. A., Kaufmann.
58) Zimmermann, C., Dr. phil.*)

*) wohnt z. Z. auswärts.

b. derzeitige.

59) Achelis, Ed., Kaufmann.
60) Achelis, Johs. jun., Kaufmann.
61) Achelis, Justus, Kaufmann.
62) Albers, W., Kaufmann.
63) Albrand, Dr. med. E., Arzt.
64) Alfken, D., Lehrer.
65) Athenstaedt, J., Apotheker.
66) Barkhausen, Dr. C., Senator.
67) Bau, Arm., Chemiker.
68) Bautz, C. B., Kaufmann.
69) Bechtel, G. J., Kaufmann.
70) Behr, F., Reallehrer.
71) Bergholz, Dr. P. E. B., Gymnasiall.
72) Bestenbostel, L. W., Fabrikbes.
73) Biermann, F. L., Kaufmann.
74) Bischoff, L., Bankdirektor.
75) Böttjer, Ferd., Kaufmann.
76) Bremermann, J. F., Lloyddir.
77) Bünemann, Gust., Kaufmann.
78) Clausen, H. A., Konsul.
79) Claussen, H., Kaufmann.
80) Damköhler, Dr., Apotheker.
81) Davin, Jos., Strassenbaumeister.
82) Deetjen, Gustav, Privatmann.
83) Degener, Dr. med. L. J., Arzt.
84) Delius, F. W., Generalkonsul.
85) Depken, Joh., Landwirt.
86) Dierksen, N., Kistenfabrikant.
87) Dolder, A., Tapezierer.
88) Droste, F. F., Konsul.
89) Dubbers, Ed., Kaufmann.
90) Dubbers, F., Kaufmann.
91) Duckwitz, A., Kaufmann.
92) Duckwitz, F., Kaufmann.
93) Duensing, E. F. W., Kaufmann.
94) Duncker, J. C., Kaufmann.
95) Ebbeke, F. A., Konsul.
96) Ehlers, H. G., Kaufmann.
97) Ehmck, Aug., Kaufmann.
98) Ellinghausen, C. F. H., Kaufmann.
99) Engelken, Dr. H., Arzt.
100) Engelken, Joh., Kaufmann.
101) Everding, H., Bildhauer.
102) Feilner, J. B., Photograph.
103) Feldmann, Dr. A., Fabrikant.
104) Felsing, E., Uhrmacher.
105) Fick, J. H., Lehrer.
106) Finke, Detmar, Kaufmann.
107) Focke, Dr. Joh., Regierungssekret.
108) Focke, Wilh., Kaufmann.
109) Frahm, Wilh., Kaufmann.
110) Franzius, L., Oberbaudirektor.
111) Fricke, Dr. C., Lehrer a. d. Hdlsch.
112) Frister, D. A. A., Kaufmann.
113) Fritze, Dr. jur., Kaufmann.
114) Funck, J., General-Agent.
115) Gämlich, A., Kaufmann.
116) Gämlich, W., Kaufmann.
117) Gerdes, S., Konsul, Kaufmann.

118) Geveke, H., Kaufmann.
119) Geyer, C., Kaufmann.
120) Giehler, Ad., Apotheker.
121) Gildemeister, D., Kaufmann.
122) Gildemeister, H., Kaufmann.
123) Gildemeister, H Aug., Kaufmann.
124) Göring, Dr. G. W., Arzt.
125) le Goullon, F., Kaufmann.
126) Graefe, E. F. J., Oberingenieur.
127) Graue, H. Kaufmann.
128) Grimmenstein, J., Kaufmann.
129) Groenewold, H. B., Maler.
130) Gröning, Dr. Herm., Senator.
131) Grosse, C. L., Kaufmann.
132) Grosse, Dr. W., Lehrer a. d. Hdlsch.
133) Gruner, Th., Kaufmann.
134) Gruner, E. C., Kaufmann.
135) Haake, H. W., Bierbrauer.
136) Haas, W., Kaufmann.
137) Hagen, C., Kaufmann.
138) Hagens, Ad., Kaufmann.
139) Halem, G. A. v., Buchhändler.
140) Hampe, G., Buchhändler.
141) Häpke, Dr. L., Reallehrer.
142) Hartlaub, Dr. C. J. G., Arzt.
143) Hartmann, J. W., Kaufmann.
144) Hasse, Otto, Kaufmann.
145) Haupt, Hilmar, Kaufmann.
146) Hausmann, Dr. U., Apotheker.
147) Hegeler, Herm., Kaufmann.
148) Heineken, H. F., Baurat
149) Heinemann, E. F., Kaufmann.
150) Heinzelmann, G., Kaufmann.
151) Hellemann, H. C. A., Kunstgärtn.
152) Henoch, J. C. G., Kaufmann.
153) Henschen, Fr., Kaufmann.
154) Hergt, Dr. O., Reallehrer.
155) Hirschfeld, Th. G., Kaufmann.
156) Hollmann, W. B., Buchhändler.
157) Holscher, Fr., Holzhändler.
158) Horn, Dr. W., Arzt.
159) Hornkohl, Dr. med., Th. A. A., Arzt.
160) Huck, Dr. M., Arzt.
161) Hurm, Dr. med., Arzt.
162) Immendorf, Dr. H., Labor.-Vorst.
163) Jacobs, Joh., Kaufmann.
164) Janke, Dr. L., Direktor.
165) Jordan, F., Ingenieur.
166) Jungk, H., Kaufmann.
167) Kahrweg, G. W., Kaufmann.
168) Kahrweg, H., Kaufmann.
169) Kasten, Prof. Dr. H., Direktor.
170) Kellner, F. W., Kaufmann.
171) Kellner, H., Kaufmann.
172) Kindervater, Dr., Oberzolldirekt.
173) Kifsling, Dr. Rich., Chemiker.
174) Klages, Dr. G. jr., Zahnarzt.
175) Klatte, B., Privatmann.
176) Klevenhusen, F., Amtsfischer.

177) Knoop, Johs., Kaufmann.
178) Kobelt, Herm., Kaufmann.
179) Koch, Alfr., Kaufmann.
180) Koch, Dr. F., Lehrer a. d. Hdlsch.
181) Könike, F., Lehrer.
182) Korff, W. A., Kaufmann.
183) Köster, J. C., Schulvorsteher.
184) Kroning, W., Privatmann.
185) Kulenkampff, C. G., Kaufmann.
186) Kulenkampff, H. J., Kaufmann.
187) Kulenkampff, H. W., Kaufmann.
188) Kurth, Dr. med. H., Direktor.
189) Küster, George, Kaufmann.
190) Kusch, G., Apotheker.
191) Lackemann, H. J., Kaufmann.
192) Lahmann, A., H. Sohn, Reepschl.
193) Lahmann, A., Fr. Sohn, Kaufm.
194) Lahusen, W., Apotheker.
195) Lampe, Dr. H., Jurist.
196) Lemmermann, E., Lehrer.
197) Leonhardt, K. F., Kaufmann.
198) Lerbs, J. D., Kaufmann.
199) Leupold, Herm., Konsul.
200) Lindner, R., Verlagsbuchhdlr.
201) Lingen, K. von, Kaufmann.
202) Linne, H., Kaufmann.
203) Lodtmann, Karl, Kaufmann.
204) Logemann, J. H., Kaufmann.
205) Loose, Dr. A., Arzt.
206) Loose, Bernh., Kaufmann.
207) Loose, C., Kaufmann.
208) Luce, Dr. C. L., Arzt.
209) Luce, G., Makler.
210) Ludolph, W., Mechanikus.
211) Lürman, J. H., Kaufmann.
212) Lürman, F. Th., Kaufmann.
213) Marcus, Dr., Senator.
214) Marquardt, H., Director.
215) Mecke, Dr. med. J., Augenarzt.
216) Meinken, H., Aufseher.
217) Melchers, A. F. Karl, Kaufm.
218) Melchers, B., Kaufmann.
219) Melchers, Georg, Kaufmann.
220) Menke, H., Kaufmann.
221) Messer, C., Reallehrer.
222) Meybohm, Chr., Kaufmann.
223) Meyer, Engelbert, Kaufmann.
224) Meyer, Dr. G., Reallehrer.
225) Meyer, Max J., Kaufmann.
226) Meyer, J. Fr., Geldmakler.
227) Michaelis, F. L., Konsul, Kaufm.
228) Michaelsen, E. F. G., Kaufmann.
229) Migault, Jul., Kaufmann.
230) Möller, Friedr., Kaufmann.
231) Müller, C. Ed., Buchhändler.
232) Müller, Dr. G., Advokat.
233) Müller, Ludw., Kaufmann.
234) Müller, Prof. Dr. W., Gymnasiall.
235) Müllershausen, N., Kaufmann.
236) Nagel, Dr. med. G., Arzt.

237) Neuberger, H., Kaufmann.
238) Neuendorff, Dr. med. J., Arzt.
239) Neuhaus, Fr. H., Privatmann.
240) Neukirch, F., Civil-Ingenieur.
241) Nielsen, J., Kaufmann.
242) Nielsen, W., Senator.
243) Nobbe, G., Kaufmann.
244) Noessler, Max, Verlagsbuchhdlr.
245) Noltenius, Dr. med., H., Arzt.
246) Nolze, H. A., Direktor.
247) Oelrichs, Dr. J., Senator.
248) Overbeck, W., Direktor.
249) Osten, Carl, Kaufmann.
250) Pagenstecher, Gust., Kaufmann.
251) Paulmann, Emil, Juwelier.
252) Pflüger, J. C., Kaufmann.
253) Pokrantz, E., Konsul, Kaufmann.
254) Post, Dr. H. A. von, Richter.
255) Pundsack, J. R., Mechaniker.
256) Rabba, Chr., Reallehrer.
257) Reck, F., Kaufmann.
258) Remmer, W., Bierbrauer.
259) Rickmers, A., Kaufmann.
260) Rienits, Günther, Kaufmann.
261) Riensch, Heinr., Makler.
262) Ritter, F. E., Kaufmann.
263) Rohtbar, H. H., Privatmann.
264) Rost, W. A., Kaufm.
265) Rowohlt, H., Kaufmann.
266) Romberg, Dr. H., Direktor.
267) Rosenkranz, G. H., Segelmacher.
268) Roters, H. A. F., Civilingenieur.
269) Ruete, A. F., Kaufmann.
270) Ruhl, J. P., Kaufmann.
271) Runge, Dr. Fr. G., Arzt.
272) Rutenberg, J. H., Konsul, Kaufm.
273) Sander, G., Kaufmann.
274) Schäffer, Dr. Max, Arzt.
275) Schauinsland, Dr. H., Direktor.
276) Schellhafs, Konsul, Kaufmann.
277) Schellhafs, Otto, Kaufmann.
278) Schenkel, B., Pastor.
279) Schierenbeck, J., Landwirt.
280) Schierloh, H., Schulvorsteher.
281) Schilling, Dr. D., Navigationslehr.
282) Schlenker, M. W., Buchhändler.
283) Schmidt, Ferd., Kaufmann.
284) Schneider, Dr. G. L., Reallehrer.
285) Schrader, W., Konsul.
286) Schrage, J. L., Kaufmann.
287) Schreiber, Ad., Kaufmann.
288) Schröder, G. J., Kaufmann.
289) Schröder, J. P. H., Kaufmann.
290) Schröder, W., Kaufmann.
291) Schünemann, Carl Ed., Verleger.
292) Schütte, Franz, Kaufmann.
293) Schütte, Gust., Kaufmann.
294) Schwabe, Ad., Kaufmann.
295) Schwally, C., Drechsler.
296) Schweers, G. J., Privatmann.

297) Seeger, Dr. med. J., Zahnarzt.
298) Segnitz, F. A., Kaufmann.
299) Segnitz, Herm., Kaufmann.
300) Silomon, H. W., Buchhändler.
301) Smidt, Dr. Joh., Richter.
302) Smidt, John, Kaufmann.
303) Smidt, Jul., Konsul, Kaufmann.
304) Sosna, F. A., Polizeitierarzt.
305) Sparkuhle, Ph. J., Kaufmann.
306) Spitta, Dr. A., Arzt.
307) Strafsburg, Dr. med. G., Arzt.
308) Strauch, D. F.. Kaufmann.
309) Strohmeyer, Joh., Kaufmann.
310) Stute, J. A. Chr., Kaufmann.
311) Stüsser, Dr. J., Apotheker.
312) Südel, B., Kaufmann.
313) Tacke, Dr. B., Direktor.
314) Tecklenborg, E., Schiffsbauer.
315) Tellmann, F.,Lehrer a.d.Hdlsschule.
316) Tern, W., Reallehrer.
317) Tetens, Dr., Senator, Jurist.
318) Thorspecken, Dr. C., Arzt.
319) Toel, H., Apotheker.
320) Töllner, K., Kaufmann.
321) Toelken, H., Kaufmann.
322) Ulex, E. H. O., Richter.
323) Ulrich, S., Direktor.
324) Vassmer, C., Privatmann.

325) Vassmer, H. W. D., Makler.
326) Vietsch, G. F. H., Konsul, Kaufm.
327) Vocke, Ch., Kaufmann.
328) Volkmann, J. H., Kaufmann.
329) Waetjen, Ed., Kaufmann.
330) Weber, Dr. C.
331) Weinlig, F., Kaufmann.
332) Wellmann, Dr. H., Gymn.-Lehrer.
333) Wendt, Herm., Fabrikant.
334) Wenner, G., Aichmeister.
335) Werner, E., Kaufmann.
336) Wessels, J. F., Senator.
337) Westphal, Jul.,Lehr. a.d.Hdlsschule.
338) Weyhausen, Aug., Bankier.
339) Wiesenhavern, F., Apotheker.
340) Wiesenhavern, W., Privatmann.
341) Wieting, G. E., Kaufmann.
342) Wilde, F., Lehrer. a. d. Hdlsschule.
343) Wilkens, H., Silberwarenfabrkt.
344) Willich, J. L. F., Apotheker.
345) Wilmans, R., Kaufmann.
346) Witte, Herm., Kaufmann.
347) Wolfrum, L., Chemiker.
348) Wolters, J. H. F., Lehrer.
349) Woltjen, Herm., Privatmann.
350) Wortmann, Gust., Kaufmann.
351) Zinne, H. F. L. A., Photograph.

Durch den Tod verlor der Verein die Herren:

Alberti, H. Fr., Kfm.
Hütterott, Th., Kaufmann.
Menke, Jul., Kaufmann.
Peters, F., Schulvorsteher.

Precht, E., Kaufmann.
Schroeder, W. A. H., Kaufmann.
Traub, C., Kaufmann.
de Voss, E. W., Kaufmann.

Ihren Austritt zeigten an die Herren:

Collenbusch, R., Kaufmann.
Gloystein, E., Kaufmann.
Grienwaldt, L. O., Photograph.
Masars-Camarès, E. v., Buchhdlr.
Poppe, J. G., Architekt.

Ulrichs, E., Konsul.
Vinnen, Chr., Kaufmann.
Von der Heyde, E., Konsul.
Wolffram, A. A E., Photograph.

Es verliefsen Bremen und schieden deshalb aus unserm Kreise die Herren: .

Dyes, L. G., Gen.-Kons., Kaufmann.
Fischer, J. Th., Kaufmann.
Klebahn, Dr. H., Seminarlehrer.
(s. ausw. Mitgl.).

Lang, Dr. L., Chemiker.
Reif, J. W., Apotheker.
Seyfert, Dr. F., Chemiker.

IV. Auswärtige Mitglieder.

Ein dem Namen beigefügtes (L.) bedeutet: lebenslängliches Mitglied;
ein vorgesetzter * zeigt an, dafs das betr. Mitglied seinen Beitrag durch einen hiesigen
Korrespondenten bezahlen läfst.

a) Gebiet und Hafenstädte.

1) Borgfeld: Mentzel, Lehrer.
2) Bremerhaven: Becker, F., Obermaschinist.
3)   ,,   Seibert, Herm., Richter.

4) Gröpelingen: Menkens, H., Lehrer.
5) Hastedt: Reichstein, H., Lehrer.
6) Horn: Meyer, Lehrer.
7) Osterholz (Bremen): Gerke, Lehrer.
8) „ Essen, H., Lehrer.
9) „ Meier, J., Lehrer.
10) Sebaldsbrück: Plate, Lehrer.
11) St. Magnus: Piderit, Leo, Administrator.
12) Vegesack: Bischoff, H., Kaufmann.
13) „ Borcherding, Fr., Lehrer.
14) „ Coesfeld, Dr. phil. R., Apotheker.
15) „ Herrmann, Dr. R. R. G., Realgymnasiallehrer.
16) „ Kohlmann, R., Realgymnasiallehrer.
17) „ Landwehr, Th., Kaufmann.
18) „ Lofmeyer, O., stud. rer. nat.
19) „ Poppe, S. A., Privatgelehrter.
20) „ Rohdenburg, Diedr. jun., Apotheker.
21) „ Schild, Bankdirektor.
22) „ Stümcke, C., Apotheker.
23) „ Wehmann, Dr. med., Arzt.
24) „ Weydemann, Dr. med. H., Arzt.
25) „ Wilmans, Dr. med., Arzt.
26) „ (Schönebeck): Wedepohl, B., Forst- u. Gutsverwalter.
27) Walle: Hüttmann, J., Lehrer.
28) Wasserhorst: Schlöndorff, J., Oberlehrer.
29) Woltmershausen: Heuer, G., Apotheker.
30) „ Pfankuch, K., Lehrer.

b) Im Herzogtum Oldenburg.

31) Augustfehn: Röben, Dr. med., Arzt.
32) Delmenhorst: Katenkamp, Dr. med., Arzt. (L.)
33) „ Henning, Dr. A., Rektor.
34) Elsfleth: Schütte, H., Lehrer.
35) Oldenburg: Bosse, A., Bankbeamter.
36) „ Fricke, Fr., Oberrealschullehrer.
37) „ Greve, Dr., Obertierarzt.
38) „ Ohrt, Garteninspektor.
39) „ Struve, C., Assessor.
40) „ Wegener, Seminarlehrer.
41) Sillenstede bei Jever: Roggemann, Lehrer.
42) Varel: Böckeler, Otto, Privatmann.
43) „ Minden, M. von, stud. phil.
44) Wangerooge: Glander, H., Lehrer.
45) Westerstede: Brakenhoff, Rektor.
46) Wildeshausen: Huntemann, J., Direktor der Landwirtschaftsschule.
47) Zwischenahn: Hullmann, A., Lehrer.
48) „ Sandstede, H., Bäckermeister.

c) Provinz Hannover.

49) Bassum: Ebermaier, F., Apotheker.
50) Borkum: Bakker, W., Apotheker.
51) Clausthal: Klockmann, Dr. F., Prof. der Mineralogie und Geologie.
52) Detern: van Dieken, Lehrer.
53) Emden: Martini, S., Lehrer.
54) Fallingbostel: Kahler, L., Apotheker.
55) Geestemünde: Eilker, Dr. G., Professor.
56) „ Hartwig, Dr. med., Sanitätsrat.
57) Goslar a. H.: Voigt, Dr. A., Gymnasiallehrer.

58) Gross-Ringmar bei Bassum: Iburg, H., Lehrer.
59) Hannover: Alpers, F., Seminarlehrer.
60) „ Andrée, A., Apotheker.
61) „ Brandes, Apotheker.
62) „ Hess, Dr. W., Professor.
63) Hemelingen: Böse, J., Oberlehrer.
64) „ Harms, J., Lehrer.
65) „ Wilkens, W., Teilhaber der Firma Wilkens & Söhne (L.)
66) Hildesheim: Laubert, Dr. E., Professor.
67) Iburg: Sickmann, F., Rektor.
68) Juist: Leege, O., Lehrer.
69) „ Arends, Dr. med. E., Arzt.
70) Langeoog: Müller, F. B., Lehrer.
71) Lehe: Kothe, Lehrer.
72) Lesum: Cuntz, G., Candidat.
73) Lingen: Salfeld, Dr. A., Kulturtechniker.
74) Lüneburg: Stümcke, M., Chemiker.
75) Meppen: Borgas, L., Gymnasiallehrer.
76) „ Wenker, H., Gymnasialoberlehrer.
77) Misselwarden bei Dorum: Gerken, J., Lehrer.
78) Münden: Metzger, Dr., Professor.
79) Neuhaus a. d. Oste: Ruge, W. H., Fabrikant.
80) „ Ruge, Dr. G., Apotheker.
81) Neustadt a. R.: Brandt, F., Director.
82) „ Redeker, A., Apotheker.
83) Norden: Eggers, Dr., Gymnasiallehrer. (L.)
84) Oberndorf a. d. Oste: Oltmanns, Apotheker.
85) Ottersberg: Behrens, W., Mandator.
86) Papenburg: Hupe, Dr. C., Reallehrer.
87) Quakenbrück: Möllmann, G., Apotheker.
88) Rechtenfleth: Allmers, Herm., Landwirt. (L.)
89) Rotenburg a. d. Wumme: Polemann, Apotheker.
90) Spiekerooge: Wurts, Dierk, Lehrer.
91) Stade: Brandt, Professor.
92) „ Eichstädt, Fr., Apotheker.
93) „ Holtermann, Senator.
94) „ Gravenhorst, F., Baurat.
95) „ Streuer, Fr. W., Seminarlehrer.
96) „ Tiedemann, Dr. med. E., Arzt.
97) „ Wynecken, Joh., Rechtsanwalt.
98) Verden: Holtermann, Apotheker.
99) „ Müller, C., Direktor der landwirtschaftl. Winterschule.
100) Warstade b. Basbeck: Wilshusen, K., Lehrer.
101) Wörpedorf b. Grasberg: Böschen, J., Landwirt.
102) Zwischenbergen b. Strackholt (Ostfr.): Bielefeld, R., Lehrer.

d. Im übrigen Deutschland.

103) *Altona: Herbst, Jul., Apotheker.
104) Arnstadt: Leimbach, Dr. G., Professor.
105) *Berlin, Bruckmeyer, F., stud. med.
106) „ W., Blumeshof 15: Magnus, Dr. P., Professor.
107) „ S., Wittenbergplatz 1, Hollmann, M., Apotheker.
108) Braunschweig: Bertram, W., Superintendent.
109) „ Blasius, Dr. R., Stabsarzt a. D.
110) „ Blasius, Dr. W., Professor.
111) „ v. Koch, Victor, Okonom.
112) „ Werner, F. A., Partikulier.
113) Coblenz: Walte, Dr., Lehrer an der Gewerbeschule.
114) *Dresden: Sanders, W., Reallehrer.
115) Flottbeck bei Altona: Booth, John, Kunstgärtner. (L.)

116) Freiburg i. Br.: Fritze, Dr. A., Privatdozent.
117) * „ Klugkist, C., stud. med.
118) Görlitz: Mensching, Dr. J., Chemiker.
119) Hamburg: Klebahn, Dr. H., Seminarlehrer.
120) „ Rothe, Walter, Kaufmann. (L.)
121) Heidelberg: Precht, Dr. Jul., Ass. am phys. Institut.
122) Insterburg: Kühn, Max, Apotheker.
123) Kiel: Knuth, Dr. P., Oberlehrer.
124) Kiel: von Fischer-Benzon, Dr., Professor.
125) Laubach in Hessen: Solms-Laubach, Fr., Graf zu. (L.)
126) Magdeburg: Fitschen, J., Lehrer.
127) *Marburg: Janson, Dr. O., Assistent.
128) *München: Bitter, G., stud. rer. nat.
129) Poppelsdorf b. Bonn: Verhoeff, L., stud. rer. nat.
130) Rappoltsweiler i. Els.: Graul, Dr. J., Realschullehrer.
131) Rostock: Prahl, Dr. med., Oberstabsarzt.
132) Schlettstadt (Elsass): Krause, Dr. med. E. H. L., Stabs- u. Bataillonsarzt
133) Steinbeck in Lippe-Detmold: von Lengerke, Dr. H., Gutsbesitzer. (L.)
134) Waren in Mecklenburg: Horn, P., Apotheker.
135) Weimar: Haufsknecht, C., Professor. (L.)
136) *Wien: Rickmers, W., stud. phil.

e. Im aufserdeutschen Europa.

137) Blackhill (Durham): Storey, J. Thomas, Rev. (L.)
138) Huelva (Spanien): Lorent, Fr. C., Kaufmann. (L.)
139) *Liverpool: Oelrichs, W., Kaufmann.
140) Petersburg: Grommé, G. W., Kaufmann. (L.)
141) St. Albans: Sander, F., Kunstgärtner. (L.)

f. In fremden Weltteilen.

Amerika.

142) Bahia: Meyer, L. G., Kaufmann. (L.)
143) Baltimore: Lingen, G. v., Kaufmann. (L.)
144) Cordoba: Kurtz, Dr. F., Professor. (L.)
145) *Durango: Buchenau, Siegfr., Kaufmann.
146) *Mercedes (Republik Uruguay): Osten, Corn., Kaufmann.
147) New-York: Brennecke, H., Kaufmann (L.)
148) „ Brennecke, G., Kaufmann. (L.)

Asien.

149) *Batavia: Hallmann, F., Kaufmann.
150) *Calcutta: Smidt, G., Kaufmann.
151) Shanghai: Koch, W. L., Kaufmann. (L.)

Australien.

152) Honolulu: Schmidt, H. W., Konsul. (L.)

Verzeichnis von Vereinsmitgliedern, welche ein naturwissen-
schaftliches Spezialstudium betreiben.

Alfken, D., Entomologie.
Alpers, F., Hannover, Botanik.
Ascherson, Prof. Dr. P., Berlin, Botanik.
Beckmann, C., Hannover, Botanik, (Flora von Europa, Moose).
Bergholz, Dr. P. E. B., Meteorologie.
Bertram, W., Braunschweig, Botanik (Flora von Braunschweig, Moose).
Blasius, Prof. Dr. W., Braunschweig, Zoologie.
Böckeler, O., Varel, Cyperaceen.
Borcherding, F., Vegesack, Malakologie, Fauna der nordwestdeutschen Tiefebene.

Buchenau, Prof. Dr. F., Botanik; bremische Geographie und Topographie.
Eilker, Prof. Dr. G., Geestemünde, Botanik.
Felsing, E., Coleopteren.
Fick, J. H., Ornithologie.
Fitschen, J., Magdeburg, Botanik.
Fleischer, Prof. Dr. M., Berlin, Agrikulturchemie.
Focke, Dr. W. O., Botanik (Rubus, Hybride, Flora Europas), Flachland-
    Geognosie.
Fricke, Dr. C., Paläontologie.
Häpke, Dr. L., Landeskunde des nordwestlichen Deutschlands; Weserfische;
    Gewitter.
Hartlaub, Dr. G., Ornithologie, Ethnologie.
Hausmann, Dr. U., Pflanzenchemie und Droguenkunde.
Haufsknecht, Prof. C., Weimar, Botanik (Floristik).
Hergt, Dr. O., Chemie.
Hefs, Prof. Dr. W., Hannover, Zoologie.
Hollmann, M., Berlin, Entomologie.
Janke, Direktor Dr. L., Chemie.
Katenkamp, Dr., Delmenhorst, Botanik und Altertumskunde.
Kifsling, Dr. R., Chemie.
Klebahn, Dr. H., Hamburg, Mikroskopische Botanik.
Klockmann, Prof. F., Klausthal, Mineralogie, insbesondere Lagerstättenlehre.
Könike, F., Acarina (Hydrachniden).
Kohlmann, R., Vegesack, Recente Meeresconchylien, Hymenomyceten.
Kraut, Geheimrat Prof. Dr., Hannover, Chemie.
Kurtz, Dr. F., Cordoba, Botanik
Lahmann, A., H's. Sohn, Lepidopteren.
Leimbach, Prof. Dr. G., Arnstadt, Botanik (Orchidaceen).
Lemmermann, E., Botanik (Algen).
Magnus, Prof. Dr. P., Berlin, Botanik (Pilze).
Menkens, H., Gröpelingen, Arachniden.
Messer, C., Botanik.
Meyer, J., Entomologie.
Müller-Erzbach, Prof. Dr. W., Physik.
Müller, Dr. Fr., Varel, Botanik.
Nöldeke, Dr. C., Ober-Appell.-Gerichtsrat. Celle, Botanik.
Osten, C., Mercedes (Rep. Uruguay), Botanik; Geologie.
Poppe, S. A., Vegesack, Copepoden, Cladoceren, Ectoparasiten, Ethnologie
Sandstede, H., Zwischenahn, Flechten.
Schneider, Dr. G., Physik.
Sickmann, F., Iburg, Hymenopteren.
Weber, Dr. C., Landwirtschaftliche Botanik; Geologie.
Wiepken, Direktor C.F., Oldenburg, Deutsche Ornithologie, Coleopteren, Geroölle.
Willich, J. L. F., Chemie.

Die geehrten Mitglieder, welche wünschen, in dieses Verzeichnis aufgenommen zu werden, wollen sich deshalb gefälligst an den Vorstand wenden.

Verzeichnis der gehaltenen Vorträge.
1894.

536. Versammlung. April 2. Hr. Dr. Bergholz: Über die Er-
    gebnisse der 1892 und 1893 von der hiesigen meteorolo-
    gischen Station angestellten Beobachtungen und Hellmanns
    Arbeit über Schneekrystalle.
Hr. Prof. Buchenau: Über Regenfall und Blattgestalt von
    Prof. Stahl.

537. Versammlung. April 16. Besichtigung der Rickmersschen Reismühlen unter Führung der Herren Direktor Reverty und Ingenieur Hinsch. (Zugleich für die Damen.)

538. Versammlung. April 30. Hr. Dr. W. Grosse: Mitteilungen über Heinrich Rudolf Hertz. (Nachruf.)

Hr. Dr. R. Kissling: Einige Beiträge zur Frage der Selbstentzündung.

539. Versammlung. Mai 28. Hr. Direktor Dr. H. Kurth: Über den Bakteriengehalt der Weser im Jahre 1893/94.

Hr. Prof. Dr. Müller-Erzbach: Über die Widerstandsfähigkeit niederer Tiere und Pflanzen gegen niedrige Temperaturen.

540. Versammlung. Juni 11. Hr. Dr. H. Klebahn: Über Kulturversuche mit Rostpilzen.

Hr. Dr. Hergt: Über die Bestimmung des Verhältnisses der Atomgewichte von Sauerstoff und Wasserstoff.

541. Versammlung. Juni 20. Besichtigung der Versuchsfelder der Kolonie Friedrich-Wilhelmsdorf unter Führung des Herrn Direktor Dr. Tacke.

542. Versammlung. Septbr. 20. Hr. Prof. Dr. Müller-Erzbach: Nachruf an Professor Helmholtz.

Hr. Dr. Jul. Precht aus Münster: Fortschritte der Photographie.

543. Versammlung. Oktbr. 15. Hr. Dr. W. O. Focke: Die ursprüngliche Vegetation der nordwestdeutschen Tiefebene.

Hr. Prof. Dr. Buchenau: Mitteilungen über die Organisation wissenschaftlicher Institute in den vereinigten Staaten.

544. Versammlung. Nov. 12. Hr. Prof. Dr. Buchenau: Über Ahornzucker.

Hr. Dr. Hergt: Abbés Doppelfernrohr.

Hr. Praeparator Becker: Demonstration der präparierten inneren Teile des Brustkorbes eines Menschen.

Hr. Borcherding: Demonstration naturhistorischer Präparate für den Unterricht.

545. Versammlung. Nov. 19. Hr. Prof. Dr. Müller-Erzbach: Über die Wirkung hochgespannter elektrischer Wechselströme.

Hr. Dr. Hergt: Demonstration verschiedener Feldstecher und Relieffernrohre neuester Konstruktion aus der Zeifsschen Werkstätte zu Jena.

Hr. Dr. Hergt: Über den Mauersalpeter.

546. Versammlung. Dezbr. 3. Hr. Dr. Häpke: Über die Zunahme der Blitzgefahr und über die Prüfung der Blitzableiter.

547. Versammlung. Dezbr. 17. Hr. Dr. Bergholz: Über die Thätigkeit der meteorologischen Abteilung auf der Wiener Naturforscherversammlung.

1895.

548. Versammlung. Jan. 7. Hr. Prof. Dr. Buchenau: Über die Pflanzenwelt der östlichen Vereinigten Staaten. (1. Vortrag.)

549. Versammlung. Jan. 14. Hr. Dr. C. Schilling: Wilhelm Olbers.
550. Versammlung. Jan. 28. Hr. Dr. R. Kissling: Neue Versuche über Selbstentzündung.
Hr. Prof. Buchenau: Über die Pflanzenwelt der östlichen Vereinigten Staaten. (2. Vortrag.)
551. Versammlung. Febr. 11. Hr. Prof. Dr. Klockmann: Über die Gold- und Diamantfelder Südafrikas.
552. Versammlung. Febr. 25. Hr. Dr. Grosse: Über ein Manuskript unserer Stadtbibliothek
Hr. Dr. Hergt: Demonstration eines von ihm verbesserten Apparates zur Darstellung fester Kohlensäure.
Hr. Prof. Dr. Buchenau: Die Wald- und Dünenflora der östlichen Vereinigten. Staaten Nordamerikas.
553. Versammlung. März 11. Hr. Direktor Dr. Tacke: Über die Thätigkeit der Moorversuchsstation im Jahre 1894.
Hr. Dr. Hergt: Über das Argon. ·
554. Versammlung. März 25. Hr. Dr. R. Kissling: Über die Entstehung des Petroleums im Anschluss an Englers Arbeit hierüber.
Hr. Dr. C. Weber: Über das Diluvium von Honerdingen.

Geschenke für die Bibliothek.

Hr. Direktor Dr. Fr. Heincke auf Helgoland: Die Überfischung der Nordsee und Schutzmafsregeln dagegen.
Hr. Kapitän Hegemann in Hamburg: Meteorologische und hydrographische Verhältnisse auf der Dampferroute von Sidney nach den Tonga- und Samoa-Inseln.
Hr. Geh. Hofrat Prof. Dr. Nobbe in Tharand: Landwirtschaftliche Versuchs-Stationen Bd. XLIII, 6; XLIV; XLV, 1—4.
Central-Moorkommission in Berlin: Protokoll der 31. u. 32. Sitzung.
Hr. Prof. Dr. Leimbach in Arnstadt: Deutsche botanische Monatsschrift Jahrg. XI, 12; XII; XIII, 1—3.
Königl. Preufs. Ministerium für Landwirtschaft: Landwirtschaftl. Jahrbücher XXII (1893) Ergänzungsband II u. XXIII (1894), 1—6; Ergänzungsband II, III.
Hr. Prof. Dr. Chr. Luerssen in Königsberg (als Verf.): Beiträge zur Kenntnis der Flora West- und Ostpreufsens I—IV; 34 Dissertationen medizinischen und naturwiss. Inhaltes.
Hr. Franz Rogel in Höxter: 8 selbstverfafste mathematische Arbeiten.
Hr. Georges Jacquemin in Nancy (als Verf.): Emploi rationel des levures pures sélectionées pour l'amélioration des boissons alcooliques (vin, cidre etc.).

Hr. Prof. Dr. Börgen in Wilhelmshaven: Beobachtungen aus dem
magnetischen. Observatorium der kaiserlichen Marine in
Wilhelmshaven 1882—1888; Eschenhagen, Bestimmung
der erdmagnetischen Elemente, 1886, 1887 u. 1893; 12
Separatabzüge aus den Annalen der Hydrographie und mari-
timen Meteorologie.
Hr. Ingenieur Hugo Seelhoff in Charlottenburg: Eine Anzahl
Druckschriften, welche die Firma Siemens & Halske ver-
öffentlicht.
Hr. G. W. Krüger in New York: Silliman, The American Journal
of Science 1894.
Hr. F. Koenike: 3 Sonderabzüge über Hydrachniden.
Ministerial-Kommission zur wissenschaftl. Untersuchung der deutschen
Meere in Kiel und biologische Anstalt auf Helgoland:
Wissenschaftliche Meeresuntersuchungen. Neue Folge I. Bd.,
Heft 1. Ergebnisse Jahrg. 1893, Heft I—VI.
Hr. Prof. Dr. K. Möbius in Berlin (als Verf.): Über Eiernester
pelagischer Fische aus dem mittelatlantischen Ozeane
(Sonderabdruck).
Hr. Dr. Jul. Precht, Heidelberg (als Verf.): Über Blitze und
Blitzphotographien. (Himmel u. Erde VII, 4).
Hr. Direktor Dr. Conwentz in Danzig: XV. amtl. Bericht über
die Verwaltung· der naturhistorischen, archaeologischen und
ethnologischen Sammlungen des westpreufs. Provinzial-
museums.
Hr. Prof. M. Stossich (als Verf.): Osservazioni sul Solenophorus
megalocephalus.

Einzelne Hefte der Abhandlungen des Vereines wurden zu
anderweitiger Verwendung zurückgeliefert von den Herren
Konsul F. F. Droste und Konsul J. H. Rutenberg.

Geschenke für die Sammlungen.

Hr. Dr. W. O. Focke: Ein Stück Gelenkquarz aus Agra in Indien.
Hr. F. Borcherding in Vegesack: Stengelverbänderungen von
Fritillaria, Myosotis, Primula und Rosa.
Hr. Lehrer F. Schmidt in Grasberg: Einige Versteinerungen aus
der Umgegend von Grasberg (Echiniden und Stengelglieder
von Pentacrinus etc.).
Hr. G. Meyer: Eine Mango- u. einige Mangostanafrüchte von
Ceylon.
Hr. J. H. F. Schäfer: Ein Ei eines mehrere Jahre in der Ge-
fangenschaft befindlichen grünen Papageien.
Hr. D. Heinr. Finke: Kopf eines Rebhuhnes mit raubvogel-
ähnlichem Oberschnabel.

Hr. von Hanffstengel aus Macassar: Golderze von Sumalata auf
Celebes (4—12 Unzen Gold pr. Tonne).
Hr. Direktor Wiepken in Oldenburg: Einen Riesenbovist.
Hr. Ernst Janson auf Sumatra: Einen Batakker-Brandbrief.
Hr. Apotheker A. Redeker in Neustadt a./R.: Eine Anzahl Pfl.
fürs nordwestd. Herbar u. eine Standortskarte.
Hr. Lehrer Wilshusen in Warstade b. Basbeck: Eine Anzahl
Pflanzen fürs nordwestdeutsche Herbar.
Hr. H. Lekve zu Uelzen: Einige seltenere Pfl. fürs nordw. Herbar.
Hr. H. Sandstede in Zwischenahn: Stamm- und Aststücke einer
verbänderten Linde.
Hr. Paul Caesar in New York: Eine Anzahl Zinkerze.
Hr. Siegfried Buchenau in Durango: Ein Stück Magneteisen.
Hr. M. von Minden: Standortskarte von Scutellaria minor L. bei
Hahn i. Oldenburg.
Hr. Prof. Buchenau: Eine Flechte (Usnea) u. Myzodendron punetu-
latum von der Magellanstraße.
Hr. J. Fitschen in Magdeburg: Eine Standortskarte seltener nord-
westdeutscher Pflanzen bei Brest.

Aufwendungen, beziehungsweise Anschaffungen für das städtische Museum.

Callier, Flora silesiaca exsiccata; Editio 1894.
Wissenschaftliche Meeresuntersuchungen. Neue Folge I, 1. Heraus-
gegeben von der Ministerial-Kommission zur wissenschaftl.
Unters. der deutschen Meere in Kiel und der biologischen
Anstalt auf Helgoland.
Eine Sammlung kleinasiatischer Pflanzen.

Außerdem wurden alle Geschenke an Naturalien und Schriften, welche
von Interesse für die Sammlungen sein konnten, dem städt. Museum überwiesen.

Anschaffungen für die Stadtbibliothek
im Vereinsjahre 1894/95.

Vorbemerkung. Die zahlreichen naturwissenschaftlichen Zeitschriften,
welche der Verein für die Stadtbibliothek hält (z B Poggendorf, Annalen der
Physik; Liebig und Wöhler, Annalen der Physik und Chemie; Leonhard und
Bronn, Jahrbuch für Mineralogie; Siebold und Kölliker, Zeitschrift für wissenschaftliche Zoologie u. s. w.), sind hier nicht aufgezählt. Siehe das Verzeichnis
derselben im 2. Hefte des 13. Bandes der Abhandlungen.

a) Aus den eigenen Mitteln des Vereins.

Zirkulare des deutschen Fischereivereins, 1894.
Koehne, botanischer Jahresbericht, 1891, II, 2, 3, 1892, I, 1, 2, II, 1.
Bronn, Klassen und Ordnungen des Tierreiches, V, II 41—43,
II, II, 9, 10, IV, 33—37, H, III, 17, 18, 19, III, 10—17, Supplement
2 u. 3.
M. Schulze, die Orchidaceen Deutschlands, 11—13.
K. Schilling, Wilhelm Olbers, I.

Rofsmäfsler, Iconographie der europäischen Land- und Süfswasser-Mollusken, VII, 1—4.
De Candolle, Monographiae Phanerogamarum, VIII: J. Vesque, Guttiferae.
Lürssen und Hänlein, Bibliotheca botanica, 28—31.
G. Hellmann, Schneekrystalle.
K. Schumann, Morphologische Studien, I.
Flora brasiliensis, 116, 117.
A. Berlese, Ordo Prostigmata (Trombidiidae).
A. Berlese, Acari Myriopoda et Scorpiones hucusque in Italia reperta, Lieferung 71—73.
Hooker, Flora indica XX.
Fauna und Flora des Golfes von Neapel, 21. Monographie: G. W. Müller, die Ostracoden.
Palaeontographica, herausgegeben von K. A. v. Zittel, 40. Band.
K. v. Fischer-Benzon, Altdeutsche Gartenflora (Untersuchungen über die Nutzpflanzen des deutschen Mittelalters, ihre Wanderung und Vorgeschichte im klassischen Altertum).
E. Haeckel, systematische Phylogenie der Protisten und Pflanzen, I.
Fr. Körnicke und H. Werner, Handbuch des Getreidebaues. 2 Bde.
C. J. Hartman, Handbok i Skandinaviens Flora, 8. Auflage, 1861.
D. Don, Prodromus Florae Nepalensis.
M. Willkomm, Supplementum Prodromi florae hispanicae.
F. Cohn, Kryptogamenflora von Schlesien: Pilze von J. Schroeter III, 2. Hälfte, No. 3.
Trimen, Flora of Ceylon II, mit Taf. 26—50.
Hensen, Ergebnisse der Plankton-Expedition der Humboldt-Stiftung: C. Apstein, Thaliacea.
Cohn, Beiträge zur Biologie der Pflanzen, VII, 1.
Weifs, J. R., Schul- und Excursionsflora von Bayern.
O. Penzig, Pflanzen-Teratologie, II.
A. v. Koenen, Das norddeutsche Unter-Oligocän und seine Mollusken-Fauna, 7 Lieferungen mit 88 Tafeln, Nachtrag, Schlufs-bemerkungen und Register.
N. A. Sokolow, Die Dünen-Bildung, Entwickelung und innerer Bau.
Lacaze-Duthiers, Archives de Zoologie expérimentale, 3e sér., I.
Nouvelles Archives du Muséum d'histoire naturelle, VI.
F. Parlatore, Flora italiana VII, 2, X (Schluss).
Bauer und Hooker, Genera filicum (mit 120 color. Tafeln).
Annales des sciences naturelles, botanique; 7e sér., XVII, XVIII.
Annales des sciences naturelles, zoologie; 7e sér. XV, XVI, XVII, XVIII.
Archiv der naturwiss. Landesdurchforschung von Böhmen: VIII, 3 (Kafna, Recente und fossile Nagetiere Böhmens); IX, 1 (Fric, Böhmische Kreideformation), IX, 2; (Fric und Vavra, Untersuchungen über die Fauna der Gewässer Böhmens); IX, 4 (Hanamann, die chemische Beschaffenheit der fliefsenden Gewässer Böhmens).
Semper, Reisen im Archipel der Philippinen, II, III (zweites Er-gänzungsheft).

Edw. L. Rand and John M. Redfield, Flora of Mount-Desert-Island, Maine.
B. Stein, Orchideenbuch.
Schimper, Botanische Mitteilungen aus den Tropen, 7. Heft: Alfred Möller, Brasilianische Pilzblumen.
Th. Durand et H. Schinz, Conspectus florae Africae, V (Monocotyledoneae et Gymnospermae).
Deutsch Ost-Afrika; Bd. 1: Fr. Stuhlmann, Mit Emin-Pascha in das Herz von Afrika.
O. Zacharias, Forschungsberichte aus der Biologischen Station zu Plön, 3. Teil.
J. B. de Toni, Sylloge Algarum, H, Sect. III.
K. Tubeuf, Pflanzenkrankheiten, durch kryptogame Parasiten veranlafst.

Gemeinsam mit der Stadtbibliothek:

Transactions of the Linnean Society.
Philosophical Transactions of the Royal Society of London.
Mémoires de l'Académie de St. Pétersbourg.
Annales de chimie et de physique.
Annals and magazine of natural history.
Comptes rendus de l'académie de Paris.
Denkschriften der Wiener Akademie.
Abhandlungen der bayrischen Akademie.
Berichte der sächsischen Gesellschaft der Wissenschaften zu Leipzig.

b) Aus den Mitteln der Kindstiftung:

Fehling, Neues Handwörterbuch der Chemie, 76, 77.
Fortschritte der Physik.
Fittica, Jahresbericht über die Fortschritte der Chemie, 1889, 5, 6. 1890, 1, 2.
Berichte der deutschen chemischen Gesellschaft, 1892/95.
Richard Meyer, Jahrbuch der Chemie III.
Ostwald und van't Hoff, Zeitschrift für physikalische Chemie, Stöchiometrie und Verwandtschaftslehre, Bd. I—XV, gebunden; (wird fortgesetzt).

c) Aus den Mitteln der Frühlingstiftung:

Martini und Chemnitz, Konchylien-Kabinet, Lief. 405—410.

d) Aus den Mitteln der Rutenbergstiftung:

Biologia centrali-americana, Zoology, 115—120.
Hensen, Ergebnisse der Plankton-Expedition der Humboldtstiftung: Bernhard Fischer, die Bakterien des Meeres.

Verzeichnis der im verflossenen Vereinsjahre eingelaufenen Gesellschaftsschriften.

Bemerkung. Es sind hier alle Vereine aufgeführt, welche mit uns in Schriftenaustausch stehen, von Schriften sind aber nur diejenigen genannt, welche in dem Zeitraume vom 1. April 1894 bis 31. März 1895 in unsere Hände gelangten. Diejenigen Vereine, von denen wir im abgelaufenen Jahre nichts erhielten, sind also auch nur mit ihrem Namen und dem Namen des Ortes aufgeführt. — Diejenigen Gesellschaften, welche im Laufe des letzten Jahres mit uns in Verbindung getreten sind, wurden durch einen vorgesetzten * bezeichnet.

Aarau, Aargauische naturforschende Gesellschaft.

Abbeville, Société d'émulation.

Aberdeen (Schottland), University: Annals 1894, Nr. 10—13.

* Albany, New York State Library: Bulletin Nr. 1—11; Memoirs Nr. 1; State Museum 1890—1893.

Altenburg, Naturforschende Gesellschaft des Osterlandes: Mitteilung 6. Bd.

Amiens, Société Linnéenne du Nord de la France.

Amsterdam, Koninklijke Akademie van Wetenschappen: Verslagen en Mededeelingen IX mit Register; Verhandelingen 1. Sectie Dl. II, 1—8; 2. Sectie Dl. III, 1—14; Zittingsverslagen 1892/93.

Amsterdam, Koninklijk zoologisch Genootschap „Natura artis magistra".

Annaberg, Annaberg-Buchholzer Verein für Naturkunde; IX. Bericht.

Angers, Société académique de Maine et Loire.

Angers, Société d'études scientifiques.

Arezzo., R. Accademia Petrarca di scienze, lettere e arti.

Augsburg, Naturwissenschaftlicher Verein für Schwaben und Neuburg (a. V.): 31. Bericht.

Bamberg, Naturforschende Gesellschaft.

Basel, Naturforschende Gesellschaft: Verh. IX, 3, X 2.

Basel, Schweizerische botanische Gesellschaft: Berichte Heft 4.

Batavia, Kon. natuurkundige Vereeniging in Nederlandsch Indië: Nat. Tijdschrift Deel LIII.

Batavia, Magnetical and meteorolog. Observatory: Observations Vol. XV; Regenwaarnemingen 1892.

Belfast, Natur. history and philosophic. society: Report and Proc. 1892—1894.

Bergen, Museum.

Berlin, Königl. preufs. Akademie der Wissenschaften: Sitzungsberichte 1894.

Berlin, Botan. Verein der Provinz Brandenburg: Verh. XXXV u. XXXVI.

Berlin, Gesellschaft für Erdkunde: Zeitschrift, Bd. XXVIII, Nr. 6; XXIX, 1—6. Verh. XXI, 1—10, XXII, 1 u. 2. Mitteilungen aus d. deutschen Schutzgebieten VII, 3.

Berlin, Gesellschaft naturforsch. Freunde: Sitzungsber. 1893.

Berlin, Deutsche geologische Gesellschaft: Zeitschrift XLIV, 4 u. 5; XLV, 4; XLVI. 1, 2.

Berlin, Polytechnische Gesellschaft: Polytechn. Centralblatt 55. Jahrg. 12—24; 56. Jahrg. 1—10.

Berlin, Kgl. preuſs. meteorologisches Institut: Ergebnisse der magnet. Beob. in Potsdam 1890 u. 1891. Niederschlagsbeob. 1892; Bericht über die Thätigkeit 1893; Ergebnisse d. Beob. an den Stationen H. u. III. Ordnung, Heft II.

Berlin, Gesellschaft für Anthropologie, Ethnologie u. Urgeschichte: Verhdlgn. 1894.

Bern, Naturforsch. Gesellschaft: Mitteilungen: No. 1305—1334; Verhandl. der 76. Jahresversammlung.

Besançon, Société d'émulation du Doubs.

Bologna, R. Accademia delle scienze: Memorie, Serie V, Tomo III.

Bonn, Naturhistorischer Verein der preufsischen Rheinlande, West-falens und des Reg.-Bezirks Osnabrück: Verhandlungen 50, 2; 51, 1.

Bordeaux, Société Linnéenne de Bordeaux.

Bordeaux, Société des sciences physiques et naturelles.

Boston, Society of natural history.

Boston, American Academy of arts and sciences: Proceedings XX.

Braunschweig, Verein für Naturwissenschaft.

Bremen, Geographische Gesellschaft: Geographische Blätter, XVII, 1—4.

Breslau, Schlesische Gesellschaft für vaterländische Kultur: 71. Jahresbericht.

Breslau, Verein für schlesische Insektenkunde: Zeitschrift für Entomologie, 19. Heft.

Brünn, K. K. mähr.-schles. Gesellschaft zur Beförderung des Ackerbaues, der Natur- und Landeskunde: Centralblatt 73. Jahr-gang und Notizenblatt 1893.

Brünn, Naturforschender Verein: Verh. XXXII; XII. Bericht der meteor. Kommission.

Brüssel, Académie royale des sciences, des lettres et des beaux-arts de Belgique.

Brüssel, Société royale de botanique de Belgique: Bull. XXX—XXXII.

Brüssel, Société entomologique de Belgique: Annales· XXXVI und XXXVII; Mém. II.

Brüssel, Société royale malacologique de Belgique.

Brüssel, Société royale belge de Géographie: Bulletin XVIII, 1—6.

Budapest, K. ungarische naturwissenschaftl. Gesellschaft.

Buenos-Aires, Museo nacional.

Buenos-Aires, Sociedad Cientifica Argentina: Anales XXXV, 5 und 6; XXXVI, 1—6; XXXVII, 1—6; XXXVIII, 1—4.

Buenos-Aires, Instituto Geografico Argentino: Boletin XIV, 9—12; XV, 1—4.

Buffalo, Buff. Society of natural sciences.

Buitenzorg, Jardin botanique: Mededeelingen uit 's Lands Plantentuin No. XI—XIII.

Caen, Société Linnéenne de Normandie.

Catania, Accademia gioenia di scienze naturali: Atti LXXI. Bullettino delle sedute Fasc. XXXVI—XXXVIII.

Chambéry, Académie des sciences, belles-lettres et arts de Savoie.

*Chambesy, Herbier Boissier: Boissier, Icones Euphorbiarum; Centuria Euphorb. (1860). Autran, Récolte et Conservation des plantes pour collections botaniques etc.; Schweinfurth, Sur certains rapports entre l'Arabie heureuse et l'ancienne Egypte; Bulletin III, 1, 2.

Chapel Hill, North Carolina, Elisha Mitchell scientific society: Journal Vol. X, 1 u. 2; XI, 1.

Chemnitz, Naturwissenschaftliche Gesellschaft: 12. Bericht.

Chemnitz, Königl. sächs. meteorologisches Institut: Jahrbuch XI (1893), Abtlg. I.—III.

Cherbourg, Société nationale des sciences naturelles et mathématiques.

Christiania, Kong. Universität.

Christiania, Norwegische Kommission der europäischen Gradmessung: Schiötz, Pendelbeobachtungen.

Christiania, Videnskabs-Selskabet: Forhandlinger 1893. Oversigt 1893.

Chur, Naturforsch. Gesellschaft Graubündens: Jahresbericht XXXVII.

Cincinnati, Society of natural history: Journal Vol. XVI, 2—4; XVII, 1.

Colmar, Naturhistorische Gesellschaft.

Cordoba, Academia nacional de ciéncias de la Republica Argentina: Boletin XII, 1—4, XIII, 1—4, XIV, 1.

Danzig, Naturforschende Gesellschaft: Schriften VIII, 3 u. 4.

Darmstadt, Verein für Erdkunde und mittelrhein.-geolog Verein: Notizblatt IV. Folge, 14. Heft.

Davenport, Iowa, Davenport Academy of natural sciences: Proc. Vol. V, Part II.

Dijon, Académie des sciences, arts et belles-lettres.

Donaueschingen, Verein für Geschichte u. Naturgeschichte der Baar und der angrenzenden Landesteile.

Dorpat, Naturforscher-Gesellschaft bei der Universität: Sitzungsbericht X, 2; Archiv X, 3 u. 4.

Dresden, Naturwissenschaftliche Gesellchaft Isis: Sitzungsberichte u. Abhandlungen 1893, Juli—Dezbr.; 1894, Jan.—Juni.

Dresden, Gesellschaft für Natur- und Heilkunde: Jahresbericht, Sept. 1893 bis April 1894.

Dublin, Royal Dublin Society: Transact. Vol. IV, Part 14; V, Parts 1—4; Proc. VII, 5; VIII, 1 u. 2.

Dublin, Royal Irish Academy: Proceed. 3. Ser. III, 2 u. 3, Transact. Vol. XXX, Part 11—14.

Dürkheim a./d. H., Pollichia, Naturwissensch. Verein der Pfalz: Mitteil. XLIX—L, No. 7 u. Mehlis, Beitrag zur pfälz. Landeskunde I.

Düsseldorf, Naturwissenschaftlicher Verein: Mitteilungen 1. u. 2. Heft.

Edinburg, Botanical society: Transact. and Proc. XIX, pag. 232—636; XX, 1.

Edinburg, Geological Society: Trans. Vol. VII. Part I.

Edinburg, Royal Physical Society: Proc. XII, 1 u. 2.

Emden, Naturforschende Gesellschaft: 78. Jahresbericht.

Erfurt, Kön. Akademie gemeinnütziger Wissenschaften: Jahrbücher XX.

Erlangen, Physikalisch-medizinische Societät: Sitzungsberichte, 25. Heft.

Florenz, R. Istituto di studi superiori pratici e di perfezionamento.

Florenz, Società botanica Italiana.

Frankfurt a./M., Physikalischer Verein.

Frankfurt a./M., Senckenbergische naturforschende Gesellschaft: Abhandl. XVIII, 3 u. 4. Bericht 1894.

Frankfurt a./O., Naturwissenschaftlicher Verein: Helios XI, 10—12; XII, 1—6; Societatum litterae 1894, 1—9.

Frauenfeld, Thurgauische naturforschende Gesellschaft: Mitteilungen 11. Heft.

Freiburg i. B., Naturforschende Gesellschaft.

St. Gallen, Naturwissenschaftl. Gesellschaft: Berichte 1892—1893.

Genf, Allgem. schweizerische Gesellschaft für die gesamten Naturwissenschaften.

Gent, Kruidkundig Genotschap „Dodonaea".

Genua, Museo civico di storia naturale.

Genua, Societa di letture e conversazioni scientifiche.

Giefsen, Oberhessische Gesellschaft für Natur- und Heilkunde.

Glasgow, Natural history society.

Görlitz, Naturforschende Gesellschaft.

Görlitz, Oberlaus. Gesellschaft der Wissenschaften: Neues· Lausitz. Magazin, Band 70, 1 u. 2.

Göteborg, K. Vetenkaps och Vitterhets Samhälles: Handlingar 26—29.

Göttingen, Kön. Gesellschaft der Wissenschaften und der Georg-August-Universität: Nachrichten 1893, 15—24; 1894, 1—4.

Granville, Ohio, Scientific Laboratories of Denison University.

Graz, Naturwissenschaftlicher Verein für Steiermark: Mitteilungen 30. Heft (1893).

Graz, Verein der Ärzte in Steiermark.

Greifswald, Geographische Gesellschaft.

Greifswald, Naturwissenschaftlicher Verein für Neu-Vorpommern und Rügen: Mitteilungen XXVI.

Harlem, Hollandsche Maatschappij der Wetenschapen: Archives néerlandaises XXVII, 4 et 5; XXVIII, 1—4.

Harlem, Musée Teyler: Archives 2. Série Vol. IV, 2.
Halifax, Nova Scotian Institute of Science: Proc. and Trans. I, 2 u. 3.
Halle, Naturwissensch. Verein für Sachsen u. Thüringen: Zeitschrift,
    Fünfte Folge, Bd. IV, 5 u. 6; V, 1—5.
Halle, Naturforschende Gesellschaft.
Halle, Verein für Erdkunde: Mitteilungen 1894.
Halle, Leopoldina: Jahrgang 1894.
Hamburg, Naturw. Verein: Verhdl. 3. Folge I.
Hamburg, Deutsche Seewarte: Monatsbericht 1891, 7—12; Archiv XVI;
    16. Jahresbericht; Ergebnisse XVI.
Hamburg, Naturhistorisches Museum: Jahrbuch XI; Beiheft XI.
Hamburg, Verein für naturw. Unterhaltung: Verhandl. VIII (1891—93).
Hamburg, Gesellschaft für Botanik.
Hamilton, Canada, Hamilton Association: Journal and Proceed.
    Part X.
Hanau, Wetterauische Gesellschaft.
Hannover, Naturhistorische Gesellschaft: 42. u. 43. Jahresbericht.
Hannover, Geographische Gesellschaft.
Habana, Real academia de ciencias medicas, fisicas y naturales:
    Anales 353, 357, 364.
Heidelberg, Naturhistorisch-medizinischer Verein: Verhandlungen V, 3.
Helsingfors, Societas pro fauna et flora fennica.
Helsingfors, Société des sciences de Finlande: Öfversigt
    XXXV; Bidrag 52 u. 53; Acta XIX.
Hermannstadt, Siebenbürg. Verein für Naturwissenschaften:
    Reissenberger, Die Kerzer Abtei; Archiv 26, 1 u. 2;
    Verhandl. XLIII. Jahresber. 1893/94.
Jekatherinenburg, Société Ouralienne d'amateurs des sciences
    naturelles: Bull. XIII, 2.
Jena, Geogr. Gesellschaft für Thüringen: Mitt. XII, 3 und 4; XIII.
Innsbruck, Ferdinandeum: Zeitschrift, III. Folge, 38. Heft.
Innsbruck, Naturwissenschaftlich-medizinischer Verein: Berichte
    XXI. Jahrgang (1892/93).
Kansas, Kansas Academy of science.
Kassel, Verein für Naturkunde: XXXIX. Bericht.
Kew, The Royal Gardens: Hooker's Icones Plantarum, Vol. IV,
    Part I—XI; Vol. III, Part. IV; Vol. III, Part. II.
Kiel, Naturw. Verein in Schleswig-Holstein.
Kiew, Naturw. Verein.
Klagenfurt, Naturhist. Landesmuseum für Kärnten.
Königsberg, Physikal.-ökonomische Gesellschaft: Schriften 34.
Kopenhagen, Kong. danske Videnskabernes Selskab: Oversigt over
    det Forhandlingar 1893, 3 u. 1894, 1 u. 2.
Kopenhagen, Botaniske Forening: Tidskrift XIX, 1—3.
Kopenhagen, Naturhistorisk Forening: Videnskabelige Meddelelser
    1893.
Landshut in Bayern, Botanischer Verein: 13. Bericht.

La Plata, Museo de La Plata: Revista, Tomo IV u. V.
Lausanne, Société Vaudoise des sciences naturelles: 3. sér. XXX
    (114—115).
Leiden, Nederlandsche Dierkundige Vereeniging: Tydschrift 2. Serie
    IV. Afl. 2—4.
Leipa (Böhmen), Nordböhmischer Exkursions-Klub: Mitteil. XVII.
Leipzig, Verein für Erdkunde: Mitteil. 1893.
Leipzig, Naturforschende Gesellschaft.
Leutschau, Ungar. Karpathen-Verein: Jahrbuch XXI (1894).
Linz, Verein für Naturkunde in Österreich ob der Enns: 23.
    Jahresbericht.
Linz, Museum Francisco-Carolinum: 52. Bericht.
Lissabon, Sociedade de Geographia: Boletim 13.. Serie, No. 1—9.
Lissabon, Academia real das sciencias de Lisboa.
London, Linnean Society: Journ. Botany: 177; 205—208. Zoology:
    155—157. Proc. 1890—1893. Catalogue Part II.
    List of the Linnean Society.
London, Royal society: Proceed. 332—342.
St. Louis, Academy of science: Trans. Vol. VI, 2—7; 9—17.
St. Louis, Missouri Botanical Garden: Annual Report 1894.
Lucca, R. Accademia Lucchese di scienze, lettere ed arti.
Lübeck, Geographische Gesellschaft und Naturhistorisches Museum:
    Jahresber. des Mus. 1893.
Lüneburg, Naturwissenschaftlicher Verein.
Lüttich, Société géologique de Belgique.
Lund, Universität: Acta XXIX u. XXX.
Luxemburg, Institut royal grandducal.
Luxemburg, Société botanique.
Luxemburg. Société des Naturalistes Luxembourgeois.
Lyon, Académie des sciences, belles-lettres et arts.
Lyon, Société botanique: Bull. trimestriel, 1893. No. 2.
Madison, Wisc., Wisconsin Academy of Sciences, Arts and Letters:
    Trans. IX, 1 u. 2.
Magdeburg, Naturwissenschaftlicher Verein: Jahresber. u. Ab-
    handlungen 1893—94. I. Hälfte u. Festschrift der
    25jähr. Stiftungstages.
Mailand, Reale Istituto lombardo di scienze e lettere: Rendiconti XXV.
Manchester, Literary and philosophical society: Memoirs and
    Proceed. Vol. VIII, 2—4; XI, 1.
Mannheim, Verein für Naturkunde: 56.—60. Jahresbericht.
Marburg, Gesellschaft zur Beförderung der gesamten Naturwiss.:
    Sitzungsberichte 1893.
Melbourne, Royal Society of Victoria: Proceed. Vol. VI.
Meriden, Connect., Meriden Scientific Association: Transact.
    Vol. V.
Metz, Metzer Akademie: Mém. 2.. Pér., 3. Sér., XXI. Année.
Metz, Société d'histoire naturelle de Metz.
Mexiko, Observatorio meteorologico-magnetico central: Anuario XV.

Middelburg, Zeeuwsch genootschap der wetenschappen: Archief
VII, 4. Verslag 1885—1893.
Milwaukee, Wisconsin Natural history Society.
Minneapolis, Minnesota Academy of Natural Sciences: Bull. X.
Annual Report 1892.
Montpellier, Académie des sciences et lettres.
Montreal, Royal Society of Canada.
Moskau, Société impériale des naturalistes: Bulletin 1893, 4;
1894, 1—3.
München, Bayerische botanische Gesellschaft zur Erforschung der
heimischen Flora: Berichte, ·Bd. III (1893).
München, Königl. bayr. Akademie der Wissenschaften: Sitzungs-
berichte 1894, I—IV.
München, Geographische Gesellschaft.
Münster, Westfälischer Provinzial-Verein für Wissenschaft und
Kunst: 21. Jahresbericht.
Nancy, Académie de Stanislas.
Nantes, Société des sciences naturelles de l'ouest de la France.
Neapel, Accademia della scienze fisiche e matematiche: Atti Vol. VI.
Rendiconto Ser. 2, Vol. VIII, 1—10.
Neapel, Zoologische Station.
Neufchâtel, Société des sciences naturelles.
New-Haven, Connecticut, Academy of arts and sciences.
Newyork, New York Academy of sciences: Annals Vol. VIII, 1—4;
VI (Index); VII, 6—12; VIII, 4. Transactions XII.
Newyork, Zoological Garden.
*Newyork, American Museum of Natural History.
Nijmegen, Nederlandsche Botan. Vereeniging: Verslagen en Mede-
deelingen 2. Serie 6, 3;
Northfield, Minn., Goodsell Observatory.
Nürnberg, Naturhistorische Gesellschaft: Abh. X, 2.
Odessa, Société des naturalistes de la Nouvelle-Russie: Mém. XVIII,
1 und 2.
Offenbach, Verein für Naturkunde.
Osnabrück, Naturwissenschaftlicher Verein.
Ottawa, Geological and natural history survey of Canada.
Palermo, Reale Academia di scienze, lettere e belle arti.
Paris, Ecole polytechnique.
Paris, Société zoologique de France.
Petersburg, Académie impériale des sciences: Bull. IV (XXXVI),
1 u. 2; V, I? II, 1.
Petersburg, Comité géologique: Mém. XII, 2; Bull. IV, 3. XII,
3—7 et Suppl. au T. XII.
Petersburg, Kais. russische entomol. Gesellschaft: Horae XXVIII.
Petersburg, Jardin impérial de botanique.
Philadelphia, Academy of Natural sciences: Proceed. 1893 Part II
u. III; 1894 Part I.
Philadelphia, Americ. philos. Society: Proceed. 140—145.

Philadelphia, Wagner free institute of science.
Prag, K. böhm. Gesellschaft der Wissenschaften: Jahresbericht und
Sitzungsberichte 1893.
Prag, Naturwiss. Verein Lotos.
Prefsburg, Verein für Natur- und Heilkunde.
Regensburg, Naturwiss. Verein: Berichte, IV. Heft.
Reichenberg i. Böhmen, Verein der Naturfreunde: Mitteilungen,
25. Jahrgang.
Riga, Naturforscher-Verein: Korrespondenzblatt XXXVII.
Rio de Janeiro, Observatorio: Annuario IX. (1893).
La Rochelle, Académie.
Rochester, Rochester Academy of Science.
Rom, R. Comitato geologico d'Italia: Boll. XXV. (1894).
Rom, R. Accademia dei Lincei: Rendiconti, 1. Sem. Vol. III,
4—12; 2. Sem. Vol. IV, 1—3.
Rom, Scienze geologiche in Italia.
Rostock i. Meckl., Verein der Freunde der Naturwissenschaft in
Mecklenburg: Archiv 47. Jahrg. I. u. II. Abteilung.
Rouen, Société des amis des sciences naturelles: Bull. XXVII, 3.
Salem, Mass., American Association for the advancement of science.
Salem, Mass., Essex Institute: Bulletin Vol. 25, 1—3.
San Francisco, California Academy of Sciences: Occasional
Papers IV; Proc. Vol. III, 2.
Santiago de Chile, Deutscher wissenschaftlicher Verein.
Santiago de Chile, Société scientifique: Actes II, 4; III, 3—5; IV, 1—3.
San José (Republica de Costa Rica), Museo nacional: Anales IV;
Entologia centroamericana; Emery, Estudios sobre
las Hormigas de Costa Rica.
Schaffhausen, Schweiz. entomol. Gesellsch.: Mitt. IX, 3 u. 4.
Schneeberg, Wissenschaftlicher Verein.
Sidney, Royal Society of New-South-Wales: Journal and Proceed.
XXVII.
Sidney, Linnean Society of New-South-Wales: Proceed. Vol. VIII,
2—4; IX, 1.
Sidney, Australasian Association for the Advancement of Science:
Report Vol. V (1893).
Sion, Société Murithienne.
Stavanger, Museum: Aarsberetning 1893.
Stettin, Verein für Erdkunde.
Stockholm, Kongl. Svenska Vetenskaps Akademiens: Handlingar 25;
Bihang Vol. 19; Öfversigt 50; Lefnadsteckningar Bd. 3, 2;
Meteorolog. Jakttagelser 31 u. 32; Accessions-Katalog.
C. von Linnés Brefvexling.
Stockholm, Entomologiska Föreningen: Entomol. Tidskrift Arg. 15,
1—4 (1894).
Strafsburg, Gesellschaft zur Förderung der Wissenschaften, des
Ackerbaues und der Künste im Unter-Elsafs: Monats-
bericht XXVIII, 2—7.

*Strafsburg, Meteorologischer Landesdienst in Elsafs-Lothringen:
Ergebnisse 1892.
Stuttgart, Württembergischer Verein für Handelsgeographie.
Stuttgart, Verein für vaterländische Naturkunde in Württemberg:
Jahresheft 50.
Thorn, Coppernicusverein für Wissenschaft und Kunst: Mit-
teilungen IX.
Tokio, Deutsche Gesellschaft für Natur- und Völkerkunde Ostasiens:
Mitteilungen 53. und 54. Heft u. Suppl. I zu Bd. VI.
Toronto, Canadian Institute; Transactions Vol. IV, 1. Part 1. —
Annual Report 1893—1894.
Trencsin, Naturwiss. Verein des Trencsiner Comitates.
Trenton, New Jersey, Trenton natural history society.
Triest, Societa Adriatica di Scienze naturali.
Triest, Museo civico di storia naturale.
Tromsö, Museum: Aarshefter 16. (1894); Aarsberetning 1892.
Turin, Museo di Zoologia ed Anatomia comparata della R. Universita:
Boll. IX, No. 166—178.
Upsala, Société royale des sciences: Nova Acta XVI.
Utrecht, Provinzialgesellschaft für Kunst und Wissenschaft: Verslag
1893; Aanteekeningen 1893.
Utrecht, Kon. Nederl. Meteorolog. Institut.
Venedig, R. Istituto veneto di science, lettere ed arti.
Verona, Accademia d'agricoltura, arti e commercio: Memorie LXIX, 2.
Washington, Smithsonian Institution: Annual Report 1891 u. 1892;
Proceed. XV; Bull. No. 43—46; U. S. National Museum
Report 1891.
Washington, National Academy of sciences: Memoirs Vol. VI.
Washington, U. S. Geological survey: Mineral Resources 1892;
Bulletins 97—117; Monographs XIX, XXI and XXII.
Annual Report 1889—92.
Weimar, Botan. Verein für Gesamt-Thüringen.
Wellington, New Zealand Institute: Transactions and Proceed. XXVI.
Wernigerode, Naturwissenschaftl.Verein des Harzes: Schriften 8.Jahrg.
Wien, K. K. geol. Reichsanstalt: Jahrbuch XLIII, 3 u. 4; XLIV,
1 u. Verh. 1894, 1—18.
Wien, K. K. naturhistorisches Hofmuseum: Annalen IX, 1, 3 u. 4.
Wien, K. K. zool. bot. Gesellschaft: Verhandl. XLIV, 1—4; XLV, 1.
Wien, K. K. geographische Gesellschaft.
Wien, Verein für Landeskunde von Niederösterreich: Blätter XXVII;
Topogr. IV, III, 1—3 (Bogen 1 — 24); Urkunden-
buch II, 1—6.
Wien, K. K. Akademie der Wissenschaften: Sitzungsberichte 1893:
I, 1—10; H a, 1—10; II b, 1—10; III, 1—10;
1894: I, 1—3; II a, 1—5; II b, 1—3; III, 1—4.
Wien, Verein zur Verbreitung naturwissenschaftlicher Kenntnisse:
Schriften XXXIV.
Wien, Wiener entomologischer Verein: IV. Jahresbericht.
Wiesbaden, Verein für Naturkunde in Nassau: Jahrbücher 47.

Würzburg, Physikalisch-medizinische Gesellschaft: Verhandlgn. XXVII
u. Sitzgsber. 1893.
Zürich, Naturforschende Gesellschaft: Vierteljahrsschrift XXXIX,
1—4; Neujahrsblatt 1895.
Zwickau, Verein für Naturkunde: Jahresbericht 1892 u. 1893.
Ferner erhielten wir im Tausch aus:
Klausenburg, Ungar. bot. Zeitschrift XIII.
Bistritz, Gewerbeschule: XVIII. Jahresbericht.
Toulouse, Revue mycologique: No. 60, 63, 64.
und versandten die Abhandlungen an:
Laboratoire de zoologie in Villefranche-sur-mer, die
Universität Strafsburg, die Lese- und Redehalle der
deutschen Studenten in Prag und die biologische
Station auf Helgoland.

Aufserdem erhielten die Abhandlungen auf Grund des Beschlusses vom 12. Sept. 1887 folgende höhere Schulen Nordwestdeutschlands:

Aurich, Gymnasium.
     " Lehrerseminar.
Bederkesa, Lehrerseminar.
Brake, Höhere Bürgerschule.
Bremerhaven, Gymnasium.
Bremervörde: Ackerbauschule.
Bückeburg, Gymnasium.
Buxtehude, Realprogymnasium.
Celle, Realgymnasium.
Cuxhaven, Realschule.
Diepholz, Präparandenanstalt.
Elsfleth, Höhere Bürgerschule.
Emden, Gymnasium.
Geestemünde, HöhereBürgerschule.
Harburg a. E., Realgymnasium.
Leer, Gymnasium.
Lingen, Gymnasium.
Lüneburg, Lehrerseminar.

Meppen, Gymnasium.
Nienburg, Realprogymnasium.
Norden, Gymnasium.
Oldenburg, Gymnasium.
     " Oberrealschule.
     " Lehrerseminar. ·
     " Stadtknabenschule.
Otterndorf, Realgropymnasium.
Papenburg, Realprogymnasium.
Quakenbrück, Realgymnasium.
Stade, Gymnasium.
     " Lehrerseminar.
Varel, Realprogymnasium.
Vechta, Lehrerseminar.
Vegesack, Oberrealschule.
Verden, Gymnasium.
     " Lehrerseminar.
Wilhelmshaven, Gymnasium.

Auf Grund des Vereinsbeschlusses vom 26. Juni 1876
werden unsere Schriften bis auf weiteres an folgende Gesell-
schaften, von welchen wir seit 1890 keine Publikationen
erhalten haben, nicht mehr versandt:
Elberfeld, Naturwissenschaftlicher Verein.
Gera, Gesellschaft von Freunden der Naturwissenschaften.
Karlsruhe, Naturwissenschaftlicher Verein.
Neifse, Philomathie.
Passau, Naturhistorischer Verein.
Reichenbach, Voigtländischer Verein für allgemeine und spezielle
Naturkunde.
Salem, Mass., Peabody Academy.
Ulm, Verein für Mathematik und Naturwissenschaften.

Auszug aus der Jahresrechnung des Vereines.

I. Naturwissenschaftlicher Verein,
gegründet 1864.

Einnahmen.

I. 292 hiesige Mitglieder	ℳ.	2 920,—
17 neue hiesige Mitglieder	„	163,50
116 auswärtige Mitglieder	„	348,—
9 neue auswärtige Mitglieder	„	27,—
H. 3 lebenslängliche Mitgliederbeiträge	„	320,—
	ℳ.	3 778,50
III. Zinsen aus dem Vereinsvermögen	„	1 788,65
IV. Verkauf von Schriften	„	3,—
V. Geschenktes Honorar von 2 Freunden des Vereines	„	15,30

VI. Aus den Stiftungen überwiesene Beträge:

a) Kindt-Stiftung: für die Stadtbibliothek	ℳ.	630,50	
b) Frühling-Stiftung:			
für Städt. Museum; Beitrag für Walfisch- und Riesenhirsch-Skelette	ℳ.	368,—	
für die Stadtbibliothek	„	44,05	
		„	412,05
c) Rutenberg-Stiftung:			
für Städt. Museum, Beitrag für das Walfisch-Skelett II. Rate	ℳ.	500,—	
für die Stadtbibliothek	„	160,35	
		„	660,35
		„	1 702,90
		ℳ.	7 288,35

Ausgaben.

I. Städtisches Museum:

Anschaffungen	ℳ.	23,90
*Riesenhirsch-Skelett	„	882,70
aus der Frühling-Stiftung	„	368,—
aus der Rutenberg-Stiftung	„	500,—
	ℳ.	1 774,60
H. Stadtbibliothek	ℳ.	1 843,61
(aus der Kindt-Stiftung)	„	630,50
(„ „ Frühling-Stiftung)	„	44,05
(„ „ Rutenberg-Stiftung)	„	160,35
	„	2 678,51
III. Abhandlungen, andere Schriften und Jahresbericht	„	2 111,80
IV. Andere wissenschaftliche Zwecke	„	341,70

V. Verschiedenes:

Miete des Conventsaales	ℳ.	400,—
Inserate, Porti u. Diverses	„	805,55
	„	1 205,55
	ℳ.	8 112,16
Mehrausgabe ab Einnahme (Verminderung des Kapitals)	„	823,81
Kapital am 31. März 1894	ℳ.	43 879,56
Kapital am 31. März 1895	ℳ.	43 055,75

* Für die an das Städtische Museum bewilligten Geschenke: Walfisch- und Riesenhirsch-Skelette sind im ganzen verausgabt .... 1893/94: ℳ. 2 617,30
1894/95: „ 1 750,70
ℳ. 4 368,—

II. Kindt-Stiftung,

gegründet am 28. März 1872 durch Herrn A. von Kapff.

Einnahmen.

Geschenk von Apotheker Ruge, Neuhaus a. d. Oste, „aus Verehrung für den verstorbenen Herrn G. Chr. Kindt" .... ℳ. 20,—

Zinsen .... „ 455,50

Ausgaben. ℳ. 475,50

Dem Naturwiss. Verein überwiesen für:

H. Stadtbibliothek .... ℳ. 630,50

Verminderung des Kapitals .... ℳ. 155,—

Kapital am 31. März 1894 .... ℳ. 13 087,10

Kapital am 31. März 1895 .... ℳ. 12 932,10

III. Frühling-Stiftung,

gegründet am 2. Dezember 1872 durch Frau Charlotte Frühling, geb. Göschen.

Einnahmen.

Zinsen .... ℳ. 994,—

Ausgaben.

Dem Naturwiss. Verein überwiesen für:

I. Städtisches Museum: Beitrag für das Riesen-
hirsch-Skelett .... ℳ. 368,—

H. Stadtbibliothek .... „ 44,05

                                         —————— „ 412,05

                            Überschufs.... ℳ. 581,95

Kapital am 31. März 1894 .... ℳ. 27 751,85

Kapital am 31. März 1895 .... ℳ. 28 333,80

IV. Christian Rutenberg-Stiftung,

gegründet am 8. Februar 1886 durch Herrn L. Rutenberg.

Einnahmen.

Zinsen .... ℳ. 2 150,—

Ausgaben.

Vom Stifter bestimmte Verwendung .... ℳ. 800,90

Dem Naturwiss. Verein überwiesen für:

I. Städt. Museum: Beit. f. Walfisch-Skelett II. Rate „ 500,—

H. Stadtbibliothek: Bücher .... „ 160,35

                                         —————— „ 1 461,25

                            Überschufs..... ℳ. 688,75

Kapital am 31. März 1894 .... ℳ. 54 553,51

Kapital am 31. März 1895 .... ℳ. 55 242,26

Der Rechnungsführer:

C. H. Dreier.

Einunddreissigster Jahresbericht

des

Naturwissenschaftlichen Vereines

zu

BREMEN.

Für das Gesellschaftsjahr vom April 1895
bis Ende März 1896.

BREMEN.
C. Ed. Müller.
1896.

Hochgeehrte Herren!

Auf das verflossene Jahr unseres Vereinslebens dürfen wir gewifs mit besonderer Befriedigung zurückblicken. Kaum irgend ein früherer ähnlicher Zeitraum hat uns so viele Anregungen, so manches erfreuliche Ereignis gebracht. Ein Jahr, an dessen Beginn der elfte deutsche Geographentag zu Bremen, in dessen letztes Quartal die Eröffnung unseres städtischen Museums und die Entdeckung der Röntgen-Strahlen fallen, dürfen wir gewifs ein hervorragendes nennen! — Doch erlauben Sie mir, den ruhigen Ton des Berichterstatters anzunehmen.

Den in der Osterwoche, am 17., 18. und 19. April, hier tagenden elften deutschen Geographentag (mit welchem die Jubelfeier der hiesigen geographischen Gesellschaft verbunden war) durfte ich in der zweiten Sitzung namens unseres Vereines begrüfsen und zugleich als Gastgeschenk . 250 Exemplare unserer neuen „Beiträge zur nord-westddeutschen Volks- und Landeskunde" überreichen. An den Verhandlungen des Geographentages nahmen unsere Mitglieder in grosser Anzahl teil. Die mit ihm verbundene Ausstellung muss als eine besonders gelungene bezeichnet werden.

Unser Verein hielt im abgelaufenen Jahre 20 Versammlungen ab. An 3 derselben nahmen auch die Damen der Mitglieder, mehrfach in grosser Menge, teil, nämlich an dem Vortrage des Herrn Oberlehrers Dr. Fr. Müller zu Varel a. d. Jade über die Laubmoose (4. November), an dem des Herrn Dr. L. Plate aus Berlin über die Robinson-Insel Juan Fernandez (6. Januar), sowie an dem des Herrn Experimental-Physikers Gustav Amberg aus Berlin über hochgespannte Ströme, Tesla'sche Versuche und Röntgen-Strahlen (14. Februar). Am 9. Dezember hatten wir die Freude, den Vortrag eines werten Gastes, des Herrn Dr. Karsten, Lehrers am hiesigen Technikum, über Messung von Ortshelligkeiten zu hören. Zwei Versammlungen waren der Besichtigung technischer Betriebe gewidmet, die vom 8. April dem Besuche der Kaiserbrauerei, die vom 3. Juli dem Besuche der Steingut-fabrik Farge bei Vegesack und zugleich der dort befindlichen Filiale der Frankenthaler Holzindustriegesellschaft. Diese Besichtigungen gewährten den Mitgliedern allgemein ein sehr hohes Interesse.

In der Kaiserbrauerei wurde nach Beendigung der Besichtigung, und nachdem den Anwesenden in gastfreier Weise durch Herrn L. Leisewitz ein köstlicher Trunk Bier dargeboten worden war, durch Herrn Dr. Bau ein Vortrag über den Betrieb, namentlich auch die Züchtung reiner Hefen gehalten. Auch in Farge wurde nach den Besichtigungen die Gesellschaft seitens der Herren Kruse in gastfreier Weise aufgenommen. — Am 23. Juni fand der Besuch der Versuchsfelder der hiesigen Moor-Versuchsstation im Hellweger Moore unter Führung des Herrn Direktor Dr. Tacke statt; alle Teilnehmer waren in dem Urteile einig, dafs dieser Besuch ganz besonders belehrend und anregend ausgefallen sei. — Am Vormittage des 30. Dezember besuchten zahlreiche Mitglieder die neu eingerichtete meteorologische Station erster Ordnung im Hafenhause; der Vorstand derselben, Herr Dr. Bergholz, erläuterte ihre trefflichen Einrichtungen in eingehender Weise. Wenn dieses Institut wesentlich der Energie eines Mannes seinen Aufschwung verdankt, so bildet das am 15. Januar eröffnete städtische Museum für Natur-, Völker- und Handelskunde das Endglied einer langen Entwickelung und vielseitiger Arbeit, vor allem aber doch der Thätigkeit unseres Herrn Direktor, Professor Dr. Schauinsland, welcher es zu einem hochwichtigen Institute für Volksbildung entwickelt hat. Am Montag, 20. Januar, durften wir dasselbe unter seiner Führung besichtigen, wobei zu unserer Freude die zahlreichen Geschenke des naturwissenshaftlichen Vereines, besonders die beiden grofsen Schaustücke des 24 m langen Finnwales und des Riesenhirsches freundlich hervorgehoben wurden. Zur Einweihungsfeier des Institutes war der Vorstand unseres Vereines in corpore eingeladen. Natürlich werden wir auch fernerhin fortfahren, die Interessen des Museums eifrig zu pflegen. Die bei seiner Eröffnung gehaltenen Reden gedenken wir in einem der nächsten Hefte der landeskundlichen Serie unserer Abhandlungen zum Abdrucke zu bringen.

Wir können aber von dem Museum nicht scheiden, ohne mit herzlichem Danke der beiden Mitglieder unseres Vereines, der Herren K. Th. Melchers und F. A. Ebbecke zu gedenken, welche im Jahre 1889 die Museums-Stiftung begründeten, unserem Vereine die Verwaltung derselben übertrugen und so die ersten Bausteine zur Erbauung eines Museums in unserer Stadt stifteten.

Die auf Wunsch des hiesigen Lehrer-Vereines angeknüpften Verhandlungen über die Möglichkeit, den Mitgliedern desselben die Teilnahme an den Bestrebungen unseres Vereines zu erleichtern, haben zu dem in unserer Versammlung vom 16. September einstimmig gefalsten Beschlusse geführt:

„Die Mitglieder des Bremischen Lehrervereins, welche durch den Vorstand dieses Vereines angemeldet werden, unterliegen keiner Abstimmung über ihre Aufnahme und zahlen ein Eintrittsgeld von 1,50 ℳ. und einen Jahresbeitrag von 3 ℳ."

Infolge dieses Beschlusses traten 22 Mitglieder des Lehrervereins als neue Mitglieder bei uns ein. Wir begrüfsen die Herren herzlich. Bei dem gemeinnützigen Charakter des naturwissenschaftlichen Vereines ist es eine Freude für uns, dafs unsere Bestrebungen in der Zukunft auch den Bremischen Schulen in erhöhtem Mafse zu gute kommen werden.

Aus dem Kreise unserer Mitglieder haben wir leider eine Anzahl treuer Freunde verloren. Wir nennen besonders die Herren Richter Dr. A. H. v. Post, Walter Rothe in Hamburg und den als Opfer seines Berufes im Januar d. J. verstorbenen Dr. med. Wilhelm Hurm. Wir werden ihnen ein dankbares Andenken bewahren.

Der Vorstand erlebte ferner den Schmerz, dafs der zweite Vorsitzende, Herr Dr. W. O. Focke, welcher dem Vorstande seit der Gründung des Vereines (November 1864) angehörte und sich besonders durch die Redigierung der Abhandlungen die gröfsten Verdienste um den Verein erwarb, wegen Überhäufung mit amtlichen Arbeiten seinen Austritt aus dem Vortande anzeigte. Da alle Versuche, ihn zur Änderung dieses Entschlusses zu bewegen, vergeblich blieben, beschlofs der Verein am 16. September einstimmig, Herrn Dr. Focke zum Ehrenmitgliede zu ernennen. — Zum Mitgliede des Vorstandes wurde Herr Dr. C. Weber, Botaniker der hiesigen Moor-Versuchsstation, erwählt, welcher freundlichst die Redaktion der Abhandlungen übernommen hat. — Leider droht uns aber noch ein anderer schwerer Verlust, da Herr Konsul C. H. Dreier sich genötigt sieht, die Rechnungsführung mit Ende März d. J. niederzulegen. Wir bleiben ihm für seine vierjährige Thätigkeit, während der unsere Rechnungsführung in ganz neuen Formen eingerichtet worden ist, zu herzlichem Danke verbunden.

Im August 1895 erhielten wir „aus dem Nachlasse und im Sinne eines Verstorbenen" ein Legat von 3000 ℳ., und im Februar von den Erben von Frau C. H. Wolde Wwe. ein solches von 5000 ℳ., beide höchst willkommene Beihülfen zu den grofsen Ausgaben, welche wir zu leisten haben. — Im Februar übersandte mir ein Freund des Vereines, der nicht genannt sein will, den Betrag von 50 ℳ. zu Vereinszwecken, jedoch ausschliefslich zu meiner persönlichen Verfügung. Ich hoffe, den Betrag im Laufe des nächsten Sommers im Sinne des Gebers verwenden zu können. Allen Gebern, auch denjenigen, welche uns durch Geschenke von Büchern oder Naturalien erfreut haben, sage ich im Namen des Vereines herzlichen Dank.

Über unsere Ausgaben geben die Anlagen zu diesem Berichte näheren Aufschlufs. — Erwähnen möchte ich aber doch den Abschlufs des grofsen Challenger-Werkes (50 sehr starke Bände in Grofsquart), mit welchem wir der Stadtbibliothek ein überaus wertvolles Geschenk (Ankaufspreis 4109 ℳ.) gemacht haben. Für die ersten 13 Bände stellten uns die Herren Karl Schütte und Karl Theodor Melchers gütigst die Mittel zur Verfügung, die folgenden haben wir aus den Zinsen der Rutenbergstiftung angeschafft.

Dem Museum bewilligten wir (aufser mehreren Anschaffungen) die Mittel zur Durcharbeitung und Aufstellung der Konchyliensammlung im Betrage von 375 ℳ. Zur Reise des Museumsdirektors, Herrn

Professor Dr. Schauinsland, nach der Insel Laysan, nordwestlich von Hawaii, gaben wir einen Beitrag von 500 ℳ. Möge unser Freund wohlbehalten und reich an neuen Anschauungen zurückkehren, und es ihm zugleich vergönnt sein, für das Museum zahlreiche hochwillkommene Gegenstände zu sammeln.

Von Berlin aus waren wir um Förderung des geplanten Helmholtz-Denkmals gebeten worden. Da der hiesige ärztliche Verein für diesen Zweck 300 ℳ. beisteuerte, so glaubten wir, nicht dahinter zurückstehen zu dürfen. Wir hatten die Freude, dafs eine Anzahl Freunde*) des Vereines denselben Betrag zur Verfügung stellte, so dafs ich am 24. Juni 600 ℳ. als Bremischen Beitrag an das Helmholtz-Komité in Berlin absenden konnte. Herzlichen Dank den freundlichen Gebern!

Von anderen Geschenkgebern erwähnen wir Herrn Baron Ferdinand von Müller, welcher uns den schönen lebenden Stamm eines Baumfarren (Todea rivularis) übersandte, der in der Kürze einen Schmuck unseres Museums bilden wird. Sodann nenne ich besonders auch S. Hoheit den Fürsten Albert von Monaco, welcher die grofse Güte hatte, uns Band I—IX (Alles, was erschienen) seiner „Resultats des campagnes scientifiques" — Forschungsreisen der Yacht Hirondelle — zu überweisen.

Bei der Enthüllung des Fabricius-Denkmals am 13. November zu Osteel in Ostfriesland wurden wir durch unseren Herrn Dr. L. Häpke vertreten, welcher namens unseres Vereines einen prächtigen Lorbeerkranz am Fufse des Denkmals niederlegte.

Unsere Beziehungen zum städtischen Museum, zur Stadtbibliothek, Moorversuchsstation und zur Ministerial-Kommission zur Erforschung der deutschen Meere in Kiel sind unverändert freundschaftliche geblieben. Den hiesigen Schulen stellten wir nach dem interessanten Vortrag des Herrn Dr. R. Kifsling vom 27. Mai einen gröfseren Vorrat von Kalcium-Karbid unentgeltlich zur Verfügung.

Von unseren Abhandlungen sind unter der Redaktion des Herrn Dr. Weber zwei Hefte der wissenschaftlichen (Haupt-) Reihe, das 3. (Schlufs-) Heft des 13. Bandes und das 1. des 14. Bandes fertiggestellt worden und werden unsern Mitgliedern in der Kürze zugehen. Sie reihen sich an wissenschaftlichem Werte würdig ihren Vorgängern an.

Neu sind mit dem Vereine in Schriftentausch getreten:

Naturwissenschaftlicher Verein zu Krefeld,
Deutscher Seefischerei-Verein zu Hannover,
Faculté des sciences zu Marseille,
Royal society of Canada zu Ottawa,
Société des naturelles zu St. Petersburg,
Society of Natural history zu Portland (Maine) und
National Museum zu Washington.

---

* Es steuerten bei die Herren: K. Th. M. 50 ℳ, K. Sch. 50 ℳ, Th. F. 20 ℳ, M. G. 20 ℳ, W. M.-E. 5 ℳ, C. B. K. 5 ℳ, Kons. M. 5 ℳ, C. H. Dr. 5 ℳ, G. W. 20 ℳ, Kons. G. A. 20 ℳ, Ed. W. 20 ℳ, F. W. St. 20 ℳ, B. M. 10 ℳ, H. H. 10 ℳ, F. P. 10 ℳ, L. v. K. 10 ℳ, H. T. 10 ℳ, Kons. M. 3 ℳ, E. Pr. 3 ℳ, Fr. B. 5 ℳ.

Der Besuch unserer Versammlungen war ein sehr verschiedener, in der letzten Zeit im allgemeinen besser und an einzelnen Abenden ein glänzender, im ganzen aber doch nicht befriedigender. Da es dem Vorstande erscheinen wollte, als hielten ·sich in neuerer Zeit namentlich die Vertreter der Physik und Chemie ferner von uns, als im allseitigen Interesse liegt, so veranlaſsten wir die Herren Prof.· Müller-Erzbach, Dr. O. Hergt und Dr. Ulrich Hausmann auf den Abend des 30. Januar eine Versammlung behufs Rücksprache und Äuſserung etwaiger Wünsche zu berufen. Zu unserer Freude entsprach eine Anzahl von Herren unserer Einladung. Der Vorstand konstatiert mit Freuden, daſs auch in dieser Versammlung die vielseitige Pflege anerkannt wurde, welche der Verein den chemisch-physikalischen Wissensgebieten zu teil werden läſst. Er wird die laut gewordenen Wünsche zum Gegenstande weiterer Erwägung machen und ihnen thunlichst zu entsprechen suchen.

Hochgeehrte Herren!. In das abgelaufene Gesellschaftsjahr ist die Entdeckung der Röntgen-Strahlen gefallen, welche auf der ganzen Oberfläche des Erdballes das gröſste Interesse erregt haben. In unserem Kreise wurden sie zuerst am 3. Februar durch Herrn Dr. W. Müller-Erzbach besprochen, woran sich am Abend des 9. Februar von 6—8 Uhr die Vorführung der Versuche im physikalischen Kabinet des Gymnasiums anschloſs. — Am Abend des 14. Februar‾ trug dann Herr Gustav Amberg aus Berlin über sie·und über die hoch-gespannten Tesla'schen Ströme vor und zeigte mit seinen wunder-vollen Apparaten die wichtigsten Versuche auf diesen Gebieten. — Blitzartig erleuchteten diese Entdeckung ein neues vor uns liegendes Gebiet · menschlicher Erkenntnis. — In einer solchen Zeit des Fort-schrittes ziemt es sich, auch die Fahne der naturwissenschaftlichen Ver-einigungen hoch zu halten und mit neuem Mute an dem Fortschritt der Wissenschaft zu arbeiten. Dazu erbitten wir uns fernerhin Ihre eifrige und allseitige Unterstützung.

Aus dem Vorstande scheidet diesmal auſser Herrn Konsul Dreier noch nach der Anciennetät Herr Dr. L. Häpke aus. Wir bitten sie, für beide Herren Neuwahlen vorzunehmen. Die von Ihnen in der Sitzung vom 10. März ernannten Revisoren, Herr Conr. Loose und Herr Elimar Precht, haben die Jahresrechnung bereits geprüft und richtig gefunden.

Der Vorsitzende des Naturwissenschaftlichen Vereines.

Fr. Buchenau.

Vorstand:

(nach der Anciennetät geordnet).

Dr. phil. O. Hergt, Altona 34.
Prof. Dr. W. Müller-Erzbach, zweiter Vorsitzender, Herderstrasse 14.
Direktor Prof. Dr. H. Schauinsland, Humboldtstrasse 62 f.
Dr. U. Hausmann, korresp. Schriftführer, Rembertistrasse 15.
H. Toelken, Rechnungsführer, Bleicherstrasse 30.
Prof. Dr. Fr. Buchenau, erster Vorsitzender, Contrescarpe 174.
Dr. phil. C. Weber, Meterstrasse 2.
Dr. phil. L. Häpke, Mendestrasse 24.
Konsul C. H. Dreier, Dechanatstrasse 1 b.

Komitee für die Bibliothek:

Prof. Dr. Buchenau.

Komitee für die Sammlungen:

Prof. Dr. Buchenau.

Redaktionskomitee:

Dr. C. Weber, geschäftsf. Redakteur.   Dr. L. Häpke.

Komitee für die Vorträge:

Dr. O. Hergt.   Dr. L. Häpke.   Prof. Dr. W. Müller-Erzbach.

Finanzkomitee:

Prof. Dr. Buchenau.   H. Toelken, Rechnungsführer.

Verwaltung der Moor-Versuchsstation:

C. W. Debbe, Vorsitzender. K. von Lingen, Rechnungsführer. Ferd. Corssen.
Dr. U. Hausmann. Konsul C. H. Dreier. J. Depken (v. Landwirtsch. Verein kommittiert).

Anthropologische Kommission:

Mitglieder, gewählt vom Naturw. Verein: Prof. Dr. Buchenau, Dr. G. Hartlaub, Dr. W. O. Focke, Prof. Dr. H. Schauinsland;
gewählt von der Historischen Gesellschaft: Dr. W. v. Bippen, Senator Dr. D. Ehmck, A. Poppe.

Verzeichnis der Mitglieder

am 1. April 1896.

I. Ehren-Mitglieder:

1) Geh. Rat Prof. Dr. Adolf Bastian in Berlin, gewählt am 10. September 1867.
2) Kaiserl. Generalkonsul Gerhard Rohlfs· in Godesberg, gewählt am 10. September 1867.
3) Admiralitätsrat Carl Koldewey in Hamburg,
4) Kapitän Paul Friedr. Aug. Hegemann in Hamburg,
5) Dr. R. Copeland, Edinburgh (Royal Terrace 15),
6) Prof. Dr. C. N. J. Börgen, Vorsteher des Observatoriums zu Wilhelmshaven,
7) Hauptmann a. D. Julius Payer in Wien,
8) Prof. Dr. Gustav Laube in Prag,

gewählt am 17. September 1870.

9) Direktor C. F. Wiepken in Oldenburg, gewählt am 18. April 1887.
10) Ober-Appell.-Gerichtsrat Dr. C. Nöldeke in Celle, gewählt am 5. Dezember 1887.

11) Prof. Dr. P. Ascherson in Berlin W., Bülowstr. 51,
12) Geheimrat Prof. Dr. K. Kraut in Hannover,
13) Prof. Dr. J. Urban in Friedenau bei Berlin,
14) Geh. Regierungsrat Prof. Dr. E. Ehlers in Göttingen,   gewählt am
15) Geh. Hofrat Prof. Dr. F. Nobbe in Tharand,   16. November
16) Geh. Admiralitätsrat Prof. Dr. G. Neumayer in Hamburg,   1889.
17) Baron Ferd. von Mueller in Melbourne,
18) Konsul a. D. Dr. K. Ochsenius in Marburg,
19) Geheimrat Prof. Dr. K. Möbius in Berlin, Zoolog. Institut,
20) Prof. Dr. M. Fleischer in Berlin N. W., Helgolander Ufer 1, gewählt am
   30. November 1891.
21) Prof. Dr. Th. K. Bail in Danzig, } gewählt am 12. Dezember 1892.
22) Prof. Dr. H. Conwentz in Danzig,
23) Dr. med. W. O. Focke, gewählt am 16. Sept. 1895.

II. Korrespondierende Mitglieder:

1) Prof. Dr. Chr. Luerssen in Königsberg .... gewählt am 24. Jan. 1881.
2) Prof. Dr. Hub. Ludwig in Bonn .... „ „ 4. April 1881.
3) Prof. Dr. J. W. Spengel in Giessen........ „ „ 18. April 1887.
4) Apotheker C. Beckmann in Hannover................. } gewählt am
5) Direktor Dr. Fr. Heincke in Helgoland .... 16. November
6) Realschullehrer Dr. Fr. Müller in Varel .... 1889.
7) Oberforstmeister Feye in Detmold ....

III. Hiesige Mitglieder:

a. lebenslängliche.

1) Achelis, Friedr., Kaufmann.
2) Achelis, J. C., Senator.
3) Adami, A., Konsul, Kaufmann.
4) Albrecht, G., Kaufmann.
5) Barkhausen, Dr. H. F., Arzt.
6) Buchenau, Prof. Dr. Fr., Direktor.
7) Corssen, F., Kaufmann.
8) Debbe, C. W., Direktor.
9) Deetjen, H., Kaufmann.
10) Dreier, Corn., Konsul, Kaufmann.
11) Dreier, Dr. J. C. H., Arzt.
12) Engelbrecht, H., Glasermeister.
13) Fehrmann, Carl, Kaufmann.
14) Finke, D. H., Kaufmann.
15) Fischer, W. Th., Kaufmann.
16) Focke, Dr. Eb., Arzt.*)
17) Gildemeister, Matth., Senator.
18) Gristede, S. F., Kaufmann.
19) Hildebrand, Jul., Kaufmann.
20) Hoffmann, M. H., Kaufmann.
21) Hollmann, J. F., Kaufmann.*)
22) Huck, O., Kaufmann.
23) Iken, Frdr., Kaufmann.
24) Isenberg, P., Kaufmann.
25) Kapff, L. v., Kaufmann.
26) Keysser, C. B., Privatmann.*)
27) Kindt, Chr., Kaufmann.*)
28) Kottmeier, Dr. J. F., Arzt.

29) Lahusen, M. Chr. L., Kaufmann.
30) Lauts, Fr., Kaufmann.
31) Leisewitz, Lamb., Kaufmann.
32) Lürman, Dr. A., Bürgermeister.
33) Melchers, C. Th., Konsul, Kaufm.
34) Melchers, Gust. C., Kaufmann.
35) Melchers, Herm., Kaufmann.
36) Merkel, C., Konsul, Kaufmann.
37) Mohr, Alb., Kaufmann.*)
38) Plate, Emil, Kaufmann.
39) Plate, G., Kaufmann.
40) Pletzer, Dr. E. F. G. H., Arzt.
41) Rolfs, A., Kaufmann.
42) Rothe, Dr. med. E., Arzt.
43) Ruyter, C., Kaufmann.
44) Salzenberg, H. A. L., Direktor.
45) Schäfer, Dr. Th., Lehrer.
46) Schütte, C., Kaufmann.
47) Sengstack, A. F. J., Kaufmann.
48) Siedenburg, G. R., Kaufmann.
49) Stadler, Dr. L., Arzt.
50) Strube, C. H. L., Kaufmann.
51) Vietor, F. M., Kaufmann.
52) Wendt, J., Kaufmann.
53) Wolde, G., Kaufmann.
54) Wolde, H. A., Kaufmann.
55) Zimmermann, C., Dr. phil.*)

*) wohnt z. Z. auswärts.

b. derzeitige.

56) Achelis, Ed., Kaufmann.
57) Achelis, Johs. jun., Kaufmann.
58) Achelis, Justus, Kaufmann.
59) Albers, W., Kaufmann.
60) Albrand, Dr. med. E., Arzt.
61) Albrecht, C. G. jr., Kaufmann.
62) Alfken, D., Lehrer.
63) Ammermann, F., Lehrer.
64) Arens, F., Lehrer.
65) Athenstaedt, J., Apotheker.
66) Barkhausen, Dr. C., Senator.
67) Bau, Dr. Arm., Chemiker.
68) Bautz, C. B., Kaufmann.
69) Behr, F., Reallehrer.
70) Bergholz, Dr. P. E. B., Gymnasiall.
71) Biermann, F. L., Kommerzienrat.
72) Bischoff, L., Bankdirektor.
73) Blumberg, J., Lehrer.
74) Bode, C., Lehrer.
75) Böhne, A., Lehrer.
76) Böttcher, Th., Lehrer.
77) Böttjer, Ferd., Kaufmann.
78) Brakenhof, H., Lehrer.
79) Bremermann, J. F., Lloyddir.
80) Brinkmann, A., Lehrer.
81) Bünemann, Gust., Kaufmann.
82) Burgdorff, H., Lehrer.
83) Clausen, H. A., Konsul.
84) Claussen, H., Kaufmann.
85) Cramer, A. W., Kaufmann.
86) Damköhler, Dr., Apotheker.
87) Davin, Jos., Strassenbaumeister.
88) Deetjen, Gustav, Privatmann.
89) Delius, F. W., Generalkonsul.
90) Depken, Joh., Landwirt.
91) Dierksen, N., Kistenfabrikant.
92) Dolder, A., Tapezierer.
93) Droste, F. F., Konsul.
94) Dubbers, Ed., Kaufmann.
95) Dubbers, F., Kaufmann.
96) Duckwitz, A., Kaufmann.
97) Duckwitz, F., Kaufmann.
98) Duncker, J. C., Kaufmann.
99) Ebbeke, F. A., Konsul.
100) Ehlers, H. G., Kaufmann.
101) Ehmck, Aug., Kaufmann.
102) Ellinghausen, C. F. H., Kaufmann.
103) Endemann, Dr. H., Syndikus.
104) Engelken, Dr. H., Arzt.
105) Engelken, Joh., Kaufmann.
106) Feldmann, Dr. A., Fabrikant.
107) Felsing, E., Uhrmacher.
108) Fick, J. H., Lehrer.
109) Finke, Detmar, Kaufmann.
110) Focke, Dr. Joh., Regierungssekret.
111) Focke, Wilh., Kaufmann.
112) Frahm, Wilh., Kaufmann.
113) Franzius, L., Oberbaudirektor.
114) Fricke, Dr. C., Lehrer a. d. Hdlsch.

115) Fricke, F., Gymnasiallehrer.
116) Frister, D. A. A., Kaufmann.
117) Fritze, Dr. jur., Kaufmann.
118) Funck, J., General-Agent.
119) Gämlich, A., Kaufmann.
120) Gämlich, W., Kaufmann.
121) Gerdes, S., Konsul, Kaufmann.
122) Geveke, H., Kaufmann.
123) Geyer, C., Kaufmann.
124) Giehler, Ad., Apotheker.
125) Gildemeister, D., Kaufmann.
126) Gildemeister, H., Kaufmann.
127) Gildemeister, H Aug., Kaufmann.
128) Göring, Dr. G. W., Arzt.
129) le Goullon, F., Kaufmann.
130) Graefe, E. F. J., Oberingenieur.
131) Graue, H. Kaufmann.
132) Grimmenstein, J., Kaufmann.
133) Groenewold, H. B., Maler.
134) Gröning, Dr. A., Bürgermeister.
135) Gröning, Dr. Herm., Senator.
136) Grosse, C. L., Kaufmann.
137) Grosse, Dr. W., Lehrer a. d. Hdlsch.
138) Gruner, Th., Kaufmann.
139) Gruner, E. C., Kaufmann.
140) Haake, H. W., Bierbrauer.
141) Haas, W., Kaufmann.
142) Hagen, C., Kaufmann.
143) Hagens, Ad., Kaufmann.
144) Halem, G. A. v., Buchhändler.
145) Hampe, G., Buchhändler.
146) Häpke, Dr. L., Reallehrer.
147) Hartlaub, Dr. C. J. G., Arzt.
148) Hartmann, J. W., Kaufmann.
149) Hasse, Otto, Kaufmann.
150) Haupt, Hilmar, Kaufmann.
151) Hausmann, Dr. U., Apotheker.
152) Hegeler, Herm., Kaufmann.
153) Heineken, H. F., Baurat.
154) Heinemann, E. F., Kaufmann.
155) Heinzelmann, G., Kaufmann.
156) Hellemann, H. C. A., Kunstgärtn.
157) Henoch, J. C. G., Kaufmann.
158) Henschen, Fr., Kaufmann.
159) Hergt, Dr. O., Reallehrer.
160) Hirschfeld, Th. G., Kaufmann.
161) Hollmann, W. B., Buchhändler.
162) Hollstein, H., Lehrer.
163) Holscher, Fr., Holzhändler.
164) Horn, Dr. W., Arzt.
165) Hornkohl, Dr. med., Th. A. A., Arzt.
166) Huck, Dr. M., Arzt.
167) Immendorf, Dr. H., Labor.-Vorst.
168) Jacobs, Joh., Kaufmann.
169) Janke, Dr. L., Direktor.
170) Jordan, A., Lehrer.
171) Jordan, F., Ober-Ingenieur.
172) Junge, F. W., Lehrer.
173) Jungk, H., Kaufmann

174) Kahrweg, G. W., Kaufmann.
175) Kahrweg, H., Kaufmann.
176) Kasten, Prof. Dr. H., Direktor.
177) Kauffmann, W., Prokurant.
178) Kellner, F. W., Kaufmann.
179) Kellner, H., Kaufmann.
180) Kindervater, Dr., Oberzolldirekt.
181) Kifsling, Dr. Rich., Chemiker.
182) Klages, Dr. G. jr., Zahnarzt.
183) Klatte, B., Privatmann.
184) Klevenhusen, F., Amtsfischer.
185) Knief, D., Lehrer.
186) Knoop, Johs., Kaufmann.
187) Kobelt, Herm., Kaufmann.
188) Koch, Alfr., Kaufmann.
189) Koch, Dr. F., Lehrer a. d. Hdlsch
190) Könenkamp, F. H. W., Kaufm.
191) Könike, F., Lehrer.
192) Korff, W. A., Kaufmann.
193) Köster, J. C., Schulvorsteher.
194) Kroning, W., Privatmann.
195) Kruse, H., Kaufmann.
196) Kulenkampff, Dr. med. D., Arzt.
197) Kulenkampff, H. J., Kaufmann.
198) Kulenkampff, H. W., Kaufmann.
199) Kurth, Dr. med. H., Direktor.
200) Küster, George, Kaufmann.
201) Kusch, G., Apotheker.
202) Lackemann, H. J., Kaufmann.
203) Lahmann, A., H. Sohn, Reepschl.
204) Lahmann, A., Fr. Sohn, Kaufm.
205) Lahusen, W., Apotheker.
206) Lampe, Dr. H., Jurist.
207) Lampe. Herm., Kaufmann.
208) Lemmermann, E., Lehrer.
209) Leonhardt, K. F., Kaufmann.
210) Lerbs, J. D., Kaufmann.
211) Leupold, Herm., Konsul.
212) Lindner, R., Verlagsbuchhdlr.
213) Lingen, K. von, Kaufmann.
214) Linne, H., Kaufmann.
215) Lodtmann, Karl, Kaufmann.
216) Logemann, J. H., Kaufmann.
217) Loose, Dr. A., Arzt.
218) Loose, Bernh., Kaufmann.
219) Loose, C., Kaufmann.
220) Luce, Dr. C. L., Arzt.
221) Ludolph, W., Mechanikus.
222) Lühwing, F., Lehrer.
223) Lürman, J. H., Kaufmann.
224) Lürman, F. Th., Kaufmann.
225) Marcus, Dr., Senator.
226) Marquardt, H., Director.
227) Mecke, Dr. med. J., Augenarzt.
228) Meinken, H., Aufseher.
229) Melchers, A. F. Karl, Kaufm.
230) Melchers, B., Kaufmann.
231) Melchers, Georg, Kaufmann.
232) Menke, H., Kaufmann.
233) Messer, C., Reallehrer.

234) Meybohm, Chr., Kaufmann.
235) Meyer, Engelbert, Kaufmann.
236) Meyer, Dr. G., Reallehrer.
237) Meyer, H. F., Lehrer.
238) Meyer, Max J., Kaufmann.
239) Meyer, J. Fr., Geldmakler.
240) Michaelis, F. L., Konsul, Kaufm.
241) Michaelsen, E. F. G., Kaufmann.
242) Migault, Jul., Kaufmann.
243) Möller, Friedr., Kaufmann.
244) Müller, C. Ed., Buchhändler.
245) Müller, Dr. G., Advokat.
246) Müller, Ludw., Kaufmann.
247) Müller, Prof. Dr. W., Gymnasiall.
248) Müllershausen, N., Kaufmann.
249) Nagel, Dr. med. G., Arzt.
250) Neuberger, H., Kaufmann.
251) Neuendorff, Dr. med. J., Arzt.
252) Neukirch, F., Civil-Ingenieur.
253) Nielsen, J., Kaufmann.
254) Nielsen, W., Senator.
255) Nobbe, G., Kaufmann.
256) Noessler, Max, Verlagsbuchhdlr.
257) Noltenius, Dr. med., H., Arzt.
258) Nolze, H. A., Direktor.
259) Oelrichs, Dr. J., Senator.
260) Overbeck, W., Direktor.
261) Osten, Carl, Kaufmann.
262) Pagenstecher, Gust., Kaufmann.
263) Pattenberg, H., Lehrer.
264) Paulmann, Emil, Juwelier.
265) Peters, H., Lehrer.
266) Pflüger, J. C., Kaufmann.
267) Pokrantz, E., Konsul, Kaufmann.
268) Precht, Elimar, Kaufmann.
269) Pundsack, J. R., Mechaniker.
270) Rabba, Chr., Reallehrer.
271) Reck, F., Kaufmann.
272) Remmer, W., Bierbrauer.
273) Rickmers, A., Kaufmann.
274) Rienits, Günther, Kaufmann.
275) Riensch, Heinr., Makler.
276) Ritter, F. E., Kaufmann.
277) Röhrich, H., Optiker.
278) Rohtbar, H. H., Privatmann.
279) Rowohlt, H., Kaufmann.
280) Romberg, Dr. H., Direktor.
281) Rosenkranz, G. H., Segelmacher.
282) Roters, H. A. F., Civilingenieur.
283) Ruete, A. F., Kaufmann.
284) Ruhl, J. P., Kaufmann.
285) Runge, Dr. Fr. G., Arzt.
286) Rutenberg, J. H., Konsul, Kaufm.
287) Sander, G., Kaufmann.
288) Schäffer, Dr. Max, Arzt.
289) Scharrelmann, H., Lehrer.
290) Schauder, Dr. Ph. Reallehrer.
291) Schauinsland, Dr. H., Direktor.
292) Schellhafs, Konsul, Kaufmann.
293) Schellhafs, Otto, Kaufmann.

294) Schenkel, B., Pastor.
295) Schierenbeck, J., Landwirt.
296) Schierloh, H., Schulvorsteher.
297) Schild, Dr. H., Gymnasiallehrer.
298) Schilling, Dr. D., Navigationslehr.
299) Schindler, C., Reallehrer.
300) Schlenker, M. W., Buchhändler.
301) Schmidt, Ferd., Kaufmann.
302) Schneider, Dr. G. L., Reallehrer.
303) Schrader, W., Konsul.
304) Schrage, J. L., Kaufmann.
305) Schreiber, Ad., Kaufmann.
306) Schröder, G. J., Kaufmann.
307) Schröder, J. P. H., Kaufmann.
308) Schröder, W., Kaufmann.
309) Schünemann, Carl Ed., Verleger.
310) Schütte, Franz, Kaufmann.
311) Schultze, H. W., Kaufmann.
312) Schwabe, Ad., Kaufmann.
313) Schwally, C., Drechsler.
314) Schweers, G. J., Privatmann.
315) Schweers, H., Lehrer.
316) Seeger, Dr. med. J., Zahnarzt.
317) Segnitz, F. A., Kaufmann.
318) Siemer, H., Lehrer.
319) Silomon, H. W., Buchhändler.
320) Smidt, Dr. Joh., Richter.
321) Smidt, John, Kaufmann.
322) Smidt, Jul., Konsul, Kaufmann.
323) Sosna, F. A., Polizeitierarzt.
324) Sparkuhle, Ph. J., Kaufmann.
325) Spitta, Dr. A., Arzt.
326) Straßburg, Dr. med. G., Arzt.
327) Strauch, D. F., Kaufmann.
328) Strohmeyer, Joh., Kaufmann.
329) Stute, J. A. Chr., Kaufmann.
330) Stüsser, Dr. J., Apotheker.
331) Südel, B., Kaufmann.
332) Susemihl, F. F., Kaufmann.
333) Tacke, Dr. B., Direktor.
334) Tecklenborg, E., Schiffsbauer.
335) Tellmann, F., Lehrer a. d. Hdlssch.

336) Tern, W., Reallehrer.
337) Thorspecken, Dr. C., Arzt.
338) Toel, H., Apotheker.
339) Töllner, K., Kaufmann.
340) Toelken, H., Kaufmann.
341) Ulex, E. H. O., Richter.
342) Ulrich, S., Direktor.
343) Vassmer, C., Privatmann.
344) Vassmer, H. W. D., Makler.
345) Vietsch, G. F. H., Konsul, Kaufm.
346) Vocke, Ch., Kaufmann.
347) Vogt, C., Lehrer.
348) Volkmann, J. H., Kaufmann.
349) Waetjen, Ed., Kaufmann.
350) Weber, Dr. C., Botaniker.
351) Wefing, C., Gymnasiallehrer.
352) Weinlig, F., Kaufmann.
353) Wellmann, Dr. H., Gymn.-Lehrer.
354) Wendt, Herm., Fabrikant.
355) Wenner, G., Aichmeister.
356) Werner, E., Kaufmann.
357) Wessels, J. F., Senator.
358) Westphal, Jul., Lehr. a. d. Hdlssch.
359) Weyhausen, Aug., Bankier.
360) Wiegand, Dr. J. H., Lloyddir.
361) Wiesenhavern, F., Apotheker.
362) Wiesenhavern, W., Privatmann.
363) Wilde, F., Lehrer. a. d. Hdlssch.
364) Wilkens, H., Silberwarenfabrkt.
365) Wilkens, H., Lehrer.
366) Willich, J. L. F., Apotheker.
367) Wilmans, R., Kaufmann.
368) Winter, Gust., Buchhändler.
369) Witte, Herm., Kaufmann.
370) Wolfrum, L., Chemiker.
371) Wolters, J. H. F., Lehrer.
372) Woltjen, Herm., Privatmann.
373) Wortmann, Gust., Kaufmann.
374) Wülbers, F., Lehrer.
375) Wuppesahl, H. A., Assek.-Makler.
376) Zinne, H. F. L. A., Photograph.

Nach Schluß der Liste eingetreten:

377) Böhning, W., Präc.-Mechaniker. | 378) Essen, E. von, Ingenieur.

Durch den Tod verlor der Verein die Herren:

Bechtel, G. J., Kaufmann.
Hurm, Dr. med. W., Arzt.
Lindemeyer, M. C., Privatmann.
Luce, G., Makler.
Neuhaus, F. H., Privatmann.

Post, Dr. H. A. von, Richter.
Segnitz, Herm., Kaufmann.
Upmann, H. D., Kaufmann.
Wieting, H. E., Kaufmann.

Ihren Austritt zeigten an die Herren:

Bestenbostel, L. W., Fabrikbesitzer.
Degener, Dr. med. L. J., Arzt.
Everding, H., Bildhauer.

Kulenkampff, H. J., Kaufmann.
Rost, W. A., Kaufmann.
Tetens, Senator Dr., Jurist.

Es verliefsen Bremen und schieden deshalb aus unserm Kreise
die Herren:

Duensing, E. F. W., Kaufmann. | Feilner, J. B., Photograph.

IV. Auswärtige Mitglieder.

Ein dem Namen beigefügtes (L.) bedeutet: lebenslängliches Mitglied;
ein vorgesetzter * zeigt an, dafs das betr. Mitglied seinen Beitrag durch.einen hiesigen
Korrespondenten bezahlen läfst.

a) Gebiet und Hafenstädte.

1) Borgfeld: Mentzel, Lehrer.
2) Bremerhaven: Becker, F., Obermaschinist.
3) „ Seibert, Herm., Richter.
4) Gröpelingen: Menkens, H., Lehrer.
5) Hastedt: Reichstein, H., Lehrer.
6) Horn: Meyer, Lehrer.
7) Oslebshausen: Brunssen, H., Lehrer.
8) Osterholz (Bremen): Gerke, Lehrer.
9) „ Essen, H., Lehrer.
10) „ Meier, J., Lehrer.
11) Sebaldsbrück: Plate, Lehrer.
12) St. Magnus: Piderit, Leo, Administrator.
13) Vegesack: Borcherding, Fr., Lehrer.
14) „ Herrmann, Dr. R. R. G., Realgymnasiallehrer.
15) „ Kohlmann, R., Realgymnasiallehrer.
16) „ Landwehr, Th., Kaufmann.
17) „ Lofmeyer, O., stud. rer. nat.
18) „ Poppe, S. A., Privatgelehrter.
19) „ Schild, Bankdirektor.
20) „ Stümcke, C., Apotheker.
21) „ Wehmann, Dr. med., Arzt.
22) „ Weydemann, Dr. med. H., Arzt.
23) „ Wilmans, Dr. med., Arzt.
24) „ (Aumund): Cuntz, G., Candidat.
25) „ (Schönebeck): Wedepohl, B., Forst- u. Gutsverwalter.
26) Walle: Hüttmann, J., Lehrer.
27) Wasserhorst: Schlöndorff, J., Oberlehrer.
28) Woltmershausen: Heuer, G., Apotheker.
29) „ Pfankuch, K., Lehrer.
30) „ Westerhold, F. Lehrer.

b) Im Herzogtum Oldenburg.

31) Augustfehn: Röben, Dr. med., Arzt.
32) Delmenhorst: Katenkamp, Dr. med., Arzt. (L.)
33) „ Henning, Dr. A., Rektor.
34) Elsfleth: Schütte, H., Lehrer.
35) Oldenburg: Bosse, A., Bankbeamter.
36) „ Glauer, H., Oberrealschullehrer.
37) „ Greve, Dr., Obertierarzt.
38) „ Ohrt, Garteninspektor.
39) „ Struve, C., Assessor.
40) „ Wegener, Seminarlehrer.
41) Sillenstede bei Jever: Roggemann, Lehrer.
42) Varel: Böckeler, Otto, Privatmann.
43) „ Gabler, Dr. P., Direktor.
44) „ Minden, M. von, stud. phil.
45) Wangerooge: Glander, H., Lehrer.
46) Westerstede: Brakenhoff, Rektor.
47) Wildeshausen: Huntemann, J., Direktor der Landwirtschaftsschule.
48) Zwischenahn: Hullmann, A., Lehrer.
49) „ Sandstede, H., Bäckermeister.

— 14 —

c) Provinz Hannover.
50) Baltrum: Lübben, Herm., Lehrer.
51) Bassum: Ebermaier, F., Apotheker.
52) Blumenthal: Coesfeld, Dr. R., Apotheker.
53) Borkum: Bakker, W., Apotheker.
54) Clausthal: Klockmann, Dr. F., Prof. der Mineralogie und Geologie.
55) Detern: van Dieken, Lehrer.
56) Emden: Martini, S., Lehrer.
57) Fallingbostel: Kahler, L., Apotheker.
58) Geestemünde: Eilker, Dr. G., Professor.
59)   „   Hartwig, Dr. med., Sanitätsrat.
60) Gross-Ringmar bei Bassum: Iburg, H., Lehrer.
61) Hannover: Alpers, F., Seminarlehrer.
62)   „   Andrée, A., Apotheker.
63)   „   Brandes, Apotheker.
64)   „   Hess, Dr. W., Professor.
65) Harburg a./E.: Herr, Prof. Dr. Th., Direktor.
66)   „   Semsroth, Ludw., Realgymnasiallehrer.
67) Hemelingen: Böse, J., Oberlehrer.
68)   „   Harms, J., Lehrer.
69)   „   Wilkens, W., Teilhaber der Firma Wilkens & Söhne (L.)
70)   „   Wichers, H., Rektor.
71) Hildesheim: Laubert, Dr. E., Professor.
72) Juist: Leege, O., Lehrer.
73)   „   Arends, Dr. med. E., Arzt.
74) Langeoog: Müller, F. B., Lehrer.
75)   „   Essen, Dr. med. K., Arzt.
76) Lehe: Kothe, Lehrer.
77) Lingen: Salfeld, Dr. A., Kulturtechniker.
78) Lüneburg: Stümcke, M., Chemiker.
79) Meppen: Borgas, L., Oberlehrer.
80)   „   Wenker, H., Gymnasialoberlehrer.
81) Misselwarden bei Dorum: Gerken, J., Lehrer.
82) Morsum b. Langwedel: Witten, Dr. med. E., Arzt,
83) Münden: Metzger, Dr., Professor.
84) Neuhaus a. d. Oste: Ruge, W. H., Fabrikant. (L.)
85)   „   Ruge, Dr. G., Apotheker.
86) Neustadt a. R.: Brandt, F., Director.
87)   „   Redeker, A., Apotheker.
88) Norden: Eggers, Prof. Dr., Gymnasiallehrer. (L.)
89) Norderney: Bielefeld, R., Lehrer.
90) Oberndorf a. d. Oste: Oltmanns, Apotheker.
91) Ottersberg: Behrens, W., Mandatar.
92) Papenburg: Hupe, Dr. C., Reallehrer.
93) Quakenbrück: Möllmann, G., Apotheker.
94) Rechtenfleth: Allmers, Herm., Landwirt. (L.)
95) Rotenburg a. d. Wumme: Polemann, Apotheker.
96)   „   Wattenberg, O., Fabrikant.
97) Spickerooge: Weerts, Dierk, Lehrer.
98) Stade: Brandt, Professor.
99)   „   Eichstädt, Fr., Apotheker.
100)   „   Holtermann, Senator.
101)   „   Gravenhorst, F., Baurat.
102)   „   Streuer, Fr. W., Seminarlehrer.
103)   „   Tiedemann, Dr. med. E., Arzt.
104)   „   Wynecken, Joh., Rechtsanwalt.
105) Verden: Holtermann, Apotheker.
106)   „   Müller, C., Direktor der landwirtschaftl. Winterschule.
107) Warstade b. Basbeck: Wilshusen, K., Lehrer.
108) Wörpedorf b. Grasberg: Böschen, J., Landwirt.

d. Im übrigen Deutschland.

109) *Altona: Herbst, Jul., Apotheker.
110) Arnstadt: Leimbach, Dr. G., Professor.
111) *Berlin, Bruckmeyer, F., stud. med.
112)   „   W., Blumeshof 15: Magnus, Dr. P., Professor.
113)   „   Universität: Plate, Dr. L., Privatdozent.
114) Bonn: Wirtgen, F., Apotheker.
115) * „   Grober, Jul. A., stud. med.
116) Braunschweig: Bertram, W., Superintendent.
117)   „   Blasius, Dr. R., Stabsarzt a. D.
118)   „   Blasius, Dr. W., Professor.
119)   „   v. Koch, Victor, Ökonom.
120)   „   Werner, F. A., Partikulier.
121) Coblenz: Walte, Dr., Lehrer an der Gewerbeschule.
122) *Dresden: Sanders, W., Reallehrer.
123) Flottbeck bei Altona: Booth, John, Kunstgärtner. (L.)
124) Freiburg i. Br.: Fritze, Dr. A., Privatdozent.
125) * „   Klugkist, C., stud. med.
126) Görlitz: Mensching, Dr. J., Chemiker.
127) Hamburg: Klebahn, Dr. H., Seminarlehrer.
128) Heidelberg: Precht, Dr. Jul., Ass. am phys. Institut.
129) Kiel: Knuth, Dr. P., Professor.
130) Kiel: von Fischer-Benzon, Dr., Professor.
131) Magdeburg: Fitschen, J., Lehrer.
132) *Marburg: Janson, Dr. O., Assistent.
133) *München: Bitter, G., stud. rer. nat.
134) Poppelsdorf b. Bonn: Verhoeff, L., stud. rer. nat.
135) Rappoltsweiler i. Els.: Graul, Dr. J., Realschullehrer.
136) Ribnitz i. Mecklenburg: Voigt, Dr. A., Lehrer am Realprogymnasium.
137) Rostock: Prahl, Dr. med., Oberstabsarzt.
138)   „   Hülsberg, Rob., cand. chem.
139) Schlettstadt (Elsass): Krause, Dr. med. E. H. L., Stabs- u. Bataillonsarzt.
140) Schöningen i. Braunschweig: Joesting, Fr., Apotheker.
141) Steinbeck in Lippe-Detmold: von Lengerke, Dr. H., Gutsbesitzer. (L.)
142) Waren in Mecklenburg: Horn, P., Apotheker.
143) Weimar: Haufsknecht, C., Professor. (L.)
144) *Wien: Rickmers, W., stud. phil.

e. Im aufserdeutschen Europa.

145) Blackhill (Durham): Storey, J. Thomas, Rev. (L.)
146) Huelva (Spanien): Lorent, Fr. C., Kaufmann. (L.)
147) *Liverpool: Oelrichs, W., Kaufmann.
148) Petersburg: Grommé, G. W., Kaufmann. (L.)
149) St. Albans: Sander, F., Kunstgärtner. (L.)

f. In fremden Weltteilen.

Amerika.

150) Bahia: Meyer, L. G., Kaufmann. (L.)
151) Baltimore: Lingen, G. v., Kaufmann. (L.)
152) Cordoba: Kurtz, Dr. F., Professor. (L.)
153) *Durango: Buchenau, Siegfr., Kaufmann.
154) *Montevideo (Republik Uruguay): Osten, Corn., Kaufmann.
155) New-York: Brennecke, H., Kaufmann (L.)
156)   „   Brennecke, G., Kaufmann. (L.)

Asien.

157) *Batavia: Hallmann, F., Kaufmann.
158) *Calcutta: Smidt, G., Kaufmann.
159) Shanghai: Koch, W. L., Kaufmann. (L.)

Australien.

160) Honolulu: Schmidt, H. W., Konsul. (L.)

Verzeichnis von Vereinsmitgliedern, welche ein naturwissenschaftliches Spezialstudium betreiben.

Alfken, D., Entomologie.
Alpers, F., Hannover, Botanik.
Ascherson, Prof. Dr. P., Berlin, Botanik.
Beckmann, C., Hannover, Botanik, (Flora von Europa, Moose).
Bergholz, Dr. P. E. B., Meteorologie.
Bertram, W., Braunschweig, Botanik (Flora von Braunschweig, Moose).
Blasius, Prof. Dr. W., Braunschweig, Zoologie.
Böckeler, O., Varel, Cyperaceen.
Borcherding, F., Vegesack, Malakologie, Fauna der nordwestdeutschen Tiefebene.
Buchenau, Prof. Dr. F., Botanik; bremische Geographie und Topographie
Eilker, Prof. Dr. G., Geestemünde, Botanik.
Felsing, E., Coleopteren.
Fick, J. H., Ornithologie.
Fitschen, J., Magdeburg, Botanik.
Fleischer, Prof. Dr. M., Berlin, Agrikulturchemie.
Focke, Dr. W. O., Botanik (Rubus, Hybride, Flora Europas), Flachland-
　　Geognosie.
Fricke, Dr. C., Paläontologie.
Fricke, F., Gymnasiallehrer, Mikroskopie niederer Tiere und Pflanzen.
Häpke, Dr. L., Landeskunde des nordwestlichen Deutschlands; Weserfische;
　　Gewitter.
Hartlaub, Dr. G., Ornithologie, Ethnologie.
Hausmann, Dr. U., Pflanzenchemie und Droguenkunde.
Haußknecht, Prof. C., Weimar, Botanik (Floristik).
Hergt, Dr. O., Chemie.
Heß, Prof. Dr. W., Hannover, Zoologie.
Hollmann, M., Berlin, Entomologie.
Janke, Direktor Dr. L., Chemie.
Katenkamp, Dr., Delmenhorst, Botanik und Altertumskunde.
Kißling, Dr. R., Chemie.
Klebahn, Dr. H., Hamburg, Mikroskopische Botanik.
Klockmann, Prof. F., Klausthal, Mineralogie, insbesondere Lagerstättenlehre.
Könike, F., Acarina (Hydrachniden).
Kohlmann, R., Vegesack, Recente Meeresconchylien, Hymenomyceten.
Kraut, Geheimrat Prof. Dr., Hannover, Chemie.
Kurtz, Dr. F., Cordoba, Botanik.
Lahmann, A., H's. Sohn, Lepidopteren.
Leimbach, Prof. Dr. G., Arnstadt, Botanik (Orchidaceen).
Lemmermann, E., Botanik (Algen).
Magnus, Prof. Dr. P., Berlin, Botanik (Pilze).
Menkens, H., Gröpelingen, Arachniden.
Messer, C., Botanik.
Müller-Erzbach, Prof. Dr. W., Physik.
Müller, Dr. Fr., Varel, Botanik.
Nöldeke, Dr. C., Ober-Appell.-Gerichtsrat, Celle, Botanik.
Osten, C., Mondevideo (Rep. Uruguay), Botanik; Geologie.
Poppe, S. A., Vegesack, Copepoden, Cladoceren, Ectoparasiten, Ethnologie
Sandstede, H., Zwischenahn, Flechten.
Schneider, Dr. G., Physik.
Weber, Dr. C., Landwirtschaftliche Botanik; Geologie.
Wiepken, Direktor C. F., Oldenburg, Deutsche Ornithologie, Coleopteren, Gerölle.
Willich, J. L. F., Chemie.

Die geehrten Mitglieder, welche wünschen, in dieses Verzeichnis aufgenommen zu werden, wollen sich deshalb gefälligst an den Vorstand wenden.

Verzeichnis der gehaltenen Vorträge.
1895.

555. Versammlung. April 8. Hr. Dr. Arm. Bau: Führung durch die Kaiserbrauerei und Vortrag über die systematischen Ergebnisse seiner Hefekulturen.

556. Versammlung. April 20. Hr. Dr. W. O. Focke: Über Haeckels Phylogenie der Protisten und Pflanzen.
Hr. Direktor Dr. Kurth: Ergebnisse einiger neuen Bohrungen im Bremer Gebiete.

557. Versammlung. Mai 13. Hr. Direktor Dr. Kurth: Die Formen des Grundwassers im Bremer Gebiete.
Hr. Dr. Häpke: Demonstration von Golderzen, Karten und Plänen aus Südafrika.

558. Versammlung. Mai 27. Hr. Dr. R. Kissling: Über das Calciumcarbid und seine Verwendung.

559. Versammlung. Juni 23. Hr. Direktor Dr. Tacke: Besichtigung der Versuchsfelder im Hellweger Moore.

560. Versammlung. Juli 3. Besuch der Steingutfabrik Witteburg und der Frankenthaler Holzindustriefabrik zu Farge.

561. Versammlung. Septbr. 16. Hr. Prof. Dr. Buchenau: Über die Anwendung und Wirkung der Bordeaux-Brühe.

562. Versammlung. Septbr. 23. Hr. Dr. L. Plate: Die Verwandtschaftsbeziehungen der Mollusken.
Hr. E, Lemmermann: Über Reizerscheinungen bei Wasserpflanzen.

563. Versammlung. Oktbr. 14. Hr. Dr. U. Hausmann: Über den Besuch einiger Oberharzer Hüttenwerke.
Hr. Prof. Dr. Conwentz aus Danzig: Über die Auffindung eines untergegangenen Eibenbestandes in der Steller Heide bei Hannover.

564. Versammlung. Nov. 4. Hr. Dr. Fr. Müller aus Varel: Über den Bau der Moose und deren Bedeutung im Haushalte der Natur.

565. Versammlung. Nov. 18. Hr. Dr. Häpke: 1) Die Fabriciusfeier zu Osteel am 13. Nov. d. J. 2) Über sogen. Lössmännchen vom Wilseder Berge.
Hr. Dr. C. Weber: Demonstration eines für unsere Gegend neuen Mooses.

566. Versammlung. Dezbr. 9. Hr. Dr. Karsten: Über Messung von Ortshelligkeiten.
Hr. Dr. Hergt: Referat über die Ansichten Ledeburs betreffend die Kohlenlegierungen des Eisens.

567. Versammlung. Dezbr. 30. Hr. Dr. Bergholz: Erläuterung der neuen Lokalitäten und der Instrumente der meteorologischen Station.

1896.

568. Versammlung. Jan. 6. Hr. Privatdozent Dr. L. Plate in Berlin: Die Insel Juan Fernandez. (Zugleich für die Damen.)

569. Versammlung. Jan. 20. Hr. Prof. Dr. Schauinsland: Führung durch das neue Museum.
570. Versammlung. Febr 3. Hr. Direktor Dr. Tacke: Bericht über die Thätigkeit der Moorversuchsstation 1895.
Hr. Prof. Dr. Müller-Erzbach: Über die Röntgensche Entdeckung der X-Strahlen.
571. Versammlung. Febr. 14. Hr. Gust. Amberg: Über die Fundamentalerscheinungen der Optik, die Röntgen-Strahlen und die Teslaschen Versuche. (Zugleich für die Damen.)
572. Versammlung. März 10. Hr. Oberingenieur F. Jordan: Konstruktion und Wirkungsweise der gebräuchlichsten Elektrizitätsmesser.
573. Versammlung. März 23. Hr. Dr. R. Kissling: Über Petroleum. Hr. Prof. Dr. Schauinsland: Über die Insel Laysan.
574. Versammlung. März 31. Hr. Direktor Dr. Kurth: Über den gegenwärtigen Stand unserer Kenntnisse vom Heilserum.

Geschenke für die Bibliothek.

Königl. Preuss. Ministerium für Landwirtschaft: Landwirtschaftl. Jahrbuch XXIV und XXV, 1, Ergänzungsband IV (von XXIII); I u. II (von XXIV).

Hr. Geh. Hofrat Prof. Dr. F. Nobbe in Tharand: Landwirtschaftl. Versuchs-Stationen XLV, 5 u. 6; XLVI, 1—6.

Hr. Prof. M. Stossich in Triest: Notizie Elmintologiche; I distomi dei Rettili.

Hr. Dr. Jul. Precht in Heidelberg (als Verf.): Studie über die Entwickelung sehr kurz belichteter Bromsilberplatten.

Hr. Prof. Dr. F. Kurtz in Cordoba (als Verf.): Contribuciones a la Palaeophytologia Argentina.

Hr. Prof. Dr. G. Leimbach in Arnstadt: Deutsche botanische Monatsschrift Jahrg. XIII, 4—12.

Hr. F. Könike: Liste des Hydrachnides en Palestine, en Syrie et en Egypte.

Ministerial-Kommission zur wissenschaftl. Untersuchung der deutschen Meere in Kiel und biologische Anstalt auf Helgoland: Ergebnisse 1893, Heft VII—XII.

Central-Moor-Kommission in Berlin: Protokoll der 30. u. 34. Sitzung.

Kaiserliche Universitäts- und Landesbibliothek Strassburg i./E.: 20 Dissertationen etc.

Hr. Prof. Dr. Chr. Luerssen in Königsberg: 25 Dissertationen naturwissenschaftl. Inhaltes.

Hr. Prof. Dr. J. Urban: Biographische Skizzen III. (J. S. Blanchet). Über die Sabiaceengattung Meliosma.

Hr. Direktor S. Ulrich (als Verf.): Schwedische Bewegungskur.

Hr. Direktor Dr. Kurth (als Verf.): Die Ergebnisse der Anwendung des Diphtherieheilserums in Bremen. — Die Thätigkeit der Filteranlage des Wasserwerks zu Bremen von Juni 1893 bis August 1894, mit besonderer Berücksichtigung der Hochwasserzeiten.

Provinzial-Kommission zur Verwaltung der Provinzial-Museen zu Danzig: C o n w e n t z, Beobachtungen über seltene Waldbäume in Westpreussen.

Hr. S. A. P o p p e in Vegesack: Entomostraken des Naturhist. Museums in Hamburg.

Hr. Dr. K a t e n k a m p in Delmenhorst: Bericht VII u. VIII über die Thätigkeit des Oldenburger Landesvereines für Altertumskunde und Landesgeschichte.

Hr. C h a r l e s J a n e t in Beauvais (als Verf.): Eine Anzahl Arbeiten über Insekten.

Kaiserliches Observatorium zu Wilhelmshaven: Beobachtungen der meteorologischen Station. I. Teil (1895).

Se. Durchlaucht A l b e r t, P r i n z v o n M o n a c o: Résultats des campagnes scientifiques etc. Fasc. I—IX.

Hr. Geheimrat Prof. Dr. M ö b i u s in Berlin: Die ästhetische Betrachtung der Tiere.

Hr. Direktor Dr. C o n w e n t z in Danzig: Über die Eibe und deren Verbreitungsgebiet.

Public Library, Museums and National Gallery of Victoria: Mueller, Select Extra-Tropical Plants.

Westpreussisches Provinzial-Museum zu Danzig: XVI. amtlicher Bericht.

Hr. Georg W. K r ü g e r in NewYork: Silliman, The American Journal of Science 1895.

Einzelne Hefte der Abhandlungen des Vereines wurden zu anderweitiger Verwendung zurückgeliefert von
Fräulein A. Hallmann, Herrn Prof. R. Grote und einem Ungenannten.

Geschenke für die Sammlungen.

Hr. C. S t ü m c k e in Lüneburg: 8 Spezies nordwestdeutsche Pflanzen. 1 Standortskarte.

Hr. F. W. M ü l l e r in London: 2 Affenleitern (Caulotretus microstachys), Rindenstück von Paritium elatum und 3 Polster von Selaginella lepidophylla.

Hr. W. B l ü m l e r in Bahia: Eine Rindenkoralle.

Hr. Prof. Dr. C. S c h r ö t e r in Zürich: Frucht von Dipterocarpus trinervis Blume aus Batavia auf Java.

Hr. Prof. Dr. S c h i n z in Zürich: Photographie der Welwitschia mirabilis.

Hr. Prof. Dr. B u c h e n a u: 1 Standortskarte von Isnardia palustris, eine Schmuckkette aus Trapafrüchten aus Norditalien.

Hr. F e r d. F o c k e in Blumenthal: Frische Exemplare von Xanthium spinosum und Martynia proboscidea.

Hr. Baron F e r d. v o n M u e l l e r in Melbourne: 25 Spezies seltener neuholländischer Pflanzen; — ein lebendes Exemplar von Todea rivularis.

Hr. K. Brons: Zeichnung von dem seltsam verflochtenen Fussende einer Buche in Höpkens Ruh.

Hr. Dr. W. O. Focke: 1 Standortskarte von Oryza clandestina bei Timmersloh.

Hr. Candidat M. von Minden in Varel: Eine macerierte Grundachse von Hippuris vulgaris L. (Spirituspräparat).

Hr. Dr. Katenkamp in Delmenhorst: Eine 15 teilige Roggenähre und ein Bouquet Doppelähren.

Hr. Dr. F. Koch: Eine Anzahl selbstkultivierter Kaktusfrüchte.

Hr. Apotheker A. Redeker in Neustadt a/R.: 16 Pflanzen fürs nordwestdeutsche Herbar.

Hr. Apotheker F. Wirtgen in Bonn: Eine Sammlung von 65 Species Equisetaceen der Rheinprovinz.

Hr. Corn. Osten in Montevideo: 175 Pflanzen aus Uruguay; Mineralproben von Chalcedon mit Einschlüssen von Wasser und Luftblasen.

Hr. Jul. Grote in Chile: Chiastolith-Krystalle.

Aufwendungen, beziehungsweise Anschaffungen für das städtische Museum.

Callier, Flora silesiaca exsiccata; Editio 1894 u. 1895.

Wissenschaftliche Meeresuntersuchungen. Neue Folge I, 1. Herausgegeben von der Ministerial-Kommission zur wissenschaftl. Unters. der deutschen Meere in Kiel und der biologischen Anstalt auf Helgoland.

Kosten der Bearbeitung und Aufstellung der Conchylien-Sammlung.

Abonnement auf Pflanzen aus der Krim.

Abonnement auf kleinasiatische Pflanzen.

Aufserdem wurden alle Geschenke an Naturalien und Schriften, welche von Interesse für das Museum sein konnten, demselben überwiesen.

Anschaffungen für die Stadtbibliothek
im Vereinsjahre 1895/96.
a) Aus den eigenen Mitteln des Vereins.

Bronn, Klassen und Ordnungen des Tierreiches, III, 18—21, III, Supplement 4, 5, IV, 38—44, V, 42—44, V, II, 44—46.

E. Loew, Einführung in die Blütenbiologie auf historischer Grundlage.

Lacaze-Duthiers, Archives de zoologie expérimentale et générale, sér. III, tome III.

Ch. Spr. Sargent, the Silva of North America, vol 1—8.

Kobelt, Rofsmäfsler's Iconographie der europäischen Land- und Süfswasser-Mollusken, 1. Supplementband, 1—4.

Koehne, botanischer Jahresbericht, 1892, XX, II, 2. 1893, XXI, I 1.

Semper, Reisen im Archipel der Philippinen, 2. Teil. Ergänzungsheft (Biographie von K. Semper; Inhaltsverzeichnisse; alphabetische Register); 2. Teil, IV, ı.

Deutsch Ost-Afrika: III, Möbius, die Tierwelt Ostafrikas, ı, 2; V, Engler, die Pflanzenwelt Deutsch Ost-Afrikas und der Nachbargebiete, ı—7 (Schluss).

G. Marpmann, Zeitschrift für angewandte Mikroskopie. Bd. I.

Archiv der naturwiss. Landesdurchforschung von Böhmen: Geolog. Karte von Böhmen, Sektion, II, III.

H. Trimen, a handbook of the flora of Ceylon, III (mit Atlas). Bulletin de la société botanique de France, 1893, Tome 40.

Rouy et Foucard, Flore de France, II.

R. Aderhold, General-Register der ersten 50 Jahrgänge der Botanischen Zeitung.

M. Fünfstück·, Beiträge zur wissenschaftlichen Botanik I, ı, 2.

Schimper, botanische Mitteilungen aus den Tropen, No. 8: Alfr. Möller, Protobasidiomyceten.

Koch, Synopsis der deutschen und schweizer Flora, 3. Auflage, 9. Lieferung·

P. A. Saccardo, Sylloge fungorum omnium hucusque cognitorum, XI.

Bibliotheca botanica, 32: J. R. Jungner, Wie wirkt träufelndes und fliessendes Wasser auf die Gestaltung des Blattes? 33 : C. Mäule, der Faserverlauf im Wundholze. 34: M. Jarius, Untersuchungen über AscochytaPisi bei parasitischer und saprophyter Ernährung. 35: A. Schlickum, morphologischer und anatomischer Vergleich der Cotyledonen und ersten Laubblätter der Keimpflanzen der Monocotylen.

Palaeontographica 41.

Edw. L. Greene, Pittonia I, II.

Th. Eimer, die Artbildung und Verwandtschaft der Schmetterlinge, II, Taf, V—VIII.

F. Cohn, Beiträge zur Biologie der Pflanzen, VI, 2.

Verhandlungen der Gesellschaft deutscher Naturforscher und Ärzte; Versammlungen zu Wien 1894 und zu Lübeck 1895.

Fauna und Flora des Golfes von Neapel, 22. Monographie: Otto Bürger, die Nemertinen.

O. Drude, Deutschlands Pflanzengeographie, I.

Nouvelles Archives du Muséum d'histoire naturelle ; 3e série, tome VII.

C. Decandolle, Monographiae Phanerogamarum, IX, (C. Mez, Bromeliaceae).

Gr. Kraus, Geschichte der Pflanzeneinführungen in die europäischen botanischen Gärten.

Gemeinsam mit der Stadtbibliothek:

Transactions of the Linnean Society.

Transaction of the Zoological Society.

Philosophical Transactions of the Royal Society of London.

Mémoires de l'Académie de St. Pétersbourg.

Annales de chimie et de physique.

Annals and magazine of natural history.
Comptes rendus de l'académie de Paris.
Denkschriften der Wiener Akademie.
Abhandlungen der bayrischen Akademie.
Berichte der sächsischen Gesellschaft der Wissenschaften zu Leipzig.

b) Aus den Mitteln der Kindstiftung:

Heinrich Hertz, Gesammelte Werke I, H, III.
Fehling, Neues Handwörterbuch der Chemie.
Fortschritte der Physik.
Fittica, Jahresbericht über die Fortschritte der Chemie, 1889, 7;
 1890, 3, 4, 5.
Lothar Meyer, Grundzüge der theoretischen Chemie.
Gmelin-Kraut, Handbuch der Chemie, Anorgan. Chemie, 6. Aufl.,
 II, 2, 9—12.
Rosenberger, Isaac Newton und seine physikalischen Prinzipien.
Berichte der deutschen chemischen Gesellschaft, 1892/95.
Richard Meyer, Jahrbuch der Chemie IV.
Ostwald und van't Hoff, Zeitschrift für physikalische Chemie,
 Stöchiometrie und Verwandtschaftslehre, XVI.
Die Zeitschriften über Physik und Chemie, welche der Verein für die Stadt-
bibliothek hält, werden aus den Zinsen der Kindtstiftung bezahlt.

c) Aus den Mitteln der Frühlingstiftung:

Martini und Chemnitz, Konchylien-Kabinet, Lief. 411—419.

d) Aus den Mitteln der Rutenbergstiftung:

Biologia centrali-americana, Zoology, 121—127.
Hensen, Ergebnisse der Plankton-Expedition der Humboldtstiftung:
 Franz Schütt, die Peridineen I;
 V. Hensen, Methodik der Untersuchungen.
 H. J. Hansen, Isopoden, Cumaceen und Stomatopoden.
 A. Borgert, die Thaliacea.
 L. Böhmig, die Turbellaria acoela.
 Joh. Reibisch, die pelagischen Phyllodociden und
 Typhloscoleciden.
 H. Simroth, die Gastropoden.
 Osw. Seeliger, die Pyrosomen.
Challenger-Expedition, Report Summary of the scientific results,
 2 Bände (Schlufs des Werkes.)

Verzeichnis der naturwissenschaftlichen Zeitschriften, welche der Verein für die Stadtbibliothek hält.

Zeitschrift der Gesellschaft für Erdkunde zu Berlin.
Zeitschrift und Jahrbuch des deutschen und österr. Alpenvereines.
Verhandlungen des Vereines deutscher Naturforscher und Ärzte.
Bulletin de l'Académie de St. Petersbourg.
 „ „ de Bruxelles.

Sitzungsberichte der Akademie zu Berlin.
»　　　»　　　»　　　» Wien.
»　　　»　　　»　　　» Stockholm.
»　　　»　　　»　　　» München.
Comptes rendus de l'académie de Paris (s. ob.)
Nouvelles Archives du Muséum d'hist. natur. de Paris.
Transactions of the Royal Society, London (s. ob.)
Abhandlungen des Naturwissenschaftlichen Vereines zu Bremen.
Silliman, American Journal of science.
Abhandlungen der Akademie zu Wien (s. ob.)
»　　　»　　　»　　　» München (s. ob.)
»　　　»　　　»　　　» Stockholm.
Mémoires de l'Académie de St. Petersbourg (s. ob.)
Berichte der Kön. sächs. Gesellsch. der Wissenschaften zu Leipzig (s. ob.)
Marpmann, Zeitschrift für angewandte Mikroskopie.
Die landwirtschaftlichen Versuchsstationen.

Annalen der Physik.
Fortschritte der Physik.
Meteorologische Zeitschrift.
Annalen der Chemie.
Berichte d. deutsch.chem.Gesellsch.
Jahrbuch der Chemie.
Jahresbericht über die Fortschritte der Chemie.
Zeitschrift für anorganische Chemie.
Zeitschrift für physikal. Chemie, Stöchiometrie und Verwandtschaftslehre.
Annales de chimie et de physique (s. ob.)
Jahrbuch für Mineralogie, Geognosie und Petrefaktenkunde.
Palaeontographica.
Berichte der deutschen botanischen Gesellschaft.
Bulletin de la société botanique de France.
Bulletin of the Torrey Botanical Club.
Jahrbücher für wissensch. Botanik.
Botan. Jahrbücher für Systematik, Pflanzengesch. u. Pflanzengeogr.
Bibliotheca botanica.
Botanische Zeitung.
Flora.
Oesterreich. botanische Zeitschrift.
Kneucker, allgem. botan. Zeitschr.
Journal of botany.

Botanical Gazette.
Annals of botany.
Journal de botanique
Nuovo Giornale botanico.
Botaniska Notiser.
Curtis, Botanical Magazine.
Hedwigia, Organ für Kryptogamenkunde.
Notarisia,Zeitschrift f. Algenkunde.
Botanischer Jahresbericht.
Zeitschrift für Pflanzenkrankheiten.
Journal of the Linnean Society.
Transactions of the Linnean Society (s. ob.)
Zeitschrift für wissensch. Zoologie.
Archives de zoologie expérimentale.
Archiv für Naturgeschichte.
Annales des sciences naturelles.
Annals and magazine of natural history (s. ob.)
Mitteilungen der zool. Station zu Neapel.
Forschungsberichte der biolog. Station zu Plön.
Archiv f. mikroskopische Anatomie.
Berliner entomologische Zeitschr.
Stettiner entomologische Zeitschr.
Transactions of the zoological Society, London (s. ob.)
Allgemeine Fischerei-Zeitung.
Zeitschr. für Fischerei und deren Hülfswissenschaften.

Correspondenzblatt der deutschen Gesellschaft für Anthropologie, Ethnographie und Urgeschichte (Anthrop. Kommission).

Mitteilungen der deutschen Gesellschaft für Natur- und Völkerkunde Ostasiens.

Verzeichnis der im verflossenen Vereinsjahre eingelaufenen Gesellschaftsschriften.

Bemerkung. Es sind hier alle Vereine aufgeführt, welche mit uns in Schriftenaustausch stehen, von Schriften sind aber nur diejenigen genannt, welche in dem Zeitraume vom 1. April 1895 bis 31. März 1896 in unsere Hände gelangten. Diejenigen Vereine, von denen wir im abgelaufenen Jahre nichts erhielten, sind also auch nur mit ihrem Namen und dem Namen des Ortes aufgeführt. — Diejenigen Gesellschaften, welche im Laufe des letzten Jahres mit uns in Verbindung getreten sind, wurden durch einen vorgesetzten * bezeichnet.

Aarau, Aargauische naturforschende Gesellschaft.

Abbeville, Société d'émulation: Mém. 4? série II, 2; III, 1; Bull. 1892, 2—4; 1893; 1894, 1 u. 2.

Aberdeen (Schottland), University: Annals 1895, Nr. 14—16; 1896, Nr. 17.

Albany, New York State Library: Bulletin Nr. 12—13; Report 1894.

Altenburg, Naturforschende Gesellschaft des Osterlandes.

Amiens, Société Linnéenne du Nord de la France: Bull. mensuel XI (247—258); XII (259—282).

Amsterdam, Koninklijke Akademie van Wetenschappen: Verhandelingen 1. Sectie Dl. H, 7; Dl. III, 1—4; 2. Sectie Dl. IV, 1—6; Zittingsverslagen 1894/95.

Amsterdam, Koninklijk zoologisch Genootschap „Natura artis magistra".

Annaberg, Annaberg-Buchholzer Verein für Naturkunde.

Angers, Société académique de Maine et Loire.

Angers, Société d'études scientifiques: Bull. XXII u. XXIII.

Arezzo, R. Accademia Petrarca di scienze, lettere e arti.

Augsburg, Naturwissenschaftlicher Verein für Schwaben und Neuburg (a. V.).

Bamberg, Naturforschende Gesellschaft.

Basel, Naturforschende Gesellschaft: Verh. X, 3; XI 1.

Basel, Schweizerische botanische Gesellschaft: Berichte Heft 5.

Batavia, Kon. natuurkundige Vereeniging in Nederlandsch Indië: Nat. Tijdschrift Dl. LIV; Boekwerken 1893 u. 1894.

Batavia, Magnetical and meteorolog. Observatory: Regenwaarnemingen 1893.

Belfast, Natur. history and philosophic. society: Report and Proc. 1894—1895.

Bergen, Museum: Afhandlinger og Aarsberetning 1893 u. 1894; Guldberg & Nansen, Development and Structure of the Whale Part I.

Berlin, Königl. preufs. Akademie der Wissenschaften: Sitzungsberichte 1895.

Berlin, Botan. Verein der Provinz Brandenburg: Verh. XXXVII.

Berlin, Gesellschaft für Erdkunde: Zeitschrift, Bd. XXX, 1—6.
Verh. XXII, 3—10; XXIII, 1 u. 2.

Berlin, Gesellschaft naturforsch. Freunde: Sitzungsber. 1894 u. 1895.

Berlin, Deutsche geologische Gesellschaft: Zeitschrift XLVI, 3—4;
XLVII, 1—3.

Berlin, Polytechnische Gesellschaft: Polytechn. Centralblatt 56. Jahrg.
11—24; 57. Jahrg. 1—11.

Berlin, Kgl. preufs. meteorologisches Institut: Ergebnisse der meteor.
Beob. in Potsdam 1893 u. 1894. Niederschlagsbeob.
1893; Bericht über die Thätigkeit 1894; Ergebnisse
d. Beob. an den Stationen II. u. III. Ordnung, 1891
Heft III; Ergebnisse d. Gewitter-Beob. 1891—1895,
Heft I.

Berlin, Gesellschaft für Anthropologie, Ethnologie u. Urgeschichte:
Verhdlgn. 1895.

Bern, Naturforsch. Gesellschaft: Mitteilungen: No. 1335—1372;
Verhandl. der 77. Jahresversammlung; Denkschriften
XXXIV.

Besançon, Société d'émulation du Doubs: Mém. 6e série, vol. 7 u. 8,

Bologna, R. Accademia delle scienze.

Bonn, Naturhistorischer Verein der preufsischen Rheinlande, Westfalens und des Reg.-Bezirks Osnabrück: Verhandlungen
51, 2; 52, 1.

Bonn, Niederrheinische Gesellschaft für Natur- und Heilkunde:
Sitzungsberichte 1895, 1. Hälfte.

Bordeaux, Société Linnéenne de Bordeaux: Actes XLV—XLVII;
Catalogue I.

Bordeaux, Société des sciences physiques et naturelles. Mém. III, 2;
IV, 1 u. 2; V. Appendice au tome IV u. V.

Boston, Society of natural history: Proc. XXVI, 2—4; Occasional
Papers IV; Mem. Vol. III, No. XIV; Vol. V, 1 u. 2.

Boston, American Academy of arts and sciences: Proceedings XXI
u. XXII.

Braunschweig, Verein für Naturwissenschaft.

Bremen, Geographische Gesellschaft: Geographische Blätter,
XVIII, 1 u. 2.

Breslau, Schlesische Gesellschaft für vaterländische Kultur: 72.
Jahresbericht u. Litteratur der Landes- u. Volkskunde,
Heft 3.

Breslau, Verein für schlesische Insektenkunde: Zeitschrift für
Entomologie, 20. Heft.

Brünn, K. K. mähr.-schles. Gesellschaft zur Beförderung des Ackerbaues,
der Natur- und Landeskunde: Centralblatt 74. Jahr-
gang und Notizenblatt 1894.

Brünn, Naturforschender Verein: Verh. XXXIII; XIII. Bericht der meteor. Kommission.

Brüssel, Académie royale des sciences, des lettres et des beaux-arts de Belgique: Bull. 3e série, 25—28; Annuaires 1894 u. 1895.

Brüssel, Société royale de botanique de Belgique: Bull. XXXIII.

Brüssel, Société entomologique de Belgique: Annales XXXVIII.

Brüssel, Société royale malacologique de Belgique: Annales XXVII; Proc.-Verb. XXIII u. XXIV.

Brüssel, Société royale belge de Géographie: Bulletin XIX, 1—6.

Budapest, K. ungarische naturwissenschaftl. Gesellschaft: Berichte X—XII; Filarszky, Characeae; Hegyfoky, über die Windrichtung in Ungarn; Daday, Cypridicola parasitica; Schafarzik, Die Pyroxen-Andesite des Cserhát; Aquila (Zeitschrift für Ornithologie) Bd. I.

Buenos-Aires, Museo nacional.

Buenos-Aires, Sociedad Cientifica Argentina: Anales XXXVIII, 5—6; XXXIX; XL, 1—6; XLI, 1 u. 2.

Buenos-Aires, Instituto Geografico Argentino: Boletin XV, 5—12; XVI, 1—8.

Buffalo, Buff. Society of natural sciences: Bull. V, 4.

Buitenzorg, Jardin botanique: Mededeelingen uit 's Lands Plantentuin No. XIV; Annales XII, 2; XIII, 1.

Caen, Société Linnéenne de Normandie: Bull. 4e série, 7e et 8e vol.

Catania, Accademia gioenia di scienze naturali; Bulletino delle sedute Fasc. XXXIX—XLI.

Chambéry, Académie des sciences, belles-lettres et arts de Savoie: Mém. V (4e sér.); Documents VII.

Chambesy; Herbier Boissier: Bulletin III 1—12.

Chapel Hill, North Carolina, Elisa Mitchell scientific society: Journal Vol. XI, 2; XII,1.

Chemnitz, Naturwissenschaftliche Gesellschaft.

Chemnitz, Königl. sächs. meteorologisches Institut: Jahrbuch XII (1894), Abtlg. I.—III.

Cherbourg, Société nationale des sciences naturelles et mathématiques: Mém. XXIX (1892—95).

Christiania, Kong. Universität: Reusch, Bómmelóen.

Crefeld, Naturwissenschaftlicher Verein: Jahresberichte 1892—95.

Christiania, Norwegische Kommission der europäischen Gradmessung: Astronomische Beobachtungen 1895; Schiötz, Pendelbeobachtungen 1894.

Christiania, Videnskabs-Selskabet.

Chur, Naturforsch. Gesellschaft Graubündens: Jahresbericht XXXVIII und Lorenz, Ergebnisse der sanitarischen Untersuchungen der Rekruten.

Cincinnati, Society of natural history: Journal Vol. XVII, 2—4; XVIII, 1 u. 2.

Colmar, Naturhistorische Gesellschaft: Mitth., Neue Folge II. Bd.

Cordoba, Academia nacional de ciencias de la Republica Argentina: Boletin XIV, 2.

Courrensan (Toulouse), Société française de botanique: Revue IX (107—108); X (109—120); XI (121—132); XII (133—149).

Danzig, Naturforschende Gesellschaft.

Darmstadt, Verein für Erdkunde und mittelrhein.-geolog. Verein: Notizblatt IV. Folge, 15. Heft.

Davenport, Iowa, Davenport Academy of natural sciences.

Dijon, Académie des sciences, arts et belles-lettres: Mém. 4ᵉ série IV.

Donaueschingen, Verein für Geschichte u. Naturgeschichte der Baar und der angrenzenden Landesteile.

Dorpat, Naturforscher-Gesellschaft bei der Universität: Sitzungsbericht X, 3; Schmidt, Synchronistische Tabellen.

Dresden, Naturwissenschaftliche Gesellchaft Isis: Sitzungsberichte u. Abhandlungen 1894, Juli—Dezbr.; 1895, Jan.—Juni.

Dresden, Gesellschaft für Natur- und Heilkunde: Jahresbericht, Sept. 1894 bis Mai 1895.

Dublin, Royal Dublin Society.

Dublin, Royal Irish Academy: Proceed. 3. Ser. III, 4. Transact. Vol. XXX, Part 15—17.

Dürkheim a./d. H., Pollichia, Naturwissensch. Verein der Pfalz.

Düsseldorf, Naturwissenschaftlicher Verein: Mitteilungen 3. Heft.

Edinburg, Botanical society.

Edinburg: Geological Society: Trans. Vol. VII. Part II.

Edinburg, Royal Physical Society. Proceed. 1894—95.

Emden, Naturforschende Gesellschaft: 79. Jahresbericht.

Erfurt, Kön. Akademie gemeinnütziger Wissenschaften: Jahrbücher XXI.

Erlangen, Physikalisch-medizinische Societät: Sitzungsberichte, 26. Heft.

Florenz, R. Istituto di studi superiori pratici e di perfezionamento.

Florenz, Società botanica Italiana.

Frankfurt a./M., Physikalischer Verein. Jahresbericht 1893/94.

Frankfurt a./M., Senckenbergische naturforschende Gesellschaft: Abhandl. XIX, 1—4. Bericht 1895.

Frankfurt a./O., Naturwissenschaftlicher Verein: Helios XII, 7—12; XIII, 1—6; Societatum litterae 1894, 10—12; 1895, 1—9.

Frauenfeld, Thurgauische naturforschende Gesellschaft.

Freiburg i. B., Naturforschende Gesellschaft: Berichte IX. Band.

St. Gallen, Naturwissenschaftl. Gesellschaft.

Genf, Allgem. schweizerische Gesellschaft für die gesamten Naturwissenschaften.

Gent, Kruidkundig Genootschap „Dodonaea".

Genua, Museo civico di storia naturale: Annali Ser. 2 Vol. XIV u. XV.

Genua, Societa di letture e conversazioni scientifiche.

Giessen, Oberhessische Gesellschaft für Natur- und Heilkunde:
30. Bericht.
Glasgow, Natural history society.
Görlitz, Naturforschende Gesellschaft.
Görlitz, Oberlaus. Gesellschaft der Wissenschaften: Neues Lausitz.
Magazin, Band 71, 1 u. 2.
Göteborg, K. Vetenkaps och Vitterhets Samhälles.
Göttingen, Kön. Gesellschaft der Wissenschaften und der Georg-
August-Universität: Nachrichten 1895, 1—4.
Granville, Ohio, Scientific Laboratories of Denison University:
Bull. VIII, 1 u. 2.
Graz, Naturwissenschaftlicher Verein für Steiermark: Mitteilungen
31. Heft (1894).
Graz, Verein der Ärzte in Steiermark: Mitteilungen 31. Jahrg. 1894.
Greifswald, Geographische Gesellschaft.
Greifswald, Naturwissenschaftlicher Verein für Neu-Vorpommern
und Rügen: Mitteilungen XXVII.
Harlem, Hollandsche Maatschappij der Wetenschapen: Archives
néerlandaises; XXVIII, .5; XXIX, 1—5; Huygens
oeuvres completes VI.
Harlem, Musée Teyler: Archives .2. Série Vol. IV, 3 u. 4.
Halifax, Nova Scotian Institute of Science: Proc. and Trans. I, 4.
Halle, Naturwissensch. Verein für Sachsen u. Thüringen: Zeitschrift,
Fünfte Folge, Bd. V, 6.
Halle, Naturforschende Gesellschaft: Bericht 1892.
Halle, Verein für Erdkunde.
Halle, Leopoldina: Jahrgang 1895.
Hamburg, Naturw. Verein: Verhdl. 3. Folge II u. III; Abhandl.
XIII und XIV.
Hamburg, Deutsche Seewarte: Monatsbericht 1891, 7—12;
Archiv XVII. 17. Jahresbericht; Ergebnisse XVII.
Hamburg, Naturhistorisches Museum.
Hamburg, Verein für naturw. Unterhaltung.
Hamburg, Gesellschaft für Botanik.
Hamilton, Canada, Hamilton Association: Journal and Proceed. No. XI.
Hanau, Wetterauische Gesellschaft: Bericht 1892—95.
Hannover, Naturhistorische Gesellschaft.
Hannover, Geographische Gesellschaft.
* Hannover, Deutscher Seefischereiverein: Mitteilungen 1885—94;
1895, 1—12.
Habana, Real academia de ciencias medicas, fisicas y naturales:
Anales 365—377.
Heidelberg, Naturhistorisch-medizinischer Verein.
Helsingfors, Societas pro fauna et flora fennica: Acta V, 3; IX,
X, XII; Meddelanden 19—21; Herbarium Musei fen-
nici Ed. 2, II und Sitzungsberichte I—IV.
Helsingfors, Société des sciences de Finlande: Öfversigt
XXXVI; Bidrag 54—56; Acta XX. Observations
meteorologiques 1889—90; 1893; 1894.

Hermannstadt, Siebenbürg. Verein für Naturwissenschaften:
　　Archiv 25, 2; 27, 1; Verhandl. XLIV.
Jekatherinenburg, Société Ouralienne d'amateurs des sciences
　　naturelles: Bull. XIV, 4; XV, 1.
Jena, Geogr. Gesellschaft für Thüringen: Mitteilungen 14. Band.
Innsbruck, Ferdinandeum: Zeitschrift, III. Folge, 39. Heft.
Innsbruck, Naturwissenschaftlich-medizinischer Verein.
Kansas, Kansas Academy of science.
Kassel, Verein für Naturkunde: XL. Bericht.
Kew, The Royal Gardens: Hooker's Icones Plantarum, Vol. IV,
　　Part III u. IV; Vol. V Part. I u. II.
Kiel, Naturw. Verein für Schleswig-Holstein: Schriften X, 2.
Kiew, Naturw. Verein: Abhandlungen XIII u. XIV, 1.
Klagenfurt, Naturhist. Landesmuseum für Kärnten: Jahrbuch
　　23. Heft; Seeland, Diagramme 1894.
Königsberg, Physikal.-ökonomische Gesellschaft: Schriften 35.
Kopenhagen, Kong. danske Videnskabernes Selskab: Oversigt over
　　det Forhandlingar 1894, 3 u. 1895. 1896, 1.
Kopenhagen, Botaniske Forening: Tidskrift XIX, 3; XX, 1.
Kopenhagen, Naturhistorisk Forening: Videnskabelige Meddelelser
　　1894.
Landshut in Bayern, Botanischer Verein.
La Plata, Museo de La Plata.
Lausanne, Société Vaudoise des sciences naturelles: 3. sér. XXX
　　(116—118).
Leiden, Nederlandsche Dierkundige Vereeniging: Guide zoologique
　　pour les Pays-Bas.
Leipa (Böhmen), Nordböhmischer Exkursions-Klub: Mitteil. XVIII.
Leipzig, Verein für Erdkunde: Mitteil. 1894 und wissenschaftliche
　　Veröffentlichungen II. Bd.
Leipzig, Naturforschende Gesellschaft: Sitzungsber. 19—21. Jahrg.
Leutschau, Ungar. Karpathen-Verein: Jahrbuch XXII (1895).
Linz, Verein für Naturkunde in Österreich ob der Enns: 24.
　　Jahresbericht.
Linz, Museum Francisco-Carolinum: 53. Bericht.
Lissabon, Sociedade de Geographia: Boletim 13. Serie, No. 10—12;
　　14. Serie, No. 1—10; Actas XIV.
Lissabon, Academia real das sciencias de Lisboa.
London, Linnean Society: Journ. Botany: 209 u. 210. Zoology:
　　158—160. Proc. 1893—1894. List of the Linnean
　　Society 1894—95.
London, Royal society: Proceed. 343—354.
St. Louis, Academy of science: Trans. Vol. VI, 18; VII, 1—3.
St. Louis, Missouri Botanical Garden: Annual Report 1895.
Lucca, R. Accademia Lucchese di scienze, lettere ed arti:
　　Atti XXVII u. XXVIII.
Lübeck, Geographische Gesellschaft und Naturhistorisches Museum:
　　Mitteil. Zweite Reihe Heft 7 u. 8.

Lüneburg, Naturwissenschaftlicher Verein: Jahreshefte XIII.
Lüttich, Société géologique de Belgique: Annales XXI.
Lund, Universität: Botaniska Notiser 1895.
Luxemburg, Institut royal grandducal: Publications XXIII.
Luxemburg, Société botanique.
Luxemburg, Société des Naturalistes Luxembourgeois: Fauna,
    5. Jahrgang.
Lyon, Académie des sciences, belles-lettres et arts: Mém. 3ᵉ série
    II u. III.
Lyon, Société botanique: Annales XVIII; XIX.
Madison, Wisc., Wisconsin Academy of Sciences, Arts and Letters.
Magdeburg, Naturwissenschaftlicher Verein.
Mailand, Reale Istituto lombardo di scienze e lettere: Rendiconti
    XXVI u. XXVII; Index generale.
Manchester, Literary and philosophical society: Memoirs and
    Proceed. Vol. IX. 2—6; X, 1.
Mannheim, Verein für Naturkunde.
Marburg, Gesellschaft zur Beförderung der gesamten Naturwiss.
*Marseille, Faculté des sciences: Annales 1—IV; V, 1—3.
Melbourne, Royal Society of Victoria: Proceed. Vol. VII.
Meriden, Connect., Meriden Scientific Association.
Metz, Metzer Akademie: Mém. 2. Pér., 3. Sér., XXII—XXIV.
Metz, Société d'histoire naturelle de Metz.
Mexiko, Observatorio meteorologico-magnetico central: Anuario XVI.
    Boletin mensual 1895.
Middelburg, Zeeuwsch genootschap der wetenschappen.
Milwaukee, Wisconsin Natural history Society: Annual Report
    1893—1894.
Minneapolis, Minnesota Academy of Natural Sciences: First
    Report (Zoolog. Series) 1892; Occasional Papers
    Vol. I, 1; Vol. III, 1 Palaeontology.
Montpellier, Académie des sciences et lettres: Mém. 2ᵉ série I; II, 1.
Montreal, Royal Society of Canada.
Moskau, Société impériale des naturalistes: Bulletin 1894, 4;
    1895, 1—3.
München, Bayerische botanische Gesellschaft zur Erforschung der
    heimischen Flora.
München, Königl. bayr. Akademie der Wissenschaften: Sitzungs-
    berichte 1895.
München, Geographische Gesellschaft: Festschrift zur Feier des
    25 jähr. Bestehens u. Bericht 1892 u. 1893.
Münster, Westfälischer Provinzial-Verein für Wissenschaft und
    Kunst: 22. u. 23. Jahresbericht.
Nancy, Académie de Stanislas: Mém. 5ᵉ série X—XII.
Nantes, Société des sciences naturelles de l'ouest de la France:
    Bull. Tome 3, No. 2—4; Tome 4, Tome 5, No. 1—3.
Neapel, Accademia della scienze fisiche e matematiche: Atti Vol. VII.
    Rendiconto Ser. 3, Vol. I, 1—10.; II, 1.

Neapel, Zoologische Station: Mitteilungen Band 11.
Neufchâtel, Société des sciences naturelles.
New-Haven, Connecticut, Academy of arts and sciences: Transact. IX, 2.
Newyork, New Xork Academy of sciences: Annals Vol. VIII, 5;
    VII (Index); Transactions XIII u. XIV.
Newyork, Zoological Garden.
Newyork, American Museum of Natural History: Bull. I—IV;
    Mem. I, I; Annual Report 1871 u. 72, 1874 u. 75,
    1878—94.
Nijmegen, Nederlandsche Botan. Vereeniging: Verslagen en Mede-
    deelingen 2. Serie 6, 4;
Northfield, Minn., Goodsell Observatory.
Nürnberg, Naturhistorische Gesellschaft.
Odessa, Société des naturalistes de la Nouvelle-Russie: Mém. XIX,
    1 und 2.
Offenbach, Verein für Naturkunde: 33.—36. Bericht.
Osnabrück, Naturwissenschaftlicher Verein: X. Jahresbericht.
Ottawa, Geological survey of Canada: Annual Report VI; Palaeozoic
    fossils Vol. III, Part II; Contribution Vol. II, 1.
*Ottawa, Royal Society of Canada: Proceed. Vol. XII.
Palermo, Reale Accademia di scienze, lettere e belle arti: Pel III
    Centenario della morte di Torquato Tasso.
Paris, Ecole polytechnique: Journal 63e u. 64e cahier.
Paris, Société zoologique de Franca: Bull. XX.
Passau: Naturhistorischer Verein: 16. Bericht.
Petersburg, Académie impériale des sciences: Bull. Serie I—III
    (XXXIII—XXXV) Ve Série, Tome II, 2—5; III, 1.
Petersburg, Comité géologique: Mém. X, 3; et Suppl. au T. XIV.
Petersburg, Kais. russische entomol. Gesellschaft; Horae XXIX.
Petersburg, Jardin impérial de botanique: Acta XIII, 2.
*Petersburg, Société des naturelles: Travaux Tom. XX—XXIV;
    XXV, Comptes rendus 1895, No. 1—4.
Philadelphia, Academy of Natural sciences: Proceed. 1894 Part II
    u. III; 1895 Part I. u. II.
Philadelphia, Americ. philos. Society: Proceed. 143 u. 146, 147.
Philadelphia, Wagner free institute of science: Transact. Vol.
    3, Part III.
*Portland (Maine), Portland Society of Natural history: Proc.
    Vol. H, Part. 3,
Prag, K. böhm. Gesellschaft der Wissenschaften: Jahresbericht und
    Sitzungsberichte 1894.
Prag, Naturwiss. Verein Lotos: Jahrbuch XV (43).
Prefsburg, Verein für Natur- und Heilkunde: Verhandlungen
    VIII. Heft.
Regensburg, Naturwiss. Verein.
Reichenberg, i. Böhmen, Verein der Naturfreunde: Mitteiluugen,
    26. Jahrgang.

Riga, Naturforscher-Verein: Festschrift in Anlafs des 50jähr. Bestehens; Korrespondenzblatt XXXVIII.

Rio de Janeiro, Observatorio: Annuario X. (1894) u. XI (1895).

La Rochelle, Académie: Annales No. 29 u. 30.

Rochester, N. Y., Rochester Academy of Science: Proceed. Vol. II, 3 u. 4.

Rom, R. Comitato geologico d'Italia: Boll. XXVI. (1895).

Rom, R. Accademia dei Lincei: Rendiconti, 2. Sem. Vol. IV, 4—12; V, 1—4.

Rom, Scienze geologiche in Italia.

Rostock i. Meckl., Verein der Freunde der Naturwissenschaft in Mecklenburg: Archiv 48. Jahrg. I. u. II. Abteilung.

Rouen, Société des amis des sciences naturelles: Bull. XXVIII; XXIX; XXX.

Salem, Mass., American Association for the advancement of science: Proc. XLII u. XLIII.

Salem, Mass., Essex Institute.

San Francisco, California Academy of Sciences: Proc. Vol. IV, 1 u. 2.

Santiago de Chile, Deutscher wissenschaftlicher Verein: Verh. III. 1 u 2.

Santiago de Chile, Société scientifique: Actes IV, 5.

San José (Republica de Costa Rica), Museo nacional.

Schaffhausen, Schweiz. entomol. Gesellsch.: Mitt. IX, 5 u. 6.

Schneeberg, Wissenschaftlicher Verein.

Sidney, Royal Society of New-South-Wales: Journal and Proceed. XXVIII (1894).

Sidney, Linnean Society of New-South-Wales: Proceed. Vol. X, 2—4.

Sidney, Australasian Association for the Advancement of Science.

Sion, Société Murithienne: Bulletin des travaux XXI u. XXII.

Stavanger, Museum: Aarsberetning 1894.

Stettin, Verein für Erdkunde.

Stockholm, Kongl. Svenska Vetenskaps Akademiens: Handlingar 26; Bihang Vol. 20; Öfversigt 51; Accessions-Katalog 9 (1894); Hj. Théel, Om Sveriges zoologiska hafs-station Kristineberg.

Stockholm, Entomologiska Föreningen: Entomol. Tidskrift Arg. 16.

Strafsburg, Gesellschaft zur Förderung der Wissenschaften, des Ackerbaues und der Künste im Unter-Elsafs: Monats-bericht XXIX; XXX, 1—2.

Strafsburg, Meteorologischer Landesdienst in Elsafs-Lothringen: Ergebnisse 1893.

Stuttgart, Württembergischer Verein für Handelsgeographie.

Stuttgart, Verein für vaterländische Naturkunde in Württemberg: Jahresheft 51.

Thorn, Coppernicusverein für Wissenschaft und Kunst: 36.—41. Jahresbericht u. Engel, Die mittelalterlichen Siegel des Thorner Rathsarchivs II.

Tokio, Deutsche Gesellschaft für Natur- und Völkerkunde Ostasiens:
Mitteilungen 55 — 57. Heft u. Suppl. II zu Bd. VI.
Toronto, Canadian Institute.
Trencsin, Naturwiss. Verein des Trencsiner Comitates: XVII—XVIII.
Jahresbericht.
Trenton, New Jersey, Trenton natural history society.
Triest, Societa Adriatica di Scienze naturali.
Triest, Museo civico di storia naturale: Atti IX.
Tromsö, Museum.
Turin, Museo di Zoologia ed Anatomia comparata della R. Universita:
Boll. X, No. 179—220; XI, 221—226.
Upsala, Société royale des sciences: Nova Acta XV. Fasc. II.
Utrecht, Provinzialgesellschaft für Kunst und Wissenschaft: Verslag
1894; Aanteekeningen 1894.
Utrecht, Kon. Nederl. Meteorolog. Institut: Jaarboek 1893.
Venedig, R. Istituto veneto di science, lettere ed arti: Memorie
XXV, 1—3.
Verona, Accademia d'agricoltura, arti e commercio: Memorie LXX, 1
u. LXXI, 1 u. 2.
Washington, Smithsonian Institution: Annual Report 1891 und
1892; Bull. No. 43—46.
Washington, National Academy of sciences.
Washington, U. S. Geological survey: Mineral Resources 1892;
Bulletins 118—122; Monographs XXIII and XXIV;
Annual Report 1892—93.
*Washington, National Museum: Annual Report 1892; Proc.
Vol. 5—9; XVI; Bulletin No. 17—32.
Weimar, Botan. Verein für Gesamt-Thüringen.
Wellington, New Zealand Institute: Transactions and Proceed. XXVII.
Wernigerode, Naturwissenschaftlicher Verein des Harzes: Schriften
9. u. 10. Jahrgang.
Wien, K. K. geol. Reichsanstalt: Jahrbuch XLIV, 2—4; XLV, 1
u. Verh. 1895, 1—10.
Wien, K. K. naturhistorisches Hofmuseum: Annalen X, 1—2.
Wien, K. K. zool. bot. Gesellschaft: Verhandl. XLV, 2—10; XLVI, 1.
Wien, Verein für Landeskunde von Niederösterreich: Blätter XXVIII;
Urkundenbuch II, 7—14.
Wien, K. K. Akademie der Wissenschaften: Sitzungsberichte 1894:
I, 4—10; II a, 6—10; II b, 4—10; III, 5—10.
Wien, Verein zur Verbreitung naturwissenschaftlicher Kenntnisse:
Schriften XXXV.
Wien, Wiener entomologischer Verein: V. Jahresbericht.
Wiesbaden, Verein für Naturkunde in Nassau: Jahrbücher 48.
Würzburg, Physikalisch-medizinischeGesellschaft: Verhandlgn. XXVIII.
u. Sitzgsber. 1894.
Zürich, Naturforschende Gesellschaft: Vierteljahrsschrift XL, Neu-
jahrsblatt 1896.
Zwickau, Verein für Naturkunde: Jahresbericht 1894.

Ferner erhielten wir im Tausch aus :
Klausenburg, Ungar. bot. Zeitschrift XIII.
Bistritz, Gewerbeschule: XIX. Jahresbericht.
Toulouse, Revue mycologique : No. 66, 67, 68, 69.
und versandten die Abhandlungen an:
Laboratoire de zoologie in Villefranche-sur-mer, die
Universität Straſsburg, die Lese- und Redehalle der
deutschen Studenten in Prag und die biologische
Station auf Helgoland.

Auſserdem erhielten die Abhandlungen auf Grund des Beschlusses vom 12. Sept. 1887 folgende höhere Schulen Nordwestdeutschlands :

Aurich, Gymnasium.
„ Lehrerseminar.
Bederkesa, Lehrerseminar.
Brake, Höhere Bürgerschule.
Bremerhaven, Gymnasium.
Bremervörde : Ackerbauschule.
Bückeburg, Gymnasium.
Buxtehude, Realprogymnasium.
Celle, Realgymnasium.
Cuxhaven, Realschule.
Diepholz, Präparandenanstalt.
Elsfleth, Höhere Bürgerschule.
Emden, Gymnasium.
Geestemünde, HöhereBürgerschule.
Harburg a. E., Realgymnasium.
Leer, Gymnasium.
Lingen, Gymnasium.
Lüneburg, Lehrerseminar.

Meppen, Gymnasium.
Nienburg, Realprogymnasium.
Norden, Gymnasium.
Oldenburg, Gymnasium.
„ Oberrealschule.
„ Lehrerseminar.
„ Stadtknabenschule.
Otterndorf, Realprogymnasium.
Papenburg, Realprogymnasium.
Quakenbrück, Realprogymnasium.
Stade, Gymnasium.
„ Lehrerseminar.
Varel, Realprogymnasium.
Vechta, Lehrerseminar.
Vegesack, Oberrealschule.
Verden, Gymnasium.
„ Lehrerseminar.
Wilhelmshaven, Gymnasium.

Auszug aus der Jahresrechnung des Vereines.

I. Naturwissenschaftlicher Verein,
gegründet 1864.

Einnahmen.

I. 286 hiesige Mitglieder .... ℳ. 2 860,—
    41 neue hiesige Mitglieder .... „ 264,—
    124 auswärtige Mitglieder.................. „ 379,15
    12 neue auswärtige Mitglieder............. „ 36,—
                                                                ℳ. 3 539,15
II. Zinsen aus dem Vereinsvermögen...................... „ 1 870,35
III. Verkauf von Schriften . ... „ 4,90
IV. Geschenke und Legate :
    Geschenk im Sinne eines Verstorbenen von
        dessen Erben............... ....ℳ. 3 000,—
    Legat aus dem Nachlafs der seligen Frau
        Witwe C. H. Wolde .... „ 5 000,—
                                                                „ 8 000,—
V. Rückzahlung à conto Vorschusses an die Rutenberg-Stiftung,
        III. Rate für Walfisch- und Riesenhirsch-Skelette ...... „ 500,—
VI. Aus den Stiftungen überwiesene Beträge :
    a) Kindt-Stiftung : für die Stadtbibliothek ℳ. 253,90
    c) Rutenberg-Stiftung :
        für Städt. Museum..........ℳ. 375,—
        für die Stadtbibliothek....... „ 346,05
                                                                „ 721,05
                                                                „ 974,95
                                                                ℳ. 14 889,35

Ausgaben.

I. Städtisches Museum :
    Anschaffungen .... ℳ. 135,55
    Aufstellung d. Konchylien-Samml. „ 375,—
                                                                ℳ. 510,55
II. Stadtbibliothek................. ℳ. 2 528,17
    (aus der Kindt-Stiftung)....... „ 253,90
    („ „ Rutenberg-Stiftung)... „ 346,05
                                                                „ 3 128,12
III. Abhandlungen, andere Schriften u. Jahresbericht „ 2 614,69
IV. Andere wissenschaftliche Zwecke............ „ 1 143,60
V. Verschiedenes :
    Miete des Conventsaales....... ℳ. 400,—
    Inserate, Porti u. Diverses..... „ 882,67
                                                                „ 1 282,67
                                                                „ 8 679,63

Mehreinnahme (Vermehrung des Kapitals)................ ℳ. 6 209,72

Kapital am 31. März 1895............................. ℳ. 43 055,75

Kapital am 31. März 1896............................. ℳ. 49 265,47

II. Kindt-Stiftung,

gegründet am 28. März 1872 durch Herrn A. von Kapff.

Einnahmen.

Zinsen .... ℳ. 451,50

Ausgaben.

Dem Naturwiss. Verein überwiesen
II. Stadtbibliothek .... ℳ. 253,90
Vermehrung des Kapitals .... ℳ. 197,60
Kapital am 31. März 1895 .... ℳ. 12 932,10
Kapital am 31. März 1896 .... ℳ. 13 129,70

III. Frühling-Stiftung,

gegründet am 2. Dezember 1872 durch Frau Charlotte Frühling, geb. Göschen.

Einnahmen.

Zinsen (Vermehrung des Kapitals) .... ℳ. 991,—
Kapital am 31. März 1895 .... ℳ. 28 333,80
Kapital am 31. März 1896 .... ℳ. 29 324,80

IV. Christian Rutenberg-Stiftung,

gegründet am 8. Februar 1886 durch Herrn L. Rutenberg.

Einnahmen.

Zinsen .... ℳ. 2 184,—

Ausgaben.

Vom Stifter bestimmte Verwendung .... ℳ. 800,80
Dem Naturwiss. Verein überwiesen für:
I. Städt. Museum .... „ 375,—
II. Stadtbibliothek: Bücher .... „ 346,05
                                     „ 721,05
III. Rückzahlung an den Naturwiss. Verein à Conto
dessen Vorschusses; III. Rate für Beitrag zu
dem Walfisch- und Riesenhirsch-Skelette .... ℳ. 500,—
                                     „ 2 021,85
Vermehrung des Kapitals .... ℳ. 162,15
Kapital am 31. März 1895 .... ℳ. 55 242,26
Kapital am 31. März 1896 .... ℳ. 55 404,41

Der Rechnungsführer:

C. H. Dreier.

Druck von Carl Schünemann. Bremen.

Tabelle I.

1 cbm Wasser in der Unterweser enthielt bei gewöhnlichem Hochwasser (Flut)

während der wärmeren Jahreszeit

(25. Februar 1888 bis 15. September 1888, 1. Juni 1889 bis 12. October 1889, 22. März 1890 bis 4. October 1890, 11. April 1891 bis 6. Juni 1891)

an den angegebenen Schöpfstellen folgende Mengen der näher bezeichneten Bestandtheile, in Gramm ausgedrückt, in Lösung:

	I Bremerhaven Maxim.	I Minim.	I Durchschnitt	II Nordenham Maxim.	II Minim.	II Durchschnitt	IIa Kreise n. d. Laneplate Maxim.	IIa Minim.	IIa Durchschnitt	III Eljerwarden Maxim.	III Minim.	III Durchschnitt	IV Sandstedt Maxim.	IV Minim.	IV Durchschnitt	V Käseburg Maxim.	V Minim.	V Durchschnitt	VI Rekum Maxim.	VI Minim.	VI Durchschnitt
Gelöste Stoffe überhaupt (Trockenrückstand)	12943.000	5986.000	8561.300	6146.300	1173.000	3387.500	2434.800	677.000	1368.300	643.100	330.500	499.050	353.900	254.750	307.930	251.900	268.800	263.800	335.300	258.000	291.000
Gelöste, mineralische, nichtflüchtige Stoffe (Glührückstand)																					
In Glühhitze flüchtige Stoffe																					
Gebundene Kohlensäure, CO_2	12.810	3.500	7.790																		
Kieselsäure, SiO_2	9.750	1.350	2.940																		
Eisenoxyd, Fe_2O_3	900.000	144.300	175.930																		
Kalk, CaO	530.550	385.880	413.080																		
Magnesia, MgO	566.120	317.310	454.430																		
Schwefelsäure, SO_3	3114.500																				
Chlor, Cl	5586.500	3972.150	5157.050																		
Alkalien, als Chloride berechnet, KCl, NaCl	168.390	73.050	143.550																		
Kali, K_2O	181.900	166.500	173.900																		
Kohlenstoff der organischen Substanz, C	5.446	3.815	4.415	6.744	6.680	6.717	6.851	6.628	6.740	5.631	6.353	5.555	6.680			6.279					

(15. September 1888 bis 25. Mai 1889, 19. October 1889 bis 15. März 1890, 11. October 1890 bis 4. April 1891)

während der kälteren Jahreszeit

	I Bremerhaven Maxim.	I Minim.	I Durchschnitt	II Nordenham Maxim.	II Minim.	II Durchschnitt	IIa Kreise n. d. Laneplate Maxim.	IIa Minim.	IIa Durchschnitt	III Eljerwarden Maxim.	III Minim.	III Durchschnitt	IV Sandstedt Maxim.	IV Minim.	IV Durchschnitt	V Käseburg Maxim.	V Minim.	V Durchschnitt	VI Rekum Maxim.	VI Minim.	VI Durchschnitt
Gelöste Stoffe überhaupt (Trockenrückstand)	7252.300	6300.000	6774.500	3057.800	1679.500	1843.900	706.900	461.600	589.990	297.500	309.900	365.360	945.800	251.900	968.800	835.300	390.660	371.300			
Kohlenstoff der organischen Substanz, C	5.314	3.815																			